Ancona

Pescara

L'Aquila

MA
ROME)
ROME
ET LE LATIUM

Campobasso

Foggia

Bari

ITALIE
DU
SUD

Napoli
(Naples)
Salerno

Potenza

Taranto

Catanzaro

Messina

Reggio di
Calabria

Palermo

Catania

Agrigento

D1132167

GUIDES ✪ VOIR

ITALIE

GUIDES 👁 VOIR

ITALIE

Libre 🔥 Expression

Une compagnie de Quebecor Media

RETIRÉ DE LA ... UNIVERSELLE
Bibliothèque et Archives nationales du Québec

Libre Expression

Une compagnie de Quebecor Media

DIRECTION
Nathalie Pujo

DIRECTION ÉDITORIALE
Cécile Petiau

RESPONSABLE DE COLLECTION
Catherine Laussucq

ÉDITION
Émilie Lézénès et Adam Stambul

TRADUIT ET ADAPTÉ DE L'ANGLAIS PAR
Dominique Brotot et Catherine Pierre-Bon
avec la collaboration de Ghislaine Ouvrard

MISE EN PAGES (PAO)
Anne-Marie Le Fur

CRÉATION GRAPHIQUE COUVERTURE
Laurent Muller

CE GUIDE VOIR A ÉTÉ ÉTABLI PAR
Ros Belford, Susie Boulton, Christopher Catling, Sam Cole,
Paul Duncan, Olivia Ercoli, Andrew Gumbel,
Tim Jepson, Ferdie McDonald, Jane Shaw

Publié pour la première fois en Grande-Bretagne en 1996,
sous le titre : *Eyewitness Travel Guides : Italy*
© Dorling Kindersley Ltd, Londres 2010
© Hachette Livre (Hachette Tourisme) 2010
pour la traduction et l'édition française.
Cartographie © Dorling Kindersley 2010.

© Éditions Libre Expression, 2010
pour l'édition française au Canada

Tous droits de traduction, d'adaptation
et de reproduction réservés pour tous pays.
La marque Voir est une marque déposée.

Aussi soigneusement qu'il ait été établi, ce guide
n'est pas à l'abri des changements de dernière heure.
Faites-nous part de vos remarques, informez-nous de vos
découvertes personnelles : nous accordons la plus grande
attention au courrier de nos lecteurs.

IMPRIMÉ ET RELIÉ EN CHINE PAR
SOUTH CHINA PRINTING COMPANY

Les Éditions Libre Expression
Groupe Librex inc.
Une compagnie de Quebecor Media
La Tourelle
1055, boul. René-Lévesque Est, Bureau 800
Montréal (Québec) H2L 4S5
www.edlibreexpression.com

DÉPÔT LÉGAL : Bibliothèque et Archives nationales du Québec
et Bibliothèque et Archives Canada, 2010

ISBN 978-2-7648-0387-5

SOMMAIRE

David par le Bernin, Rome

PRÉSENTATION DE L'ITALIE

ITALIE DU NORD-EST

ITALIE DU NORD-OUEST

◁ **Fertile campagne viticole aux environs de Panzano in Chianti en Toscane**

Gondoles sur un canal vénitien

Petit magasin traditionnel à
Volterra en Toscane

La basilique San Francesco entreprise en 1228 à Assise

COMMENT UTILISER CE GUIDE

Ce guide a pour but de vous aider à profiter au mieux de votre séjour en Italie. L'introduction, *Présentation de l'Italie*, situe le pays dans son contexte géographique et historique. Dans les quinze chapitres consacrés aux provinces italiennes, ainsi que dans ceux décrivant *Rome*, *Florence* et *Venise*, plans, textes et illustrations présentent en détail tous les principaux sites et monuments. Les *Bonnes adresses* vous fourniront des informations sur les hôtels et les restaurants, et les *Renseignements pratiques* des conseils utiles dans tous les domaines de la vie quotidienne.

ROME
Nous avons divisé le centre de Rome en cinq quartiers. À chacun correspond un chapitre qui débute par une description générale et une liste des monuments présentés. Des numéros situent clairement ces monuments sur un plan. Ils correspondent à l'ordre dans lequel ils sont décrits en détail dans le corps du chapitre.

Un repère rouge signale toutes les pages concernant Rome.

Une carte de localisation indique la situation du quartier dans la ville.

1 Plan général du quartier
Un numéro indique sur ce plan les monuments et sites de chaque quartier. Ils apparaissent également sur les plans de l'Atlas des rues, pages 447-457.

Le quartier d'un coup d'œil donne une liste par catégories des centres d'intérêt : églises, musées, rues, places et édifices.

2 Plan du quartier pas à pas
Il offre une vue aérienne détaillée du quartier.

Le meilleur itinéraire de promenade apparaît en rouge.

Des étoiles signalent les sites à ne pas manquer.

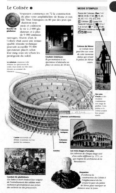

3 Renseignements détaillés
Les sites et les monuments sont décrits un par un. Les adresses, heures d'ouverture ou accès en fauteuil roulant sont fournis. La légende des symboles se trouve sur le dernier rabat de couverture.

1 Introduction
Elle décrit les paysages et la personnalité de chacune des régions du guide en montrant l'empreinte de l'histoire, et présente ses principaux attraits touristiques.

L'ITALIE RÉGION PAR RÉGION

Nous avons divisé l'Italie (hors Rome, Florence et Venise) en quinze régions, qui font chacune l'objet d'un chapitre séparé. Sur la *Carte touristique*, un numéro indique les localités et sites les plus intéressants.

Un repère de couleur correspond à chaque région. Le premier rabat de couverture en donne la liste complète.

2 Carte touristique
Cette vue d'ensemble présente la région et son réseau routier. Les sites principaux sont répertoriés et numérotés. Des conseils pour visiter la région en voiture, en car ou en train sont fournis.

3 Renseignements détaillés
Les localités et sites importants sont décrits un par un, dans l'ordre de la numérotation de la Carte touristique. Les notices présentent en détail ce qu'il y a d'intéressant à visiter dans chaque région.

Des encadrés approfondissent certains sujets.

Le Mode d'emploi vous aide à organiser votre visite.

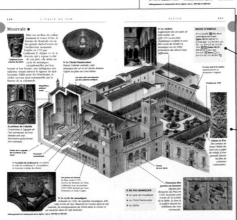

4 Principaux sites
Deux pleines pages, ou plus, leur sont réservées. La représentation en coupe des édifices historiques en dévoile l'intérieur. Les plans des musées, par étage, vous aident à localiser les œuvres les plus intéressantes.

PRÉSENTATION DE L'ITALIE

DÉCOUVRIR L'ITALIE

L'Italie est un pays enchanteur qui permet à tous les visiteurs de découvrir une extraordinaire palette de régions et de vivre de riches expériences. Sur plus de 1 000 km du nord au sud, elle s'étend des Alpes et de la plaine industrialisée du

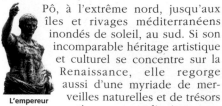

L'empereur Auguste, à Turin

Pô, à l'extrême nord, jusqu'aux îles et rivages méditerranéens inondés de soleil, au sud. Si son incomparable héritage artistique et culturel se concentre sur la Renaissance, elle regorge aussi d'une myriade de merveilles naturelles et de trésors artisanaux et culinaires.

VENISE

- **Piazza San Marco**
- **Marché de produits frais du Rialto**
- **Promenades en gondole**

Venise est une ville enchanteresse, mais le visiteur doit savoir qu'elle est aussi humide, brumeuse et chère. De plus, elle ne connaît guère de basse saison, aussi ses principaux sites, tels que la **Piazza San Marco** (*p. 108-109*) ou le pont du **Rialto**, ainsi que ses marchés (*p. 97*) et ses divers musées et galeries d'art, sont parfois envahis par la foule. Son dédale de ruelles peu fréquenté vous permettra de découvrir, au hasard d'une balade, des églises ornées de splendides œuvres d'art. Au départ du **Grand Canal** (*p. 88-91*), les vaporetti font le tour de la ville et relient les îles isolées de la lagune,

Statue de nymphée, en Vénétie

telles que **Murano** et **Burano** (*p. 121*). Pour découvrir les ruelles secrètes et les paisibles canaux, rien ne vaut un tour en gondole.

VÉNÉTIE ET FRIOUL

- **Vérone**
- **Cappella degli Scrovegni de Padoue**
- **Ruines d'Aquileia**

Si vous sillonnez les collines couvertes de vignes du nord-est de l'Italie, vous découvrirez de superbes villas, des villes charmantes… et des vins de grande qualité. Les villes animées de la Vénétie sont des lieux de visite incontournables : **Vérone** (*p. 142-147*), où se déroula la tragique histoire de Roméo et Juliette, et Padoue, avec son impressionnante **Cappella degli Scrovegni** (*p. 156-157*). Plus à l'est, on trouve le Frioul, plus dépouillé, et les ruines mélancoliques de

Les collines couvertes de vignes de la campagne vénétienne

l'ancienne cité romaine d'**Aquileia** (*p. 164*), entièrement rasée par le célèbre Attila le Hun en 452. Enfin, ne manquez pas la ravissante **Cividale di Friuli** (*p. 163*) située sur les contreforts des magnifiques Alpes juliennes.

TRENTIN-HAUT-ADIGE

- **Skier dans les Dolomites**
- **Châteaux médiévaux**
- **« L'homme des glaces » de Bolzano**

Ces anciennes terres autrichiennes mêlent harmonieusement la culture pastorale alpine traditionnelle et l'héritage germanique. De vieilles fermes en bois, ainsi que des châteaux et monastères médiévaux ornent les versants des imposantes **Dolomites** (*p. 82-83*), offrant un contraste frappant avec les complexes modernes qui accueillent en hiver une foule de skieurs. L'été, amoureux de la nature et alpinistes traversent les vergers et les prairies fleuries

Santa Maria della Salute sur les rives du Grand Canal, à Venise

◁ Richement décorés, le Duomo et son campanile (xvᵉ siècle) dominent les toits de Florence

Pompéi (*p. 494-495*), dévastée par le puissant volcan du Vésuve en 79, est fascinante. Nombre de ses vestiges sont rassemblés dans le **Museo Archeologico Nazionale** (*p. 490-491*) de Naples.

Des ferries desservent l'île légendaire de **Capri** (*p. 498-499*), chérie des Romains, permettant d'admirer les formations de pierre calcaire et les grottes marines.

Dernier site incontournable : l'extraordinaire **côte d'Amalfi** (*p. 497*), avec ses collines en terrasses plantées de citronniers odorants, ses baies et ses plages.

Les étranges *trulli* d'Alberobello, dans les Pouilles

ABRUZZES, MOLISE ET POUILLES

- Plages de Gargano
- *Trulli* d'Alberobello
- Parco Nazionale d'Abruzzo

Ces régions méridionales regorgent de trésors : plages de la **péninsule de Gargano** (*p. 508*), trulli (maisonnettes blanchies à la chaux) d'**Alberobello** (*p. 511*), monuments antiques de **Trani** (*p. 509*), villes de **L'Aquila** (*p. 504*) et **Lecce** (*p. 512-513*), célèbre pour son architecture baroque. Les étendues sauvages du Gran Sasso, dans le **Parco Nazionale d'Abruzzo** (*p. 506-507*), sont appréciées pour les randonnées de haute altitude. Une tradition pastorale séculaire persiste toujours dans le village montagneux de **Scanno** (*p 505*).

Temple de la Concorde dans la vallée des temples, en Sicile

BASILICATE ET CALABRE

- « Ville de pierre » de Matera
- Statues de bronze de Riace
- Villages de pêcheurs

L'extrême sud de l'Italie attire peu de visiteurs. On y trouve pourtant quelques villes qui méritent le détour, à commencer par **Matera** (*p. 518-519*), classée au patrimoine mondial de l'UNESCO pour ses habitations troglodytiques, bâties au fil des siècles.

À **Reggio di Calabria** (*p. 521*), sur le détroit de Messine, on admirera deux imposantes statues du Ve siècle av. J.-C., connues sous le nom de bronzes de Riace. Plus bas sur la côte, le coquet village de pêcheurs de **Tropea** (*p. 520*) offre des vues splendides et d'agréables plages.

SICILE

- Volcans en activité
- Cefalù, la très charmante
- Ruines grecques monumentales

La Sicile recèle de superbes paysages. L'imposant **Mont Etna** (*p. 539*) domine. L'intérieur montagneux permet de belles randonnées. Des plages spectaculaires attirent les amateurs de soleil. Les visiteurs seront enchantés par les merveilles byzantines de la **cathédrale de Monreale** (*p. 530-531*), par **Cefalù** (*p. 535*), ou encore par les ruines grecques classiques de **Taormine** (*p. 538*), **Selinunte** (*p. 534*) et **Agrigento** (*p. 535*).

SARDAIGNE

- Île de la jet-set
- Nuraghi préhistorique
- Charmante Alghero

La Sardaigne est une île de contrastes. Une eau turquoise baigne la somptueuse **Costa Smeralda** (*p. 548*) et des yachts accostent dans ses baies. **Cala Gonone** (*p. 550*) est un peu plus paisible, et **Alghero** (*p. 548*), sur la côte occidentale, arbore un parfum nettement hispanique. L'intérieur sauvage et rocailleux est parsemé d'énigmatiques **nuraghi** (*p. 549*)

Les splendides eaux turquoise de la Costa Smeralda, en Sardaigne

La péninsule italienne

La célèbre botte italienne s'enfonce de plus de 1 000 kilomètres dans la Méditerranée. De Gênes à la Sicile, la chaîne des Apennins sépare ses deux littoraux, tandis qu'au nord, les Alpes l'isolent du reste de l'Europe et dominent sa plus grande plaine, celle du Pô. D'une superficie de 301 268 km² (Sicile et Sardaigne inclus), le pays compte 58 millions d'habitants.

Vue aérienne de Venise et de son Grand Canal

Image satellite de l'Europe du Sud et la Méditerranée

LÉGENDE

Autoroute	
Route principale	
Liaison par ferry	
Frontière	

0 ————————— 200 km

Italie du Nord

Des liaisons aériennes régulières relient les principales villes d'Europe à Milan, Turin, Florence, Bologne, Pise, Vérone et Venise. En voiture depuis la France, le seul itinéraire qui n'emprunte pas de cols ou de tunnels de montagne longe le littoral entre Nice et Vintimille. C'est dans la plaine du Pô et le long des deux côtes que les réseaux ferroviaire et autoroutier sont les plus performants. Circuler se révèle plus difficile dans les Apennins.

Florence par la route
Autoroutes et routes à deux voies relient Florence à Pise à l'ouest, à Rome et Sienne au sud, et à Bologne au nord.

FIRENZE (FLORENCE) ET SES ENVIRONS

LÉGENDE

Embarcadère de ferriy
Aéroport
FS Gare principale
Frontière internationale
Frontière régionale
Autoroute
Route principale
Voie ferrée

0   4 km

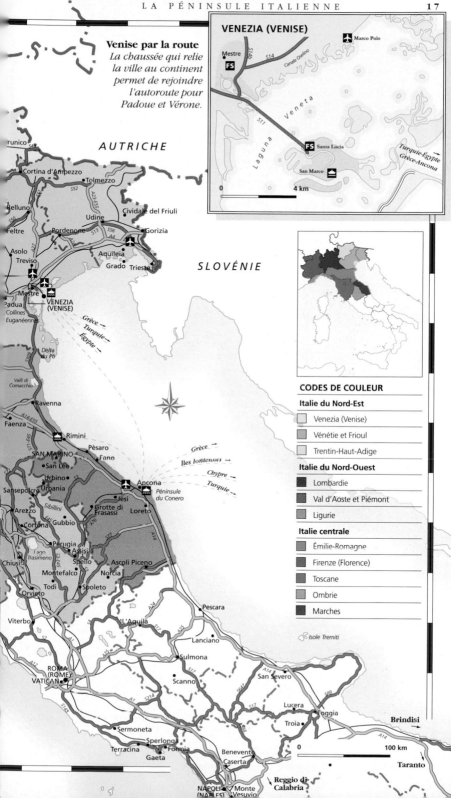

Venise par la route
La chaussée qui relie la ville au continent permet de rejoindre l'autoroute pour Padoue et Vérone.

VENEZIA (VENISE)

Marco Polo

Mestre
FS
Canale Osellino
S14
Mestre
S11
Laguna Veneta
FS Santa Lucia
San Marco
Turquie-Égypte
Grèce-Ancona

0   4 km

AUTRICHE

Brunico
Cortina d'Ampezzo
Tolmezzo
Belluno
Udine
Cividale del Friuli
Feltre
Pordenone
Gorizia
Asolo
Treviso
Aquileia
Grado
Trieste
Mestre
Padua
VENEZIA (VENISE)
Collines Euganéennes
Delta du Pô

SLOVÉNIE

Grèce
Turquie
Égypte

Valli di Comacchio
Ravenna
Faenza
Rimini
Pèsaro
Fano
SAN MARINO
San Leo
Urbino
Sansepolcro
Urbania
Arezzo
Sibillini
Jesi
Grotte di Frasassi
Loreto
Cortona
Gubbio
Perugia
Lago Trasimeno
Assisi
Chiusi
Spello
Montefalco
Norcia
Todi
Spoleto
Orvieto
Viterbo
Ancona
Péninsule du Conero

Grèce
Iles Ioniennes →
Chypre →
Turquie →

Pescara
L'Aquila
Lanciano
Sulmona
Scanno
San Severo
ROMA (ROME)
VATICAN
Isole Tremiti
Lucera
Troia
Foggia
BRINDISI
Sermoneta
Sperlonga
Formia
Terracina
Gaeta
Benevento
Caserta
NAPOLI (NAPLES)
Monte Vesuvio
Reggio di Calabria
Taranto
Ascoli Piceno

0   100 km

CODES DE COULEUR

Italie du Nord-Est

Venezia (Venise)

Vénétie et Frioul

Trentin-Haut-Adige

Italie du Nord-Ouest

Lombardie

Val d'Aoste et Piémont

Ligurie

Italie centrale

Émilie-Romagne

Firenze (Florence)

Toscane

Ombrie

Marches

Italie du Sud

Rome, Naples et Palerme possèdent
des aéroports internationaux. Des
autoroutes longent les côtes adriatique
et tyrrhénienne et franchissent les
Apennins pour relier Rome à Pescara
et Naples à Bari. Mais à l'intérieur
des terres, notamment en Sicile et
en Sardaigne, le réseau routier
n'est pas aussi bon que dans le
Nord. Le train dessert toutes les
grandes villes du littoral.

Sicile et Sardaigne

*Des ferries desservent la
Sicile au départ de Naples,
Villa San Giovanni et
Reggio di Calabria. Depuis
l'île, il est possible de
poursuivre son voyage vers
Malte et la Tunisie. Des
liaisons régulières au
départ de nombreux ports,
notamment Civitavecchia,
Gênes et Livourne,
permettent de se rendre
en Sardaigne.*

LÉGENDE

⛴	Embarcadère de ferry
✈	Aéroport
▪ ▪	Frontière internationale
– –	Frontière régionale
▬▬	Autoroute
▬▬	Route principale
—	Voie ferrée

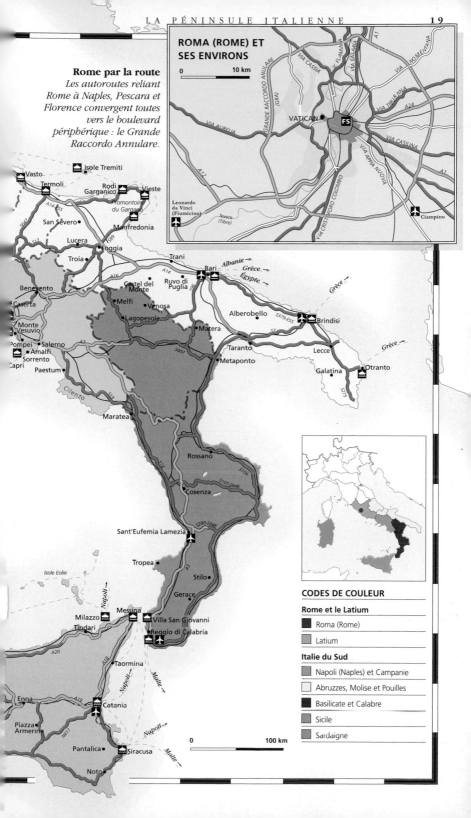

ROMA (ROME) ET SES ENVIRONS

0   10 km

Rome par la route

Les autoroutes reliant Rome à Naples, Pescara et Florence convergent toutes vers le boulevard périphérique : le Grande Raccordo Annulare.

CODES DE COULEUR

Rome et le Latium

- Roma (Rome)
- Latium

Italie du Sud

- Napoli (Naples) et Campanie
- Abruzzes, Molise et Pouilles
- Basilicate et Calabre
- Sicile
- Sardaigne

UNE IMAGE DE L'ITALIE

Aujourd'hui sixième puissance économique mondiale, un rang inimaginable à la fin de la Seconde Guerre mondiale, l'Italie a su entrer de plein pied dans l'époque moderne sans que ses habitants perdent leur fantaisie, leur amour de la beauté ou leur attachement aux traditions. Le pays a ainsi préservé les trésors de son passé : vestiges classiques, chefs-d'œuvre Renaissance et centres-ville à l'architecture vieille de plusieurs siècles.

Malgré une histoire millénaire, l'Italie est un jeune État : l'achèvement de son unification ne date que de 1870. Divisées en 95 provinces, ses 20 régions conservent une large autonomie, reflet de la diversité des dialectes, des architectures et traditions culinaires d'un pays qui s'étend sur 1 300 km, des neiges des Alpes à la latitude de Tunis. Aucune ville n'y possède, comme Paris en France, d'hégémonie. Alors que Rome est la capitale politique, le moteur économique se trouve dans la vallée du Pô autour de Milan, tandis que Flo-

Un mariage en Ferrari

rence ou Venise gardent un rôle culturel de premier plan. Aux simples particularismes locaux s'ajoute cependant une profonde division qui conduit certains à parler de deux Italies : le Nord, riche et industrialisé, et le Sud, ou *Mezzogiorno*, comparativement sous-développé. La frontière entre les deux se situe entre Rome et Naples et, plus que la géographie ou le climat, c'est l'histoire qui est à l'origine de leurs différences. Alors qu'au Nord, dès la fin du Moyen Âge, les rivalités entre le pape, la France et l'Empire permettaient aux

Villa et cyprès sur une colline toscane

◁ Trois cadrans solaires ornent la façade du palazzo del Governatore sur la piazza Garibaldi de Parme

cités de développer leur autonomie et leur économie, le Sud, dominé par des souverains étrangers, restait dans un système féodal.

Les différences s'accrurent à la fin du XIXᵉ siècle après l'unification, le jeune Royaume d'Italie préférant consacrer ses forces à l'industrialisation des villes les plus dynamiques et les plus proches

Conversation au Palazzo Farnese

du reste de l'Europe. Malgré la création en 1950 d'une Caisse pour le Midi qui permit l'engagement de grands travaux, le chômage reste nettement plus élevé au Sud, et c'est de Calabre ou de Sicile que sont parties les grandes vagues migratoires vers les États-Unis ou la France. Très surprenant dans un pays où la tolérance fait partie de l'art de vivre, un véritable antagonisme, avivé par le détournement des subventions par les maffias du *Mezzogiorno*, a grandi entre Italiens du Sud et du Nord. Il est à l'origine des succès électoraux de la Ligue du Nord qui prône la transformation de l'État en fédération.

VIE SOCIALE ET POLITIQUE

Écrite tout de suite après la guerre, la constitution italienne avait pour priorité d'éviter qu'une prise de pouvoir autoritaire comme celle de Mussolini puisse se reproduire. Elle limite donc grandement les prérogatives du pouvoir exécutif. Depuis 1970, le gouvernement partage de surcroît le pouvoir politique et législatif avec les conseils des 20 régions dont 5, la Sicile, la Sardaigne, le Trentin-Haut-Adige, le Val d'Aoste et le Frioul-Vénétie julienne, possèdent un statut d'autonomie renforcée.

Cette faiblesse de l'État se manifeste par une relative insuffisance des infrastructures : le réseau téléphonique, les chemins de fer, le système de santé manquent de fiabilité, et l'incompétence des fonctionnaires est de notoriété publique. Ailleurs qu'en Italie, ces maux pèseraient lourdement sur l'économie, alors qu'ils semblent au contraire stimuler l'imagination des habitants de la péninsule qui ont réussi malgré ces handicaps à faire de leur pays, en quelques décennies, un des moteurs de l'Europe. Et si l'on impute souvent ce succès à la *combinazione*, cet art d'esquiver les contraintes telles qu'impôts ou réglementations, il repose avant tout sur une énorme capacité de travail et de remarquables facultés d'adaptation. En dehors de quelques grands groupes comme Fiat et Olivetti, les petites et moyennes entreprises, souvent familiales, font la richesse de l'Italie avec des activités reposant sur la main-d'œuvre et la créativité comme la

Détente en terrasse à Marina di Pisa, Toscane

San Gimignano en Toscane a conservé ses tours médiévales

confection, la maroquinerie ou la fabrication de meubles. L'agriculture n'emploie d'ailleurs plus que 10 % de la population active et les zones rurales et montagneuses se vident au profit des villes et du littoral.

Sophia Loren

Avec l'enracinement agricole recule aussi la ferveur religieuse qui associait souvent catholicisme et réminiscences de rites païens – la Vierge garde certains attributs des déesses de la fertilité antiques et les saints remplissent la fonction d'anciennes divinités protectrices. Dans les villes, le nombre de pratiquants décline, maints fidèles oubliant d'assister à la messe. Les fêtes religieuses restent néanmoins célébrées avec ferveur, mais elles sont surtout l'expression de la cohésion du village ou du quartier, communauté à laquelle un Italien se sent attaché avant toute autre. Malgré la présence du pape à Rome, l'influence du clergé sur la société diminue et s'il demeure de mise de se marier à l'église, divorces comme unions libres se multiplient. Car l'Ita-

lie n'a pas échappé au grand bouleversement des mœurs survenu en Europe dans les années 1960 et 1970, ainsi qu'aux revendications féministes. Pour les visiteuses, le changement le plus visible est l'évolution du comportement des mâles transalpins : ils ne considèrent plus une femme seule dans la rue comme un défi à leur talent de séducteurs. Mais les Italiennes n'ont pas gagné que le droit

La fontaine du Triton du Bernin (XVIIe siècle) à Rome

ARTS ET CULTURE

Entre les sites archéologiques, les cathédrales, les églises, les maisons anciennes et les statues, le pays compte plus de 100 000 monuments, et les fonds manquent pour leur entretien. De nombreux musées, en particulier dans le Sud, sont fermés en totalité ou partiellement et vous verrez plus d'une façade cachée par un échafaudage installé à demeure. Toutefois, le tourisme générant désormais 12% du Produit Intérieur Brut, les collectivités augmentent leurs efforts pour rendre accessibles collections d'art et bâtiments historiques.

Plus que l'État, ce sont les villes qui financent les manifestations culturelles et elles se livrent, comme au temps de la Renaissance, à une belle compétition dont témoigne la multiplicité des festivals organisés dans toute la péninsule. Peut-être parce que leur langue est si mélodieuse, les Italiens ont toujours privilégié le chant dans leurs créations musicales et toutes les agglomérations impor-

Au bord de la route près de Positano, Campanie

de se promener sans être importunées, elles ont aussi imposé leur présence dans le monde du travail. Conséquence de cette prise d'indépendance ou conséquence de l'élévation du niveau de vie, la natalité a fortement baissé dans la péninsule pour atteindre un niveau équilibrant à peine les décès. L'enfant reste cependant roi et les voyageurs accompagnés de *bambini* recevront partout un accueil chaleureux.

Tout comme la législation du travail, le code de la route possède en Italie, notamment dans le Sud, une valeur plus indicative que contraignante. En ville par exemple, la seule règle respectée paraît être l'interdiction de heurter un autre véhicule. Mais les Italiens se montrent beaucoup plus respectueux des usages et du qu'en-dira-t-on. La famille demeure le pivot de la société. Cette famille entretient traditionnellement des liens étroits avec le voisinage, les habitants du quartier ou du village dont les sonneries du campanile rythment la vie. Grâce à ces relations communautaires, la pauvreté prend beaucoup moins en Italie qu'ailleurs la forme d'une exclusion.

Le chic italien par Armani

Statue de l'empereur Domitien, jardins du Vatican

Les deux-roues, comme ici à Rome, se prêtent bien à la circulation en ville

tantes possèdent leur opéra, le plus célèbre étant la Scala de Milan. Toutes les couches de la population fréquentent les salles de spectacle : l'art en Italie appartient à tous. Une de ces formes les plus populaires, le cinéma, après avoir donné au monde certains de ses plus grands films, connaît une crise grave depuis les années 1970 et, malgré quelques jeunes auteurs comme Nanni Moretti, il ne semble pas parvenir à résister à la concurrence de la télévision. La presse garde quant à elle une belle santé. Comme tout dans le pays, elle reste très décentralisée, les grands quotidiens nationaux étant chacun lié à une ville, *La Stampa* à Turin, *Il Corriere della Sera* à Milan et *La Repubblica* à Rome.

Promenade sous une arcade de Bologne

ART DE VIVRE

La cuisine italienne ne possède peut-être pas toute la richesse de la gastronomie française, mais l'amateur prêt à sortir des sentiers battus, notamment en zone rurale, découvrira que chaque région propose de savoureuses spécialités. La sieste après le déjeuner est une coutume millénaire et, surtout l'été, mieux vaut renoncer à faire des achats en début d'après-midi. Magasins fermés, le pays vit au ralenti. Vers 18 h en revanche, rues et places se remplissent pour la *passegiatta*. Tradition originaire du Sud, cette promenade rituelle offre l'occasion à tout un chacun d'échanger les dernières nouvelles et de s'exposer dans ses plus beaux atours. Car l'élégance, la *bella figura*, est pour les hommes comme pour les femmes d'Italie la première expression de l'amour qu'ils portent à la beauté, cet amour qui a donné tant d'harmonie à leurs paysages ruraux et conservé intacts à travers les siècles leurs centres-ville.

Art du Moyen Âge et de la première Renaissance

C'est en Italie, du XIIIe au XVe siècle, qu'a eu lieu l'évolution sans doute la plus importante de l'art occidental. Simple support de la prière et de la contemplation, les œuvres du Moyen Âge n'aspiraient qu'à évoquer la beauté idéale du royaume des cieux. Inspirés par la Rome antique, les artistes italiens de la Renaissance vont étudier l'anatomie et la perspective pour représenter des personnages réalistes et les placer dans des décors recréant l'espace à trois dimensions.

1235 Bonaventura Berlinghieri, *Retable de saint François* (San Francesco, Pescia)

v. 1305 Giotto di Bondone, *La Rencontre d'Anne et de Joachim* (cappella degli Scrovegni, Padoue). Giotto s'éloigna du formalisme du style byzantin pour représenter avec naturel les émotions humaines. Son art jeta les bases de la Renaissance florentine.

1285 Duccio di Buoninsegna, *Madone en majesté* (Uffizi, Florence). Par sa maîtrise de la composition et l'humanité, nouvelle pour l'époque, qu'il donna à ses personnages, Duccio domina la peinture siennoise.

1339 Ambroggio Lorenzetti, *Le Bon Gouvernement* (Sala dei Nove, Palazzo Pubblico, Sienne)

1220	1240	1260	1280	1300	1320	134
MOYEN ÂGE				PRÉCURSEURS DE LA RENAISSANCE		
1220	1240	1260	1280	1300	1320	134

v. 1259 Nicola Pisano, chaire du baptistère de la cathédrale de Pise

v. 1265 Coppo di Marcovaldo, *Vierge à l'Enfant* (Santa Monica dei Servi, Orvieto)

v. 1316-1318 Simone Martini, *Vie de saint Martin* (église inférieure de San Francesco, Assise)

v. 1297 Giovanni Pisano, chaire de Sant'Andrea, Pistoia

v. 1280 Cimabue, *Vierge en majesté* (Uffizi, Florence)

v. 1336 Andrea Pisano, *Baptême de saint Jean-Baptiste,* panneau de la porte sud (baptistère, Florence)

v. 1291 Pietro Cavallini, *Le Jugement dernier,* détail (Santa Cecilia, Trastevere, Rome)

v. 1425-1452 Lorenzo Ghiberti, *Portes du Paradis*, panneau des portes est (baptistère de la cathédrale de Florence). Les reliefs ornant ces portes marquent une transition entre le style gothique et la première Renaissance florentine.

v. 1435 Donatello, *David* (Museo del Bargello, Florence)

1357 Andrea Orcagna, *Christ triomphant* (chapelle Strozzi, Santa Maria Novella, Florence)

v. 1452-1465 Piero della Francesca, détail du *Rêve de Constantin* (San Francesco, Arezzo)

v. 1456 Paolo Uccello, *La Bataille de San Romano* (Uffizi, Florence)

v. 1410 Nanni di Banco, *Quatre Saints couronnés* (Orsanmichele, Florence)

1360	1380	1400	1420	1440	1460

PREMIÈRE RENAISSANCE

1360	1380	1400	1420	1440	1460

1423 Gentile da Fabriano, *Adoration des Mages* (Uffizi, Florence)

v. 1440 Fra Angelico, *Annonciation* (San Marco, Florence)

v. 1350 Francesco Traini, *Triomphe de la Mort* (Campo Santo, Pise)

v. 1463 Piero della Francesca, *La Résurrection* (Pinacoteca, Sansepolcro)

v. 1465 Fra Filippo Lippi, *Vierge florentine* (Uffizi, Florence)

v. 1465-1474 Andrea Mantegna, *Arrivée du cardinal Francesco Gonzaga* (Palazzo Ducale, Mantoue)

v. 1425-1428 Masaccio, *Le Paiement du tribut* (chapelle Brancacci, Florence)

v. 1470 Andrea del Verrocchio, *David* (Bargello, Florence)

TECHNIQUE DE LA FRESQUE

Les peintures *al fresco* étaient réalisées sur un enduit de chaux encore humide. En séchant, la chaux absorbait les pigments puis cristallisait, formant une couche dure aux couleurs vives. Cette technique offrait aux artistes de la Renaissance, tel Masaccio, l'espace nécessaire à de vastes compositions.

Le Paiement du tribut par Masaccio (chapelle Brancacci, Florence)

Art de la Renaissance

À la fin du XVe siècle, la Renaissance voit s'affirmer le réalisme dans de nombreuses œuvres religieuses, tandis que des influences classiques communes n'empêchent pas l'expression d'écoles différentes. Clarté et fraîcheur marquent la peinture florentine, couleurs sensuelles et lumières chaudes donnant leur tonalité aux tableaux vénitiens. Des créateurs tels que Michel-Ange ou Raphaël acquièrent une sublime maîtrise technique, la *bella maniera*. Au milieu du XVIe siècle, leurs élèves poussent cette virtuosité à l'extrême dans le cadre du maniérisme.

v. 1480 Andrea Mantegna, *Christ mort* (Brera, Milan)

1481-1482 Plusieurs artistes décorent les murs de la chapelle Sixtine.

v. 1481-1483 Le Pérugin, *Christ remettant les clés à saint Pierre,* fresque murale (chapelle Sixtine, Rome)

v. 1483-1488 Andrea del Verrocchio, *statue équestre du condottiere Colleoni* (campo dei Santi Giovanni e Paolo, Venise)

v. 1487 Giovanni Bellini, *Retable de Job* (Accademia, Venise)

v. 1495 Léonard de Vinci, *La Cène* (Santa Maria delle Grazie, Milan)

c.1503-1505 Léonard de Vinci, *Mona Lisa* (Louvre, Paris)

1505 Raphaël, *Vierge au chardonneret* (Uffizi, Florence)

1519-1526 Titien, *Madonna di Ca' Pesaro* (Santa Maria Gloriosa dei Frari, Venise)

1508-1512 Michel-Ange, *plafond de la chapelle Sixtine* (Vatican, Rome). Cette superbe évocation du pouvoir divin et de l'éveil spirituel de l'humanité exigea plus de 200 dessins préliminaires.

1480	1500	1520

RENAISSANCE

1480	1500	1520

1499-1504 Luca Signorelli, *Séparation des Élus et des Damnés* (Cappella Nuova, cathédrale d'Orvieto)

1483 Léonard de Vinci, *Vierge aux rochers* (Louvre, Paris)

1501-1504 Michel-Ange, *David* (Galleria dell'Accademia, Florence)

1517 Sodoma, *Noces d'Alexandre et de Roxane* (Villa Farnesina, Rome)

1505 Giovanni Bellini, *Vierge à l'Enfant avec quatre saints* (Accademia, Venise)

v. 1485 Sandro Botticelli, *La Naissance de Vénus* (Uffizi, Florence)

v. 1486 Léonard de Vinci, *Uomo Vitruviano* (Accademia, Venise)

v. 1508 Giorgione, *La Tempête* (Accademia, Venise)

1516 Michel-Ange, *Esclave mourant* (Louvre, Paris)

1509 Raphaël, *L'École d'Athènes* (Chambre de la Signature, Vatican, Rome). Par sa somptuosité et son équilibre, cette fresque exprime l'aspiration à un idéal alliant foi chrétienne et philosophie néoplatonicienne de la Renaissance.

1512-1514 Raphaël, *Ange brisant les chaînes de saint Pierre,* détail de la *Délivrance de saint Pierre* (Chambre d'Héliodore, Vatican, Rome)

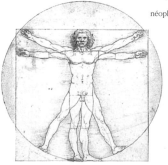

1523 Rosso Fiorentino, *Moïse défend les filles de Jethro* (Uffizi, Florence)

1530-1532 Giulio Romano, *fresques de la salle des Géants* (Palazzo del Tè, Mantoue)

v. 1532 Michel-Ange, *Captif* (Galleria dell'Accademia, Florence)

1534-1535 Paris Bordone, *La Remise de l'anneau* (Accademia, Venise)

v. 1540-1542 Titien, *David et Goliath* (Santa Maria della Salute, Venise)

v. 1562-1566 Le Tintoret, *Miracle de la découverte du corps de saint Marc* (Brera, Milan)

v. 1550 Moretto, *Christ et saint* (Pinacoteca Tosio Martinengo, Brescia)

1540	1560

MANIÉRISME

1540	1560

1534-1541 Michel-Ange, fresque du *Jugement dernier* (chapelle Sixtine, Rome)

v. 1534-1540 Le Parmesan, *Madone au long cou* (Uffizi, Florence). Le jeu sur les proportions anatomiques et les contrastes de couleurs en font un bel exemple du style maniériste.

1538 Titien, *La Vénus d'Urbino* (Uffizi, Florence)

v. 1534-1540 Titien, *Portrait du pape Paul III avec ses neveux* (Museo di Capodimonte, Naples)

v. 1540 Agnolo Bronzino, *Portrait de Lucrezia Panciatichi* (Uffizi, Florence). L'élongation de certains traits anatomiques, comme ici les doigts, est typique du maniérisme.

1556 Véronèse, *Triomphe de Mardochée* (San Sebastiano, Venise)

v. 1526-1530 Le Corrège, *Assomption* (coupole de la cathédrale de Parme). Maître de l'illusion et de la perspective comme le montre cette fresque très colorée, le Corrège n'appartient ni au maniérisme ni à la Renaissance.

Architecture italienne

Trois mille ans d'influences multiples ont donné à l'Italie une architecture d'une grande variété. Les Romains et les Étrusques firent beaucoup d'emprunts à la Grèce antique, tandis qu'au Moyen Âge, les styles normand, mauresque et byzantin offrirent une note particulière au roman et au gothique italiens.

Chapiteau corinthien

Les valeurs classiques inspirèrent la Renaissance qui ouvrit la voie aux créations exubérantes du baroque.

Le Duomo d'Orvieto, *comme beaucoup de cathédrales gothiques, présente une grande richesse de décoration, notamment sculptée. Sa construction s'étendit du XIIIᵉ au XVIIᵉ siècle.*

La basilica di San Marco *(832-1094) de Venise associe styles classique, roman et gothique, mais est surtout d'inspiration byzantine (p. 110-111).*

La basilica di San Marco

200	400	600	800	1000
CLASSIQUE		BYZANTIN		ROMAN
200	400	600	800	1000

Les arcs de triomphe, *tel l'arc de Constantin (313) à Rome, furent une invention latine. Les reliefs qui les décoraient représentaient en général des épisodes marquants des campagnes militaires victorieuses qu'ils célébraient (p. 380).*

L'arc arrondi du style roman apparut au Moyen Âge dans des édifices tels que le Duomo de Modène. Dérivant des basiliques romaines, les églises avaient un intérieur dépouillé.

La construction de coupoles au-dessus d'espaces carrés ou rectangulaires remonte à l'époque byzantine.

ARCHITECTURE ÉTRUSQUE

Les Étrusques ne nous ont pas laissé d'autres vestiges architecturaux importants que leurs nécropoles bâties vers le VIᵉ siècle av. J.-C. en Toscane, dans le Latium et en Ombrie. Le reste devait être construit en bois. Les liens culturels et commerciaux qu'ils avaient avec la Grèce autorisent à penser que leurs édifices s'inspiraient de l'architecture hellène. Il est probable que les Romains s'inspirèrent de leurs prédécesseurs et que leurs premiers bâtiments publics étaient de style étrusque.

Maquette de temple étrusque doté d'un portique classique grec

La cathédrale de Monreale *en Sicile, construite au XIIᵉ siècle, marie éléments normands et décors mauresques et byzantins (p. 530-531).*

Le Tempietto *entrepris à Rome entre 1502 et 1510 par Bramante à San Pietro in Montorio était un hommage à l'architecture de l'Antiquité* (p. 380).

Les idéaux classiques de Rome et de la Grèce antique devinrent les bases de l'architecture italienne pendant la Renaissance.

Des façades baroques, *telle celle du Duomo de Syracuse (1728-1754), agrémentèrent souvent des églises plus anciennes.*

Le mécénat pontifical et la vigueur de la Contre-Réforme donnèrent son dynamisme au baroque, période d'innovation et d'exubérance architecturale.

Les progrès techniques *de l'ère industrielle permirent des réalisations en verre et métal, comme la Galleria Vittorio Emanuele II (1865) élevée à Milan par Mengoni* (p. 194).

La Mole Antoneliana (1863-1889) de Turin, que domine une flèche de granite, fut un temps le plus haut bâtiment du monde *(p. 224)*.

La Torre Velasca de Milan fut dans les années 1950 une des premières bâties en béton armé.

200	1400	1600	1800	2000
	RENAISSANCE	BAROQUE	XIXe SIÈCLE	XXe SIÈCLE
200	1400	1600	1800	2000

Le Duomo de Sienne (1136-1382), de styles roman et gothique, reflète deux siècles d'évolution architecturale *(p. 342-343)*.

Santa Maria Novella, à Florence, a une façade Renaissance (1456-1470) réalisée par Alberti et un intérieur gothique.

Le Bernin (1598-1680), architecte de la place Saint-Pierre, fut une figure marquante du baroque romain.

Andrea Palladio (1508-1580) bâtit des villas et des palais de style classique. Son style fut imité en Europe pendant plus de deux siècles *(p. 80)*.

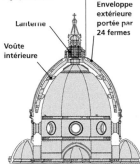

Lanterne

Voûte intérieure

Enveloppe extérieure portée par 24 fermes

La coupole *achevée en 1436 par Brunelleschi pour le Duomo de Florence est un chef-d'œuvre Renaissance d'ingéniosité technique* (p. 253).

Le Gesù *de Rome, dessiné pour les jésuites en 1568 par Vignola, fut, avec sa façade puissante et sa somptueuse décoration, le prototype d'innombrables églises baroques* (p. 381).

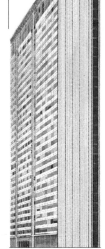

La tour Pirelli *dessinée à Milan par Ponti et Nervi à la fin des années 1950 est un bel exemple d'architecture italienne* (p. 185).

Saints et symboles dans l'art italien

Dans l'art religieux, symboles et détails permettaient aux fidèles de reconnaître les saints qui ont, de tout temps, joué un rôle de premier plan dans le catholicisme italien, notamment parce qu'ils conservaient les pouvoirs protecteurs d'anciennes divinités païennes. Chaque ville et chaque corporation avait ainsi son patron, et les fêtes et les cérémonies données en son honneur revêtaient d'autant plus d'importance que la prospérité de la communauté dépendait de sa bienveillance.

LES ÉVANGÉLISTES

Évocation de leur mission divine, une créature ailée suit chacun des quatre évangélistes : Matthieu, Marc, Luc et Jean.

Aigle (saint Jean)

Saint Dominique porte en général la tenue de son ordre, mais possède aussi le lis comme attribut.

Saint Côme et saint Damien apparaissent toujours ensemble habillés en médecin.

Saint Marc tient souvent l'Évangile portant son nom.

Saint Jean porte lui aussi son Évangile.

Saint Thomas d'Aquin est souvent représenté avec une étoile – à peine visible sur cette peinture – sur son habit dominicain.

Saint Laurent porte une palme ainsi que le gril sur lequel il connut le martyre.

Cette Vierge à l'Enfant avec des saints *(v. 1450) fut peinte sur enduit sec par le dominicain Fra Angelico. Elle est exposée au museo di San Marco de Florence (p. 276).*

La Vierge, vêtue habituellement de bleu, est la *Mater Amabilis* – la « Mère digne d'amour ».

Saint Pierre martyr, ici avec une palme, a parfois une blessure à la tête et une épée.

SYMBOLES

Sur les peintures et les sculptures chrétiennes, des attributs propres à chaque saint aident à les identifier. Il s'agit souvent de vêtements ou d'objets ayant joué un rôle dans leur vie, notamment pour les martyrs l'instrument de leur supplice. Voûte céleste, animaux, fleurs, couleurs et nombres ont également un sens symbolique.

L'agneau *symbolise le Christ, ou, dans l'art paléochrétien, le pécheur.*

Le crâne *rappelle au spectateur la brièveté de la vie et l'inéluctabilité de la mort.*

Homme ailé
(saint Matthieu)

Lion ailé
(saint Marc)

Bœuf ailé
(saint Luc)

***Vierge à l'Enfant entourée de saints* par Giovanni Bellini**
(p. 119)

Saint Pierre l'apôtre, fondement de l'église chrétienne, détient les clés du ciel.

La Vierge avec l'Enfant Jésus symbolise l'humanité du Christ.

Sainte Catherine d'Alexandrie porte un morceau de la roue sur laquelle elle fut suppliciée.

Saint Jérôme, qui consacra sa vie à l'étude, a toujours les traits d'un vieil homme et souvent l'aspect d'un ermite.

La Vierge à l'Enfant avec quatre saints *peinte par Giovanni Bellini en 1505 pour un retable de San Zaccaria s'admire toujours dans cette église de Venise.*

L'ange, messager de Dieu, est représenté dans cette scène en musicien céleste.

Sainte Lucie, symbole de lumière et patronne des aveugles, porte ici ses yeux dans une coupe.

Le lis, *fleur de la Vierge,* symbolise la pureté, la résurrection, la paix et la chasteté.

Le coquillage *évoque le plus souvent le pèlerinage. C'est un attribut de saint Roch.*

La palme *représente dans l'art chrétien le triomphe sur la mort d'un martyr.*

Écrivains, poètes et dramaturges

De nombreux auteurs italiens ont acquis une gloire mondiale, notamment ceux de l'époque latine. Leurs récits nous donnent un aperçu intime et vivant de l'Italie à leur époque. Les œuvres de Virgile, Horace et Ovide font revivre les préoccupations de la Rome antique ; la truculence et la spiritualité qui régnaient en Toscane au Moyen Âge marquent la poésie de Dante et de Pétrarque et les récits grivois de Boccace. Ces trois grands écrivains inventèrent en moins d'un siècle un nouveau langage littéraire qui marqua l'Europe. Plus récemment, Umberto Eco a publié l'un des romans les plus lus du XXe siècle : *Le Nom de la rose*.

Primo Levi *(1919-1987) a donné un récit fascinant de l'horreur pendant la Seconde Guerre mondiale dans* Si c'est un homme *et* La Trêve.

Trentin-Haut-Adige

Val d'Aoste et Piémont

Lombardie

Émilie-Romagne

Ligurie

Dario Fo *(né en 1926) reçut le prix Nobel de littérature en 1997.*

Toscane

Umberto Eco *(né en 1932), professeur à l'université de Bologne, exprima sa passion pour le Moyen Âge dans* Le Nom de la rose. *Le livre devint un film en 1986.*

Giovanni Boccace *(1313-1375) traça un portrait fascinant de la société de son époque dans* Le Décaméron, *recueil de cent nouvelles se déroulant pendant la peste de 1348 à Florence.*

Carlo Lorenzini *prit pour écrire* Pinocchio *en 1883 – l'un des récits pour enfants les plus connus du monde – le nom du lieu de naissance de sa mère en Toscane : Collodi.*

Dante *narra un voyage à travers l'Enfer, le Purgatoire et le Paradis dans* La Divine Comédie *(v. 1308-1321) : une peinture terrible des tourments des damnés.*

Carlo Goldoni *(1707-1793), dramaturge vénitien, s'écarta de la caricature bouffone de la* Commedia dell'Arte *pour écrire des pièces où il expose avec acuité les mœurs et les caractères de ses contemporains.*

Vénétie et Frioul

LITTÉRATURE LATINE

Les textes en latin des philosophes, poètes, dramaturges et politiciens de la Rome antique appartiennent aux fondements de la culture occidentale. Après 2 000 ans, *L'Énéide* de Virgile, *Les Métamorphoses* d'Ovide et l'*Histoire naturelle* de Pline restent des références, tout comme les récits historiques tels l'*Histoire de Rome* de Tite-Live, les *Commentaires de la guerre des Gaules* de Jules César, les *Annales* de Tacite ou les *Vies des douze Césars* de Suétone qui évoquent un passé qui forgea le destin de l'Europe. Les *Satires* de Juvénal, les comédies de Plaute ou les tragédies de Sénèque en dressent un portrait plus humain. Ces œuvres païennes durent leur survie aux moines du Moyen Âge, puis retrouvèrent toute leur influence grâce aux humanistes de la Renaissance.

Détail d'une copie médiévale de l'*Histoire Naturelle* de Pline

Marches

Ombrie

Pétrarque *(1304-1374), l'un des plus grands poètes lyriques de la Renaissance, fut aussi l'un des premiers humanistes.*

Saint François d'Assise *(1182-1226) fut le premier auteur à écrire en italien plutôt qu'en latin. Il rédigea des lettres et des sermons, mais aussi des poèmes et des chants comme le populaire* Cantique du soleil.

Latium

Abruzzes, Molise et Pouilles

Campanie

Basilicate et Calabre

Alberto Moravia (1907-1990), écrivain romain habituellement considéré comme néoréaliste, se concentre, dans des œuvres comme *Les Indifférents* ou *Agostino*, sur les problèmes de l'homme dans la société contemporaine.

Sicile

0   200 km

Luigi Pirandello *(1867-1936), prix Nobel sicilien et auteur de* Six personnages en quête d'auteur, *était fasciné par les thèmes de l'illusion et de la réalité.*

Musique et opéra en Italie

Bien avant l'unification italienne, aux XVIIᵉ et XVIIIᵉ siècles, chaque grande ville avait ses propres traditions musicales. C'est à Florence que le cercle d'artistes de la *Camerata Bardi* ouvrit la voie au lyrisme moderne en remettant en question le contrepoint à plusieurs voix hérité du Moyen Âge. Naples était réputée au XVIIIᵉ siècle pour l'opéra bouffe et Venise pour ses grands concerts de musique d'église.

Violon Stradivarius

Au XIXᵉ siècle, Milan devint avec la Scala la capitale italienne de l'opéra, une forme d'expression à laquelle Rome, cité du pape, préférait l'oratorio.

MOYEN ÂGE ET RENAISSANCE

Par Boccace *(p. 34)*, entre autres, nous savons que le chant, la danse et la poésie étaient souvent associées dans l'Italie du Moyen Âge et de la Renaissance. La musique était une composante du spectacle plutôt qu'un art autonome. Cela n'empêcha pas d'importantes contributions, notamment celle de Guido d'Arezzo (v. 995-1050), un moine qui perfectionna la notation musicale, et celle de Francesco Landini (1325-1397), organiste aveugle et maître de l'*Ars nova*, forme de musique polyphonique qui s'imposa en Europe au XIVᵉ siècle. Elle se développa en *Ars perfecta* pendant les 150 ans suivants, pour atteindre la fluidité mélodique des œuvres de Giovanni Palestrina (1525-1594), des compositions religieuses pour la plupart mais aussi des madrigaux. Le début du XVIIᵉ siècle vit des compositeurs italiens tels que Carlo Gesualdo (v. 1561-1613) et Claudio Monteverdi s'éloigner de la tradition du chœur polyphonique de leurs prédécesseurs pour introduire à la fois récitatifs et parties instrumentales.

ÉPOQUE BAROQUE

L'œuvre de Claudio Monteverdi est exemplaire de la transition entre la tradition de la Renaissance et la musique baroque qui domina le XVIIᵉ siècle. Ses premiers madrigaux prennent ainsi la forme de pièces classiques, *a cappella*, puis intègrent à partir de 1605 la basse continue. La voix perdant la fonction instrumentale qu'elle avait, la musique se doit de respecter le rythme du texte afin qu'il reste compréhensible. Cette évolution du chant favorise l'expression des sentiments et ouvre la voie à l'oratorio et à l'opéra. À la même époque se met en place l'orchestre de cordes.

À Venise, Monteverdi exploitera aussi dans ses *Vêpres* les possibilités stéréophoniques offertes par la cathédrale Saint-Marc selon les places occupées par les interprètes dans l'édifice.

La Pietà de Venise où joua Vivaldi

GRANDS COMPOSITEURS ITALIENS

Claudio Monteverdi *(1567-1643) joua un rôle essentiel dans l'évolution de la musique tant par ses œuvres religieuses comme les* Vêpres *que par ses madrigaux et ses opéras.*

Antonio Vivaldi *(1678-1741) écrivit plus de 600 concertos, la plupart pour violon. Ses* Quatre Saisons *restent un grand succès musical dans le monde entier.*

Gioacchino Rossini *(1792-1868) devint célèbre avec ses opéras bouffes comme* Le Barbier de Séville. *Malgré leur force expressive, ses œuvres sérieuses furent souvent méconnues.*

Représentation de Luciano Pavarotti

Vers 1680, Arcangelo Corelli (1653-1713) jette les bases du *concerto grosso* où un petit ensemble de musiciens, le *concertino*, s'oppose et répond au reste de l'orchestre. Cette forme musicale évoluera très vite vers le concerto de soliste. Antonio Vivaldi (1678-1741) va lui donner sa forme traditionnelle : 2 mouvements rapides encadrant 1 mouvement lent.

OPÉRA

Joué tout d'abord aux mariages de riches familles italiennes, l'opéra prend avec l'*Orfeo* de Monteverdi, créé à Mantoue en 1607, sa forme aboutie de drame musical.

Giuseppe Verdi *(1813-1901), le compositeur d'opéras le plus important du XIXᵉ siècle, donna ses premières créations à la Scala. Rigoletto et Aïda sont ses œuvres les plus célèbres.*

À la fin du XVIIᵉ siècle à Naples, Alessandro Scarlatti (1660-1725) définit le modèle de l'*opera seria* (opéra sérieux) qui se caractérise par une ouverture instrumentale suivie de récitatifs et de parties chantées, notamment d'*arias da capo*, airs avec reprise mettant en valeur la virtuosité du chanteur, le *bel canto*. Les thèmes de l'*opera seria* sont en général issus de la mythologie. Dans l'*opera buffa*, qui naît lui aussi à Naples, ils empruntent à la Commedia dell'Arte. Gioacchino Rossini, auteur du *Barbier de Séville*, s'illustrera dans ce genre et saura tirer, avec Vincenzo Bellini (1801-1835) et Gaetano Donizetti (1797-1848), le meilleur du *bel canto*.

Les deux compositeurs qui dominent la seconde moitié du XIXᵉ siècle sont Giuseppe Verdi qui s'inspire de Shakespeare, Victor Hugo ou Alexandre Dumas fils, et Giacomo Puccini (1858-1924) qui s'inscrit, avec *La Bohème* ou *Madame Butterfly*, dans la démarche réaliste et anti-romantique des compositeurs véristes.

Création de la *Tosca* de Puccini en 1900

XXᵉ SIÈCLE

Au début du XXᵉ siècle, Puccini fait monter des cow-boys sur scène avec *La Fille du Far-West*, se tourne vers l'Orient dans *Turandot* et confronte les spectateurs à la violence et à la torture dans *La Tosca*. Il est toutefois le dernier grand compositeur d'opéras italien et si certains de ses contemporains ont tenté de s'inspirer des maîtres français et allemands, peu d'entre eux, en dehors d'Ottorino Respighi (1879-1936), ont vu leurs œuvres régulièrement interprétées. Luciano Berio (1925-2003) s'affirme cependant aujourd'hui comme un créateur de premier plan et ses techniques de collage ont suscité de nombreux imitateurs. Si son travail appartient souvent au genre du théâtre musical, il a écrit à la fin de sa vie *Un Re in Ascolto*, opéra dans la lignée de la tradition.

La personnalité moderne la plus célèbre reste Luciano Pavarotti, (1935-2007) dont les représentations avec José Carreras et Placido Domingo ont contribué à rendre à l'art lyrique une popularité mondiale.

Lustres et velours au Teatro dell'Opera de Rome

Design italien

Pour les Italiens, le progrès est peut-être avant tout, une recherche de la beauté. Celle-ci, comme l'élégance, doit appartenir à la vie quotidienne et des stylistes aussi talentueux qu'Ettore Sottsass, soutenus par des industriels audacieux comme Olivetti, ont su au XXe siècle créer des objets usuels à la fois élégants, novateurs et adaptés aux techniques de fabrication modernes. Certains sont devenus de véritables références.

Les pâtes *elles-mêmes ont inspiré les stylistes italiens. Le carrossier Giorgio Giugiaro créa cette Marille pour Voiello en 1983.*

Les couverts Alessi *dessinés en 1988 par Ettore Sottsass possèdent une ligne d'une grande élégance mais restent fonctionnels.*

La bouilloire Alessi *(1985) conçue par Michael Graves connut un tel succès qu'il s'en vendit plus de 100 000 la première année de fabrication.*

La cafetière Moka Express *de Bialetti n'a pas pris une ride ni rien perdu de sa popularité, bien que sa conception remonte à 1930.*

La chaise Christophe Pilet, *créée pour la collection de meubles contemporains de Giulio Cappellini, exprime bien l'idée du style de vie des années 1990.*

La table pliante Cumano *dessinée par Achille Castiglione pour Zanotta en 1979 est devenue un « objet-culte ».*

Le fauteuil Patty Difusa *à la silhouette inhabituelle est une œuvre de William Sawaya pour l'entreprise milanaise Sawaya & Moroni.*

Avec la Ferrari Testarossa *(1986) carrossée par Pininfarina, la voiture appartient autant au domaine de la sculpture que de la mécanique.*

La machine à écrire Valentine *d'Olivetti, légère et compacte, révolutionna l'équipement de bureau. Dessinée par Ettore Sottsass en 1969, elle permettait de travailler n'importe où.*

La police de caractères Bodoni *est toujours populaire 200 ans après sa création par l'imprimeur Giambattista Bodoni (1740-1813).*

Giorgio Armani, *styliste milanais, renouvelle avec art les classiques comme la veste pour inventer une mode flatteuse, confortable et décontractée.*

Prada, *la maison de couture milanaise, offre une mode minimaliste, parfaitement coupée, qui utilise des matériaux innovants.*

Artemide *est réputé pour ses créations associant souvent métal et verre, en particulier ses lampes et luminaires.*

Florence *propose depuis des siècles un artisanat de grande qualité : des accessoires de mode, des sacs à main, des chaussures, des ceintures, des bijoux et des bagages.*

Gucci *a su construire son image classique grâce à ses chaussures et à ses sacs, références de l'élégance.*

Le scooter Vespa de Piaggio *offrit en 1946 aux Italiens un moyen de transport fiable et bon marché à une époque où peu d'entre eux pouvaient acheter une voiture. La silhouette que lui donna Corradino d'Ascanio inspire toujours des imitateurs.*

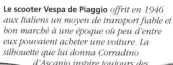

La Fiat 500 *(1957), comme la Vespa, devint un symbole populaire de la modernisation rapide de l'Italie après la dernière guerre.*

Savants, inventeurs et explorateurs

À la Renaissance, la redécouverte des textes des grands penseurs antiques conduisit des hommes comme Galilée à se pencher avec un regard neuf sur les règles régissant l'univers.

À la même époque, des explorateurs comme Christophe Colomb se lançaient à l'aventure avec la même audace qu'avant eux Marco Polo. Les chercheurs italiens s'illustrèrent également au XXᵉ siècle avec l'invention de la radio et d'importantes découvertes en physique nucléaire.

Guglielmo Marconi *mit au point le premier système efficace de liaison par ondes hertziennes. En 1901, il réussit à capter en Angleterre un signal émis de Terre-Neuve.*

Alessandro Volta *inventa la « pile » électrique composée de disques de zinc et de cuivre trempant dans de l'acide. Il la présenta à Napoléon en 1801.*

Christophe Colomb, *né à Gênes, partit d'Espagne en 1492 et navigua pendant 3 mois en s'aidant d'un astrolabe avant d'atteindre le Nouveau Monde.*

L'explorateur Amerigo Vespucci *établit que le Nouveau Monde était un continent séparé. Un cartographe donna son nom aux Amériques en 1507.*

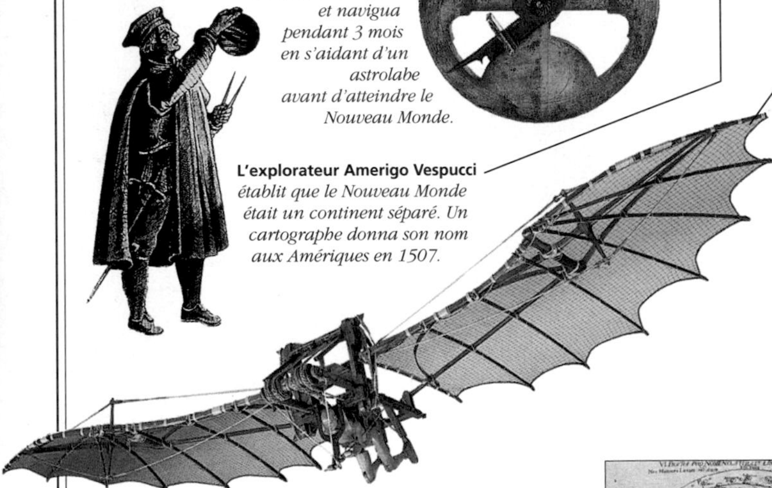

Val d'Aoste et Piémont

Lombardie

Trentin Haut-Adi

Vénétie e Frioul

Ligurie

Toscane

Léonard de Vinci *était l'exemple même de l'homme de la Renaissance, aussi accompli dans les sciences que dans les arts. Cette maquette est basée sur l'un de ses dessins d'une machine volante qu'il commença à imaginer vers 1488, 400 ans avant le décollage du premier aéroplane.*

Le télescope *permit de dresser des cartes précises de la lune. Dominique Cassini, professeur d'astronomie à l'université de Bologne avant de travailler à Paris, le perfectionna. En 1665, il traça la ligne du méridien dans l'église de San Petronio.*

0   200 km

L'université de Padoue, fondée en 1222, était un grand centre intellectuel pendant la Renaissance. Inventeur du télescope, Galilée y enseigna la physique depuis une chaire qui existe toujours.

Le Vénitien Marco Polo *partit en 1271 pour l'Orient et séjourna pendant près de 16 ans à la cour de l'empereur mongol Kublai Khan. Il est représenté ici arrivant des Indes à Ormuz dans le golfe Persique.*

Galilée *démontra que la Terre tourne autour du soleil et l'Église, contredite dans sa doctrine, le condamna pour hérésie en 1633. Il montre ici les anneaux de Saturne à des sénateurs vénitiens.*

Émilie-Romagne

Marches

Ombrie

Latium

Abruzzes, Molise et Pouilles

Enrico Fermi, *prix Nobel de physique en 1938, dirigea la première réaction nucléaire en chaîne contrôlée à l'université de Chicago en 1942.*

Pline l'Ancien rassembla en 77 les connaissances de son époque dans son *Histoire naturelle.* L'éruption du Vésuve le tua 2 ans plus tard, mais son livre resta d'actualité plus de 1 500 ans.

Campanie

Basilicate et Calabre

Invention italienne, *les lunettes sont mentionnées pour la première fois au XIIIe siècle à Venise, ville qui reste un grand centre de la verrerie.*

Sicile

Le mathématicien Archimède *naquit à Syracuse en Sicile alors colonie grecque vers 287 av. J.-C. Selon la légende, il découvrit le principe qui porte son nom en prenant un bain.*

TEMPLA DOMVM EXPOSITIS·VICOS·FORA·MOENIA·PONTES·
VIRGINEAM·TRIVII·QVOD·REPARARIS·AQVAM·
PRISCA·LICET·NAVTIS·STATVAS·DARE·COMMODA·PORTVS·
ET·VATICANVM·CINGERE·SIXTE·IVGVM·
PLVS·TAMEN·VRBS·DEBET·NAM·QVAE·SQVALORE·LATEBAT·
CERNITVR·IN·CELEBRI·BIBLIOTHECA·LOCO·

HISTOIRE DE L'ITALIE

En tant qu'entité géographique, l'Italie existe depuis les Étrusques, mais son histoire est marquée par une longue succession de discordes et de divisions. Avant le XIXe siècle, la péninsule ne connut l'unité politique qu'une seule fois, sous les Romains, après qu'ils eurent soumis les autres tribus qui l'occupaient au IIe siècle av. J.-C. Sept siècles plus tard, l'Empire romain qui avait imposé ses lois et sa langue à la majorité de l'Europe expire face à des envahisseurs d'origine germanique.

Julius Caesar

Son ancienne capitale reste toutefois la ville sainte de la chrétienté et le Saint-Siège profite de son ascendant spirituel pour demander au VIIe siècle la protection des Francs face aux prétentions de Byzance et aux exactions des Lombards. Le sacre en l'an 800 de Charlemagne n'ouvre pourtant pas l'ère de paix espérée. Pendant cinq siècles, papes et empereurs germaniques se disputeront le contrôle du pays. De nouveaux envahisseurs – Normands, Angevins et Aragonais – en profitent pour s'emparer du Sud et de la Sicile.

Au Nord, les villes profitent de la situation en créant des États indépendants. Le plus puissant, la République de Venise, tire de fabuleuses richesses de son commerce avec l'Orient. D'autres comme Gênes, Florence, Milan, Pise ou Sienne connaissent leurs heures de gloire. Au XVe siècle, le nord de l'Italie est la région d'Europe occidentale la plus prospère et la plus cultivée et c'est à Florence que s'épanouit la Renaissance.

Trop petits, ces États-cités ne peuvent tenir tête longtemps aux grandes puissances, et l'Espagne contrôle le territoire au XVIe siècle. Napoléon le conquiert brièvement, puis c'est l'Autriche qui impose son hégémonie en 1815. Les patriotes italiens, les *carbonari*, refusent cette occupation. La guerre d'indépendance commence en 1848 à l'instigation du Piémont resté autonome. En 1870, la conquête de Rome achève l'unité italienne. Le pays devient un royaume. En 1922, Mussolini et les fascistes s'emparent du pouvoir. En 1946, la République est proclamée. En 1957, l'Italie participe à la création de la Communauté économique européenne en signant le traité de Rome.

Carte de l'Italie du XVIe siècle telle qu'en utilisaient les marins génois et vénitiens

◁ La cour de Sixte IV (1471-1484), puissant pape de la Renaissance, peinte par Melozzo da Forli

L'Italie des Étrusques

Les Étrusques, qui donnèrent son nom à la Toscane, se répandirent en Italie centrale à partir du IXe siècle av. J.-C. et ils régnaient sur Rome au VIe siècle. Leurs principaux rivaux étaient alors les Grecs installés dans le Sud. L'Étrurie ne fut toutefois jamais un État unifié, juste une confédération de cités. L'origine exacte de ses habitants et la langue qu'ils parlaient restent un mystère, mais les fresques, poteries et bijoux retrouvés dans leurs sépultures témoignent d'une culture raffinée.

L'ITALIE EN 650 AV. J.-C.

☐ Royaumes étrusques

☐ Colonies grecques

La flûte double, instrument spécifiquement étrusque, servait aux fêtes comme aux funérailles.

Chevaux ailés
Ce superbe relief en terre cuite (IVe siècle av. J.-C.) ornait à Tarquinia le fronton du temple Ara della Regina.

Foie de mouton en bronze
Les inscriptions servaient de guide à la divination d'après les entrailles d'animaux.

Urne funéraire
Le couvercle montre le défunt portant des tablettes d'écritures. Les Étrusques introduisirent l'alphabet en Italie.

TOMBE DES LÉOPARDS
Des scènes de réjouissance, telle cette fresque ornant un tombeau (v. 500 av. J.-C.) découvert à Tarquinia *(p. 466)*, décorent souvent les sépultures étrusques.

CHRONOLOGIE

900 av. J.-C.	800 av. J.-C.	700 av. J.-C.
IXe siècle av. J.-C. Des communautés pré-urbaines s'établissent dans les vallées fluviales de l'Étrurie	**753 av. J.-C.** Date légendaire de la fondation de Rome par Romulus	**v. 700 av. J.-C.** Développement des cités étrusques. Premières inscriptions **616 av. J.-C.** Les Étrusques règnent à Rome sous Tarquin L'Ancien
v. 900 av. J.-C. Premières traces de l'âge du fer en Italie ; époque villanovienne **v. 800 av. J.-C.** Des Grecs s'implantent en Sicile et dans le sud de l'Italie	**715-673 av. J.-C.** Règne du sage Numa Pompilius, deuxième roi de Rome	*Boucles d'oreille étrusques*

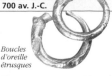

Pugilat
Des compétitions athlétiques avaient lieu aux funérailles. Ce vase, fabriqué en Étrurie vers 500 av. J.-C., imite la poterie à figures noires grecque.

Les musiciens
et le danseur sont représentés avec un réalisme qui témoigne de l'influence de l'art grec.

La lyre, faite d'une carapace de tortue, se jouait avec un plectre.

OÙ VOIR L'ITALIE ÉTRUSQUE

Des tombes *creusées dans le tuf volcanique, comme ici à Sovana, abondent en Italie centrale.*

Dans le Latium, il existe d'immenses nécropoles à Cerveteri et Tarquinia (p. 466). La Toscane et l'Ombrie ont aussi de riches vestiges étrusques, dont des tombeaux. Parmi les musées les plus intéressants figurent celui de Tarquinia ; le Museo Gregoriano (p. 422) du Vatican et la villa Giulia (p. 440) de Rome, le Museo Archeologico (p. 277) de Florence, le Museo Civico (p. 332) de Chiusi et le museo Guarnacci (p. 334) de Volterra.

Apollon de Veii
Apollon a, sur cette magnifique statue, les traits stylisés caractéristiques de l'art étrusque.

Miroir de bronze
Les riches Étrusques jouissaient d'un grand luxe. Les femmes utilisaient des miroirs de bronze poli au dos gravé. On voit ici Hélène de Troie et Aphrodite.

Temple de Neptune
Ce beau temple de Paestum (Ve siècle av. J.-C.) remonte à la colonisation grecque.

Vase importé de Grèce

509 av. J.-C. Junius Brutus chasse le dernier roi étrusque de Rome, Tarquin le Superbe, et fonde la République

450 av. J.-C. Codification de la loi romaine en douze tables

390 av. J.-C. Des Gaulois pillent Rome. Des oies sauvent le Capitole en donnant l'alerte

600 av. J.-C. | **500 av. J.-C.** | **400 av. J.-C.**

499 av. J.-C. Bataille du lac Regillus, victoire romaine sur une coalition de Latins et d'Étrusques

396 av. J.-C. Les Romains prennent Véies, importante cité étrusque du Latium

474 av. J.-C. Une défaite face aux Grecs au large de Cumes affaiblit la puissance navale étrusque

v. 400 av. J.-C. Premières implantations gauloises dans la vallée du Pô

Les oies du Capitole, relief découvert sur le forum de Rome

De la République à l'Empire

**Masque et
casque romains**
(Ier s. av. J.-C.)

Parmi la myriade de tribus habitant l'Italie antique, un peuple émergea et imposa son langage, ses coutumes et ses lois : les Romains, qui durent leur succès à leur sens de l'organisation aussi bien militaire que civile. Leur État avait à l'origine la forme d'une république dirigée par deux consuls élus chaque année, mais le pouvoir passa ensuite à des généraux comme Jules César dont l'héritier devint le premier empereur de Rome.

AQUILEIA

VIA POSTUMIA

VERONA

Padus

PLACENTIA
Piacenza

GENUA
Genova

VIA AEMILIA

BONONIA
Bologna

FLORENTIA
Firenze
(Florence)
Arnus

VIA CASSIA

ARIMINUM
Rimini

FANUM
FORTUN.
Fano

La Gaule cisalpine fut annexée en 202-191 av. J.-C.

PISAE
Pisa

ARRETIUM
Arezzo

Tiberis

VIA FLAMINIA

POPULONIA

CLUSIUM
Chiusi

VIA AURELIA

L'Étrurie était romaine en 265 av. J.-C.

ALBA FUCENS

ROMA
(ROME)

TIBUR
Tivoli

Jules César
Le conquérant de la Gaule rentra en Italie en 49 av. J.-C. pour vaincre son rival Pompée. Son accession au pouvoir absolu marqua la fin de la République.

Inscription osque
Les langues des peuples soumis par Rome résistèrent pendant des siècles au latin. Les Osques habitaient ce qui est désormais la Campanie.

Éléphant de guerre
En 218 av. J.-C., le général carthaginois Hannibal franchit les Alpes avec 37 éléphants qui devaient briser les lignes romaines.

Aqueduc
Le talent de bâtisseur des Romains trouve sa forme la plus spectaculaire dans leurs aqueducs. Certains mesuraient plus de 80 km de long dont une grande partie souterraine.

Hauteur

Puits d'accès

Réservoir

Canal souterrain

Arcs au-dessus de la plaine

PANORMUS
Palermo

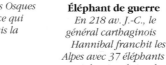

CHRONOLOGIE

Via Appia

312 av. J.-C. Construction de la Via Appia et de l'aqueduc Acqua Appia

308 av. J.-C. Rome s'empare de Tarquinia

287-212 av. J.-C. Vie d'Archimède, le grand mathématicien grec de Syracuse

275 av. J.-C. Les Romains battent le roi grec Pyrrhus à Beneventum

264-241 av. J.-C. Première guerre punique (avec Carthage)

265 av. J.-C. Les Romains prennent la dernière cité étrusque

237 av. J.-C. Les Romains occupent la Corse et la Sardaigne

Hannibal, général carthaginois pendant la deuxième guerre punique

218 av. J.-C. Deuxième guerre punique ; Hannibal franchit les Alpes

216 av. J.-C. Hannibal vainqueur à Cannes

191 av. J.-C. La Gaule cisalpine est conquise

300 av. J.-C.	**250 av. J.-C.**	**200 av. J.-C.**

Cicéron dénonce Catilina
Pour défendre la République,
Cicéron (106-43 av. J.-C.)
dénonça en 62 devant le sénat
la conspiration de Catilina.

Légionnaire romain
Ce bronze montre l'équipement
d'un légionnaire : casque,
cuirasse, sandales, jambières
et kilt de cuir garni de
plaques de fer.

RFINIUM
ALERIA

La Via Appia
fut prolongée
de Capoue à
Brindisi en 190
av. J.-C.

CAPUA
VIA APPIA
BRUNDISIUM
Brindisi
TARENTUM
Taranto

La Sicile
devint la
première
province
romaine
en 241
av. J.-C.

RHEGIUM
Reggio di Calabria

OÙ VOIR L'ITALIE DE LA RÉPUBLIQUE ROMAINE

En dehors de 2 exceptions notables, les temples du IIe siècle av. J.-C. du forum Boarium (p. 433) de Rome, il ne subsiste quasiment pas d'édifices de l'époque républicaine, la plupart ayant été reconstruits sous l'Empire. En revanche, de très nombreuses villes et routes, telle la Via Appia Antica (p. 441), ont conservé leur tracé antique. Parmi les exemples frappants de cités à plan romain figurent Lucques (p. 320-321) et Côme (p. 191).

Ces énormes blocs de basalte *à Tharros* (p. 551) *pavaient une voie romaine.*

VOIES ROMAINES

Pour asseoir leur domination, les Romains construisirent des routes permettant aux légions d'intervenir rapidement. Ils bâtirent aussi des villes. Beaucoup, comme Ariminum (Rimini), étaient des « colonies », implantations en terre conquise de citoyens romains, souvent d'anciens légionnaires.

Vue aérienne de Bologne
Le plan romain marque toujours certains centres-ville. L'ancienne Via Aemilia traverse ainsi le cœur de Bologne.

150 av. J.-C.	100 av. J.-C.	50 av. J.-C.

168 av. J.-C. Fin de la troisième guerre macédonienne ; la Grèce est conquise

Borne de la Via Aemilia

146 av. J.-C. Fin de la troisième guerre punique ; Carthage détruite

104 av. J.-C. Révolte d'esclaves en Sicile

89 av. J.-C. Guerre sociale ; les alliés italiens de Rome obtiennent la citoyenneté

80 av. J.-C. Le premier amphithéâtre romain est entrepris à Pompéi

73-71 av. J.-C. Révolte des esclaves conduits par Spartacus

49 av. J.-C. César franchit le Rubicon et chasse Pompée

31 av. J.-C. Octave bat Marc-Antoine à Actium

30 av. J.-C. Suicide de Marc-Antoine et de Cléopâtre en Égypte

44 av. J.-C. Assassinat de Jules César ; fin de la République

45 av. J.-C. Introduction du calendrier julien de 12 mois

L'âge d'or de Rome

Du règne d'Auguste à celui de Trajan, l'Empire romain ne cesse de s'étendre jusqu'à dominer un territoire allant de l'Écosse à la mer Rouge. Les taxes et le butin des campagnes militaires alimentent les caisses de l'État. Réduits à l'esclavage, les prisonniers de guerre fournissent une main-d'œuvre bon marché et le commerce avec les colonies enrichit les citoyens qui, pour se distraire, se rendent aux bains, au théâtre ou aux jeux. Enterrée sous les cendres du Vésuve en 79, Pompéi nous offre un tableau fascinant de la vie quotidienne à cette époque.

L'EMPIRE ROMAIN EN 117

▮ Étendue maximum de l'Empire

Mosaïque de gladiateurs
Les gladiateurs qui luttaient à mort dans les jeux du cirque étaient pour la plupart des prisonniers de guerre.

Frises et médaillons

Colonne de Trajan
Ses reliefs retracent les campagnes victorieuses de Trajan en Dacie (actuelle Roumanie) au début du IIᵉ siècle.

Le triclinium (salle à manger) présente une superbe frise de cupidons.

Boutiques romaines
Fermées la nuit par des volets de bois, de petites échoppes ouvertes sur la rue, telle cette pharmacie, bordaient les bâtiments en ville.

MAISON DES VETTII

Cette reconstruction montre l'une des plus belles maisons de Pompéi (p. 494-495). Les Vettii n'étaient pas des aristocrates mais des affranchis enrichis dans le commerce. Fresques et sculptures ornaient les pièces.

CHRONOLOGIE

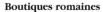

9 av. J.-C. L'Ara Pacis (p. 410) de Rome célèbre la paix après les guerres de Gaule et d'Espagne

17 apr. J.-C. Tibère fixe la frontière de l'Empire le long du Rhin et du Danube

Marmites en bronze de Pompéi

79 Une éruption du Vésuve détruit Pompéi et Herculanum

50 av. J.-C.   **1 apr. J.-C.**   **50**

27 av. J.-C. Octave prend le titre d'*Augustus* et devient le 1ᵉʳ empereur de Rome

37-41 Règne de Caligula

43 Conquête de la Grande-Bretagne sous Claude Iᵉʳ

67 Date légendaire du martyre de saint Pierre et de saint Paul à Rome

68 Déposition et suicide de Néron

80 Jeux inauguraux du Colisée

Auguste
Devenu le 1er empereur, le fils adoptif de Jules César réduisit le Sénat à l'impuissance et gouverna par décrets.

Dans l'atrium, un bassin recueillait les eaux de pluie.

Entrée principale

OÙ VOIR LA ROME IMPÉRIALE

De l'arc d'Auguste d'Aoste *(p. 215)* à la villa Casale *(p. 537)* en Sicile, il subsiste des vestiges de l'âge d'or de Rome dans toute l'Italie, notamment dans de nombreux musées locaux. Pompéi *(p. 494-495)* et Herculanum restent toutefois les lieux les plus évocateurs de la vie quotidienne. Le Museo Archeologico de Naples *(p. 490-491)* renferme de nombreux objets découverts sur ces 2 sites. À Rome et dans sa périphérie, ne pas manquer non plus le Panthéon *(p. 404)*, le Colisée *(p. 393)*, la villa Adriana *(p. 468)* et Ostie *(p. 467)*.

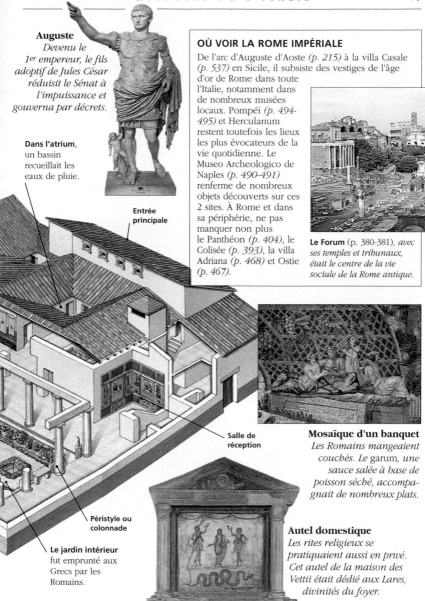

Le Forum *(p. 380-381)*, *avec ses temples et tribunaux, était le centre de la vie sociale de la Rome antique.*

Salle de réception

Mosaïque d'un banquet
Les Romains mangeaient couchés. Le garum, *une sauce salée à base de poisson séché, accompagnait de nombreux plats.*

Péristyle ou colonnade

Le jardin intérieur fut emprunté aux Grecs par les Romains.

Autel domestique
Les rites religieux se pratiquaient aussi en privé. Cet autel de la maison des Vettii était dédié aux Lares, divinités du foyer.

97 L'Empire atteint sa plus grande étendue sous Trajan

161-180 Règne de Marc-Aurèle

193-211 Règne de Septime Sévère

212 L'accès à la citoyenneté est ouvert à des habitants de toutes les régions de l'Empire

100	150	200

Fin du 1er siècle Amphithéâtre de Vérone

125 Hadrien reconstruit le Panthéon

134 Achèvement de la villa Adriana à Tivoli

L'empereur Septime Sévère

216 Construction à Rome des thermes de Caracalla

Le partage de l'Empire

Fiole en verre portant un symbole chrétien (IVe s.)

La conversion au christianisme de l'empereur Constantin en 312 marque un des grands tournants de l'Empire romain, et sa décision d'établir sa capitale à Constantinople (Byzance) un autre : elle annonce la division de l'Empire en deux qui aura lieu au Ve siècle. Sous la pression des tribus germaniques, l'Empire d'Occident s'effondre et les Goths puis les Lombards envahissent l'Italie. L'Empire d'Orient conserve un pouvoir nominal sur certaines régions depuis sa forteresse de Ravenne qui devient la plus puissante cité de la péninsule après la mise à sac de Rome.

L'ITALIE EN 600

■	Territoires byzantins
□	Territoires lombards

La donation de Constantin
Selon une légende médiévale encouragée par l'Église, Constantin remit au pape Sylvestre Ier le pouvoir temporel sur Rome.

Bélisaire (500-565), le général de Justinien, reprit une grande partie de l'Italie aux Goths.

Théodelinde
Cette reine lombarde du VIe siècle convertit son peuple au christianisme. On voit ici fondre de l'or pour l'église qu'elle bâtit à Monza (p. 184).

Justinien régna de 527 à 565. Il fut un grand législateur et l'un des plus puissants empereurs byzantins.

CHRONOLOGIE

303-305 Persécution des chrétiens sous le règne de Dioclétien

404 Ravenne capitale de l'Empereur d'Occident

312 Constantin bat Maxence à la bataille du pont Milvius

Pièce d'or de Théodoric

488 L'Ostrogoth Théodoric envahit l'Italie

547 Église San Vitale de Ravenne

300   **400**   **500**

270 Mur d'Aurélien construit pour protéger Rome des Barbares

313 L'édit de Milan accorde la liberté de culte

324 Le christianisme religion d'État

v. 320 1re basilique Saint-Pierre de Rome

410 Le Wisigoth Alaric met Rome à sac

476 Fin de l'Empire d'Occident

535 Bélisaire débarque en Sicile ; reconquête de la majeure partie de l'Italie par Byzance

564 Les Lombards envahissent l'Italie et font de Pavie leur capitale

Charlemagne
Après avoir écrasé les Lombards pour le pape, le roi des Francs fut sacré Saint Empereur romain en 800.

Sarrasins assiégeant Messine *(843)*
Au IXᵉ siècle, les Arabes conquièrent la Sicile. Certains atteignent même Rome où le pape Léon IV bâtit un nouveau mur pour protéger le Vatican.

L'empereur tient une grande patène, plat portant le pain de messe, en or.

Maximien, archevêque de Ravenne

OÙ VOIR L'ITALIE BYZANTINE ET PALÉOCHRÉTIENNE

Malgré les troubles et la dépopulation qui suivirent la chute de l'Empire romain, la survivance de l'Église catholique a permis la sauvegarde de nombreux monuments byzantins et du début du christianisme. Rome possède les catacombes *(p. 442)* et de grandes basiliques comme Santa Maria Maggiore *(p. 413)*. À Ravenne, siège de l'exarchat byzantin, se trouvent les églises San Vitale et Sant'Apollinare *(p. 268-269)* ornées de splendides mosaïques. La Sicile et le Sud conservent plusieurs sanctuaires byzantins, mais le plus beau, de style tardif, est la basilique Saint-Marc de Venise *(p. 110-111)*.

Stilo *en Calabre possède une superbe église byzantine du Xᵉ siècle, la Catto-lica (p. 520).*

Prêtres

COUR DE JUSTINIEN

De superbes mosaïques décoraient les sanctuaires byzantins. Achevée en 547 dans l'abside de l'église San Vitale de Ravenne *(p. 268)*, celle-ci représente des membres de la cour impériale.

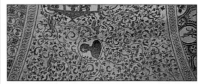

Santa Costanza *(p. 441), ancien mausolée des filles de Constantin bâti à Rome au IVᵉ siècle, présente sur ses voûtes des mosaïques antiques.*

---

v. 595 Les Lombards dominent les 2/3 de l'Italie

752 Le roi lombard Aistolphe prend la forteresse byzantine de Ravenne

774 Charlemagne conquiert l'Italie et coiffe la couronne lombarde

800 Sacre de Charlemagne à Saint-Pierre de Rome

878 Les Sarrasins prennent à l'Empire byzantin la ville de Syracuse et le contrôle de la Sicile

600	700	800	900

Grégoire Iᵉʳ le Grand régna de 590 à 604

599 Le pape Grégoire Iᵉʳ négocie la paix entre les Lombards et Byzance

754 Le pape demande l'aide des Francs ; Pépin le Bref défait les Lombards

Casque lombard en or du VIᵉ siècle au Bargello de Florence (p. 283)

L'essor de Venise

L'Italie vit au Moyen Âge des nuées d'envahisseurs se mêler aux conflits entre empereurs germaniques et papes, et de nombreuses cités du Nord profitèrent de la confusion pour affirmer leur indépendance. La plus puissante fut Venise, république gouvernée par un doge et un Grand Conseil. Malgré sa rivalité avec des villes comme Gênes ou Pise, elle bâtit un véritable empire en Méditerranée.

Enrico Dandolo, doge de Venise (v. 1120-1205)

LA MÉDITERRANÉE EN 1250

— Routes commerciales génoises
— Routes commerciales vénitiennes

Matilda de Toscane

Matilda, comtesse de Toscane (1046-1115), soutint le pape Grégoire VII contre l'empereur Henri IV. À sa mort, elle légua ses terres à l'Église.

Basilique Saint-Marc · **Palais des Doges**

Dais protégeant le demi-pont

Voiles d'appoint

Les rames étaient le principal mode de propulsion.

Galère vénitienne

Les galères utilisées pour le commerce comme pour la guerre ressemblaient à celles de la Grèce antique.

Les colonnes de San Marco et San Teodoro furent dressées au XIIᵉ siècle.

DÉPART DE MARCO POLO POUR LA CHINE

Venise importait du Moyen-Orient de la soie et des épices chinoises, mais aucun de ses habitants ne s'était rendu sur place avant le père de Marco Polo, Nicolò. Son fils partit avec lui en 1271, traversa toute l'Asie et passa 16 ans au service de Kublai Khan, empereur de la Chine mongole.

CHRONOLOGIE

Étudiants du Moyen Âge

1000 Le doge Pietro Orsolo II défait les pirates dalmates en Adriatique

XIᵉ siècle L'école de droit de Bologne devient la première université d'Europe

1139 Naples intégrée au royaume de Sicile

1000	1050	1100

1030 Le duc de Naples accorde le comté d'Aversa au chevalier normand Rainulf

1061 Les Normands Robert Guiscard et Roger de Hauteville prennent Messine aux Arabes

1084 Sac de Rome par les Normands

1076 Les Normands prennent Salerne, dernière cité lombarde

1115 Mort de la comtesse Matilda

1130 Roger II couronné roi de Sicile

1063 Reconstruction de Saint-Marc à Venise

1073-1085 Grégoire VII réforme l'Église et la papauté

Saint François d'Assise *(1181-1226)*

Dans le Songe d'Innocent III *peint par Giotto vers 1290-1295, saint François soutient l'édifice chancelant de l'Église qu'un excès de richesse avait mise en crise. Le vœu franciscain de pauvreté apporta un réel renouveau au christianisme.*

OÙ VOIR L'ITALIE DU HAUT MOYEN ÂGE

L'époque vit s'élever de puissants châteaux forts tels le Castel del Monte *(p. 509)* dans les Pouilles et le castello dell'Imperatore à Prato, ainsi que de superbes

Le castello dell'Imperatore *de Prato bâti vers 1240.*

églises comme Saint-Marc à Venise *(p. 110)*, Sant'Antonio à Padoue *(p. 158)* et le Duomo de Pise *(p. 324)* et sa célèbre tour penchée *(p. 326).*

Monastère Sant'Apollonia

Actuelle riva degli Schiavoni

Nicolò Polo, son frère Maffeo et son fils Marco se préparent à embarquer pour Saint-Jean-d'Acre, leur première étape.

IVe croisade

Menée par le doge Enrico Dandolo, elle n'atteignit jamais la Terre Sainte mais pilla Constantinople en 1204.

Frédéric II *(1194-1250)*

L'empereur entretenait érudits et poètes à sa cour en Sicile. Il obtint, par diplomatie, Jérusalem des Arabes, mais fut constamment en guerre avec le pape et les cités lombardes.

1155 Frédéric Barberousse sacré Saint Empereur romain

1198 Frédéric II devient roi de Sicile

1204 Sac de Constantinople

1209 Création de l'ordre franciscain

1216 Création de l'ordre dominicain

1250 Mort de Frédéric II

1260 Urbain IV invite Charles d'Anjou à régner sur Naples et la Sicile

1265 Naissance de Dante

1150	1200	1250

Frédéric Barberousse vêtu en croisé

1220 Frédéric II sacré Saint Empereur romain

1228 Grégoire IX excommunie Frédéric II ; luttes entre les partisans du pape (les guelfes) et ceux de l'empereur (les gibelins)

1237 La Ligue lombarde défait Frédéric à Cortenuova

1271 Marco Polo part pour la Chine

La fin du Moyen Âge

Le conflit entre papauté et Empire se poursuit pendant tout le XIVe siècle, partageant les Italiens en deux factions : les guelfes, partisans du pape, et les gibelins qui soutiennent l'empereur. Les villes de Toscane et de Lombardie profitent de la situation pour accroître leur puissance et leur prospérité. De riches mécènes permettent l'émergence d'un nouvel âge de la peinture initié par des artistes comme Duccio et Giotto, tandis que Dante et Pétrarque jettent les fondements de la littérature italienne.

Crosse épiscopale siennoise

L'ITALIE EN 1350

- ☐ États pontificaux
- ☐ Saint Empire romain
- ☐ Royaume angevin de Naples

PLACE MÉDIÉVALE

Dans toute l'Italie centrale, c'était sur la grand-place que s'exprimaient la fierté et l'indépendance de la cité. Le centre de Pérouse *(p. 352-353)* a peu changé depuis le XIVe siècle, époque où elle s'efforçait de surclasser ses rivales, notamment Sienne, par la taille et la somptuosité des bâtiments publics.

Clocher

Griffon, symbole de Pérouse

Condottieres

Les villes payaient des chefs de mercenaires, les condottieri, *pour livrer les guerres à leur place. Simone Martini a peint ici* Guidoriccio da Fogliano *(1330).*

La salle principale de l'hôtel de ville, la sala dei Notari, est ornée des armoiries des maires de Pérouse.

L'Enfer de Dante

Dans sa vision de l'enfer, le poète réserve l'un des pires châtiments, un bain dans une fournaise, aux papes corrompus tel Boniface VIII qui régna de 1294 à 1303.

La Fontana Maggiore, un symbole de la richesse de la ville, fut commencée en 1275 et décorée de panneaux par Nicola Pisano.

CHRONOLOGIE

1282 Vêpres siciliennes : 2 000 soldats français tués à Palerme lors d'un soulèvement populaire

1298 Retour de Marco Polo à Venise

1296 Le Duomo de Florence est entrepris

1309-1343 Règne de Robert le Sage à Naples

1310 Le palais des Doges est entrepris à Venise

1313 Naissance de Boccace

1275

1300

1325

1282 Pierre d'Aragon débarque à Trapani, conquiert la Sicile et se fait couronner à Palerme

Pétrarque, poète et érudit

1304 Naissance de Pétrarque

1309 Clément V installe la papauté à Avignon

1321 Dante achève *La Divine Comédie* et meurt

1337 Mort de Giotto

La peste
Transmise par des marins génois arrivant de la mer Noire, la peste atteignit l'Italie en 1347. Elle tua plus d'un tiers de la population et frappa épisodiquement la péninsule jusqu'au XVIe siècle.

OÙ VOIR L'ITALIE DE LA FIN DU MOYEN ÂGE

L'Italie centrale a conservé des édifices publics des XIIIe et XIVe siècles. Parmi les plus impressionnants figurent le Palazzo Vecchio de Florence (p. 291) et le Palazzo Pubblico de Sienne (p. 340). Le Duomo d'Orvieto (p. 358-359) est un bel exemple de cathédrale gothique de la fin du XIIIe siècle. Volterra (p. 334) et Monteriggioni (p. 334) en Toscane, Gubbio (p. 352) et Todi (p. 359) en Ombrie et Viterbo (p. 464-465) dans le Latium ont gardé leur aspect médiéval.

La piazza dei Priori
de Volterra (p. 324) est l'une des plus belles places médiévales d'Italie.

La cathédrale, entreprise en 1350, avait une chaire donnant sur la place.

Construction d'Alessandria
Des remparts entouraient presque toutes les villes. Cette fresque (1407) par Spinello Aretino offre un bon aperçu des techniques de construction.

Retour du pape Grégoire XI à Rome (1378)
Les papes vécurent 70 ans à Avignon protégés par le roi de France tandis que nobles et républicains se disputaient Rome.

1339 Simon Boccanegra premier doge de Gênes ; Jeanne Ire reine de Naples

Médecin médiéval

1378-1417 Le grand schisme oppose papes et antipapes installés à Rome et Avignon

1347-1349 Épidémie de peste

1380 La flotte génoise se rend aux Vénitiens à Chioggia

| 1350 | 1375 | 1400 |

1357 Cola di Rienzo est tué à Rome

1385 Gian Galeazzo Visconti prend le pouvoir à Milan

1406 Florence annexe Pise

1347 Cola di Rienzo tente de restaurer la République romaine

1378 Grégoire XI rentre d'Avignon à Rome

La Renaissance

Léonard de Vinci (1452-1519)

De riches mécènes, tels les Médicis de Florence, gouvernent les villes du nord et du centre de l'Italie. Ils soutiennent et financent aussi une véritable révolution artistique et intellectuelle : peintres, sculpteurs, architectes et érudits puisent dans l'Antiquité grecque et romaine pour faire « renaître » les valeurs classiques. L'étude de l'anatomie et de la perspective bouleverse la peinture tandis que les humanistes défendent le rôle de la connaissance et de la raison. Des génies comme Léonard de Vinci ou Michel-Ange incarnent l'idéal d'un homme ouvert à toutes les formes de savoirs.

L'ITALIE EN 1492

- République de Florence
- États pontificaux
- Possessions aragonaises

Le Christ remettant les clés à saint Pierre
Dans la fresque peinte par le Pérugin dans la chapelle Sixtine (p. 426), le Christ confère une autorité temporelle au premier des papes en lui remettant aussi la clé du royaume terrestre.

Galeazzo Maria Sforza était le fils du maître de Milan.

Pierre de Médicis, père de Laurent, était surnommé le Goutteux.

Autoportrait de l'artiste

Exécution de Savonarole *(1498)*
Après avoir gouverné Florence en 1494, ce moine fanatique fut pendu puis brûlé pour hérésie sur la piazza della Signoria.

CHRONOLOGIE

1420 Martin V rétablit la papauté à Rome

1435 Alberti publie *De Pictura* qui contient la première description d'un modèle de perspective

1436 Brunelleschi achève la coupole du Duomo de Florence

1458-1464 Les maisons d'Anjou et d'Aragon se disputent le royaume de Naples

1469 Laurent le Magnifique règne à Florence

1425

1450

1434 Cosme de Médicis accède au pouvoir à Florence

1442 Alphonse d'Aragon prend Naples

1452 Naissance de Léonard de Vinci

Cosme de Médicis

1444 Frederico da Montefeltro devient duc d'Urbino

1453 Chute de Constantinople

Filippo Brunelleschi

La Bataille de Pavie *(1525)*
*L'empereur Charles Quint, un Habsbourg,
y fit prisonnier François I{er} de France et
gagna le contrôle de l'Italie.*

LE CORTÈGE DES ROIS MAGES

La fresque de Benozzo Gozzoli (1459) au
palazzo Medici-Riccardi de Florence met en
scène des notables de l'époque, notamment
des Médicis, et contient de nombreuses
références au grand concile de 1439.

OÙ VOIR L'ITALIE DE LA RENAISSANCE

L'art s'est épanoui dans bien des villes au
XV{e} siècle et si aucune n'égale en richesse
Florence *(p. 270-313)* avec ses *palazzi* et
la Galleria degli Uffizi *(p. 286-289)*, Venise
(p. 84-137), Urbino *(p. 370-371)* et
Mantoue *(p. 199)* conservent des trésors. À
Rome, ne pas manquer la chapelle Sixtine
et les Chambres de Raphaël *(p. 424-427)*.

Le Spedale degli Innocenti *de Brunelleschi
illustre à Florence* (p. 277) *la retenue et le sens
de la symétrie de l'architecture Renaissance.*

Humanisme
*Le saint Augustin de
Carpaccio aurait les
traits du cardinal
Bessarion (v. 1395-
1472), l'un des
érudits qui remirent
en vogue les
philosophes
classiques, tel que
Platon.*

**Laurent le Magnifique
de Médicis** prête ses
traits à l'un des Rois
mages.

Jules II
*C'est en vieil homme d'État rusé
que Raphaël représente ce pape
ambitieux qui régna de 1503 à
1513 et fit des États pontificaux
une puissance européenne.*

1487 Naissance de Titien

1483 Sixte IV
consacre la
chapelle Sixtine

1494
Charles VIII
de France
envahit
l'Italie

1503 Giuliano della Rovere
devient le pape Jules II,
le plus puissant
des papes de la
Renaissance

Machiavel

1527 Sac de Rome par
les troupes impériales

1475

1500

1475 Naissance
de Michel-Ange

Raphaël

1483
Naissance de Raphaël

1512 Michel-Ange
achève le plafond de la
chapelle Sixtine

1525 François I{er} de
France capture à
Pavie

1498 Savonarole exécuté ; Machiavel
secrétaire de la République de Florence

1513 Jean de
Médicis devient le
pape Léon X

1532 Publication du *Prince* de
Machiavel 5 ans après sa mort

La Contre-Réforme

Le Bernin

Après le sac de Rome de 1527, l'Italie est sous la coupe de Charles Quint, roi d'Espagne, élu empereur germanique en 1519, que son ancien ennemi, le pape Clément VII, est contraint de sacrer à Bologne. En réaction au protestantisme, son successeur, Paul III, engage l'Église dans une série de réformes connue sous le nom de Contre-Réforme. Un nouvel ordre, les jésuites, s'emploie à reconquérir le terrain perdu, en Europe centrale notamment. Cet esprit missionnaire donne naissance à un style artistique foisonnant : le baroque.

L'ITALIE EN 1550

- Possessions espagnoles
- États alliés à l'Espagne

L'empereur Charles Quint et le pape Clément VII
Les deux ennemis réglèrent leurs différends et l'avenir de l'Italie par le traité de Barcelone (1529).

La Vierge intervient au côté des chrétiens.

STUCS BAROQUES

Un foisonnement de stucs dorés caractérise les décorations baroques. Cette œuvre de Giacomo Serpotta (v. 1690) à l'oratoire de Santa Zita de Palerme témoigne de l'exubérance du baroque tardif. Elle a pour sujet la bataille de Lépante (1571), victoire navale des forces de la chrétienté sur la flotte turque.

Une scène peinte en perspective constitue le centre de l'œuvre.

Architecture baroque
Guarino Guarini acheva en 1694 la décoration de la coupole de la chapelle du Saint Suaire de Turin (p. 221).

Le garçon pose la main sur un casque symbolisant les vainqueurs chrétiens.

CHRONOLOGIE

1530-1537 Alexandre de Médicis gouverne Florence	**1542** Établissement à Rome de l'Inquisition	*Andrea Palladio*	**1580** Mort de l'architecte Palladio	**1600** Le philosophe Giordano Bruno brûlé pour hérésie à Rome
	1545-1563 Le concile de Trente définit le contenu de la Contre-Réforme		**1589** Palestrina fixe la forme du cantique latin	

1550   **1575**

1540 Fondation de l'ordre jésuite	**1541** Michel-Ange achève *Le Jugement dernier* dans la chapelle Sixtine	**1571** Victoire navale sur les Turcs à Lépante	
		1564 Naissance de Galilée	*Giovanni Pierluigi da Palestrina*
1429 Sacre de Charles Quint à San Petronio, Bologne		**1560** Saint Charles Borromée évêque de Milan	

Procès de Galilée

Convoqué à Rome par l'Inquisition en 1633, le grand astronome qui avait observé que la terre et les planètes tournaient autour du soleil dut renier sa découverte.

Les galères vénitiennes jouèrent un grand rôle à Lépante.

L'angelot est un des ornements favoris du baroque

Ignace de Loyola

Rome officialisa en 1540 l'ordre des jésuites fondé par le saint espagnol.

Un turban symbolise les Turcs vaincus

Révolte de Masaniello *(1647)*

Un projet d'impôt sur les fruits provoqua à Naples cette révolte, vite réprimée, contre les Espagnols.

OÙ VOIR L'ITALIE BAROQUE

Le Ravissement de sainte Thérèse *du Bernin (p. 412) possède une théâtralité typique de la sculpture baroque.*

Avec de vastes espaces publics comme la piazza Navona (p. 398-399), c'est à Rome, où Borromini et le Bernin bâtirent beaucoup d'églises, que fleurit le baroque. Il a aussi marqué des villes telles que Turin (p. 220-221), Lecce (p. 512-513) dans les Pouilles, Palerme (p. 526-529), Noto (p. 543) ou Syracuse (p. 542-543) en Sicile.

1626 Consécration à Rome de la nouvelle cathédrale Saint-Pierre	**1669** Les Turcs prennent la Crête à Venise	**1694** Andrea Pozzo achève la fresque de la voûte de l'église Sant'Ignazio de Rome
1631 Les États pontificaux absorbent le duché d'Urbino		**1678** Naissance de Vivaldi
1625	**1650**	**1675**
1633 Galilée condamné par l'Inquisition	**1647** Révolte contre les Espagnols à Naples	**1693** Un tremblement de terre dans l'est de la Sicile tue 5 % de la population de l'île
1642 Le *Couronnement de Poppée* par Monteverdi	**1669** Importante éruption de l'Etna	**1674** Révolte contre les Espagnols à Messine

Le Voyage en Italie

Shelley, poète romantique, mourut en Italie

Le traité d'Aix-la-Chapelle signé en 1748 marque le début de cinquante ans de paix et l'Italie devient grâce à ses trésors artistiques et historiques, notamment les ruines de Pompéi récemment déterrées, la destination préférée des premiers touristes. La visite de Rome, Florence et Venise devient une forme de pèlerinage pour les aristocrates anglais ; poètes et artistes viennent chercher l'inspiration aux sources du classicisme. De 1800 à 1814, Napoléon réalise brièvement l'unité de l'Italie avant le retour des Autrichiens.

Flotte de Charles III à Naples *(1753)*
Avant de devenir roi d'Espagne en 1759, Charles III tenta de réelles réformes politiques à Naples.

Goethe dans la campagne romaine
Goethe visita l'Italie dans les années 1780. De grands poètes comme Keats, Shelley et Byron suivirent son exemple.

Hercule Farnèse
(p. 491)

Carnaval vénitien
La puissance de la Sérénissime République appartenait au passé quand Napoléon la céda à l'Autriche en 1797, mais son carnaval restait grandiose.

Gaulois mourant
(p. 386)

GALERIE DE VUES DE LA ROME ANTIQUE PAR PANNINI

Giovanni Pannini (1691-1765) peignait des vues de ruines pour les étrangers. Cette peinture est un *capriccio*, le rassemblement imaginaire de statues et décors classiques célèbres.

CHRONOLOGIE

Armoiries des Médicis

1713 Le traité d'Utrecht donne la Sicile au Piémont, et Naples et la Sardaigne à l'Autriche

1725 *Les Quatre saisons* de Vivaldi

1735 La paix de Vienne confirme Charles III à la tête des royaumes de Naples et de Sicile

1748 Premières fouilles à Pompéi

1700	1720	1740

1707 Naissance du dramaturge Carlo Goldoni

1718 La maison de Savoie unit le Piémont et la Sardaigne ; la Sicile passe à l'Autriche

1737 Fin de la dynastie des Médicis à Florence ; le grand-duché de Toscane passe à la maison de Lorraine

Le grand compositeur vénitien Antonio Vivaldi

Vue du Forum romain par Piranèse
Le succès rencontré par la série d'eaux-fortes de Piranèse (1720-1778) intitulée Vedute di Roma *(Vues de Rome) renforça l'intérêt pour les ruines antiques.*

Le Colisée était déjà un sujet de souvenir populaire au XVIIIe siècle.

Le Laocoon
(p. 417)

Vue du Panthéon
(p. 404)

OÙ VOIR L'ITALIE DU XVIIIe SIÈCLE

Le XVIIIe siècle orna Rome de deux des monuments préférés des visiteurs : l'escalier de la piazza di Spagna *(p. 409)* et la fontaine de Trevi *(p. 410)*. Il vit aussi s'édifier les premiers véritables musées, tel le museo Pio-Clementino *(p. 421)* du Vatican, tandis que le triomphe du néo-classicisme suscitait la construction d'édifices aussi imposants que le Palazzo Reale de Caserta *(p. 496)* et donnait une immense popularité à la sculpture d'Antonio Canova (1757-1822) dont la tombe se trouve à Santa Maria Gloriosa dei Frari à Venise *(p. 98-99)*.

Pauline Borghese, *sœur de Napoléon, servit de modèle à la* Vénus *(1805) de Canova qui s'admire à Rome à la Villa Borghese* (p. 439).

Napoléon
Napoléon prétendait propager les idées de la Révolution française quand il conquit l'Italie en 1800, mais il pilla ses trésors artistiques.

Congrès de Vienne *(1815)*
En décidant de laisser la Lombardie et Venise à l'Autriche, il sema le germe du mouvement pour l'unification.

L'opéra de la Scala, Milan (p. 187)	**1796-1797** Première campagne d'Italie de Napoléon	**1800-1801** Napoléon conquiert l'Italie
1778 La Scala ouvre à Milan		**1808** Murat devient roi de Naples **1809** Le pape Pie VII exilé de Rome

1760	1780	1800
1768 Gênes vend la Corse à la France **1773** Le pape dissout l'ordre jésuite	**1780** Joseph II monte sur le trône autrichien ; réformes mineures en Lombardie	**1806** Joseph Bonaparte devient roi de Naples
1765-1790 Règne de Léopold, grand-duc de Toscane réformateur	**1797** Le traité de Campo Formio donne Venise à l'Autriche ; la France contrôle le reste de l'Italie du Nord	**1815** Le congrès de Vienne rétablit l'ordre ancien en Italie mais laisse Venise à l'Autriche

Le Risorgimento

Le terme « Risorgimento » (Résurrection) décrit le demi-siècle de luttes qui permit aux Italiens de se libérer des tutelles étrangères et d'accomplir l'unification de leur pays en 1870. Les premières révoltes patriotes eurent lieu en 1848, contre les Autrichiens à Milan et à Venise, contre les Bourbons en Sicile et contre le pape à Rome, où fut créée une république. Trop dispersés, ces soulèvements échouèrent et il fallut attendre 1859 pour que commence la véritable reconquête menée par le royaume du Piémont dirigé par Victor-Emmanuel II.

Victor-Emmanuel

L'ITALIE EN 1861

◼ Royaume d'Italie

Les fusils étaient de vieilles armes à silex bricolées.

Giuseppe Mazzini
(1805-1872)
Comme Garibaldi, ce patriote qui passa la majeure partie de sa vie en exil rêvait d'une république italienne plutôt que d'un royaume.

La chemise rouge était l'uniforme des hommes de Garibaldi.

Chemin de fer
Sans unité politique, l'Italie tarda à se doter d'un réseau de chemin de fer efficace. La courte ligne entre Naples et Portici ouvrit en 1839.

Révolte de Messine
Lors de cette révolte en 1848, Ferdinand II soumit la ville à un féroce bombardement qui lui valut le surnom de Re Bomba.

CHRONOLOGIE

1831 Insurrection contre le pape en Romagne et dans les Marches

1840 Première grande liaison ferroviaire

1849 Victor-Emmanuel II monte sur le trône du Piémont

1820	1830	1840	1850

1820 La société secrète des *carbonari* s'organise dans les États pontificaux

1831 Mazzini fonde l'association Giovine Italia (Jeune Italie)

Daniele Manin, héros de l'insurrection vénitienne de 1848

1847 Crise économique

1848 Révolutions dans toute l'Italie

1852 Cavour devient premier ministre du Piémont

1849 Des troupes françaises écrasent l République de Rome

Bataille de Solferino *(1859)*
Avec l'aide d'une armée française menée
par Napoléon III, les Piémontais prirent
Milan et la Lombardie aux Autrichiens.

Deux vieux vapeurs à aubes transportèrent
les 1000 depuis Quarto près de Gênes.

OÙ VOIR L'ITALIE DU RISORGIMENTO

Presque toutes les villes italiennes rendent
honneur aux héros de l'unification avec une
via Garibaldi, une via Cavour, une piazza
Vittorio, une via Mazzini et une via XX
Settembre (date de la chute de Rome en
1870). Beaucoup possèdent un musée du
Risorgimento ; le meilleur est à Turin *(p. 223)*.

Le monument de Victor-Emmanuel II (p. 384)
à Rome n'est pas très populaire.

Comte Camillo di Cavour
(1810-1861)
Inventeur du terme
« Risorgimento » et fin
diplomate, le premier
ministre du Piémont
sut assurer à la
famille de Savoie la
couronne d'Italie.

Les chaloupes de
débarquement furent
prêtées par d'autres
navires du port.

Giuseppe Verdi
(1813-1901)
Auteurs d'œuvres
patriotiques, des
compositeurs
comme Verdi,
Donizetti et
Rossini firent du
XIXᵉ siècle la
grande époque de
l'opéra italien.

EXPÉDITION DES MILLE

Dirigés par le patriote Giuseppe Garibaldi
(1807-1882), 1 000 volontaires débarquèrent
à Marsala en 1860. Après la reddition de la
garnison de Palerme, ils marchèrent sur
Naples, conquérant ainsi pour Victor-
Emmanuel la moitié de son royaume.

1859 Batailles de Magenta et de Solferino ;
le Piémont obtient la Lombardie et les
duchés de Parme, de Modène et de Toscane

1861 Proclamation d'un royaume
d'Italie ; Turin est sa capitale

Pie IX se retrouva prisonnier
de fait au Vatican quand Rome
devint capitale de l'Italie.

1882 Décès de Garibaldi
et du pape Pie IX

1893
Répression d'un
soulèvement
en Sicile

1860	1870	1880	1890

1866 L'Italie
obtient Venise
de l'Autriche

1878 Mort de Victor-Emmanuel,
sacre d'Umberto Iᵉʳ

1870 Les royalistes
prennent Rome et en font la capitale
du jeune État ; Pie IX proclame le
dogme de l'infaillibilité papale

1860 Garibaldi et les 1 000
s'emparent du royaume des
Deux-Siciles

1890 Un décret royal
fonde la colonie
italienne d'Érythrée

L'Italie du XXᵉ siècle

Le parti fasciste de Mussolini promettait la grandeur aux Italiens, mais ne leur apporta qu'humiliation. Au sortir de la guerre, la monarchie, discréditée, est abolie et un parti de droite modéré, la démocratie chrétienne, porté au pouvoir. Il le conserve quasiment sans interruption jusqu'en 1994. Malgré de nombreuses crises gouvernementales et une corruption dont l'ampleur se révèle aujourd'hui, l'Italie s'affirme comme une grande puissance économique européenne.

1936 Fiat fabrique la première « Topolino »

1960 Sortie de *La Dolce Vita*, satire par Federico Fellini de la société romaine

1922 Les fascistes marchent sur Rome ; Mussolini obtient le pouvoir

1940 L'Italie entre en guerre

1918 L'avance autrichienne est arrêtée sur la Piave, juste au nord de Venise

1900 Assassinat du roi Umberto Iᵉʳ

1911-1912 L'Italie conquiert la Libye

1943 Les Alliés débarquent en Sicile ; le gouvernement de Badoglio signe un armistice

| 1900 | 1910 | 1920 | 1930 | 1940 | 1950 | 1960 |

| 1900 | 1910 | 1920 | 1930 | 1940 | 1950 | 1960 |

1908 Un tremblement de terre en Calabre et en Sicile orientale détruit presque entièrement Messine et fait plus de 150 000 victimes

1915 L'Italie entre en guerre

1936 L'Italie conquiert l'Abyssinie et signe le Pacte d'Acier avec l'Allemagne hitlérienne

1943 Emprisonné, Mussolini est libéré par les Allemands

1946 Un référendum établit la République ; la démocratie chrétienne forme le premier d'une longue série de gouvernements de coalition

Années 1920 De nombreux émigrants partent pour les États-Unis comme ces passagers du *Giulio Cesare* arrivant à New York

1957 Traité de Rome ; l'Italie est l'un des 6 membres fondateurs de la CEE

1960 Jeux Olympiques de Rome

1917 Défaite de Carporetto sur la frontière nord-est ; les troupes italiennes, tels ces *Alpini*, reculent

1909 Dans son article *Le Futurisme*, Filippo Marinetti prône un art du mouvement en rupture avec le passé, comme en témoigne l'œuvre d'Umberto Boccioni *Formes uniques de la continuité dans l'espace* (1913)

1978 Les Brigades rouges enlèvent et abattent le premier ministre Aldo Moro

1994 Chef d'un nouveau parti, Forza Italia, le magnat de l'audiovisuel Silvio Berlusconi devient Premier ministre

1996 Un incendie détruit le théâtre de la Fenice à Venise

1996 Un tremblement de terre à Assise endommage la basilique et détruit les fresques de Giotto

1992 Le juge Giovanni Falcone est tué par la Mafia en Sicile

2000 Rome célèbre l'Année sainte et le Jubilée

1992 La justice révèle l'ampleur de la corruption dans le système politique

2002 Mise en circulation de l'euro

1966 L'Arno inonde Florence et endommage de nombreuses œuvres d'art

2006 Romano Prodi est élu à la tête du gouvernement

1983 Bettino Craxi est le premier socialiste à former un gouvernement en Italie

2008 3e mandat de Silvio Berlusconi comme Premier ministre

1970	1980	1990	2000	2010	2020

1970	1980	1990	2000	2010	2020

1990 L'Italie accueille la coupe du monde de football

2006 L'Italie gagne la coupe du monde en Allemagne

1978 Élection du pape Jean-Paul II

2005 Élection du Pape Benoît XVI

1982 L'Italie remporte la coupe du monde de football en Espagne

2001 Silvio Berlusconi revient au pouvoir

1999 Roberto Benigni remporte 3 Oscars pour *La Vie est belle*, dont celui du meilleur acteur et celui du meilleur film étranger

1969 Un attentat à la bombe sur la piazza Fontana de Milan tue 13 personnes

1997 Dario Fo reçoit le prix Nobel de littérature

CINÉMA ITALIEN DEPUIS LA SECONDE GUERRE MONDIALE

Après la guerre, de jeunes réalisateurs explorent la vie quotidienne de leurs concitoyens. Ils fondent le néoréalisme qui produira de grandes œuvres comme *Rome, ville ouverte* (1945) de Roberto Rossellini, *Le Voleur de bicyclette* (1948) de Vittorio de Sica. À partir des années 1960, les cinéastes italiens développent chacun leur univers et leur style

Vittorio de Sica (1901–74)

personnel comme Pier Paolo Pasolini, le raffinement de Luchino Visconti dans *Mort à Venise* (1971) contrastant avec la démesure de Federico Fellini dans *Roma* (1972). L'Italie a produit plusieurs films à succès comme les westerns de Sergio Leone, *Cinema Paradiso*, de Giuseppe Tornatore ou *La Chambre du fils* de Nanni Moretti, Palme d'or 2001 à Cannes.

ITALIE AU JOUR LE JOUR

Unifiée depuis à peine plus d'un siècle, l'Italie a conservé une étonnante diversité de couleurs et de particularismes locaux, spécialement dans le Sud. L'esprit de compétition entre localités ou quartiers voisins reste d'ailleurs si vivant qu'il porte un nom : le « campanilisme ». En ville comme à la campagne, en Sicile comme en Toscane, il prend toute sa dimension pour les fêtes locales, traditions souvent séculaires. Qu'il s'agisse d'un carnaval, d'une cérémonie religieuse ou d'une simple foire gastronomique, leur réussite et leur faste engagent toute la communauté.

PRINTEMPS

Le printemps commence tôt en Italie. Sauf à Rome, où les célébrations de Pâques attirent des milliers de catholiques, il n'y a généralement pas foule à l'entrée des musées et des monuments. Dans le centre et le nord du pays, le temps peut toutefois se montrer imprévisible et humide. Sur les menus des restaurants apparaissent des spécialités de saison comme les asperges, les fèves fraîches ou la roquette.
De nombreuses fêtes marquent la sortie de l'hiver, notamment en Sicile.

Asperges toscanes

MARS

Mostra Vini Spumanti *(mi-mars)*, Madonna di Campiglio, Trentin-Haut-Adige. Fête du vin mousseux local.
Sa Sartiglia, Oristano,

Procession de la Vierge dans l'île de Procida

Sardaigne. 3 jours de carnaval avant le mardi gras.
Su e zo per i ponti *(2e dim.)*, Venise. Sorte de marathon « sur et sous les ponts ».

AVRIL

Procession de la Vierge *(ven. saint)*, Procida, Campanie. Un défilé haut en couleur à travers toute l'île.
Semaine sainte. Du dimanche des Rameaux au dimanche de Pâques, célébrations religieuses dans tout le pays.
Bénédiction papale *(dim. de Pâques)*, place Saint-Pierre de Rome.
Danse des démons et de la mort *(dim. de Pâques)*, Prizzi, Sicile. Les forces du mal tentent de triompher de l'esprit divin.
Scoppio del Carro *(dim. de Pâques)*, Florence. L'Explosion du char : un feu d'artifice devant le Duomo.
Festa della Madonna che Scappa in Piazza *(dim. de Pâques)*, Sulmona, Abruzzes. Mise en scène d'une rencontre entre la Vierge et le Christ.
Festa degli Aquiloni *(1er dim. après Pâques)*, San Miniato, Toscane. Fête des cerfs-volants.
Festa di San Marco *(25 avril)*, Venise. Une course de gondoles sur le bacino di San Marco en l'honneur de saint Marc.
Mostra Mercato Internazionale dell'Artigianato *(dernière semaine)*, Florence. Une foire artisanale attirant des

Fraises de printemps

Scoppio del Carro (Explosion du char) à Florence

exposants de toute l'Europe.
Sagra Musicale Lucchese *(avr.-juil.)*, Lucques, Toscane. Concerts de musique sacrée.

MAI

Festa di Sant'Efisio *(1er mai)*, Cagliari, Sardaigne. Parade en costumes traditionnels sardes.
Festa dei Ceri *(5 mai)*, Gubbio, Pérouse. Fête incluant une course entre 4 équipes portant de grands cierges.
Festa di San Domenico Abate *(6 mai)*, Cocullo, Abruzzes. Une statue de saint Dominique couverte de serpents vivants est portée en procession.
Festa della Mela *(fin mai)*, Ora (Auer), Trentin-Haut-Adige. La Fête de la pomme.
Festival de théâtre grec *(mai-juin)*, Syracuse, Sicile.
Maggio Musicale *(mai-juin)*, Florence. Musique, théâtre et danse, aussi bien classiques que modernes.

Rue tapissée de fleurs pour l'Infiorata de Genzano

ÉTÉ

Les villes se remplissent de touristes et il y a souvent la queue à l'entrée des musées ou des monuments. De nombreux hôtels affichent complet. En général plus authentiques, les fêtes de village, organisées notamment pour la Saint-Jean (24 juin), permettent de se mêler à la population locale. En août, beaucoup de commerces sont fermés.

JUIN

Festa della Fragola *(1er juin)*, Borgo San Martino, Alessandria. La Fête de la fraise fournit le prétexte à des danses folkloriques.
Biennale *(juin-sept.)*, Venise. La plus grande manifestation d'art contemporain du monde n'a lieu que les années impaires.
Infiorata *(début juin)*, Genzano, Castelli Romani. Procession dans des rues tapissées de fleurs.
Festa di San Giovanni *(24 juin)*, Turin, Piémont. La fête de la Saint-Jean a lieu depuis le XIVe siècle.
Calcio Storico Fiorentino *(24 juin)*, Florence. Procession en costumes du XVIe siècle et feu d'artifice.
Festa di Sant'Andrea *(27 juin)*, Amalfi, Campanie. Feu d'artifice et processions.
Festa dei Due Mondi *(fin juin-déb. juil.)*, Spoleto, Ombrie. Festival de théâtre, de musique et de danse.
Gioco del Ponte *(der. dim.)*, Pise. Le Jeu du pont en armures Renaissance.
Estate Romana *(fin juin-mi-sept.)*, Rome. Ballets, concerts, spectacles et cinéma en plein air.

JUILLET

Corsa del Palio *(2 juil.)*, Sienne. Course de chevaux pour la manifestation la plus célèbre de Toscane *(p. 341)*.
Festa della Madonna della Bruna *(1er dim.)*, Matera, Basilicate. Religieux et chevaliers en costume.

Festa dei Noantri *(2 der. sem. de juil.)*, Rome. Animations festives dans les rues du Trastevere.
Festa della Santa Maria del Carmine *(16 juil.)*, Naples. Fête somptueuse ponctuée par l'embrasement du campanile.

Musicien du Calcio de Florence

Festival international du film *(juil.-août)*, Taormina, Sicile.

Le Palio de Sienne

Le Festival d'opéra *(juil.-août)* de Vérone, en Vénétie, se déroule avec le **Festival Shakespeare** dans le superbe amphithéâtre de la ville *(p. 143)* et propose danse, musique et opéra.

AOÛT

Palio *(1er week-end d'août)*, Feltre, Vénétie. Parades, courses de chevaux et jeux médiévaux.
Festa del Mare *(15 août)*, Diano Marina, Ligurie. Fête de la mer.
Corsa del Palio *(16 août)*, Sienne, Toscane. Voir juillet.
Festa dei Candelieri *(16 août)*, Sassari, Sardaigne. Une procession en souvenir de la fin de la peste.
Festival du film de Venise *(fin août-début sept.)*. Des stars au Lido de Venise.
Festival Rossini *(août-sept.)*, Pesaro, Marches. Sa ville natale célèbre le compositeur.
Settimane Musicali di Stresa *(fin août-fin sept.)*, Stresa, Lombardie. Quatre semaines de concerts.

Mer, sable et soleil sur une plage de Toscane

AUTOMNE

La fin de l'été ne signifie en rien la fin des fêtes et des réjouissances. Les Italiens se pressent aussi bien aux célébrations religieuses de cette période qu'aux foires gastronomiques organisées en l'honneur de produits locaux, tels que fromages, champignons, châtaignes ou charcuterie. La *vendemmia* (vendange) fournit à de nombreux villages le prétexte de faire couler le vin à flots.

Le climat *(p. 72-73)* de la fin de l'automne se révèle souvent froid et humide dans le Nord. Dans le Sud cependant, il fait souvent beau jusqu'en octobre.

Affiche publicitaire pour le Palio de septembre à Asti

SEPTEMBRE

La Notte Bianca *(mi-sept.)*, Rome. Concerts, événements et entrée gratuite aux musées toute la nuit.
Festa di San Sebastiano et Santa Lucia *(1-3 sept.)*, Sassari, Sardaigne. Une fête qui comprend un concours d'improvisation poétique.
Procession de la Macchina di Santa Rosa *(3 sept.)*, Viterbe, Latium. Procession commémorant la translation du corps de sainte Rose en 1258.
Giostra del Saracino *(1er dim.)*, Arezzo, Ombrie. La Joute du Sarrasin existe depuis le XIIIe siècle.
Regata Storica *(1er dim.)*, Venise. Un cortège de

L'olivier pousse dans toute l'Italie

bateaux anciens précède une régate de gondoles.
Jeu d'échecs humain *(2e sem.)*, Marostica, près de Vicence. Les années paires.
Rassegna del Chianti Classico *(2e sem.)*, Chianti, Toscane. La plus grande fête du vin de la région.
Miracle de saint Janvier *(19 sept.)*, Naples. Messe très fréquentée au Duomo et représentation de la liquéfaction du sang du saint.
Palio *(3e dim.)*, Asti, Piémont. Procession en costumes médiévaux et course de chevaux.

OCTOBRE

Amici della Musica *(oct.-avr.)*, Florence, Toscane. Saison de concerts des « Amis de la musique ».
Fiera del Tartufo *(1er dim.)*, Alba, Piémont. Production locale, la truffe blanche donne lieu à des manifestations variées.
Festa di San Francesco *(4 oct.)*, Assise, Ombrie. Fête en l'honneur de saint François d'Assise.
Fête du vin *(1er sem.)*,

Castelli Romani, Latium.
Sagra del Tordo *(der. dim.)*, Montalcino, Toscane. Fête de la grive avec concours d'archerie.
Festa dell'Uva *(date variable)*, Bolzano, Trentin-Haut-Adige. Chars allégoriques, procession costumée et musique pour la Fête du raisin.
Festival International du Cinéma *(1 sem., date variable)*, Rome. Projections, événements et stars dans toute la ville.

Marchand de marrons grillés

NOVEMBRE

Festa dei Popoli *(nov.)*, Florence, Toscane. Festival du cinéma documentaire international.
Festa della Salute *(21 nov.)*, Venise. Les Vénitiens empruntent un pont en bois pour rendre grâce à la Vierge de la fin de la peste de 1630 *(p. 105)*.

Jeu d'échecs humain sur la grand-place de Marostica

HIVER

Noël donne lieu à une longue préparation et à l'organisation de marchés de jouets et de santons. Des crèches ajoutent à la magie de nombreuses églises, en particulier à Naples. Après un nouvel an fêté avec bruit commence la saison des carnavals, tous différents selon la personnalité de la ville où ils se tiennent.

DÉCEMBRE

Festa di Sant'Ambrogio *(déb. déc.)*, Milan. L'ouverture officielle de la saison d'opéra à la Scala *(p. 193)*.
Festa della Madonna di Loreto *(10 déc.)*, Lorette, Marches. Anniversaire de la translation de la maison de la Vierge.
La Befana *(mi-déc.-6 janv.)*, Rome. Marché des enfants sur la piazza Navona.
Miracle de saint Janvier *(19 déc.)*, Naples. Voir septembre.
Foire de Noël *(mi déc.)*, Naples. Marché de santons et de décorations.
Flaccole di Natale *(24 déc.)*, Abbadia di San Salvatore, Toscane. Processions en souvenir des bergers de la crèche.
Messe de minuit *(24 déc.)*, dans la plupart des églises.
Noël *(25 déc.)*, place Saint-Pierre, Rome. Bénédiction papale.

La Befana, piazza Navona, Rome

JANVIER

Capodanno *(1er janv.)*. Partout, feux d'artifice et explosions de pétards

Un spectacle rare, Rome sous la neige

chassent à grand bruit les fantômes de l'année écoulée.
La Befana *(6 janv.)*. Jour où les enfants reçoivent aussi douceurs et cadeaux.
Pitti Immagine Uomo, Pitti Immagine Donna, Pitti Immagine Bimbo, Fortezza da Basso, Florence. Mois des défilés de mode.
Festa di San Sebastiano *(20 janv.)*, Dolceacqua, Ligurie. Un laurier couvert d'hosties multicolores est porté à travers la ville.
Festa d'o' Cippo di Sant'Antonio *(17 janv.)*, Naples. Procession en l'honneur de saint Antoine, protecteur des animaux.
Carnevale *(22 janv.-7 fév.)*, Viareggio, Toscane. L'un des carnavals les plus appréciés pour l'humour de ses chars.
Fiera di Sant'Orso *(30-31 janv.)*, Aoste, Val d'Aoste. Exposition d'art et d'artisanat traditionnels.

Carnaval de Viareggio

FÉVRIER

Carnevale *(10 jours précédant le mardi des Cendres)*, Venise. Beauté des costumes et magie du décor font de ce carnaval un événement très couru. De nombreuses festivités sont organisées, mais il suffit d'acheter

JOURS FÉRIÉS

Nouvel an (1er janv.)
Épiphanie (6 janv.)
Lundi de Pâques
Anniversaire de la Libération (25 avr.)
Fête du Travail (1er mai)
Fête de la République (2 juin)
Ferragosto (15 août)
Toussaint (1er nov.)
Immaculée Conception (8 déc.)
Noël (25 déc.)
Saint-Étienne (26 déc.)

un masque et de se mêler à la foule.
Sagra delle Mandorle in Fiore *(1re ou 2e sem.)*, Agrigente, Sicile. La Fête des amandiers en fleurs.
Bacanal del Gnoco *(date variable)*, Vérone. Personnages masqués et chars allégoriques défilent pour cette bacchanale traditionnelle. Des bals masqués se tiennent sur les places de la ville.
Carnevale *(date variable)*, Mamoiada, Sardaigne. Les *mamuthones* portent de sinistres masques noirs.

Magie des masques au carnaval de Venise

Une année de sport

Le football est le sport le plus populaire en Italie et le pays oublie toutes ses dissensions lorsqu'il s'agit de soutenir les *Azzurri*, l'équipe nationale. Beaucoup d'autres manifestations sportives, très variées, attirent un public nombreux tout au long de l'année. Pour la plupart, les billets peuvent s'acheter sur place juste avant le début de la rencontre ou se réserver auprès d'agences de location. Ceux proposés par des vendeurs à la sauvette ne sont pas toujours valables.

La folie du foot

Le calcio fiorentino *est d'après les Toscans l'ancêtre médiéval du football moderne.*

Finale de la Coppa Italia de football

Internationaux de tennis de Rome

Giro d'Italia *est une des courses cyclistes les plus prestigieuses du monde. Marco Pantani, à gauche, remporta cette course.*

La saison de water-polo *professionnel dure de mars à juillet. L'équipe des Canottieri Napoli s'illustre pendant tout le championnat.*

Janvier	Février	Mars	Avril	Mai	Juin

Championnats d'athlétisme en salle

International Show Jumping, Rome

Marathon de Rome

Le rugby *devient de plus en plus populaire depuis que l'Italie participe au Tournoi des 6 Nations qui se déroule en février et mars.*

Le Masters de Rome, *précedemment connus comme l'Open d'Italie, a lieu à Rome courant mai. Il s'agit d'un des plus prestigieux tournoi sur terre battue du monde.*

Courses de moto *sur le Circuito Mondiale de Mugello. Valentino Rossi fut sacré champion du monde en 2005.*

Les championnats d'Europe de natation en extérieur *ont lieu en juillet. À gauche, Massimiliano Rosolino, champion olympique à Sydney en 2006, célébrant sa victoire.*

L'Italie possède de superbes stations de ski, *et accueillit en 2006, à Turin, les Jeux Olympiques d'Hiver. Ci-dessus, Alberto Tomba, vainqueur de la coupe du monde de ski alpin en 1995.*

Le grand Prix de Formule 1 *de Monza permet aux tifosi d'acclamer les pilotes de Ferrari. À droite, Giancarlo Fisichella est un pilote très prometteur.*

Trofeo dei Templi, course d'aviron en Sicile

Au rallye de San Remo, *organisé en octobre, Micky Biason s'illustra dans une Lancia Delia Integrale.*

llet	Août	Septembre	Octobre	Novembre	Décembre

Palio de Sienne *(p. 341)* **le 2 juillet et le 16 août**

L'Italie a remporté son 4e titre de champion du monde de football en 2006

La saison de football *dure de septembre à juin et la finale de la Coppa Italia en marque l'apogée. Tous les 4 ans, la fièvre s'empare de l'Italie pour la Coupe du monde.*

LÉGENDE DES SAISONS

▒	Football
▒	Water polo
▒	Rugby
	Basket-ball
	Volley-ball
▒	Ski

Le championnat d'athlétisme en extérieur *a récemment acquis une grande popularité, surtout quand Stefano Baldini, champion olympique en 2004, est en compétition.*

Climats de l'Italie

Trois climats prédominent en Italie. Au nord, l'influence des Alpes donne sur les reliefs des hivers froids et des étés chauds et pluvieux, tandis que dans la vallée du Pô des étés arides contrastent avec des hivers rigoureux et humides. Le temps est plus clément dans le reste du pays où de longs étés chauds succèdent à des hivers doux. Les Apennins se couvrent cependant parfois de neige.

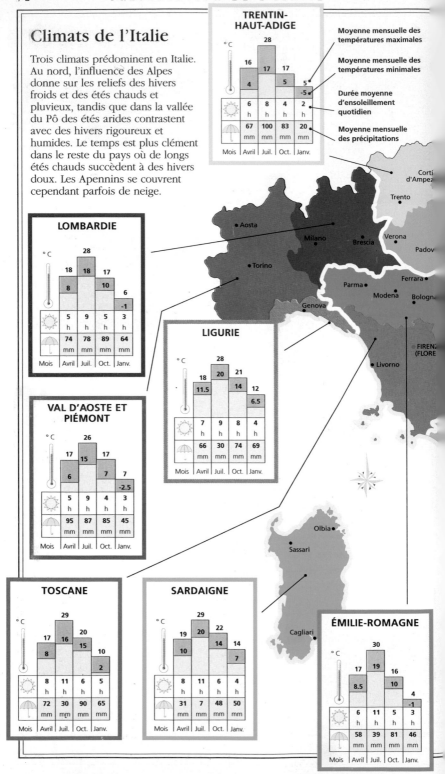

TRENTIN-HAUT-ADIGE

Moyenne mensuelle des températures maximales

Moyenne mensuelle des températures minimales

Durée moyenne d'ensoleillement quotidien

Moyenne mensuelle des précipitations

°C				
	28			
16	17	17		
4		5	5	
			-5	
6 h	8 h	4 h	2 h	
67 mm	100 mm	83 mm	20 mm	
Mois	Avril	Juil.	Oct.	Janv.

LOMBARDIE

°C				
	28			
18	18	17		
8		10	6	
			-1	
5 h	9 h	5 h	3 h	
74 mm	78 mm	89 mm	64 mm	
Mois	Avril	Juil.	Oct.	Janv.

VAL D'AOSTE ET PIÉMONT

°C				
	26			
17	15	17		
6		7	7	
			-2.5	
5 h	9 h	4 h	3 h	
95 mm	87 mm	85 mm	45 mm	
Mois	Avril	Juil.	Oct.	Janv.

LIGURIE

°C				
	28			
18	20	21		
11.5		14	12	
			6.5	
7 h	9 h	8 h	4 h	
66 mm	30 mm	74 mm	69 mm	
Mois	Avril	Juil.	Oct.	Janv.

TOSCANE

°C				
	29			
17	16	20		
8		15	10	
			2	
8 h	11 h	6 h	5 h	
72 mm	30 mm	90 mm	65 mm	
Mois	Avril	Juil.	Oct.	Janv.

SARDAIGNE

°C				
	29			
19	20	22		
10		14	14	
			7	
8 h	11 h	6 h	4 h	
31 mm	7 mm	48 mm	50 mm	
Mois	Avril	Juil.	Oct.	Janv.

ÉMILIE-ROMAGNE

°C				
	30			
17	19	16		
8.5		10	4	
			-1	
6 h	11 h	5 h	3 h	
58 mm	39 mm	81 mm	46 mm	
Mois	Avril	Juil.	Oct.	Janv.

Corti d'Ampez

Trento

Aosta

Milano

Brescia

Verona

Padov

Torino

Parma

Modena

Ferrara

Bologna

Genova

Livorno

FIRENZ (FLORE

Olbia

Sassari

Cagliari

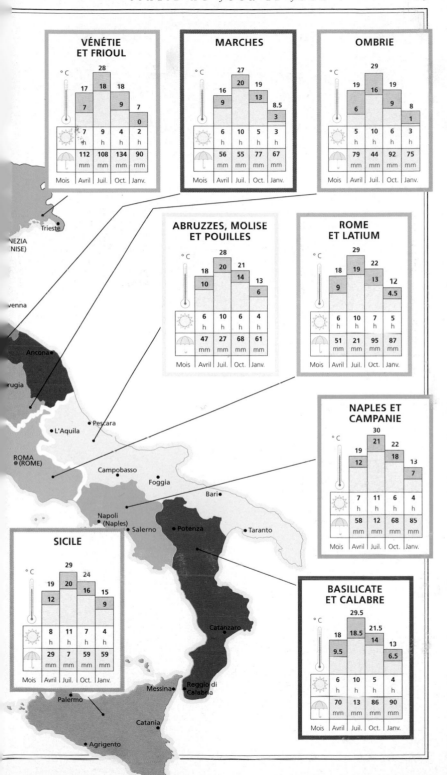

ITALIE
DU NORD-EST

Italie du Nord-Est d'un coup d'œil

Cette partie de l'Italie présente une variété qui rend sa visite fascinante. Au nord, châteaux médiévaux et stations de ski jalonnent le majestueux massif montagneux des Dolomites qui s'étend en Trentin-Haut-Adige et en Vénétie. À son pied, Vérone, Vicence et Padoue possèdent une architecture et des musées remarquables, tandis que de superbes villas parsèment la campagne. Dans la lagune, Venise offre un décor d'une magie sans équivalent dans le monde. Région la plus orientale, le Frioul conserve d'importants vestiges romains. Cette carte indique quelques sites parmi les plus marquants.

Castel Tirolo,
Merano

TRENTIN-HAUT-ADIGE
(p. 166-175)

Le Haut-Adige *est une spectaculaire région de montagnes parsemée d'austères châteaux et d'églises coiffées de dômes en bulbe de style tyrolien (p. 170-171).*

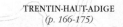

Palazzo Pretorio,
Trento

Veneto

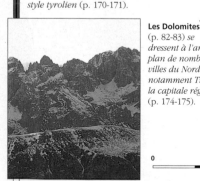

Les Dolomites
(p. 82-83) se dressent à l'arrière-plan de nombreuses villes du Nord-Est, notamment Trente, la capitale régionale (p. 174-175).

Ponte Scaligero,
Verona

La Rotonda,
Vicenza

0 _____ 40 km

Vérone *est, avec son Castelvecchio, une des plus jolies cités de Vénétie. Son arène romaine accueille désormais des opéras (p. 142-147).*

Vicence, *modèle de cité Renaissance, est riche en édifices de Palladio tels que le palazzo della Ragione et la Rotonda (p. 150-153).*

◁ **Vérone au crépuscule**

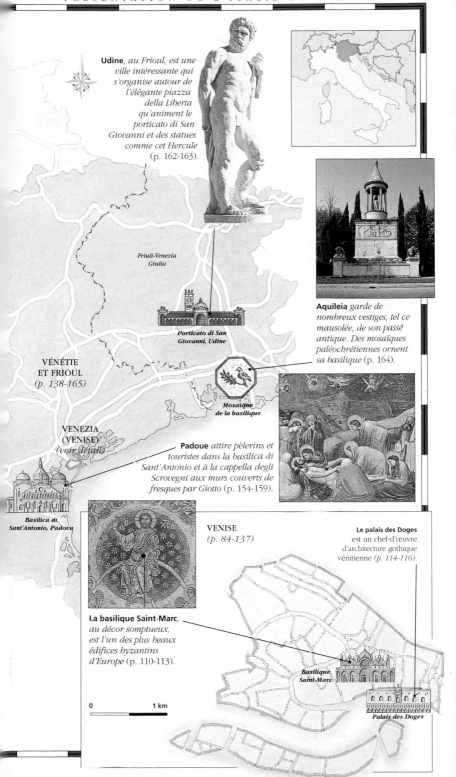

Udine, *au Frioul, est une ville intéressante qui s'organise autour de l'élégante piazza della Libertà qu'animent le porticato di San Giovanni et des statues comme cet Hercule* (p. 162-163).

Friuli-Venezia Giulia

Porticato di San Giovanni, Udine

VÉNÉTIE ET FRIOUL (p. 138-165)

Aquileia *garde de nombreux vestiges, tel ce mausolée, de son passé antique. Des mosaïques paléochrétiennes ornent sa basilique* (p. 164).

Mosaïque de la basilique

VENEZIA (VENISE) *(voir détail)*

Padoue *attire pèlerins et touristes dans la basilica di Sant'Antonio et à la cappella degli Scrovegni aux murs couverts de fresques par Giotto* (p. 154-159).

Basilica di Sant'Antonio, Padova

VENISE (p. 84-137)

Le palais des Doges est un chef-d'œuvre d'architecture gothique vénitienne (p. 114-116).

La basilique Saint-Marc, *au décor somptueux, est l'un des plus beaux édifices byzantins d'Europe* (p. 110-113).

Basilique Saint-Marc

Palais des Doges

0   1 km

Saveurs de l'Italie du Nord-Est

La richesse culturelle et la variété des paysages de cette région, frontalière avec les territoires balkanique et austro-hongrois, n'ont d'égale que la richesse de sa cuisine. Les échanges commerciaux entretenus par Venise ont donné un parfum moyen-oriental à certains plats, avec la sauce aigre-douce *saor* et des épices telles que la muscade, le safran et la cannelle. Même si les pâtes restent très présentes, la polenta et le risotto sont des mets incontournables. L'Italie du Nord-Est, où le beurre est plus fréquemment utilisé que l'huile d'olive, sait tout aussi bien proposer une nourriture qui tient au corps que les plus délicats et raffinés des plats.

Safran

Délicates pâtisseries sucrées et frites dans une boulangerie de Trieste

avec, entre autres, les courgettes (*zucchini*), l'asperge, la chicorée rouge et amère (*radicchio*) de Trévise et les *radicchio* bigarrés de Castelfranco. Les *cichetti* et les *antipasti* – amuse-gueules et hors-d'œuvre, tels que sardines marinées, artichauts frits (*articiochi* en dialecte vénétien), portions de moules (*peoci*) – comptent parmi les spécialités vénétiennes. Le crabe vénétien (*granceola*) est très prisé, et la soupe de poisson locale (*sopa de pesse*) est délicieuse. La viande crue finement tranchée (*carpaccio*) est née dans la région ; elle fut inventée par Giuseppe Cipriani au Harry's Bar de Venise.

Le traditionnel *tiramisù* vient aussi, dit-on, de Venise, où l'on peut savourer des sorbets. Ce sont les Vénétiens qui introduisirent le sucre de canne en Europe et ils l'utilisent avec bonheur pour fabriquer les nombreux fruits confits hérités des Turcs et des Byzantins.

VÉNÉTIE ET VENISE

La Vénétie est l'une des principales régions productrices de riz d'Italie. Les risottos crémeux se dégustent sous différentes formes, dont *di mare* (avec des fruits de mer et de l'encre de seiche). Les pâtes préférées des Vénétiens sont les *bigoli*, d'épais spaghettis. Les légumes sont nombreux

Câpres   Anchois blancs marinés   Olives entourées d'anchois   Cocktail de fruits de mer

Sélection d'*antipasti* vénétiens, hors-d'œuvre par excellence

PLATS RÉGIONAUX ET SPÉCIALITÉS

L'*Antipasto di frutti di mare* (hors-d'œuvre à base de fruits de mer pêchés dans l'Adriatique) est très apprécié à Venise. L'*anguilla del pescatore* (anguille cuite à l'étouffée), les *lavarelli al vino bianco* (poissons d'eau douce au vin blanc) et le *carpione* (sorte de truite d'eau douce) sont de délicieux plats de poisson, issus du lac de Garde. La *baccalà alla veneziana*, à base de morue salée et séchée, est une autre spécialité de la région. Le porc et les salamis sont à l'honneur, mais, dans le Frioul, l'oie sert d'alternative au porc, avec notamment le *salame d'oca* (salami d'oie). On trouve aussi au menu du gibier, ainsi que de la choucroute et du goulache, tandis que les desserts arborent souvent un parfum autrichien avec, par exemple, l'*Apfelstrudel*. La région revendique aussi le *tiramisù*, volupteux et classique dessert italien.

Asperges

Sarde in saor Spécialité vénétienne de sardines frites dans une marinade aigre-douce aux oignons, accompagnées de pignons.

Livraison de légumes frais sur les canaux de Venise

FRIOUL-VÉNÉTIE JULIENNE

Cette région, autrefois la plus pauvre du nord-est de l'Italie, est le point de rencontre des traditions slaves, germaniques et latines : goulaches hongrois

Piles de *radicchio* et poivrons frais sur un marché de Trévise

et strudels autrichiens figurent ainsi souvent sur les menus. La région produit un jambon sucré et raffiné, ainsi que du *prosciutto* (dont le légendaire et succulent San Daniele). L'oie est un plat de base, tout comme l'agneau d'Istrie, élevé en plein air. Trieste est célèbre pour ses pâtisseries viennoises et ses *gnocchi* sucrés, boulettes de pâte au pruneau saupoudrées de sucre et de cannelle. La spécialité laitière du Frioul est le *Montasio*, un fromage de vache à pâte dure.

TRENTIN ET HAUT-ADIGE

Les fortes influences autrichiennes du Haut-Adige se mêlent à la nourriture copieuse de la région du Trentin, auxquelles il faut ajouter des saveurs italiennes

plus méridionales. Parmi les plats de base, on peut citer des viandes salées telles que le *speck* (jambon fumé) et les salamis, ainsi que des soupes, dont le célèbre minestrone. Les boulettes de pain – *canederli* en italien, *knödel* dans le Haut-Adige – sont plus répandues que les pâtes. Les risottos du Trentin les plus prisés sont ceux agrémentés de champignons *finferli*, proches des *porcini* toscans (cèpes). La truite alpine est savoureuse et les plats de gibier, souvent accompagnés de polenta, sont appréciés en saison. La pomme du Trentin est délicieusement croquante.

AU MENU

Carpaccio (Venise et la Vénétie) Fines lamelles de bœuf cru marinées dans l'huile d'olive, accompagnées de feuilles de roquette et de copeaux de parmesan.

Fegato alla Veneziana Foie de veau servi sur un lit d'oignons.

Jota (Frioul-Vénétie Julienne) Soupe d'orge et de choucroute. Ce plat bon marché et consistant est agrémenté de *brovada* – navets macérés dans un tonneau en bois rempli de raisins pressés.

Strangolapreti (Trentin Haut-Adige) Boulettes (gnocchi) à base de pain, d'épinards ou de pommes de terre, roulées dans du beurre et du fromage.

Risi e bisi *Risotto doux et moelleux mêlant riz et pois frais, parfois agrémenté de jambon et de parmesan.*

Polenta *Bouillie de farine de maïs servie nature en accompagnement d'un plat ou con pancetta (avec du lard).*

Tiramisù *Dessert riche à base de mascarpone, boudoirs, café et parfois de marsala. Son nom signifie « remonte-moi ».*

Architecture de Venise et de la Vénétie

Ses contacts commerciaux avec l'Orient amenèrent Venise au Moyen Âge à associer aux ogives et aux roses du gothique des coupoles byzantines et des minarets maures, créant ainsi un style original : le gothique vénitien. Au XVIe siècle, Palladio imposa en Vénétie son interprétation de l'architecture classique dans une série d'églises, d'édifices publics et de villas. Son influence tempéra, au XVIIe siècle, dans la Sérénissime République, l'exubérance du baroque.

Andrea Palladio
(1508-1580)

ARCHITECTURE VÉNITIENNE : DU BYZANTIN AU BAROQUE

Copie des Chevaux de bronze de Saint-Marc

Mosaïques de style byzantin

Dômes en bulbe coiffant les coupoles

Statues ajoutées au XVe siècle

Portail central évoquant un arc de triomphe romain

La basilique Saint-Marc, qui abrite les reliques du saint dont elle porte le nom, est la plus belle église byzantine d'Europe occidentale. Achevée au XIe siècle, elle proclamait par sa somptuosité la puissance et les ambitions de Venise (p. 110-113).

GÉNIE DE PALLADIO

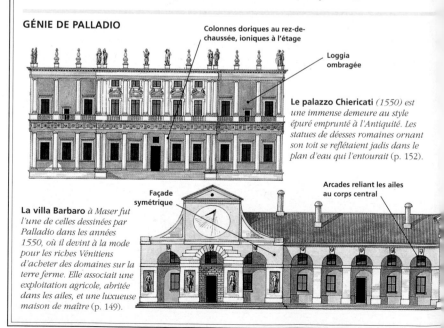

Colonnes doriques au rez-de-chaussée, ioniques à l'étage

Loggia ombragée

Le palazzo Chiericati (1550) est une immense demeure au style épuré emprunté à l'Antiquité. Les statues de déesses romaines ornant son toit se reflétaient jadis dans le plan d'eau qui l'entourait (p. 152).

Façade symétrique

Arcades reliant les ailes au corps central

La villa Barbaro à Maser fut l'une de celles dessinées par Palladio dans les années 1550, où il devint à la mode pour les riches Vénitiens d'acheter des domaines sur la terre ferme. Elle associait une exploitation agricole, abritée dans les ailes, et une luxueuse maison de maître (p. 149).

OÙ VOIR L'ARCHITECTURE VÉNITIENNE

À Venise, un tour en vaporetto sur le Grand Canal *(p. 88-91)* offre un excellent moyen de découvrir un large aperçu de l'architecture de la ville. S'impose aussi une visite de la basilica San Marco, du palais des Doges et des Ca' Rezzonico, Ca' d'Oro et

Fenêtre typique du gothique vénitien

Ca' Pesaro, 3 palais abritant chacun un musée. Palladio travailla dans toute la Vénétie et plusieurs des villas qu'il dessina bordent le canal de la Brenta *(p. 160)*. Il édifia à Vicence la célèbre Rotonda et des palais *(p. 150-153)*. La villa Barbaro, près d'Asolo *(p. 149)*, est un de ses plus grands chefs-d'œuvre.

Arcades inspirées du palais des Doges

Entrelacs incrustés d'outremer

Épis de faîte jadis dorés

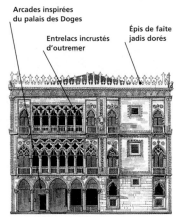

La Ca' d'Oro, « *Maison d'Or* » *du XVe siècle, révèle des influences maures dans ses épis de faîte et ses arcades* (p. 94).

Têtes sculptées aux clefs de voûte

Profonds retraits créant des jeux d'ombre et de lumière

Guirlandes de fruits, de rubans et de fleurs

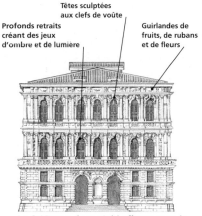

La Ca' Pesaro *(XVIIe siècle) offre un exemple typique du baroque vénitien à la riche et subtile ornementation* (p. 89).

Colonnes colossales

Marbre d'Istrie choisi pour réfléchir la lumière changeante de la lagune

Statues de saints

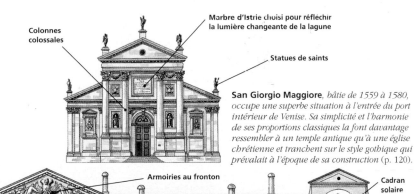

San Giorgio Maggiore, *bâtie de 1559 à 1580, occupe une superbe situation à l'entrée du port intérieur de Venise. Sa simplicité et l'harmonie de ses proportions classiques la font davantage ressembler à un temple antique qu'à une église chrétienne et tranchent sur le style gothique qui prévalait à l'époque de sa construction* (p. 120).

Armoiries au fronton

Cadran solaire

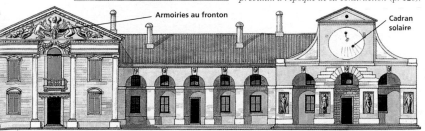

Dolomites

Le plus beau massif montagneux d'Italie porte le nom de Deodat Dolomieu qui découvrit en 1789 qu'il était formé de corail minéralisé au début de l'ère secondaire. Îles et fond marin soulevés il y a 60 millions d'années quand les plaques continentales européenne et africaine entrèrent en collision, il n'a pas subi la même érosion glaciaire que la majeure partie du reste des Alpes, et le gel et les ruissellements d'eau ont sculpté dans ses roches claires des aiguilles et des failles spectaculaires. Les Dolomites occidentales et orientales ont des caractéristiques différentes ; à l'est s'élèvent les montagnes les plus imposantes, notamment le massif du Catinaccio (ou Rosengarten), particulièrement beau quand il se teinte de rose au coucher du soleil.

Dôme en bulbe typique de la région

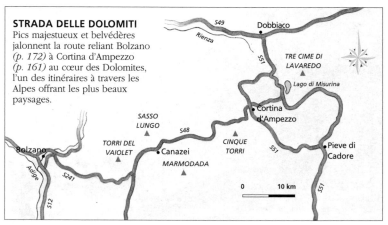

STRADA DELLE DOLOMITI
Pics majestueux et belvédères jalonnent la route reliant Bolzano *(p. 172)* à Cortina d'Ampezzo *(p. 161)* au cœur des Dolomites, l'un des itinéraires à travers les Alpes offrant les plus beaux paysages.

S49   Dobbiaco

Rienza

S51

TRE CIME DI LAVAREDO

Lago di Misurina

SASSO LUNGO

Cortina d'Ampezzo

S48

TORRI DEL VAIOLET

Bolzano

Canazei

MARMODADA

CINQUE TORRI

SS1

Pieve di Cadore

Adige

S241

S12

SS1

0   10 km

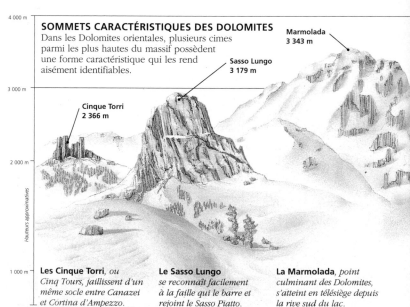

SOMMETS CARACTÈRISTIQUES DES DOLOMITES
Dans les Dolomites orientales, plusieurs cimes parmi les plus hautes du massif possèdent une forme caractéristique qui les rend aisément identifiables.

4 000 m

3 000 m

2 000 m

1 000 m

Hauteurs approximatives

Marmolada
3 343 m

Sasso Lungo
3 179 m

Cinque Torri
2 366 m

Les Cinque Torri, *ou Cinq Tours, jaillissent d'un même socle entre Canazei et Cortina d'Ampezzo.*

Le Sasso Lungo *se reconnaît facilement à la faille qui le barre et rejoint le Sasso Piatto.*

La Marmolada, *point culminant des Dolomites, s'atteint en télésiège depuis la rive sud du lac.*

Le lago di Misurina *est un vaste et superbe lac de montagne aux eaux cristallines où se mirent les sommets imposants, tel le caractéristique Sorapiss, qui domine la petite station touristique de Misurina.*

Les activités de plein air *proposées dans la région comprennent le ski en hiver et la randonnée en été. Des sentiers et des aires de pique-nique ont été aménagés dans des décors spectaculaires, tandis que des télésièges permettent d'atteindre aisément les sommets et les panoramas qu'ils offrent.*

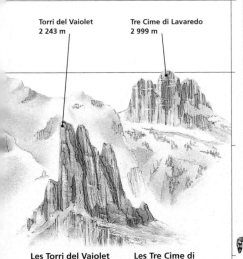

Torri del Vaiolet
2 243 m

Tre Cime di Lavaredo
2 999 m

Les Torri del Vaiolet *appartiennent au Catinaccio, massif réputé pour sa couleur.*

Les Tre Cime di Lavaredo *dominent les vallées situées au nord du lago di Misurina.*

NATURE DANS LES DOLOMITES

Les forêts et les prés abritent une faune et une flore d'une grande richesse. Souvent rases pour résister à la violence du vent en altitude, les plantes alpines fleurissent de juin à septembre.

La flore

Les graines de gentiane *parfument une liqueur locale.*

Le lis orange *fleurit sur les versants ensoleillés.*

Les saxifrages *poussent dans les fissures de rochers.*

La rainponce sauvage *a des fleurs à tête rose.*

La faune

Le lagopède des rochers *se nourrit de baies et de jeunes pousses. Le plumage brun tacheté assurant son camouflage en été devient blanc en hiver.*

Le chamois, *trophée trop convoité, ne peut être chassé dans les parcs nationaux.*

Les chevreuils *se sont multipliés depuis la disparition du loup et du lynx. Ils raffolent des jeunes arbres, au grand dam des gardes forestiers.*

VENISE

*P*rotégée par sa lagune sur la côte nord de l'Adriatique, Venise, porte de l'Orient, devint une province byzantine indépendante au Xe siècle. Elle conquit au Moyen Âge un vaste empire qui assura sa richesse et sa puissance, mais attisa la convoitise des puissances européennes et de l'Empire ottoman. Aujourd'hui, la cité entretient des liens avec la Vénétie qui s'étend du Pô aux Dolomites.

Aucune ville au monde ne mérite peut-être autant que Venise le qualificatif d'unique. Fondée au cœur d'un marécage par des réfugiés fuyant les envahisseurs goths, elle devint une république marchande qui, sous la direction de ses doges, étendit son pouvoir dans toute la Méditerranée. Pendant des siècles, les richesses produites par son commerce et son empire, auxquelles s'ajoutèrent celles pillées à Constantinople en 1204, financèrent la création de splendides édifices et œuvres d'art, monuments à la grandeur de la cité et de ses habitants. La somptuosité de Saint-Marc suffit seule à témoigner de la prospérité de l'État vénitien entre les XIIe et XIVe siècles. La concurrence de puissances maritimes comme l'Espagne et les revers subis face à l'Empire turc entraînèrent cependant sa décadence et Napoléon n'eut pas à combattre pour conquérir Venise, intacte, en 1797. En un millénaire d'existence, cette capitale n'avait connu aucune destruction liée à la guerre. Venise a peu changé depuis son entrée dans le royaume d'Italie en 1866 et les seuls engins à moteur à la parcourir sont les barges qui l'approvisionnent et les embarcations transportant des passagers sur les canaux sinuant entre ses palais aujourd'hui transformés en musées, boutiques et hôtels, et ses couvents devenus centres de restauration d'art. Sa magie et la gloire d'un passé présent à chaque coin de rue ou de placette attirent chaque année plus de quatorze millions de visiteurs.

Une rue de l'île de Burano typique avec ses maisons de couleurs vives

◁ Les proues, ou *ferri*, caractéristiques des gondoles, en face de Santa Maria della Salute

À la découverte de Venise

Venise est divisée en six arrondissements administratifs ou *sestieri* : Cannaregio, Castello, San Marco, Dorsoduro, San Polo et Santa Croce. Par sa faible étendue, la ville se prête à la marche à pied, et des *vaporetti* desservent toutes les îles. La Venice Card *(p. 682)* permet d'accéder à tous les transports en commun et donne droit à des réductions dans la plupart des musées.

VENISE D'UN COUP D'ŒIL

Églises

Basilique Saint-Marc p. 110-111 ⑱
Madonna dell'Orto ①
San Giacomo dell'Orio ⑥
San Giorgio Maggiore ㉛
San Giovanni Grisostomo ③
San Giovanni in Bragora ㉙
San Nicolò dei Mendicoli ⑬
San Pantalon ⑪
San Polo ⑦
San Rocco ⑩
San Sebastiano ⑭
San Zaccaria ㉗
Santa Maria dei Miracoli ④
Santa Maria della Salute ⑰
Santa Maria Formosa ㉖
Santa Maria Gloriosa dei Frari p. 98-99 ⑧
Santi Giovanni e Paolo ㉔
Santo Stefano ㉓

Lagune

Burano ㉝
Murano ㉜
Torcello p. 122-123 ㉞

Édifices et monuments

Arsenale ㉚
Campanile ㉑
Palais des Doges p. 114-116 ⑲
Rialto ⑤
Scuola di San Giorgio degli Schiavoni ㉘
Statue de Colleoni ㉕
Torre dell'Orologio ⑳

Musées et Galeries

Accademia p. 106-107 ⑮
Ca' d'Oro ②
Ca' Rezzonico ⑫
Fondation Guggenheim ⑯
Museo Correr ㉒
Scuola Grande di San Rocco p. 100-101 ⑨

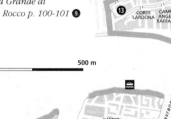

LÉGENDE

	San Polo pas à pas *p. 96-97*
	Dorsoduro pas à pas *p. 102-103*
	Place Saint-Marc pas à pas *p. 108-109*

✈ Aéroport international

FS Gare ferroviaire

Embarcadère de ferry

Embarcadère de *vaporetti*

Traversée en *traghetto (p. 682)*

Arrêt de gondole

ℹ Information touristique

Santa Maria della Salute à l'embouchure du Grand Canal

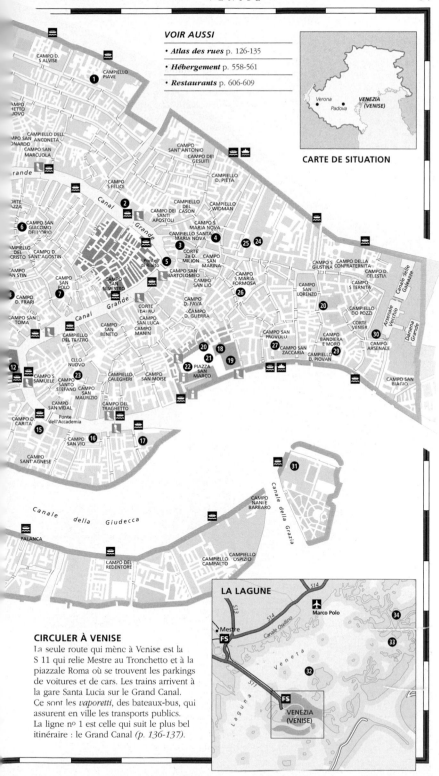

VOIR AUSSI
- *Atlas des rues* p. 126-135
- *Hébergement* p. 558-561
- *Restaurants* p. 606-609

CARTE DE SITUATION

LA LAGUNE

CIRCULER À VENISE

La seule route qui mène à Venise est la
S 11 qui relie Mestre au Tronchetto et à la
piazzale Roma où se trouvent les parkings
de voitures et de cars. Les trains arrivent à
la gare Santa Lucia sur le Grand Canal.
Ce sont les *vaporetti*, des bateaux-bus, qui
assurent en ville les transports publics.
La ligne n° 1 est celle qui suit le plus bel
itinéraire : le Grand Canal *(p. 136-137)*.

Le Grand Canal de Santa Lucia au Rialto

Plusieurs lignes de *vaporetti* empruntent le Grand Canal (*p. 683*) et ces bateaux-bus offrent le meilleur moyen de découvrir la superbe voie navigable qui sinue à travers la ville. Les palais qui la bordent portent presque tous le nom d'une famille jadis puissante et résument par leur architecture cinq siècles d'histoire vénitienne.

San Marcuola
Reconstruite au XVIIIe siècle, l'église ne reçut jamais sa nouvelle façade sur le canal.

San Geremia abrite les reliques de sainte Lucie jadis gardées dans l'église de Santa Lucia dont la gare a pris la place.

Palazzo Labia
Entre 1745 et 1750, Tiepolo orna sa salle de bal de scènes de la vie de Cléopâtre.

Canale di Cannaregio

Palazzo Corner-Contarini

San Marcuola

Riva di Biasio

Ferrovia

FS

Ponte degli Scalzi

Fondaco dei Turchi
Entrepôt de marchands turcs au XVIIe siècle, ce palais abrite le muséum d'Histoire naturelle.

San Simeone Piccolo
Cette église du XVIIIe siècle s'inspire du Panthéon de Rome.

GONDOLES DE VENISE

Embarcations parfaitement adaptées à la circulation sur des canaux étroits et peu profonds avec leur ligne élancée et leur fond plat, les gondoles font partie du paysage de Venise depuis le XIe siècle. Et depuis les édits somptuaires de 1562, elles présentent toutes la même couleur noire. Une seule rame les meut, ce que compense une légère asymétrie de leur coque. Les 6 dents du *ferro* qui orne leur proue symbolisent les 6 *sestieri*. La gondole n'est toutefois plus un moyen de transport usuel. Hormis sur les *traghetti* qui permettent de traverser le Grand Canal, les tarifs demandés par les gondoliers réservent en général leur usage aux touristes (*p. 683*).

Gondoles au mouillage

Ca' d'Oro

Derrière une splendide façade gothique aux entrelacs délicats, sa collection d'art (p. 94) comprend ce projet du Bernin pour une fontaine (v. 1648).

CARTE DE SITUATION

Voir l'atlas des rues de Venise, plans 1, 2 et 3.

Palazzo Vendramin Calergi

Le compositeur Richard Wagner (à gauche) mourut en 1883 dans l'un des plus beaux des premiers palais Renaissance de Venise.

Un marché aux poissons se tient à la Pescheria depuis six siècles.

Palazzo Sagredo

Sa façade sur le canal associe arcs gothiques et vénéto-byzantins.

Le palazzo Michiel dalle Colonne doit son nom à sa colonnade caractéristique.

Le pont du Rialto (p. 97) franchit le canal dans le cœur commercial de la ville.

San Stae

Ca' d'Oro

San Stae

Cette église baroque à la façade ornée de statues accueille des concerts.

Rialto Mercato

Ca' Pesaro

Une galerie d'art moderne et le Musée oriental occupent cet imposant palais baroque.

Rialto

Le Grand Canal du Rialto à San Marco

Après le Rialto, le canal forme la boucle connue sous le nom de Volta. Il s'élargit alors et plus on approche de la place Saint-Marc, plus il offre un décor spectaculaire. Le temps a eu beau délaver les façades des palais et les marées affaiblir leurs fondations, le Grand Canal reste probablement comme le pensait Commines en 1495 « la plus belle rue en tout le monde ».

Palazzo Mocenigo
Ce palais du XVIIIe siècle abrite un centre d'étude du costume.

Sant' Angelo

San Tomà

Le palazzo Garzoni, palais gothique rénové, appartient désormais à l'université.

Ca' Rezzonico
La dernière résidence du poète Robert Browning, posant ici avec son fils, abrite meubles et œuvres d'art du XVIIIe siècle (p. 103).

San Samuele

Ca' Rezzonico

Palazzo Grassi
Bâti vers 1730 et acheté par le magnat français François-Henri Pinault en 2005, cet élégant palais accueille des expositions d'art.

Ponte dell'Accademia

Palazzo Capello Malipiero
Ce palais reconstruit en 1622 se dresse près du campanile (XIIe siècle) de San Manuele.

Accademia

Accademia
Derrière une façade baroque de Giorgio Massari, l'ancienne Scuola della Carità (p. 106-107) abrite la plus riche galerie de peintures vénitiennes du monde.

Palazzo Barbaro
Henry James y écrivit Les Papiers d'Aspern en 1888.

La riva del Vin, ancien quai de déchargement du vin, est un des rares endroits où l'on peut s'asseoir au bord du Grand Canal.

CARTE DE SITUATION

◻ *Voir l'atlas des rues de Venise, plans 6 et 7*

Le palazzo Barzizza, reconstruit au XVIIe siècle, conserve une façade du XIIIe siècle.

Fondation Peggy Guggenheim
La femme de Max Ernst rassembla une superbe collection d'art moderne (p. 104-105).

Santa Maria della Salute
Plus d'un million de pilotis supportent le poids de cette majestueuse église baroque (p. 105).

Palazzo Gritti-Pisani
L'ancien domicile de la famille Gritti est devenu un palace (p. 560).

Le Harry's Bar, fondé en 1931 par Giuseppe Cipriani, est réputé pour ses cocktails.

Palazzo Dario
Des marbres polychromes animent la façade de ce palais de 1487 sur lequel pèserait une malédiction.

La Dogana di Mare (douane de mer) bâtie au XVIIe siècle est couronnée de deux Atlas portant un globe doré surmonté d'une girouette.

Le Grand Canal au rythme paisible d'une promenade en gondole ▷

Les statues de saint Christophe et des Apôtres
(xve s.) ornent la façade de Madonna dell'Orto

Madonna dell'Orto ❶

Campo Madonna dell'Orto.
Plan 2 F2. **Tél** 041 275 04 62.
🚏 *Madonna dell'Orto.* ⭕ lun.-sam.
10h-17h. ⬤ 1er janv., 25 déc. 📷 🚫

À sa fondation au milieu du XIVe siècle, cette charmante église gothique fut consacrée à saint Christophe, patron des voyageurs, pour attirer sa protection sur les bateliers transportant les passagers entre les îles du nord de la lagune. Restaurée récemment par le Fonds de sauvetage de Venise en péril, une statue du saint (XVe siècle) coiffe le portail principal.

Au début du XVe siècle, le sanctuaire connut une reconstruction, et une nouvelle consécration, après la découverte dans un potager (*orto*) voisin d'une statue réputée miraculeuse. Attribuée à Giovanni de' Santi, cette *Vierge à l'Enfant* inachevée du XIVe siècle orne la chapelle San Mauro au fond de la nef latérale droite.

Presque entièrement paré de briques, l'intérieur est vaste, lumineux et dépouillé. À droite de l'entrée se trouve une superbe peinture de Cima da Conegliano : *Saint Jean-Baptiste et autres saints* (v. 1493). L'espace vide dans la chapelle en face correspond à l'emplacement d'une *Vierge à l'Enfant* (v. 1478) par Giovanni Bellini dérobée pour la troisième fois en 1993.

Le Tintoret habitait la paroisse, et la chapelle à droite du chœur abrite sa tombe – marquée d'une plaque – et celle de ses enfants. Il a donné à la Madonna dell'Orto ses plus belles œuvres d'art : deux grands tableaux du chœur (1546) : le *Jugement dernier*, à droite, et *L'Adoration du veau d'or*, à gauche. Sur cette toile, l'artiste aurait suivi une tradition de la Renaissance en se représentant dans l'un des personnages, celui qui porte le veau.

Ca' d'Oro ❷

Calle Ca' d'Oro. **Plan** 3 A4.
Tél 041 523 87 90. 🚏 *Ca' d'Oro.*
⭕ t.l.j. 8h15 -19h15 (lun. 14h).
📷 🚻 🏛 ♿ 🚫

En 1420, le patricien Marino Contarini commanda la construction d'un palais (*p. 81*) qu'il voulait le plus beau de Venise. Une équipe d'artisans vénitiens et lombards réalisa les sculptures délicates de sa décoration, tandis que vermillon, outremer et même feuilles d'or (d'où son nom de « Maison d'Or ») servaient à l'ornement de sa façade. La demeure connut au fil des ans de nombreux remaniements et tomba en

Deux jeunes gens par
Tullio Lombardo

décrépitude à la fin du XVIIIe siècle. Le prince russe Troubetzkoy l'acheta en 1846 pour la célèbre ballerine Maria Taglioni qui entreprit des aménagements catastrophiques, détruisant l'escalier et dispersant une partie du décor sculpté. C'est le baron Giorgio Franchetti, un riche mécène, qui sauva finalement l'édifice. Il le légua, ainsi que sa collection d'art, à l'État en 1915 pour en faire un musée.

Le premier étage de celui-ci réserve une place de choix, dans une alcôve, au *Saint Sébastien* (1506) d'Andrea Mantegna. Le reste de l'exposition s'organise autour du *portego* (patio intérieur). Parmi les plus belles pièces figurent le portrait de *Deux jeunes gens* (v. 1493) par Tullio Lombardo, une *Vierge à l'Enfant*, lunette peinte vers 1530 par Sansovino, et des reliefs en bronze du Padouan Andrea Briosco, « Il Riccio » (1470-1532).

Les salles en retrait à droite du *portego* renferment de nombreux bronzes et une collection de médailles. Les peintures exposées comprennent la célèbre *Madone aux beaux yeux* attribuée à Giovanni Bellini et une *Vierge à l'Enfant* attribuée à Alvise Vivarini, toutes deux de la fin du XVe siècle, ainsi que *L'Annonciation* et *La Dormition* (v. 1504) de Carpaccio. La salle à gauche du *portego* abrite des tableaux n'appartenant pas à l'école vénitienne, entre autres une *Flagellation* (v. 1480) par Luca Signorelli.

Un ravissant escalier gothique conduit au deuxième étage dans une salle où voisinent tapisseries flamandes du XVIe siècle, bronzes d'Alessandro Vittoria, portraits par le Tintoret et peintures de Titien et de Van Dyck.

La somptueuse façade gothique de la Ca' d'Oro
ou « Maison d'Or »

Dans le *portego* se trouvent de belles fresques (v. 1532) peintes par Pordenone et provenant du cloître de Santo Stefano, ainsi que des fragments de celles peintes en 1508 par Titien au Fondaco dei Tedeschi.

Retable (1513) de San Giovanni Grisostomo par Giovanni Bellini

San Giovanni Grisostomo ❸

Campo San Giovanni Grisostomo. **Plan** 3 B5. **Tél** 041 523 52 93. ▦ *Rialto.* ⏱ *t.l.j. 8h15-12h15, 15h-19h30.* ● *pendant les offices.* ✍

Dernière œuvre de Mauro Coducci bâtie entre 1479 et 1504, cette jolie église ocre au plan en croix grecque se dresse dans un quartier animé proche du Rialto.

La pénombre règne à l'intérieur, mais un éclairage payant permet d'admirer le superbe *Saint Christophe, saint Jérôme et saint Augustin* (1513) qui surmonte le premier autel à droite. Giovanni Bellini avait plus de 80 ans lorsqu'il l'exécuta et ce fut très probablement sa dernière peinture. Décorant le maître-autel, *Saint Jean Chrysostome avec d'autres saints* (1509-1511) a été réalisé par Sebastiano del Piombo.

Santa Maria dei Miracoli ❹

Campo dei Miracoli. **Plan** 3 B5. **Tél** 041 275 04 62. ▦ *Rialto, Fondamente Nuove.* ⏱ *lun.-sam. 10h-17h.* ● *1er janv., 25 déc.* ✍ ◻ ✍

Merveille de la première Renaissance qui se cache dans un dédale de ruelles et de canaux dans la partie orientale de Cannaregio, Notre-Dame-des-Miracles est l'église préférée de nombreux Vénitiens et celle où ils aiment se marier. C'est pour servir d'écrin à une *Vierge à l'Enfant* (1408) réputée posséder des pouvoirs miraculeux que Pietro Lombardo et ses fils édifièrent de 1481 à 1489 ce petit édifice marqueté de marbres polychromes et souvent comparé à un coffret à bijoux. Ce tableau de Nicolò di Pietro est situé au-dessus de l'autel de l'abside.

Sous une voûte en berceau présentant dans des caissons de bois dorés cinquante portraits de saints et de prophètes peints par

Colonne intérieure de Santa Maria dei Miracoli

Pennachi en 1528, des plaques de marbre rose, gris et blanc parent l'intérieur. Tullio Lombardo sculpta les statues de saint François, de l'archange Gabriel, de la Vierge et de sainte Claire qui ornent la balustrade entre la nef et le chœur. Il est également l'auteur de l'écran entourant le maître-autel et des quatre médaillons figurant les Évangélistes sur les pendentifs de la coupole. La galerie surplombant le porche principal permettait jadis aux nonnes du couvent voisin de venir assister aux offices sans se risquer dans la rue.

Santa Maria dei Miracoli a connu une importante restauration financée par la fondation Sauver Venise.

SANTA MARIA DEI MIRACOLI

Les baies vitrées et les marbres polychromes de la façade forment une composition d'un grand équilibre.

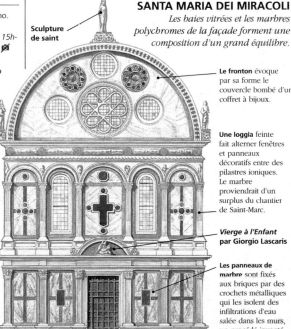

Sculpture de saint

Le fronton évoque par sa forme le couvercle bombé d'un coffret à bijoux.

Une loggia feinte fait alterner fenêtres et panneaux décoratifs entre des pilastres ioniques. Le marbre proviendrait d'un surplus du chantier de Saint-Marc.

Vierge à l'Enfant par Giorgio Lascaris

Les panneaux de marbre sont fixés aux briques par des crochets métalliques qui les isolent des infiltrations d'eau salée dans les murs, un procédé inventé à la Renaissance.

San Polo pas à pas

Le pont et les marchés du Rialto attirent à San Polo de nombreux visiteurs. Ce quartier était jadis celui où banquiers, courtiers et négociants concluaient leurs affaires, mais des étals et des boutiques de produits alimentaires ont aujourd'hui remplacé les éventaires d'épices et de soieries. En s'éloignant du pont, les rues se vident et conduisent à de minuscules placettes et de paisibles églises.

Les marchés du Rialto, réputés pour leurs produits, existent depuis des siècles. À la Pescheria se vendent poissons et fruits de mer.

San Cassiano (XVIIe siècle) abrite un autel sculpté en 1696 et une *Crucifixion* du Tintoret (1568).

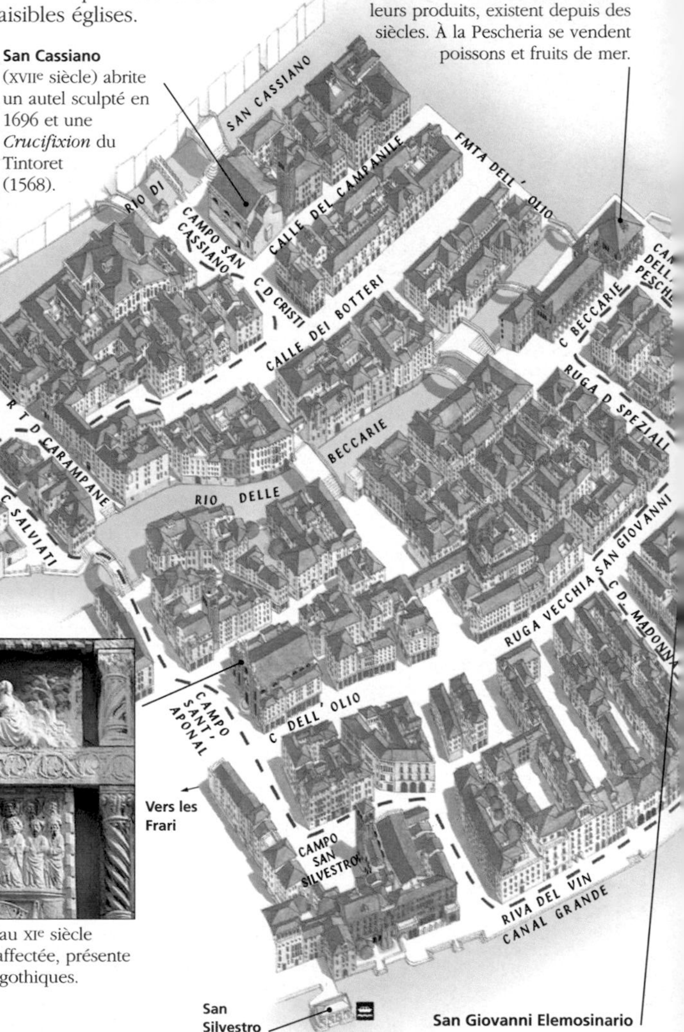

Sant'Aponal, fondée au XIe siècle mais aujourd'hui désaffectée, présente en façade des reliefs gothiques.

Vers les Frari

San Silvestro

San Giovanni Elemosinario est une église discrète reconstruite au début du XVIe siècle mais dont le campanile date de la fin du XIVe siècle. Elle abrite d'intéressantes fresques du Pordenone.

LÉGENDE

- - -   Itinéraire conseillé

0   75 m

À NE PAS MANQUER

★ Pont du Rialto

Pour les hôtels et les restaurants de la ville, voir p. 558-561 et 606-609

CARTE DE SITUATION
*Voir l'atlas des rues de Venise,
plans 2, 3, 6 et 7*

Étalage de fruits et légumes à Erberia

L'horloge de San Giacomo
di Rialto orne depuis
1410 l'une des plus
vieilles églises de
Venise.

Entrée du
marché

★ Pont du Rialto
*Au centre géographique
de la ville, ce célèbre
ouvrage d'art offre une
vue privilégiée sur le
Grand Canal* ❺

Rialto ❺

Ponte di Rialto. **Plan** 7 A1. 🚤 *Rialto*.

D'une hauteur relativement élevée pour la lagune, le *rivo alto* fut l'un des premiers quartiers habités de Venise et joua longtemps le rôle de centre financier et marchand. Il reste très animé, et autochtones et touristes se mêlent devant les éventaires de fruits et légumes de l'Erberia et les étals des poissonniers de la Pescheria. Les Vénitiens bâtirent leurs premiers ponts de pierre au XIIe siècle, mais jusqu'aux travaux entrepris en 1588 le Rialto n'eut que des structures en bois, telle celle représentée vers 1496 par Carpaccio dans *La Guérison d'un possédé* (p. 103). La construction du nouveau pont s'acheva en 1591 et il resta le seul à franchir le Grand Canal jusqu'en 1854. Peu de visiteurs quittent Venise sans l'avoir emprunté car il offre un merveilleux point de vue d'où contempler l'activité qui règne sur le canal.

San Giacomo dell'Orio ❻

Campo San Giacomo dell'Orio.
Plan 2 E5. **Tél** 041 275 04 62.
🚤 *Riva di Biasio ou San Stae*.
🕐 lun.-sam.10h-17h. ⬤ 1er janv.,
25 déc. 🖼 ∅

Située dans le paisible quartier Santa Croce, cette église tire peut-être son nom d'un laurier qui poussait jadis près d'elle. Fondée au IXe siècle, reconstruite en 1225 et souvent remaniée depuis, elle présente une originale juxtaposition de styles. Du sanctuaire du XIIIe siècle subsistent le plan basilical, le campanile et des colonnes byzantines, tandis que les absides sont Renaissance et que la voûte en carène de la nef date du XVIe siècle.

Il faut s'adresser au gardien pour admirer les peintures de la sagrestia Nuova (nouvelle sacristie), notamment le plafond décoré par Véronèse.

San Polo ❼

Campo San Polo. **Plan** 6 F1.
Tél 041 275 04 62. 🚤 San Silvestro.
🕐 lun.-sam. 10h-17h. ⬤ 1er janv.,
25 déc. 🖼 📷 ∅

Fondée au IXe siècle, reconstruite au XVe et remaniée dans le style néoclassique au début du XIXe siècle, cette église possède un délicieux portail gothique. Deux lions de style roman ornent le pied de son campanile.

À l'intérieur, des panneaux vous guideront vers la *Via Crucis del Tiepolo*, quatorze stations du chemin de croix peintes par Giandomenico Tiepolo en 1749. Certaines comprennent des portraits colorés de la vie vénitienne. Le sanctuaire abrite des peintures de Véronèse, Palma le Jeune, et une *Cène* très expressive du Tintoret.

Lion roman ornant le pied du campanile (XIVe siècle) de San Polo

Santa Maria Gloriosa dei Frari ⑧

Cette majestueuse église gothique qui domine de sa masse imposante la partie orientale de San Polo est plus connue sous le diminutif de Frari. Ces « Frères » sont les franciscains qui l'élevèrent de 1250 à 1338, puis la reconstruisirent aussitôt, n'achevant les travaux qu'au milieu du XVe siècle. L'intérieur frappe par ses dimensions. Des chefs-d'œuvre, notamment par Titien, Giovanni Bellini et Donatello, le décorent.

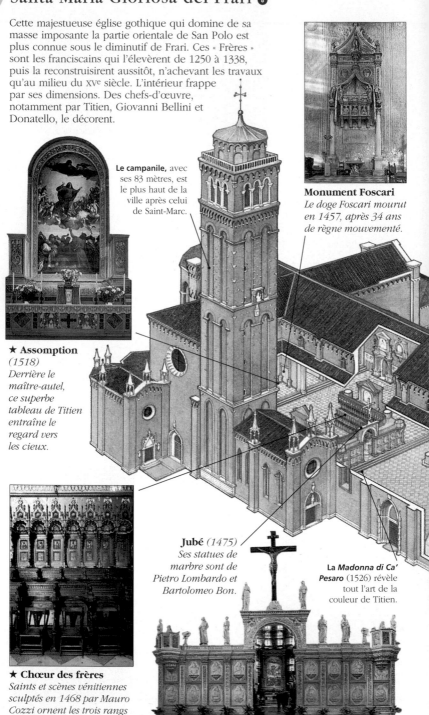

Le campanile, avec ses 83 mètres, est le plus haut de la ville après celui de Saint-Marc.

Monument Foscari
Le doge Foscari mourut en 1457, après 34 ans de règne mouvementé.

★ **Assomption**
(1518)
Derrière le maître-autel, ce superbe tableau de Titien entraîne le regard vers les cieux.

Jubé *(1475)*
Ses statues de marbre sont de Pietro Lombardo et Bartolomeo Bon.

*La **Madonna di Ca' Pesaro** (1526) révèle tout l'art de la couleur de Titien.*

★ **Chœur des frères**
Saints et scènes vénitiennes sculptés en 1468 par Mauro Cozzi ornent les trois rangs de stalles.

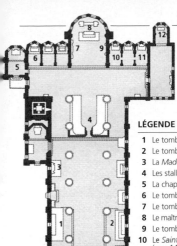

PLAN

Ces 12 points de repère indiquent les endroits à ne pas manquer dans une église longue de 90 mètres.

LÉGENDE

1 Le tombeau de Canova
2 Le tombeau de Titien
3 La *Madonna di Ca' Pesaro* par Titien
4 Les stalles du chœur
5 La chapelle Corner
6 Le tombeau de Monteverdi
7 Le tombeau du doge Nicolò Tron
8 Le maître-autel et l'*Assomption* par Titien
9 Le tombeau du doge Francesco Foscari
10 Le *Saint Jean-Baptiste* de Donatello (vers 1450)
11 Le retable de Vivarini (1474), chapelle Bernardo
12 *Vierge en majesté* (1488) de Giovanni Bellini

MODE D'EMPLOI

Campo dei Frari. **Plan** 6 D1.
Tél *041 275 04 62.* San Tomà.
lun.-sam. 9h-18h, dim. et
fêtes religieuses 13h-18h.
1er janv., 25 déc. sauf pendant
les offices. fréquentes.

★ **Vierge en majesté** *(1488)*
La richesse de la lumière et des couleurs fait de ce triptyque par Giovanni Bellini, ornant la sacristie, une des plus belles peintures Renaissance de Venise.

L'ancien monastère,
aujourd'hui occupé par les archives, possède deux cloîtres, l'un dans le style de Sansovino, l'autre dessiné par Palladio.

Entrée

À NE PAS MANQUER

★ *Assomption*
par Titien

★ *Chœur des frères*

★ *Vierge en majesté*
par Bellini

Tombeau de Canova
Canova avait dessiné une pyramide néoclassique comme celle-ci pour un monument à Titien jamais réalisé. Ses élèves s'inspirèrent du projet pour le tombeau de leur maître.

Scuola Grande di San Rocco

Entrée principale, restaurée, de la Scuola di San Rocco

La confrérie charitable, ou *scuola*, placée sous l'égide de San Rocco (saint Roch) fit édifier son siège à partir de 1515 par Bartolomeo Bon. Scarpagnino poursuivit le chantier jusqu'à sa mort en 1549. Les généreuses donations effectuées par de riches Vénitiens soucieux de se concilier les faveurs du saint, invoqué pour se protéger des maladies infectieuses – elles augmentèrent encore avec l'épidémie de choléra de 1575 –, permirent en 1564 de commander au Tintoret la décoration des murs et des plafonds. L'artiste produisit plus de 50 œuvres. Les premières emplissent la petite sala dell' Albergo au niveau supérieur. Les dernières occupent la salle inférieure à l'entrée.

Le Tintoret peignit en 1565 la *Crucifixion* de la sala dell' Albergo de la Scuola di San Rocco

SALLE INFÉRIEURE

D'une *Annonciation* à une *Assomption* venant d'être restaurées, le cycle du rez-de-chaussée, exécuté de 1583 à 1587 alors que le Tintoret avait la soixantaine, comprend 8 peintures illustrant les vies de la Vierge et du Christ. L'artiste a su donner à ses œuvres une luminosité qui joue de l'éclairage diffus de la salle pour renforcer l'ambiance surnaturelle de scènes d'une

Détail de *La Fuite en Égypte* (1582-1587) par le Tintoret

remarquable sérénité, comme *La Fuite en Égypte, Marie-Madeleine* et surtout *Sainte Marie l'Égyptienne*, 3 œuvres où le paysage, rendu à larges coups de brosse, joue un rôle essentiel dans la composition.

SALLE SUPÉRIEURE ET SALA DELL' ALBERGO

L'escalier monumental de Scarpagnino (1544-1546), que dominent deux grands tableaux évoquant la peste de 1630, conduit à la salle supérieure. Le Tintoret peignit les sujets bibliques qui la décorent de 1575 à 1581.

Le plafond présente des *Scènes de l'Ancien Testament*. Au centre, 3 vastes peintures à la composition d'un grand dynamisme malgré une multitude de personnages représentent des événements du livre de l'Exode : *Le Frappement du rocher, Le Miracle du serpent d'airain* et *La Pluie de la manne*. Ils font référence aux buts charitables

de la *scuola* : assouvir la soif, soulager de la maladie et calmer la faim.

Pour les murs, l'artiste a choisi des *Scènes du Nouveau Testament* en rapport avec les épisodes du plafond. Parmi les plus marquantes figures *La Tentation du Christ* qui montre un jeune et séduisant Satan offrir 2 pains au fils de Dieu. Comme elle, *L'Adoration des bergers* possède une composition en 2 registres. Elle sépare la Sainte Famille et les spectateurs, en haut, des bergers, du bœuf et d'une figure féminine, en bas.

Francesco Pianta ajouta au XVIIe siècle de superbes sculptures sous les peintures. Leurs sujets sont allégoriques et l'artiste s'est amusé à caricaturer le Tintoret, avec sa palette et ses pinceaux (près de l'autel), pour incarner la Peinture. Un autoportrait du peintre (1573) permet d'effectuer une comparaison. Il se trouve près de l'entrée de la sala dell' Albergo qui

Détail de _La Tentation du Christ_ (1578-1581) par le Tintoret

MODE D'EMPLOI

Campo San Rocco. **Plan** 6 D1.
Tél 041 523 48 64.
🚤 San Tomà. ⬭ t.l.j. : avr.-
oct. 9h-17h30 ; nov.-mars 10h-
16h. ⬤ 1er jan., Pâques,
25 déc. 🖼️ 🔲 ⬜ ♿ 📷
www.scuolagrandesanrocco.it

contient le plus saisissant chef-d'œuvre de la Scuola di San Rocco : _La Crucifixion_ (1565). Henry James pensait de cette œuvre « qu'aucune peinture n'est plus riche d'existence humaine, tout y est, même la plus exquise beauté ».

Le Tintoret commença

en 1564 le cycle de tableaux ornant cette petite salle, après avoir remporté le concours ouvert pour sa décoration, en offrant à la Scuola le portrait de _Saint Roch en gloire_ (au plafond). Un _Couronnement d'épines_ et _Le Christ devant Pilate_ font face à la _Crucifixion_, tandis que le _Portement de Croix_ posé sur un chevalet, jadis attribué à Giorgione, l'est désormais à Titien.

San Rocco ❿

Campo San Rocco. **Plan** 6 D1.
Tél 041 523 48 64. 🚤 San Tomà. ⬭
t.l.j. : avr.-oct. 8h-12h30, 15h-17h ;
nov.-mars : lun.-ven. 8h-12h30, sam.,
dim. et jours fériés 15h-17h. 📷

À côté de la célèbre Scuola Grande di San Rocco se dresse l'église du même nom dessinée par Bartolomeo Bon en 1489, rénovée en 1725. La façade, inspirée de celle de la Scuola, date de 1765-1771.

De nombreuses œuvres d'art décorent l'intérieur de l'église, comme les peintures du Tintoret illustrant la vie de saint Roch.

San Pantalon ⓫

Campo San Pantalon. **Plan** 6 D2.
Tél 041 523 58 93. 🚤 San Tomà,
Piazzale Roma. ⬭ lun.-sam. 📷

Le plafond de San Pantalon peint par Fumiani de 1680 à 1740

Derrière une façade de brique, cette église du XVIIe siècle recèle l'une des plus vastes peintures sur toile du monde. Œuvre de Gian Antonio Fumiani, elle représente au plafond, en quarante scènes en trompe l'œil, _Le Martyre et la Gloire de saint Pantaléon_, médecin chrétien persécuté au IVe siècle.

Selon la légende, son auteur, à qui elle demanda 24 ans de travail de 1680 à 1704, trouva la mort à son achèvement en tombant de l'échafaudage.

LÉGENDE DES PEINTURES

🔲 **SALLE INFÉRIEURE**
1 L'Annonciation ; **2** L'Adoration des Mages ; **3** La Fuite en Égypte ; **4** Le Massacre des innocents ; **5** Marie-Madeleine ; **6** Sainte Marie l'Égyptienne ; **7** La Présentation au temple ; **8** L'Assomption.

🔲 **MURS DE LA SALLE SUPÉRIEURE**
9 Saint Roch ; **10** Saint Sébastien ; **11** L'Adoration des bergers ; **12** Le Baptême du Christ ; **13** La Résurrection ; **14** Le Christ au jardin des oliviers ; **15** La Cène ; **16** La Vision de saint Roch ; **17** La Multiplication des pains ; **18** La Résurrection de Lazare ; **19** L'Ascension ; **20** La Guérison du paralytique ; **21** La Tentation du Christ.

🔲 **PLAFOND DE LA SALLE SUPÉRIEURE**
22 Moïse sauvé des eaux ; **23** La Colonne de feu ; **24** Samuel et Saül ; **25** L'Échelle de Jacob ; **26** Élisée sur un chariot de feu ; **27** Élisée nourri par les anges ; **28** Daniel sauvé par les anges ; **29** La Pâque ; **30** La Pluie de la manne ; **31** Le Sacrifice d'Isaac ; **32** Le Miracle du serpent d'airain ; **33** Ionas sortant de la baleine ; **34** Le Frappement du rocher ; **35** Le Péché originel ; **36** Trois enfants dans la fournaise ; **37** Dieu apparaît à Moïse ; **38** Samson et la source miraculeuse ; **39** La Vision du prophète Ézéchiel ; **40** La Vision de Jérémie ; **41** Élisée distribue du pain ; **42** Abraham et Melchisédech.

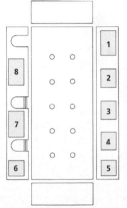

Salle inférieure

Salle supérieure

Dorsoduro pas à pas

Santa Margherita

Le *sestiere* du Dorsoduro doit son nom de « dos dur » au sol, particulièrement stable pour Venise, sur lequel il s'étend. Il a pour cœur le campo Santa Margherita, place animée le matin par un marché et le soir par les étudiants de la Ca' Foscari, demeure patricienne devenue une annexe de l'université. Les rues qui l'entourent renferment quelques merveilles architecturales comme la Ca' Rezzonico et la Scuola Grande dei Carmini ornée de peintures par Tiepolo.

Le quartier possède également de beaux canaux. Près du marchand flottant de primeurs, désormais une attraction, le ponte dei Pugni offre une jolie vue sur le délicieux rio San Barnaba, tandis que quelques cafés et une fascinante boutique de masques de carnaval bordent le rio Terrà. Les amateurs d'art ne sauraient manquer l'Accademia et la Fondation Guggenheim.

Le campo Santa Margherita offre un cadre idéal pour boire un café.

Le palazzo Zenobio, bâti à la fin du XVIIe siècle, est une école arménienne depuis 1850. Sur autorisation, sa belle salle de bal (XVIIIe siècle) se visite.

La Scuola Grande dei Carmini possède au premier étage un salon au plafond peint par Tiepolo pour les carmes.

Santa Maria dei Carmini a un portail latéral gothique sculpté de reliefs byzantins.

LÉGENDE

  Itinéraire conseillé

0   50 m

Le Fondamenta Gherardini longe le rio San Barnaba, l'un des plus jolis canaux du sestiere.

Pour les hôtels et les restaurants de la ville, voir p. 558-561 et 606-609

★ **Ca' Rezzonico**
La salle de bal occupe toute la largeur de ce palais ⑫

CARTE DE SITUATION
Voir l'atlas des rues de Venise, plans 5 et 6

Le palazzo Giustinian
(xvᵉ siècle) logea Wagner en 1858.

Ca' Foscari
fut achevée en 1437 pour le doge Foscari.

Détail du *Monde nouveau*, **fresque de Tiepolo à Ca' Rezzonico**

Ca' Rezzonico ⑫

Fondamenta Rezzonico 3136.
Plan 6 E3. **Tél** 041 241 01 00.
🚤 Ca' Rezzonico. ◯ mer.-lun.
10h-18h (17h nov.-mars ; dern.
entrée: 1h av. ferm.). ● 1ᵉʳ jan.,
1ᵉʳ mai, 25 déc. 🎫🖼️📷♿🚫📷

Ce palais baroque abrite un musée consacré à la Venise du xviiiᵉ siècle où fresques, peintures, tapisseries et meubles provenant de plusieurs édifices composent un décor somptueux. Sa construction commença en 1667 sous la direction de Longhena, l'architecte de la Salute *(p. 105)*, mais ses commanditaires, la famille Bon, manquèrent de fonds avant même l'achèvement du premier étage.

Originaire de Gênes, la famille Rezzonico l'acheta en 1712 et engagea Giorgio Massari pour finir les travaux. Ce dernier dota le palais d'une salle de bal qui en occupe toute la largeur et où l'exubérance baroque s'exprime dans les fresques en trompe l'œil, le mobilier sculpté d'Andrea Brustolon et l'abondance de stucs et de dorures. Plusieurs pièces voisines présentent des fresques par Giambattista Tiepolo et son fils Gian domenico. La plus belle de ces compositions a donné son nom à la salle de l'allégorie nuptiale (1758). L'exposition comprend également des tableaux, notamment de Canaletto, et la reconstitution, au dernier étage, d'une boutique d'apothicaire et la pinacothèque Martini.

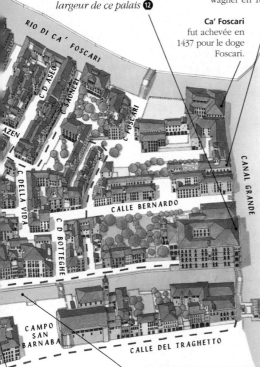

Au ponte dei Pugni
s'affrontaient aux poings des factions rivales. Trop violents, ces combats furent interdits en 1705.

San Barnaba reste un quartier vivant où autochtones et touristes se pressent au coude à coude pour acheter les fruits et légumes proposés par cette barge pittoresque.

À NE PAS MANQUER

★ Ca' Rezzonico

La nef de San Nicolò dei Mendicoli

San Nicolò dei Mendicoli **⓭**

Campo San Nicolò. **Plan** 5 A3. *Tél* 041 275 03 82. San Basilio. lun.-sam. 10h-12h, 15h-18h.

Située dans un quartier isolé et quelque peu délabré, cette église compte parmi les plus charmantes et merveilleuses de Venise. Fondée au VIIe siècle, elle a connu plusieurs remaniements importants et le petit porche ouvrant au nord date du XVe siècle. Les mendiants, ou *mendicanti*, qui s'y installaient à l'époque ont donné son nom au sanctuaire.

Le dallage se trouvait jadis à 30 cm au-dessous du niveau de l'eau des canaux et les crues posaient un tel problème que le prêtre possédait un petit canot en osier pour rejoindre son église en cas de besoin. Le sol a toutefois été légèrement rehaussé après la terrible inondation de 1966, époque où San Nicolò a connu une remarquable rénovation. Les travaux ont également compris la reconstruction des toitures et du bas des murs, et la restauration des sculptures et des peintures.

L'intérieur présente une belle décoration, notamment des statues de bois doré du XVIe siècle et des scènes de la vie du Christ peintes vers 1553 par des élèves de Véronèse dont Alvise dal Friso.

Modeste rappel de la colonne de Saint-Marc de la Piazzetta, une colonne portant un lion de pierre se dresse à l'extérieur.

San Sebastiano **⓮**

Campo San Sebastiano. **Plan** 5 C3. *Tél* 041 275 04 62. San Basilio. lun.-sam.10h-17h. 1er janv., 25 déc.

C'est l'une des décorations intérieures les plus homogènes de Venise. De 1555 à 1560, puis dans les années 1570, Véronèse y a peint le plafond de la sacristie, celui de la nef, la frise, le chœur, le maître-autel et les vantaux de l'orgue.

Par la richesse des coloris et la somptuosité des costumes et des décors, toutes ces œuvres témoignent de l'extraordinaire sens de la narration de l'artiste maniériste. Celles du plafond de la sacristie représentent le *Couronnement de la Vierge* et les *Quatre Évangélistes*. À remarquer également les trois panneaux consacrés à Esther, jeune juive qui épousa le roi perse Assuérus et sauva son peuple du massacre.

La tombe de Véronèse se trouve en face de la chapelle au superbe pavage située à gauche du chœur.

Accademia **⓯**

Voir p. 106-107.

Fondation Peggy Guggenheim **⓰**

Palazzo Venier dei Leoni. **Plan** 6 F4. *Tél* 041 240 54 11. Accademia. mer.-lun. 10h-18h. 25 déc.

Entrepris au XVIIIe siècle, le palazzo Venier dei Leoni devait posséder trois étages, mais seul le rez-de-chaussée sortit de terre et l'édifice prit le surnom de « palazzo

Le « palazzo Nonfinito » abrite la fondation Peggy Guggenheim

Nonfinito ». Son étrangeté séduisit la millionnaire américaine Peggy Guggenheim (1898-1979) qui l'acheta en 1949 pour en faire sa demeure. Collectionneuse, mécène et marchand d'art, cette femme perspicace et excentrique entretint des relations d'amitié avec de nombreux artistes abstraits et surréalistes dont elle favorisa la carrière. L'un d'eux, Max Ernst, devint son mari.

La collection ouvrit ses portes en 1980 et comprend environ 200 peintures et sculptures représentatives de la plupart des grands courants de l'art du XXe siècle. Avec des toiles comme *Le Poète* (1911) de Picasso ou *Le Jeune homme triste dans le train* (1911) de Fernand Léger, la section consacrée au cubisme montre les voies explorées en France au début du siècle pour trouver de nouvelles formes de représentation. Un souci partagé à la même époque par les futuristes italiens que préoccupait surtout l'évocation du mouvement, comme en témoigne la *Construction dynamique* (1913) d'Umberto Boccioni. À l'instar du surréalisme, dont des artistes comme Magritte, Mirò, Dali, Tanguy, Picabia, Man Ray et bien sûr Max Ernst illustrent de multiples facettes, l'expressionnisme abstrait est bien représenté. Peggy Guggenheim tirait une grande fierté d'avoir découvert Jackson Pollock. Réparties entre le jardin et la maison, les sculptures forment un ensemble remarquable avec des pièces comme *Maiastra* (1912) de Constantin Brancusi et des œuvres de Calder, Giacometti, Arp, César et Henry Moore. La plus provocatrice reste encore aujourd'hui l'*Angelo della Città* (1948) de Marino Marini,

Maiastra de Constantin Brancusi

cavalier au pénis dressé installé sur la terrasse dominant le Grand Canal.

Les cendres de Peggy Guggenheim sont conservées dans le jardin à côté de la tombe de ses chiens. La qualité des œuvres exposées et le cadre lumineux que leur offre le palazzo rendent la visite du musée agréable. Des expositions temporaires y sont organisées. Les renseignements s'obtiennent par téléphone.

Santa Maria della Salute ⑰

Campo della Salute. **Plan** 7 A4.
Tél 041 274 39 28. 🚤 Salute.
⬚ t.l.j. 9h-12h, 15h-17h30 (18h30 juin-sept.). 🔔 sacristie parfois fermée lors des vac. religieuses 🎫 pour la sacristie. 🚫

Cette imposante église baroque dresse à l'embouchure du Grand Canal une des silhouettes les plus célèbres de Venise. Alors qu'une terrible épidémie de

L'église baroque de la Salute à l'embouchure du Grand Canal

peste sévissait depuis l'année précédente, les Vénitiens entreprirent sa construction en 1631 afin d'implorer l'intervention de la Vierge en leur faveur, d'où son nom de « Salute », qui signifie à la fois santé et salut. L'épidémie finit par cesser et pour rendre grâce, chaque année en novembre *(p. 68)*, une procession aux flambeaux rejoint le sanctuaire en traversant le Grand Canal sur un pont de bateaux.

L'architecte de la Salute, Baldassare Longhena, passa sa vie à son édification. Mais les travaux ne finirent qu'en 1687, 5 ans après sa mort.

L'intérieur, sobrement décoré, s'organise autour d'un vaste espace octogonal que surmonte la coupole. Des jeux de perspective la font paraître encore plus grande que ses 60 m de hauteur. Six chapelles latérales rayonnent depuis le déambulatoire. Juste le Court sculpta la *Vierge à l'Enfant protégeant Venise de la peste* qui orne le maître-autel.

À gauche de celui-ci s'ouvre la sacristie qui abrite de splendides peintures. Titien est l'auteur du *Saint Marc entouré des saints Côme, Damien, Roch et Sébastien* (1511-1512) et, au plafond, de *Caïn et Abel, Abraham et Isaac* et *David et Goliath* (1540-1549). En face de l'entrée se trouve une œuvre majeure du maniérisme : *Les Noces de Cana* par le Tintoret.

Le cœur octogonal de Santa Maria della Salute

Accademia ⑮

Constituées d'œuvres réunies par l'académie des Beaux-Arts fondée en 1750 par le peintre Giovanni Battista Piazzetta et installées en 1807 par Napoléon dans trois bâtiments conventuels désaffectés, les collections des Gallerie dell' Accademia, riches en peintures religieuses, offrent un panorama unique d'art vénitien, du Moyen Âge byzantin au baroque, en passant par la Renaissance. En restauration, le plan ci-dessous peut être sujet à modifications.

La Tempête *(vers 1507)*
Le symbolisme de ce chef-d'œuvre de Giorgione reste une énigme.

LÉGENDE

☐ Art byzantin et gothique international
▨ Renaissance
▨ XVIIᵉ et XVIIIᵉ siècles
☐ Cycles religieux
▨ Exposition temporaire
☐ Circulation et service

Cour (1561) dessinée par Palladio

Ancienne église de Santa Maria della Carità

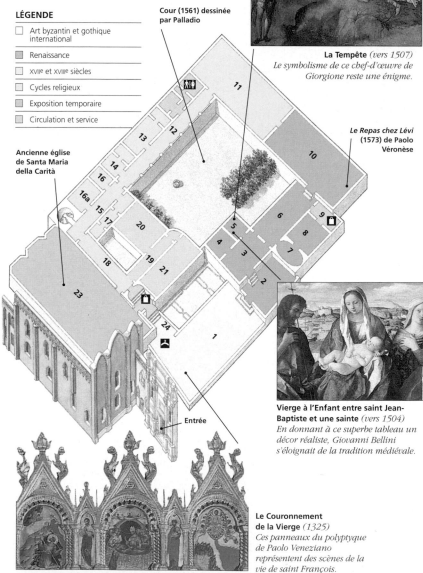

Le Repas chez Lévi (1573) de Paolo Véronèse

Entrée

Vierge à l'Enfant entre saint Jean-Baptiste et une sainte *(vers 1504)*
En donnant à ce superbe tableau un décor réaliste, Giovanni Bellini s'éloignait de la tradition médiévale.

Le Couronnement de la Vierge *(1325)*
Ces panneaux du polyptyque de Paolo Veneziano représentent des scènes de la vie de saint François.

La Guérison d'un possédé (vers 1496) par Vittore Carpaccio

MODE D'EMPLOI

Campo della Carità.
Plan 6 E3. **Tel** *041 522 22 47.*
Accademia. *t.l.j. 8h15-19h (14h lun.). (der. entrée 45 min av. la ferm.).* 1er janv., 1er mai, 25 déc.
www.gallerieaccademia.org

ART BYZANTIN ET GOTHIQUE INTERNATIONAL

Cette salle met en relief l'évolution des primitifs vénitiens. Dans le *Couronnement de la Vierge* (1325) de Paolo Veneziano, l'utilisation de l'or et le panneau central restent byzantins tandis que la fluidité des lignes est déjà gothique, une progression vers le naturalisme qui s'affirme dans le *Couronnement de la Vierge* peint en 1448 par Michele Giambono.

RENAISSANCE

La Renaissance se développa plus tard à Venise qu'à Florence ou à Rome. Dans la première moitié du XVe siècle, la *Sacra Conversazione* réunit dans cette composition la Vierge et des saints. Il reste depuis l'un des thèmes favoris de la peinture vénitienne. Le retable peint par Bellini vers 1487 pour San Giobbe en offre un bon exemple. Un siècle plus tard, le chemin parcouru est immense comme le

montre le grand tableau du *Repas chez Lévi* (1573) de Paolo Véronèse. Représentant à l'origine la *Cène*, son réalisme valut au peintre une comparution devant l'Inquisition. En salle 10, *Saint Marc libérant un esclave* (1548) du Tintoret marque le passage au maniérisme.

XVIIe ET XVIIIe SIÈCLES

L'école vénitienne du XVIIIe siècle doit beaucoup à des artistes venus de l'extérieur comme le Génois Bernardo Strozzi (1581-1644) dont *Le Repas chez Simon* (1629) révèle en salle 11 l'admiration pour l'œuvre de Véronèse. Dans cette salle se trouvent également des toiles de Giambattista Tiepolo, meilleur peintre vénitien du

XVIIIe siècle, notamment une *Découverte de la Vraie Croix* (1745).

Avec des compositions pastorales de Francesco Zuccarelli, des tableaux de Marco Ricci et des scènes de la vie quotidienne de Pietro Longhi, paysages et peintures de genre sont à l'honneur dans le long couloir (12) et les salles qu'il dessert. Une vue de Venise (1763) par Canaletto témoigne de son sens et de sa maîtrise de la perspective. Il s'agit de son œuvre de réception à l'Accademia.

CYCLES RELIGIEUX

Deux grands cycles de peintures ramènent en fin de visite à la Renaissance. Ils offrent un aperçu fascinant de l'aspect de Venise et de la vie quotidienne de ses habitants à la fin du XVe siècle.

En salle 20 se trouvent notamment *La Procession sur la place Saint-Marc* (1496) de Gentile Bellini et *La Guérison d'un possédé* (1494) par Vittore Carpaccio. Celui-ci réalisa également les 8 grands tableaux exposés en salle 21 replaçant des épisodes de la légende de sainte Ursule dans l'Italie de son époque.

Le Repas chez Lévi (1573) par Paolo Véronèse

Place Saint-Marc pas à pas

Au cours des siècles, d'innombrables cortèges, processions et carnavals ont témoigné par leur faste sur la piazza San Marco de la puissance et de la richesse de la Sérénissime République. Ce sont les touristes qui s'y pressent aujourd'hui par milliers pour visiter la basilique Saint-Marc, le palais des Doges ou le musée Correr. Des orchestres s'y produisent en plein air en été et les galeries des Procuratie abritent des cafés élégants, notamment le *Quadri* et le *Florian*, et des boutiques de luxe.

Lion de Saint-Marc

Torre dell'Orologio
La tour de l'horloge date de la Renaissance 20

Des gondoles amarrées dans le bacino Orseolo, nommé d'après le doge Pietro Orseolo qui fonda ici un hospice pour pèlerins en 977.

La piazza avait pour Napoléon l'élégance d'un « salon splendide ».

MERCERIE

PROCURATIE VECCHIE

PIAZZA SAN MARCO

PROCURATIE NUOVE

Museo Correr
La Pietà *(1455-1460) de Giovanni Bellini est un des nombreux chefs-d'œuvre exposés dans ce musée* 22

Le Harry's Bar ouvert en 1931 par Giuseppe Cipriani et son ami Harry a compté bien des célébrités comme clients. Ici, Ernest Hemingway.

San Marco Vallaresso

Pour les hôtels et les restaurants de la ville, voir p. 558-561 et 606-609

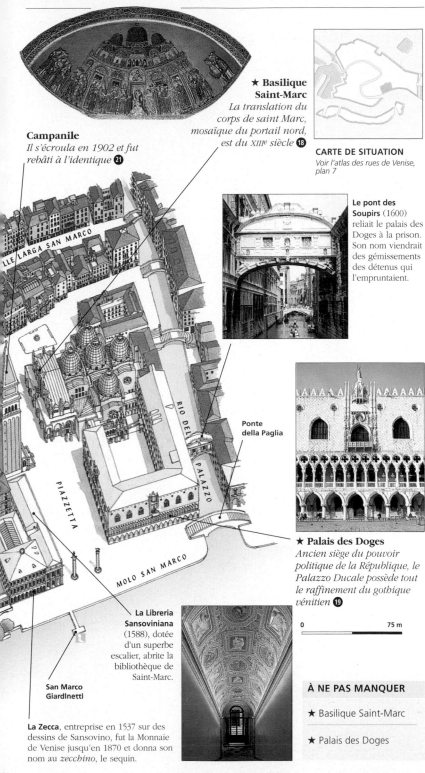

★ **Basilique
Saint-Marc**
*La translation du
corps de saint Marc,
mosaïque du portail nord,
est du XIIIᵉ siècle* **18**

CARTE DE SITUATION
*Voir l'atlas des rues de Venise,
plan 7*

Campanile
*Il s'écroula en 1902 et fut
rebâti à l'identique* **21**

**Le pont des
Soupirs** (1600)
reliait le palais des
Doges à la prison.
Son nom viendrait
des gémissements
des détenus qui
l'empruntaient.

LLE LARGA SAN MARCO

RIO DEL PALAZZO

**Ponte
della Paglia**

PIAZZETTA

MOLO SAN MARCO

★ **Palais des Doges**
*Ancien siège du pouvoir
politique de la République, le
Palazzo Ducale possède tout
le raffinement du gothique
vénitien* **19**

**La Libreria
Sansoviniana**
(1588), dotée
d'un superbe
escalier, abrite la
bibliothèque de
Saint-Marc.

0   75 m

**San Marco
Giardinetti**

La Zecca, entreprise en 1537 sur des
dessins de Sansovino, fut la Monnaie
de Venise jusqu'en 1870 et donna son
nom au *zecchino*, le sequin.

À NE PAS MANQUER

★ Basilique Saint-Marc

★ Palais des Doges

Basilique Saint-Marc ⑱

La cathédrale de Venise, la basilica di San Marco, l'un des plus beaux édifices religieux d'Europe, jouit d'une célébrité méritée dans le monde entier. Splendide métissage de traditions occidentales et orientales, elle offre un étonnant reflet de l'histoire de la cité, notamment de ses conquêtes dont le butin l'embellirent d'œuvres d'art, tels que les chevaux de bronze rapportés de Constantinople en 1204. Des mosaïques de différentes époques décorent sa façade, dont le portail principal présente des sculptures romanes (1240-1265) parmi les plus belles d'Italie.

La coupole de la Pentecôte, probablement la première à être décorée de mosaïques, montre la descente du Saint-Esprit sous forme de colombe.

Saint Marc et les anges
Les statues couronnant l'arche centrale datent du début du XVe siècle.

Des arcs élancés rappellent ceux du rez-de-chaussée.

★ Chevaux de Saint-Marc
Il s'agit de copies des bronzes dorés originaux désormais conservés dans le musée de la basilique.

À NE PAS MANQUER

★ Chevaux de Saint-Marc

★ Mosaïques de la façade

Les reliefs romans du portail principal datent du XIIIe siècle.

Entrée

★ Mosaïques de la façade
Cette mosaïque du XVIIe siècle représente des marchands sortant d'Alexandrie le corps de saint Marc caché sous des morceaux de lard.

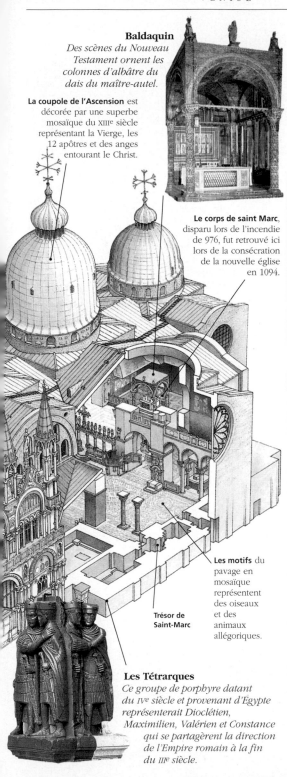

Baldaquin
Des scènes du Nouveau Testament ornent les colonnes d'albâtre du dais du maître-autel.

La coupole de l'Ascension est décorée par une superbe mosaïque du XIIIᵉ siècle représentant la Vierge, les 12 apôtres et des anges entourant le Christ.

Le corps de saint Marc, disparu lors de l'incendie de 976, fut retrouvé ici lors de la consécration de la nouvelle église en 1094.

Les motifs du pavage en mosaïque représentent des oiseaux et des animaux allégoriques.

Trésor de Saint-Marc

Les Tétrarques
Ce groupe de porphyre datant du IVᵉ siècle et provenant d'Égypte représenterait Dioclétien, Maximilien, Valérien et Constance qui se partagèrent la direction de l'Empire romain à la fin du IIIᵉ siècle.

MODE D'EMPLOI

P. San Marco. **Plan** 7 B2. **Tél** 041 520 90 70. 🚉 San Marco. **Basilique, Musée, Trésor** ⭕ lun.-sam. 9h45-17h ; dim., j.f. 14h-16h. 🚫 visites limitées lors des offices. **Pala d'Oro** ⭕ t.l.j. 9h45-17h (oct.-mars 16h). 🎦 📷 🔌 Trésor seul. ♿ 🚻 🚷 www.basilicasanmarco.it

CONSTRUCTION DE SAINT-MARC

Construite sur un plan en croix grecque et coiffée de cinq coupoles, la basilique actuelle est la troisième église à se dresser sur ce site. L'incendie de 976 détruisit la première bâtie en 829 pour recevoir le corps de saint Marc. La deuxième s'avéra trop modeste et les travaux d'un sanctuaire témoignant de la nouvelle puissance de Venise commencèrent en 1063. L'édifice reçut des ajouts au fil des siècles et, à partir de 1075, tous les navires revenant de l'étranger devaient rapporter un ornement précieux pour la « Maison de saint Marc ». Les mosaïques intérieures couvrent 4 240 m² et remontent pour la plupart aux XIIᵉ et XIIIᵉ siècles, bien que certaines soient d'artistes tels que Titien et le Tintoret. Chapelle des doges, Saint-Marc ne remplaça qu'en 1797 San Pietro di Castello comme cathédrale de Venise.

Vendangeur (XIIIᵉ siècle) sculpté au portail principal

À la découverte de la basilique Saint-Marc

L'or est partout à l'intérieur de San Marco et la douceur de la lumière le rend peut-être plus présent en créant une atmosphère empreinte de mystère. Les trésors accumulés en six siècles et la richesse du décor, du pavement de marbre et de verre jusqu'aux mosaïques ornant les murs et les coupoles, justifient plus d'une visite. Du narthex, un escalier conduit au Museo Marciano où se trouvent les célèbres chevaux de bronze doré. Parmi les œuvres d'art les plus précieuses de la cathédrale figurent également l'icône de la Vierge Nicopeia, les pièces d'orfèvrerie du Trésor et la Pala d'Oro, derrière le maître-autel.

Vierge Nicopeia
Rapportée de Constantinople en 1204, cette icône est l'objet d'un culte fervent.

La porta dei Fiori, ou porte des Fleurs, est ornée de reliefs du XIIIe siècle.

Cappella dei Mascoli

Aile nord

★ Coupole de la Pentecôte
Des langues de feu y symbolisent la descente du Saint-Esprit sur les Apôtres.

Narthex

Escalier vers le Museo Marciano

Cappella Zen

Baptistère

★ Coupole de l'Ascension
Chef-d'œuvre d'artistes vénitiens du XIIIe siècle, sa mosaïque du Christ en gloire reste très influencée par l'art byzantin.

★ Trésor
Parmi les nombreux objets précieux italiens et byzantins qu'il renferme figure ce reliquaire en argent doré du XIe siècle.

★ **Pala d'Oro**
250 panneaux comme celui-ci forment le « retable d'Or » façonné au Xe siècle.

Sur les panneaux de bronze de la porte de la sacristie (souvent fermée), Sansovino s'est représenté à côté de Titien et de l'Arétin.

L'autel du Saint-Sacrement est décoré de mosaïques illustrant des paraboles et des miracles du Christ (fin du XIIe-début du XIIIe siècle).

Les colonnes de la façade intérieure proviendraient de la première basilique.

Aile sud

À NE PAS MANQUER

★ Coupoles de l'Ascension et de la Pentecôte

★ Pala d'Oro

★ Trésor

MOSAÏQUES

Plus de 4 000 m² de mosaïques à fond d'or couvrent les murs et les coupoles de la cathédrale. Des artistes levantins exécutèrent les premières au XIe siècle, puis les Vénitiens assimilèrent leur technique et décorèrent leur basilique en métissant la tradition byzantine aux modes de représentation occidentaux. Au XVIe siècle, ce sont les dessins d'artistes tels que Titien, Véronèse et le Tintoret qui servirent de modèles.

Des milliers de petits cubes de marbre, de porphyre et de verre composent les motifs du pavement. Certains ont une signification allégorique. Deux coqs emportant un renard symbolisent ainsi dans le transept gauche la victoire de la vigilance sur la ruse.

PALA D'ORO

Il faut dépasser la cappella di San Clemente pour atteindre derrière le maître-autel l'accès au plus précieux trésor de Saint-Marc : la Pala d'Oro. Enchâssées dans un cadre gothique en argent doré, 250 plaques d'or émaillées composent ce retable commandé en 976 à des orfèvres byzantins puis enrichi au fil des siècles, notamment de joyaux tels que rubis, perles, saphirs et améthystes. En 1797, Napoléon s'empara de pierres précieuses mais n'osa pas les dérober toutes.

MUSEO MARCIANO

Des panneaux marqués « Loggia dei Cavalli » guident jusqu'à l'escalier qui monte du narthex au musée de la basilique. Installé dans une salle du fond, les chevaux de bronze ornaient jadis l'hippodrome de Constantinople et firent partie du butin lors du pillage de la ville en 1204. Leur origine première, romaine ou hellénistique, reste cependant inconnue. Le musée expose également des manuscrits médiévaux, des mosaïques, des étoffes et des tapisseries anciennes.

BAPTISTÈRE ET CHAPELLES

Le doge Andrea Dandolo (1343-1354) fit bâtir le baptistère et il y repose avec Sansovino qui dessina les fonts baptismaux. À côté, la cappella Zen devint en 1504 la chapelle funéraire du cardinal Giambattista Zen après qu'il eut légué ses biens à la République.

Dans le transept gauche, des scènes de la vie de la Vierge ornent la cappella dei Mascoli, tandis que la troisième chapelle renferme la Vierge de Nicopeia, icône portée jadis en tête de l'armée byzantine partant en guerre.

L'Arche de Noé, mosaïque du XIIIe siècle ornant le narthex

Palais des Doges ⑲

Forteresse à sa fondation au IXe siècle, le Palazzo Ducale, ancienne résidence des maîtres de Venise, a subi au cours de sa longue histoire de nombreux incendies et a pris son apparence actuelle aux XIVe et XVe siècles. Ce chef-d'œuvre gothique tire son élégance d'une habile inversion des masses architecturales : les

Mars par Sansovino

volumes pleins (en marbre rose) ne se trouvent pas au rez-de-chaussée mais à l'étage et c'est une arcade très aérée en pierre blanche d'Istrie qui les supporte.

★ Escalier des Géants
Symboles de la puissance de Venise, Mars et Neptune par Sansovino dominent cet escalier du XVe siècle.

Sala del Senato

Sala del Collegio

Anticollegio

L'Arco Foscari est orné de copies d'Adam et Ève (XVe siècle) par Antonio Rizzo.

Sortie

★ Porta della Carta
Entrée principale du palais, cette porte gothique du XVe siècle ouvre sur un passage voûté qui conduit à l'Arco Foscari et à la cour intérieure.

Cour

★ Sala del Maggior Consiglio
L'immense Paradis *(1590) du Tintoret occupe tout un mur de cette vaste salle où se réunissait le Grand Conseil de la République.*

Pour les hôtels et les restaurants de la ville, voir p. 558-561 et 606-609

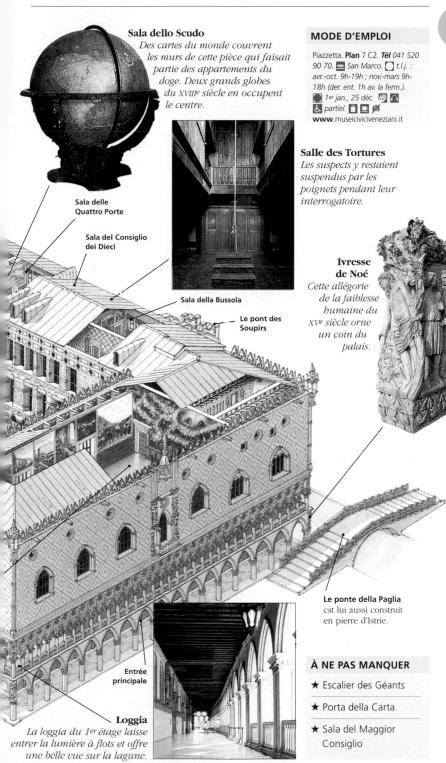

Sala dello Scudo
Des cartes du monde couvrent les murs de cette pièce qui faisait partie des appartements du doge. Deux grands globes du XVIII siècle en occupent le centre.

MODE D'EMPLOI

Piazzetta. **Plan** 7 C2. *Tél* 041 520 90 70. 🚏 San Marco. ○ t.l.j. : avr.-oct. 9h-19h ; nov.-mars 9h-18h (der. ent. 1h av. la ferm.). ● 1er jan., 25 déc. 🖼 🔲 🔲 partiel. 🔲 🔲 Ø
www.museicivicveneziani.it

Salle des Tortures
Les suspects y restaient suspendus par les poignets pendant leur interrogatoire.

Sala delle
Quattro Porte

Sala del Consiglio
dei Dieci

Sala della Bussola

Le pont des
Soupirs

Ivresse de Noé
Cette allégorie de la faiblesse humaine du XV siècle orne un coin du palais.

Le ponte della Paglia
cst lui aussi construit en pierre d'Istrie.

Entrée
principale

À NE PAS MANQUER

★ Escalier des Géants

★ Porta della Carta

★ Sala del Maggior Consiglio

Loggia
La loggia du 1er étage laisse entrer la lumière à flots et offre une belle vue sur la lagune.

À la découverte du palais des Doges

À moins de pouvoir accéder aux appartements du doge, ouverts uniquement pour des expositions temporaires, la visite commence au dernier étage et entraîne le visiteur sur trois niveaux à travers des salles richement décorées et des salons d'apparat. Elle emprunte le pont des Soupirs pour rejoindre les prisons.

L'une des plus grandes toiles du monde : le *Paradis* du Tintoret et de son fils Domenico dans la sala del Maggior Consiglio

SCALA D'ORO ET COUR INTÉRIEURE

Depuis la Porta del Frumento, un passage voûté conduit à la cour du palais. La billetterie et l'entrée du palais se trouvent à gauche. En face, l'escalier des Géants (XVe siècle) d'Antonio Rizzo s'élève jusqu'au palier où le nouveau doge coiffait la *zogia*, bonnet du pouvoir. La Scala d'Oro, dessinée par Jacopo Sansovino, doit son nom d'« escalier d'or » à son décor en stuc par Alessandro Vittoria (1554-1558). Elle mène aux étages supérieurs.

DE LA SALA DELLE QUATTRO PORTE À LA SALA DEL SENATO

Dessinée par Palladio, la seconde salle, la sala delle Quattro Porte, présente un plafond décoré de fresques par le Tintoret. Celui-ci peignit aussi plusieurs des scènes mythologiques de la pièce suivante, l'Anticollegio, où se situe, en face de la fenêtre, le superbe *Enlèvement d'Europe* (1580) de Véronèse. La visite conduit ensuite dans la sala del Collegio où travaillaient les 26 « sages » du gouvernement de la République. Onze tableaux (1577) de Véronèse ornent son plafond à caissons. Dans le cadre somptueux composé par des peintures du Tintoret et de Palma le Jeune, la sala del Senato accueillait les réunions du Sénat (120 au XVIIe siècle) chargé de décider de la politique étrangère.

DE LA SALA DEL CONSIGLIO DEI DIECI À L'ARMERIA

Dans la sala del Consiglio dei Dieci travaillait le redouté Conseil des Dix fondé en 1310 et doté d'un pouvoir absolu en matière de sécurité de l'État. Deux beaux Véronèse ornent le plafond : *Vieil Oriental avec une jeune*

La Dialectique (vers 1577) par Véronèse dans la sala del Collegio

femme et *Junon offrant à Venise la coiffure de doge*. Dans la sala della Bussola, nommée d'après sa contre-porte à tambour, un coffre recevait les dénonciations jetées dans une *bocca di leone* (gueule de lion). Une porte en bois mène à la salle des Inquisiteurs et, de là, à la salle des Tortures et aux prisons. Les collections d'armes et d'armures de l'Armeria occupent les salles suivantes. Elles font partie des plus belles d'Europe.

SALA DEL MAGGIOR CONSIGLIO

La scala dei Censori descend au premier étage où se trouve, après la sala del Guarantio et les statues d'Adam et Ève (1470) par Antonio Rizzo, la sala del Maggior Consiglio, salle aux proportions monumentales où se réunissait le Grand Conseil de la Sérénissime République.

Bocca di leone ouverte aux dénonciations

Celui-ci comprenait au milieu du XVIe siècle environ 2000 membres. Tout Vénitien mâle de plus de 25 ans appartenant à une famille patricienne y siégeait de droit à moins d'avoir épousé une roturière. Long de près de 25 m, l'immense *Paradis* (1587-1590) que le Tintoret peignit avec son fils occupe le mur oriental. En empruntant ensuite le pont des Soupirs, on rejoint les geôles des Prigioni Nuove.

Torre dell'Orologio ⓴

Piazza San Marco. **Plan** 7 B2.
Tél *041 520 90 70.* *San Marco.*
sur rés. 10h-16h.

Attribuée à Mauro Coducci, cette élégante tour Renaissance de la fin du XVe siècle domine le nord de la piazza. Son cadran d'émail bleu et blanc indique les phases de la lune et les constellations du zodiaque. Selon la légende, les deux horlogers qui mirent au point son mécanisme complexe eurent ensuite les yeux crevés pour les empêcher d'en créer une réplique.

Au sommet de la tour, deux géants de bronze sonnent les heures. Ils doivent à leur patine le surnom de *Mori* (Maures). Le jour de l'Ascension, leur sonnerie fait apparaître les Rois mages qui viennent se prosterner devant les statues de la Vierge et du Christ.

Le cadran de la Torre dell'Orologio

Campanile ㉑

Piazza San Marco. **Plan** 7 B2.
Tél *041 522 40 64.* *San Marco.*
nov.-mars : t.l.j. 9h30-15h45 (sam.-dim.16h45) ; avr.-oct. : t.l.j. 9h-19h30.

Du haut du campanile, 80 m au-dessus de la piazza, les visiteurs découvrent un panorama sublime de la ville, de la lagune et, par temps très clair, des sommets des Alpes. C'est de là que Galilée fit essayer son télescope au doge Leonardo Donà en 1609. Il avait dû pour cela emprunter l'escalier. Il existe aujourd'hui un ascenseur.

La première tour élevée sur le site en 1173 servait de phare et guidait les marins vers la lagune. Elle joua un rôle moins charitable pendant le Moyen Âge quand les condamnés restaient exposés, parfois jusqu'à la mort, dans une cage suspendue près de son sommet. L'édifice connut au XVIe siècle une restauration par Bartolomeo Bon après un tremblement de terre, mais subsista sans autre dommage jusqu'en juillet 1902 où il s'effondra subitement sur la Logetta et le chat du gardien, la seule victime. Les dons affluèrent et la première pierre d'un nouveau campanile fut posée dès l'année suivante. L'inauguration eut lieu le 25 avril 1912 (jour de la Saint-Marc) .

Museo Correr ㉒

Procuratie Nuove. Entrée dans Ala Napoleonica. **Plan** 7 B2. ***Tél*** *041 240 52 11.* *San Marco.* *avr.-oct. : 9h-19h ; nov.-mars : 9h-17h. (dern. ent. 1h av. ferm.).* *1er janv., 25 déc.* *(inclut l'entrée à la Libreria Sansoviniana et au Museo Archeologico)*

Cette vaste collection d'art léguée en 1830 par Teodoro Correr est à l'origine du musée qui porte son nom.

Les salles du premier étage offrent un cadre néoclassique approprié aux statues d'Andrea Canova (1757-1822). Consacré à l'histoire de la République de Venise, le musée propose en outre cartes, monnaies, armes, médailles, souvenirs et documents divers.

***Portrait d'homme au bonnet rouge* par Carpaccio au Museo Correr**

Le deuxième étage abrite une collection de peintures d'une richesse dépassée à Venise seulement par l'Accademia. Accrochés dans l'ordre chronologique, les tableaux permettent de suivre l'évolution de l'école vénitienne et de voir les influences qu'eurent sur elle des artistes de Ferrare, de Padoue et des Flandres.

Parmi les chefs-d'œuvre les plus célèbres figurent le *Portrait d'homme au bonnet rouge* (vers 1490) et *Les Courtisanes* (vers 1507) de Vittore Carpaccio.

Au même niveau, le museo del Risorgimento aborde au travers de documents variés les aspects de l'histoire de la ville liés à l'unification italienne en 1866.

Le plafond en triple carène de Santo Stefano

Santo Stefano ㉓

Campo Santo Stefano. **Plan** 6 F2.
Tél *041 275 04 62.* *Accademia ou Sant'Angelo.* *lun.-sam. 10h-17h.* *1er janv., 25 déc.*

Désaffectée 6 fois à cause des violences qui s'y déroulèrent, la charmante, et aujourd'hui sereine, église gothique Santo Stefano, entreprise en 1294 et remaniée au XVe siècle, possède un portail sculpté par Bartolomeo Bon, un campanile à l'inclinaison typiquement vénitienne et une superbe voûte en triple carène. La sacristie abrite trois peintures du Tintoret et un *Baptême du Christ* de Paris Bordone.

Santi Giovanni e Paolo ❷❹

Élevée par les dominicains de 1240 à 1430, Santi Giovanni e Paolo, rivalise avec les Frari *(p. 98-99)* pour le titre de plus grande église gothique de Venise. Véritable Panthéon de la Sérénissime République, elle abrite dans un cadre austère les tombeaux de 25 doges. Certains sont de remarquables œuvres d'art exécutées par des sculpteurs de premier plan, notamment des membres de la famille Lombardo.

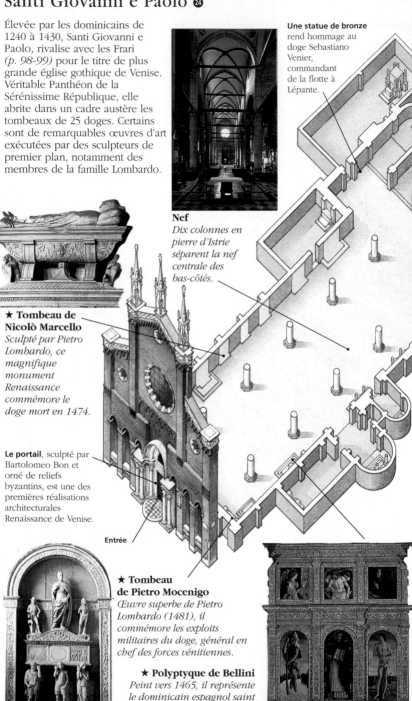

Une statue de bronze rend hommage au doge Sebastiano Venier, commandant de la flotte à Lépante.

Nef
Dix colonnes en pierre d'Istrie séparent la nef centrale des bas-côtés.

★ Tombeau de Nicolò Marcello
Sculpté par Pietro Lombardo, ce magnifique monument Renaissance commémore le doge mort en 1474.

Le portail, sculpté par Bartolomeo Bon et orné de reliefs byzantins, est une des premières réalisations architecturales Renaissance de Venise.

Entrée

★ Tombeau de Pietro Mocenigo
Œuvre superbe de Pietro Lombardo (1481), il commémore les exploits militaires du doge, général en chef des forces vénitiennes.

★ Polyptyque de Bellini
Peint vers 1465, il représente le dominicain espagnol saint Vincent Ferrier entre saint Sébastien et saint Christophe.

MODE D'EMPLOI

Campo Santi Giovanni e Paolo
(également appelée San Zanipolo).
Plan 3 C5. **Tél** 041 523 59 13.
🚤 Fondamente Nuove ou
Ospedale Civile. ○ lun.-sam. 9h-
18h, dim. dès 13h. ● dim. mat.
durant l'office. 🖼️ ✝️ ♿ 📷 🚫

Le maître-autel
baroque,
entrepris en
1619, est attribué
à Baldassare
Longhena.

**Statues du
XVIe siècle par
Vittoria**

**Fresques
du XVIe siècle
attribuées à
Palma le Jeune**

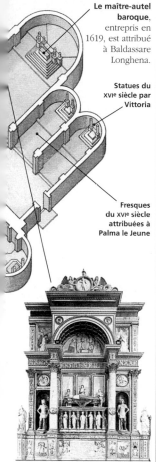

★ **Tombeau
d'Andrea Vendramin**
*Ce chef-d'œuvre des
Lombardo prend la forme
d'un arc de triomphe.*

À NE PAS MANQUER

★ Polyptyque de Bellini

★ Tombeaux des Doges

Statue de Colleoni 25

Campo Santi Giovanni e Paolo.
Plan 3 C5. 🚤 Ospedale Civile.

Célèbre condottiere qui mena campagne pour Venise à la tête de ses mercenaires, Bartolomeo Colleoni légua en 1475 ses richesses à la République à condition que sa statue se dresse « devant Saint-Marc ». L'État vénitien ne pouvait refuser une telle manne, mais même l'effigie de l'évangéliste dont elle porte le nom ne se dresse pas sur la piazza San Marco. Pour sauver les apparences, on installa Colleoni devant la scuola di San Marco. Sculptée par le Florentin Andrea Verrocchio et fondue après sa mort par Alessandro Leopardi, sa statue équestre (1481-1488) n'en est pas moins un chef-d'œuvre de la Renaissance.

Santa Maria Formosa 26

Campo Santa Maria Formosa.
Plan 7 C1. **Tél** 041 275 04 62.
🚤 Rialto. ○ lun.-sam. 10h-17h.
● 1er janv., 25 déc. 🖼️ 📷

La particularité de cette église dessinée par Mauro Coducci en 1492, est d'avoir deux façades principales, l'une sur la place, l'autre sur le canal. Le campanile date de 1688. À l'intérieur, deux tableaux se distinguent des autres œuvres : le triptyque de la *Vierge* (1473) de Bartolomeo Vivarini et le polyptyque peint par Palma le Vieux vers 1510 en l'honneur de sainte Barbe, patronne des artilleurs.

San Zaccaria 27

Campo San Zaccaria. **Plan** 8 D2.
Tél 041 522 12 57. 🚤 San Zaccaria.
○ lun.-sam. 10h-12h, 16h-18h ;
dim. et jours fériés 16h-18h.
🖼️ chapelles et crypte. 📷

Dominant une place tranquille à un jet de pierre de la riva degli Schiavoni, cette église fondée au IXe siècle allie avec bonheur le style gothique et le

Sainte Barbe (v. 1510) par Palma le Vieux à Santa Maria Formosa

classicisme de la Renaissance, notamment sur la façade commencée au XVe siècle par Antonio Gambello et achevée après sa mort en 1481 par Mauro Coducci.

De grandes peintures décorent l'intérieur, dont une *Vierge à l'Enfant entourée de saints* (1505) de Giovanni Bellini. Ce tableau serein et richement coloré est une de ses plus belles œuvres. Dans le bas-côté droit, une porte donne sur la cappella di San Anastasio qu'il faut traverser pour atteindre la cappella di San Tarasio. Le Florentin Andrea del Castagno peignit en 1442 les fresques de sa voûte. Trois magnifiques polyptyques (1443-1444) d'Antonio Vivarini et Giovanni d'Alemagna ornent le chœur.

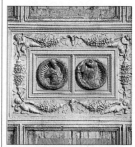
Panneau Renaissance par Coducci sur la façade de San Zaccaria

Scuola di San Giorgio degli Schiavoni ㉘

Calle Furlani. **Plan** 8 E1. **Tél** 041 522 88 28. 🚢 San Zaccaria. 🕐 mar.-sam. 9h15-13h, 14h45-18h, dim. 14h45-18h. 🚫 1er janv., 1er mai, 25 déc., fêtes religieuses. 🖼️ 📷

Venise a très tôt accueilli une communauté de Dalmates, ou *Schiavoni* (Esclavons), originaires de la côte orientale de l'Adriatique. Celle-ci fit édifier en 1451 cette *scuola* pour y établir sa confrérie d'entraide. Elle est surtout célèbre pour les tableaux de Vittore Carpaccio qu'elle abrite. Exécutés entre 1502 et 1508, ils offrent, au travers d'épisodes des vies de saint Georges, saint Tryphon et saint Jérôme, un portrait minutieux et superbe de la vie à Venise à la Renaissance. Parmi les plus beaux figurent *Saint Georges terrassant le dragon*, *Saint Jérôme et le Lion* et *La Vision de saint Jérôme*.

San Giovanni in Bragora ㉙

Campo Bandiera e Moro. **Plan** 8 E2. **Tél** 041 270 24 64. 🚢 Arsenale. 🕐 lun.-sam. 9h-12h, 15h30-17h30. 📷

Entreprise en 1475 et achevée en 1479, cette église essentiellement gothique offre un cadre intime à des œuvres illustrant le passage de l'art du Moyen Âge à celui de la Renaissance. Le retable gothique *Vierge à l'Enfant*

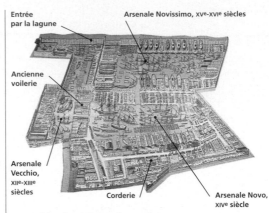

Entrée par la lagune

Arsenale Novissimo, XVe-XVIe siècles

Ancienne voilerie

Arsenale Vecchio, XIIe-XIIIe siècles

Corderie

Arsenale Novo, XIVe siècle

L'Arsenal d'après une gravure du XVIIIe siècle

entourée de saints (1478) de Bartolomeo Vivarini contraste ainsi avec le grand *Baptême de Jésus* (1492-1495) de Cima da Conegliano qui orne le maître-autel.

L'Arsenal ㉚

Plan 8 F1. 🚢 Arsenale. **Museo Storico Navale** Campo San Biagio. **Plan** 8 F3. **Tél** 041 520 02 76. 🕐 lun.-ven. 8h45-13h30 (13h sam.). 🚫 jours fériés. 🖼️

Fondé au XIIe siècle, l'Arsenal était devenu au XVIe siècle le plus grand chantier naval du monde, capable, disait-on, de fabriquer une galère par jour. Cerné de remparts de brique crénelés, dont Antonio Gambello exécuta en 1460 le portail principal gardé depuis 1687 par des lions de pierre rapportés du Pirée, il formait une véritable ville à l'intérieur de la cité et reste un endroit secret bien qu'en grande

partie déserté. Prendre un *vaporetto* de la ligne 52 permet cependant de découvrir les bâtiments et les quais de l'Arsenale Vecchio.

Sur le campo San Biagio, le **Museo Storico Navale** retrace l'histoire de la marine vénitienne au travers de nombreux documents, armes et maquettes. Ne pas manquer les vestiges du *Bucentaure*, l'ancien navire de cérémonie des doges.

San Giorgio Maggiore ㉛

Plan 8 D4. **Tél** 041 522 78 27. 🚢 San Giorgio. 🕐 t.l.j. 9h30-12h30, 14h30-18h (17h en hiver). 🖼️ Campanile. 📷 **Fondazione Cini Tél** 041 524 01 19. 🕐 lun.-ven. sur r.-v., sam.-dim. 10h-16h (mai-sept. 17h). 🖼️

La petite île de San Giorgio Maggiore en face de la Piazzetta ressemble à un

Saint Georges terrassant le dragon (1502-1508) de Carpaccio à la Scuola di San Giorgio degli Schiavoni

décor de théâtre. Reconstruite en 1565 par Andrea Palladio, l'église est une de ses plus belles œuvres, Scamozzi ayant su respecter son style en exécutant la façade. L'équilibre des proportions se retrouve dans l'église du Redentore que Palladio éleva à partir de 1577 sur l'île de la Giudecca voisine.

Deux peintures (1594) du Tintoret ornent le chœur de San Giorgio Maggiore : la *Cène* et la *Manne dans le Désert*. Son dernier tableau, une *Déposition* achevée par son fils Domenico, orne la cappella dei Morti.

Le sommet du campanile offre une vue splendide de la ville et de la lagune. En baissant les yeux, vous découvrirez les cloîtres qui appartiennent désormais à la **Fondazione Cini**, centre culturel qui organise des expositions internationales d'art.

San Giorgio Maggiore par Palladio

Murano ㉜

🚤 *LN, 41 et 42 de Fondamente Nuove, DM de Ferrovia et Piazzale Roma.*

Comme Venise, Murano s'étale sur une myriade d'îlots reliés par des ponts. Le bourg est devenu un grand centre de la verrerie en 1291 quand il fut décidé que cette industrie créait trop de risques d'incendie à l'intérieur de la cité des Doges. Les meilleures manufactures y proposent toujours des pièces d'une grande qualité.

Le chevet à colonnades de la basilica dei Santi Maria e Donato de Murano

🏛 Museo Vetrario

Palazzo Giustinian, Fondamenta Giustinian. **Tél** *041 73 95 86.* 🕐 *jeu.-mar. 10h-18h (17h nov.-mars).* 🔴 *1er janv., 1er mai, 25 déc.* 📷 🔲

Murano devint la capitale européenne de la verrerie aux XVe et XVIe siècles et cet artisanat continue d'y attirer de nombreux touristes. Installé dans le palazzo Giustinian, le Museo Vetrario présente une belle collection de pièces anciennes dont la coupe de mariage soufflée par Angelo Barovier au XVe siècle constitue le joyau.

🔒 Basilica dei Santi Maria e Donato

Fondamenta Giustinian. **Tél** *041 73 90 56.* 🕐 *t.l.j. 8h-12h, 16h-18h.* 📷

Restaurée au XIXe siècle, la basilique dei Santi Maria e Donato, bâtie au XIIe siècle dans le style véneto-byzantin, a gardé toute sa grâce, que l'on doit notamment à son chevet formé d'une abside à colonnades. À l'intérieur, un pavement en mosaïque exécuté en 1140 présente un superbe décor associant poissons, oiseaux, créatures fantastiques et motifs géométriques.

Burano ㉝

🚤 *LN de Fondamente Nuove ou de San Zaccaria via Lido et Punta Sabbioni.*

Dans une partie isolée du nord de la lagune, Burano se reconnaît de loin au clocher penché de son église. Très peuplée, contrairement à Torcello, et célèbre pour les maisons peintes de couleurs vives qui se mirent dans ses canaux, c'est la plus animée des îles proches de Venise.

L'artère principale, la via Baldassare Galuppi, porte le nom du compositeur né à Burano en 1705. Échoppes de dentelles et *trattorie* servant du poisson frais la bordent.

🏛 Museo del Merlettio

Piazza Baldassare Galuppi. **Tél** *041 73 00 34.* 🕐 *mer.-lun. : avr.-oct. 10h-17h (16h nov.-mars).* 🔴 *1er janv., 1er mai, 25 déc.* 📷

Traditionnellement, les habitants de Burano vivent de la pêche et de la dentelle, mais si l'on voit toujours sur l'île des pêcheurs réparant leur bateau ou leurs filets, les dentellières y sont rares, sauf dans l'école des dentellières, devenue un musée, où l'on peut les regarder travailler. Cette institution fut fondée en 1872 pour relancer une production de qualité et sauver le délicat et réputé *punto di aria* (littéralement : le point fait d'air) dont le secret allait se perdre. La dentelle de Burano demande un tel travail qu'elle est devenue un luxe dispendieux.

Verrerie vénitienne

Une rue haute en couleur à Burano

Torcello 34

Habitée dès le Vᵉ siècle, l'île de Torcello possède le plus vieil édifice de la lagune : la cathédrale Santa Maria dell'Assunta fondée en 639 et ornée de superbes mosaïques anciennes. De pur style byzantin, l'église attenante de Santa Fosca témoigne aussi de l'importance d'une île qui eut jusqu'à 20 000 habitants avant que Venise ne l'éclipse. Aujourd'hui, elle n'en compte plus qu'une soixantaine.

★ **Mosaïque de l'abside**
Vierge à l'Enfant (XIIIᵉ siècle) sur fond d'or, c'est l'une des plus émouvantes de la lagune.

★ **Mosaïque du Jugement dernier**
Du XIIᵉ siècle, elle couvre le mur ouest de la cathédrale.

Chaire
*La cathédrale date de 1008 mais contient des éléments plus anciens.
La chaire incorpore des fragments du VIIᵉ siècle.*

Le sarcophage romain sous l'autel contiendrait les reliques de saint Héliodore.

★ **Iconostase**
Paons, lions et fleurs ornent les délicats panneaux de marbre byzantins du jubé.

Colonne de la nef
18 colonnes aux chapiteaux sculptés datant du XIᵉ siècle séparent les trois nefs.

MODE D'EMPLOI

🚤 LN de Fondamente Nuove puis T de Burano **Santa Maria et Campanile** *Tél* 041 296 06 30. ⬜ t.l.j. ; mars-oct. : 10h30-18h ; nov.-fév. : 10h-17h. 🅿 🔲 🚫 cathédrale seul. 🔲 campanile seul. **Santa Fosca** ⬜ pendant les offices. **Museo dell'Estuario** *Tél* 041 73 07 61. ⬜ mar.-dim. : mars-oct. 10h30-17h30 ; nov.-fév. 10h-17h. ⬤ jours fériés. 🅿

Les derniers canaux de Torcello
L'envasement de ses voies navigables et la malaria ont hâté le déclin de l'île. L'un de ses derniers canaux relie l'arrêt du vaporetto *à la basilique.*

L'autel, reconstruit en 1939, est dominé par un relief du XVe siècle représentant sainte Fosca endormie.

La calotte centrale repose sur des colonnes de marbre grec aux chapiteaux corinthiens.

Santa Fosca
Bâtie aux XIe et XIIe siècles sur un plan en croix grecque, elle a conservé à l'intérieur son austérité byzantine.

Le portique qui entoure Santa Fosca sur 5 côtés date probablement du XIIe siècle.

Vers l'arrêt du vaporetto →

Le museo dell'Estuario présente de nombreux vestiges de l'ancienne église.

À NE PAS MANQUER

★ Iconostase

★ Mosaïque de l'abside

★ Mosaïque du Jugement dernier

Trône d'Attila
Ce siège de marbre aurait servi au Ve siècle au roi des Huns.

Faire des achats à Venise

Les vitrines de magasin qui bordent les rues étroites de Venise attirent irrésistiblement les passants. Une myriade de marques à la mode est disponible dans de grands magasins ultramodernes et flambant neufs, mais la cité témoigne par ailleurs d'une forte tradition artisanale. De minuscules ateliers ouverts au public créent de ravissants objets en verre, bois, cuir et papier mâché. Des mains habiles transforment des tiges de verre coloré en animaux miniatures et fleurs délicates, tandis que des moules en plâtre produisent des formes qui deviendront des masques d'ornement. Les magasins de décoration intérieure sont nombreux, proposant également ustensiles de cuisine rutilants et étoffes.

OÙ FAIRE LES BOUTIQUES ?

L'éclatante rue des Mercerie est l'artère commerçante principale de Venise depuis le Moyen Âge, près de l'avenue à la mode Calle Larga XXII Marzo. La Frezzeria est parsemée de boutiques surprenantes, alors que sur l'autre rive du Grand Canal, les rues étroites qui partent du Rialto et se prolongent jusqu'à Campo San Polo, sont bordées de magasins plus abordables. La Lista di Spagna, proche de la gare, et la Strada Nova, qui s'étire jusqu'au Rialto, pourvoient aux besoins quotidiens des habitants. Sur les îles de Murano et Burano, vous pourrez acheter du verre traditionnel et de la dentelle.

ALIMENTATION ET MARCHÉS

Les étals de fruits et légumes s'étendent à l'ouest du pont du Rialto et le long du Grand Canal. La Pescheria, ou marché aux poissons, occupe l'extrémité la plus lointaine. Les rues voisines regorgent d'épiceries fines. Le vin, l'huile d'olive, le vinaigre et la grappa dans des bouteilles décoratives, ainsi que les pâtes séchées constituent de bonnes idées de cadeaux. Le fromager **Aliani** offre de nombreux aliments pour pique-nique qui mettent l'eau à la bouche, alors que la **Drogheria Mascari** propose une sélection raffinée de fruits séchés, cafés et alcools. **Rizzo**, de l'autre côté du pont, est un maître fabricant de pâtes.

VERRE

L'île de Murano est l'endroit idéal pour observer le soufflage expert du verre. Si vous vous intéressez aux créations en verre contemporaines, sur la place Saint-Marc, la salle d'exposition de **Venini** propose d'étonnants plats et d'immenses vases, et **L'Isola**, des verres de Carlo Moretti aux couleurs variées. L'art des perles est florissant grâce aux colliers des sœurs **Marina e Susanna Sent**. Chez **Perle e Dintorni**, les clients peuvent faire leur choix parmi une collection impressionnante de perles et créer leurs propres colliers.

HABILLEMENT ET ACCESSOIRES

Promod, près de San Marco, propose des vêtements à des prix raisonnables. Tout près, on trouve le grand magasin de **Benetton**, tandis qu'en face **Max Mara** propose des vêtements pour femme sans pareil. D'autres grands noms de la mode – **Armani**, **Roberto Cavalli**, **Missoni** et **Gucci** – possèdent aussi des boutiques autour de la Piazza San Marco. En quittant San Lio, on peut reconnaître **Giovanna Zanella** à ses chaussures et sandales étranges, fabriquées sur son banc de cordonnier.

MASQUES ET COSTUMES

Avec ses dessins saisissants, le **Papier Mâché** a relancé la fabrication traditionnelle de masques. Près de Campo San Polo, **Tragicomica** vend des masques, des costumes et des personnages de la Commedia dell'Arte. Vous pourrez aussi vous en procurer chez **Leon d'Oro**, qui fabrique également des marionnettes. Au bout de la Calle Larga XXII Marzo se trouve **La Ricerca**, une vitrine pour les remarquables masques en cuir des frères De Marchi. Dorsoduro possède plusieurs ateliers d'exception : **Mondonovo**, juste à la sortie de Campo Santa Margherita, détient une merveilleuse collection de masques.

BIJOUX

Nardi, situé sous les arcades de la Piazza San Marco, est, entre autres, le créateur d'une splendide broche ornée d'une tête de Maure. Non loin de là, on peut découvrir les locaux étincelants de **Bulgari** ; **Cartier**, avec sa superbe collection de montres, s'est installé près de la Mercerie. Les boutiques situées sur le pont du Rialto vendent des objets moins coûteux : bracelets et chaînes, dont le prix est fonction de leur poids en or. De l'autre côté du pont, sous les arcades de l'ancien quartier des orfèvres, s'est installé **Attombri**, 2 frères qui créent de curieux colliers.

ÉTOFFES ET DÉCORATION INTÉRIEURE

Venise est réputée pour ses soies et velours, ainsi que ses sompteux brocarts, dont beaucoup sont encore vendus à **Trois**, près du *Gritti Palace Hotel*. Sur le Grand Canal, à Sant'Angelo, **Rubelli** est le paradis des étoffes. Chez **TSL**, qui possède plusieurs magasins dans la ville, on trouve du linge de maison plus classique, mais de bonne qualité, ainsi que des accessoires de salle de bains aux couleurs vives. Pour trouver des articles de cuisine originaux, **Epicentro** est incontournable. Pour les lampes et appareils d'éclairage modernes, rendez-vous chez **Crovato**, dissimulé dans une rue arrière de Castello.

LIVRES ET CADEAUX

Au Giardinetti Reali, à côté de San Marco, le **Venice Pavilion Bookshop**, annexe de l'office de tourisme, possède une belle collection de livres sur la ville. La **Librairie française Di Caon Ornella**, à côté du campo Santi Giovanni e Paolo, propose des livres en français. **Mare di Carta** propose des ouvrages sur la navigation et des magazines. **Alberto Valese-Ebru** utilise une technique de marbrage unique pour travailler aussi bien les tissus que le papier. À proximité, **Paolo Olbi** offre un large choix de papiers et de livres d'art en vente. Sur l'autre rive du Grand Canal, à San Tomà, **Daniela Porto** vend des cartes et cadres imprimés à l'ancienne, qui constituent des cadeaux parfaits ; **Signor Blum**, à Campo San Barnaba, propose de charmants objets et jouets en bois sculptés peints à la main.

ADRESSES

ALIMENTATION ET MARCHÉS

Aliani (Casa del Parmigiano)
Erberia Rialto, San Polo 214/5. **Plan** 3 A5.
Tél. 041 520 6525.

Drogheria Mascari
Ruga Rialto, Calle dei Spezeri, San Polo 381.
Plan 3 A5.
Tél. 041 522 9762.

Rizzo
Salizzada S. Giovanni Grisostomo, Cannaregio 5778.
Plan 3 B5.
Tél. 041 522 2824.

VERRE

L'Isola – Carlo Moretti
Campo San Moisè, San Marco 1468.
Plan 7 A3.
Tél. 041 523 1973.

Marina e Susanna Sent
Campo S. Vio Dorsoduro 669. **Plan** 6 F4.
Tél. 041 520 8136.

Perle e Dintorni
Calle della Mandola, San Marco 3740.
Plan 6 F2.
Tél. 041 520 5068.

Venini
Piazzetta dei Leoncini, San Marco 314.
Plan 7 B2.
Tél. 041 522 4045.

HABILLEMENT ET ACCESSOIRES

Armani
Calle Goldoni, San Marco 4412.
Plan 7 A2.
Tél. 041 523 4758.

Benetton
Via Il Aprile, San Marco 5051. **Plan** 7 B2.
Tél. 041 296 0493.

Giovanna Zanella
Calle Carminati, Castello 5641. **Plan** 7 B1.
Tél. 041 523 5500.

Gucci
Calle Larga XXII Marzo, San Marco 2102.
Plan 7 A3.
Tél. 041 241 3968.

Max Mara
Campo San Salvador, San Marco 5033. **Plan** 7 A1.
Tél. 041 522 6688.

Missoni
Calle Vallaresso, San Marco 1312. **Plan** 7 B3.
Tél. 041 520 5733.

Promod
Campo S. Bartolomeo, San Marco 5377. **Plan** 7 B1.
Tél. 041 241 0668.

Roberto Cavalli
Calle Vallaresco, San Marco 1314.
Plan 7 B3.
Tél. 041 520 5733.

MASQUES ET COSTUMES

La Ricerca
Ponte delle Ostreghe, San Marco 2431.
Plan 7 A3.
Tél. 041 522 8250.

Leon d'Oro
Frezzeria, San Marco 1770.
Plan 7 A2.
Tél. 041 520 3375.

Mondonovo
Rio Terrà Canal, Dorsoduro 3063.
Plan 6 D3.
Tél. 041 528 7344.

Papier Mâché
Calle Lunga Santa Maria Formosa Castello 51 75.
Plan 7 C1.
Tél. 041 522 99 95.

Tragicomica
Calle dei Nomboli, San Polo 2800.
Plan 6 F1.
Tél. 041 721 102.

BIJOUX

Attombri
Sottoportego degli Orefici, San Polo 74.
Plan 3 A5.
Tél. 041 521 2524.

Bulgari
Calle Larga XXII Marzo, San Marco 2282.
Plan 7 A3.
Tél. 041 241 0553.

Cartier
Mercerie San Zulian, San Marco 606.
Plan 7 B2.
Tél. 041 522 2071.

Nardi
Procuratie Nuove, Piazza San Marco, San Marco 69/71. **Plan** 7 B2.
Tél. 041 522 5733.

ÉTOFFES ET DÉCORATION INTÉRIEURE

Crovato
Ruga Giuffa, Castello 4920. **Plan** 7 C1.
Tél. 041 522 5131.

Epicentro
Calle dei Fabbri, San Marco 932. **Plan** 7 B2.
Tél. 041 522 6864.

Rubelli
Campiello del Teatro, San Marco 3877. **Plan** 6 F2.
Tél. 041 523 6110.

Trois
Campo San Maurizio, San Marco 2666.
Plan 6 F3.
Tél. 041 522 2905.

TSL Tessile San Leonardo
Rio Terrà San Leonardo, Cannaregio 1318.
Plan 2 D3.
Tél. 041 718 524.

LIVRES ET CADEAUX

Alberto Valese-Ebru
Campiello Santo Stefano, San Marco 3471.
Plan 6 F3.
Tél. 041 523 8830.

Daniela Porto
Rio Terrà dei Nomboli, San Polo 2753. **Plan** 6 E1.
Tél. 041 523 1368.

Librairie française Di Caon Ornella
Barbaria de le Tole, Castello 6358. **Plan** 4 C5.
Tél. 041 522 96 59.

Mare di Carta
Fondamenta del Tolentini, Santa Croce 222.
Plan 5 C1.
Tél. 041 716 304.

Paolo Olbi
Calle della Mandola, San Marco 3653. **Plan** 6 F2.
Tél. 041 528 5025.

Signor Blum
Campo San Barnaba, Dorsoduro 2840.
Plan 6 D3.
Tél. 041 522 6367.

Venice Pavilion Bookshop
Palazzetto Selva, Giardinetti Reali, San Marco 2.
Plan 7 B3.
Tél. 041 522 5150.

ATLAS DES RUES

Les articles de ce guide décrivant les monuments, les restaurants et les hôtels de Venise comportent des références cartographiques qui renvoient aux plans de cet atlas. Le premier chiffre de chaque référence indique le numéro du plan, la lettre et le deuxième chiffre situent le lieu sur le quadrillage du plan. Nous avons utilisé dans ce guide l'orthographe italienne courante, mais vous apercevrez que de nombreux panneaux portent en ville des noms en dialecte vénitien. La différence peut être grande, comme dans le cas de l'église Santi Giovanni e Paolo (*plan 3*) souvent désignée sous le nom de San Zanipolo, mais reste le plus souvent minime comme par exemple entre *Sotoportico* et *Sotoportego* (*voir ci-dessous*). En pages 130-131, une carte indique les lignes de *vaporetti*.

DÉCHIFFRER LES PANNEAUX

Vous vous familiariserez facilement avec les panneaux signalant une rue *(calle)*, un canal *(rio)* et une place *(campo)*, mais les Vénitiens emploient un vocabulaire précis pour désigner toutes les formes d'artères et de voies qui composent leur cité.

FONDAMENTA S.SEVERO

La fondamenta est une rue qui longe un canal et en porte souvent le nom.

RIO TERRA GESUATI

Le rio terrà est un canal comblé. Ancien bassin, la *piscina* forme souvent une place.

SOTOPORTEGO E PONTE S.CRISTOFORO

Sotoportico ou **sotoportego** désigne un passage couvert.

SALIZADA PIO X

La salizada est une rue principale (jadis une rue pavée).

RIVA DEI PARTIGIANI

La riva est une large *fondamenta*, souvent face à la lagune.

RUGAGIUFFA

La ruga est une rue commerçante.

CORTE DEI DO POZZI

Corte signifie cour.

RIO MENUO O DE LA VERONA

Rues et canaux portant plusieurs noms ne sont pas rares : o signifie « ou ».

Cannaregi

Grande

Canal

Santa Croce

S
P.

Can

Dorsoduro

Giudecca

0   500 m

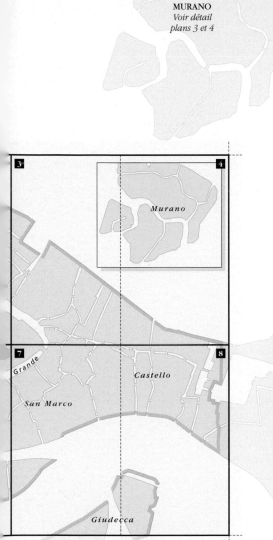

MURANO
*Voir détail
plans 3 et 4*

3

Murano

4

7

Grande

San Marco

Castello

8

Giudecca

LÉGENDE DE L'ATLAS DES RUES

Site exceptionnel

Site intéressant

Gare ferroviaire

Embarcadère de ferry

Embarcadère de *vaporetti*

Traversée en *traghetto*

Arrêt de gondole

Arrêt d'autobus

Information touristique

Hôpital

P　Parc de stationnement

Poste de police

Église

Synagogue

Bureau de poste

Voie ferrée

ÉCHELLE DES PLANS

0　　　　　　　　　150 m

**ÉCHELLE DU PLAN
DE MURANO**

0　　　　　　　　　300 m

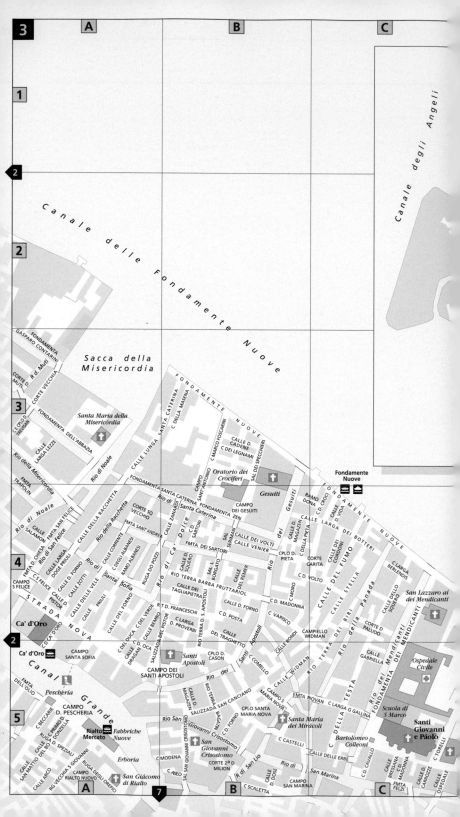

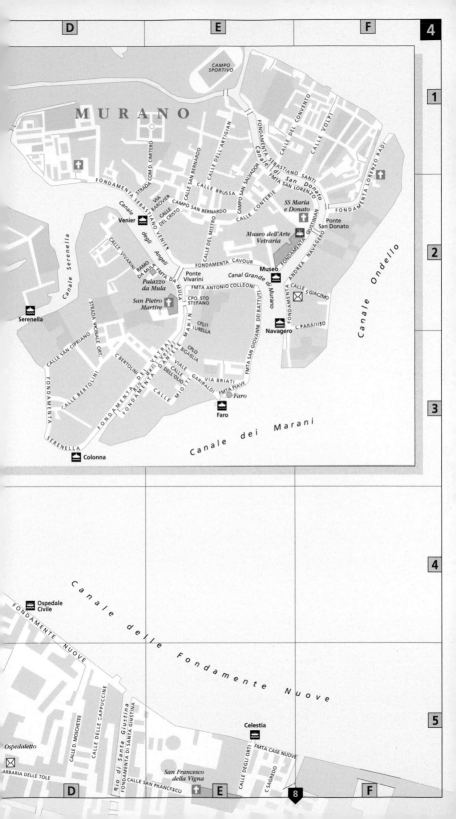

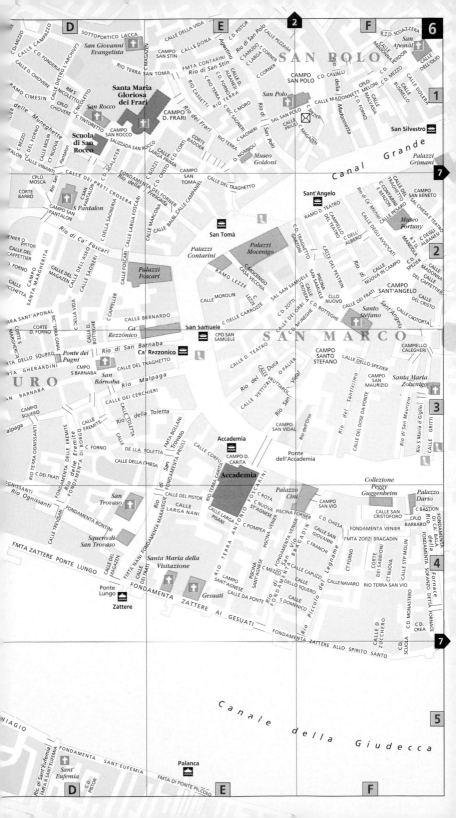

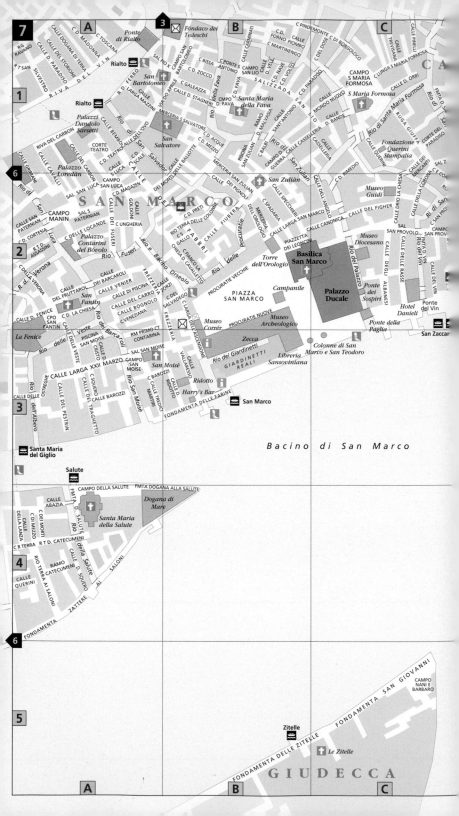

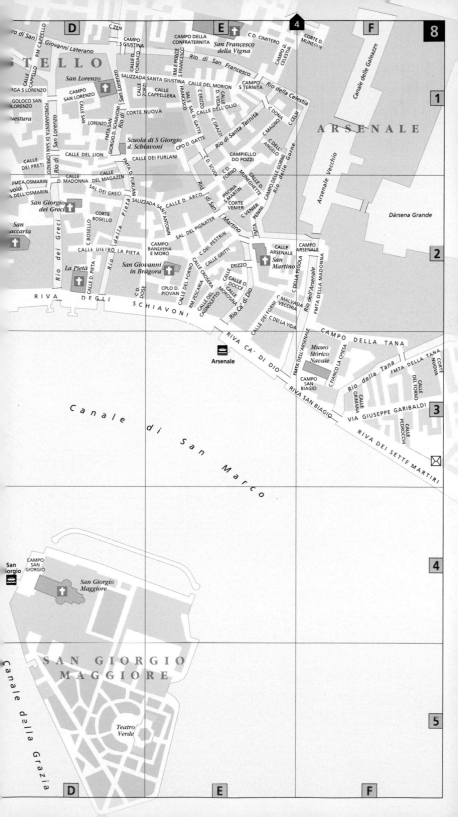

Venise en vaporetto

Les lignes de *vaporetti*

Le réseau ACTV assure un service régulier autour de la ville et vers la plupart des îles. Certaines lignes forment une boucle, d'autres sont rallongées entre juin et septembre. Pour plus de détails, consultez les pages 682-683.

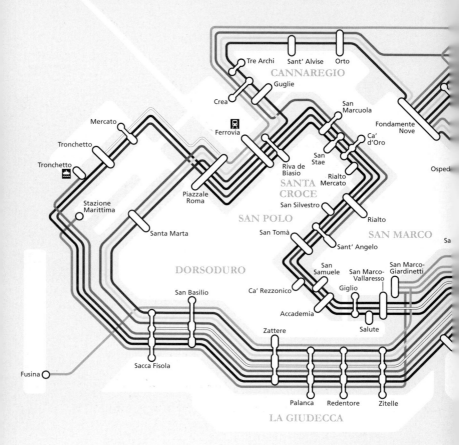

LÉGENDE		
✈ Aéroport	— Ligne B	— Ligne 1
🚉 Gare ferroviaire	— Ligne O	⟵ Ligne 2 (tronçon saisonnier)
⛴ Ferry	— Ligne R	═ Ligne 5
O Arrêt du vaporetto	═ Ligne C (tronçon saisonnier)	═ Ligne 8
— Ligne A	— Ligne F	— Ligne 13

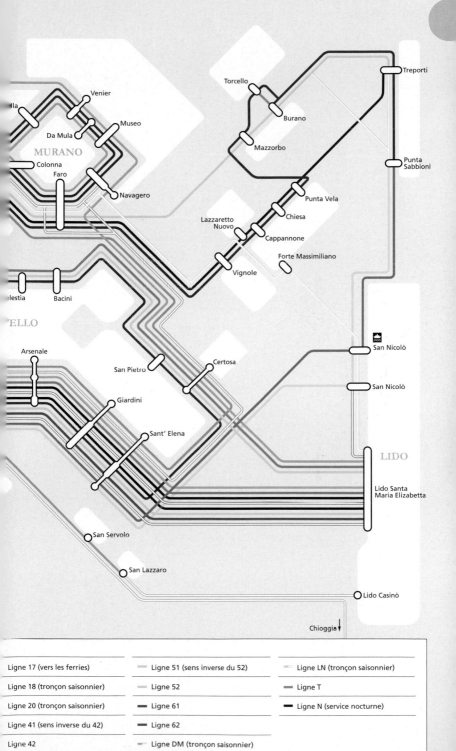

Torcello
Venier
Museo
Burano
Da Mula
Mazzorbo
MURANO
Colonna
Faro
Navagero
Punta Vela
Lazzaretto Nuovo
Chiesa
Cappannone
Forte Massimiliano
Vignole
Treporti
Punta Sabbioni
lestia
Bacini
'ELLO
Arsenale
San Pietro
Certosa
San Nicolò
San Nicolò
Giardini
Sant' Elena
LIDO
Lido Santa Maria Elizabetta
San Servolo
San Lazzaro
Lido Casinò
Chioggia

Ligne 17 (vers les ferries)	Ligne 51 (sens inverse du 52)	Ligne LN (tronçon saisonnier)
Ligne 18 (tronçon saisonnier)	Ligne 52	Ligne T
Ligne 20 (tronçon saisonnier)	Ligne 61	Ligne N (service nocturne)
Ligne 41 (sens inverse du 42)	Ligne 62	
Ligne 42	Ligne DM (tronçon saisonnier)	

VÉNÉTIE ET FRIOUL

*L*a Vénétie est une terre de contrastes où le superbe massif montagneux des Dolomites domine le plus grand lac d'Italie et une plaine où des villes comme Vérone ou Padoue abondent en merveilles architecturales. La région voisine, le Frioul-Vénétie Julienne, s'étend jusqu'à la frontière avec la Slovénie. Le port de Trieste en constitue le pôle économique. À Aquileia, vestiges romains et paléochrétiens évoquent les premiers pas de notre civilisation.

Pour défendre la fertile plaine de la Vénétie, les Romains bâtirent des postes-frontières qui sont devenus les cités de Vicence, Padoue, Vérone et Trévise. Profitant de leurs positions stratégiques, elles s'enrichirent sous l'Empire, mais offrirent après sa chute des proies de choix aux envahisseurs barbares du Ve siècle. La République vénitienne leur rendit leur prospérité et elles commandèrent au Moyen Âge des routes commerciales aussi importantes que la Serenissima reliant Venise à Gênes ou le col du Brenner permettant le franchissement des Alpes vers l'Europe du Nord. Les produits du négoce financèrent à la Renaissance la construction de résidences et d'édifices publics somptueux. Beaucoup furent l'œuvre d'Andrea Palladio, le grand architecte né à Padoue. Ses *palazzi* et ses villas témoignent de l'opulence de l'aristocratie vénitienne au XVIe siècle.

Aujourd'hui, cette partie de l'Italie reste très agricole, mais l'industrie s'y développe, la Vénétie tirant parti d'activités traditionnelles telles que le textile ou la lunetterie, tandis que le Frioul se tourne vers les technologies de pointe. La part du tourisme dans l'économie locale ne cesse elle aussi de croître, la variété des plaisirs que proposent ces deux régions y attirant de plus en plus de visiteurs.

La *passegiata*, traditionnelle promenade du soir, dans une rue de Vérone

◁ Le pont Renaissance bâti par Palladio à Bassano del Grappa en Vénétie

À la découverte de la Vénétie et du Frioul

Élevant vers la frontière autrichienne leurs reliefs spectaculaires au-dessus de la plaine de la Vénétie et de ses villes riches en trésors architecturaux et artistiques, les Dolomites se prolongent à l'est dans le Frioul par les Alpes Carniques dont les flancs boisés s'étendent jusqu'en Slovénie. Les deux régions bordent l'Adriatique où ports de pêches et stations balnéaires jalonnent leur côte sablonneuse ponctuée de lagunes. Les amateurs de sports nautiques apprécieront également le lac de Garde.

Vérone vue du Teatro Romano

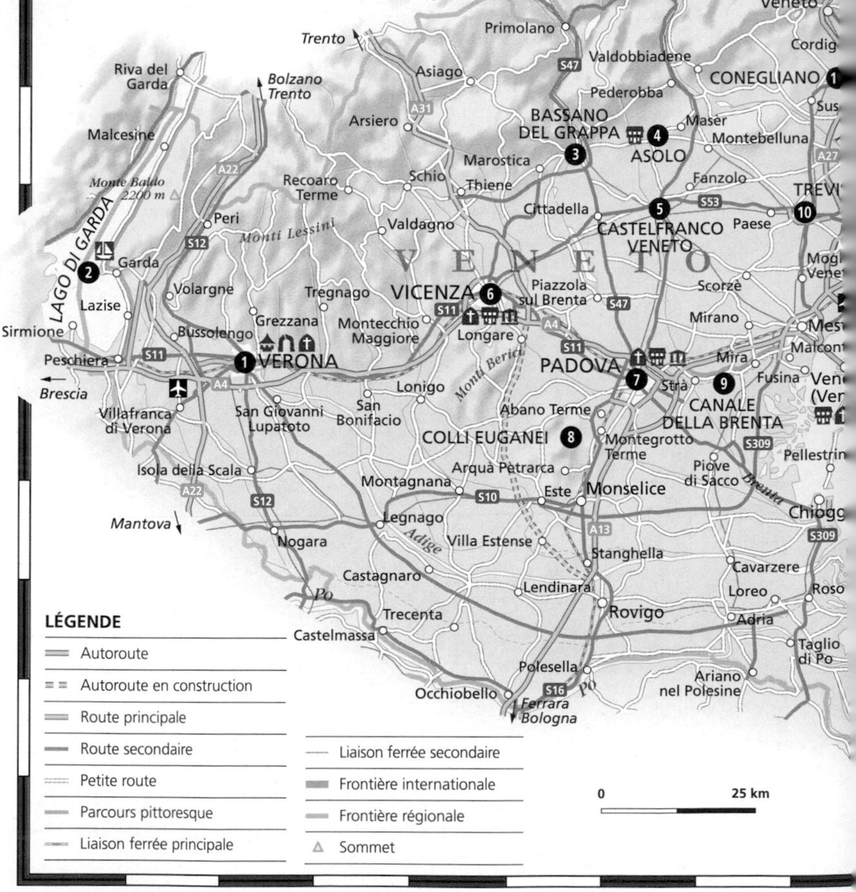

LÉGENDE

— Autoroute

= = Autoroute en construction

— Route principale

— Route secondaire

===== Petite route

— Parcours pittoresque

— Liaison ferrée principale

----- Liaison ferrée secondaire

— Frontière internationale

— Frontière régionale

△ Sommet

0   25 km

VOIR AUSSI

- *Hébergement* p. 561-564
- *Restaurants* p. 609-613

CIRCULER

L'Orient-Express s'arrête à Venise au bord du Grand Canal et un bon réseau ferroviaire et de nombreuses liaisons par autocar rendent la région aisée à découvrir en transports publics, bien que le train ne desserve pas le lac de Garde. En voiture, des autoroutes relient toutes les grandes villes hormis Cortina d'Ampezzo.

Le pont de Cividale del Friuli

Chalet à Cortina d'Ampezzo

LA RÉGION D'UN COUP D'ŒIL

Aquileia ⑲
Asolo ④
Bassano del Grappa ③
Belluno ⑫
Canale della Brenta ⑨
Castelfranco Veneto ⑤
Cividale del Friuli ⑰
Colli Euganei ⑧
Conegliano ⑪
Cortina d'Ampezzo ⑬
Gorizia ⑱
Lago di Garda ②
Padova p. 154-159 ⑦
Pordenone ⑮
Tolmezzo ⑭
Treviso ⑩
Trieste ⑳
Udine ⑯
VENEZIA (VENISE) p. 84-137
Verona p. 142-147 ①
Vicenza p. 150-153 ⑥

Verona ❶

Statue équestre de Cangrande Ier

Établie dans un méandre de l'Adige, Verona (Vérone), la cité de Roméo et Juliette est la plus importante de la Vénétie après Venise et l'une des plus prospères de l'Italie du Nord. L'Antiquité et le Moyen Âge l'ont parée de nombreux monuments, notamment, pour ne citer que les plus célèbres, des arènes romaines parmi les plus vastes d'Italie et un chef-d'œuvre de l'art roman : l'église San Zeno Maggiore (*p. 146-147*) aux superbes portes de bronze. Tout autour, des *palazzi* médiévaux construits en *rosso di Verona*, calcaire teinté de rose typique de la région, bordent les rues de la vieille ville dont le marché organisé sur la piazza delle Erbe rythme la vie.

Vérone vue depuis le Museo Archeologico

Les maîtres de Vérone

Les Scaligeri usèrent des pires moyens pour règner sur Vérone en 1267, mais, une fois en place, ils apportèrent la paix et la prospérité à une cité que déchiraient les luttes intestines. Leur cour attira artistes et poètes, dont Dante qui y résida de 1301 à 1304 et dédia *Le Paradis*, conclusion de *La Divine Comédie*, à Cangrande Ier. La fin de la dynastie marque cependant une période de déclin pour la ville dont le Milanais Jean-Galéas Visconti s'empare en 1387. Avant que la Vénétie intègre le Royaume d'Italie en 1866, Venise, de 1405 à 1797, puis la France et l'Autriche imposeront à leur tour leur domination sur Vérone.

⚜ Castelvecchio

Corso Castelvecchio 2. **Tél** 045 806 26 11. ☐ *t.l.j. 8h30-19h30 (lun. 13h30-19h30). Dern. ent. 1h av. ferm.* ◯ *1er janv., 25-26 déc.* 🈂🖼📷📹

Construite pour Cangrande II de 1355 à 1375, cette forteresse abrite l'une des plus belles collections d'art de la Vénétie.

Au rez-de-chaussée sont exposées les pièces les plus anciennes : bijoux, orfèvrerie et vitraux paléochrétiens, sarcophage des saints Serge et Bacchus (1179) et sculptures médiévales. Riche en chefs-d'œuvre de la fin du

Les arènes de Vérone dominent la piazza Brà

Le ponte Scaligero, ancien élément des défenses du Castelvecchio

MODE D'EMPLOI

🏛 261 000. ✈ Villafranca 14 km au S.-O. FS 🚌 Piazzale 25 Aprile. 🛈 Via degli Alpini 9 (045 806 86 80). 🗓 t.l.j. 🎫 billet combiné pour les églises. 🗓 avr. : foire aux vins VinItaly ; juin-août : Estate Teatrale Veronese ; nov. : foire internationale du cheval. www.tourism.verona.it

gothique, comme la *Madone à la caille* de Pisanello et une *Vierge dans la roseraie* par Stefano da Verona, le premier étage illustre l'évolution de la peinture italienne à l'approche de la Renaissance.

L'exposition du deuxième étage doit à cette période ses plus belles toiles, en particulier *La Sainte Famille* d'Andrea Mantegna, deux *Vierge à l'Enfant* par Giovanni Bellini et *Le Supplice d'Attilio Regolo* par Vittore Carpaccio. Avec le Tintoret et Véronèse s'affirme le maniérisme.

Le chemin de ronde permet de découvrir l'Adige, le vieux ponte Scaligero et la statue équestre de Cangrande Ier (XIVe siècle), monument qui ornait jadis son tombeau.

🎵 Ponte Scaligero

Ce pont médiéval fut édifié par Cangrande II entre 1354 et 1376. L'affection que les Véronais lui portent est telle qu'il fut reconstruit après sa destruction par les Allemands en 1945, une opération qui nécessita un dragage du fleuve pour récupérer les matériaux d'origine. Le pont mène du Castelvecchio à l'Arsenal, construit par les Autrichiens entre 1840 et 1861.

🎵 Arènes

Piazza Brà. ***Tél*** 045 800 32 04. ⬜ t.l.j. 8h30-19h30 (lun. 13h30-19h30). Dern. ent. 1h av. ferm. ⬤ 1er janv., 25-26 déc. ; juil.-août : après-midi des jours de représentation. 🎫 ♿ (partiel)

Achevé en 30 apr. J.-C., l'amphithéâtre de Vérone est le troisième du monde par la taille après le Colisée de Rome et les arènes de Santa Maria Capua Vetere près de Naples. L'intérieur, presque intact, pouvait contenir presque toute la population de la ville. Ce ne sont plus les combats qui remplissent les gradins aujourd'hui mais de prestigieuses représentations d'opéra.

🎵 San Fermo Maggiore

Stradone San Fermo. ***Tél*** 045 59 28 13. ⬜ t.l.j. (nov.-fév. : mar.-dim.) 🎫 📷

Comme le révèle l'extérieur de l'abside, où des ogives gothiques s'élèvent au-dessus de robustes bases romanes, San Fermo Maggiore superpose 2 sanctuaires. Des bénédictins entreprirent en 1065 la construction de l'église inférieure dont les arcades austères présentent une décoration à fresque.

L'église supérieure date de 1313 et possède une nef à voûte en carène. Des fresques la décorent, notamment au premier autel, des *Anges* par Stefano da Zevio. La plus belle est sans doute l'*Annonciation* peinte par Pisanello en 1426 qui se trouve au-dessus du monument de Nicolò Brenzoni (1439) par Giovanni di Bartolo.

Museo Africano

⑯ Giardino Giusti

VICENZA PADOVA VENEZIA

SALITA S. SEPOLCRO

VIA S. CHIARA

VIA S. NAZARO

X SETTEMBRE

PIAZZALE PORTA VESCOVO

P

VIA FRANCESCO TORBIDO

itero numentale

0   500 m

VERONA D'UN COUP D'ŒIL

Arènes ④
Casa di Giulietta ②
Castelvecchio ⑦
Duomo ⑫
Giardino Giusti ⑯
Museo Archeologico, ⑮
Piazza dei Signori ⑨
Piazza delle Erbe ⑧
Ponte Scaligero ③
San Fermo Maggiore ⑥
San Giorgio in Braida ⑬
San Zeno Maggiore
   (p. 146-147) ①
Sant'Anastasia ⑪
Teatro Romano ⑭
Tomba di Giulietta ⑤
Tombeaux des Scaligeri ⑩

L'abside du XIe siècle de l'église inférieure de San Fermo Maggiore

Pour les autres symboles de la carte *voir le rabat arrière de couverture*

À la découverte de Vérone

S'étendant sur le site de l'ancien forum romain, la piazza delle Erbe est depuis l'Antiquité le centre de la vie sociale de Vérone. Dans le cadre élégant que créent les monuments ainsi que le palais du Moyen Âge et de la Renaissance, le marché qui s'y tient reste très animé.

La fontaine érigée au XIVe siècle sur la piazza delle Erbe

🏛 Piazza delle Erbe

Contrairement à ce qu'indique son nom la « place des Légumes », le marché qui s'y tient à l'abri de parasols ne propose pas que des primeurs mais aussi de savoureux en-cas comme les sandwichs à la *porchetta*, délicieux cochon de lait rôti.

À l'extrémité nord de la place se dresse le **palazzo Maffei** (1668), édifice baroque surmonté de statues. Devant lui, la **colonne de Saint-Marc** commémore, avec son lion ailé, l'intégration en 1405 de la ville à l'État vénitien. Sur le côté ouest, la **casa dei Mercanti**, aujourd'hui siège d'une banque, date de 1301 mais a connu une importante reconstruction au XVIIe siècle. En face, des fresques restent visibles au-dessus des cafés.

Au centre de la piazza, la statue romaine de la **fontaine** rappelle que l'antique Vérone était animée et prospère.

🏛 Piazza dei Signori

Torre dei Lamberti *Tél 045 927 30 27.* ⬜ *t.l.j. 8h30-19h15 (plus tard en été).* 📷

Au centre de la place des Seigneurs, une **statue de Dante** érigée au XIXe siècle semble fixer du regard l'actuel tribunal, l'imposant **palazzo del Capitano**, bâti au XIVe siècle comme son voisin,

le **palazzo della Ragione**. Ce dernier possède une cour intérieure à colonnade romane d'où s'élève un bel escalier gothique ajouté en 1446-1450. La **torre dei Lamberti** la domine de ses 84 m de hauteur. Un ascenseur conduit à son sommet d'où la vue porte jusqu'aux Alpes.

Derrière la statue de Dante se trouve la **loggia del Consiglio**, siège du conseil municipal achevé en 1493. Les statues de la corniche représentent des célébrités romaines nées à Vérone, entre autres Pline l'Ancien, auteur d'une *Histoire naturelle* en 37 tomes, et Vitruve qui écrivit un traité d'architecture. L'arco della Costa doit son nom à une côte de baleine qui y resta un temps suspendue.

Façade Renaissance de la loggia dei Consiglio sur la piazza dei Signori

🔒 Tombeaux des Scaligeri

Via Arche Scaligeri.

La petite église romane **Santa Maria Antica** servait jadis de chapelle à la famille Scaligeri et les tombeaux des anciens maîtres de Vérone l'entourent. Celui de Cangrande Ier, mort en 1329, s'aperçoit dès l'abord. Il est surmonté de la copie de la statue équestre conservée au Castelvecchio *(p. 143)*, il domine le porche. Les autres occupent un enclos entouré de statues et fermé par une magnifique grille en fer forgé du XIVe siècle ornée de l'emblème de la dynastie : une échelle. Décorés de gables, de statues et de baldaquins gothiques, les monuments de Mastino II (mort en 1351) et de Cansignorio (mort en 1375) dépassent le sommet de la grille.

Les autres membres de la famille, tel que Mastino Ier, assassiné en 1277, reposent dans des sépultures plus discrètes.

Tombeau d'un Scaligeri (XIVe siècle)

🔒 Sant'Anastasia

Piazza Sant'Anastasia. *Tél 045 59 28 13.* ⬜ *t.l.j.* ⬤ *lun. : nov.-fév.* 📷 ♿ 🚫

L'édification de cette immense église gothique commença en 1290 et dura jusqu'au XVe siècle. Au portail, sur le pilier droit, des bas-reliefs en terre cuite illustrent la vie de saint Pierre Martyr.

À l'entrée, se trouvent les statues des *gobbis*, bossus fétiches des Véronais, la plus ancienne datant de 1495. La sacristie renferme le chef-d'œuvre gothique peint par Pisanello entre 1433 et 1438 : *Saint Georges délivrant la princesse de Trébizonde.*

ROMÉO ET JULIETTE

Natif de Vicence, Luigi da Porto écrivit vers 1520 la poignante histoire de Roméo et Juliette. Elle inspira une tragédie à Shakespeare et depuis maints poèmes, films, pièces et ballets. La **casa di Giulietta**, située au 27 via Cappello, est en fait une ancienne auberge du XIIIe siècle, d'un style tout à fait romantique, dans laquelle il est aisé d'imaginer le fougueux Roméo au bas du balcon de sa bien-aimée. L'infortuné amant a aussi une maison, via Arche Scaligeri, à quelques rues de là. Dans une crypte sous le cloître de l'église San Francesco al Corso, où les deux amoureux se seraient mariés, se trouve un sarcophage qui fait une très romantique **tomba di Giulietta**. La maison et la tombe sont fermées le lundi.

La casa di Giulietta

Duomo

Piazza Duomo. **Tél** 045 59 28 13. t.l.j. nov.-fév : lun.

Entreprise en 1139, la cathédrale de Vérone possède un superbe portail roman sculpté par maître Nicolò qui travailla également à la façade de San Zeno (p. 146-147). Au milieu d'évangélistes et de saints, deux personnages portant l'épée représentent Olivier et Roland, les chevaliers de Charlemagne. Sculpté d'un relief de Jonas et la baleine et de cariatides cocasses, un autre portail roman perce le mur sud.

Au nord, après le cortile Santa Elena, le cloître (XIIe siècle) renferme les vestiges de sanctuaires plus anciens. Le baptistère San Giovanni in Fonte remonte au VIIIe siècle. Huit panneaux de marbre sculptés vers 1200 entourent la cuve.

À l'intérieur du Duomo, la première chapelle à gauche abrite une *Assomption* (1535-1540), œuvre du Titien.

Teatro Romano
Museo Archeologico

Rigaste Redentore 2. **Tél** 045 800 03 60. mar.-dim. 8h30-19h30, lun. 13h30-19h30 (j.f. : toute la journée). 1er janv., 25-26 déc., plus tôt les jours de représentation.

Si le mur de scène de ce théâtre bâti au Ier siècle av. J.-C. a disparu, le demi-cercle de gradins adossé à la colline en face de l'Adige reste bien conservé. Magnifique, la vue sur la ville inclut le Ponte Pietra, pont romain qui fut reconstruit, à l'identique, après la dernière guerre.

Un ascenseur conduit du Teatro Romano au monastère qui le domine et abrite le musée archéologique. Il contient des mosaïques, des céramiques et des bronzes grecs, étrusques et romains. Parmi les bustes figure celui d'Auguste (63 av. J.-C.-14 apr. J.-C.), fils adoptif de Jules César qui devint le premier empereur romain en 27 av. J.-C. après sa victoire sur son rival Marc-Antoine.

Parterres géométriques et statues au Giardino Giusti

Giardino Giusti

Via Giardino Giusti 2. **Tél** 045 803 40 29. t.l.j. 9h-20h (oct.-mars jusqu'à 17h) 25 déc.

Créé en 1580, ce jardin Renaissance fait contraster la fantaisie désordonnée de la nature et les espaces façonnés par la main de l'homme. Un bois apparemment laissé à l'état sauvage domine ainsi les parterres soigneusement taillés qui bordent sur la terrasse inférieure des allées gravillonnées ornées de statues.

San Giorgio in Braida

Lungadige San Giorgio. **Tél** 045 834 02 32. t.l.j. pendant les offices.

Œuvre du début du XVIe siècle de Michele Sanmicheli, cette belle église à coupole Renaissance recèle le célèbre *Martyre de saint Georges* (1566) de Véronèse et, au-dessus du portail ouest, un *Baptême du Christ* du Tintoret (1518-1594).

L'imposante façade du Duomo de Vérone, Santa Maria Matricolare

Vérone : San Zeno Maggiore

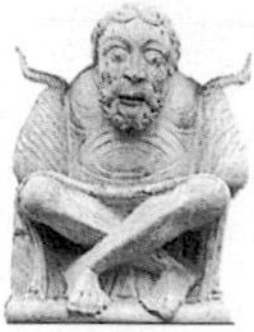

Détail de la façade

Bâtie entre 1120 et 1138 pour abriter les reliques du saint patron de Vérone, cette église romane particulièrement élégante possède une façade ornée de reliefs en marbre superbes que dépassent en beauté les panneaux de bronze sur les portes. Le cloître renferme les tombeaux de plusieurs Scaligeri. La tour trapue au nord de San Zeno se dresserait sur la sépulture de Pépin (777-810), fils de Charlemagne et roi d'Italie.

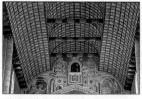

Plafond de la nef
Datant, comme l'abside, de 1386, le plafond de la nef offre un superbe exemple de voûte à triple carène.

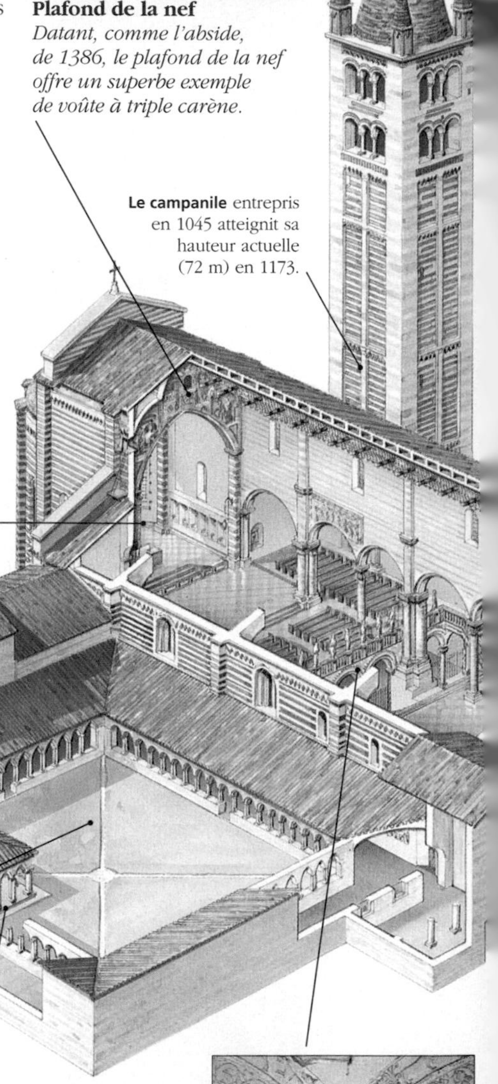

Le campanile entrepris en 1045 atteignit sa hauteur actuelle (72 m) en 1173.

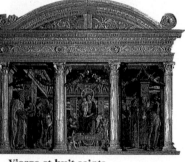

Vierge et huit saints par Mantegna *(1457-1459)*
Sur ce célèbre triptyque d'Andrea Mantegna, le halo de la Vierge évoque le dessin de la rosace de l'église.

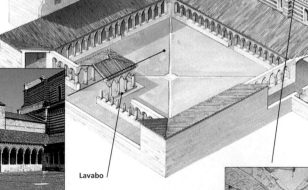

Lavabo

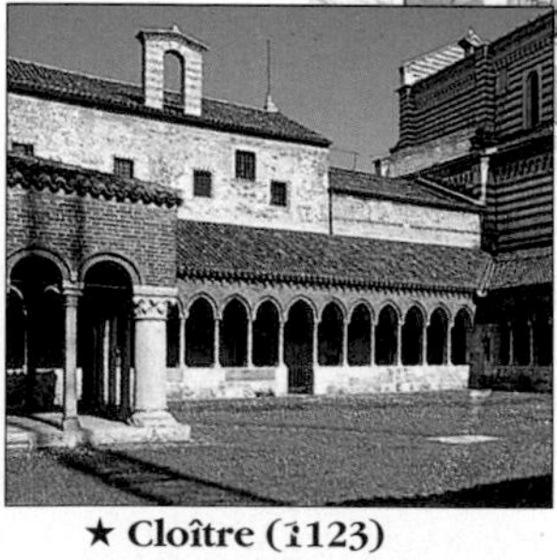

★ **Cloître (1123)**
Les arcs sont de style roman d'un côté, en ogive gothique de l'autre.

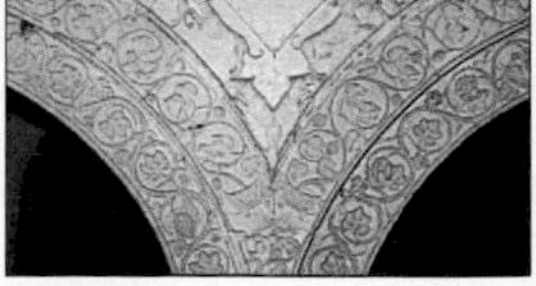

Crypte
Saint Zénon, nommé premier évêque de Vérone en 362 et décédé en 380, repose dans l'abside centrale.

Pour les hôtels et les restaurants de la région, voir p. 561-564 et 609-613

Nef et maître-autel

Le plan de San Zeno s'inspire de celui d'une basilique romaine, édifice qui abritait un tribunal pendant l'Antiquité. Le maître-autel se trouve à l'endroit où aurait siégé le juge.

MODE D'EMPLOI

P. San Zeno. **Tél** *045 59 28 13.*
☐ *lun.-sam. 8h30-18h, dim. 13h-18h (nov.-fév. : mar.-sam. 10h-13h, 13h30-16h, dim. 13h-17h).*
● *pendant les offices.* 🎨
🚻 *divers horaires.* 🚫

PANNEAUX DE BRONZE

Exécutés par 3 artistes différents, les 48 panneaux de bronze des portes ouest illustrent des épisodes de la Bible et de la vie de saint Zénon avec une force d'évocation qu'accentue peut-être encore leur style primitif. Ceux de gauche datent de 1030 et proviennent d'une église qui se dressait jadis sur le site. Ceux de droite furent réalisés un siècle plus tard. Décors et costumes rappellent fortement Byzance. Si des scènes comme la danse de Salomé, Adam et Ève ou la descente aux limbes ne posent pas de problèmes d'interprétation, d'autres, telle une femme allaitant deux crocodiles, gardent un sens mystérieux.

| Descente aux limbes | Christ en gloire | Tête d'homme |

Les couches de briques roses alternant avec du calcaire ivoire sont typiques des édifices romans de Vérone.

La rosace (XIIe siècle) symbolise la roue de la Fortune. Le décor du pourtour décrit les hauts et les bas de la destinée humaine.

Le portail sculpté en 1138 de bas-reliefs des éléments est une des plus belles œuvres romanes d'Italie du Nord.

Les panneaux latéraux en marbre, sculptés vers 1140, représentent des épisodes de la vie du Christ (à gauche des portes) et des scènes de la Genèse (à droite).

À NE PAS MANQUER

★ Cloître

★ Portes ouest

★ **Portes ouest**
24 reliefs de bronze revêtent chacun des vantaux.
Le bas-relief polychrome qui les surmonte représente saint Zénon, assisté du peuple de Vérone, triomphant du diable.

Lago di Garda ➋

Trois provinces bordent le lac de Garde, le plus grand
lac d'Italie : le Trentin au nord, la Lombardie à l'ouest
et la Vénétie à l'est et au sud. Basses au sud, ses rives
situées à 65 m d'altitude deviennent de plus en plus
spectaculaires lorsqu'il s'enfonce au nord dans les
montagnes. La douceur du climat, réputée depuis
l'Antiquité, la beauté du décor et les nombreuses
possibilités offertes par les installations balnéaires et
nautiques en font un lieu de villégiature estivale très
apprécié.

MODE D'EMPLOI

Brescia, Verona et Trento. ▐ *Viale
Marconi 8, Sirmione (030 91 61
14).* ▐FS▐ *Peschiera del Garda,
Desenzano del Garda.* 🚢 🚌 *pour
toutes les villes.* **Il Vittoriale**
Gardone. *Tél 0365 29 65 23.*
◯ *mar.-dim. (jardin : t.l.j.).* ▨
Rocca Scaligera Sirmione. *Tél 030
91 64 68.* ◯ *mar.-dim.* ▨ ▨

Pointe de la péninsule de Sirmione
*Après la ville, un sentier littoral
longe des sources d'eau chaude
et sulfureuse.*

Riva, où une forteresse
du XIIᵉ siècle domine la
côte, est une des stations
favorites des
véliplanchistes pour
le vent qui souffle
au large.

Gardone jouit d'un climat qui lui permet
de posséder un parc exotique.
De style Art déco, la villa Il Vittoriale,
où mourut le poète Gabriele d'Annunzio,
regorge de curiosités.

Salò, jolie ville aux maisons
pastel, servit de siège à la
République fondée par
Mussolini en 1943.
Un retable de Veneziano du
XIVᵉ siècle orne
sa cathédrale.

Riva del Garda
Torbole
Limone sul Garda
Tremosine
Malcesine
Campione del Garda
Assenza
Tignale
Brenzone
Gargnano
Castelletto
Bogliaco
Toscolano Maderno
Gardone Riviera
Salò
Portese
Torri del Benaco
San Felice del Benaco
Garda
Manerba
Moniga
Bardolino
Padenghe sul Garda
Sirmione
Lazise
Desenzano
Peschiera del Garda

Malcesine
serre ses
rues au pied
d'un imposant
château médiéval.
Un téléphérique
conduit au panorama
offert par le sommet
du Monte Baldo
(2 218 m).

0   5 km

Garda, bien que très ancienne,
ne conserve que quelques
édifices historiques.

Bardolino a donné son nom à
un vin rouge réputé.

Peschiera doit aux Autrichiens sa
forteresse et les remparts de son
port bâtis dans les années 1860.

Hydroglisseurs
*et catamarans
permettent
d'apercevoir depuis
le lac villas et
jardins, autrement
cachés des regards.*

LÉGENDE

••• Liaison par bateau

∙∙∙ Liaison par car-ferry

▨ Club de voile

▐ Information touristique

❊ Point de vue

Sirmione
*Un remarquable château
médiéval, la rocca Scaligeri,
domine la ville. À la pointe
de la péninsule subsistent des
ruines romaines.*

Pour les hôtels et les restaurants de la région, voir p. 561-564 et 609-613

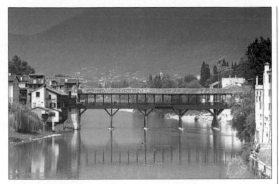

Le pont de bois dessiné par Palladio à Bassano del Grappa

Bassano del Grappa ❸

Vicenza. 🕍 39 000. FS 🚌 ℹ️
Largo Corona d'Italia 35 (0424
52 43 51). 🛍️ jeu. et sam. matin.

Au pied du monte Grappa
(1 775 m), cette cité paisible
s'étend au bord de la Brenta,
et Palladio dessina en 1569 le
ponte degli Alpini qui franchit
la rivière. Couvert en bois, sa
souplesse lui permet de
résister aux à-coups du
courant de printemps, saison
de la fonte des neiges. Même
si le nom de la ville n'a pas
de rapport avec l'alcool le
plus populaire d'Italie, la
grappa, l'exposition du
museo degli Alpini décrit la
fabrication du digestif.
Le **palazzo Sturm** présente,
quant à lui, des majoliques,
faïences à motifs Renaissance.

🏛 **Palazzo Sturm**
Via Ferracina. **Tél** 0424 52 49 33.
◯ mar.-dim. 🗓️

🏛 **Museo degli Alpini**
Via Angarano 2. **Tél** 0424 50 36 50.
◯ mar.-dim.

Asolo ❹

Treviso. 🕍 2 000. 🚌 ℹ️ Piazza
Garibaldi 73 (0423 52 90 46). 🛍️ sam.
www.asolo.it

Dans un site magnifique au
pied des pentes ponctuées de
cyprès des Dolomites, cette
petite ville fortifiée devint la
retraite de Caterina Cornaro
(1454-1510). Vénitienne
devenue reine de Chypre à la
mort de son mari, elle dut

céder son royaume à la
Sérénissime République. Le
cardinal Pietro Bembo, un
poète, inventa le verbe
asolare pour décrire la vie
oisive teintée d'amertume de
l'exilée. Et le poète Robert
Browning, tombé amoureux
des belles demeures d'Asolo,
nomma aussi un de ses livres
Asolanda (1889).

Aux environs : C'est à Maser,
à 10 km à l'est d'Asolo, que
se trouve la splendide **villa
Barbaro** *(p. 80-81)* dessinée
par Palladio vers 1555.
À la beauté de ses
proportions maîtrisées
s'ajoute celle des fresques
somptueuses peintes par
Véronèse dans de grandes
pièces lumineuses. Des
statues et un temple par
Palladio ornent le parc.

🎪 **Villa Barbaro**
Maser. **Tél** 0423 92 30 04. ◯ mars-
oct. : mar., sam., dim. et j.f. ; nov.-
fév. : sam., dim. et j.f. ● 24 déc.-
6 janv., dim. de Pâques. 🗓️

Castelfranco Veneto ❺

Treviso. 🕍 30 000. FS 🚌
ℹ️ Via Francesco M Preti 66 (0423
49 14 16). 🛍️ mar. et ven. matin.

Fortifié en 1199 par Trévise
pour se protéger des
Padouans, le centre de la ville
a conservé de beaux remparts.
Giorgione (1478-1511) serait
né à la **casa di Giorgione**,
aujourd'hui occupée par un
musée consacré à sa vie.
L'auteur de la mystérieuse
Tempête (p. 106) eut une
influence primordiale sur la
peinture vénitienne avec le
rôle qu'il donna aux paysages,
mais il n'a laissé que peu
d'œuvres à la paternité
indubitable. L'une d'elles orne
une chapelle du **Duomo** : *La
Vierge avec saint François et
saint Libéral* (1504).

Aux environs : À un peu
moins de 8 km au nord-est de
la ville, dans le village de
Fanzolo, la **villa Emo** dessinée
par Palladio vers 1555 est
composée d'un corps principal
d'habitation aux pièces
décorées de fresques par
Zelotti, encadré de 2 ailes
destinées jadis à l'exploitation
agricole du domaine.

🎪 **Casa di Giorgione**
Piazzetta del Duomo. **Tél** 0423 72
50 22. ◯ mar.-dim. ● j. f. 🗓️

🎪 **Villa Emo**
Via Stazione 5, Fanzolo. **Tél** 0423 47
63 34. ◯ avr.-oct. : lun.-sam. ap.-m.,
dim. et j.f. ; nov.-mars : t.l.j. l'après-
midi. ● 25 déc.-26 déc., 31 déc.,
1er janv. 🗓️ ℹ️

Fresque (vers 1561) de Véronèse à la villa Barbaro près d'Asolo

Vicenza pas à pas ❻

Détail du n° 21, Contrà Porti

Vicence a pour titre de gloire d'avoir donné naissance à Andrea Palladio (1508-1580) qui y travailla comme simple maçon avant de devenir l'architecte le plus influent de son époque. Une promenade dans la ville permet d'étudier l'évolution de son style. Entourée des palais qu'il édifia pour les riches Vicençois, sa Basilica domine le centre, non loin du Teatro Olimpico, sa dernière œuvre.

Contrà Porti est bordée de certains des plus beaux *palazzi* de Vicence.

Loggia del Capitaniato
Palladio dessina ces arcades couvertes en 1571.

Palazzo Valmarana Braga
Pilastres monumentaux et décors sculptés ornent ce palais entrepris par Palladio en 1566 mais qui ne fut achevé qu'en 1680, un siècle après sa mort.

San Lorenzo

Piazza Stazione

Duomo
La cathédrale a été en partie reconstruite, la dernière guerre n'ayant laissé intacts que la façade et le chœur.

Andrea Palladio
Ce mémorial au plus célèbre enfant de Vicence domine les étals du marché.

CORSO ANDREA PALLADIO
CONTRA CAVOUR
PIAZ I DEI SIG
P. PALLADIO
C. MUSCHERIA
CONTRA PESCHERIE VECCHIE
VIA BATTISTI
CONTRA P LAMPERTICO
CONTRA GARIBALDI
CONTRA SAN ANTONIO
CONT
PIAZZA DEL DUOMO

LÉGENDE

– – – Itinéraire conseillé

À NE PAS MANQUER

★ Piazza dei Signori

0   2 km

Du palazzo della Ragione
(XVᵉ siècle) subsiste une
grande salle gothique.

Santa
Corona

Teatro
Olimpico
Museo
Civico

La torre di
Piazza bâtie
au XIIᵉ siècle
s'élève à 82 m
de hauteur.

CONTRA S BARBARA

PIAZZA DELLE BIADE

CONTRA CATENA

C. GAZZOLE

CONTRA PIANCOLI

PIAZZA DELL' ERBE

CONTRA SAN PAOLO

CONTRA PESCARIA

CONTRA PONTE SAN MICHELE

RETRONE

La Rotonda
Monte Berico
Villa Valmarana
ai Nani

MODE D'EMPLOI

🏙 *116 000.* 🚉 🚌 *Piazza*
Stazione. ℹ️ *Piazza dei Signori 8*
(0444 54 41 22). 🗓 *mar., jeu.*
📅 *mai-juin : concerts ; sept.-oct. :*
théâtre ; fin juin-déb. juil. :
concerts. **www**.vicenzae.org

Le lion de Saint-Marc contemplant
la piazza dei Signori

★ **Piazza dei Signori**
L'élégante colonnade élevée
par Palladio autour du
palazzo della Ragione pour
créer sa Basilica flanque
cette place très animée
pendant le marché.

Le quartier delle Barche
renferme de nombreux palais
élevés au XVᵉ siècle dans le
style gothique vénitien.

Ponte San Michele
Cet élégant pont de
pierre bâti en 1620
commande une belle
vue sur les alentours.

La piazza delle Erbe
est dominée par la torre
del Tormento
(XIIIᵉ siècle), une
ancienne prison.

Casa Pigafetta
Dans cette belle
maison du XVᵉ siècle
naquit Antonio
Pigafetta qui partit en
1519 faire le tour du
monde avec Magellan.

🏛 **Piazza dei Signori**
Basilica *Tél 0444 32 36 81.*
⭕ *pendant les expos seul.* 📷
Souvent appelé la **Basilica**, le
palazzo della Ragione domine
le centre de Vicence de son
toit en cuivre et en forme de
carène renversée. Une
balustrade avec des statues de
déités grecques et romaines
coiffe les colonnades ajoutées
par Palladio en 1549 pour le
soutenir. Ce fut la première
commande publique et le
premier succès de l'architecte.
Malgré sa masse et un décor
dépouillé, l'édifice reflète
l'élégance du style de
Palladio. À côté, la torre di
Piazza date du XIIᵉ siècle.
C'est aussi Palladio qui bâtit
au nord-ouest de la place la
loggia del Capitaniato où se
réunit le conseil municipal.

🏛 **Contrà Porti**
Le mot « *contrà* » (abréviation
de *contrada* ou quartier)
désigne une rue dans le
dialecte de Vicence. Plusieurs
édifices gothiques aux
fenêtres peintes et aux
balcons ouvragés bordent un
côté de celle-ci. Leur style
rappelle que Vicence
appartint longtemps à
l'Empire vénitien. Au nº 12, le
palazzo Thiene bâti en 1489
dans le style Renaissance a
une façade intéressante par
l'utilisation de briques imitant
la pierre. Sa façade arrière est
de Palladio, à l'instar du
palazzo Porto Barbarano
(nº 11) et du palazzo Iseppo
da Porto (nº 21). Ces
3 édifices montrent le talent
de l'architecte à rester fidèle
aux canons classiques tout en
créant des bâtiments à chaque
fois uniques.

À la découverte de Vicence

Célébrée dans le monde entier pour son architecture, la ville de Palladio est aussi une des plus riches cités de Vénétie. Outre ses monuments, le visiteur appréciera ses boutiques élégantes et ses cafés.

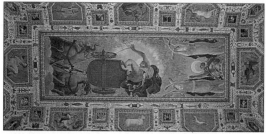

Fresque de Carpione au plafond de l'entrée du Museo Civico

🏛 Museo Civico

Piazza Matteotti 37-39. **Tél** 0444 32 13 48. ◯ mar.-dim. ● 1er janv., 25 déc. 🖔 ♿

Ce musée occupe le **palazzo Chiericati** (*p. 80*) entrepris en 1550 par Palladio. Des fresques ornent ses plafonds, notamment dans l'entrée, celle de Giulio Carpione symbolise la course du soleil. Clou de l'exposition, la pinacothèque se trouve à l'étage. Célèbre pour la *Crucifixion* (1468-1470) de Hans Memling, panneau central (les autres sont à New York) d'un triptyque gothique, elle possède aussi des œuvres de Bartolomeo Montagna (v. 1450-1523), de Carpaccio et de Véronèse.

🏛 Santa Corona

Contrà Santa Corona. **Tél** 0444 32 19 24. ◯ t.l.j. ● lun. matin.

Élevée en 1261 pour abriter la Sainte Épine censée provenir de la couronne du Christ offerte par saint Louis, cette grande église gothique est ornée de belles œuvres d'art, en particulier un *Baptême du Christ* (v. 1500) de Giovanni Bellini et une *Adoration des Mages* (1573) de Véronèse. Dans la cappella Porto repose l'auteur de *Giulietta e Romeo*, le récit dont s'inspira Shakespeare (*p. 139*).

🎭 Teatro Olimpico

P. Matteotti 11. **Tél** 0444 22 28 00. ◯ mar.-dim. 9h-16h30 (juil.-août 19h ; dern. ent. 16h30). ● 1er janv., 25 déc., pendant les spectacles. 🖔 ♿ ⛽ 🛈

Le plus ancien théâtre couvert d'Europe est essentiellement construit en bois et en stuc patinés pour imiter la pierre et le marbre ou peints en trompe l'œil pour agrandir l'espace. Palladio en dessina les plans en 1579, mais mourut l'année suivante. Son élève, Vincenzo Scamozzi, acheva l'édifice à temps pour la représentation d'inauguration le 3 mars 1585 : *Œdipe roi* de Sophocle.

Fresques de l'Odéon
Les dieux du mont Olympe dont le théâtre prit le nom ornent l'Odéon, salle réservée aux récitals de musique.

L'Antiodéon contient des fresques montrant la représentation d'ouverture et des lampes à huile provenant de la scène d'origine.

Billetterie principale

Scène
Elle a gardé le décor en trompe l'œil peint par Scamozzi pour évoquer Thèbes. La sensation de profondeur est étonnante.

La salle
conçue par Palladio ressemblait, avec ses gradins en « pierre » et un ciel peint au plafond, à un théâtre antique tel que celui de Vérone (*p. 143*).

🔒 San Lorenzo

Piazza San Lorenzo. ⬜ *t.l.j.*
Richement décoré (*Vierge à l'Enfant avec saint François et saint Laurent*), le portail de cette église offre un superbe exemple de sculpture gothique. De beaux tombeaux et des fresques endommagées ornent l'intérieur. Au nord, des fleurs emplissent le cloître.

🔒 Monte Berico

Basilica di Monte Berico.
Tél *0444 32 09 99.* ⬜ *t.l.j.*
Jadis lieu de villégiature d'été des riches citadins, cette colline plantée de cyprès domine le sud de la ville. Depuis le centre, une large avenue bordée d'arcades et de chapelles conduit à la basilique qui se dresse à son sommet, endroit où la Vierge fit deux apparitions en 1426 et 1428 pour annoncer que la peste épargnerait Vicence.

Les statues de la façade représentent des membres de l'Académie qui finança la construction du théâtre.

Le jardin précédant le théâtre renferme des vestiges de l'ancien château des Carrare et des statues offertes par des membres de l'Académie Olympique.

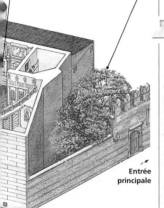

Entrée principale

La Rotonda (1550-1552), l'œuvre la plus célèbre de Palladio

De style baroque, le sanctuaire date du début du XVIIIe siècle mais incorpore des éléments d'une chapelle plus ancienne. À l'intérieur, une splendide *Pietà* (1500) de Bartolomeo Montagna orne l'autel de droite. Le cloître abrite une collection de fossiles et donne accès au réfectoire où se trouve la *Cène de saint Grégoire le Grand* (1572) de Véronèse.

La basilique baroque du monte Berico

🏛 Villa Valmarana ai Nani

Via dei Nani 8. ***Tél*** *0444 32 18 03.*
⬜ *mar.-dim. 10h-12h, 15h-18h (6 nov.-mi-mars . sam.-dim seul.)*
Depuis la basilica di Monte Berico, une agréable promenade de 10 min permet de rejoindre cette magnifique demeure construite à partir de 1669 par Antonio Muttoni et achevée par son fils Francesco. Descendez la via Massimo d'Azeglio jusqu'au couvent marquant à droite la fin de la route, puis prenez la via San Bastiano. Les nains qui décorent le sommet d'un des murs du jardin ont donné son surnom à la villa.
À l'intérieur, les dieux de l'Olympe contemplent depuis leurs nuages les efforts des héros d'Homère et de Virgile. Giambattista Tiepolo est l'auteur de ces fresques, tandis que son fils, Giandomenico Tiepolo, a peint les scènes pastorales qui ornent la Foresteria, la maison des hôtes.

🏛 La Rotonda

Via Rotonda 45. ***Tél*** *0444 32 17 93.*
Villa ⬜ *mer. : 15 mars-4 nov.*
Jardin ⬜ *mar.-dim.*
Le sentier qui longe la villa Valmarana conduit à la plus célèbre œuvre de Palladio (*p. 80-81*) : La Rotonda, connue aussi sous le nom de villa Capra Valmarana.
La perfection géométrique de cette demeure, cube coiffé d'une coupole qui s'ouvre par un portique vers chacun des points cardinaux, lui a valu d'être imitée à Londres, Saint-Pétersbourg ou encore Delhi. Commencée en 1550, elle témoigne, par la rigueur et l'art avec lequel elle s'intègre au paysage, de la quête des artistes de la Renaissance d'une forme de création en harmonie avec l'ordre divin de la nature.
Les cinéphiles s'amuseront à rechercher les lieux qui servirent de décor à Joseph Losey en 1979 quand il y reconstitua le faste vénitien pour *Don Giovanni*.

Padova pas à pas ❼

Ancienne capitale de la Vénétie surnommée « la Docte » au Moyen Âge à cause de son université fondée en 1222, Padova (Padoue) est riche en art et en architecture, mais deux monuments y attirent plus particulièrement les visiteurs. Au sud de la cité, la basilica di Sant'Antonio est un des pèlerinages les plus populaires d'Italie. Au nord, les amateurs d'art se pressent dans la cappella degli Scrovegni (*p. 156-157*) pour admirer ses fresques par Giotto. Proche de la gare, elle fait partie du complexe comprenant l'église des Eremitani et le musée municipal.

Palazzo del Capitanio
Reconstruit de 1599 à 1605 pour le gouverneur vénitien, il a conservé une horloge astronomique datant de 1344.

La piazza dei Signori est entourée d'arcades abritant boutiques spécialisées, anciens cafés et bars à vins.

Le corte Capitaniato, faculté d'art du XIVᵉ siècle accueillant des concerts, abrite des fresques qui comprennent un des rares portraits de Pétrarque.

Loggia della Gran Guardia
Le Conseil des Nobles siégeait jadis dans ce bel édifice Renaissance de 1523 devenu un centre de conférences.

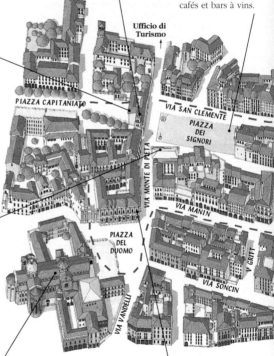

Ufficio di Turismo

PIAZZA CAPITANIATO

VIA SAN CLEMENTE

PIAZZA DEI SIGNORI

VIA MONTE DI PIETÀ

VIA MANIN

PIAZZA DEL DUOMO

V GRITTI

VIA SONCIN

VIA VANDELLI

★ Duomo et baptistère
Le cycle de fresques médiévales peint vers 1378 par Giusto de' Menabuoi dans le baptistère (XIIᵉ siècle) de la cathédrale est un des plus complets d'Italie.

Le Palazzo del Monte di Pietà est un édifice médiéval embelli d'arcades et de statues du XVIᵉ siècle.

LÉGENDE

– – – Itinéraire conseillé

0　　　　75 m

À NE PAS MANQUER

★ Duomo et baptistère

Caffè Pedrocchi

Depuis son ouverture en 1831, étudiants et intellectuels se retrouvent dans ce café bâti sur le modèle d'un temple classique.

MODE D'EMPLOI

220 000. FS **i** *Piazzale della Stazione 13A (049 875 20 77).* P. Boschetti. *lun.-sam. P. delle Erbe.* juin-sept. : festival culturel. **www**.turismopadova.it

Une statue en bronze (1973) d'une femme par Emilio Greco orne le centre de cette place en grande partie piétonnière.

Stazione Chiesa Degli Eremitani Cappella Degli Scrovegni Museo Civico

PIAZZA CAVOUR

VIA GORIZIA

PIAZZA DELLE FRUTTA

VIA OBERDAN

PITTA GARZERIA

PIAZZA DELLE ERBE

VIA VIII FEBBRAIO

V SAN CANZIANO

Basilica di Sant'Antonio Orto Botanico

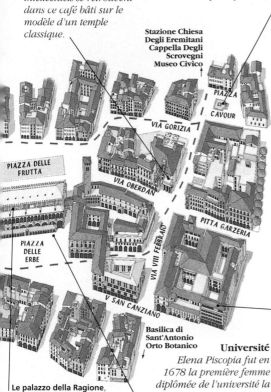

Université
Elena Piscopia fut en 1678 la première femme diplômée de l'université la plus ancienne d'Italie après celle de Bologne.

Le palazzo della Ragione, l'ancienne cour de justice, renferme de superbes fresques.

Piazza delle Erbe
Bâtie au XVe siècle, la loggia du palazzo della Ragione (XIIIe siècle) offre une belle vue sur cette place de marché.

Duomo et baptistère

Piazza Duomo. **Baptistère Tél** 049 65 69 14. *t.l.j. 10h-18h* Pâques, 25 déc.

Michel-Ange aurait en partie dessiné les plans de la cathédrale de Padoue bâtie en 1552 sur un site où se dressait un sanctuaire dès le IVe siècle. Giusto de' Menabuoi peignit vers 1378 les fresques qui ornent son baptistère roman du XIIe siècle. Elles représentent des scènes de la vie de saint Jean-Baptiste (au mur sud), de celle de la Vierge (à l'est) et de celle du Christ (au nord et à l'ouest).

Palazzo della Ragione

Piazza delle Erbe (entrée par l'hôtel de ville). **Tél** 049 820 50 06. *mar.-dim. 9h-18h30 (17h30 nov.-fév.).* 1er janv., 1er mai, 25 déc.-26 déc.

La commune libre de Padoue fit construire en 1218 son « palais de la Raison » pour y installer son tribunal et y tenir les réunions du conseil municipal. L'édifice comprend une seule salle, il Salone long de 80 m et d'une hauteur et d'une largeur de 27 m. Giotto orna sa voûte de fresques qui disparurent dans un incendie en 1420. Nicola Miretto exécuta de 1420 à 1425 la décoration actuelle : 333 panneaux muraux avec les mois, les signes du zodiaque et les activités saisonnières.

Près de l'escalier se dresse une copie datant de 1466 du cheval du Gattamelata (*p. 158*) sculpté par Donatello. En bois, elle rappelle que c'est un Troyen, Anténor, qui aurait fondé Padoue.

Caffè Pedrocchi

Via VIII Febbraio 15. **Tél** 049 878 12 31. *t.l.j.* août. **Musée** *mar.-dim.*

Ouvert en 1831, ce café de style néoclassique devint un centre politique pendant le Risorgimento et les Padouans continuent de s'y rendre autant pour discuter ou jouer aux cartes que pour boire ou manger. Les salles de l'étage, qui possèdent des décors exotiques, accueillent des concerts et des conférences.

Padoue : Cappella degli Scrovegni

Enrico Scrovegni fit élever cette chapelle en 1303 dans l'espoir, dit-on, d'épargner la damnation éternelle à son père, usurier si notoire que Dante l'évoque dans son *Inferno*. Entre 1303 et 1305, Giotto en décora les parois d'un ensemble de fresques d'une telle force narrative et d'une telle intensité religieuse qu'elles eurent une influence majeure sur le développement de la peinture européenne.

Nativité
L'attitude naturaliste de la Vierge et le ciel bleu, et non plus doré, s'écartent de la stylisation byzantine.

Expulsion des marchands du Temple
La représentation des émotions, colère et crainte, sont typiques du style de Giotto.

Coretti
Pour s'exercer à la perspective, Giotto peignit les deux petits panneaux appelés les Coretti qui représentent un arc ouvrant sur une pièce.

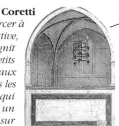

Vue de l'autel

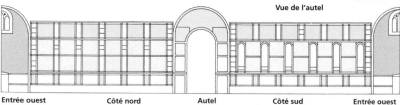

Entrée ouest   Côté nord   Autel   Côté sud   Entrée ouest

SUIVEZ LE GUIDE !

Comme la chapelle n'est pas grande, le nombre de personnes admises est toujours limité. Avant d'y pénétrer, les visiteurs restent 15 mn dans une salle de décontamination où leur sont données des informations en plusieurs langues expliquant les scènes. La visite de la chapelle dure 15 mn. Il est préférable de réserver soit par téléphone (049 201 00 20) soit par internet (www.cappelladegliscrovegni.it), et de payer par carte bancaire.

LÉGENDE

- ☐ Scènes de la vie de Joachim et Anne
- ☐ Scènes de la vie de Marie
- ☐ Scènes de la Passion
- ☐ Les Vertus et les Vices
- ☐ Le Jugement dernier

Jugement dernier
D'une composition qui reste marquée par la tradition byzantine, cette scène partiellement réalisée par des élèves de Giotto occupe tout le mur ouest. On y voit Scrovegni offrir une maquette de la chapelle à la Vierge.

MODE D'EMPLOI

Piazza Eremitani. **Tél** 049 201 00 20. 🚍 jusqu'à Piazzale Boschetti. ◯ t.l.j. 9h-19h (et certains soirs). ● principaux jours fériés. Réserver. 🖼 ♿ 🚫

Présentation de la Vierge au Temple
Giotto aimait intégrer ses personnages à un décor architectural qui lui permettait de donner de la profondeur aux scènes.

Vue de l'entrée

Injustice
Les vices et les vertus sont peints en grisaille. Guerre, meurtre et vol accompagnent l'Injustice.

Déposition
Les personnages partagent la même affliction mais présentent une large gamme d'expressions.

GIOTTO
Rompant avec la tradition byzantine des dix siècles précédents, ce grand artiste florentin (1267-1327) a laissé une œuvre qui, par son naturalisme et par son sens de la narration dramatique et de la représentation de l'espace, en fait le père de l'art occidental. Son génie fut reconnu de son vivant ; il est le premier peintre italien dont le nom passa à la postérité. L'absence de documents les concernant interdit de lui attribuer avec certitude maints de ses tableaux. Un doute qui n'existe pas pour les fresques de la chapelle des Scrovegni.

À la découverte de Padoue

Les collections du Museo Civico témoignent de la riche histoire de Padoue. Datant du XIVᵉ siècle, les bâtiments qu'il occupe appartenaient au monastère attaché à l'église des Eremitani, et le prix du billet d'entrée inclut la visite de la cappella degli Scrovegni (*p. 156-157*). L'autre grand monument se trouve au sud de la cité médiévale. Mariant plusieurs styles architecturaux et décorée de nombreuses œuvres d'art, la basilica di Sant'Antonio est depuis le XIIIᵉ siècle un haut lieu de pèlerinage.

Anges en armes (XVᵉ siècle) par Guariento au Museo Civico

⛪ Chiesa degli Eremitani et Museo Civico Eremitani

Piazza Eremitani. **Tél** *049 820 45 51.*
Museum ☐ *mar.-dim.* 🈁
Bâtie de 1276 à 1306, l'église des Ermites de saint Augustin possède une superbe voûte en carène et abrite de beaux tombeaux, notamment le monument Renaissance sculpté par l'architecte florentin Bartolomeo Ammannati (1511-1592) pour Marco Bonavides (1489-1582), professeur de droit à l'université. Les bombardements de 1944 ont abîmé gravement les fresques dont Andrea Mantegna décora en 1454-1457 la cappella Ovetari (au fond à droite). Mais trois scènes subsistent : *Le Martyre de saint Jacques*, *L'Assomption* et *Le Martyre de saint Christophe*.

Installé dans l'ancien couvent attaché à l'église, le musée municipal présente un bel ensemble de vestiges archéologiques comprenant d'intéressantes mosaïques et des tombeaux romains. Riche collection numismatique, la donation Bottacin inclut un jeu presque complet des monnaies vénitiennes. La galerie d'art constitue toutefois le clou de la visite. On y admire entre autres le crucifix par Giotto provenant de la cappella degli Scrovegni et de nombreuses peintures vénitiennes et flamandes du XVᵉ au XVIIIᵉ siècle. Parmi les bronzes Renaissance figure un amusant *Satyre buvant* d'Il Riccio (1470-1532).

Tombe du Iᵉʳ siècle dans la collection archéologique

🛈 Basilica di Sant'Antonio

Piazza del Santo. **Tél** *049 878 97 22.*
Né à Lisbonne, saint Antoine de Padoue (il mourut ici à 36 ans) méprisait les richesses à l'instar de son modèle, saint François d'Assise. Cela n'empêcha pas les Padouans d'élever à partir de 1232 l'un des plus somptueux sanctuaires de la chrétienté pour abriter ses reliques.

Surnommée « Il Santo », l'église juxtapose hardiment tous les styles en vigueur à l'époque de sa construction : byzantin pour les coupoles, roman pour la façade et gothique pour les clochers.

À l'intérieur, le nombre des ex-voto témoigne de la popularité du saint invoqué pour sauver les malades et les blessés et retrouver objets, personnes et amours perdus. Sa tombe, dans le transept nord, est entourée de reliefs en marbre évoquant sa vie sculptés de 1505 à 1577 par plusieurs artistes, dont Jacopo Sansovino. De superbes bronzes (1444-1445) de Donatello décorent le maître-autel. Altichiero da Zevio peignit vers 1380 la *Crucifixion* du transept sud.

♞ Statue du Gattamelata

Fils de boulanger né vers 1370, Erasmo da Narni devint un célèbre condottiere sous le nom de Gattamelata. Il rendit de grands services à la République de Venise qui décida, à sa mort en 1443, d'élever un monument à sa mémoire. Plus grande statue équestre réalisée depuis l'Antiquité romaine, le bronze de Donatello est une œuvre marquante de la Renaissance.

La basilica di Sant'Antonio et la statue du Gattamelata par Donatello

♛ Oratorio di San Giorgio et Scuola del Santo

Piazza del Santo. *Tél 049 878 97 22.* ◯ *t.l.j.* ◉ *1er janv., 25 déc.* 🖼️

Chapelle votive bâtie au XIVe siècle, l'oratoire est décoré de fresques peintes de 1378 à 1384 par Altichiero da Zevio et ses élèves. Elles représentent des scènes de la vie du Christ et de plusieurs saints. Dans la *scuola* voisine, des épisodes de la vie de saint Antoine ornent la salle du premier étage. Titien peignit *Le Miracle du pied coupé*, *Le Miracle du nouveau-né* et *Le Miracle du mari jaloux* en 1511.

🌿 Orto Botanico

Via Orto Botanico 15. *Tél 049 827 21 19.* ◯ *t.l.j. (nov.-mars : lun.-sam. mat.).* 🖼️ ♿

Fondé en 1545, ce jardin de plantes exotiques est l'un des plus anciens d'Europe. C'est là que poussèrent les premiers lilas (1568), tournesols (1568) et pommes de terre (1590) d'Italie.

♛ Palazzo del Bo

Via VIII Febbraio 2. *Tél 049 827 30 47.* ◯ *groupes seul.* ✉️ *mar., jeu., sam. matin, lun., mer., ven. après-midi, tél. pour vérifier.* 🖼️

En 1493, l'université de Padoue, fondée en 1222, s'installa dans une ancienne auberge : *Il Bo* (le Bœuf). Réputée dans toute l'Europe, sa faculté de médecine eut comme professeur Gabriele Fallopio (1523-1562). La cour bordée d'un portique du XVIe siècle mène à la chaire d'où Galilée enseigna de 1592 à 1610 et à la plus ancienne salle d'anatomie du monde, le Teatro Anatomico (1594) de F. d'Acquapendente.

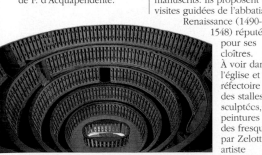

Le théâtre anatomique (XVIe siècle) de la vieille faculté de médecine de l'université de Padoue au palazzo del Bo

Les collines Euganéennes d'origine volcanique

Colli Euganei ⑧

🚆 🚌 *jusqu'à Terme Euganee, Montegrotto Terme.* ℹ️ *Viale Stazione 60, Montegrotto Terme (049 892 83 11).*

D'origine volcanique, les collines Euganéennes dressent leurs formes coniques au-dessus de la plaine et culminent à 602 m à la Venda. Plusieurs sources d'eau chaude y ont suscité la création de stations thermales telles qu'Abano Terme ou Montegrotto Terme déjà fréquentée à l'époque romaine comme en témoignent les vestiges d'un théâtre et de thermes antiques.

🔒 Abbazia di Praglia

Via Abbazia di Praglia, Bresseo di Teolo. *Tél 049 999 93 00.* ◯ *mar.-dim. après-midi seul.* ◉ *janv., fêtes religieuses.* ✉️
Dons bienvenus.

Dans le monastère bénédictin de Praglia, à 6 km à l'ouest d'Abano Terme, les moines cultivent des plantes aromatiques et restaurent des manuscrits. Ils proposent des visites guidées de l'abbatiale Renaissance (1490-1548) réputée pour ses cloîtres. À voir dans l'église et le réfectoire : des stalles sculptées, des peintures et des fresques par Zelotti, artiste véronais du XVIe siècle.

🏛️ Casa di Petrarca

Via Valleselle 4, Arquà Petrarca. *Tél 0429 71 82 94.* ◯ *mar.-dim. (lun. si j. f.).* ◉ *jours fériés.* 🖼️ 📷

Le bourg pittoresque d'Arquà Petrarca a pris le nom du poète et humaniste Pétrarque (1307-1374) qui y passa la fin de sa vie. Décorée de fresques inspirées de ses œuvres, sa maison recèle des souvenirs et domine un paysage où s'étagent oliveraies et vignobles. Simple sarcophage de marbre rouge, son tombeau se trouve sur la place devant l'église.

La maison de Pétrarque à Arquà Petrarca

♛ Villa Barbarigo

Valsanzibio. *Tél 049 805 92 24.* ◯ *t.l.j. mars-nov. : 10h-13h, 14h-coucher du soleil.* 🖼️ ♿ 📷

À Valsanzibio au nord d'Arquà, la villa construite en 1669 par Antonio Barbarigo, procurateur de Venise, possède un magnifique jardin baroque. Longues allées, statues, cyprès, pièces d'eau et fontaines en font un superbe lieu de promenade.

La villa Foscari (XVIᵉ siècle), ou Malcontenta, au bord du canal de la Brenta.

Canale della Brenta **❾**

Padoue et Venise. **FS** *Venezia Mestre, Dolo, Mira.* 🚌 *jusqu'à Mira, Dolo et Strà.* **Croisières sur le canal à bord d'Il Burchiello :** *Padoue.* **Tél** *049 820 69 10.* **www**.ilburchiello.it

Pour éviter l'envasement de la lagune, les autorités vénitiennes s'efforcèrent de détourner les fleuves qui s'y jetaient. La Brenta fut partagée en deux bras. Le plus ancien, canalisé depuis le XVIᵉ siècle, s'étend sur 36 km entre Fusina, à l'ouest de Venise, et Padoue. Profitant de la voie de circulation qu'il offrait, de riches patriciens élevèrent leurs villas le long de ce canal. Beaucoup existent encore aujourd'hui et s'admirent depuis la N 11 qui longe la majeure partie de la voie navigable. Trois ouvrent leurs portes au public. La plus vaste et la plus luxueuse, à Strà, la **villa Nazionale** (XVIIIᵉ siècle), renferme une salle de bal au plafond exubérant peint par Tiepolo. Dans le joli village de Mira, la **villa Barchessa Valmanara** possède de belles décorations du XVIIIᵉ siècle.

Aussi appelée la Malcontenta, la **villa Foscari**, bâtie de 1560 à 1572, est une œuvre de Palladio (*p. 80-81*) au décor de Zelotti. Ces villas

peuvent aussi se visiter dans le cadre d'une croisière sur le *Burchiello* qui circule un jour de Padoue à Venise et le lendemain dans l'autre sens. S'il offre le moyen le plus agréable de découvrir paysages et édifices, le prix du billet se révèle élevé.

🏛 Barchessa Valmarana
Via Valmarana 11, Mira. **Tél** *041 426 63 87.* 🕐 *mars.-oct. : t.l.j. 10h-18h ; nov.-fév. : sam.-dim. groupes seul.*

🏛 Villa Nazionale
Via Pisani, Strà. **Tél** *049 50 20 74.* 🕐 *mar.-dim.* 🔴 *1er janv., 1er mai, 25 déc.* 🔴 *ven. et dim. en italien.*

🏛 Villa Foscari
Via dei Turisti, Malcontenta. **Tél** *041 547 00 12.* 🕐 *mar. et sam. matin.* 🔴 *nov.-mars.*

Treviso **❿**

👥 *81 700.* 🚆 **FS** ℹ️ *Piazzetta Monte di Pietà 8 (0422 54 76 32).* 🛒 *mar. et sam. matin.* **www**.turismo.provincia.treviso.it

Souvent comparée à Venise, sa puissante voisine, Treviso (Trévise), ville fortifiée aux rues bordées de façades peintes, n'en possède pas moins sa propre personnalité.

Au cœur de la cité, la rue de la **Calmaggiore** relie au **Duomo** le palazzo dei Trecento bâti au début du XIIIᵉ siècle et complété d'une loggia en 1552. Fondée au XIIᵉ siècle et plusieurs fois remaniée, la cathédrale recèle dans une chapelle à droite de l'autel une *Annonciation* (1520) de Titien. Une fresque maniériste du Pordenone lui fait face : *L'Adoration des Mages* (1520). D'autres peintures Renaissance se trouvent au **Museo Civico**.

Dans le quartier de la Peschiera, un marché aux poissons animé se tient depuis le Moyen Âge sur une petite île. De l'autre côté de la ville, l'église gothique **San Nicolò**, aux fresques du XIVᵉ siècle, abrite le tombeau d'Agostino Onigo (vers 1500), œuvre d'Antonio Rizzo décorée par Lorenzo Lotto. Quarante portraits peints vers 1350 décorent la salle du chapitre du séminaire voisin. Sur l'un d'eux figurent les premières lunettes représentées en art.

🏛 Museo Civico
Chiesa di Santa Caterina, Via Santa Caterina. **Tél** *0422 54 48 64.* 🕐 *mar.-dim.* 🔴 *jours fériés.*

Canal de la vieille ville de Trévise

Façade Renaissance du palazzo dei Rettori à Belluno

Conegliano ⓫

Trévise. 🏠 35 000. 🚉 🚌 🛈 *Via XX
Settembre 61 (0438 212 30)*. 🍴 *ven.*

Située au cœur des vignobles
du Prosecco, cette petite ville
possède une école d'œnologie
qui forme des viticulteurs de
toute l'Italie. De beaux palais
datant du XVe au XVIIIe siècle
dominent sa rue principale
bordée d'arcades, la via XX
Settembre. Beaucoup sont de
style gothique vénitien ou
décorés de fresques
estompées. Le
Duomo abrite la
plus grande œuvre
d'art de la cité : le
retable de la *Vierge
en majesté avec
saints* peint en
1493 par Cima
da Conegliano
(1460-1518).

Sphinx au théâtre
de Conegliano

La maison natale de l'artiste,
la **casa di Cima**, présente des
reproductions de la plupart de
ses tableaux les plus célèbres.
Les paysages des arrière-plans
s'inspiraient des collines
entourant la ville telles qu'on
peut les découvrir depuis les
jardins où se dresse le
Castelvecchio (vieux château).

🏛 Casa di Cima
Via Cima. *Tél 0438 216 60*.
🕐 *sam.-dim. après-midi seul.* 🖼

Belluno ⓬

🏠 36 000. 🚉 🚌 🛈 *Piazza
Duomo 2 (0437 94 00 83)*. 🍴 *sam.*

Chef-lieu pittoresque de la
province du même nom,
Belluno se trouve à la
charnière de 2 parties très
différentes de la Vénétie : les
plaines du sud et le massif des
Dolomites. Ce contraste ajoute
à la beauté du panorama offert
par la **porta Ruga** (XIIe siècle),
à l'extrémité sud de la via
Mezzaterra, la rue principale.
La vue offerte par le campanile
baroque (1743) du **Duomo** bâti
au XVIe siècle se révèle encore
plus spectaculaire. Le
baptistère voisin possède des
fonts sculptés d'un *Saint Jean-
Baptiste* par Brustolon (1662-
1732) dont les œuvres ornent
les églises San Pietro (autel et
anges) et Santo Stefano
(chandelier et crucifix).

C'est au nord de la piazza
del Duomo que se dresse
l'édifice le plus élégant
de la ville : le
palazzo dei Rettori
(1491), ancienne
résidence des
gouverneurs
vénitiens. À côté
s'élève la **torre
Civica** (XIIe siècle), dernier
vestige d'un château médiéval.

À quelques pas, le **Museo
Civico** possède une section
archéologique et quelques
beaux tableaux, notamment
par Bartolomeo Montagna
(1450-1523) et Sebastiano Ricci
(1659-1734). Au nord du
musée s'étend la **piazza del
Mercato**, la plus belle place
avec ses palais Renaissance et
sa fontaine de 1410.

Au sud de la ville se
trouvent les stations de ski des
Alpe del Nevegal. En été,
un télésiège rejoint depuis
Faverghera un point de vue
à 1 600 m d'altitude.

🏛 Museo Civico
Piazza Duomo 16. *Tél 0437 94 48
36*. 🕐 *mai-sept. : mar.-dim. ;
oct.-avr : t.l.j.* 🖼 🗹 🗂

Cortina
d'Ampezzo ⓭

Belluno. 🏠 6 800. 🚌 🛈 *Piazzetta
San Francesco 8 (0436 32 31)*.
🍴 *mar. et ven. matin*.
www.*infodolomiti.it*

Le cadre extrêmement
spectaculaire que créent
au-dessus de pentes boisées
les aiguilles et les pics
escarpés des Dolomites
(*p. 82-83*) dominant Cortina
d'Ampezzo explique en partie
qu'elle soit devenue une des
stations de montagne
les plus prisées de la haute
société milanaise et turinoise.

Après avoir accueilli les
Jeux Olympiques en 1956,
elle dispose de surcroît d'un
équipement hors du commun.
Outre le ski alpin et le ski de
fond, les audacieux pourront
ainsi pratiquer aussi le saut
et le bobsleigh. La station
offre également une patinoire
olympique, plusieurs piscines,
des courts de tennis
et la possibilité de
pratiquer l'équitation.

Cortina se transforme
en été en centre de
randonnée et l'office de
tourisme et le Club Alpino
Italiano (*p. 659*) peuvent vous
renseigner sur les itinéraires
d'excursion.

Flânerie sur le corso d'Italia à Cortina d'Ampezzo

Marmites anciennes en cuivre au museo Carnico de Tolmezzo

Tolmezzo ⑭

🏙 10 000. 🚌 ℹ️ *Piazza XX Settembre 9 (0433 448 98).* 🖐 *lun. après-midi.*

Dominé par les sommets des Alpes Carniques, notamment, à l'est, la pyramide formée par le monte Amariana (1 906 m), Tolmezzo est le chef-lieu de la province de la Carnia, nommée d'après la tribu celte qui habitait ce territoire vers le IVᵉ siècle av. J.-C., et dont le **museo delle Arti Popolari** offre un bon point de départ à la visite avec son exposition sur les costumes, les techniques agricoles et les artisanats traditionnels de la région.

Au sud de la ville, un parcours pittoresque de 14 km conduit à la station de ski de **Sella Chianzutan**, centre de randonnée apprécié en été. D'autres stations jalonnent la N 52 qui mène à l'ouest de Tolmezzo jusqu'à **Ampezzo** d'où une route

secondaire rejoint au nord, par les gorges du Lumiei, le **lago di Sauris**, excellente introduction aux Alpes Carniques. Au-delà, la route est souvent impraticable en hiver mais traverse en été des prés fleuris jusqu'à Sella di Riazo puis, par la **vallée de la Pesarina**, Comeglians et Ravascletto. En revenant vers Tolmezzo, la N 52 bis passe par **Zuglio**, en face d'Arta Terme. Ancienne cité romaine commandant l'accès au col, Zuglio a conservé les vestiges d'un forum, d'une basilique et de thermes antiques.

🏛 **Museo delle Arti Popolari**
Via della Vittoria 2. **Tél** *0433 432 33.* ⏰ *mar.-dim. (août t.l.j.).* ● *1ᵉʳ janv., 25 déc.* 📷 ♿ 📷

Pordenone ⑮

🏙 49 000. 🚆 🚌 ℹ️ *Piazza XX Settembre (0434 52 03 81).* 🖐 *mer. et sam.* **www**.*turismofug.it*

Le vieux Pordenone se réduit essentiellement à une longue rue, le **corso Vittorio Emanuele** bordé de belles maisons à arcades dont les façades portent encore pour certaines des traces de fresques. Édifice gothique du XIIIᵉ siècle doté d'une tour d'horloge du XVIᵉ siècle, le **Palazzo Comunale** en marque le terme. En face, le palazzo Ricchieri

date du XVIIᵉ siècle mais incorpore des éléments plus anciens. Il abrite le **Museo d'Arte** qui présente notamment des peintures de l'enfant le plus célèbre de la ville : le Pordenone (1484-1539), auteur également dans le **Duomo**, de la *Vierge de la Miséricorde* (1515) de l'autel et des fresques des piliers. Un élégant campanile roman à décorations en terre cuite flanque la cathédrale.

🏛 **Museo d'Arte**
Corso Vittorio Emanuele 51. **Tél** *0434 39 23 12.* ⏰ *mar.-dim.* ● *jours fériés.* 📷 ♿ 📷

Udine ⑯

🏙 99 000. 🚆 🚌 ℹ️ *Piazza I Maggio 7 (0432 29 59 72).* 🖐 *sam.*

Ville à l'architecture d'une variété surprenante, Udine s'organise autour de la **piazza della Libertà**, où le palazzo del Comune (1448-1456) construit en brique dans le style gothique vénitien se dresse à côté du *Caffè Contarena* (1915) de style Art déco. En face, la torre dell'Orologio (1527) brise la symétrie de l'arcade Renaissance du porticato di San Giovanni. À son sommet, deux Maures de bronze sonnent les heures. À noter aussi la fontaine datant de 1542 et la colonne portant le lion de Saint-Marc.

Derrière la place s'élève une colline haute de 26 m offrant un large panorama sur la cité. Il faut franchir l'**arco Bollani** dessiné par Palladio en 1556 pour grimper l'escalier menant au Castello. Ce château du XVIᵉ siècle abrite désormais les collections d'art et de pièces archéologiques des **Musei Civici e Galleria di Storia e Arte Antica**.

Au sud de la piazza della Libertà se trouve l'**oratorio della Purità** et le **Duomo** qui renferment, comme le **palazzo Arcivescovile**, des peintures et des fresques de Giambattista Tiepolo (1696-1770). Le marché se tient devant l'église baroque San Giacomo sur la piazza Matteotti entourée d'arcades.

Lago di Sauris, lac artificiel près de Tolmezzo dans les Alpes Carniques

Pour les hôtels et les restaurants de la région, voir p. 558-561 et 606-609

Le portico di San Giovanni sur la piazza della Libertà d'Udine

Aux environs :

À Codroipo, à 24 km à l'ouest d'Udine, la route de Palmanova conduit à Passiarano et à l'imposante **villa Manin**, villégiature du dernier doge de Venise, Ludovico Manin (1725-1802), et à ses magnifiques jardins. Hors des heures de visite, on la voit depuis la route qui traverse le parc.

🏛 **Musei Civici e Galleria di Storia e Arte Antica**
Castello di Udine. **Tél** *0432 27 15 91.* ◯ *mar.-sam. et dim. matin (juil.-août après-midi aussi)* ● *1er janv., Pâques, 1er mai, 25 déc.* 🖼 🚻 Ⓟ

🏚 **Palazzo Arcivescovile**
Piazza Patriarcato 1. **Tél** *0432 250 03.* ◯ *mer.-dim.* ● *1er janv., Pâques, 25 déc.* 🖼 🚻 🗋

🏚 **Villa Manin**
Passariano. **Tél** *0432 82 12 11.* ◯ *mar.-dim.* ● *1er janv., 25 déc.* 🖼 *pour les expositions.* 🚻

Cividale del Friuli ⑰

🏠 *11 000.* 🚈 🚌 🛈 *Piazza Paolo Diacono 10 (0432 71 04 60).* 🛒 *sam.*

Une porte dans les remparts médiévaux de Cividale donne sur la grand-rue qui conduit au spectaculaire ravin où coule le Natisone. Il coupe la ville en deux et l'arche d'un pont datant du Moyen Âge, le **ponte del Diavolo**, le franchit. Au-dessus de la rive droite, le **Tempietto Longobardo** (« Chapelle lombarde »), oratoire du VIIIe siècle décoré de reliefs en stuc, mêle styles byzantin et roman.

Sur la place principale, le remarquable **Museo Archeologico Nazionale** retrace l'histoire de la ville et présente des vestiges d'édifices romains et des objets lombards comprenant des bijoux et des armes.

À côté, le **Duomo**, reconstruit en 1453 après un incendie, abrite un superbe retable en argent du XIIIe siècle. Le **Museo Cristiano** ouvre sur la nef sud. Il expose des sculptures de l'église originale, en particulier l'autel offert par Ratchis, duc lombard du Frioul qui devint roi d'Italie (737-744). Des scènes de la vie du Christ, dont une Nativité, ornent ses panneaux de marbre. Voir aussi la cuve baptismale du patriarche Callisto (737-756) de forme octogonale.

🔓 **Tempietto Longobardo**
Piazzetta San Biagio. ◯ *t.l.j.* 🖼 Ⓟ

L'intérieur du Tempietto Longobardo de Cividale del Friuli

🏛 **Museo Archeologico Nazionale**
Palazzo dei Provveditori Veneti, Piazza del Duomo 13. **Tél** *0432 70 07 00.* ◯ *lun. 9h-14h, mar.-dim. 8h30-19h30.* ● *1er janv., 25 déc.* 🖼 🚻

🏛 **Museo Cristiano**
Via Candotti 1 del Duomo. **Tél** *0432 73 11 44.* ◯ *t.l.j.* ● *dim. matin et j.f.* 🚻 Ⓟ

Gorizia ⑱

🏠 *37 000.* 🚈 🚌 🛈 *Corso Italia 9 (0481 53 57 64).* 🛒 *jeu. et ven.*

En 1947, le traité de Paris céda la partie orientale de Gorizia à la Yougoslavie et la ville est donc traversée par la frontière avec la Slovénie. L'épisode le plus sanglant eut toutefois lieu pendant la Première Guerre mondiale, et si elle ne porte plus trace des batailles, elle en entretient le souvenir. Le rez-de-chaussée du **Museo Provinciale** abrite ainsi le Museo Provinciale della Grande Guerra qui évoque les épreuves subies par les soldats au moyen de photos, documents audiovisuels et reconstitutions grandeur nature de tranchées, de postes d'artillerie et de casemates. Les salles de l'étage présentent des peintures d'artistes locaux et servent à l'organisation d'expositions temporaires.

Le lion de Saint-Marc à l'entrée du château de Gorizia

En face du Duomo du XIVe siècle, le viale D'Annunzio gravit le Borgo Castello, colline fortifiée par la République de Venise au XVIe siècle. Au sommet, le château offre un superbe panorama sur le plateau du Carso et la ville.

Aux environs : Au sud-ouest de Gorizia, de jolies routes serpentent jusqu'à Trieste sur les contreforts du plateau calcaire du **Carso** creusé de grottes et de rivières souterraines. Des murs en pierres sèches y séparent toujours champs et prés.

🏛 **Museo Provinciale**
Borgo Castello 13. **Tél** *0481 53 39 26.* ◯ *mar.-dim.* ● *25 déc.* 🖼 Ⓟ

Le port de Grado au sud d'Aquileia

Aquileia ⑲

🏠 3 300. 🚌 ℹ️ *Piazza Capitolo 4. (0431 91 087).* 🚢 *mar.*

Ruines de villas, de thermes, de temples et de magasins rappellent à Aquileia, bourgade aujourd'hui à peine plus importante qu'un village, la splendeur perdue de la cité romaine fondée en 181 av. J.-C. et qui devint la capitale de la province de Vénétie-Istrie.

Ce fut là qu'Auguste reçut Hérode Ier le Grand, roi de Judée, en 10 av. J.-C., et là aussi que saint Jérôme et saint Ambroise participèrent en 381 à un grand concile. La ville ne résista toutefois pas aux invasions barbares du Ve siècle. Heureusement, les destructions laissèrent intact le superbe pavement de mosaïque de la basilique paléochrétienne.

⛪ Basilica
Piazza Capitolo. **Tél** *0431 910 67.*
⊙ *t.l.j.* ⊙ *pendant les offices.*
Crypte 🔲 ♿

Il ne reste de la première basilique d'Aquileia, fondée vers l'an 313, que les magnifiques pavements de mosaïque paléochrétiens de la nef et de la **cripta degli Scavi**. Leur décor mêle motifs géométriques, épisodes bibliques et scènes de la vie quotidienne au IVe siècle.

L'église, élevée dans le style roman au début du deuxième millénaire, a connu un important remaniement gothique au XIVe siècle. L'aménagement intérieur date de la Renaissance.

🏛 Museo Archeologico Nazionale
Via Roma 1. **Tél** *0431 910 16.*
⊙ *t.l.j. 8h30-19h30 (lun. jusqu'à 14h30).* 🔲 ♿ 🚫

Les mosaïques de la basilique entretenaient une tradition artisanale déjà florissante à Aquileia au IIe siècle comme le montre l'exposition de ce musée qui comprend des sculptures de l'époque classique (du Ier au IIIe siècle) ainsi que de la verrerie, des pièces d'ambre et une collection de mouches en or, ancienne parure du voile d'une élégante Romaine.

🏛 Museo Paleocristiano
Località Monastero. **Tél** *0431 911 31.*
⊙ *mar.-dim. 8h30-13h45 (lun. si j.f.).*
⊙ *1er janv., 1er mai, 25 déc.*
🔲 ♿ 🚫

Installé près de l'ancien port au bord de la Natissa jadis navigable, il expose les vestiges sauvés des premiers édifices chrétiens (IVe-VIe siècle), mosaïques et bas-reliefs.

Aux environs :
Fondé au IIe siècle, le port maritime d'Aquileia, **Grado**, s'étend comme Venise sur des îlots d'une lagune de la côte adriatique. Il se développa au Ve siècle servant d'asile aux populations qui fuyaient les invasions. Relié à la terre par une longue chaussée de 5 km, c'est aujourd'hui une station balnéaire très populaire grâce à sa longue plage de sable et son port de plaisance.

Au centre de la vieille ville se dresse le **Duomo** qui a conservé des piliers de marbre à chapiteaux byzantins et un pavement de mosaïque du VIe siècle. À côté, le baptistère et la petite basilique **Santa Maria delle Grazie** sont eux aussi ornés de mosaïques du VIe siècle.

SYMBOLISME DANS L'ART PALÉOCHRÉTIEN

Victimes des persécutions romaines, les premiers disciples du Christ utilisaient entre eux des signes de reconnaissance, souvent des motifs traditionnels de l'art classique interprétés en fonction de leur foi. Ces symboles figurent sur les mosaïques et les sarcophages d'Aquileia. Leur signification a évolué au fil des siècles.

Détail du pavement en mosaïque (IVe siècle) de la basilique d'Aquileia

L'allégorie de la Victoire antique, *jeune femme ailée tenant une branche de laurier, en vint à représenter la résurrection du Christ, puis, plus généralement, le triomphe sur la mort.*

Trieste ⑳

🏛 *218 000.* 🚶 FS 🚌
ℹ️ *Piazza Unità d'Italia 4/b (040 347 83 12).* ⚓ *mar.-sam.*

Port de l'Adriatique proche de la frontière slovène, cette ville animée, riche d'un passé qui remonte à l'Antiquité, a une atmosphère qui lui est propre.

🏛 Acquario Marino

Molo Pescheria 2. *Tél 040 30 62 01.*
⏱ *juin-sept. : t.l.j. 9h-19h ; oct.-mai : mar.-dim. 9h-1h30.* 📷 ♿
Installé sur le port près du marché aux poissons, l'aquarium de Trieste offre un remarquable aperçu de la faune de l'Adriatique.

♜ Castello di San Giusto

Piazza Cattedrale 3. *Tél 040 30 93 62.* ⏱ *pour rénovation.* 📷
Entrepris par les Vénitiens en 1368, ce château fort domine le port depuis une colline devant un large panorama du golfe de Trieste. Il abrite deux musées où sont exposées des mosaïques romaines, ainsi qu'une belle collection d'armes et d'armures anciennes.

🏠 Basilica Paleocristiana

Via Madonna del Mare 11. *Tél 040 436 31.* ⏱ *mer. après-midi (sur r.-v.)*
À côté du château s'étendent les ruines d'une basilique romaine datant du tournant du Iᵉʳ siècle. Remarquez les sièges de pierre des magistrats.

🏠 Duomo

Piazza Cattedrale. *Tél 040 30 96 66.*
⏱ *t.l.j.* ♿
La cathédrale **San Giusto** présente en façade une grande rosace gothique, ornement de la nef centrale bâtie au XIVᵉ siècle entre deux basiliques romanes du XIᵉ siècle, aux absides décorées de belles mosaïques du XIIIᵉ siècle. Celle de gauche, une *Vierge en majesté*, offre un superbe exemple du style vénitien. L'abside de droite abrite en outre des fresques évoquant la vie de saint Just.

Le castello del Miramare sur la baie de Trieste

🏛 Museo di Storia ed Arte ed Orto Lapidario

Piazza della Cattedrale 1. *Tél 040 31 05 00.*
⏱ *mar.-dim. matin* ⏱ *jours fériés.* 📷
L'importance de sa collection archéologique vient des importantes relations commerciales entre Trieste et la Grèce pendant l'Antiquité.

Vierge en majesté au-dessus des Apôtres (XIIIᵉ siècle), Duomo de Trieste

Aux environs : À 9 km au nord de Trieste, **Villa Opicina** offre depuis son belvédère un splendide panorama du port, de sa baie et de la côte jusqu'en Slovénie. Un peu plus loin, Borgo Grotta Gigante doit son nom à la **grotta del Gigante**, vaste salle souterraine aux spectaculaires concrétions calcaires.

À Grignano, à 8 km au nord-ouest de Trieste, le **castello del Miramare** dresse sur un promontoire sa silhouette blanche mise en valeur par la luxuriance de son jardin. Bâti de 1856 à 1860 pour l'archiduc Maximilien d'Autriche qui mourut fusillé au Mexique en 1867, il a conservé son mobilier et sa décoration d'époque.

🍃 Grotta del Gigante

Borgo Grotta Gigante. *Tél 040 32 73 12.* ⏱ *mar.-dim. (juil.-août t.l.j.).* 📷 📷

♜ Castello di Miramare

Miramare, Grignano. *Tél 040 22 41 43.* ⏱ *t.l.j.* ♿ 📷 *(château seul.).*

La tortue, *comme l'ignorance, s'enferme dans sa carapace. Le coq, en chantant à l'aube, annonce l'arrivée de la lumière apportée par la foi.*

ICHTHUS (poisson) *était un acronyme du grec Iesous CHristos THeou Uios Soter («Jésus Christ, Fils de Dieu, Sauveur»).*

Les paons *symbolisaient l'âme immortelle dont toute la beauté se révèle à son arrivée au paradis.*

TRENTIN-HAUT-ADIGE

*N*ommée d'après sa capitale, Trente, la province italophone du Trentin diffère grandement par sa culture de la haute vallée de l'Adige souvent appelée Sud-Tyrol et dont la population, au débouché du principal col vers l'Autriche, le Brenner, parle allemand. Toutes deux ont cependant en commun les montagnes majestueuses qui dominent chaque ville ou village. Couverts de neige pendant six mois, leurs flancs se tapissent les six suivants de fleurs alpines.

Les glaciers ont creusé dans les montagnes du Trentin-Haut-Adige de profondes et larges vallées. Pour la plupart exposées au sud, elles jouissent d'un climat particulièrement doux à cette altitude. Voie d'accès au col du Brenner, principal passage dans les Alpes entre le sud et le nord de l'Europe, la région a de tout temps été parcourue par des voyageurs comme l'a confirmé en 1991 la découverte d'un corps prisonnier de la glace depuis 5000 ans. Chaussé de bottes en cuir garnies de paille, l'homme s'aidait dans sa progression d'un pic en cuivre.

Les sentiers empruntés au Néolithique devinrent des routes à l'époque romaine où les premières villes se développèrent. La haute vallée de l'Adige acquit sa culture germanophone au Moyen Âge sous le gouvernement des comtes de Tyrol dont le territoire, qui passa ensuite sous le contrôle des Habsbourg, s'étendait des deux côtés de la frontière actuelle. Pour protéger cols et vallées, la noblesse tyrolienne bâtit les châteaux qui jalonnent toujours la province.

La tradition d'accueillir les visiteurs chez l'habitant est un autre héritage tyrolien. Les chambres louées par des particuliers se trouvent souvent dans des maisons typiques avec leurs balcons en bois. Feux dans la cheminée en hiver et solide cuisine de montagne en font des bases idéales d'où découvrir les pentes enneigées ou les sentiers de randonnée.

Skieurs dans le massif du monte Spinale, près de Madonna di Campiglio dans le Trentin

◁ Paysage typique des Dolomites entre Bressanone et Ortisei dans le Haut-Adige

À la découverte du Trentin-Haut-Adige

Province entièrement montagneuse offrant à la fois équipements sportifs et nature préservée, le Trentin-Haut-Adige s'étend des Dolomites, au sud, jusqu'aux Alpes Atésines et la frontière autrichienne qui les traverse. L'Adige court dans la vallée la plus large et arrose les deux villes principales : Bolzano-Bozen et Trente. Le long de ses affluents, vignobles, champs fleuris, alpages et pentes boisées abritent une faune d'une grande richesse.

La via Ponte Aquila à Bressanone

LA RÉGION D'UN COUP D'ŒIL

Bolzano (Bozen) **6**
Bressanone (Brixen) **5**
Brunico (Bruneck) **4**
Canazei **8**
Castello di Avio **15**
Cavalese **9**
Cembra **11**
Madonna di Campiglio **12**
Malles Venosta (Mals im Vinschgau) **1**
Merano (Meran) **2**
Ortisei (Sankt Ulrich) **7**
Rovereto **14**
San Martino di Castrozza **10**
Trento **13**
Vipiteno (Sterzing) **3**

Landeck
Passo di Resia
Melago
Moso in Pas
Resia
Lago di Resia
Curon Venosta
Abbazia di Monte Maria
Alpi Venoste
l'Altissima 3480 m
Senales
MALLES VENOSTA 1
Monte Alto 3260 m
Tiro
MERAN
Castel Coira
Glorenza
Silandro
Adige
La
Prato allo Stelvio
Laces
Guardia Alta 2608 m
Passo dello Stelvio
Trafoi
Solda
Senale
Bormio
Ortles 3899 m
Santa Gertrude
Monte degl 2656 m
Monte Cevedale 3757 m
Marcena
Malos
Bagni di Rabbi
Revò
Pejo
ALTO
Dimaro
Cles
Tuenno
Der
Noce
Vermiglio
Sarca
MADONNA DI CAMPIGLIO **12**
Mezzolombardo
Sondrio
Cima Brenta 3150 m
Andalo
Pinzolo
Cascate di Nardis
Cima Tosa 3159 m
Lago di Molveno
Paganella 2125 m
Adamello
Stenico
Vezzano
TRENTO
Re di Castello 2885 m
Tione di Trento
Sarche
Vason
Giudicarie
Lardaro
Dro
Ca Bese
Monte Cadria 2254 m
Tenno
Arco
Calliano
Val di
Tiarno
Riva del Garda
ROVERETO 14
Storo
Torbole
Ruina Dantesc
Brentonico
Raossi
CASTELLO DI AVIO 15
Ala
Verona

LÉGENDE

━━ Autoroute
━━ Route principale
─── Route secondaire
┄┄┄ Petite route
─── Parcours pittoresque
┄┄┄ Liaison ferrée principale
─── Liaison ferrée secondaire
━━ Frontière internationale
━━ Frontière régionale
△ Sommet

0   25 km

Pour les autres symboles de la carte *voir le rabat arrière de couverture*

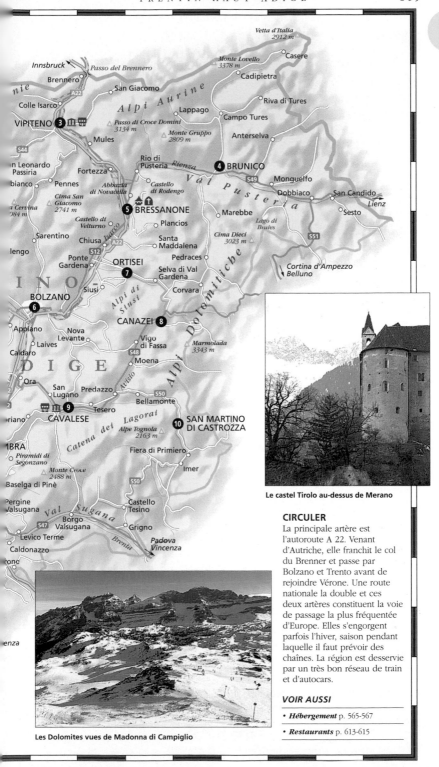

Innsbruck

Brennero

Colle Isarco

VIPITENO **3**

Mules

Passo del Brennero

San Giacomo

Alpi Aurine

Passo di Croce Domini
3134 m

Monte Gruppo
2809 m

Vetta d'Italia
2912 m

Monte Lovello
3378 m

Cadipietra

Lappago

Campo Tures

Anterselva

Casere

Riva di Tures

n Leonardo
Passiria

bianco

Pennes

a Cervina
084 m

Cima San
Giacomo
2741 m

Fortezza

Abbazia
di Novacella

Castello di
Velturno

Rio di
Pusteria

Rienza

Castello
di Rodengo

5 BRESSANONE

Plancios

Val Pusteria

4 BRUNICO

Monguelfo

Dobbiaco

Marebbe

San Candido

Sesto

Lienz

Lago di
Braies

Sarentino

lengo

Chiusa

Ponte
Gardena

Isarco

Santa
Maddalena

ORTISEI
7

Pedraces

Selva di Val
Gardena

Cima Dieci
3023 m

Dolomitiche

Cortina d'Ampezzo
Belluno

I N O -

BOLZANO
6

Siusi

*Alpi di
Siusi*

Corvara

CANAZEI **8**

Alpi

Appiano

Nova
Levante

Laives

Caldaro

Ora

San
Lugano

Predazzo

Tesero

Vigo
di Fassa

Moena

Avisio

Bellamonte

Marmolada
3343 m

D I G E

9

CAVALESE

riano

IBRA

Piramidi di
Segonzano

Monte Croce
2488 m

Baselga di Pinè

Pergine
Valsugana

Levico Terme

Caldonazzo

tono

Catena dei Lagorai

Alpe Tognola
2163 m

10 SAN MARTINO
DI CASTROZZA

Fiera di Primiero

Imer

Castello
Tesino

Borgo
Valsugana

Val Sugana

Grigno

Brenta

Padova
Vincenza

enza

Le castel Tirolo au-dessus de Merano

CIRCULER

La principale artère est
l'autoroute A 22. Venant
d'Autriche, elle franchit le col
du Brenner et passe par
Bolzano et Trente avant de
rejoindre Vérone. Une route
nationale la double et ces
deux artères constituent la voie
de passage la plus fréquentée
d'Europe. Elles s'engorgent
parfois l'hiver, saison pendant
laquelle il faut prévoir des
chaînes. La région est desservie
par un très bon réseau de train
et d'autocars.

VOIR AUSSI

• **Hébergement** p. 565-567

• **Restaurants** p. 613-615

Les Dolomites vues de Madonna di Campiglio

L'abbazia di Monte Maria fondée au XIIᵉ siècle près de Malles Venosta

Malles Venosta ❶

MALS IM VINSCHGAU

🏠 4 600. FS 🚌 🛈 Via San Benedetto 1 (0473 83 11 90). 🚢 mer.

À plus de 1 000 m d'altitude près de la source de l'Adige, Malles Venosta ne se trouve qu'à quelques kilomètres des frontières suisse et autrichienne. Poste douanier au Moyen Âge, elle a conservé plusieurs églises gothiques, dont les flèches se dressent au-dessus des toitures. **San Benedetto** date du IXᵉ siècle. Des fresques byzantines et carolingiennes ornent ses murs.

Aux environs :
Construit au XIIIᵉ siècle pour garder la route du Val Venosta, autre nom de la haute vallée de l'Adige, le **castel Coira** (Churburg) domine Sluderno (Schluderns) à 4 km au sud-est de Malles Venosta.

À 5 km au nord de Malles Venosta, c'est une abbaye bénédictine, l'**abbazia di Monte Maria** (Marienberg), qui s'accroche au rocher au-dessus de Burgusio (Burgeis). Agrandie au XVIIIᵉ et au XIXᵉ siècles, elle garde de l'époque de sa fondation, le XIIᵉ siècle, une remarquable série de fresques décorant la crypte de l'église.

🏰 **Castel Coira**
Churburg, Sluderno. **Tél** 0473 61 52 41. ⬜ 20 mars-oct. : mar.-dim. (et lun. fériés). 📷 obligatoire. 🈂️

🛈 **Abbazia di Monte Maria**
Tél 0473 83 13 06. ⬜ avr.-oct. : lun.-sam. matin ; nov.-mars : groupes seul. 🈂️ j.f. 🈂️ 🈂️

Merano ❷

MERAN

🏠 35 000. FS 🚌 🛈 Corso della Libertà 45 (0473 27 20 00). 🚢 mar. et ven.

Jolie station thermale, Merano attire les curistes. Sur le corso Libertà bordé d'hôtels et de boutiques chic se dresse la **Kurhaus**, ancien centre de cure bâti en 1914 et transformé en salle de concert. Datant du XVᵉ siècle, le **castello Principesco**, résidence de l'archiduc Sigismond de Habsbourg, a conservé son mobilier d'époque.
De beaux jardins s'étendent le long du Passirio qui sinue à

Façade Art nouveau de la Kurhaus de Merano

travers la ville. Sur sa rive nord, la passeggiata d'Inverno (Promenade d'hiver) aboutit au ponte Romano. Sur la rive sud, la passegiata d'Estate (Promenade d'été) se termine au ponte Passirio élevé au Moyen Âge.

Aux environs :
À 4 km au nord de Merano se dresse le **castel Tirolo** construit au XIIᵉ siècle. Il abrite un musée d'histoire locale. Le parc du **castel Trauttmansdorff** a un superbe jardin botanique.

🏰 **Castello Principesco**
Via Galilei. **Tél** 0473 25 03 29. ⬜ mar.-dim., j.f. 🈂️ janv., fév. 🈂️

🏰 **Castel Tirolo**
Via Castello 24, Tirolo. **Tél** 0473 22 02 21. ⬜ mi-mars-nov. : mar.-dim. 🈂️ déc.-mi-mars. 🈂️ 🈂️ 🈂️

🏰 **Castel Trauttmansdorff**
Via S. Valentino 51a. **Tél** 0473 23 57 30. ⬜ t.l.j. ⬜ 1ᵉʳ avr.-15 nov. 🈂️ 🈂️ 🈂️ 🈂️

Vipiteno ❸

STERZING

🏠 5 600. FS 🚌 🛈 Piazza Città 3 (0472 76 53 25). 🚢 t.l.j.

Non loin du col du Brenner, Vipiteno possède de belles maisons. La torre dei Dodici, symbole de la ville, et le **palazzo Comunale**, de style gothique et abritant des œuvres d'art Renaissance,

Enseigne à Vipiteno

dominent la via Città Nuova. Le **museo Multscher** présente des sculptures sur bois d'Hans Multscher, l'artiste bavarois qui réalisa en 1456-1458 l'autel de l'**église** paroissiale au sud de la ville. À l'ouest, des chutes d'eau et un pont naturel ajoutent au charme du **val di Racines**.

🏛️ **Palazzo Comunale**
Via Città Nuova 21. **Tél** 0472 72 37 00. ⬜ lun.-ven. ⬜ ven. après-midi, j.f.

🏛️ **Museo Multscher**
Via della Commenda. **Tél** 0472 76 64 64. ⬜ mar.-sam. : avr.-oct. 🈂️ j.f. 🈂️

Le château médiéval dominant Brunico

À un peu plus de 3 km au nord de Bressanone se dressent les bâtiments fortifiés de l'**abbazia di Novacella**. De belles fresques décorent son cloître gothique.
Un peu plus au nord dans la vallée, les vestiges d'un mur du XVIe siècle appartenant jadis au poste de douane de la frontière séparant le Tyrol du canton de Görz se remarquent à l'est de **Rio di Pusteria** (Mühlbach). Loin au-dessus du village, au sud-est, se découpe la silhouette massive du **castello di Rodengo** (Rodeneck). Il abrite de magnifiques fresques du XIIIe siècle représentant des scènes de bataille, le Jugement dernier et des épisodes d'*Iwein*, ballade du poète médiéval Hartmann von Aue.

Brunico ❹

BRUNECK

🏛 *13 000.* FS 🚌 ℹ *Piazza Municipio 7 (0474 55 57 22).* 🛒 *mer.*

Jolie base d'excursions d'où visiter la valle della Pusteria, Brunico étend sous son massif château médiéval (remanié aux XVe et XVIe siècles) un réseau de ruelles qui ne s'explorent qu'à pied. Elle a conservé des remparts du XIVe siècle et au nord-ouest de la porte Santa Ursula, l'**église** du même nom présente à l'autel un splendide relief de la Nativité (XVe siècle). Le **museo Etnografico di Teodone** propose une exposition sur la vie rurale traditionnelle et les costumes folkloriques locaux. On peut visiter des bâtiments agricoles du XVIe siècle.

Cadran solaire d'une porte de Brunico

Reconstruit au XVIIIe siècle, le **Duomo** possède une décoration intérieure baroque, mais a conservé son cloître du XIIe siècle qu'ornent des fresques du XVe siècle. De style Renaissance, le palazzo Vescovile abrite l'extraordinaire collection de figurines de crèches du **museo dei Presepi** et le **museo Diocesano** qui présente de belles sculptures sur bois.

Aux environs :
À 8 km au sud-ouest de la ville, Velturno (Feldthurns) renferme le **castello di Velturno**, résidence d'été Renaissance des princes-évêques aux pièces ornées de peintures murales.

🏛 **Museo Etnografico di Teodone**
Via Duca Diet 24, Teodone.
Tél *0474 55 20 87.* ⭘ *Pâques-oct. : mar.-sam., dim. et jours fériés après-midi (lun. aussi en août).* 🚻 ♿ 🍴

🏛 **Museo Diocesano et**
🏛 **Museo dei Presepi**
Piazza Palazzo Vescovile 2.
Tél *0472 83 05 05.* ⭘ *mi-mars-oct. : mar.-dim. ; déc.-janv. : t.l.j. (Museo dei Presepi après-midi seul.).* ⭘ *24, 25 déc.*

⛪ **Castello di Velturno**
Velturno. **Tél** *0472 85 55 25.* ⭘ *mars-nov. : mar.-dim.* 🎫 *seul.* 📷

ℹ **Abbazia di Novacella**
Varna. **Tél** *0472 83 61 89.* ⭘ *lun.-sam.* 🎫 *j.f. ; janv.-mars : lun.* 🎫 *seul.* 📷

⛪ **Castello di Rodengo**
Rodengo. **Tél** *0472 45 40 56.* ⭘ *mi-mai-mi-oct. : mar.-dim.* 🎫 📷

Bressanone ❺

BRIXEN

🏛 *18 000.* FS 🚌 ℹ *Viale Stazione 9 (0472 83 64 01).* 🛒 *lun.*

Les ruelles médiévales de Bressanone se serrent autour de la cathédrale et du palais des princes-évêques qui dirigèrent la ville pendant une longue partie de son histoire.

Le cloître du Duomo de Bressanone orné de fresques du XVe siècle

L'intérieur baroque de l'église Sankt Ulrich d'Ortisei

Bolzano ❻
BOZEN

🏙 98 000. 🚆 FS 🚌 🛈 *Piazza Walther 8 (0471 30 70 00).* 🛍 *sam.*

Chef-lieu du territoire autonome du Haut-Adige, Bolzano appartient aux comtes de Tyrol à partir du XIIIᵉ siècle, puis à l'Autriche jusqu'en 1919. La langue la plus parlée y est l'allemand et une nette influence tyrolienne marque l'architecture.

Le **Duomo** gothique (XVᵉ siècle) domine de son toit de tuiles polychromes la **piazza Walther**, cœur du centre historique. À l'intérieur du sanctuaire, le porticina del Vino (petit portail du Vin) témoigne par son décor sculpté de l'importance pour l'économie locale des vignobles. Au milieu de la place se dresse la statue du troubadour du XIIIᵉ siècle dont elle porte le nom : Walther von der Vogelweide.

Flèche du Duomo de Bolzano

Au nord de la piazza Walther, le marché commence piazza Grano et s'étend jusqu'à la piazza delle Erbe d'où part la via dei Portici, la plus belle rue de Bolzano, bordée de maisons à arcades datant pour les plus anciennes du XVᵉ siècle. Elle conduit au **Museo Civico** qui présente une exposition de costumes et d'objets artisanaux illustrant la vie du Tyrol du Sud. Le **Museo Archeologico** abrite le fameux Ötzi, homme des glaces vieux de 5 000 ans. Des fresques des XIVᵉ et XVᵉ siècles ornent la **chiesa dei Domenicani** (église des Dominicains) et son cloître.

🏛 **Museo Civico**
Via Cassa di Risparmio 14. **Tel** 0471 97 46 25. ⬜ *Téléphoner pour les horaires.* ♿

🏛 **Museo Archeologico**
Via Museo 43. **Tel** 0471 32 01 00. ⬜ *mar.-dim.* ⬤ *1ᵉʳ janv., 1ᵉʳ mai, 25 déc.* ♿ 📷 🛈

Ortisei ❼
SANKT ULRICH

🏙 4 500. 🚌 🛈 *Via Rezia 1 (0471 79 63 28).* ⬜ *ven.*

Chef-lieu de la belle vallée du Val Gardena, Ortisei s'étend au cœur des Dolomites au pied de hautes montagnes.

Importante station de sports d'hiver et de villégiature d'été, elle entretient une très ancienne tradition de sculpture sur bois qui, après avoir paré de retables et de statues typiques les églises de la région, telles que **Sankt Ulrich**, alimente aujourd'hui en souvenirs ses boutiques d'artisanat. Le **museo della Val Gardena** présente également de nombreuses pièces. Il possède en outre une section archéologique.

Au sud d'Ortisei s'élève le superbe massif de l'**Alpe di Siusi** (Seiser Alm). Un téléphérique mène au sommet du Monte Seceda (2 518 m).

🏛 **Museo della Val Gardena**
Via Rezia 83. **Tel** 0471 79 75 54. ⬜ *janv.-mars, mi-mai-oct : lun.-ven. (juil.-août : dim.-ven.)* ♿

Canazei ❽

🏙 1 800. 🚌 🛈 *Piazza Marconi 8 (0462 60 96 00).* 🛍 *sam. (juil.-sept.)*

Située au pied de 3 groupes rocheux parmi les plus hauts et les plus imposants des Dolomites, Canazei permet d'explorer la région, en hiver et en été, car de nombreuses remontées mécaniques donnent accès à de superbes point de vue. L'un des plus populaires, le Belvedere I, s'atteint grâce au téléphérique de la via Pareda. Il offre une vue impressionnante des falaises de la Sella au nord, du Sasso Lungo à l'ouest et,

Skieurs jouissant du panorama au-dessus de Canazei

Pour les hôtels et les restaurants de la région, voir p. 565-567 et 613-615

au sud, de la Marmolada culminant à 3 342 m.

Aux environs :
À **Vigo di Fassa**, à 13 km au sud-ouest, le **Museo Ladino** est dédié aux traditions encore vivantes des habitants du Val de Fassa dont le dialecte d'origine latine, le ladin, est en voie de disparition.

🏛 **Museo Ladino**
Via Milano 5, Vigo di Fassa.
Tél 0462 76 01 82. 🔲 *mar.-sam. après-midi ; t.l.j. fin juin-mi-sept. et 20 déc.-6 janv.* 🖼 📷 ♿ 🔲

Cavalese ❾

🏨 *3 600.* 🚌 ℹ️ *Via Fratelli Bronzetti 60 (0462 24 11 11).* 🛒 *dernier mardi du mois (sauf juil.)*

Façade peinte du palazzo della Magnifica Comunità

Station de montagne bien équipée et plus gros bourg du Val di Fiemme, jolie vallée que ponctuent prés fleuris et pentes boisées, Cavalese s'étend autour du **palazzo della Magnifica Comunità**. Construit au XIIIe siècle et remanié au XVIe, ce palais abrita au Moyen Âge le siège de la « Magnifique Communauté », association de onze communes jouissant d'une semi-autonomie. Il renferme aujourd'hui une collection de peintures et de pièces archéologiques.

Au sud de la ville s'élève l'**Alpe Cermis**. Un téléphérique conduit à son sommet à 2 229 m d'altitude.

Aux environs :
Tesero, le premier village à l'est, possède une église gothique datant de 1450 ornée d'une fresque anonyme du XVe siècle et d'une

Vignobles en terrasses sur les coteaux du Val di Cembra

Crucifixion moderne utilisant une vue du village comme arrière-plan.

À environ 13 km à l'est, l'exposition du **Museo Geologico e Mineralogico** de **Predazzo** permet de mieux comprendre l'histoire géologique de la région.

🏛 **Palazzo della Magnifica Comunità**
Piazza Cesare Battisti 2. *Tél 0462 34 03 65.* 🔲 *pour restauration jusqu'en 2010, téléphoner.*

🏛 **Museo Geologico e Mineralogico**
Piazza Cesare Battisti 4. *Tél 0462 500 366.* 🔲 *mars-oct. : t.l.j. 10h-12h, 15h-17h ; nov.-fév. sur r.-v.*

San Martino di Castrozza ❿

🏨 *470.* 🚌 ℹ️ *Via Passo Rolle 165 (0439 76 88 67).*

Station de montagne attirant skieurs en hiver et randonneurs et grimpeurs en été, San Martino occupe un cadre splendide dans une des vallées les plus spectaculaires et les plus accessibles des Dolomites méridionales. Des œufs grimpent jusqu'aux sommets de l'**Alpe Tognola** (2 163 m), au sud-ouest, et de la **Cima della Rosetta** (2 609 m), à l'est. Tous deux offrent une vue superbe sur les Pale di San Martino, aiguilles vertigineuses jaillissant d'une

Piramidi di Segonzano près de Cembra

mer de prés et de forêts. Ces dernières, qui entourent entièrement San Martino, fournissaient jadis en bois d'œuvre la flotte de la République vénitienne mais sont aujourd'hui protégées. Elles permettent de découvrir papillons, oiseaux et flore alpine.

Cembra ⓫

🏨 *2 500.* 🚌 ℹ️ *Piazza Toniolli 2 (0461 68 31 10).* 🛒 *mer. après-midi.*

Ce paisible bourg viticole se niche sur les coteaux du Val di Cembra, charmante vallée jalonnée de villages fleuris. À environ 6 km à l'est se dressent les **Piramidi di Segonzano**, bel ensemble de cheminées de fées, colonnes argileuses coiffées du rocher qui les a protégées de l'érosion. Certaines ont plus de 30 m de hauteur.

Le long du sentier qui y conduit, des panneaux expliquent la formation de ces curiosités géologiques.

La montée jusqu'au site est raide mais permet d'atteindre des bois emplis d'oiseaux. Une autre récompense attend les courageux au sommet : la vue offerte sur le Val di Cembra. Elle porte à l'ouest jusqu'au massif de Brenta dans les Dolomites.

⛰ **Piramidi di Segonzano**
Strada Statale 612 jusqu'à Cavalese.
🔲 *t.l.j.*

La cascate di Nardis près de Madonna di Campiglio

Madonna di Campiglio ⑫

🏔 1 300. 🚌 ℹ️ Via Pradalago 4 (0465 44 75 01). 🎪 juil.-août : mar.-jeu.

Principale station climatique du Val Meledrio entre les massifs de Brenta et d'Adamello, Madonna di Campiglio, équipée de remontées mécaniques permettant d'atteindre de nombreux sommets et un immense domaine skiable, constitue une base idéale d'où découvrir les paysages des Dolomites.

Aux environs :
À 14 km au sud, une fresque bien conservée datant de 1539 orne l'église de **Pinzolo**. Elle représente une *Danse macabre* commentée par un texte en dialecte local. Remonter vers le nord depuis Pinzolo permet de prendre à Carisolo la route qui pénètre à gauche dans le **Val Genova** et conduit dans un décor grandiose jusqu'à la **cascate di Nardis** d'une hauteur de 90 m. Les deux rochers au pied de la chute d'eau seraient des démons pétrifiés.

Trento ⑬

🏔 105 000. 🚆 🚌 ℹ️ Via Manci 2 (0461 216 000). 🎪 jeu. après-midi.

Trente, cité conjuguant les plaisirs de la ville et des sports de montagne, est la capitale de la région autonome du Trentin-Haut-Adige. Elle s'étend sur un site occupé dès la préhistoire. C'est à l'époque romaine qu'elle se développe sous le nom de Tridentum. Duché lombard au VIᵉ siècle, elle est dirigée de 1027 à 1803 par des princes-évêques.

Le concile qui s'y déroula à partir de 1545 la fit entrer dans l'histoire. En réaction au protestantisme, l'Église catholique y jeta en effet les bases de la Contre-Réforme qui lui donna son visage actuel. Une grande partie des séances se déroulèrent dans l'église Santa Maria Maggiore bâtie en 1520. Derrière son chevet, la via Colico rejoint la **via Belenzani**. Bordée de palais Renaissance de style vénitien, certains peints de fresques, celle-ci s'ouvre à droite sur la place principale, la **piazza Duomo** dominée par la **cathédrale** entreprise dans le style roman au début du XIIIᵉ siècle mais achevée seulement en 1515.

Sous le chœur se trouvent les vestiges d'une basilique paléochrétienne du VIᵉ siècle. Au centre de la place se dresse la fontaine de Neptune (XVIIIᵉ siècle) dont le trident rappelle l'origine du nom de la ville.

Cour intérieure du Magno Palazzo

🏛 Museo Diocesano Tridentino

Piazza Duomo 18. **Tél.** 0461 23 44 19. ⏱ mer.-lun. ⏺ 1er janv., 25 déc. 📷♿
Imposant bâtiment médiéval dominant la piazza Duomo, le **palazzo Pretorio** abrite ce musée diocésain qui présente notamment des tapisseries flamandes, des reliquaires émaillés du XIIIᵉ siècle et des souvenirs du concile de Trente.

♟ Castello del Buonconsiglio

Via Bernardo Clesio 5. **Tél.** 0461 23 37 70. ⏱ mar.-dim ⏺ 1er janv., 25 déc. 📷📶
Intégré dans les défenses de la ville, ce vaste corps de bâtiments réunit des constructions datant d'époques différentes. Au nord, le Castelvecchio surmonté du cylindre massif de la torre Grande remonte au XIIIᵉ siècle mais connut en 1475 un remaniement dans le style gothique vénitien. Au centre, le **Magno Palazzo** (1530) Renaissance servait de résidence aux princes-évêques. Il a conservé ses plafonds à caissons et une décoration somptueuse, notamment des fresques peintes en 1531-1532 par Gerolamo Romanino. Remarquez les nymphes et les satyres.

Le « château du Bon Conseil » abrite désormais le **Museo Provinciale** dont la section archéologique présente de belles pièces préhistoriques, étrusques et romaines. Les collections d'art comprennent des céramiques, des monnaies, des

Le palazzo Pretorio et le Duomo sur la place principale de Trente

Le mémorial de la campana dei Caduti à Rovereto

🏛 **Museo Storico
della Guerra**
Via Castelbarco 7. **Tél** *0464 43 81
00.* ☐ *mar.-dim.* ● *24, 25, 31
déc.,1er janv.* 🖼

🏛 **Museo Civico**
Borgo Santa Caterina 41. **Tél** *0464
43 90 55.* ☐ *mar.-dim.* ● *1er janv.,
Pâques, 5 août, 25 déc.* 🖼 ♿

🏛 **MART**
Corso Bettini 43. **Tél** *0464 45 41 67.*
☐ *mar.-dim.* 🖼 🖼 ♿ ☐ 🍴

♜ **Castel Beseno**
Besenello. **Tél** *0464 83 46 00.*
☐ *mars-nov. : mar.-dim.(déc.-fév. ;
sam. et dim.).* 🖼

sculptures sur bois du
XVe siècle et des tableaux
du XVIe au XVIIIe siècle.

À droite du Magno Palazzo,
la **torre dell'Aquila** de section
carrée contient des fresques
gothiques pleines de grâce
représentant les *Travaux des
mois* (vers 1400).

Aux environs : À l'ouest de
Trente, une route pittoresque
et sinueuse gravit le flanc nord
du **Monte Bondone**, dont elle
permet au retour, par **Vezzano**,
de découvrir le côté
occidental. De splendides
points de vue, en particulier à
Vaneze et Vason, jalonnent le
trajet.

À l'est de Trente, Pergine
marque l'entrée du **Val
Sugana**, large vallée ponctuée
de lacs. Dans les collines au
nord du lac de Levico, **Levico
Terme** est une belle station
thermale aux bâtiments
néoclassiques.

Rovereto ⑭

🏯 *33 000.* 🚉 🚌 ℹ *Corso
Rosmini 6 (0464 43 03 63).* 🗓 *mar.*

De féroces batailles se
déroulèrent près de Rovereto
pendant la Première Guerre
mondiale et la ville décida de
transformer en **Museo Storico
della Guerra** sa forteresse
médiévale datant de 1416 et
la tour dont la dota Venise en
1492. L'exposition aborde
l'histoire de la guerre sous
l'angle de l'espionnage, de la
propagande et de l'humour,
notamment à travers des
photos.

Près de l'entrée du musée,

des escaliers montent au toit
d'où la vue porte jusqu'à la
campana dei Caduti (« Cloche
des morts »). Faite du métal
de canons fondus après la
Seconde Guerre mondiale,
cette cloche (22 t) sonne tous
les soirs au coucher du soleil.

Sous le musée de la Guerre,
le **Museo Civico** présente des
collections d'art, de folklore,
d'archéologie et d'histoire
naturelle.

Le **museo di Arte
Contemporanea di Trento e
Rovereto (MART)** conçu par
Mario Botta expose des
œuvres d'art moderne italien.

Aux environs :
À 8 km au nord de Rovereto,
le **castel Beseno** coiffe une
colline à l'est. Cette forteresse
la plus grande de la région,
occupe une place stratégique
à la jonction de trois vallées
et connut plusieurs reconstructions du XIIe au XVIIIe siècle.
À 5 km au sud de Rovereto,
la route de Vérone longe un
grand éboulis, les « Lavini di
Marco » ou **Ruina Dantesca**
car Dante l'évoqua dans son
Enfer (XII, 4-9). Des
empreintes de dinosaures
ont été trouvées ici.

Le castello di Avio

Castello di Avio ⑮

Via Castello, Sabbionara d'Avio.
Tél *0464 68 44 53.* 🚌 🚉 *jusqu'à
Vo, puis 3 km de marche.* ☐ *mars-
sept. : mar.-dim. 10h-18h ; oct.-fév. :
mar.-dim. 10h-17h.* 🖼 ☐ ☐ 🍴

De tous les châteaux situés
dans la vallée de l'Adige et
jusqu'au col du Brenner,
celui-ci est le plus accessible.

Fondé au XIe siècle, mais
agrandi au XIIIe, la vue y est
superbe. Parmi les fresques à
sujets séculiers qui le
décorent, une série
particulièrement intéressante
montre dans la casa delle
Guardie (salle des gardes)
des scènes de bataille
au XIIIe siècle.

La forteresse du castel Beseno au nord de Rovereto

ITALIE DU NORD-OUEST

Italie du Nord-Ouest d'un coup d'œil

Le littoral escarpé que crée la montagne ligure au contact de la Méditerranée, la plaine fertile du Pô et les Alpes marquant la frontière avec la Suisse et la France donnent au nord-ouest de l'Italie des paysages variés restés pour certains inviolés. Sa riche histoire a en outre doté la région de nombreux monuments. Cette carte indique les sites les plus intéressants du Val d'Aoste, du Piémont, de la Ligurie et de la Lombardie.

Val d'Aoste

Parco Nazionale del Gran Paradiso

Basilica di Sant'Andrea, Vercelli

Le parc national du Grand-Paradis *protège, dans un cadre superbe, une faune et une flore rares* (p. 216-217).

Mole Antonelliana, Torino

VAL D'AOSTE ET PIÉMONT *(p. 210-229)*

Piémont

LIGURIE *(p. 230-243)*

Turin, *la capitale du Piémont, est une ville animée riche en édifices baroques. Devenue son emblème, la Mole Antonelliana en offre une vue magnifique* (p. 224).

À San Remo *ne manquent ni les palmiers ni le casino d'une station balnéaire typique de la Riviera. L'église russe ajoute une note d'exotisme supplémentaire* (p. 234).

Casino, San Remo

La basilica di Sant'Andrea *de Vercelli fut un des premiers grands édifices romans à incorporer des éléments gothiques* (p. 228).

◁ Façade à persiennes typique de la Ligurie, Santa Margherita Ligure

LOMBARDIE
(p. 186-209)

ola Bella,
o Maggiore

Duomo, Milano

*Certosa di
Pavia*

Portofino

L'isola Bella *est une île
enchanteresse sur le
romantique lac Majeur
proche du lac de Côme*
(p. 190-191).

Le Duomo de Milan, *hérissé
de flèches qui lui sont
caractéristiques, est l'un
des joyaux architecturaux
de la ville* (p. 193).

Portofino,
*ancien village
de pêcheurs au
fond d'une
baie, accueille
désormais
surtout des
yachts dans son
port* (p. 240).

La Certosa di Pavia, *chartreuse d'une beauté
rare, comprend une église gothique richement
décorée et dotée d'une magnifique façade
Renaissance* (p. 204-205).

0   50 km

Saveurs de l'Italie du Nord-Ouest

De la Ligurie méditerranéenne aux Alpes, à la plaine de
Lombardie et au Piémont, cette région se caractérise par
une cuisine nourrissante et copieuse. La Lombardie et
le Piémont sont, avec la Vénétie, les principales régions
productrices de riz d'Italie et le risotto est présent
partout. Les truffes blanches d'Alba constituent « l'or
blanc » du Piémont, tandis que les pâturages luxuriants
produisent l'une des meilleures viandes et nombre des
fromages les plus raffinés du pays. Le doux climat ligurien
est favorable aux olives et aux herbes, et les poissons
abondent en mer Méditerranée.

Basilic frais

**Les précieuses truffes aromatiques
du Piémont**

LOMBARDIE

Cette région est celle des
plats préparés *alla Milanese*,
riches en beurre, de l'*osso
buco* (jarret de veau), des
soupes de légumes et des
viandes bouillies *(bollito
misto)*. Du veau au bœuf et
du porc à la volaille, la
Lombardie produit les
meilleures viandes du pays,
mais elle symbolise aussi la

cucina povera (cuisine du
pauvre) dominée par la
polenta (bouillie de maïs),
qui constituait jadis l'aliment
de base des gens pauvres de
la campagne. Autre élément
de base, le riz à grain court
utilisé pour le risotto pousse
en quantité autour de Pavie,
en Lombardie, l'une des plus
grandes régions productrices
de fromage dont les célèbres
gorgonzola, mascarpone,
bitto et grana padano.

PIÉMONT ET VAL
D'AOSTE

La fondation « Slow Food »
a vu le jour dans le Piémont
en 1986. Elle a pour mission
de « défendre la biodiversité
des cuisines régionales,
de promouvoir les goûts et
les saveurs et de fédérer
les producteurs ». Slow
Food réunit quelque
100 000 adhérents dans
plus de 50 pays.

Grana Padano — Gorgonzola — Fontina — Bitto — Taleggio — Mascarpone

Succulent plateau de fromages du nord-ouest de l'Italie

PLATS RÉGIONAUX ET SPÉCIALITÉS

Le veau est particulièrement populaire en
Lombardie et dans le Piémont, l'*osso bucco*
faisant partie des plats favoris avec le
veau *alla milanese*. Parmi les autres
plats piémontais classiques, on peut
évoquer le *vitello tonnato*,
étonnant mélange de rôti de veau et
de thon froids servi avec des cornichons
et des câpres. La *buridda alla Genovese*
– soupe de poisson (ou ragoût) garnie de
moules, crevettes, poulpe, calmars et

Gianduiotti

palourdes – est, tout comme le pesto, un plat
traditionnel de Gênes. Les copeaux de truffe donnent au
risotto et au *fagiano tartufato* (faisan farci à la truffe
blanche et à la graisse de porc) une saveur particulière.
Le *panettone*, autre spécialité milanaise, est une
délicieuse brioche de Noël aux fruits confits.

Bagna Cauda *Mélange chaud
d'huile d'olive, d'anchois et
d'ail, dans lequel sont trempés
des légumes crus.*

Des cageots de poisson frais déchargés sur un quai ligurien

LIGURIE

L'huile d'olive de Ligurie, d'une qualité exceptionnelle, est utilisée dans la préparation de nombreux plats. À base de basilic, de pignons de pin, d'ail, d'huile d'olive, de pecorino et de parmesan râpé, le pesto est une sauce entrant dans de nombreux plats de pâtes. L'usage des herbes aromatiques est d'ailleurs typique de la cuisine ligurienne.

Dans cette région où la majorité des habitants vit sur la côte, les poissons et les fruits de mer sont plus cuisinés que la viande et les produits laitiers.

Les saveurs piémontaises sont robustes, riches, proches du terroir et teintées d'un parfum français.

Les rizières font de la ville de Vercelli la capitale européenne du riz ; le risotto à la truffe, préparé avec la variété blanche très prisée d'Alba, est un mets inoubliable.

Les montagnes sont célèbres pour leur fromage de lait de vache, notamment la fontina, fromage assez mou issu du Val d'Aoste, ses viandes salées, ses salamis, ses terrines et son gibier. Le Piémont produit aussi les meilleurs vins rouges du pays et les remarquables barolo et barbaresco servent souvent de marinade pour des plats de bœuf.

Les Turinois perpétuent la tradition de la fabrication du chocolat qui remonte au XVIIe siècle. Les plus célèbres sont les sublimes *gianduiotti*, fourrés de noisettes, en forme de lingot. Les *grissini*, bâtonnets de pain croustillants, ont vu le jour à Turin. On lui doit aussi le rite de *l'aperitivo*, le buffet substantiel qui accompagne un verre dans les bars de la ville entre 18 h et 20 h.

Une délicieuse focaccia, pain à l'huile d'olive de Ligurie

AU MENU

Agnolotti Raviolis en forme de croissant farcis de viande ou de légumes. Servis avec du *ragù* ou une sauce crémeuse.

Brasata al Barolo Viande braisée cuite à feu doux avec des légumes dans du barolo.

Lumache Escargots piémontais, les meilleurs provenant de Cherasco, servis soit dans un mélange d'ail et de beurre, soit dans une sauce à base d'huile d'olive, de tomates et d'ail.

Oca alla Piemontese Oie conservée dans sa graisse.

Risotto alla Milanese Plat de riz au safran, agrémenté de vin blanc, d'oignon et de parmesan.

Trenette con pesto *Plat ligurien de nouilles plates, arrosées d'une sauce au basilic, à l'ail et aux pignons.*

Osso Bucco *Jarret de veau milanais, braisé dans le vin blanc. L'os à moelle est un mets délicat.*

Zabaione *Dessert léger composé de jaunes d'œufs, de sucre et de marsala. Parfois servi en guise de boisson.*

Vins de l'Italie du Nord-Ouest

Le foulage du raisin, estampe médiévale

Des falaises de Ligurie jusqu'aux pentes alpines du Val d'Aoste, la vigne pousse partout dans cette partie de l'Italie. Les meilleurs vins proviennent des collines des Langhe au sud de Turin, origine de deux des meilleurs rouges de la péninsule : le barolo et le barbaresco. Crus de garde riches et charpentés, ils témoignent de l'intérêt porté ces dernières années à la vinification et des progrès permis par une saine utilisation des techniques modernes. Parmi les vins de table plus légers adaptés à la cuisine locale figurent le bolcetto et le populaire barbera. Célèbre mousseux, l'asti spumante est aussi une spécialité du Piémont.

Castiglione Falletto au cœur du Piémont

Le barbera d'Alba *est produit avec le cépage barbera si adaptable qu'il peut pousser sur des terrains très variés et donner aussi bien des vins légers et fruités que des crus riches et corpulents. Parmi les bons producteurs figurent Aldo Conterno, Voerzio, Pio Cesare, Altare, Gaja, Vaira et Vietti.*

Le dolcetto *peut provenir de sept régions différentes. Celui d'Alba associe un bouquet délicat et une belle robe rouge. À boire dans les deux premières années, il est en général frais et fruité, mais les meilleurs crus, tels ceux de Giuseppe Mascarello, offrent richesse et profondeur.*

LÉGENDE

☐	Barolo
☐	Barbaresco
☐	Autres régions vinicoles

0   25 km

Le barolo, *réputé pour la complexité de son bouquet et l'équilibre de ses tanins, est issu du cépage nebbiolo et exige parfois 20 ans de vieillissement. Produit seulement les meilleures années, le Vigna Colonello provient d'Aldo Conterno.*

La truffe blanche d'Alba ramassée dans les collines des Langhe se marie à merveille avec un bon barolo.

Carte :

Torino

Chieri

PIÉMONT

MONFERRATO

Canale

Barbares...

Alba

Bra

Saluzzo

Barolo   Castiglio... Falletto

Dogliani

Mondovi   LANGHE

Cuneo

Le moscato d'Asti issu d'un cépage fruité, le moscato, est excellent en apéritif ou comme vin de dessert. Doux et peu chargé en alcool, parfois légèrement pétillant, il offre le moyen idéal de se rafraîchir le palais après un robuste repas piémontais. Nous vous recommandons celui d'Aradilca servi bien frais.

CÉPAGES DU NORD-OUEST

De culture délicate, le cépage nebbiolo, qui donne deux des meilleurs rouges d'Italie, le barolo et le barbaresco, et quelques crus régionaux dans la Valtellina et au nord de Turin, exige une longue saison de maturation pour adoucir sa forte acidité.

Grappe de nebbiolo

Les bonnes années, il offre cependant dans les collines des Langhe des vins au bouquet complexe, amples en bouche et aux tanins structurés. Moins exigeants, le dolcetto et le barbera sont tous deux originaires de la région de Monferrato. Sauf pour les meilleurs, très proches des crus issus du nebbiolo, ils donnent en général des rouges plus légers et fruités. L'asti spumante se fabrique à partir du moscato, un cépage blanc dont les meilleures grappes sont réservées à la production du moscato d'Asti.

LIRE L'ÉTIQUETTE

Le nom du cru apparaît au centre : bricco est un terme local pour un bon vignoble de coteaux.

Nom du producteur

Emblème du producteur

Millésime

Degré

Contenance

Dénomination officielle ; ici un vin de table de la région des Langhe.

Nom et adresse de l'embouteilleur

Bons millésimes
Pour le barolo et le barbaresco : 1993, 1997, 1998, 2000, 2003.

Le barolo, *avant sa mise en bouteille, mûrit en fût au moins pendant deux ans, soit dans une grande botte traditionnelle, soit dans une barrique plus petite où il prend un goût de bois plus marqué.*

L'architecture de l'Italie du Nord-Ouest

Depuis la fin de l'époque romane où le style lombard connut une large diffusion, il n'existe plus dans le Nord-Ouest de ligne architecturale aussi significative que celles qui s'épanouirent à Venise, Florence ou même Rome. La région est au contraire parsemée d'édifices de styles variés, souvent des emprunts extérieurs : délicieux châteaux médiévaux, extraordinaires églises gothiques et Renaissance, surprenantes constructions baroques. Depuis son développement industriel, elle compte également de nombreux bâtiments tirant parti des possibilités offertes par les matériaux modernes. Certains, dans leur inspiration, jettent un pont entre passé et futur.

Castello Sforzesco, 1451-1466 (p. 192)

CARACTÉRISTIQUES DE L'ARCHITECTURE DE L'ITALIE DU NORD-OUEST

Double rang de remparts

Balcon en bois

Fenêtres étroites

Tour carrée massive

Tourelle

Créneaux

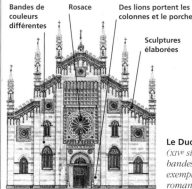

Le castello di Fénis, *forteresse du XIVᵉ siècle à l'asymétrie marquée, est l'un des plus beaux châteaux du Val d'Aoste. De superbes fresques décorent l'intérieur (p. 215).*

Bandes de couleurs différentes

Rosace

Des lions portent les colonnes et le porche

Sculptures élaborées

Rosace

Tambour octogonal inspiré du Duomo de Florence

La cappella Colleoni, *(1476) de Bergame présente une exubérante décoration Renaissance (p. 201).*

Façade très décorée

Motifs en marbres polychromes

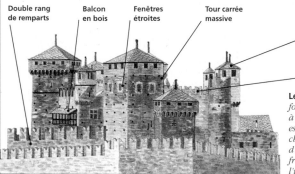

Le Duomo de Monza *(XIVᵉ siècle) offre, avec ses bandes polychromes, un exemple typique du style roman lombard (p. 201).*

Proportions imposantes

Entourages de fenêtre ouvragés

Rotonde

Balcon

Mur curviligne

Le palazzo Carignano *est peut-être la plus belle réussite de l'école baroque turinoise. Guarini lui a donné en 1679 une façade très animée rythmée par une belle rotonde (p. 223).*

OÙ VOIR L'ARCHITECTURE DU NORD-OUEST

Beaucoup de châteaux médiévaux (*p. 214*) jalonnent la route d'Aoste, et la Lombardie renferme des églises romanes et gothiques superbes, comme à Monza (*p. 201*), Pavie (*p. 203*), Milan (*p. 192-201*) et Côme (*p. 190-191*). Visiter la chartreuse de Pavie (*p. 204-205*) et de la charmante ville de Mantoue (*p. 207*) s'impose. L'originalité de l'école baroque de Turin (*p. 220-224*) est réputée, tout comme l'exubérance de Bergame. L'architecture des deux derniers siècles a surtout marqué Milan et Turin, mais Gênes a entrepris d'intéressants projets de modernisation portuaire.

Grue (1992) par Renzo Piano dans le port rénové de Gênes

ARCHITECTURE DU XIXᵉ ET DU XXᵉ SIÈCLES

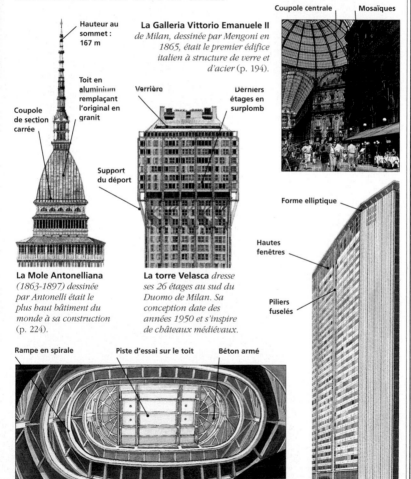

Coupole centrale   Mosaïques

La Galleria Vittorio Emanuele II
de Milan, dessinée par Mengoni en 1865, était le premier édifice italien à structure de verre et d'acier (p. 194).

Hauteur au sommet : 167 m

Toit en aluminium remplaçant l'original en granit

Coupole de section carrée

Verrière

Derniers étages en surplomb

Support du déport

La Mole Antonelliana *(1863-1897) dessinée par Antonelli était le plus haut bâtiment du monde à sa construction* (p. 224).

La torre Velasca *dresse ses 26 étages au sud du Duomo de Milan. Sa conception date des années 1950 et s'inspire de châteaux médiévaux.*

Forme elliptique

Hautes fenêtres

Piliers fuselés

Rampe en spirale   Piste d'essai sur le toit   Béton armé

Le lingotto de Turin, *construit de 1915 à 1918 pour abriter une usine Fiat fut le premier bâtiment moderne d'importance en Italie. La structure de la rampe qui conduit au toit imite celle de la coupole baroque de l'église San Lorenzo par Guarini.*

L'immeuble Pirelli, *élégant gratte-ciel de Milan par Ponti et Nervi, date de 1959.*

LOMBARDIE

Occupant au nord plus du tiers de la Lombardie, les Alpes, creusées par les superbes lacs – lac de Côme et lac Majeur –, dévalent de la frontière suisse jusqu'à la plaine du Pô. C'est là, au carrefour entre l'Orient et l'Occident et entre l'Europe du Sud et celle du Nord, que s'est développé autour de Milan le centre économique de l'Italie. Dans les villes, le luxe des palazzi et de la décoration des églises témoigne de la richesse de la région.

D'origine germanique, les Lombards (ou Logombards) qui ont donné son nom à la région envahissent l'Italie au VIe siècle et établissent leur capitale à Pavie. Charlemagne les bat au VIIIe siècle et annexe leur territoire. Au Moyen Âge, les habitants de l'actuelle Lombardie profitent de la prospérité que leur donne une position privilégiée entre la Vénétie et la France, et sur la route menant vers l'Europe du Nord par le col du Gothard, pour accroître leur autonomie.

Au XIIe siècle, malgré leurs rivalités, les principales cités fondent la Ligue lombarde qui bat l'empereur germanique Frédéric Barberousse en 1176. De puissantes familles patriciennes s'emparent du pouvoir.

À Milan, ce sont les Visconti puis les Forza, deux dynasties qui étendent leur autorité sur les villes voisines entre les XIVe et XVIe siècles.

Mécènes éclairés, ils financent œuvres d'art, palais et églises. Beaucoup parent encore des villes comme Bergame, Mantoue, Crémone... Sans parler de Milan où se trouve la fresque de la *Cène* de Léonard de Vinci (*p. 200*).

Mais la Lombardie n'offre pas seulement au visiteur le plaisir de découvrir ces trésors artistiques et historiques. Les stations de villégiature du lac de Côme et du lac Majeur attirent depuis des siècles poètes, aristocrates et joueurs, tandis que les montagnes recèlent des paysages magnifiques encore sauvages.

La Galleria Vittorio Emanuele II à Milan

◁ Au bord du lac de Côme au sud-ouest de Bellagio

À la découverte de la Lombardie

La Lombardie est une région de contrastes. Au nord, les Alpes s'élèvent jusqu'à plus de 3 000 m et offrent aux skieurs et aux randonneurs de vastes espaces sauvages et pour certains protégés comme dans le Parco Nazionale dello Stelvio autour de Bormio, de Sondrio et de Val Camonica. Au pied des montagnes, le lac de Côme et le lac Majeur jouissent à la fois d'un cadre magnifique et d'un climat privilégié. La plaine du Pô a vu se développer le poumon industriel de l'Italie autour de Milan. Elle devient toutefois plus agricole en descendant vers le sud, là où des villes comme Pavie, Crémone et Mantoue proposent leurs merveilles architecturales et artistiques.

L'isola Bella sur le lac Majeur

LA RÉGION D'UN COUP D'ŒIL

La façade colorée
de la capella Colleoni
à Bergame

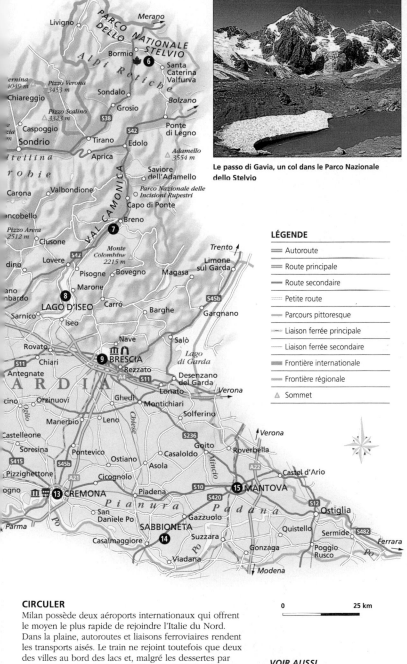

Le passo di Gavia, un col dans le Parco Nazionale dello Stelvio

LÉGENDE

▬▬	Autoroute
▬▬	Route principale
▬▬	Route secondaire
═══	Petite route
▬▬	Parcours pittoresque
▬▬	Liaison ferrée principale
▬▬	Liaison ferrée secondaire
▬▬	Frontière internationale
▬▬	Frontière régionale
△	Sommet

CIRCULER

Milan possède deux aéroports internationaux qui offrent le moyen le plus rapide de rejoindre l'Italie du Nord. Dans la plaine, autoroutes et liaisons ferroviaires rendent les transports aisés. Le train ne rejoint toutefois que deux des villes au bord des lacs et, malgré les dessertes par autocars ou par bateaux, la voiture se révèle le moyen le plus pratique pour circuler sur leurs rives. C'est encore plus vrai pour se déplacer en montagne où les visiteurs trouvent néanmoins un bon équipement touristique.

0   25 km

VOIR AUSSI

• **Hébergement** p. 567-571

• **Restaurants** p. 615-618

Lago di Como ❶

Les hauts sommets qui dominent le lago di Como (lac de Côme), long de 50 km et profond par endroits de 400 m, ne lui donnent pas qu'un cadre spectaculaire. En arrêtant les vents, ils créent en outre un climat particulièrement doux où citronniers et plantes exotiques parent les jardins des belles villas bâties au bord de l'eau. Aux pointes sud des bras formés par le lac, Côme et Lecco sont deux villes prospères.

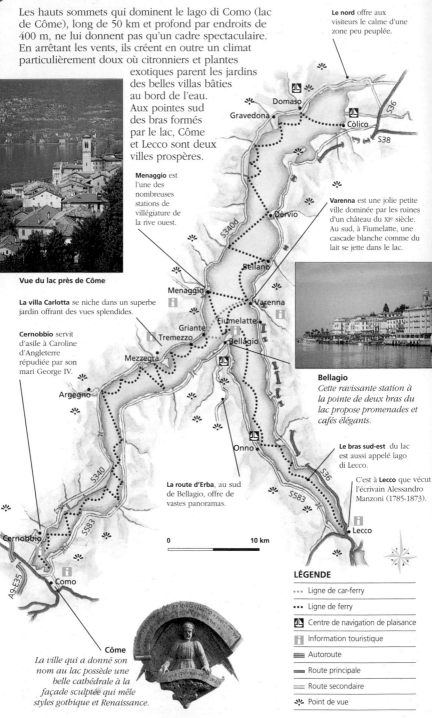

Vue du lac près de Côme

Le nord offre aux visiteurs le calme d'une zone peu peuplée.

Menaggio est l'une des nombreuses stations de villégiature de la rive ouest.

La villa Carlotta se niche dans un superbe jardin offrant des vues splendides.

Cernobbio servit d'asile à Caroline d'Angleterre répudiée par son mari George IV.

Varenna est une jolie petite ville dominée par les ruines d'un château du XIe siècle. Au sud, à Fiumelatte, une cascade blanche comme du lait se jette dans le lac.

Bellagio
Cette ravissante station à la pointe de deux bras du lac propose promenades et cafés élégants.

Le bras sud-est du lac est aussi appelé lago di Lecco.

C'est à **Lecco** que vécut l'écrivain Alessandro Manzoni (1785-1873).

La route d'Erba, au sud de Bellagio, offre de vastes panoramas.

0   10 km

Côme
La ville qui a donné son nom au lac possède une belle cathédrale à la façade sculptée qui mêle styles gothique et Renaissance.

LÉGENDE

••• Ligne de car-ferry

••• Ligne de ferry

Centre de navigation de plaisance

Information touristique

Autoroute

Route principale

Route secondaire

Point de vue

Pour les hôtels et les restaurants de la région, voir p. 567-571 et 615-618

MODE D'EMPLOI

FS Como, Lecco. ⊞ ⛴ toutes
villes. ℹ P. Cavour 17, Como
(031 26 97 12) ; Via Sauro 6,
Lecco (0341 295 720).
www.lakecomo.org

Copie (1834) par Tadoline de l'*Éros
et Psyché* de Canova à la villa Carlotta

À la découverte du
lac de Côme

Au cœur de **Côme**, la piazza
Cavour s'étend au bord du
lac. Par la via Plinio, on
rejoint le **Duomo** entrepris au
XIVe siècle et orné de
peintures et de reliefs des XVe
et XVIe siècles. Élevée au
XVIIIe siècle, sa coupole
octogonale est de Juvarra, le
célèbre architecte baroque de
Turin. Le Broletto (hôtel de
ville) et la torre del Comuna,
commencés en 1215, mêlent
styles roman et gothique.

À Tremezzo, la **villa
Carlotta**, élégante résidence
du XVIIIe siècle ornée de
sculptures, accueille ballets et
concerts. Un somptueux
jardin fleuri de rhododen-
drons et d'azalées l'entoure.

Petite cité industrielle au
débouché de l'Adda, à la
pointe sud-est du lac, **Lecco**
est surtout connue grâce à
Alessandro Manzoni (1785-
1873). L'écrivain passa son
enfance dans la **Casa Natale
di Manzoni**, aujourd'hui
transformée en musée, et il
situa dans la ville une partie
de son roman *Les Fiancés*.

🏛 **Villa Carlotta**
Via Regina 2B, Tremezzo. **Tél** 0344
404 05. ◯ 15 mars.-oct. : t.l.j. 9h-
18h (mars et oct. 9h-12h, 14h-16h30)
📷 **www**.villacarlotta.it

🏛 **Casa Natale di Manzoni**
Via Guanella 1, Lecco. **Tél** 0341 48 12
47. ◯ mar.-dim. 9h-17h30 ⬤
1er janv., Pâques, 1er mai, 15 août,
25 déc. 📷

Lago Maggiore ❷

Verbania. FS ⊞ ⛴ Stresa,
Verbania, Baveno et les îles.
ℹ Piazza Marconi 16, Stresa (0323
301 50). **www**.distrettolaghi.it

À la frontière entre la
Lombardie et le Piémont, le
lac Majeur s'étend sur 65 km
et s'enfonce dans les Alpes
jusqu'en Suisse. Ses stations
climatiques possèdent une
ambiance détendue et offrent
des paysages romantiques.
Une promenade en bateau
représente un moyen
agréable de les
découvrir. Sur les
rives abonde la
verveine qui lui valut
le nom de lacus
Verbanus à l'époque
romaine, et des
plantes exotiques,
dont la douceur du
climat a permis
l'implantation.

La puissante famille
Borromée a longtemps
régné sur la région.
Elle a donné un saint
à l'église catholique,
le cardinal San Carlo
Borromeo dont une
statue colossale en
cuivre se dresse au-
dessus de la ville
d'**Arona** où il naquit
en 1538. Un escalier
intérieur permet de grimper
jusqu'à la vue offerte par les
trous des yeux et des oreilles.

Longeant la côte
occidentale, la N 33 conduit
au nord à **Stresa**, qui abrite
grands hôtels, villas élégantes
et beaux jardins. Un
funiculaire permet d'atteindre
le sommet du mont Mottarone
d'où la vue porte jusqu'au

Statue de Carlo
Borromeo à Arona

mont Rose et Milan.

Sur les **îles Borromées**, en
face de Stresa, jardins et
édifices ajoutent à la beauté
naturelle des sites. Sur l'**isola
Bella** s'étend le **palazzo
Borromeo** (XVIIe siècle),
somptueuse résidence
baroque qu'entoure un parc
en terrasses orné de statues,
de fontaines et de grottes
artificielles. Un jardin
botanique occupe la majeure
partie de l'isola Madre, tandis
que l'isola dei Pescatori a
conservé son aspect
traditionnel. L'île
privée de San
Giovanni est la plus
petite et sa villa a
appartenu à Arturo
Toscanini
(1867-1957).

De belles villas se
dressent vers la
frontière suisse,
notamment la **villa
Taranto**, à côté de
Verbania, dont le
jardin abrite une
collection de
plantes exotiques.
À 3 km à l'ouest de
Cannobio, la gorge
et la cascade de
l'orrido di Santa
Anna peuvent aussi
s'atteindre en
bateau.

🏛 **Palazzo Borromeo**
Isola Bella. ⛴ depuis Stresa.
Tél 0323 305 56. ◯ 15 mars-
oct. : t.l.j. 9h-17h30 📷
www.borromeoturismo.it

🏛 **Villa Taranto**
Via Vittorio Veneto III, Verbania,
Pallanza. **Tél** 0323 55 66 67.
◯ 15 mars-oct. t.l.j. 📷 ♿

Le palazzo Borromeo (XVIIe siècle) et son jardin sur l'isola Bella du lac Majeur

Milano ❸

Détail du Duomo

Centre italien de la mode, de la finance, de l'industrie et, récemment, des scandales politiques, Milan, où règne une atmosphère affairée, est une ville plus élégante que réellement belle. Elle doit son nom aux vocables latins *medio* et *planum* signifiant « milieu de la plaine ». Fondée au Vᵉ siècle av. J.-C. par les Celtes, conquise par les Romains, elle n'a cessé de jouer un rôle commercial de premier plan. Aujourd'hui, c'est le meilleur endroit en Italie où la vie cosmopolite reflète l'Union européenne.

Portrait de jeune femme de Pollaiuolo, Museo Poldi-Pezzoli

♣ Castello Sforzesco

Piazza Castello. **Tél** 02 88 46 37 00. **Castello** ◯ t.l.j. **Musei del Castello** ◯ mar.-dim. 9h-17h30 ◉ j.f. ◪ ♿ www.milanocastello.it
Ce sont les Visconti qui bâtirent le premier château sur ce site, mais à la fin de leur règne, au XVᵉ siècle, le nouveau maître de Milan, Francesco Sforza, le fit démolir pour construire le palais Renaissance actuel à l'intérieur raffiné. L'édifice s'organise autour de plusieurs cours dont la plus gracieuse, la Rochetta, est une œuvre de Bramante et de Filarete. Il abrite aujourd'hui des musées consacrés aux arts décoratifs, à l'archéologie et à la numismatique, ainsi que les **Musei del Castello**. Ces riches collections d'art municipales comprennent de superbes meubles anciens, un bel

La *Pietà Rondanini* (v. 1564) de Michel-Ange au castello Sforzesco

ensemble de tableaux peints de la Renaissance au XVIIIᵉ siècle et la *Pietà Rondanini*, dernière sculpture, inachevée, de Michel-Ange.

🏛 Museo Poldi-Pezzoli

Via Alessandro Manzoni 12. **Tél** 02 79 48 89. ◯ mar.-dim 10h-18h. ◪ www.museopoldipezzoli.it
À sa mort en 1879, le riche amateur d'art Giacomo Poldi-Pezzoli légua à l'État sa magnifique collection ainsi que l'hôtel particulier néogothique où elle se trouve aujourd'hui. Si le *Portrait de jeune femme* (XVᵉ siècle) d'Antonio Pollaiuolo est le plus célèbre des tableaux présentés, le visiteur découvrira aussi des œuvres de Piero della Francesca, Botticelli et Mantegna. Porcelaines, verrerie, argenterie, émaux et bijoux constituent un bel ensemble dédié aux arts décoratifs.

MILAN D'UN COUP D'ŒIL

Légende des symboles
voir le rabat arrière de couverture

♦ Teatro alla Scala

Piazza della Scala. **Tél** 02 85 45 62 16.
Location Tél 02 72 00 37 44. ♿
Museo Teatrale *Largo Ghiringhelli 1
(Piazza Scala)* **Tél** 02 88 79 24 73. ⬜
t.l.j. 9h-12h, 13h30-17h ♿ ▢ ▢
www.teatroallascala.org

Inaugurée en 1778, la Scala,
le plus prestigieux opéra du
monde, occupe un édifice
néoclassique de Giuseppe
Piermarini. L'élite internationale de l'art lyrique s'y
produit et il faut réserver sa
place très longtemps à

Façade néoclassique du Teatro
alla Scala

MODE D'EMPLOI

🗺 *1465000.* ✈ *Malpensa
50 km au N.-O. ; Linate 8 km à
l'E.* FS *Stazione Centrale, P. Duca
d'Aosta.* 🚍 *P. Freud.* 🛈 *P. del
Duomo 19 (02 77 40 43 43)
Stazione Centrale (02 77 40 43 19).*
📅 *t.l.j.* 🎉 *7 déc. Sant'Ambrogio.*
www.provincia.milano.it

🛈 Duomo

Piazza del Duomo. **Tél** 02 86 46 34
56. ⬜ *t.l.j.* **Fouilles du Baptistère**
⬜ *9h-17h.* **Trésor** ⬜ *lun.-ven.
9h30-13h, 14h-18h ; sam. 9h30-
11h30, 14h-17h ; j.f. 13h30-16h.*
Terrasse ⬜ *9h-17h45 (nov.-fév. :
16h15).* ♿ 🎫 *pour le toit.*
www.duomomilano.it

La gigantesque cathédrale de
Milan est l'une des plus vastes
églises gothiques du monde.
Entamée en 1386 par Gian
Galeazzo Visconti, elle ne fut
achevée que cinq siècles plus
tard sur ordre de Napoléon.

Sur son toit s'élèvent
135 flèches et plus de
2 000 statues. La terrasse
en offre une belle vue. La
galerie de la grande flèche
ménage par temps clair
un panorama s'étendant
jusqu'aux Alpes.

Commencée en 1616 et
terminée, pour l'essentiel, en
1809, la façade, restaurée en
2007, présente un mélange de
styles gothique et baroque. Les
panneaux de bronze des
portes datent du XXe siècle.
L'intérieur, séparé en cinq
nefs par d'énormes piliers,
baigne dans la lumière
diffusée par des vitraux
exécutés, pour les plus
anciens (nefs
latérales), aux XVe
et XVIe siècles. Dans
les entrelacs des
fenêtres de l'abside
apparaît l'emblème
des Visconti : un
serpent avalant un
homme. Dans le
transept, près du
tombeau de Jean-
Jacques de Médicis,
se dresse une statue
du XVIe siècle
représentant saint
Barthélemy
écorché. Le trésor
comprend de belles
pièces d'orfèvrerie
religieuse.

ONTACCIO
VIA DE FATEBENEFRATELLI
VIA FIORI OSCURI
VIA DELL'ANNUNCIATA
FS Stazione Centrale
2 km
Museo del
Risorgimento
Porta
Nuova
2 Pinacoteca
di Brera
Orto
Botanico
VILLA BELGIOJOSO
BONAPARTE, MUSEO
DELL'OTTOCENTO
VIA D. CARMINE
Montenapoleone M
MONZA
BERGAMO
Museo Bagatti
Valsecchi
VIA DELL'ORSO
VIA MONTE DI PIETA
3 Museo
Poldi-Pezzoli
Museo
di Milano
VIA LAURO
Casa del
Manzoni
Teatro
alla Scala **4**
Casa degli
Omenoni
S. Fedele
San
Babila
Palazzo
Marino
PIAZZA
MATTEOTTI CORSO MONFORTE
S.BABILA
M Cordusio
S. Fedele
PIAZZA
MEDA
M San Babila
PIAZZA
CORDUSIO MERCANTI
PIAZZA
FEDELE
CORSO VITTORIO EMANUELE II
VIA BORGOGNA
5 Galleria
Vittorio
Emanuele II
PIAZZA
DIAZ
CORSO EUROPA
acoteca
rosiana
M Duomo
9
San
Satiro **8**
M Duomo
6 Duomo
PIAZZA
DEL DUOMO
PIAZZA
BECCARIA
PIAZZA
FONTANA
🛈 M ARCIVESCOVADO
7 Palazzo
Reale
LARGO
AUGUSTO
Milano Linate
8 km
PIAZZA
DIAZ
PIAZZA
S.STEFANO
PIAZZA
MISSORI
Torre
Velasca
M
Missori
Ca' Grande
(Università
Statale)
San Nazaro
Maggiore
PIAZZA
SAN
NAZARO
A CROCEFISSO
SOFIA
E ARMI
VIA SANTA

l'avance ou tenter d'obtenir
l'un des 140 billets vendus
chaque soir 2 h avant le
spectacle. Le **museo Teatrale**
voisin expose décors,
accessoires et costumes,
portraits et souvenirs de chefs
d'orchestre. La visite permet
de voir la salle de la Scala,
ses dorures et son lustre.

Le Duomo gothique hérissé de flèches

À la découverte de Milan

La ville a grandi en cercles concentriques autour du Duomo, et l'ancien centre médiéval regroupe la plupart des musées et des édifices intéressants. C'est là que les grands couturiers tiennent boutiques et que se concentrent les galeries d'art, notamment près de la pinacoteca di Brera, un quartier réputé pour sa vie nocturne.

Coupole de la verrière de la Galleria Vittorio Emanuele II

🏛 Galleria Vittorio Emanuele II

Entrées principales sur la piazza del Duomo et la piazza della Scala.
Giuseppe Mengoni dessina en 1865 cette vaste galerie marchande en forme de croix latine surnommée *Il Salotto di Milano* (le salon de Milan). Malgré un début tragique – son architecte se tua en tombant d'un échafaudage avant l'inauguration en 1877 –, le passage couvert est devenu le centre de la vie sociale de la ville et une foule animée fréquente été comme hiver ses boutiques et ses cafés chic, tel que *Savini*, l'un des cafés historiques de Milan.

Vaste place octogonale, le centre de la Galleria est orné de mosaïques représentant l'Art, l'Agriculture, la Science, l'Industrie, ainsi que les quatre continents. Haute de 47 m, sa verrière fut la première structure d'Italie où le fer et le verre n'avaient pas une fonction strictement ornementale.

Les signes du zodiaque décorent le sol. Les Milanais ne manquent jamais de poser le pied sur le sexe du Taureau dessiné sur la place centrale dans l'espoir de voir un vœu exaucé.

🏛 Palazzo Reale

Piazza del Duomo . **Tél** *02 87 56 72*
⬤ *Museo della Reggia.* ♿
Cet ancien palais royal qui fut pendant des siècles la demeure des Visconti et des familles nobles qui régnèrent sur la ville, abrite aujourd'hui le **Museo della Reggia**. Dans un cadre aux intérieurs somptueux, il présente les quatre périodes historiques du palais, dont la période néoclassique et celle du Risorgimento. C'est aussi un lieu prestigieux accueillant des expositions temporaires.

En 2010, le musée d'Art moderne ouvrira ses portes dans l'Arengario (le bâtiment contigu au palais, à l'ouest), en cours d'aménagement. De nombreuses œuvres italiennes du XXe siècle sont pour le moment exposées à la Galleria d'Arte Moderna de la Villa Belgiojoso Bonaparte.

🏛 Villa Belgiojoso Bonaparte - Museo dell'Ottocento e Galleria d'Arte Contemporanea

Villa Belgiojoso Bonaparte, Via Palestro 16. **Tél** *02 76 34 08 09.*
⬤ *mar.-dim. 9h-13h, 14h-17h30.*
♿ **www**.gam-milano.com
Cette villa néoclassique fut construite en 1790 pour le comte Lodovico Barbiano de Belgiojoso sur un projet de Léopold Pollack.
Napoléon y séjourna en 1802, et plus tard, le comte Joseph Radetzky. La villa présente les grands mouvements de l'art italien du XIXe siècle de même que les collections Grassi et Vismara portant sur l'art italien des XIXe et XXe siècles, ainsi que le musée Marino Marini consacré au sculpteur.
On s'arrêtera sur les œuvres de Giorgio Morandi (1890-1964), de Carlo Carrà (1881-1996), ou encore de Modigliani (1884-1920), et pour les artistes étrangers sur celles de Van Gogh, Cézanne, Gauguin, Picasso, Matisse, Klee, Mondrian et Kandinsky.

Nature morte (1920) de Giorgio Morandi au Museo d'Arte Contemporanea

Corbeille de fruits (v. 1596) du Caravage à la Pinacoteca Ambrosiana

🏛 Pinacoteca Ambrosiana

P. Pio XI 2. **Tél** 02 80 69 21.
◯ mar.-dim. : 10h-17h 🅿
www.ambrosiana.it
Le palazzo Ambrosiana abrite
la superbe bibliothèque du
cardinal Borromée et les
30 000 manuscrits qu'elle
comptait à sa mort en 1618.
Elle possède aussi
700 000 ouvrages : une *Iliade*
illustrée du Ve siècle, une
édition de 1353 de la *Divine
Comédie* de Dante et le *Codex
Atlanticus* (XVe siècle) de
Léonard de Vinci.
La pinacothèque comprend
des œuvres de la Renaissance,
dont un *Portrait de musicien*
par Vinci (1452-1519), un
délicat *Portrait de jeune
femme* de son élève da
Predis, la *Vierge au baldaquin*
de Botticelli (1445-1510), la
Corbeille de fruits du
Caravage (v. 1573-1610), et
des peintures de l'école
vénitienne : Tiepolo, Titien,
Giorgione, Bassano.
Autres perles : le carton de
Raphaël pour sa fresque de
l'*École d'Athènes* (1509-1510)
au Vatican et des panneaux
muraux de la fin du XVe siècle
par le Lombard Bergognone.

🏠 San Satiro

Via Speronari 3. **Tél** 02 87 46 83.
◯ t.l.j. 7h30-11h30, 13h30-17h30.
Cette église discrète, l'un
des plus beaux édifices
Renaissance de Milan,
se dresse à l'emplacement
d'un sanctuaire du IXe siècle
dont ne subsistent que
le campanile et une partie
de la cappella della Pietà

(au fond du transept droit),
notamment des fragments
de fresques.
Dessiné par Bramante
à la fin du XVe siècle, le reste
de l'édifice paraît avoir un
plan en croix grecque.
Il ne s'agit que d'une illusion :
l'exiguïté du terrain
disponible obligea l'architecte
à jouer de la perspective et
des stucs pour créer un
chœur en trompe l'œil.
Une frise en terre cuite orne
le baptistère orthogonal.
La façade ne fut achevée
qu'au XIXe siècle.

🏛 Civico Museo Archeologico

Corso Magenta 15. **Tél** 02 88 46
57 20. Ⓜ 1, 2 Cadorna. 🚊 16, 19.
🚌 18, 50, 58. ◯ mar.-dim 9h-13h,
14h-17h30. ♿ (téléphoner à
l'avance). Ø 🅿
À l'entrée de ce musée,
trônent une énorme pierre
du Val Camonica ornée de
gravures de l'âge du bronze
et une maquette du Milan
romain. L'exposition
commence dans un hall situé
sur la droite, contenant des

objets en argile et des
sculptures romaines.
Cette salle abrite également
deux des principales œuvres
du musée : le Parabiago
Patera et la Diatreta Cup.
La Patera est une assiette en
argent ornée de dorures et
d'un relief de la déesse
Cybèle (IVe siècle).
La Diatreta Cup, qui date de
la même période, est une
pièce unique de verre coloré,
ornée d'une décoration
complexe finement travaillée.
Dans la cour, le Torre di
Ansperto est une tour
romaine issue des anciennes
fortifications maximiniennes.
Le sous-sol abrite une
collection de vases attiques à
figures rouge et noire, ainsi
que des reliques étrusques.

🍀 Parco Sempione

Piazza Castello–Piazza Sempione
Ⓜ 1 Cadorna, Cairoli, 2 Lanza,
Cadorna. 🚊 Ferrovie Nord, Cadorna.
🚊 1, 3, 4, 12, 14, 27, 29, 30.
🚌 43, 57, 61, 70, 94. ◯ mars-avr :
6h30-21h ; mai : 6h30-22h ; juin-
sept. : 6h30-23h30 ; oct. : 6h30-
21h ; nov.-fév. : 6h30-20h.
Malgré ses 47 ha, ce parc
ne couvre qu'une partie de
l'ancien jardin ducal Visconti,
agrandi par les Sforza au
XVe siècle pour former une
réserve de chasse de 300 ha.
Le plan actuel du jardin fut
conçu dans le style d'un
jardin anglais par Emilio
Alemagna entre 1890 et 1893.
On peut y voir les
monuments de Francesco
Barzaghi dédiés à
Napoléon III, la construction
métaphysique de De Chirico
Bains mystérieux, la fontaine
à eau sulfureuse et la Torre
Branca, tour réalisée avec
des tubes d'acier par Gio
Ponti en 1932.

Vue du Parco Sempione avec l'Arco della Pace en arrière-plan

Faire des achats à Milan

À Milan, l'une des villes les plus riches d'Italie, le shopping est synonyme de haute couture. Ici, les enseignes à la mode rivalisent d'élégance et de sophistication, surtout dans le centre-ville, et l'on se délecte autant à regarder les vitrines qu'à acheter. Milan possède par ailleurs de nombreuses boutiques indépendantes proposant les styles les plus variés. Les boutiques de designers regorgent de trésors originaux, qui sont autant d'idées de cadeaux. Milan possède également d'excellentes *pasticcerie* (pâtisseries), où l'on peut acheter de délicieuses pâtisseries traditionnelles, typiques de la région.

OÙ FAIRE LES BOUTIQUES

Tous les créateurs de mode possèdent un magasin dans le célèbre « quadrilatère de la mode », entre la via Montenapoleone, la via della Spiga, la via Manzoni et la via Sant'Andrea.

Les amoureux de design d'intérieur arpenteront la via Durini, et les amateurs d'antiquités chineront dans Brera et Navigli où se tiennent des marchés tous les mois.

À Milan, il est préférable de téléphoner au préalable pour vérifier les horaires d'ouverture des magasins. Les boutiques non alimentaires sont souvent fermées le lundi matin et les magasins d'alimentation le lundi après-midi. Les grands magasins restent ouverts toute la journée, avec parfois une pause déjeuner. Les magasins sont fermés le dimanche, excepté durant la période précédant Noël et pendant les principaux défilés de mode.

CRÉATEURS DE MODE

Milan est l'une des capitales de la mode. Outre les couturiers les plus connus, comme **Dolce & Gabbana, Giorgio Armani, Gucci, Prada** et **Hugo Boss**, on découvre aussi de plus petits magasins de créateurs. Pour avoir un aperçu des nouveautés, rendez-vous dans des boutiques multimarques, telle que **Banner**. Pour les vêtements dernier cri, **Amedeo D** est incontournable, ainsi que le quartier du

Corso di Porta Ticinese. Les créateurs qui montent se rassemblent autour du corso Garibaldi et du corso Como. Outre des vêtements et accessoires à la mode, **10 Corso Como** héberge une librairie, un magasin de disques, une galerie d'art, un café et un restaurant, et même un excellent Bed & Breakfast. Un spa est aussi intégré à la boutique de **Gianfranco Ferrè**. La plupart des créateurs proposent des vêtements d'homme et de femme. Parmi les boutiques pour homme, on peut citer **Pal Zileri, Ermenegildo Zegna** et **Corneliani**.

PRÊT-À-PORTER

Les magasins d'usine des grands couturiers vendent des articles de second choix et de la précédente saison à des prix dégriffés chez **Salvagente** et **DMagazine**. De nombreux créateurs ont aussi leur propre boutique de fabricant : les amateurs de Max Mara peuvent ainsi se rendre chez **Diffusione Tessile**.

Les principaux grands magasins milanais sont **La Rinascente** qui diffuse les grands noms de la mode et **Coin**, qui propose des marques de vêtements moins connues, ainsi que des sacs à main, des bijoux et des articles pour la maison. **Oviesse** propose des vêtements pour toute la famille. Parcourez également le corso Vercelli ou le marché de viale Papiniano, à l'extrémité de la piazza Sant'Agostino, qui a lieu le samedi de 8 h 30 à 17 h.

ACCESSOIRES

Les sacs à main, chaussures, chapeaux et bijoux, vrais ou fantaisie, sont nombreux à Milan. Des chaînes de magasins, telles que **Furla** et **Coccinelle**, offrent un large choix de sacs, tandis que **René Caovilla** propose d'élégantes chaussures à talon et **Tod's** et **Hogan** des chaussures plus confortables. **Garlando** possède de nombreux modèles classiques ; **Ghigodonna** est spécialisé dans les chaussures chic et les grandes tailles. **Borsalino** est synonyme de chapeaux et de perruques raffinés.

Le « quadrilatère de la mode » héberge aussi de grands bijoutiers, comme **Frederico Buccellati, Bulgari** et **Pianegonda**.

ALIMENTATION ET VINS

Peck rassemble sur trois étages les meilleurs vins et mets que l'on peut trouver en Italie. **Giovanni Galli Marroni e Canditi** propose des friandises enrobées de chocolat uniques en leur genre.

High Tech est une véritable mine d'or pour les ustensiles de cuisine, les assiettes ou encore les articles de coutellerie.

DÉCORATION, LIVRES ET CADEAUX

Milan est le berceau du design et des meubles de créateur. De nombreux magasins de qualité sont réunis autour de la piazza San Babila, entre autres, **Cassina** et B&B. Pour l'éclairage, rendez-vous chez **Flos** et **Artemide**. Les amateurs de décoration du XXe siècle peuvent se rendre chez **Spazio 900**.

Dans la librairie du **Triennale** et dans celle de l'éditeur d'art **Skira** se trouvent ce qu'il y a de mieux en terme de livres de design et d'architecture.

Fabriano possède un magasin où l'on peut dénicher de beaux papiers à lettres, enveloppes et cadeaux.

ADRESSES

CRÉATEURS DE MODE

10 Corso Como
Corso Como 10.
Tél. 02 29 00 26 74.
Tél. 02 626 163 (B&B).
Tél. 02 2901 3581
(galerie).
Tél. 02 653 531
(bar et restaurant).
www.10corsocomo.it

Amedeo D
Corso Vercelli 23.
Tél. 02 4800 4048.
www.amedeod.it

Banner
Via Sant'Andrea 8.
Tél. 02 7600 4609.

Corneliani
Via Montenapoleone 12.
Tél. 02 777 361.
www.corneliani.com

Dolce & Gabbana
Via della Spiga 26
(femmes).
Tél. 02 7600 1155.
Corso Venezia 15
(hommes).
Tél. 02 7602 8485/
7601 1154.
Via della Spiga 2
(accessoires pour femmes).
Tél. 02 795 747.
Corso Venezia 7.
Tél. 02 7600 4091.
www.dolcegabbana.it

Ermenegildo Zegna
Via Montenapoleone 27.
Tél. 02 7600 6437.
www.zegna.com

Gianfranco Ferrè
Via Sant'Andrea 15.
Tél. 02 780 406.
Tél. 02 7601 7526
(établissement de cure et
salon de beauté).
www.gianfrancoferre.com

Giorgio Armani
Via Sant'Andrea 9.
Tél. 02 7600 3234.
Via Manzoni 31.
(mégastore)
Tél. 02 7231 8600.
Via Montenapoleone 2.
(collections)
Tél. 02 7639 0068.
Via Montenapoleone 10
(Armani Junior).
Tél. 02 783 196.
Via Manzoni 37

(Armani maison)
Tél. 02 657 2401
Corso di Porta Ticinese 60
(Armani jeans)
Tél. 02 657 2401
www.giorgioarmani.com

Gucci
Via Montenapoleone 5-7.
Tél. 02 771 271.
Galleria Vittorio Emanuele
(accessoires).
Tél. 02 859 7991.
www.gucci.com

Hugo Boss
Corso Matteotti 11.
(hommes)
Tél. 02 7639 4667.
Corso Matteotti 8
(femmes)
Tél. 02 7601 3266.
www.hugoboss.com

Pal Zileri
Via Manzoni 20.
Tél. 02 7639 4680.
www.palzileri.com

Prada
Galleria Vittorio Emanuele
63-65.
Tél. 02 876 979.
Via Montenapoleone 8
(femmes).
Tél. 02 777 1771.
Via Montenapoleone 6
(hommes).
Tél. 02 7602 0273.
Via della Spiga 18
(accessoires).
Tél. 02 780 465.
Via della Spiga 5
(lingerie).
Tél. 02 7601 4448.
www.prada.com

PRÊT-À-PORTER

Coin
Piazza Cinque Giornate.
Tél. 02 4399 0001.
Piazza Cantore.
Tél. 02 5810 4385
www.coin.it

Diffusione Tessile
Galleria San Carlo 6.
Tél. 02 7600 0829.

DMagazine
Via Montenapoleone 26.
Tél. 02 7600 6027.

La Rinascente
Piazza del Duomo.
Tél. 02 88 521.
www.rinascente.it

Oviesse
Corso Garibaldi 72.
Tél. 02 655 1649.
Corso Buenos Aires 35.
Tél. 2040 4801.
Galleria Passarella 2.
Tél. 02 76 16 77.

Salvagente
Via Fratelli Bronzetti 16.
Tél. 02 7611 0328.
www.salvagentemilano.it

ACCESSOIRES

Borsalino
Galleria Vittorio Emanuele.
Tél. 02 8901 5436.
www.borsalino.com

Bulgari
Via Montenapoleone 2.
Tél. 02 777 001.
www.bulgari.com

Coccinelle
Via Manzoni 26.
Tél. 02 7602 8161.
Corso Buenos Aires 16.
Tél. 02 2040 4755.

Federico Buccellati
Via della Spiga 2.
Tél. 02 7600 3867.
www.federicobuccellati.it

Furla
Piazza Liberty 8
Tél. 02 782 449.
Corso Vercelli 11
Tél. 02 4801 4189.
www.furla.com

Garlando
Via Madonnina 2.
Tél. 02 874 665.
www.alfonsogarlando.it

Ghigodonna
Viale Tunisia 2.
Tél. 02 2940 8414.
www.ghigocalzature.com

Hogan
Via Montenapoleone 23.
Tél. 02 7601 1174.
www.hogan.com

Pianegonda
Via Montenapoleone 6.
Tél. 02 7600 3038.
www.pianegonda.com

René Caovilla
Via Bagutta 28.
Tél. 02 7631 9049.
www.renecaovilla.com

Tod's
Via della Spiga 22.
Tél. 02 7600 0983.

Galleria Vittorio Emanuele.
Tél. 02 877 997.
www.todsgroup.com

ALIMENTATION ET VINS

Giovanni Galli Marroni e Canditi
Via Victor Hugo 2.
Tél. 02 8646 4833.

High Tech
Piazza XXV Aprile 12.
Tél. 02 624 1101.

Peck
Via Spadari 9.
Tél. 02 802 3161.
www.peck.it

DÉCORATION, LIVRES ET CADEAUX

Artemide
Corso Monforte 19.
Tél. 02 7600 6930.
www.artemide.com

B&B
Via Durini 14.
Tél. 02 764 44 11.
www.bebitalia.it

Cassina
Via Durini 16.
Tél. 02 7602 0745.
www.cassina.it

Fabriano
Via Ponte Vetero 17.
Tél. 02 7631 8754.
www.cartierefabriano.it

Flos
Corso Monforte 7.
Tél. 02 794 559.
www.flos.net

Skira
Via Torino 61,
Tél. 02 724 441.
www.skira.it

Spazio 900
Viale Campania 51.
Tél. 02 7012 5737.
Corso Garibaldi 42.
Tél. 02 7200 1775.

Triennale
Viale Alemagna 6.
Tél. 02 7201 8128.
www.triennale.it

Milan : Pinacoteca di Brera

La plus belle collection d'art de Milan appartenait à l'origine à l'Académie des Beaux-Arts qui s'installa au XVIIIᵉ siècle dans l'imposant palazzo di Brera (XVIIᵉ siècle). La visite permet d'admirer certaines des plus belles œuvres de la Renaissance et du baroque peintes par des artistes tels que Piero della Francesca, Mantegna, Canaletto, Bellini, Raphaël, le Tintoret, Véronèse ou le Caravage. Des tableaux modernes offrent l'occasion de découvrir certains peintres italiens du XXᵉ siècle parmi les plus marquants.

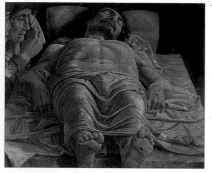

SUIVEZ LE GUIDE !
Regroupant des œuvres provenant d'églises désaffectées, de legs et d'acquisitions, la collection occupe 38 salles, mais tout n'est pas exposé en permanence.

★ **Christ mort de Mantegna**
La subtilité de la lumière et l'intensité créée par la perspective font de ce tableau un des chefs-d'œuvre de Mantegna (1430-1506).

Un double escalier conduit à l'entrée de la pinacothèque au 1ᵉʳ étage.

La statue de bronze (1809) par Canova représente Napoléon en demi-dieu embrassant la Victoire.

Baiser *(1859)*
Ce tableau de Francesco Hayez fut peut-être l'œuvre italienne du XIXᵉ siècle la plus reproduite. Patriotique et sentimentale, elle devint un symbole de l'optimisme lié à l'unification de l'Italie.

LÉGENDE DU PLAN

☐ Peinture italienne des XVᵉ et XVIᵉ siècles

☐ Peinture hollandaise et flamande des XVIᵉ et XVIIᵉ siècles

☐ Peinture italienne du XVIIᵉ siècle

☐ Peinture italienne des XVIIIᵉ et XIXᵉ siècles

☐ Peinture et sculpture italiennes du XXᵉ siècle

☐ Circulations et services

Des artistes étrangers comme Rubens et Van Dyck sont aussi représentés.

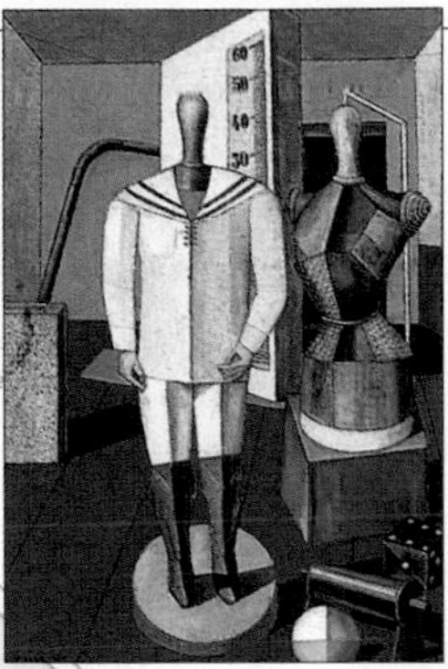

Mère et fils
(1917)
*Carlo Carrà
cherchait à
exprimer dans
sa peinture
une réalité
métaphysique
des formes et
des objets.*

MODE D'EMPLOI

Via Brera 28. **Tel** 02 72 26 31 ;
02 89 42 11 46. Ⓜ Lanza,
Monte-napoleone et Duomo.
🚍 61, 97. ◯ mar.-dim. 8h30-
19h15 (dernière entrée 45 min
av. la ferm.). ◯ 1er janv., 1er mai,
25 déc. 📷 ♿
www.brera.beniculturali.it

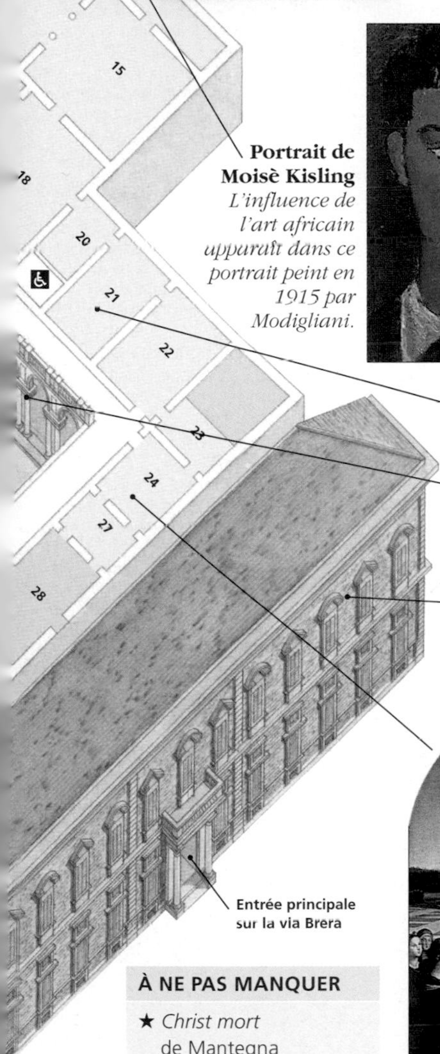

**Portrait de
Moisè Kisling**
*L'influence de
l'art africain
apparaît dans ce
portrait peint en
1915 par
Modigliani.*

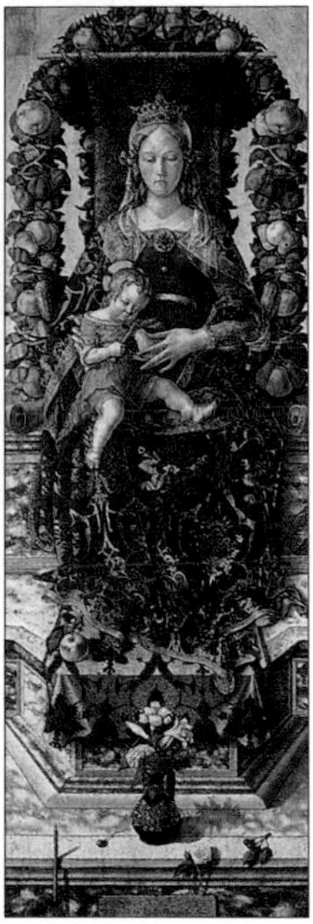

**Des colonnes
jumelées** portent
les arcs de la cour.

La façade en pierre
obéit à un dessin
régulier et austère.

**Madonna della
Candeletta** *(v. 1490)
Cette Vierge
caractéristique du style
de Carlo Crivelli par
sa riche décoration
formait jadis le
panneau
central d'un
polyptyque.*

Entrée principale
sur la via Brera

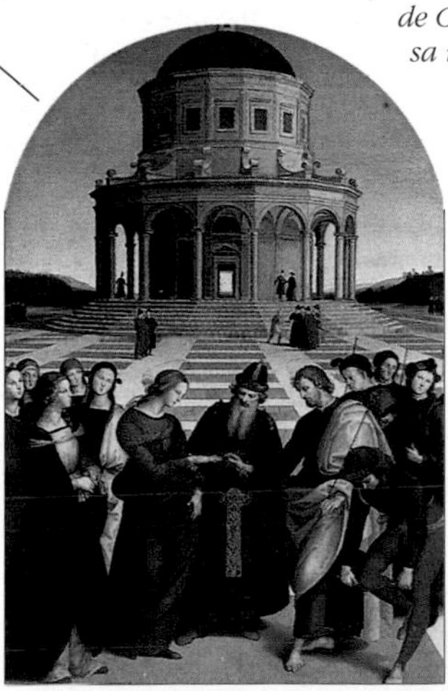

À NE PAS MANQUER

★ *Christ mort*
de Mantegna

★ *Mariage de la Vierge*
de Raphaël

★ **Mariage de
la Vierge de
Raphaël**
*Sur ce tableau
exécuté en
1504, l'artiste
signa de son
nom le temple
circulaire.*

Milan : au sud-ouest du centre-ville

Près de la ceinture de boulevards marquant l'emplacement des anciens remparts médiévaux se dressent trois édifices religieux qui méritent une visite pour leur beauté architecturale ou leurs vestiges, dont certains datent de l'époque romaine. L'un d'eux abrite l'une des peintures les plus célèbres du monde : *La Cène* de Léonard de Vinci.

San Lorenzo Maggiore vue du nord-est

Deux campaniles encadrent la façade de Sant'Ambrogio

🔒 Sant'Ambrogio

Piazza Sant'Ambrogio 15. **Tél** 02 86 45 08 95. **Basilique** ⬭ t.l.j. 7h-12h, 15h-19h. **Musée** ⬭ mar.-dim. 10h-12h, 15h-17h. &

www.santambrogio-basilica.it

Évêque de Milan au IVe siècle, puis protecteur de la ville, saint Ambroise avait une telle éloquence que, selon la légende, le miel de ses paroles attirait les abeilles. Il entreprit en 379 la basilique qui porte son nom et il y baptisa saint Augustin en 387. Elle connut une importante reconstruction à l'époque romane.

Un atrium du XIIe siècle précède la façade dont les portes de bronze datent du IXe siècle. À l'intérieur, le maître-autel (835) est décoré d'or et d'argent et incrusté de pierres précieuses et d'émaux. De belles mosaïques du IVe siècle ornent la coupole d'une des chapelles de la nef droite. La crypte renferme les tombeaux des saints Ambroise, Gervais et Protais. Œuvre de Bramante, le portique conduit au musée de la basilique.

🔒 San Lorenzo Maggiore

Corso di Porta Ticinese 39. **Tél** 02 89 40 41 29. ⬭ t.l.j. 8h-12h30, 14h30-18h30. **Chapelle Sant'Aquilino** ⬭ t.l.j. 9h-18h30. 🎟 pour la chapelle.

www.sanlorenzomaggiore.com

Élevée au IVe siècle sur le site d'un amphithéâtre romain, cette église octogonale reconstruite aux XIIe et XVIe siècles abrite des vestiges antiques et paléochrétiens.

Seize colonnes romaines formant un portique et une statue de l'empereur Constantin la précèdent. À droite du chœur, la cappella di Sant'Aquilino, de style roman, a conservé des mosaïques du IVe siècle et abrite deux sarcophages paléochrétiens. Elle permet d'accéder aux fondations d'un bâtiment du IIe siècle.

🔒 Santa Maria delle Grazie

Piazza Santa Maria delle Grazie 2. **Tél** 02 48 01 42 48. **Cenacolo Tél** 02 89 42 11 46. Réservation 60 j. à l'avance. ⬭ mar.-dim. 8h15-18h45. ⬭ jours fériés. 🎟 &

www.cenacolovinciano.it

Bramante exécuta en 1492 l'élégante coupole, la tribune et le cloître de cette église d'un monastère dominicain, mais c'est pour le réfectoire qui ouvre à gauche de sa façade qu'elle connaît une célébrité mondiale. La salle renferme la fresque de *La Cène* peinte par Léonard de Vinci de 1495 à 1497. L'artiste peignit le moment où le Christ annonce à ses compagnons que l'un d'eux le trahira, mais n'acheva pas le visage du Sauveur, s'en jugeant indigne. En préférant une détrempe sur mur sec à la technique traditionnelle qu'il jugeait trop lente, il commit une grave erreur et tous les efforts ne peuvent empêcher sa détérioration.

La Cène (1495-1497) de Léonard de Vinci orne le mur du réfectoire de Santa Maria delle Grazie

ÉDIT DE MILAN

Devenue romaine en 222 av. J.-C., l'ancienne ville celte de Mediolanum profita de sa situation au carrefour d'importantes voies commerciales pour se développer jusqu'à devenir, après la séparation de l'Empire en deux entités en 284, la capitale de sa partie occidentale, celle où Constantin rédigea l'édit qui accorda en 313 la liberté de culte aux chrétiens. La légende affirme qu'une vision l'avait conduit à se convertir en 312, mais la religion chrétienne lui offrait aussi un puissant levier pour redonner une unité à un territoire aux multiples peuples et croyances.

L'empereur Constantin

avec un des clous de la croix du Christ.

Au nord du centre-ville s'étend le parc de la Villa Reale, l'ancienne demeure néoclassique d'Eugène de Beauharnais. Il renferme notamment un golf, des courts de tennis et l'**Autodromo** où se disputent les grands prix de Formule 1.

🏁 Autodromo
Parco di Monza. **Tél** 039 248 21.
⬜ t.l.j. ⬤ jours fériés. 🈳 ♿

⛪ Duomo
Piazza Duomo. **Tél** 039 389 420.
Museo Serpero ⬜ mar.-sam.
9h-11h30, 15h-17h30, dim.
10h30-12h, 15h-17h30. 🈳

Leonello d'Este (v.1440) de Pisanello à l'Accademia Carrara de Bergamo

Monza ❹

🏛 125 000. **FS** 🚌 ℹ Palazzo Comunale, P. Carducci (039 32 32 22). ⬤ jeu. et sam.

Monza n'est aujourd'hui connue que pour son circuit automobile, mais la ville joua un rôle historique important à l'époque des Lombards et c'est la reine Théodelinde qui fonda au VIe siècle l'église dont le **Duomo** actuel occupe l'emplacement. La cathédrale possède une façade en marbre blanc et vert datant du XIVe siècle et abrite le tombeau de Théodelinde dans une chapelle ornée de fresques évoquant sa vie.

À côté, le **Museo Serpero** présente le trésor de la sanctuaire, riche en objets précieux tels qu'une poule en vermeil symbolisant avec ses 7 poussins la Lombardie et ses 7 provinces. Sa visite permet d'admirer la couronne de fer dont le fermoir aurait été fait

Bergamo ❺

🏛 150 000. **FS** 🚌 ℹ Via Gombito 13 (035 24 22 26). ⬤ lun. www.comune.bergamo.it

Bergame doit beaucoup de sa beauté à la prospérité et à la paix qu'elle connut sous le gouvernement de la République de Venise de 1428 à 1797. À cette époque naquit ici un art qui influença tout le théâtre : la commedia dell'Arte.

La cité se divise en deux parties : Bergamo Alta avec ses bâtiments médiévaux et Renaissance et Bergamo Bassa aux quartiers modernes et aérés. La **piazza Vecchia** forme le cœur de la vieille ville. Parmi les édifices historiques qui la dominent la torre del Comune (XIIe siècle) sonne

Détail de la cappella Colleoni

toujours le couvre-feu à 22 h, la Biblioteca Civica date de la fin du XVIe siècle et le palazzo della Ragione fut fondé en 1199 et remanié ensuite.

Ses arcades conduisent à la piazza del Duomo, moins intéressante par sa cathédrale néoclassique (en restauration) que par l'exubérante **cappella Colleoni** (p. 184) bâtie en 1476 pour abriter les tombeaux du condottiere Bartolomeo Colleoni (p. 119)

et de sa fille Medea. Un baptistère octogonal du XIVe siècle et le porche menant à la basilique romane Santa Maria Maggiore l'encadrent. Derrière une façade austère, la basilique, où repose le compositeur d'opéras Gaetano Donizetti (1797-1848), recèle un décor baroque très riche.

La **Galleria dell'Academia Carrara**, une galerie de peinture de renom proposant des œuvres de maîtres vénitiens et d'artistes locaux aux côtés de chefs-d'œuvre de toute l'Italie, a déménagé ses collections dans le **Palazzo della Ragione**, le temps de sa restauration. Citons les œuvres des XVe et XVIe siècles signées de Pisanello, Crivelli, Mantegna, Giovanni Bellini, Botticelli, Raphaël, du Titien et du Pérugin ; celles de Tiepolo, Guardi et Canaletto pour le XVIIIe siècle ainsi que des toiles venant du reste de l'Europe d'Holbein, Dürer, Bruegel et Velázquez.

🏛 Palazzo della Ragione
Città Alta. **Tél** 035 39 96 77.
⬜ juin-sept. : mar.-ven. 10h-21h, sam. 10h-23h ; oct.-mai : mar.-ven. 9h30-17h30, sam. 10h-18h. 🈳

Piste forestière dans le Parco Nazionale delle Stelvio

culturelle protégée par l'UNESCO. Elle recèle plus de 180 000 gravures rupestres datant de l'époque néolithique jusqu'au début de la colonisation romaine. Les plus belles s'admirent dans le **Parco Nazionale delle Incisioni Rupestri** qui s'étend autour de Capo di Ponte. Le rocher de Naquane est orné de près de 1 000 figures qui représentent aussi bien des prêtres et des guerriers que des scènes de la vie quotidienne.

À Capo di Monte, le **Centro Camuno in Studi Preistorici** expose le résultat des fouilles effectuées sur d'anciens sites romains de la vallée.

🏛 **Centro Camuno di Studi Preistorici**
Via Marconi 7, Capo di Ponte. *Tél* 0364 420 91. 🖐 aux touristes. ♿

🏛 **Parco Nazionale delle Incisioni Rupestri**
Capo di Ponte. *Tél* 0364 421 40. 🕐 mar.-dim. 8h30-19h30 (nov.-fév. : jusqu'à 17h) 🖐 1er janv., 1er mai, 25 déc.

Parco Nazionale dello Stelvio ❻

Trento, Bolzano, Sondrio & Brescia.
🚌 de Bormio à Santa Caterina Valfurvia et Madonna dei Monti.
ℹ️ Via Roma 26, Bormio (0342 90 33 00 ou 0342 90 16 54).
www.stelviopark.it

Le plus grand parc naturel d'Italie s'étend sur près de 140 000 ha entre la Lombardie, les Dolomites, et le Trentin-Haut-Adige dans une région de montagnes dominée par les massifs du Gran Zebrù, du Cevedale et de l'Ortles. Il culmine à 3 905 m d'altitude.

Bormio, une jolie station thermale, constitue le seul véritable centre habité, mais dispose d'un équipement permettant pratiquement tous les sports de montagne, d'été comme d'hiver. Base confortable d'où découvrir la région, elle possède un intéressant **Giardino Botanico**. Les randonneurs pourront s'y initier aux particularités de la flore locale avant de se lancer sur les sentiers offrant un

choix illimité d'itinéraires au milieu d'une nature où prospèrent chamois, marmottes et bouquetins.

🌿 **Giardino Botanico Alpino Rezia**
Via Sertorelli, Località Rovinaccia, Bormio. *Tél* 0342 92 73 70. 🕐 t.l.j. mai-sept. 🏷 **www**.stelviopark.it

Val Camonica ❼

Brescia. 🚆 FS 🚌 Capo di Ponte. ℹ️ Via Briscioli, Capo di Ponte (0364 420 80). **www**.proloco.capo-di-ponte.bs.it

Cette belle et large vallée d'origine glaciaire arrosée par l'Oglio a été déclarée zone

Lago d'Iseo ❽

Bergamo et Brescia. 🚆 FS 🚌 ⛴ Iseo. ℹ️ Lungolago Marconi 2, Iseo (030 98 02 09). **www**.lagodiseo.org

Au sud, le Val Camonica débouche sur le joli lac d'Iseo, long de 25 km et entouré de montagnes et de cascades. Une grande île perce sa surface, la Monte Isola. À son sommet (600 m), la Madonna della Ceriola offre un superbe panorama. Petits ports et stations de villégiature jalonnent les berges du lac, notamment Iseo qui lui a donné son nom. Sur la rive orientale, une route conduit depuis Marone

Gravure préhistorique du Val Camonica

Le ponte Coperto à couverture Renaissance de Pavie

au village de **Cislano** où l'on voit l'une des plus étranges merveilles naturelles de Lombardie : le groupe de pierres des fées surnommées « Fées de la forêt ».

Brescia ❾

🏃 190 000. **FS** 🚌 **ℹ** *Via Musei 32 (030 374 9438).* 🛍 *sam.* **www**.provincia.brescia.it

Deuxième ville de Lombardie, Brescia connut une époque faste pendant l'Empire romain comme en témoignent les vestiges du théâtre et du **Tempio Capitolino**, devenu le **Museo di Santa Giulia**, qui bordent l'ancien forum, l'actuelle piazza del Foro. Au centre de la ville, la piazza Vittoriale est plus récente puisqu'elle présente une architecture typique de l'époque mussolinienne. La poste la sépare de la **piazza della Loggia**, place du marché qui doit son nom à l'hôtel de ville Renaissance de style palladien qui la domine. Bâti au XVIIᵉ siècle, le **Duomo** s'élève sur la piazza Paolo VI. Sur le corso Matteotti, l'église San Nazaro e San Celso recèle un superbe polyptyque de Titien. Les amateurs d'art visiteront aussi la **Pinacoteca Civica Tosio Martinengo** qui présente, entre autres, un bel ensemble d'œuvres de l'école de Brescia.

♉ Tempio Capitolino
Via Musei 57a. ⬤ *en partie pour restauration.* 🖼
血 Museo di Santa Giulia
Via Musei 81b. **Tél** *030 297 78 34.* ⬜ *t.l.j.*
血 Pinacoteca Civica Tosio Martinengo
Via Martinengo da Barcol. **Tél** *030 377 49 99.* ⬜ *mar.-dim. 10h-13h, 14h30-18h.* ⬤ *1ᵉʳ mai, 1ᵉʳ nov., 25 déc.,* 🖼 �
Lodi ❿

Milano. 🏃 40 000. **FS** 🚌
ℹ *Via Fanfulla 14 (0371 44 27 11).* 🛍 *mar., jeu., sam. et dim.* **www**.turismo.provincia.lodi.it

Voici une bourgade médiévale aux maisons pastel dotées de jolies cours intérieures. Datant du XIIᵉ siècle, le Duomo se dresse sur la piazza della Vittoria bordée d'arcades. Toute proche, l'église de l'**Incoronata** est un chef-d'œuvre de la Renaissance. Peintures murales et dorures décorent son intérieur octogonal coiffé d'une coupole, tandis qu'une des chapelles abrite 4 petits retables de Bergognone.

Pavia ⓫

🏃 81 000. **FS** 🚌 **ℹ** *Piazza Petrarca 4 (0382 597 001).* 🛍 *mer. et sam.* **www**.turismo.provincia.pv.it

Capitale des rois lombards du VIᵉ siècle jusqu'à leur défaite devant les Carolingiens, Pavie s'efforce au Moyen Âge de défendre son

Le Tempio Capitolino romain de Brescia

indépendance face à l'Empire germanique et à Milan, mais les luttes intestines qui la déchirent à partir du XIIIᵉ siècle permettent aux Visconti de s'en emparer en 1359. Ses nouveaux maîtres élèvent à partir de 1396 l'éblouissante chartreuse (*p. 204-205*) où repose Gian Galeazzo Visconti.

Dans la cité médiévale, la construction du **Duomo** commença en 1488. Bramante et Léonard de Vinci intervinrent sur les plans de ce monument Renaissance qui ne reçut sa coupole et sa façade que dans les années 1880.

Derrière la cathédrale, le **Broletto** (hôtel de ville) médiéval dresse sur la piazza della Vittoria une façade à loggia datant du XVIᵉ siècle. Parallèle à la place (à l'ouest), la strada Nuova conduit au sud jusqu'au Tessin et au **ponte Coperto** qui le franchit. Ce pont bâti en 1353 et couvert en 1583 dut être reconstruit après la Seconde Guerre mondiale. Sa pile centrale porte une chapelle.

En remontant depuis la rivière vers le nord et les bâtiments néoclassiques de l'université, la strada Nuova dépasse à droite le corso Garibaldi que domine la **basilica di San Michele**. Ce superbe sanctuaire roman fondé en 661 mais presque entièrement rebâti au XIIᵉ siècle présente une façade ornée de frises d'animaux monstrueux. À l'intérieur, de délicats reliefs parent les colonnes et une chapelle à droite du maître-autel abrite un crucifix en argent du XIIᵉ siècle.

Au terme de la strada Nuova, le castello Visconteo entrepris en 1365 abrite le **Museo Civico** riche en vestiges archéologiques et en œuvres d'art. Non loin, l'église romane **San Pietro in Ciel d'Oro** abrite la tombe de saint Augustin.

血 Museo Civico
Castello Visconteo, Viale 11 Febbraio. **Tél** *0382 338 53.* ⬜ *mar.-dim. 10h-17h50.* ⬤ *jours fériés.* 🖼

Certosa di Pavia ⑫

C'est le Milanais Gian Galeazzo Visconti qui fonda en 1396 la chartreuse de Pavie à 8 km au nord de la ville. S'il y repose depuis le 1er mars 1474, il fallut plus de 200 ans et le talent de maints artistes pour achever ce chef-d'œuvre de l'architecture lombarde. Le grand sculpteur Giovanni Antonio Amadeo travailla 25 ans à la partie inférieure de sa façade Renaissance dont Cristoforo Lombardo dessina la partie supérieure qui ne reçut jamais son fronton. Œuvres d'art et monuments ornent l'intérieur gothique.

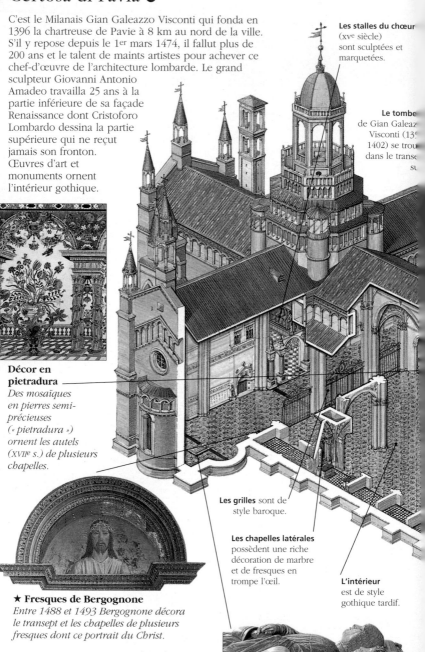

Les stalles du chœur (xve siècle) sont sculptées et marquetées.

Le tombe de Gian Galeaz Visconti (13⁵ 1402) se trou dans le transe su

Décor en pietradura
Des mosaïques en pierres semi-précieuses (« pietradura ») ornent les autels (XVIIe s.) de plusieurs chapelles.

Les grilles sont de style baroque.

Les chapelles latérales possèdent une riche décoration de marbre et de fresques en trompe l'œil.

L'intérieur est de style gothique tardif.

★ **Fresques de Bergognone**
Entre 1488 et 1493 Bergognone décora le transept et les chapelles de plusieurs fresques dont ce portrait du Christ.

Gisants de Ludovic le More et Béatrice d'Este
Cristoforo Solari commença sa sculpture quelque 11 ans avant la mort de Ludovic.

Grand cloître
Il faut traverser le petit cloître pour l'atteindre. Sur trois côtés l'entourent les cellules des moines qui disposaient toutes d'un petit jardin. Un guichet permettait aux chartreux de recevoir leur nourriture sans rompre leur vœu de solitude.

MODE D'EMPLOI

Viale del Monumento, Pavia. **Tél** *0382 92 56 13.* 🚌 *depuis Pavia.* 🚆 *Certosa, puis 1 km à pied.* ◯ *mar.-dim. et j.f. 9h-11h30, 14h30-16h30 (mars et oct. : jusqu'à 17h ; avr. et sept. : 17h30, mai-août : 18h ; dernière entrée 30 min av. la ferm.).* **Offrande.** 🖼 🎁 ♿ 📷

La nouvelle sacristie possède un plafond peint.

Cellule

Le petit cloître, décoré de belles terres cuites, entoure un petit jardin classique.

★ Façade Renaissance
Plusieurs médaillons, reliefs et statues, tel ce saint Pierre, ornent sa partie inférieure exécutée au XVᵉ siècle. Les travaux de la partie supérieure, plus sobre, s'achevèrent en 1560.

Entrée principale

★ Polyptyque du Pérugin
Des six panneaux peints en 1499 par l'artiste maniériste, seul celui du Père éternel n'est pas une copie. Deux peintures de Bergognone l'encadrent.

À NE PAS MANQUER

★ Façade Renaissance

★ Fresques de Bergognone

★ Polyptyque du Pérugin

Le Duomo et la piazza del Comune de Crémone

Cremona ⓭

🏙 76 000. FS 🚌 ℹ Piazza del Comune 5 (0372 232 33). 🛍 mer. et sam. www.provincia.cremona.it

La richesse de la campagne qui l'entoure fait de Crémone un important marché agricole, mais c'est à la musique qu'elle doit son renom car c'est la ville où naquit le compositeur Claudio Monteverdi (1567-1643) et, surtout, où travailla le célèbre luthier Stradivarius (1644-1737).

Le centre historique a gardé son tracé médiéval et s'organise autour de la piazza del Comune. Entrepris au début du XIIe siècle, le **Duomo** a connu des ajouts et associe styles roman et gothique. Sous sa rosace du XIIIe siècle, un porche élégant précède un portail orné de sculptures des prophètes. De superbes fresques du début du XVIe siècle et des tapisseries flamandes ornent l'intérieur.

Une loggia Renaissance relie la cathédrale à son campanile (1267), surnommé le **Torrazzo**. Cette tour médiévale, l'une des plus hautes d'Italie (111 m), offre un vaste panorama. Notez la chaire qu'utilisaient à l'extérieur du Duomo des prêcheurs itinérants tels que saint Bernardin de Sienne.

À côté du sanctuaire s'élèvent un baptistère octogonal et, en face, les arcades de la **loggia dei Militi** (1292) qui abrite un mémorial militaire. Un autre monument historique borde la place : le **palazzo del Comune**, édifice du XIIe siècle plusieurs fois remanié qui abrite la collection de violon de la famille Stradivarius. Dans le palazzo Affaitati (XVIe siècle), se trouve le **Museo Stradivariano**, reconstitution de l'atelier de Stradivarius qui comprend 700 violons. Ce palais abrite aussi le **Museo Civico** qui présente le trésor de la cathédrale, des vestiges archéologiques dont des mosaïques du Ier au IIIe siècle et une riche collection de peintures d'artistes de l'école crémonaise tels que Gatti, Boccaccino et les membres de la famille Campi.

Ces peintres travaillèrent à la décoration de l'église Renaissance **San Sigismondo**, à la périphérie orientale de la ville, reconstruite en 1463 après le mariage en 1441 de Francesco Sforza et Bianca Visconti.

🏛 **Torrazzo**
P. del Comune. **Tél** 0372 49 50 29. ◯ mar.-dim. 10h-13h, 14h30-18h. 📷

🏛 **Palazzo del Comune**
Piazza del Comune. **Tél** 0372 20 502. ◯ mar.-sam. 9h-18h, dim. 10h-18h. ● jours fériés. 📷 ♿

🏛 **Museo Stradivariano &**
🏛 **Museo Civico**
Via Ugolani Dati 4. **Tél** 0372 312 22. ◯ comme le Palazzo del Comune. ● jours fériés. 📷 ♿

Sabbioneta ⓮

Mantova. 🏙 4 600. 🚌 de Mantoue. ℹ Piazza d'Armi 1 (0375 520 39). 🛍 mer. matin. 🗝 demander à l'office de tourisme. 📷 www.sabbioneta.org

Désirant y installer sa cour, Vespasien Gonzaga Colonna (1531-1591) fit aménager Sabbioneta selon les idéaux architecturaux de la Renaissance, et la ville présenta un plan régulier à l'intérieur de ses remparts hexagonaux. Ses plus beaux édifices se découvrent dans le cadre d'une visite guidée : le Teatro all'Antica de Scamozzi, le Palazzo Ducale aux plafonds sculptés et le palazzo del Giardino décoré de fresques.

ANTONIO STRADIVARI ET SES VIOLONS

La ville de Crémone est indissociable de la facture de violon depuis les années 1530. À partir de cette période, en effet, les cours royales européennes ne jurèrent plus que par les instruments d'Andrea Amati, au timbre plus riche que les violes médiévales. C'est cependant son petit-fils Niccolò qui forma celui qui allait donner au violon une

Antonio Stradivari selon une estampe du XIXe siècle

perfection de proportions jamais dépassée depuis : Antonio Stradivari, plus connu sous le nom de Stradivarius (1644-1737). Ce luthier qui choisissait lui-même dans les Dolomites le bois de ses instruments produisit plus de 1 100 violons dont plus de 400 nous sont parvenus. Beaucoup portent le nom d'un virtuose qui les utilisa. Parmi les élèves qu'il forma figure Garnerius del Gesù dont certaines créations rivalisent en qualité avec celles de son maître. Stradivarius a sa tombe sur la piazza Roma.

Le plafond de la Camera degli Sposi par Mantegna au palazzo Ducale

Mantova ⑮

🏛 55 000. 🚆 🚌 ℹ *Piazza Andrea Mantegna 6 (0376 432 432).* 🎭 *jeu.* www.turismo.mantova.it

D'aspect austère avec ses places et ses rues bordées de palais aristocratiques, Mantoue, qu'entourent trois lacs formés par le Mincio, doit son renom à la richesse de son passé culturel. Virgile, l'auteur de l'*Énéide*, naquit ici en 70 av. J.-C. Pendant trois siècles, la famille des Gonzague y règna, attirant de grands architectes, peintres, poètes et philosophes de la Renaissance. C'est là, enfin, que Giuseppe Verdi situa son opéra *Rigoletto*. Ce passé marque le nom des rues et les monuments d'une ville dont le père de Mozart admirait le **Teatro Accademico Bibiena** (XVIIIᵉ siècle) qui borde la via Accademia.

Trois belles places en enfilade forment le centre. Dessinée au XVᵉ siècle par Leon Battista Alberti mais couronnée d'une coupole baroque (1765), la **basilica Sant'Andrea** tourne vers la piazza dell'Erbe un flanc bordé d'une arcade de boutiques. En face s'élèvent la gracieuse Rotonda di San Lorenzo (XIᵉ siècle), le palazzo della Ragione entrepris au XIIIᵉ siècle et sa tour de l'Horloge datant du XVᵉ siècle. La piazza Broletto doit son nom à l'hôtel de ville bâti au XIIIᵉ siècle, et plusieurs fois remanié, qui la domine. Une statue de Virgile (1225)

orne sa façade. Sur la piazza Sordello, le **Duomo** recèle derrière une façade baroque (1755) un intérieur stuqué par Giulio Romano (v. 1492-1546). La torre della Gabia où les condamnés étaient exposés dans une cage en fer domine l'imposant palazzo Bonacolsi (XIIIᵉ siècle).

🏛 Palazzo Ducale

Piazza Sordello. *Tél 0376 22 48 32.* ☐ *mar.-dim. 8h30-19h (dernière entrée 18h).* ● *1er janv., 1er mai, 25 déc.* 📷 *(sur demande).* ♿
Camera degli Sposi *Tél 0412 41 18 97 (rés.).* www.mantovaducale.it Immense corps de bâtiments dont la construction s'étendit sur quatre siècles, la résidence des Gonzague réunit autour de sept jardins et huit cours intérieures une forteresse du XIVᵉ siècle, une basilique et le palais.

Détail de la tour de l'Horloge sur la piazza dell'Erbe

Sa somptueuse décoration comprend des chefs-d'œuvre, dont un cycle de fresques s'inspirant des légendes arthuriennes peintes par Pisanello en 1466, un grand portrait par Rubens (1577-1640) de la famille ducale exposé dans le salone degli Arcieri (salon des Archers) et, surtout, la **camera degli Sposi** (chambre des Époux) dont Mantegna couvrit les parois de fresques (1465-1474) décrivant des épisodes importants de la vie de Ludovic Gonzague et de sa femme. Elles offrent un superbe aperçu du faste de la cour de Mantoue *(p. 208-209)* au XVᵉ siècle.

🏛 Palazzo Tè

Viale Tè. *Tél 0376 32 32 66.* ☐ *lun. après-midi mar. dim.* ● *1er janv., 1er mai, 25 déc.* 📷 ♿
www.centropalazzote.it
À l'autre bout de la ville se dresse un autre palais extraordinaire des Gonzague, le palazzo Tè bâti au début du XVIᵉ siècle par Giulio Romano. Trompe-l'œil et architecture créent l'illusion comme dans la **sala dei Giganti** que semblent en train de détruire les Titans peints sur ses murs. Tout aussi fascinante, la **sala di Psiche e Amore** présente un décor champêtre avec des scènes inspirées de l'*Âne d'or* d'Apulée. Des motifs ésotériques ou zodiacaux rappellent dans tout l'édifice l'intérêt des Gonzague pour l'astrologie et toutes les formes du savoir.

La façade (XIIIᵉ siècle) du palazzo Ducale sur la piazza Sordello

Fresque (XVᵉ siècle) par Mantegna de la Camera degli Sposi au palazzo Ducale ▷

VAL D'AOSTE ET PIÉMONT

En dehors de l'agglomération turinoise riche en merveilles architecturales et artistiques, les régions du Piémont et du Val d'Aoste sont avant tout rurales. Les Alpes, au nord et à l'ouest, recèlent la réserve naturelle du parc national du Grand-Paradis et des stations de ski comme Courmayeur. À leur pied, une bordure de collines moutonne jusqu'aux champs de riz et de céréales de la plaine.

Souvenir de l'époque où le duché de Savoie s'étendait des deux côtés des Alpes, on parle encore français ou provençal dans certaines vallées du Val d'Aoste, région de montagne où le tourisme est devenu l'activité principale, le ski s'y pratiquant en été comme en hiver. C'est au XVIe siècle, sous le règne d'Emmanuel-Philibert, que le duché de Savoie entra dans la sphère d'influence italienne et le Piémont y acquit la prééminence avant de devenir, au XIXe siècle, le foyer d'où se développa le Risorgimento (p. 62-63), mouvement qui conduisit le pays à son unité et la maison de Savoie sur le trône d'Italie. Les châteaux médiévaux jalonnant le Val d'Aoste et ces extraordinaires grappes de chapelles connues sous le nom de *sacri monti* qui parsèment les contreforts des Alpes témoignent de la richesse de ce passé. Bien que Vercelli vît s'épanouir aux XVe et XVIe siècles une école de peinture dont les œuvres à la lumière très pure se découvrent dans les petites églises et les collections d'art de la région, c'est incontestablement Turin qui offre le plus d'intérêt culturel. Souvent injustement considérée comme une simple ville industrielle, notamment à cause de la présence de Fiat, Olivetti ou Ferrero, cette élégante cité baroque possède en particulier l'un des plus riches musées égyptiens du monde. Les coteaux qui se trouvent au sud-est produisent certains des meilleurs vins de la péninsule, accompagnement idéal des savoureuses spécialités culinaires issues des terroirs de la région.

Pavement traditionnel d'un café du centre de Turin

◁ Le château de Châtelard (XIIIe siècle) dans le Val d'Aoste

À la découverte du Val d'Aoste et du Piémont

Près de la moitié de la population de la région vit dans l'agglomération de Turin, grand centre de l'industrie automobile italienne. Si la ville s'étend dans la plaine du Pô, où les rizières composent autour de Vercelli et de Novara des paysages caractéristiques, les Alpes s'élèvent tout de suite derrière pour atteindre dans le Val d'Aoste des altitudes de plus de 4000 m au Cervin et au mont Blanc. Dans les collines piémontaises, l'agriculture, notamment la viticulture, continue de rythmer la vie de villages et de bourgs qui possèdent souvent de belles églises.

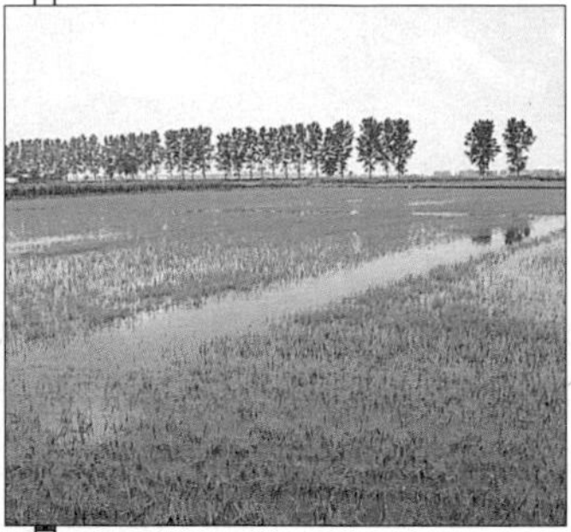

Rizières près de Vercelli

LA RÉGION D'UN COUP D'ŒIL

- Alta Val Susa 8
- Aosta 5
- Asti 23
- Avigliana 11
- Basilica di Superga 15
- Bossea 25
- Colle del Gran San Bernardo 2
- Cuneo 24
- Domodossola 18
- Garessio 25
- Lago di Ceresole Reale 7
- Lago di Orta 20
- Mont Blanc 1
- Monte Cervino 3
- Monte Rosa 4
- Novara 21
- *Parco nazionale del Gran-Paradiso p. 216-217* 6
- Pinerolo 12
- Sacra di San Michele 10
- Santuario d'Oropa 17
- Stupinigi 14
- Susa 9
- *Torino p. 220-225* 13
- Varallo 19
- Venaria Reale 16
- Vercelli 22

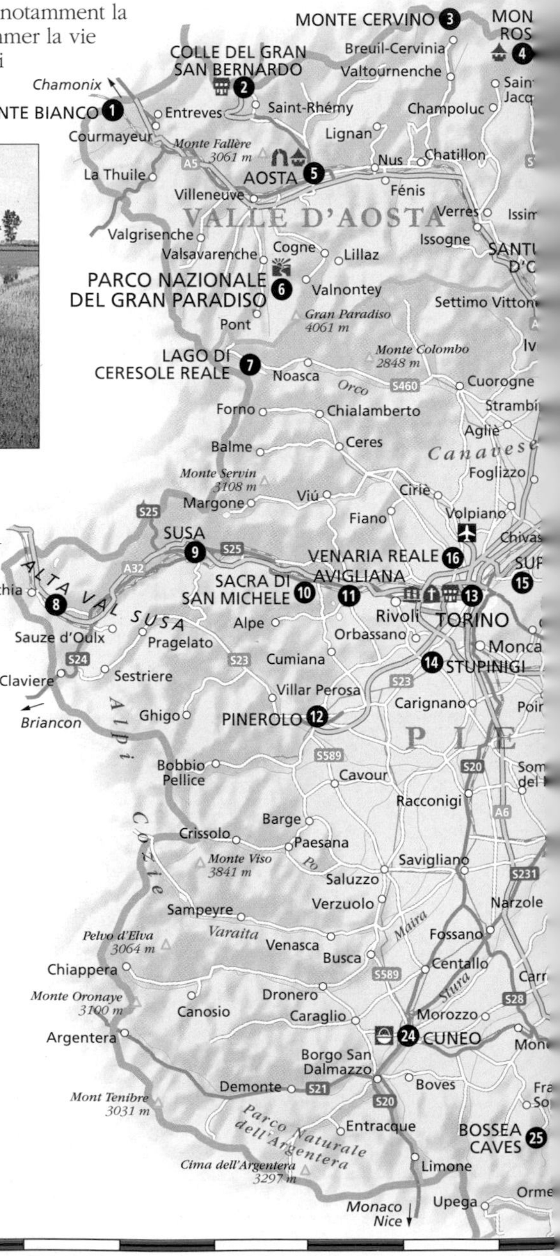

Pour les autres symboles de la carte *voir le rabat arrière de couverture*

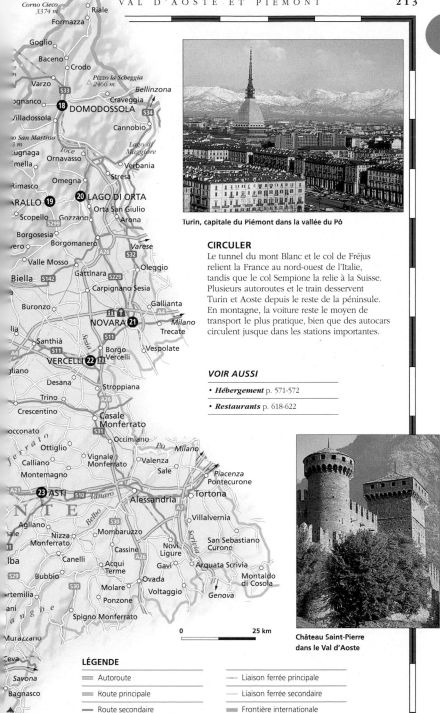

Turin, capitale du Piémont dans la vallée du Pô

CIRCULER

Le tunnel du mont Blanc et le col de Fréjus relient la France au nord-ouest de l'Italie, tandis que le col Sempione la relie à la Suisse. Plusieurs autoroutes et le train desservent Turin et Aoste depuis le reste de la péninsule. En montagne, la voiture reste le moyen de transport le plus pratique, bien que des autocars circulent jusque dans les stations importantes.

VOIR AUSSI

• **Hébergement** p. 571-572

• **Restaurants** p. 618-622

Château Saint-Pierre
dans le Val d'Aoste

0   25 km

LÉGENDE

══ Autoroute	⎯ Liaison ferrée principale
══ Route principale	— Liaison ferrée secondaire
— Route secondaire	▬ Frontière internationale
═ Petite route	▬ Frontière régionale
— Parcours pittoresque	△ Sommet

Monte Bianco ❶

Aosta. FS *Pré-St-Didier.* *Courmayeur.* *Piazzale Monte Bianco 13, Courmayeur (0165 84 20 60).* **www**.aiat-monte-bianco.com

Le plus haut sommet des Alpes, le mont Blanc (4 810 m) domine la partie occidentale du Val d'Aoste et la station de **Courmayeur** où le ski se pratique aussi en été. Depuis Entrèves, 5 km plus au nord, un téléphérique grimpe jusqu'à l'aiguille du Midi (3 842 m) et ses extraordinaires panoramas. Depuis Pré-Saint-Didier, au sud, la N 26 conduit jusqu'au **col du Petit-Saint-Bernard** (2 188 m) où glaciers et forêts offrent de belles promenades.

Colle del Gran San Bernardo ❷

Aosta. FS *Aosta.* *Strada Nazionale Gran San Bernardo 13, Etroubles (0165 785 59).* *t.l.j.* **www**.gransanbernardo.net

Passage difficile à 2 473 m d'altitude, le col du grand Saint-Bernard marque la frontière entre l'Italie et la Suisse et porte le nom de saint Bernard de Menthon qui y fonda un **hospice** vers 1050. Celui-ci existe toujours, en territoire helvétique (pensez aux papiers d'identité), et il accueille toujours les voyageurs. En neuf siècles, les moines sauvèrent plus d'une vie grâce à leurs chiens entraînés, les fameux saint-bernard. La jolie vallée qui mène au col renferme les villages d'Étroubles et de Saint-Rhémy-en-Brosse.

Saint-bernard

Hospice du Grand-Saint-Bernard
Colle San Bernardo, Suisse.
Tél *00 41 277 87 12 36.* *t.l.j.*

Monte Cervino ❸

Aosta. FS *Breuil-Cervinia.* *Via Guido Rey 17, Breuil-Cervinia (0166 94 91 36).* **www**.montecervino.it

Caractéristique, la masse triangulaire du mont Cervin (ou Matterhorn) s'élève à 4 478 m d'altitude au-dessus de la vallée du Valtournenche, avec ses agréables villages de montagne dont Valtournenche est le plus important. Depuis la station de **Breuil-Cervinia**, un téléphérique va jusqu'à la Cime Bianche qui offre un vaste panorama des Alpes. La région, où se pratique le ski d'été, est un paradis pour les randonneurs et les alpinistes.

Monte Rosa ❹

Aosta. FS *Verrès.* *St-Jacques.* *Route Varasc, Champoluc (0125 30 71 13).* **www**.aiatmonterosa.com

L'imposant massif du Monte Rosa domine deux belles vallées : le val de Challand-Ayas et la vallée du Lys. Les ruines romanes du **castello di Graines** (XIe siècle) commandent la partie inférieure de la première, tandis que, quelques kilomètres plus loin, il est possible d'accéder en téléphérique depuis Champoluc à la vue offerte par la **Testa Grigia** (3 315 m). Dans la vallée du Lys, un pont romain franchit le torrent à Pont-Saint-Martin et des fresques du Jugement dernier ornent la façade de l'église d'**Issime**.

Castello di Graines
Graines, Strada Statale 506.

CHÂTEAUX MÉDIÉVAUX DU VAL D'AOSTE

Malgré leur majesté, les montagnes n'apportaient pas une sécurité suffisante aux seigneurs féodaux qui se partageaient le Val d'Aoste au Moyen Âge et ceux-ci édifièrent des demeures fortifiées pour se protéger. Soixante-dix d'entre elles, dans des états très divers, nous sont parvenues. Vous en découvrirez plusieurs si vous pénétrez en Italie par le tunnel du Mont-Blanc puis poursuivez après Aoste jusqu'à Pont-Saint-Martin.

La tour de **Montmayer** perchée sur un haut rocher du Valgrisenche et celle d'**Ussel** qui se dresse non loin reflètent bien la fonction défensive de ces édifices. Malgré les injures des ans, elles gardent un aspect menaçant. Les châteaux de **Fénis** *(p. 184)* et **Verrès** témoignent d'une importante évolution qui se produisit au XIVe siècle. Ces deux constructions conservent leurs fortifications mais offrent à l'intérieur le confort d'une résidence seigneuriale. Ce luxe s'accroît encore à **Issogne** où fresques, loggias et fontaine en fer forgé composent un décor raffiné. Celui du château de **Sarre** élevé au XIVe siècle, remanié en 1710 et acquis en 1869 par le roi d'Italie Victor-Emmanuel II, séduira surtout les chasseurs avec son salon empli de trophées. Le château de **Châtelard** se dresse près de Morgex dans un des vignobles les plus hauts d'Europe.

Le château de Verrès (XIVe siècle)

Pour les hôtels et les restaurants de la région, voir p. 571-572 et 618-622

40 colonnes de marbre portent les arcs du cloître (XIIᵉ siècle) de Sant'Orso

Aosta ⑤

🏠 37 000. FS 🚌 🛈 *Piazza Chanoux 2 (0165 333 52).* 🏬 *mar.* **www**.aiataosta.com

Dans le cadre majestueux formé par les montagnes qui l'entourent, l'ancienne *Augusta Praetoria*, Aoste, fondée en 25 av. J.-C. a gardé le tracé du camp militaire qu'elle fut à l'origine. Les vestiges antiques témoignent de l'importance qu'elle eut par la suite sur une grande voie de circulation. Fortifiée au Moyen Âge par la famille Challant puis par les ducs d'Aoste, qui dotèrent de tours les remparts romains, c'est aujourd'hui la capitale animée d'une région autonome.

Avec le développement du tourisme de montagne et celui de l'industrie, sa population a fortement augmenté depuis le début du XXᵉ siècle, entraînant la construction de quartiers modernes. Aéré par de grandes places, le centre a gardé son charme. En s'y promenant on découvre les monuments qui valurent à Aoste le surnom de « Rome des Alpes ».

⛪ Ruines romaines
Théâtre romain, Via Baillage. 🕐 *t.l.j. 9h-20h (19h sept., 18h30 oct. et fév., 17h30 nov.-janv.).* **Amphithéâtre**, Convento di San Giuseppe, Via dell'Anfiteatro. **Tél** 0165 26 21 49. 🕐 *t.l.j.* 📷 🛴 **Forum romain**, Piazza Giovanni XXIII. 🕐 *t.l.j.*
À l'époque romaine, l'entrée dans Aoste se faisait par le **pont** à l'est de la ville (au-delà du pont moderne) puis par l'**arc d'Auguste** élevé pour célébrer la défaite du peuple des Salasses qui habitait

auparavant la vallée. Son toit est un ajout datant du XVIIIᵉ siècle. Double rangée d'arcades au bout de la via San Anselmo, la **porta Pretoria** appartenait à l'enceinte fortifiée et est flanquée d'une tour médiévale. Le **théâtre romain** jadis plus haute de 2,5 m a un mur de scène haut de 20 m. On rejoint les ruines de l'**amphithéâtre** par le couvent de San Giuseppe. Dans la vieille ville, près de la cathédrale, se trouve le **forum romain** sous lequel s'étendait un vaste cryptoportique dont la fonction reste un sujet de spéculation.

Détail d'un pavement de mosaïque de la cathédrale d'Aoste

⛪ Cattedrale
Piazza Giovanni XXIII. 🕐 *t.l.j. 6h30-20h (sept.-Pâques : 6h30-12h, 15h-18h).* **Museo del Tesoro Tél** 0165 404 13. 🕐 *comme la cathédrale.* 📷 *pendant les offices.* 🛴
Fondée au XIIᵉ siècle, la cathédrale d'Aoste a gardé deux clochers du bâtiment original roman mais possède

un intérieur gothique et une façade néoclassique. Elle renferme des pavements en mosaïque médiévaux et des stalles sculptées au XVᵉ siècle. Le **Museo del Tesoro** attenant présente une riche collection de statuettes et de reliquaires.

⛪ Sant'Orso
Via Sant'Orso. 🕐 *t.l.j.* 🛴
C'est à l'extérieur des murs, à l'est, que se trouve la collégiale fondée par saint Ours, saint patron d'Aoste, au VIᵉ siècle. Reconstruite au XIᵉ siècle, elle présente une façade inhabituelle caractérisée par un très haut portail et renferme des fresques du XIᵉ siècle et de belles stalles sculptées. Des sculptures délicates ornent les chapiteaux historiés de son petit **cloître** roman.

Aux environs :
Le château de **Fénis** (*p. 214*), à 12 km à l'est d'Aoste, est l'une des rares forteresses de la vallée à l'intérieur bien conservé. On y admire des fresques du XIVᵉ siècle. À 38 km au sud-ouest, le château d'**Issogne**, remanié vers 1490, présente des fresques et motifs décoratifs dont une fontaine octogonale avec au centre un grenadier en fer forgé.

⛪ Castello di Fénis
Fénis. **Tél** 0165 76 42 63. 🕐 *t.l.j.* 🛴 *1ᵉʳ janv., 25 déc., mar. (hiver).* 🛴
⛪ Castello di Issogne
Issogne. **Tél** 0125 92 93 73. 🕐 *t.l.j.* 🛴 *1ᵉʳ janv., 25 déc., mer. (hiver).* 🛴

Vestiges du forum romain d'Aoste

Parco nazionale del Gran Paradiso ❻

Fondé en 1922 à partir de la réserve de chasse de la maison de Savoie, le parc national du Grand-Paradis s'étend sur 450 km² et ses plus hauts sommets dépassent 4 000 m d'altitude. Bien qu'on puisse y pratiquer le ski de fond, c'est en été qu'il présente le plus d'attrait par la variété et la beauté de ses paysages montagneux et la richesse de sa faune et de sa flore. Outre les derniers bouquetins d'Europe, les visiteurs y croisent chamois, marmottes, papillons rares, hermines et aigles. Le sommet (4 061 m) peut s'atteindre en randonnée, mais les alpinistes disposent aussi de belles parois dans le massif.

Castello di Aymavilles
Des tours médiévales encadrent son corps d'habitation du XVIIIe siècle.

La cascade de Goletta
se trouve près du lac du même nom.

Bouquetin
Des groupes de bouquetins s'aperçoivent souvent vers Pont en juin et autour du col Lauson au lever et au coucher du soleil.

ARVIER
VILLENEUVE
AOS
Ayma
Pondel

VAL DI RHÊMES
Rhêmes-St-George
R47

VAL SAVARENCHE
Valsavarenche
COL LAUSO

Rhêmes-Notre-Dame
Eaux-Rousses
PICCO PARA

Pont
GRAN PARADISO   3.925 m
4 061 m

Noa
Ceresole Reale

Val de Rhêmes
Cascades et torrents dévalent des glaciers qui dominent cette paisible et large vallée.

Cascata di Lillaz
C'est à la fonte des neiges que cette chute d'eau à l'est du village de Lillaz offre le plus beau spectacle.

MODE D'EMPLOI

Piémont et Val d'Aoste. **i** *Segreteria Turistica, Via Umberto I 1, Noasca (0124 90 10 70). Centro visitatori Parco Nazionale del Gran Paradiso, Ceresole Reale, (0124 953 166).* ☐ *t.l.j.* **FS** *Aosta et Pont Canavese.* 🚌 *d'Aosta et de Pont Canavese aux différentes vallées.* 🎭 **Jardin alpestre Paradisia**, Valnontey, Cogne. **Tél** 0165 741 47. ☐ *t.l.j. : mi-juin-mi-sept.* 🎟 ♿ **www.grandparadis.it www.parks.it**

Cogne, principale station du parc, constitue une bonne base d'où partir à sa découverte. Des cartes des sentiers y sont disponibles.

Lillaz est plus calme que Cogne et Valnontey, deux stations animées.

★ Jardin alpestre Paradisia
Ce jardin botanique présente une superbe collection de délicates fleurs alpines.

À NE PAS MANQUER

★ Jardin alpestre Paradisia

★ Valnontey

0   5 km

★ Valnontey
Cette magnifique vallée qui a donné son nom à une station offre l'accès à de nombreux sentiers.

LÉGENDE

i Information touristique

= Route principale

⚜ Point de vue

Alta Val Susa ❽

Torino. *FS* *Oulx.* 🚌 *de Sauze d'Oulx.*
ℹ️ *Via Louset, Sestriere (0122 75 54
44).* **www.**vialattea.it

Plus proche centre de sports
d'hiver de Turin, et à ce titre
très fréquenté le week-end,
ce chapelet de stations
climatiques a pris le surnom
de « Voie lactée ». À côté d'un
complexe moderne comme
Sestriere entièrement
construit et aménagé en
fonction des besoins des
skieurs et, en été, des
randonneurs, des villages
comme **Bardonecchia** et **Sauze
d'Oulx** ont conservé leurs
vieux bâtiments en bois et en
pierre caractéristiques de
l'architecture de la région.
Bardonecchia possède en
outre une église du XVe siècle
aux belles stalles sculptées et
un télésiège qui mène aux
pentes de la **Punta Colomion**
s'élevant au sud de la station.
Le sommet (2054 m) offre un
beau panorama et des
possibilités de promenade.

La porta Savoia d'origine romaine
à Susa

Susa ❾

Torino. 🏛️ *7 000.* *FS* 🚌 ℹ️ *Corso
Inghilterra 39 (0122 62 24 47).*
🗓️ *mar.* **www.**turismotorino.org

Cette jolie ville se développa
à l'époque romaine et l'**arc
d'Auguste** élevé en l'an
8 av. J.-C. continue d'y
célébrer l'alliance entre un

chef gaulois local et le célèbre
empereur. D'autres vestiges
antiques subsistent à Susa :
les ruines d'un amphithéâtre,
de thermes et d'une enceinte
fortifiée, deux arcs d'un
aqueduc et la **porta Savoia**
bâtie au IVe siècle et remaniée
au Moyen Âge.

Le **Duomo** date du
XIe siècle, mais a connu bien
des modifications. Il renferme
un triptyque (vers 1500)
attribué à Bergognone, un
précieux triptyque flamand
du XIVe siècle représentant la
Vierge et des saints et une
statue de la comtesse
Adelaïde de Suse en prière.
Le château qu'elle habitait,
construit au XIe siècle, abrite
un musée municipal. Au sud
de la ville, l'église gothique
San Francesco se dresse au
cœur d'un quartier médiéval.

La petite station de Ceresole Reale
sous la neige

Ceresole Reale ❼

Torino. 🚌 *pour Ceresole Reale.*
ℹ️ *Palazzo Comunale, Ceresole Reale
(0124 95 31 21).*
www.turismotorino.org

Située au sud du parc national
du Grand-Paradis, cette petite
station d'altitude (1 600 m)
s'atteint depuis Cuorgne, au
nord de Turin, par la S 460
qui traverse les paysages
vallonnés du Cavanese et
s'enfonce dans les gorges
de l'Orco. À **Noasca**, une
spectaculaire cascade dévale
une paroi très au-dessus des
maisons.

Entourée de prairies et de
forêts de mélèzes, Ceresole
Reale s'étend sur un plateau
au bord d'un spectaculaire lac
de montagne artificiel qui
fournit Turin en électricité.
De hautes montagnes
l'encadrent – le Gran Paradiso
au nord et le massif de la
Levanna au sud-ouest –,
et la station permet de
pratiquer le ski en hiver et
constitue en été un agréable
point de départ pour des
randonnées ou des courses
en montagne. Offrant de
beaux panoramas, la route
continue ensuite jusqu'au col
du Nivolet (2 612 m).

Une rue de Bardonecchia dans le Alta Val Susa

Pour les hôtels et les restaurants de la région, voir p. 571-572 et 618-622

Chapiteaux de la porta delle Zodiaco de la Sacra di San Michele

Sacra di San Michele ⑩

Strada Sacra San Michele. **Tél** 011 93 91 30. 🚌 juil.-août : dim. après-midi de Avigliana et Turin. ◻ mar.-dim. 9h30-12h, 14h30-18h (17h oct.-mars). Tél. pour les groupes. **www**.sacradisanmichele.com

Au sortir d'Avigliana à l'ouest de Turin, une route panoramique grimpe jusqu'à cette abbaye édifiée à 962 m d'altitude sur le Monte Pirchiriano, site où s'éleva dès le Ve siècle un lieu de culte consacré à saint Michel. Fondé vers l'an 1000, ce monastère bénédictin aux allures de forteresse devint un refuge pour les pèlerins en route vers Rome et accumula au Moyen Âge richesses et puissance. Au faîte de sa gloire, il contrôlait plus de cent autres communautés religieuses en Italie, en France et en Espagne. Cette prospérité lui valut de subir des attaques et, malgré ses défenses, des pillages. Tombé en déclin, il ferma en 1662.

Derrière le portail d'entrée, 154 marches taillées dans le roc forment le scalone dei Morti (escalier des Morts) qui grimpe jusqu'à la porta del Zodiaco richement sculptée de reliefs romans (XIIe siècle). Un peu plus haut se trouve l'église bâtie aux XIIe et XIIIe siècles où reposent plusieurs membres de la maison de Savoie. Des fresques et des peintures des XVe et XVIe siècles décorent les trois nefs gothiques et leurs absides romanes, notamment, au maître-autel, un triptyque du Piémontais Defendente Ferrari. La crypte remonte pour sa partie la plus ancienne au Ve siècle.

Un belvédère offre un superbe panorama des montagnes, de la vallée de la Doire, de la plaine du Pô et de Turin.

Avigliana ⑪

Torino. 👥 11 200. **FS** 🚌 ℹ️ Piazza del Popolo 2 (011 976 91 11). 🗓 jeu. **www**.comune.avigliana.to.it

Les jours de soleil, cette petite localité perchée entre deux lacs et entourée de hautes montagnes est d'une beauté à couper le souffle. Les comtes de Savoie en firent jusqu'au début du XVe siècle une de leurs résidences préférées et les ruines du château qu'ils y édifièrent au Xe siècle dominent la ville.

Les deux places principales, la piazza Santa Maria et la piazza Conte Rosso, ont gardé un aspect moyenâgeux, tandis que sur la via Omonima se dresse la casa della Porta Ferrata de style gothique. Sur la via XX Settembre, la casa

dei Savoia date du XVe siècle. Plusieurs polyptyques de Defendente Ferrari ornent l'église San Giovanni (XIIIe-XIVe siècles).

Pinerolo ⑫

Torino. 👥 36 000. **FS** 🚌 ℹ️ Viale Giolitti 7-9 (0121 79 55 89). 🗓 mer. et sam. **www**.turismotorino.org

Petite ville animée et commerçante s'étendant au pied des collines dominant le confluent du Chisone et de la Lemina, Pinerolo fut la capitale d'une branche de la maison de Savoie : les princes d'Achaïe réputés pour le mécénat qu'ils pratiquèrent aux XIVe et XVe siècles. Elle ne connut toutefois pas la même stabilité que Turin et passa cinq fois sous contrôle français entre le XVe et le XVIIIe siècle, notamment de 1630 à 1706, période pendant laquelle sa forteresse servit de prison. Des détenus célèbres y séjournèrent : le « Masque de fer » y aurait passé près de 20 ans et Nicolas Fouquet, surintendant des Finances de Louis XIV tombé en disgrâce, y mourut en 1681.

Au cœur de la vieille ville, le **Duomo** gothique, bâti au XIVe siècle et remanié aux XVe et XVIe siècles, possède un élégant portail et un clocher majestueux. La via Principi d'Acaia grimpe jusqu'au palais des princes d'Achaïe (XIVe siècle) et à l'église **San Maurizio** (XVe siècle) qui abrite les tombeaux de huit d'entre eux. À côté se dresse un campanile construit en 1336.

Arcades médiévales de la piazza Conte Rosso d'Avigliana

Torino ⑬

Pour la plupart des gens, Turin n'évoque qu'une ville industrielle, siège des usines Fiat. Certains penseront au Saint-Suaire ou à la Juventus, célèbre équipe de football. Mais la capitale du Piémont, qui s'étend au pied des contreforts des Alpes dans un cadre spectaculaire, est une cité charmante, riche d'une superbe architecture baroque et d'excellents musées. Elle a accueilli les Jeux Olympiques d'hiver en 2006.

Statue de l'empereur Auguste devant la porta Palatina

À la découverte de Turin

Fondée par les Romains, comme en témoigne la **porta Palatina** (Ier siècle), puis siège d'une université dès le Moyen Âge, Turin n'acquiert de réelle importance qu'en 1563 quand Emmanuel-Philibert de Savoie y installe sa capitale. Trois siècles de prospérité suivent et c'est de Turin que Victor-Emmanuel II et son ministre Cavour dirigent l'unification de l'Italie dont la ville devient la première capitale (1861-

Logo de Fiat

1865). C'est ensuite par son dynamisme économique qu'elle s'impose et Giovanni Agnelli y fonde la **Fiat** (Fabbrica Italiana Automobili Torino) en 1899. La deuxième moitié du XXe siècle voit émigrer vers ses usines des paysans du Mezzogiorno, ce qui pose de nombreux problèmes d'intégration. Ils sont toutefois oubliés, tout comme les conflits sociaux, lorsqu'il s'agit de soutenir la Juventus, financée par Fiat.

🔒 Duomo

Piazza San Giovanni. *Tél* 011 436 15 40. ⬤ *t.l.j.* ♿

Construite de 1491 à 1498 et dédiée à saint Jean-Baptiste, la cathédrale est le seul exemple d'architecture

CENTRE DE TURIN

0   500 m

Pour les autres symboles de la carte
voir le rabat arrière de couverture

Le Duomo (xvᵉ siècle) et, derrière, la cappella della Sacra Sindone

MODE D'EMPLOI

🏠 1 000 000. ✈ Caselle 15 km (9 miles) N. 🚆 Porta Nuova, P. Carlo-Felice. Porta Susa, P. XVIII Dicembre. 🚌 Corso Vittorio Emanuele II 131. 🛈 P. Castello (011 53 51 81), et Stazione Porta Nuova. 🛍 sam. 🎉 24 juin : Festa di San Giovanni. **www**.turismotorino.org

Renaissance de Turin. Entrepris vers 1470 dans le style roman, son campanile reçut en 1720 un couronnement par Filippo Juvara.

De nombreuses peintures et statues décorent ses trois nefs séparées par des piliers massifs. Derrière le maître-autel se trouve la **capella della Sacra Sindone** (chapelle du Saint-Suaire) qui fait en réalité partie du palazzo Reale (*p. 224*). C'est par le transept droit que l'on accède à cette œuvre de Guarino Guarini (1624-1683) aux parois de marbre noir et à la coupole majestueuse plus haute encore que celle du Duomo.

🏛 Palazzo Madama

Piazza Castello. **Tél** 011 443 3501. ⬜ 10h-18h jeu., ven., sam. ; 10h-20h dim. **www** palazzomadamatorino.it

Sur la place principale de Turin s'élevait jadis un château médiéval qui mêlait des éléments de l'enceinte romaine. Il ne reste que deux tours polygonales car l'édifice fut remanié jusqu'à ce que la veuve de Charles-Emmanuel II (Madame Royale) engageât Filippo Juvara en 1718. L'architecte baroque lui donna sa façade occidentale et son grand escalier.

Le palais, où siégea le Sénat italien de 1860 à 1864, se dresse au centre de la place et abrite le **Museo Civico d'Arte Antica**, dont les collections s'étendent de l'époque gréco-romaine au xixᵉ siècle. Elles comptent de la verrerie, du mobilier, des tissus, des bijoux et, parmi les peintures, des œuvres de l'école piémontaise et le célèbre *Portrait d'un inconnu* (1475) d'Antonello da Messina et des enluminures des *Très Riches Heures du duc de Berry* (1385-1404).

La façade occidentale du palazzo Madama élevée par Filippo Juvarra de 1718 à 1721

SAINT-SUAIRE DE TURIN

Cette pièce de lin de 4,10 m sur 1,40 m qui aurait servi à envelopper le Christ après sa descente de croix entra en possession de la maison de Savoie en 1450. Même la légende reste floue sur son origine, évoquant tout au plus un passage par Chypre puis la France. C'est en 1578 qu'Emmanuel-Philibert l'apporta à Turin où la chapelle élevée à son intention par Guarini l'abrite depuis 1694. Enfermé dans un coffret en argent lui-même protégé par une cassette en fer placée à l'intérieur de l'urne posée sur l'autel, le suaire n'est présenté aux fidèles qu'en de très rares occasions. Une réplique est toutefois exposée, ainsi que des documents sur les recherches entreprises à son sujet, notamment les résultats des analyses au carbone 14 qui révélèrent en 1988 qu'il ne pouvait pas dater d'avant le xiiᵉ siècle. La relique n'en continue pas moins d'attirer des pèlerins du monde entier. Il est vrai que les taches qu'elle porte évoquent avec une grande force d'expression le supplice du Sauveur.

Détail du Saint-Suaire de Turin

À la découverte de Turin

Relativement peu étendu, le centre-ville offre un agréable cadre de promenade avec ses larges artères souvent bordées de cafés historiques et de boutiques. De splendides palais et de beaux édifices publics abritent plusieurs musées de grand intérêt, mais la capitale du Piémont est aussi réputée pour sa cuisine et possède certains des meilleurs restaurants d'Italie.

Saint Pierre (XVIe siècle) par
Gaudenzio Ferrari, Galleria Sabauda

Statue de Ramsès II (XIIIe siècle
av. J.-C.) au Museo Egizio

🏛 Museo Egizio

Via Accademia delle Scienze 6. **Tél**
011 561 77 76. ⬤ mar.-dim. 8h30-
19h30 ⬤ 1er janv., 25 déc. 📷 ♿
www.museitorino.it

Le musée égyptien de Turin, l'un des plus importants du monde, s'est constitué à partir du butin rapporté par Bernardo Drovetti, Piémontais qui devint consul général de France en Égypte sous Napoléon.

Le rez-de-chaussée présente dans la salle de la Nubie une reconstruction d'un **temple** rupestre construit à Ellessiya par Thoutmosis III au XVe siècle av. J.-C. Les autres salles sont dédiées à la sculpture et recèlent des statues de membres des familles royales, dont pour l'Ancien Empire (2815-2400 av. J.-C., de la IIIe à la VIe dynastie), un portrait de la princesse Redi en diorite, et, pour le Nouvel Empire (1590-1050 av. J.-C., de la XVIIIe à la XXe dynastie), une statue en granit noir de Ramsès II.

Le 1er étage offre un aperçu plus vaste de la culture et de la vie quotidienne de l'Égypte ancienne, avec des objets ayant servi à la pêche, à la chasse ou à des activités artisanales. Elle comprend une étonnante collection de sarcophages permettant de suivre leur évolution sur quatre millénaires et de nombreux papyrus, notamment le *Papyro dei Re* qui recense tous les pharaons jusqu'à la XVIIe dynastie. La tombe de Kha et Merit (XIVe siècle av. J.-C.) a conservé son mobilier funéraire, complet jusqu'à la vaisselle et les mets supposés nourrir ses occupants dans l'au-delà.

🏛 Galleria Sabauda

Via Accademia delle Scienze 6. **Tél**
011 440 69 03. ⬤ mar., ven.-dim.
8h30-14h, mer.-jeu. 14h-19h30. 📷
♿ **www**.museitorino.it

Dessiné par Guarini, le palazzo dell'Accademia delle Scienze abrite le musée égyptien et renferme en outre, aux 2e et 3e étages, les collections d'art rassemblées par la maison de Savoie durant le XVe siècle. Elles sont présentées par écoles régionales. On remarquera quatre chefs-d'œuvre de Gaudenzio Ferrari (v. 1480-1546) et deux œuvres du début du XVIe siècle de Defendente Ferrari.

À noter parmi les tableaux des autres écoles italiennes : *Tobie et l'ange* peint au XVe siècle par les Florentins Antonio et Piero Pollaiuolo, et, pour Venise, *Le Repas chez Simon* de Véronèse et une *Madone entourée de saints* de Mantegna. Fra Angelico, Bellini, Botticelli, le Bronzino ou le Tintoret sont aussi

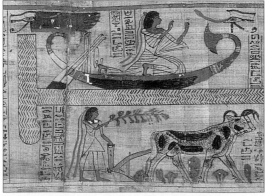

Détail d'un « livre des morts » de la XVIIIe dynastie, Museo Egizio

Pour les hôtels et les restaurants de la région, voir p. 571-572 et 618-622

représentés.
Eugène de Savoie
(1663-1736) réunit
de surcroît un bel
ensemble de
toiles
hollandaises et
flamandes
comprenant un
*Saint François
recevant les
stigmates* (XVe siècle)
par Jan Van Eyck, un *Vieillard
endormi* par Rembrandt et des
portraits de cour d'Antoon Van
Dyck, en particulier celui des
Fils de Charles Ier d'Angleterre.

L'exposition inclut aussi des
œuvres de l'école française,
dont des paysages peints au
XVIIe siècle par Lorrain et
Poussin.

Arcades de la via Roma

🏛 Palazzo Carignano
Via Accademia delle Scienze 5. *Tél*
011 562 11 47. ⬤ *pour restauration
jusqu'en 2011* 🦽 ♿
Ce palais baroque est non
seulement le chef-d'œuvre de

Façade du palazzo Carignano par Guarini

Guarino Guarini, mais
également le plus bel édifice
de Turin avec sa façade
curviligne surmontée d'une
rotonde. Construit en 1679
pour les princes de Carignan
affiliés à la maison de Savoie,
il voit naître en 1820
Victor-Emmanuel II, qui
deviendra le premier roi
d'Italie, puis abrite
les séances du Parlement
après l'unification en 1861.

Il renferme aujourd'hui
le **Museo Nazionale del
Risorgimento** (fermé pour
restauration jusqu'en 2011)
dont les collections de
peintures, de documents
et de souvenirs, intallées
dans les salles où l'histoire
se fit, évoquent les
événements et les hommes,
tel le comte de Cavour dont
on a reconstitué le cabinet de
travail, qui conduisirent à la
création de l'Italie actuelle
(*p. 62-63*).

🚋 Via Roma
Sillonnée de lignes de
tramways et bordée d'arcades
et de boutiques de luxe, la
rue principale du cœur de
Turin relie l'élégante piazza
Castello, au centre de laquelle
se dresse le palazzo Madama
(*p. 221*), à la piazza Carlo
Felice et ses agréables jardins
verdoyants tracés au
XIXe siècle. Cafés et magasins
entourent cette place que
domine la façade caractéristique de la stazione Porta
Nuova, gare construite en
1868. Elle ferme la perspective
dessinée par la via
Roma et la piazza
San Carlo baroque
qu'elle traverse à
proximité du Museo
Egizio.

🚋 Piazza San Carlo
Les bâtiments qui
bordent la place
forment un
ensemble baroque cohérent
et si sophistiqué qu'ils lui ont
valu le surnom de « salon de
Turin ». Au sud s'élèvent les
églises jumelles de **Santa
Cristina** et San Carlo. La
première reçut au début du
XVIIIe siècle une façade
couronnée de statues par
Juvarra. Elles furent édifiées
vers 1630 sur des plans de
Costaguta.

Au centre de la place se
dresse une statue équestre
exécutée en 1838 par Carlo
Marocchetti. Représentant le
duc Emmanuel-Philibert
(1528-1580), elle est devenue
un des emblèmes de la ville.
Au coin nord-ouest se trouve
la **Galleria San Federico**, une
élégante galerie marchande.

Dans l'un des cafés bordant
la piazza San Carlo, Antonio
Benedetto Carpano inventa le
vermouth en 1786.

🏛 Pinacoteca Giovanni e Marella Agnelli
Lingotto, Via Nizza 230. *Tél 011 006
20 08.* ⬤ *mar.-dim ; 10h-19h. (dern.
entrée : 18h15).* 🦽 ♿ 🏛 💻 🍴
www.pinacoteca-agnelli.it
Situé sur le toit d'une
ancienne usine Fiat, redessiné
par l'architecte Renzo Piano,
ce musée contient des
œuvres de Modigliani,
Canaletto et Canova.

🍂 Parco del Valentino
Corso Massimo D'Azeglio.
⬤ *t.l.j.* **Borgo Medioevale** *Viale
Virgilio 107. Tél 011 443 17 01.*
⬤ *t.l.j. 9h-19h (20h avr.-oct.).*
Orto Botanico *Tél 011 670 59 85.*
⬤ *avr.-sept. : sam.-dim.* 🦽 ♿
www.borgomedievaletorino.it
Ce vaste parc aménagé au
début du XIXe siècle au bord
du fleuve renferme le **Borgo
Medioevale**. Datant de
l'Exposition Nationale de
1884, c'est une reconstitution
d'un village médiéval et de sa
forteresse. Les ateliers et
magasins d'artisanat qui les
occupent ajoutent à l'intérêt
de la visite. À côté s'étend le
riche **Orto Botanico**.

La piazza San Carlo, le « salon de Turin », vue de son extrémité nord

Turin : symboles de la cité

Le passé de Turin se reflète dans l'ensemble de son architecture, mais quelques édifices résument plus particulièrement l'histoire de la ville. Le faste de l'ancien palais royal rappelle ainsi l'importance politique qu'eut la capitale de la maison de Savoie, tandis que la Mole Antonelliana témoigne de son enthousiasme à se jeter dans l'aventure industrielle. La Fiat a marqué le développement de Turin au XXe siècle, en faisant un des plus grands centres de fabrication automobile du monde où naquirent de prestigieuses voitures visibles au musée de l'Automobile.

⊞ Mole Antonelliana
Via Montebello 20. **Ascenseur panoramique** ◯ mar.-dim. 10h-20h (sam. : 23h). **Tél** 011 813 85 60. **Museo del Cinema Tél** 011 813 85 64. ◯ mar.-dim. 9h-20h (23h sam.). 🖼 www.museonazionaledelcinema.it

Cet édifice excentrique est à Turin ce que la tour Eiffel est à Paris : une construction sans fonction qui s'est imposée comme symbole de la ville. Ses détracteurs n'y voient qu'un paratonnerre magnifié depuis qu'un orage a mis à mal les 47 derniers mètres de sa flèche en 1954.

Entrepris en 1863, la Mole (grand bâtiment) dessinée par Alessandro Antonelli (1798-1888) pour accueillir une synagogue abrita en fait un musée du Risorgimento après son achèvement en 1897. Elle renferme aujourd'hui le musée du Cinéma et offre une vue panoramique sur la ville.

La Mole Antonelliana (XIXe siècle) domine Turin

⊞ Palazzo Reale
Piazzetta Reale. **Tél** 011 436 14 55. ◯ mar.-dim. 8h30-18h30. ⬤ 25 déc. 🖼 📷 ♿ www.piemonte.beniculturali.it

Demeure de la maison de Savoie de 1660 jusqu'à l'unification de l'Italie, le palais recèle derrière la façade austère due à Amedeo di Castellamonte des appartements somptueux dont Morello, Miel et Seyter peignirent les plafonds au XVIIe siècle. L'architecte baroque Filippo Juvarra créa vers 1720 la scala dei Forbici (« escalier des Ciseaux ») et le Cabinet chinois aux panneaux de laque. Palagi exécuta la fastueuse décoration de la salle du Trône et de la salle de Bal. Derrière le palais s'étend un vaste jardin. À gauche de l'entrée principale s'élève l'ancienne chapelle royale, l'église **San Lorenzo** entreprise en 1634 mais remaniée par Guarino Guarini (1624-1683) qui lui donna son audacieuse coupole. Sculptures, marbres polychromes et stucs dorés composent à l'intérieur un riche décor baroque.

Sous la coupole de San Lorenzo

▥ Armeria Reale
Piazza Castello 191. **Tél** 011 54 38 89. ◯ jeu.-ven. 9h-14h ; sam.-dim., j.f. 13h-19h. ⬤ 1er janv., 25 déc. 🖼 www.artito.arti.beniculturali.it

Une aile du palazzo Reale donnant sur la piazza Castello, cœur historique de la ville, offre l'une des plus riches collections d'armes et d'armures anciennes d'Europe. Ouverte au public depuis 1837, l'Armurerie royale de la maison de Savoie présente dans des salles aussi élégantes que la Galleria Beaumont, dessinée par Juvarra en 1733, des pièces allant des époques étrusque et romaine jusqu'au XIXe siècle, notamment 57 armures complètes réalisées par de grands artisans du Moyen Âge et de la Renaissance. Une section est aussi largement consacrée aux équipements de combat orientaux.

La bibliothèque Royale abrite une collection de dessins et d'estampes, dont un autoportrait de Léonard de Vinci, visible seulement lors d'expositions temporaires.

Aux environs : À 3 km du centre, le vaste **Museo dell'Automobile Carlo Biscaretti di Ruffia**, du nom de l'amateur qui le fonda en 1933, abrite plus de 150 voitures classées par époques, les plus anciennes se partageant entre « ancêtres », « vétérans » (de 1905 à 1918) et « vintages » (jusqu'à 1930). À

Résidence royale jusqu'à l'unification, le palazzo Reale (XVIIe s.) possède une somptueuse décoration

Pour les hôtels et les restaurants de la région, voir p. 571-572 et 618-622

côté de la première automobile à essence d'Italie (1896) et de la première Fiat (1899), les amateurs admireront le coupé Isotta Fraschini de 1929 qui transportait Gloria Swanson dans le film *Sunset Boulevard*, ainsi que de superbes Bugatti, Maserati, Ferrari ou Lancia. Des doyennes comme une Panhard et Levassor de 1899 ou des voitures aussi prestigieuses que la Rolls Royce Silver Ghost représentent la production étrangère. Un centre de documentation est également ouvert au public.

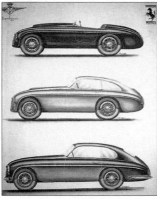

Projets pour la Ferrari 166 MM (1949)

🏛 **Museo dell'Automobile**
Corso Unità d'Italia 40. **Tél** 011 67 76 66. ● *en restauration.* 📷 & www.museoauto.it

Stupinigi ⓮

Piazza Principe Amedeo 7, Stupinigi. **Tél** 011 358 12 20. 🚌 *63 jusqu'à Piazza Caio Mario puis 41.* ● *en restauration jusqu'en 2011. Téléphoner avant d'y aller.* 📷 & www.mauriziano.it

Le décor de la palazzina di Caccia di Stupinigi date du xviiie siècle

Dans un site magnifique à 9 km au sud-ouest de Turin, Filippo Juvarra (1676-1736) éleva en 1729 pour Victor-Amédée II un palais évoquant par son luxe baroque celui de Versailles : la palazzina Mauriziana, appelée palazzina di Caccia di Stupinigi, l'une des plus belles créations de l'architecte qui lui donna un plan complexe où courbes et droites entrent en contraste pour former un ensemble d'un grand dynamisme.

Cylindre couronné d'une balustrade supportant urnes et statues, le corps central est coiffé d'une coupole au sommet de laquelle se dresse un cerf. L'animal rappelle que la demeure était à l'origine un pavillon de chasse. Une fonction qui influença le thème de nombre des fresques en trompe l'œil ornant l'intérieur comme, par exemple, le *Triomphe de Diane* peint au xviiie siècle dans la salle principale. Carle Van Loo exécuta la plupart des peintures des plafonds.

La palazzina compte près de 40 pièces au décor tout aussi somptueux. Elles renferment aujourd'hui les collections de meubles et d'objets d'art des xviie et xviiie siècles de l'intéressant **Museo d'Arte e di Ammobiliamento**. Les pièces exposées proviennent pour la plupart d'anciennes résidences royales de la maison de Savoie.

Un vaste parc autour du palais associe avec élégance larges allées et parterres géométriques multicolores.

Basilica di Superga ⓯

Strada Basilica di Superga 73, Comune di Torino. 🚊 *Sassi.* ○ *t.l.j.* ● *8 sept.* **Tombeaux Tél** 011 899 74 56. ○ *t.l.j.* . ● *jours fériés.* www.basilicadisuperga.com

La superbe basilique baroque de Superga construite par Juvarra entre 1717 et 1731 se dresse sur une colline à l'est de Turin. Le duc Victor-Amédée II la commanda en accomplissement d'un vœu à la Vierge fait en 1706 alors que les troupes françaises l'assiégeaient dans Turin avec son armée. Un majestueux portique évoquant un temple antique, la coupole élancée qui le surmonte et deux clochers jumeaux hauts de 65 m composent un ensemble d'un équilibre remarquable.

De nombreuses peintures et sculptures décorent l'intérieur où dominent le bleu pâle et le jaune. Sous le sanctuaire s'étend le vaste mausolée abritant les tombeaux des rois, princes et princesses des xviiie et xixe siècles.

Derrière la basilique, une plaque commémore les 31 victimes, dont les joueurs de l'équipe de football de Turin, d'un accident aérien qui eut lieu en 1949 à proximité. L'esplanade offre une superbe vue sur la ville et ses alentours.

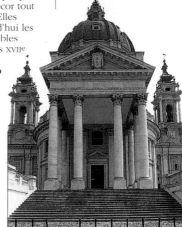

L'imposante façade baroque de la basilica di Superga dessinée par Filippo Juvarra

La basilica dell'Assunta (XVIIe s.) au sommet du Sacro Monte de Varallo

Venaria Reale ⑯

Piazza della Repubblica 4.
Tél 011 499 23 33. FS ▦ ☐ t.l.j.
9h-18h30. 📷 www.lavenaria.it

La grandiose Venaria Reale a vu le jour au milieu du XVIIe siècle, lorsque Charles Emmanuel II de Savoie fit édifier un pavillon de chasse sur le site de la ville d'Altessano Superior. L'immense résidence est composée du somptueux palais **Reggia di Diana** et de ses jardins construits entre 1660 et 1671, ainsi que de **La Mandria**, le parc de 3 000 ha qui les entoure.

Signé Amadeo di Castellmonte, le centre historique de Venaria a été réalisé entre 1667 et 1690. Il se déploie autour de la piazza dell'Annunziata sur laquelle se dressent les statues de l'archange Gabriel et de la Vierge Marie.

Santuario d'Oropa ⑰

Via Santuario d'Oropa 480, Comune di Biella. **Tél** 015 255 512 00. FS
Biella. ▦ de Biella. ☐ t.l.j. 8h-12h.
♿ **Chiesa Antica** ☐ t.l.j. 8h-12h,
14h-19h. **Chiesa Nuova** ☐ été :
t.l.j. 9h30-17h30, hiver : mar., mer.,
sam. 9h-16h30, dim. 9h-17h30.
www.santuariodioropa.it

Perchés au-dessus de Biella, petite ville de tradition lainière, les églises et les édifices aux toits en lauzes d'un hospice enserrent trois places en enfilade. La tradition attribue la fondation de ce centre religieux à saint Eusèbe, évêque de Vercelli au IVe siècle, qui aurait décidé d'y accueillir les pauvres et d'y créer un sanctuaire en l'honneur de la « Vierge noire » qu'il avait rapportée de Terre Sainte. Attribuée à saint Luc en personne, la statue, objet d'un grand pèlerinage du Piémont, se trouve dans la **chiesa Antica** (Vieille église). Derrière celle-ci, s'élève la massive **chiesa Nuova** néoclassique édifiée entre 1885 et 1960.

Domodossola ⑱

Verbania. 🚶 20 000. FS ▦
🛈 Stazione entrance, Piazza Matteotti 24 (0324 24 82 65). ▣ sam. www.prodomodossola.it

Au centre de cette jolie ville de montagne d'origine romaine, la **piazza Mercato** (place du marché) est encadrée de belles arcades et de maisons des XVe et XVIe siècles. Domodossola niche dans le Val d'Ossola, un paysage alpin de pâturages et forêts, cours d'eau et torrents. Parmi les charmants villages au nord de la vallée, **Crodo** recèle des sources froides, et **Baceno** a une église des XIVe et XVIe siècles ornée de fresques et de sculptures en bois.

Varallo ⑲

Vercelli. 🚶 7 900. FS ▦ 🛈 Corso Roma 38 (0163 56 44 04). ▣ mar.
www.atlvalsesiavercelli.it

Station touristique de la jolie Valsesia, la petite ville de Varallo possède une église remarquable : **Santa Maria delle Grazie**, édifice de la fin du XVe siècle décoré par Gaudenzio Ferrari (1484-1546) d'éléments architecturaux en trompe l'œil et de 21 scènes de la vie du Christ.

Derrière, un long escalier grimpe jusqu'à un sanctuaire : le **Sacro Monte**. Fondée en 1486 et financée par l'archevêque de Milan, saint Charles Borromée, cette « Nouvelle Jérusalem » perchée à 610 m d'altitude s'atteint également en téléphérique.

Dans une cour paisible plantée de palmiers, sa basilica dell'Assunzione recèle, derrière une façade du XIXe siècle, un exubérant intérieur baroque. Tout autour, plus de 40 chapelles abritent 900 statues et 400 figures peintes grandeur nature disposées devant des décors exécutés au début du XVIe siècle entre autres par Gaudenzio Ferrari et Tanzio da Varallo. Elles mettent en scène le péché originel et des épisodes de la vie du Christ.

Condamnation du Christ (XVIe s.) d'une chapelle du Sacro Monte de Varallo

Pour les hôtels et les restaurants de la région, voir p. 571-572 et 618-622

Intérieur de l'église San Giulio sur l'île du lac d'Orta

Lago di Orta ⓴

Novara. **FS** 🚌 ⛴ Orta. **ℹ** Via Panoramica, Orta San Giulio (0322 90 56 14). **www**.distrettolaghi.it

Long d'à peine 13 km, le lago d'Orta est l'un des lacs d'Italie les moins fréquentés, et il occupe un site charmant au pied des Alpes.

Sa principale station de villégiature, **Orta San Giulio**, a conservé des palais élégants et des maisons parées de balcons en fer forgé qui bordent des rues étroites. Sur la **piazza Principale**, au bord de l'eau, se dresse le palazzo della Communità (1582), édifice à arcades orné de fresques. Bâtie au XVe siècle sur une éminence, l'église **Santa Maria Assunta** possède un portail roman et un intérieur riche en fresques et peintures datant de sa reconstruction au XVIIe siècle.

À environ 1,5 km, le **Sacro Monte** domine la ville. Ce pèlerinage dédié à saint François d'Assise se compose de 21 chapelles pour la plupart baroques où des statues en terre cuite disposées devant des fresques représentent des épisodes de la vie du saint. Le sentier qu'elles jalonnent ménage de superbes panoramas du lac.

L'**isola San Giulio** émerge au centre du plan d'eau. Selon la légende, saint Jules l'aurait libérée de monstres et de serpents. Fondée au IVe siècle, la basilique remaniée dans le style roman abrite une chaire en marbre noir sculptée du XIIe siècle et, dans la nef droite, une *Vierge en majesté* attribuée à Gaudenzio Ferrari.

Novara ㉑

🏙 105 000. **FS** 🚌 **ℹ** Baluardo Quintino Sella 40 (0321 39 40 59). 🗓 lun., jeu., sam. **www**.turismonovara.it

Grand marché agricole d'une plaine de rizières, Novare portait à l'époque romaine le

Détail d'une fresque par Morazzone dans l'église San Gaudenzio de Novare

nom de Nubliaria (« entourée de brume »). C'est une atmosphère paisible qui règne dans les rues et les places bordées d'arcades de son centre historique. La plupart des édifices les plus remarquables dominent la piazza della Repubblica, notamment le **Broletto** formé de plusieurs palais entourant une belle cour Renaissance. Les bâtiments abritent une pinacothèque, une galerie d'art moderne et un petit **Museo Civico** qui comprend un département d'archéologie.

De l'autre côté de la place s'élève le **Duomo** reconstruit vers 1865 dans le style néoclassique par Alessandro Antonelli. Derrière un haut portique, l'intérieur renferme des peintures Renaissance de l'école de Vercelli et des tapisseries flamandes. Du sanctuaire qui le précédait sur le site subsistent la chapelle San Siro ornée de fresques des XIIe et XIIIe siècles et un cloître du XVe siècle.

Accessible par le portique, le **baptistère** remonte pour ses parties les plus anciennes au Ve siècle. Il est décoré de scènes médiévales de l'Apocalypse.

À quelques rues de là se dresse **basilica di San Gaudenzio** entreprise à la fin du XVIe siècle et couronnée par Antonelli d'une coupole et d'une flèche qui ne sont pas sans évoquer la Mole Antonelliana (*p. 224*) que l'architecte édifia à Turin. Au sommet, haut de 121 m, une statue de saint Gaudens, patron de la ville, domine Novare. À remarquer à l'intérieur du sanctuaire : une scène de bataille peinte par Tanzio da Varallo en 1627, un polyptyque de Gaudenzio Ferrari et des fresques et un *Jugement dernier* par Pier Francesco Morazzone (v. 1572-1626).

🏛 **Museo Civico**
Via Fratelli Rosselli 20. **Tél** 0321 62 30 21. ⬤ en restauration. 🖼 ♿ **www**.comune.novara.it

🔓 **Baptistère**
Piazza della Repubblica. **Tél** 0321 66 16 71. ⬤ s'adresser à la Curia Arcivescovile.

Le lac d'Orta et l'île San Giulio

Vercelli ㉒

🏛 50 000. FS 🚌 ℹ *Viale Garibaldi 90 (0161 58 002).* 🔄 *mar. et ven.* www.atlvalsesiavercelli.it

Capitale européenne de la production de riz, Vercelli s'étend dans une vaste plaine miroitante couverte de rectangles d'eau.

Indépendante au Moyen Âge avant d'appartenir à la maison de Savoie à partir du XVe siècle, la ville donna naissance au XVIe siècle à une école de peinture originale dont les deux plus célèbres représentants furent le Sodoma et Gaudenzio Ferrari.

Son plus beau monument, la **basilica di Sant'Andrea**, s'élève en face de la gare. Abbatiale construite de 1219 à 1227 pour le légat du pape Guala Bicheri, elle présente un extérieur roman, mais fut le premier édifice religieux d'Italie à subir l'influence du gothique cistercien. Remarquez notamment les arcs-boutants. Deux tours jumelles en pierre et en brique reliées par une double colonnade encadrent la façade. Antelami exécuta au XIIe siècle les sculptures du tympan du portail central.

La rosace baigne d'une lumière douce l'intérieur où de hauts piliers soutiennent une voûte dépouillée. Un gracieux cloître du XIIIe siècle jouxte le bas-côté nord.

Les autres monuments historiques de la ville ne se trouvent qu'à faible distance. L'**Ospedale Maggiore** date du XIIIe siècle, l'imposant **Duomo** a été reconstruit au XVIe siècle, mais il a conservé un campanile roman, enfin l'église **San Cristoforo** possède

un transept orné de fresques réalisées par Gaudenzio Ferrari vers 1529, période à laquelle il peignit aussi la *Vierge à la grenade* du maître-autel. Le meilleur endroit où découvrir l'école de Vercelli reste néanmoins le **Museo Borgogna** installé dans une rue parallèle au corso Libertà, principale artère commerçante de la cité et bordée de quelques belles maisons du XVe siècle possédant de jolies cours intérieures.

🏛 **Museo Borgogna**
Via Antonio Borgogna 6. **Tél** 016125 27 76. ⬜ *mar.-ven. après-midi, sam. matin, dim. après-midi* ● *1er janv., 15 août, 1er nov., 25 déc.* 🔄
🌐 www.museoborgogna.it

Cloître (XIIIe siècle) de la basilica di Sant'Andrea à Vercelli

Asti ㉓

🏛 74000. FS 🚌 ℹ *Piazza Alfieri 29 (0141 53 03 57).* 🔄 *mer. et sam.* www.astiturismo.it

Asti évoque le *spumante* (mousseux) produit par les vignobles couvrant les collines qui l'entourent. Ceux-ci donnent également des

Sculptures gothiques du XVe siècle ornant le portail du Duomo d'Asti

muscats réputés *(p. 182-183)*. D'origine romaine, la ville a conservé ses ruelles anciennes bordées d'églises élégantes, de tours et de maisons médiévales.

Juste au nord de la gare principale s'étend la piazza del Campo del Palio, la plus vaste place d'Asti et la piazza Alfieri où se déroule chaque année à la fin septembre une course de chevaux qui n'a rien à envier à celle de Sienne *(p. 341)*. Précédée d'un spectaculaire défilé en costumes des XIVe et XVe siècles, elle coïncide avec la fête du vin.

Une autre place s'étend à côté, la **piazza Vittorio Alfieri** qu'orne un monument en l'honneur de l'écrivain (1749-1803) natif d'Asti dont les tragédies annoncèrent le romantisme. La rue principale porte aussi son nom. Le corso Alfieri, qui traverse tout le centre historique, conduit à l'est à l'église **San Pietro in Consavia** bâtie au XVe siècle et ornée de terres cuites de la fin du gothique et de fresques du XVIIe siècle. Le **baptistère** voisin est un remarquable édifice roman qui faisait jadis partie d'une église appartenant aux chevaliers de Saint-Jean-de-Jérusalem.

À l'ouest de la piazza Alfieri, la **collegiata di San Secondo** (XIIIe-XVe siècles) est dédiée au saint patron de la ville dont les reliques occupent une châsse dans la crypte. Le sanctuaire abrite un splendide polyptyque Renaissance par Gandolfino d'Asti et des fresques du XVe siècle. Le quartier traversé par la partie ouest du corso Alfieri renferme quelques-

Rizières autour de Vercelli

unes des tours médiévales typiques de la ville, dont la torre Ropa qui s'élèverait sur les ruines d'une prison où san Secondo, un soldat romain, aurait été détenu. Le **Duomo** entrepris au XIVe siècle est un bel édifice gothique. Il abrite deux tableaux réalisés par Gandolfino d'Asti, dont une *Vierge à l'Enfant*.

Cuneo ㉔

🏛 56 000. FS 🚌 🛈 *Via Roma 28 (0171 69 32 58).* 🗓 mar. **www**.cuneoholiday.com

Sa situation à la pointe formée par le confluent du Gesso et de la Stura di Demonte a valu à Cuneo son nom qui signifie « coin ». Début novembre, elle accueille une foire régionale du fromage qui permet de découvrir les spécialités locales. Toute l'année, un grand marché se tient le mardi sur une immense place entourée d'arcades, la **piazza Galimberti**. Comme la majeure partie du reste de la ville, celle-ci date de la reconstruction qui suivit le siège par l'armée du Piémont en 1744. L'impressionnant viaduc de la voie ferrée remonte aux années 1930. Désaffectée, l'église **San Francesco** bâtie en 1227 possède un beau portail du XVe siècle. **Santa Croce**, élevée au XVIIIe siècle, présente une

Le castello di Casotto dans les collines au-dessus de Garessio

façade concave originale par Francesco Gallo.

Cuneo permet d'explorer les belles vallées alpines telles que le val Stura réputé pour ses fleurs rares.

Bossea ㉕

Località Bossea, Comune Frabosa Soprana. **Tél** *0174 34 92 40.* FS Mondovì. 🚌 de Mondovì. ○ t.l.j. visites guidées seul. 📷 **www**.grottadibossea.it

La grotte de Bossea, l'une des plus belles d'Italie, se trouve à 25 km au sud de Mondovi, au bout d'une route pittoresque qui s'enfonce dans les Alpes maritimes en longeant la vallée du Torrente Corsaglia.

La visite guidée longe cours d'eau et lacs souterrains à travers plusieurs chambres, dont certaines sont vastes, riches en concrétions calcaires aux formes étranges et en superbes stalactites et stalagmites. Elle présente aussi le squelette d'un ours préhistorique, l'*Ursus spelaus*, trouvé dans la grotte.

Prenez un vêtement chaud, car la température s'élève rarement au-dessus de 9°.

Garessio ㉖

Cuneo. 🏛 4 000. FS 🚌 🛈 *Piazza Carrara 137 (0174 80 56 11).* 🗓 ven. **www**.garessio.net

Jolie bourgade des Alpes maritimes, Garessio est situé dans des collines boisées de châtaigniers.

Selon la tradition, les eaux y ont des pouvoirs miraculeux : vers l'an 980, les minéraux qu'elles contiennent auraient ainsi apporté une guérison immédiate à un noble octogénaire du nom d'Aleramo qui souffrait de douloureux problèmes circulatoires et rénaux. Depuis, Garessio est un lieu de cure recommandé, principalement pour les troubles urinaires et digestifs.

Aux environs :
À quelque 10 km à l'ouest de Garessio se dresse dans un site spectaculaire le **castello di Casotto**, ancienne résidence d'été de la maison de Savoie. La famille royale venait y profiter des vertus thérapeutiques des eaux de la région et de l'exceptionnelle pureté de l'air dans ces collines.

La ville d'**Ormea**, à 12 km au sud-ouest, possède de belles maisons anciennes, une église ornée de fresques gothiques de la fin du XIVe siècle et les ruines d'un château du XIe siècle.

⚜ **Castello di Casotto**
Garessio. **Tél** *0174 35 11 31.* ◑ pour restauration. 📷

Mardi est le jour du marché sur l'immense piazza Galimberti au centre de Cuneo

LIGURIE

Longue et étroite bande côtière, la Ligurie s'étend au pied de montagnes de la France à la Toscane. Entourées de jardins rendus luxuriants par la douceur du climat, des maisons colorées y exposent leurs façades pastel au soleil méditerranéen. Malgré la popularité que connaissent en été des stations balnéaires comme Portofino ou San Remo, Gênes est la seule agglomération importante.

Gênes commerçait déjà pendant l'Antiquité avec les Grecs et les Phéniciens. Au début du Moyen Âge, elle assied son pouvoir sur les petits États féodaux qui jalonnent la côte, puis parvient à protéger son territoire des incursions des pirates sarrasins. Sa puissance maritime ne cesse alors de croître. Les croisades lui offrent l'occasion de créer des comptoirs au Moyen-Orient.

Au XIIIe siècle, la grande rivale voisine, Pise, est obligée de s'incliner. Les marchands génois s'installent en mer Noire, en Grèce, en Espagne. Ils s'y retrouvent en concurrence avec Venise. Les deux Républiques finissent par entrer en guerre, un long conflit qui s'achève par la défaite de Gênes en 1380. La Ligurie entre alors en déclin et passe sous domination française. Le grand amiral Andrea Doria lui rend son autonomie au début du XVIe siècle, mais ce nouvel âge d'or dure peu : les Français conquièrent à nouveau la région en 1668, puis ce sont les Autrichiens en 1734. Intégrée au royaume de Sardaigne en 1815, la Ligurie joue un rôle actif dans l'unification de l'Italie, grâce à des patriotes comme Giuseppe Mazzini ou Garibaldi, mais ne retrouve pas sa splendeur passée.

Le tourisme qui s'y est développé à partir de la fin du XIXe siècle est devenu la principale ressource de la région, et de Portovenere à San Remo, de nombreuses stations balnéaires jalonnent le littoral. Gênes reste un grand port industriel.

À Portofino, le vert des volets met en relief l'ocre des façades

◁ Falaises de la Riviera di Levante à l'est de Gênes

À la découverte de la Ligurie

La Ligurie se divise nettement en deux parties. De Gênes à la frontière française, sur le littoral occidental connu sous le nom de Riviera di Ponente, d'étroites plaines côtières offrent en été leurs plages aux vacanciers. À l'est, la Riviera di Levante jalonnée de petits ports devenus d'élégantes stations balnéaires se révèle plus pittoresque avec ses falaises tombant dans les eaux bleues de la Méditerranée. Entre les deux, Gênes s'étage en un immense amphithéâtre au-dessus du port le plus important d'Italie où règnent une animation et une atmosphère populaires.

Emblème de la ville de Cervo
au-dessus des portes de la cathédrale

Étals d'un marché de Gênes

LA RÉGION
D'UN COUP D'ŒIL

LÉGENDE

Autoroute	Liaison ferrée principale
Route principale	Liaison ferrée secondaire
Route secondaire	Frontière internationale
Petite route	Frontière régionale
Parcours pittoresque	△ Sommet

Pour les autres symboles de la carte *voir le rabat arrière de couverture*

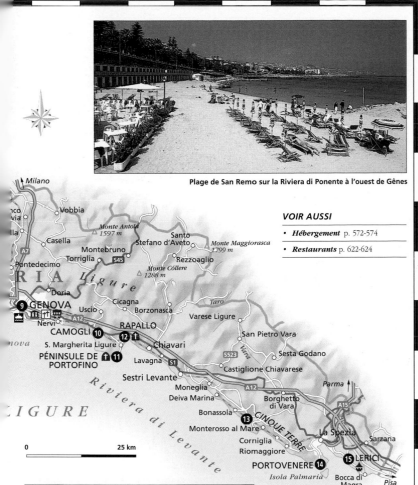

Plage de San Remo sur la Riviera di Ponente à l'ouest de Gênes

VOIR AUSSI

- **Hébergement** p. 572-574
- **Restaurants** p. 622-624

Maisons accrochées à la falaise à Riomaggiore, Cinque Terre

CIRCULER

Longer la côte ne présente pas de difficulté. Partant de France, l'autoroute A 10 devient la A 12 à Gênes et rejoint Florence et Livourne. La principale voie de chemin de fer suit le littoral, desservant Vintimille, San Remo, Savona, Gênes et La Spezia. Il existe de bonnes liaisons routières et ferroviaires entre Gênes, Turin et Milan. Les montagnes rendent l'accès à l'intérieur des terres plus difficile, mais des bus permettent de rejoindre depuis les villes côtières la plupart des villages dignes d'intérêt. En voiture, n'hésitez pas à découvrir la campagne sur des routes comme la S 28 d'Imperia vers Garessio, la S 334 depuis Albisola ou la S 456 de Voltri vers Milan.

Le splendide jardin de la villa Hanbury près de Vintimille

Balzi Rossi ❶

Imperia. FS *Ventimiglia et Menton.*
de Ventimiglia à Ponte San Luigi puis 10 min à pied.
www.archeoge.arti.beniculturali.it

Un promontoire recèle des grottes parmi les plus importantes d'Italie du Nord pour les vestiges paléontologiques qui y furent mis au jour, notamment un lieu de sépulture où les morts portaient des parures de coquillages. Une visite guidée permet de les découvrir. Le **Museo Nazionale dei Balzi Rossi** renferme une partie des objets trouvés sur place : outils, armes et figures féminines et animales vieilles de 100 000 ans.

🏛 Museo Nazionale dei Balzi Rossi
Via Balzi Rossi 9. *Tél 0184 381 13.*
⬤ *mar.-dim. 8h30-19h30*
⬤ *1er janv., 1er mai, 25 déc.* 🖼

Villa Hanbury ❷

Corso Monte Carlo 43, Località La Mortola. *Tél 0184 22 95 07.*
FS *Ventimiglia.* 🚌 *de Ventimiglia.*
⬤ *t.l.j. 9h30-16h (17h mars-mi-juin, 18h mi-juin-sept.)* ⬤ *nov.-mars : mer.* 🖼 www.amicihandbury.com

En 1867, le botaniste anglais Sir Thomas Hanbury acheta cette villa sur le promontoire de Mortola et décida de profiter du climat clément de la Ligurie pour créer dans le parc de la résidence un jardin d'acclimatation à partir de spécimens de plantes exotiques qu'il avait réunis au cours de voyages en Asie et en Afrique.

Plus de 3 000 variétés de végétaux tropicaux, notamment caoutchoucs, palmiers et cactus, en font aujourd'hui l'un des plus riches jardins botaniques d'Europe. Désormais géré par l'État, il offre même en hiver un spectacle varié et coloré.

Dolceacqua ❸

Imperia. 🏠 *1 800.* FS 🚌 ℹ️ *Via Barberis Colomba 5 (0184 20 66 66).*
⬤ *jeu.* www.dolceacqua.it

Ce joli village à 8 km au nord de Vintimille s'étend des deux côtés de la Nervia et un pont médiéval en pierre jette une arche de 33 m au-dessus de la rivière pour relier les deux moitiés de la localité. Deux tours carrées dominent les maisons. Elles précèdent un imposant **château** (XIIe-XVe siècles) en ruine qui appartint à la puissante

famille génoise des Doria.

Les vignes cultivées sur les coteaux en terrasses qui entourent le village produisent du raisin de table et un vin rouge robuste mais réputé, connu sous le nom de rossese di Dolceacqua.

San Remo ❹

Imperia. 🏠 *60 000.* FS 🚌 ℹ️
Largo Nuvoloni 1 (0184 590 59). ⬤
mar., sam. www.rivieradeifiori.org

Le Casinò Municipale (achevé en 1906) de San Remo

L'élégance estompée de cette agréable station balnéaire évoque la fin du XIXe siècle, époque où l'aristocratie européenne découvrit le charme de la Riviera italienne. Entre autres célébrités, le compositeur Tchaïkovsky et Alfred Nobel, l'inventeur de la dynamite, séjournèrent dans les élégantes demeures stuquées de la promenade du bord de mer, le corso Imperatrice que domine l'église orthodoxe russe.

Le Casinò Municipale est toujours le centre de la vie sociale de la station. Le corso Garibaldi accueille un charmant marché aux fleurs tôt le matin, cependant que les ruelles de la vieille ville escaladent la colline appelée La Pigna. Un funiculaire grimpe jusqu'au monte Bignone qui commande une large vue sur le littoral.

Bussana Vecchia ❺

Imperia. Près de la route San Remo-Arma di Taggià.

En février 1887, un tremblement de terre détruisit l'église baroque et les maisons de Bussana, lieu de

Le pont médiéval et le château du village de Dolceacqua

Pour les hôtels et les restaurants de la région, voir p. 572-574 et 622-624

naissance de Giovanni Torre del Merlo qui inventa la crème glacée.

Le village fut reconstruit à 2 km de là, près de la mer, sous le nom de Bussana Nuova. Des artistes s'installèrent dans les ruines. Malgré les restaurations et la création d'un lieu d'art, elle ressemble à une ville fantôme.

Cervo ❻

Imperia 🏃 1 200. FS ▦
ℹ️ *Piazza Santa Caterina 2 (0183 40 81 97).* 🛍️ *jeu.*
www.rivieradeifiori.it

Avec ses ruelles escaladant la colline au-dessus d'une plage de galets, Cervo est le plus joli village à l'est d'Imperia. Au sommet, la façade concave de l'église baroque **San Giovanni Battista** se dresse au-dessus des maisons multicolores. Son parvis sert de cadre en été à des concerts de musique de chambre.
Le surnom du sanctuaire, « *dei corallini* », rappelle que c'était la pêche du corail qui faisait vivre le village avant qu'il ne se transforme en station balnéaire au front de mer bordé d'hôtels.

L'église San Giovanni Battista de Cervo

Dans les grottes de Toirano

Albenga ❼

Savona. 🏃 21 000. FS ▦ ℹ️
Piazza del Popolo 11 (0182 55 84 44). 🛍️ *mer.* **www**.inforiviera.it

Jusqu'au Moyen Âge, l'Albium Ingaunum des Ligures puis des Romains fut un port maritime prospère. Mais la mer se retira et la plaine du Centa, le fleuve qui arrose la ville, entoure aujourd'hui Albenga. Important marché de primeurs, la petite localité a gardé beaucoup de cachet avec ses maisons anciennes et ses remparts médiévaux. Ses édifices romans en brique sont particulièrement remarquables, notamment les trois tours du XIIIᵉ siècle qui se serrent autour de la cathédrale **San Michele** au décor baroque.
Au sud du sanctuaire, un curieux **baptistère** du Vᵉ siècle à l'extérieur décagonal mais à l'intérieur octogonal a conservé les mosaïques paléochrétiennes dont ses fondateurs l'ornèrent à sa construction.
Au nord de la cathédrale, de belles demeures moyenâgeuses entourent la petite piazza dei Leoni. Sur la piazza San Michele, le **Museo Navale Romano** contient des vestiges repêchés dans l'épave d'un bateau coulé au Iᵉʳ siècle av. J.-C.

Baptistère (Vᵉ s.) d'Albenga

🛐 Baptistère
Piazza San Michele. **Tél** 0182 512 15. 🕐 mar.-dim. ● 1ᵉʳ janv., Pâques, 25 déc. 📷

🏛 Museo Navale Romano
Piazza San Michele 12. **Tél** 0182 512 15. 🕐 mar.-dim. ● 1ᵉʳ janv., Pâques, 25 déc. 📷

Grotte di Toirano ❽

Piazzale delle Grotte, Toirano. **Tél** 0182 980 62. ▦ d'Albenga à Borghetto Santo Spirito. FS jusqu'à Borghetto Santo Spirito ou Loano puis bus. 🕐 t.l.j. 9h30-12h, 14h-17h ● mi-nov.-25 déc. 🛍️ jeu. 21h (réserver) **www**.toiranogrotte.it

Sous le délicieux petit village médiéval de Toirano s'étendent des salles souterraines contenant des traces de vie datant du Paléolithique.
Une visite guidée de la **grotta della Basura** (grotte de la Sorcière) permet de découvrir des empreintes de pas animales et humaines, ainsi que des ossements et des dents d'ours de l'époque préhistorique. La reconstitution d'un de ces plantigrades se trouve dans le **Museo Preistorico della Val Varatella** installé à l'entrée de la grotte.
La visite de la **grotta di Santa Lucia** est elle aussi guidée et révèle toute la beauté des concrétions calcaires qui se sont formées dans ces cavernes.

🏛 Museo Preistorico della Val Varatella
Piazzale delle Grotte. **Tél** 0182 980 62. ● pour restauration.

Genova pas à pas 🄌

Comparée à l'ambiance des stations balnéaires du reste du littoral ligure, l'atmosphère de Gênes, le plus grand port d'Italie, possède une rugosité rafraîchissante. À moins d'arriver en bateau et de découvrir ainsi le vaste amphithéâtre qu'elle occupe, Gênes demande toutefois un effort. La traversée des faubourgs industriels qui l'entourent n'incite pas à s'arrêter. De nombreux monuments témoignent pourtant de sa richesse au Moyen Âge, époque dont elle a gardé une vieille ville pittoresque et populaire.

Piazza San Matteo
Les Doria bâtirent au Moyen Âge des maisons et l'église San Matteo. Ce relief de saint Georges orne le portail du palazzo Quartara.

\ **Musei di Strada Nuova**

PIAZZA CAMPETTO

VIA DT SCURRERIA

PIAZZA SAN MATTEO

VIA ARCHIVESCOVATO

SALITA SAN MA

← **Le port et le palazzo Reale**

San Lorenzo
La façade gothique du Duomo date du début du XIIIe siècle.

VIA SAN LORENZO

PIAZZA MATTEOTTI

SALITA POLLAIUOLI

PIAZZ ERBE

Palazzo Ducale
Palais élégant aux belles cours intérieures du XVIe siècle bordées d'arcades, l'ancien siège du gouvernement de la République abrite un centre culturel.

San Donato possède un superbe clocher octogonal du XIIe siècle.

VICO TRE RE MAGI

Sant'Agostino
Restaurés après la dernière guerre, ce couvent et son église du XIIIe siècle abritent des sculptures, notamment les fragments d'un tombeau par Pisano (v. 1312).

LÉGENDE

– – –   Itinéraire conseillé

0   100 m

Église du Gesù
Cette église baroque (1589-1606) est aussi appelée Santi Ambrogio e Andrea.

MODE D'EMPLOI

640 000. Cristoforo Colombo 6 km à l'O. Stazione Principe, Piazza Acquaverde. Stazione Marittima, Ponte dei Mille. Aeroporto Cristoforo Colombo (010 601 52 47); Stazione Principe (010 246 26 33). lun., mer., jeu. 24 juin : San Giovanni Battista ; juil. : festival de danse ; oct. : Fiera Nautica. www.apt.genova.it

La piazza De Ferrari est bordée par le Teatro Carlo Felice et deux édifices néo-classiques : l'Accademia et la Banco di Roma.

La fontaine de bronze de la piazza De Ferrari date de 1936.

Porta Soprana
La porte orientale de la ville se dresse près de l'emplacement de la maison de Christophe Colomb.

Sant'Andrea
Ce cloître du XIIe siècle est tout ce qui reste d'un couvent.

Lion du XIXe siècle gardant les marches montant au Duomo

San Lorenzo (Duomo)

Piazza San Lorenzo. **Tél** 010 25 41 250. t.l.j. **Museo del Tesoro Tél** 010 254 12 50. lun.-sam. 9h-12h, 15h-18h.

Entreprise vers 1120, la cathédrale de Gênes mêle, du superbe portail roman San Giovanni (au nord) à la décoration baroque de certaines chapelles latérales, à peu près tous les styles architecturaux qu'a connus la ville depuis le XIIe siècle. Ce sont des sculpteurs français qui exécutèrent au XIIIe siècle les portails de la façade.

À l'intérieur, la plus somptueuse des chapelles est celle dédiée à saint Jean-Baptiste, patron de Gênes. Elle renferme une *Vierge* et un *Saint Jean* sculptés par Andrea Sansovino.

Dans la sacristie, un escalier conduit au **Museo del Tesoro di San Lorenzo**. Parmi maints objets précieux, il présente un verre romain qui aurait servi à la Cène et le plat d'agate sur lequel Salomé aurait posé la tête de saint Jean-Baptiste.

Port

L'Aquarium Ponte Spinola. **Tél** 010 234 56 78. t.l.j. 9h30-19h30 (20h30 sam.-dim. et vacances) ; juil.-août : 9h-22h (dernière entrée 90 min av. ferm.) www.acquariodigenova.it

Cœur de Gênes et origine de sa puissance au Moyen Âge, le port est dédié au trafic de conteneurs, bien qu'il possède un bassin de plaisance. Voies rapides et bâtiments commerciaux des années 1960 le bordent. Le seul héritage architectural est la **Lanterna**, phare reconstruit en 1543, près de la Stazione Marittima.

L'architecte Renzo Piano, a édifié le centre de conférence (*p. 185*) et l'**Aquarium**, l'un des plus grands d'Europe. Des promenades guidées partent du ponte Spinola.

À la découverte de Gênes

Des palais de la via Balbi et de la via Garibaldi aux
œuvres d'art que recèlent dans toute la ville églises et
musées, Gênes sait récompenser les visiteurs prêts à
se lancer à la découverte des trésors d'une cité dont
l'aspect industrieux peut cacher la richesse. Aux
alentours, littoral et collines offrent de surcroît
de belles et reposantes promenades.

La cour du palazzo dell'Università, via Balbi

🏛 Sant'Agostino

Piazza Sarzano 35. **Tél** 010 251 12
63. ◯ sur demande seulement.
**Museo di Architettura e Scultura
Ligure Tél** 010 251 12 63.
◯ mar.-ven. 9h-19h, sam.-dim.
10h-18h. ⬤ vac. scol. 🈲 ♿
Entreprise en 1260 et
aujourd'hui désaffectée,
l'église gothique Sant'Agostino
subit pendant la Seconde
Guerre mondiale un terrible
bombardement qui ne laissa
debout que son beau clocher
décoré de carreaux
polychromes. Le couvent dont

elle était le lieu
de culte fut lui
aussi détruit et il
n'en subsista que
deux cloîtres en
ruine, l'un d'eux
formant le seul
édifice
triangulaire
de Gênes.

Aujourd'hui
reconstruits et
occupés par le
**Museo di
Architettura et
Scultura Ligure**,
ces cloîtres
abritent une collection de
fresques, d'éléments
architecturaux et de fragments
de sculptures provenant
d'anciennes églises de la ville.
La plus belle pièce en est le
tombeau de Marguerite de
Brabant, l'épouse, morte en
1311, de l'empereur Henri VII
qui envahit l'Italie en 1310.
Exécutées par Giovanni
Pisano vers 1313, les
sculptures de ce mausolée ont
été restaurées et remises en
place en 1987 (*p. 236*). Les
personnages semblent aider
Marguerite à s'allonger
pour dormir.

🏛 Palazzo Reale

Via Balbi 10. **Tél** 010 271 02 36.
◯ mar.-mer. 9h-13h30, jeu.-dim.
9h-19h. ⬤ 1er janv., 25 avr.,
1er mai, 15 août, 25 déc. 🈲 ♿
Cet édifice austère construit en
1650 et agrandi en 1705 devint
une des résidences de la
maison de Savoie à partir
de 1824. Il a conservé un
exubérant décor rococo,
notamment dans sa salle de
bal et dans la galerie des
Glaces. Il renferme des œuvres
de Parodi, de Carlone, du
Tintoret et une *Crucifixion* par
Van Dyck. Un superbe jardin
descend vers le vieux port.

En face du palais s'élève le
palazzo dell'Université achevé
en 1653 par Bartolomeo
Bianco, l'architecte qui réalisa
la majeure partie de la via
Balbi. Parodi lui donna son
escalier majestueux au début
du XVIIIe siècle.

🏛 Palazzo Bianco

Via Garibaldi 11. **Tél** 010 557 21 93.
◯ mar.-ven. 9h-19h, (10h sam.-
dim.). ⬤ **Palazzo Rosso Tél** 010
557 49 72. ◯ mar.-ven. 9h-19h,
(10h sam.-dim.). 🈲
Situé dans la plus belle rue de
Gênes, la **via Garibaldi** bordée
de nombreux palais du
XVIe siècle, le palazzo Bianco
renferme la plus riche
collection de peintures de la
ville. L'école génoise est
représentée par Luca
Cambiaso, Bernardo Strozzi
ou Domenico Piola. Il y a
aussi des œuvres de primitifs
flamands et hollandais et de
maîtres tels que Filippino

**Portrait de Colomb
à la villa Doria de Pegli**

CHRISTOPHE COLOMB À GÊNES

Difficile d'échapper à Gênes au souvenir de celui qui
découvrit le Nouveau Monde : sa statue vous accueille dès que
vous sortez de la gare sur la piazza Acquaverde, divers édifices
publics portent son nom et l'aéroport
lui-même s'appelle aeroporto Cristoforo
Colombo. Dans le palazzo Belimbau
construit au XVIIe siècle sur les anciennes
fortifications, une série de fresques de
Tavarone évoque la vie de l'explorateur.
Dans le palazzo Municipale (XVIe siècle),
via Garibaldi, la sala del Sindicato
renferme trois de ses lettres. En fait,
personne ne sait exactement si Christophe Colomb (v. 1451-1506)
naquit à Gênes, à Savona, ville située à 15 km à l'ouest, ou même
hors d'Italie. Les registres municipaux mentionnent toutefois son
père, un tisserand, et plusieurs domiciles familiaux. Il reste donc
possible que ce fut dans la petite maison couverte de lierre près de
la porta Soprana que grandit son amour de la mer.

**Maison où
Colomb aurait vécu**

Jardin de la villa Durazzo-Pallavicini à Pegli

Lippi (ravissante *Vierge avec saints*), Véronèse, Van Dyck et Rubens.

De l'autre côté de la rue, le **palazzo Rosso** présente d'autres peintures, notamment des œuvres de Dürer et de Caravage, du mobilier et des objets d'art. Au 2e étage, les chambres sont ornées de fresques datant du XVIIe siècle réalisées par des artistes génois tels que Ferrari et Piola.

⛨ Cimitéro di Staglieno
Piazzale Resasco, Staglieno. *Tél 010 87 01 84.* ⬜ *t.l.j.* ⚫ *jours fériés.* ♿

Quelques tombes de l'immense Cimitèro di Staglieno

Fondé en 1844 sur les collines au nord-est de la ville, ce cimetière grandiose s'étend le long du Bisagno sur une telle superficie (33 ha et 81,5 acres) qu'il possède entre ses différentes parties son propre service de bus. La beauté de la végétation et la démesure de nombreux mausolées en ont fait un haut lieu de visite. Giuseppe Mazzini (1805-1872), l'un des héros de l'unification, y repose.

Aux environs :
Avant la Seconde Guerre mondiale, Pegli offrait à 6 km à l'ouest du centre un havre de paix pour les riches Génois. Bien que l'agglomération ait fini par l'englober, le quartier conserve un charme paisible grâce à ses espaces verts, notamment le jardin de la **villa Durazzo-Pallavicini** où grottes artificielles, pavillons et fontaines composent un décor romantique. Construite en 1837, la demeure abrite désormais un musée archéologique consacré à la Préhistoire et l'Antiquité en Ligurie. Non loin, un musée naval occupe la **villa Doria** bâtie au XVIe siècle. Ses collections rassemblent globes, compas, astrolabes, cartes, maquettes et un portrait de Christophe Colomb attribué à Ghirlandaio et datant probablement de 1525.

À 8 km à l'est de Gênes se trouve **Nervi**, célèbre par sa promenade en bord de mer, la **passeggiata Anita Garibaldi**, qui offre une vue panoramique sur le littoral. Formé à partir des jardins des villas Serra et Gropallo, le luxuriant **parco municipale** renferme quelques essences rares.

Sur la via Capolungo, la villa Serra abrite désormais la **galleria d'Arte Moderna** qui présente des œuvres italiennes des XIXe et XXe siècles. La **villa Luxoro**, dans la via Aurelia, expose des collections d'horloges, de meubles, de tissus, de dentelles et de peintures.

À environ 3 km en revenant vers Gênes, un monument marque à Quarto dei Mille l'endroit où Garibaldi et ses mille patriotes volontaires embarquèrent en mai 1860 pour la folle expédition qui libéra la Sicile et Naples, ouvrant la voie à l'unification complète de l'Italie en 1870 (*p. 62-63*).

La **villa Grimaldi** propose une collection permanente de sculptures et de peintures des XVIIIe et XIXe siècles (Fattori, Boldi, Messina).

🏛 Galleria d'Arte Moderna
Villa Serra, Via Capolungo 3, Nervi. *Tél 010 372 60 25.* ⬜ *mar.-dim.* ♿

🏛 Villa Doria
Piazza Bonavino 7, Pegli. *Tél 010 696 98 85.* ⬜ *t.l.j.* ⚫ *jours fériés.* ♿

🏛 Villa Durazzo-Pallavicini
Via Pallavicini 11, Pegli. *Tél 010 66 68 64.* ⬜ *mar.-dim. 9h-19h (oct.-mars. 9h-17h.* ⚫ *jours fériés.* ♿ ♿

🏛 Villa Grimaldi
Via Capolungo 9, Nervi. *Tél 010 32 23 96.* ⬜ *mar.-dim.*

🏛 Villa Luxoro
Via Mafalda di Savoia 3, Nervi. *Tél 010 32 26 73.* ⬜ *mar.-sam. matin.* ⚫ *jours fériés.* ♿

Pini (v. 1920) de Rubaldo Merello à la galleria d'Arte Moderna de Nervi

Plage de galets et maisons colorées à Camogli

Camogli ⑩

Genova. 6 500. FS Via XX Settembre 33 (0185 77 10 66). mer. www.camogli.it

Sur un flanc de colline boisé de pins, Camogli a conservé son atmosphère de port de pêche avec ses maisons colorées ornées de coquillages et ses petits restaurants d'où s'échappe une odeur de poisson grillé. Près de sa plage de galets et son port de pêche se dresse le **castello della Dragonara** d'époque médiévale.

Le deuxième dimanche de mai, le village célèbre la fête du poisson. À cette occasion, les sardines frites dans une gigantesque poêle de 4 m de diamètre sont distribuées gratuitement à tous les participants et spectateurs.

Péninsule de Portofino ⑪

Genova. Portofino. Via Roma 35 (0185 26 90 24). www.turisinoliguria.it

Au creux d'une anse bordée de pinèdes, le joli port de pêche de Portofino est devenu l'une des stations balnéaires les plus huppées d'Italie. Dominé par une forteresse et l'église **San Giorgio** supposée abriter des

reliques du célèbre pourfendeur de dragon, le village s'atteint par bus ou par bateau depuis Santa Margherita Ligure. En voiture, l'unique parking, obligatoire, ne contient que 400 places.

Il faut marcher deux heures ou passer par la mer pour rejoindre de l'autre côté de la péninsule l'**abbazia di San Fruttuoso**. Elle doit son nom à un saint du IIIe siècle dont les disciples furent jetés ici après un naufrage et qui, selon le folklore local, étaient protégés par trois lions. Son abbaye, entourée de pins et d'oliviers, date du XIe siècle, bien que son imposante Torre dei Doria n'ait été ajoutée que 500 ans plus tard, et son château du XIIIe siècle.

Le château (XVIe s.) commande l'accès du port de Rapallo

Les pêcheurs ont leur protecteur, le **Cristo degli Abissi**. Cette statue de bronze immergée près de San Fruttuoso s'aperçoit par beau temps de la vedette assurant les liaisons avec Portofino.

⛪ Abbazia di San Fruttuoso
San Fruttuoso. **Tél** 0185 77 27 03. mar.-dim.10h-17h45 (15h45 oct.-avr.). nov.

Rapallo ⑫

Genova. 30,000. FS Lungomare Vittorio Veneto 7 (0185 23 03 46). jeu. **Funiculaire Tél** 0185 27 34 44. www.turismoinliguria.it

Pour les historiens, Rapallo est la ville où l'Allemagne et la Russie communiste signèrent en 1922 un traité rétablissant les relations entre les deux pays. Les cinéphiles reconnaîtront peut-être le décor de la *Comtesse aux pieds nus* qu'y tourna Joseph Mankiewicz en 1954. Planté de palmiers sur le front de mer, l'élégant lungomare Vittorio Veneto conduit jusqu'à un petit **château** du XVIe siècle qui accueille désormais des expositions d'art.

Au-dessus de la ville, le **santuario di Montallegro** (1557), accessible en funiculaire, renferme une icône byzantine que l'on dit miraculeuse.

⛪ Santuario di Montallegro
Montallegro. **Tél** 0185 23 90 00. t.l.j.

De nombreux yachts mouillent à Portofino

Près de Corniglia dans les Cinque Terre

Cinque Terre ⑬

La Spezia. **FS** *tous les villages.* ⛴
Monterosso, Vernazza. ℹ️ *Via Fegina
40, Monterosso (0187 81 70 59) (été
seulement) ; Piazza Rio Finale 26,
Riomaggiore (0187 92 06 33).*
www.parconazionale5terre.it

Cette partie rocheuse du
littoral à l'ouest de La Spezia
doit aux difficultés d'accès
qu'elle présente d'offrir un
décor plus marqué par les
activités traditionnelles
comme la pêche ou la
viticulture que par le
tourisme. Son nom fait
référence aux cinq villages
qui s'accrochent à ses
falaises et qu'aucune
route ne relie
complètement.
Deux d'entre
eux, Vernazza
et Corniglia,
ne sont
accessibles
qu'en bateau,
en train ou à
pied, en attendant que les
rejoigne la voie en corniche
qui dessert Manarola.

Entre Monterosso al Mare et
Riomaggiore, culs-de-sac
routiers aux deux extrémités
des Cinque Terre, le sentiero
Azzurro longe la mer. Il
permet de découvrir les
cinq localités et offre des
panoramas sur les terrasses
viticoles qui produisent des
blancs secs réputés.

Monterosso al Mare domine
au nord-ouest une belle plage
de sable. Plus bas sur la côte,
Vernazza dessine un aspect
très pittoresque avec ses
façades colorées et ses ruelles
reliées par de raides escaliers,
les *arpaie*. Perché au sommet

de terrasses rocheuses,
Corniglia semble préservé du
passage du temps, à l'instar
de **Manarola** situé, par la via
dell'Amore, à 15 min à pied
de **Riomaggiore** dont les
maisons se serrent sur les
bords d'un torrent à quelques
kilomètres de La Spezia.

Portovenere ⑭

La Spezia. 🏠 *4 600.* 🚆 ⛴
ℹ️ *Piazza Bastreri (0187 79 06 91).*
⛴ *lun.* **www.**portovenere.it

Le « port de Vénus » est l'un
des villages les plus
romantiques de la côte ligure
avec ses rues étroites
bordées de maisons
aux couleurs
pastel. Dans la
ville haute, le
relief du
martyre de
saint Laurent,
brûlé vif sur
un gril, surmonte
l'entrée de l'église
San Lorenzo (XIIᵉ siècle). Sur
un promontoire dominant la
mer, l'église gothique **San**

**Tympan de l'église San
Lorenzo de Portovenere**

Pietro, en pierres noires et
blanches du XIIIᵉ siècle,
a un pavement en marbre
polychrome du VIᵉ siècle. À
l'instar du château élevé au
XVIᵉ siècle sur une falaise au
nord-ouest du bourg, elle
offre une vue magnifique des
Cinque Terre et de la petite
île de Palmaria située à
quelque 400 m au large.

Lerici ⑮

La Spezia. 🏠 *13 000.* 🚆 ⛴
ℹ️ *Via Biagini 2, Località Venere
Azzurra (0187 96 73 46).* ⛴ *sam.*
www.parconazionale5terre.it

Si la rive orientale du golfe de
La Spezia attira des auteurs
anglo-saxons célèbres comme
W. B. Yeats et D. H. Lawrence,
c'est le souvenir de Percy
Bysshe Shelley qui y reste
vivant. Le poète romantique
dont la femme publia
Frankenstein en 1818 passa en
effet les quatre dernières
années de sa vie près du
village de San Terenzo dans la
Casa Magni. C'est de là qu'il
partit en bateau pour Livourne
en 1822 et se noya au large de
Viareggio.

Au creux d'une petite baie,
la station balnéaire de Lerici
élève ses façades peintes au
bord d'une plage agréable et
dissémine ses villas au pied
de sa forteresse. Bâti par les
Pisans au XIIᵉ siècle puis
conquis par les Génois, le
formidable **château** semble
taillé dans le rocher.

⚜️ **Castello di Lerici**
Piazza San Giorgio. **Tél** 0187 96 91
14. ☐ mar.-dim. ⬤ 9-26 déc. ☐
www.castellodilerici.it

Le port de Vernazza dans les Cinque Terre

Manarola vue depuis le sentiero Azzurro qui traverse les Cinque Terre ▷

ITALIE CENTRALE

Italie centrale d'un coup d'œil

Les quatre provinces qui forment le centre de l'Italie accueillent chaque année des millions de visiteurs attirés par la beauté de leurs paysages et les trésors artistiques et architecturaux de leurs cités. En Émilie-Romagne, le delta du Pô offre un asile à de nombreux oiseaux, et partout en Toscane, notammment à Florence, brille le génie de la Renaissance. En Ombrie et dans les Marches, villes et villages perchés jalonnent les collines. Voici les plus beaux sites de cette région.

La tour penchée *et le Duomo de Pise, superbes monuments bâtis aux XIIe et XIIIe siècles, mêlent éléments mauresques, romans et gothiques* (p. 324-326).

Tour penchée de Pisa

TOSCAN
(p. 314-3

FIRENZE (FLORENCE)
(p. 270–313)

Le Duomo,
son campanile et le baptistère de Florence forment au cœur de la ville un ensemble admirable
(p. 280-282).

Duomo, campanile et baptistère

Les Offices

Palazzo Pitti

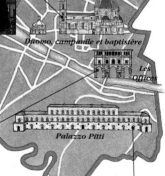

Les Offices *abritent une splendide collection d'art florentin, notamment gothique et Renaissance* (p. 286-289).

Le palazzo Pitti entrepris en 1457 pour le banquier Luca Pitti devint la résidence des Médicis et renferme leurs trésors *(p. 302-303).*

0   1 km

0   50 km

◁ **Couleurs automnales en Toscane dans les collines du Val d'Orcia au sud de Sienne**

L'église San Vitale *de Ravenne, ornée de mosaïques du V*e *siècle, est un joyau d'art et d'architecture byzantins* (p. 268).

ÉMILIE-ROMAGNE
(p. 254-269)

*San Vitale,
Ravenna*

Le palazzo Ducale *d'Urbino construit au XV*e *siècle par le duc Federico sur des plans de Laurana abrite désormais la galleria nazionale delle Marche* (p. 370-371).

SAN
MARINO

IRENZE (FLORENCE)
voir encadré

*Palazzo Ducale,
Urbino*

MARCHES
(p. 364-373)

OMBRIE
(p. 348-363)

*Duomo,
Siena*

*Basilica San
Francesco di Assisi*

Sienne *maintient vivantes des traditions médiévales telles que le célèbre Palio, course de chevaux qui se déroule en juillet et en août sur le Campo, l'une des plus belles places du monde* (p. 338-343).

Les fresques *peintes par Giotto au XIII*e *siècle dans la basilica di San Francesco d'Assise sont admirées chaque année par des milliers de pèlerins* (p. 354-357).

Saveurs de l'Italie centrale

L'Émilie-Romagne est la capitale gastronomique de l'Italie et la patrie du parmesan, du jambon de Parme et du vinaigre balsamique. Bologne doit son surnom de La Grassa (« la grasse ») à ses plats nourrissants, agrémentés de beurre, de fromage et de sauces veloutées. La Toscane, l'Ombrie et les Marches offrent des saveurs plus simples et une cuisine plus rustique. Parmi les délices de l'Italie centrale, citons la viande du cochon Cinta Senese, le bœuf Chianina de Toscane, les *funghi* et les truffes ombriennes, le gibier et les soupes de poisson de la côte des Marches.

Tomates italiennes

Il existe ici un véritable « art des pâtes ». On raconte que la tagliatelle fut inventée en l'honneur des cheveux blonds de Lucrezia Borgia, tandis que les *tortellini* auraient pour modèle le nombril de Vénus.
Les bouchers de porc de la région sont les plus célèbres d'Italie, fabriquant d'excellentes saucisses, des *salumi*, des *mortadalla* et des farcis (*zamponi*).

L'Émilie et la Romagne, jadis deux provinces à part entière, continuent à se distinguer d'un point de vue culinaire. Alors que la gastronomie d'Émilie tourne autour du beurre, du fromage et des champignons, la cuisine de Romagne utilise l'huile d'olive, l'ail, les oignons et le poisson. Dans cette région, l'Adriatique fourmille et l'on pêche entre autres du turbot (*rombo*).

Plateau de *tortellini* frais

ÉMILIE-ROMAGNE

Cette région fertile qui produit nombre des ingrédients de la cuisine italienne a aussi donné son nom à la célèbre sauce *bolognese* (*ragù*). L'authentique sauce contient vingt ingrédients et nappe généralement des tagliatelle – et non des spaghetti.

Nostrano   Milano   Finocchiona   Bococcini

Porchetta
Spianatta romana   Mortadella

Sélection de charcuterie italienne et autres viandes cuites des plus raffinées

PLATS RÉGIONAUX ET SPÉCIALITÉS

L'huile d'olive toscane est d'excellente qualité. On l'utilise beaucoup et elle fait partie intégrante des *crostini*, tranches de pain grillées nappées d'ingrédients variés, comme le foie de poulet haché dans les *crostini alla Toscana*. Les producteurs de *salumi* sont nombreux et le *prosciutto di cinghiale* (jambon de sanglier) est un mets nourrissant et délicieux. Outre les *tagliatelle al ragù* de Bologne, la région propose d'autres plats de pâtes, parmi lesquels les *tortellini* et *tortelloni* (plus larges que les premiers), souvent farcis de fromage, beurre et herbes.
Le *panforte* – gâteau composé de fruits, noix, miel, sucre et épices – est la spécialité italienne de Noël. Goûtez aussi les *ricciarelli*, biscuits aux amandes en forme de diamant, et la *torta di riso* – gâteau consistant à base de riz.

Crostini alla Toscana

Cacciucco *Soupe de poisson et fruits de mer de Livourne, garnie d'herbes et de tomates, servie sur des toasts à l'ail.*

Morceau d'une gigantesque roue de parmigiano-reggiano, ou parmesan

TOSCANE

La Toscane est le verger et le potager de l'Italie. Elle est aussi réputée pour sa viande rouge, surtout celle de la race bovine prisée de la Valdichiana, au sud d'Arezzo. Le porc est excellent et la passion des Toscans pour la chasse permet de déguster lièvre, faisan et sanglier sauvage. L'ingrédient toscan de base est une huile d'olive fruitée, abondamment utilisée pour cuisiner et tout assaisonner, du pain aux salades, légumes, ragoûts et soupes. Les bouillons et les soupes, souvent concoctés avec des haricots, surtout les *canellini* (haricots blancs), sont très appréciés. Les Toscans méritent bien leur réputation de *toscani mangiafagioli* (mangeurs de haricots toscans).

OMBRIE ET MARCHES

L'Ombrie est la seule région, en dehors du Piémont, à être aussi pourvue en truffes. Norcia est la capitale de la truffe noire, et toutes les boutiques alentour vendent

Étal de légumes frais sur un marché toscan

de la pâte et des huiles de truffe. Norcia est aussi célèbre pour ses porcs, et la *porchetta* – porcelet rôti aux herbes – fait partie des plats favoris. Les champignons sauvages abondent en saison. Le gibier est aussi représenté, sous la forme d'oiseaux comme le faisan, la pintade, le pigeon. On trouve également de la *porchetta* dans l'intérieur rural des Marches, ainsi que de l'agneau et du lapin. Le littoral regorge de poissons, souvent utilisés pour concocter des bouillons et une spécialité d'Ancône, la *zuppa di pesce*, soupe de poisson parfumée au safran.

AU MENU

Baci Ce sont des noisettes enrobées de chocolat, leur nom signifiant littéralement « baisers » en italien.

Bistecca alla Fiorentina Steak mariné dans un mélange d'herbes, d'ail et d'huile d'olive, grillé au feu de bois. La meilleure viande est le bœuf Chianina.

Lepre in dolce e forte Civet de lièvre toscan avec vin rouge, citron, écorce d'orange et de citron vert, ail, romarin, légumes et cacao.

Vincisgrassi Spécialité des Marches à base de jambon, pâtes et béchamel, cuite au four, souvent parsemée de copeaux de truffe.

Tagliatelle al ragù *Pâtes plates nappées de la sauce italienne à la viande de Bologne.*

Arista alla Fiorentina *Filet de porc rôti au four avec ail et romarin, spécialité de Florence.*

Zuccotto *Spécialité toscane, biscuit de Savoie fourré de noisettes, d'amandes, de chocolat et de crème.*

Vins de l'Italie centrale

Détail d'une mosaïque romaine

Qu'elle s'accroche au pied de cyprès sur les coteaux de Toscane ou s'étende dans les plaines produisant le lambrusco en Émilie-Romagne, la vigne est partout en Italie centrale. L'association de techniques modernes et traditionnelles a amélioré les vins de toute la région, mais c'est le sud de la Toscane qui continue de donner les meilleurs rouges : le chianti classico, le brunello di Montalcino et le vino nobile di Montepulciano.

Le chianti classico *provient du centre de la région du Chianti dont les vins sont de bouquets et de qualités très variables. Le Rocca delle Macie offre un bon rapport qualité/prix.*

Le vernaccia di San Gimignano *est un blanc de Toscane traditionnellement doré. Il se boit aussi clair, c'est-à-dire jeune. Terruzzi e Puthod est un producteur fiable.*

Le vino nobile di Montepulciano *dont les vignes s'étendent autour d'un ravissant village utilise le même cépage que le chianti mais peut atteindre une qualité supérieure, d'où son nom de « vin noble ».*

Parma

Moderna

Bologna

ÉMILIE-ROMAGNE

Fo

Pistoia

Lucca

Firenze (Florence)

Pisa

Greve

Arez

San Gimignano

Siena

TOSCANE

Montepulcia

Montalcino

Le brunello di Montalcino, *issu du cépage sangiovese, peut nécessiter jusqu'à 10 ans de vieillissement avant que ses riches arômes prennent toute leur ampleur. Le rosso di Montalcino se boit plus jeune.*

0   50 km

VINO DA TAVOLA

L'implantation de cépages français dans les années 1970 a permis la création de crus originaux qui n'ont droit dans le cadre du règlement actuel qu'à l'appellation « vins de table ». Depuis le tignanello d'Antinori issu d'un mélange de sangiovese et de cabernet sauvignon, cette démarche a toutefois donné un nouveau souffle aux vins toscans.

SASSICAIA
1999
BOLGHERI SASSICAIA

Le sassicaia est un rouge issu du cabernet sauvignon

Domaine viticole à Badia a Passignano dans le Chianti

LÉGENDE

- ☐ Chianti
- ☐ Chianti Classico
- ☐ Vernaccia di San Gimignano
- ☐ Brunello di Montalcino
- ☐ Vino Nobile di Montepulciano
- ☐ Orvieto Classico
- ☐ Orvieto
- ☐ Verdicchio dei Castelli di Jesi
- ☐ Lambrusco

Le verdicchio *est un blanc sec des Marches au goût tranché, légèrement salé. Des vins issus de cépage unique tel le CaSal di Serra produit par Umani Ronchi ont su s'imposer ces dernières années.*

L'orvieto classico *est un blanc de l'Ombrie très populaire. Ce cru sec du domaine Antinori offre un bon exemple de sa déclinaison moderne, l'orvieto, existant aussi sous une forme plus douce : l'abboccato.*

CÉPAGES DE L'ITALIE CENTRALE

Le changeant sangiovese est le cépage le plus répandu en Italie centrale où il donne le chianti, le vino nobile di Montepulciano et le brunello di Montalcino. Il entre dans la composition de « vins de table ». Les blancs les mieux établis sont souvent produits à partir de trebbiano et de malvasia. Utilisés en association avec des variétés locales, des cépages français comme le chardonnay (blanc) ou le cabernet sauvignon (rouge) gagnent du terrain.

Grappe de sangiovese

LIRE L'ÉTIQUETTE

L'appellation DOCG est réservée à des vins de qualité.

Nom du producteur

Millésime

Le nom et l'adresse de l'embouteilleur garantissent l'origine du vin.

Degré alcoolique

QUELQUES BONS PRODUCTEURS

Chianti : Antinori, Badia a Coltibuono, Brolio, Castello di Ama, Castello di Rampolla, Fattoria Selvapiana, Felsina Berardenga, Il Palazzino, Isole e Olena, Monte Vertine, Riecine, Rocca delle Macie, Ruffino, Tenuta Fontodi. **Brunello di Montalcino** : Argiano, Altesino, Caparzo, Castelgiocondo, Costanti, Il Poggione, Villa Banfi. **Vino Nobile di Montepulciano** : Avignonesi, Le Casalte, Poliziano. En **Ombrie** : Adanti, Lungarotti.

Bons millésimes de Chianti
2008, 2007, 2004, 2003, 2001, 2000, 1999, 1997, 1995, 1993, 1990.

L'architecture de l'Italie centrale

C'est depuis la Toscane, et surtout depuis Florence et ses environs, que s'est répandue l'application des idées de la Renaissance à l'architecture. Une révolution qui, tournant le dos au gothique, s'inspirait des canons antiques pour créer des édifices mariant simplicité, élégance et proportions harmonieuses. Financés par l'Église catholique ou de riches familles comme les Médicis, les bâtiments les plus importants s'élevèrent à la fin du XVe siècle et pendant le siècle suivant.

Le palazzo Ducale d'Urbino entrepris en 1465

ÉDIFICES RELIGIEUX

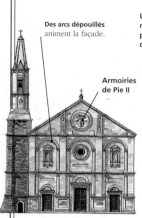

Des arcs dépouillés animent la façade.

Armoiries de Pie II

Le Duomo de Pienza *fut élevé en 1459 par Bernardo Rossellino dans le cadre de la cité idéale qu'il bâtissait pour le pape Pie II (p. 333).*

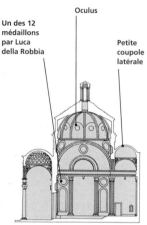

Un des 12 médaillons par Luca della Robbia

Oculus

Petite coupole latérale

La chapelle des Pazzi *(1433) de Santa Croce à Florence, œuvre célèbre de Brunelleschi, est décorée de médaillons en terre cuite par Luca della Robbia (p. 284-285).*

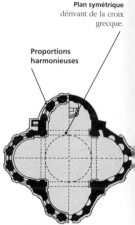

Plan symétrique dérivant de la croix grecque.

Proportions harmonieuses

Santa Maria della Consolazione, *église bâtie à Todi en 1508, doit beaucoup aux idées de Bramante (p. 359).*

PALAIS ET VILLAS

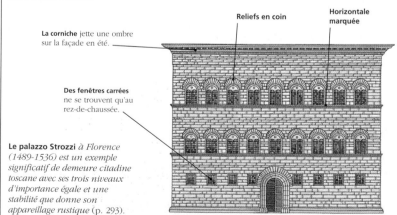

La corniche jette une ombre sur la façade en été.

Des fenêtres carrées ne se trouvent qu'au rez-de-chaussée.

Reliefs en coin

Horizontale marquée

Le palazzo Strozzi *à Florence (1489-1536) est un exemple significatif de demeure citadine toscane avec ses trois niveaux d'importance égale et une stabilité que donne son appareillage rustique (p. 293).*

OÙ VOIR L'ARCHITECTURE DE LA RENAISSANCE

Capitale des Médicis où abondaient les mécènes éclairés, Florence fut le centre artistique de l'Italie centrale pendant la Renaissance, et de nombreux sanctuaires et palais témoignent de sa richesse culturelle à cette époque. À Rimini (*p. 266*), Alberti sut également s'inspirer de l'antique pour faire œuvre personnelle avec son Tempio Malatestiano, tandis que le palazzo Ducale (*p. 370-371*) d'Urbino pousse à l'extrême le raffinement atteint par les demeures patriciennes de l'époque. Sur une moindre échelle, les centres de Ferrare (*p. 261*), Pienza (*p. 333*) et Urbania (*p. 369*) restent marqués par les idéaux des architectes qui les planifièrent.

Dans les jardins de Boboli, Florence

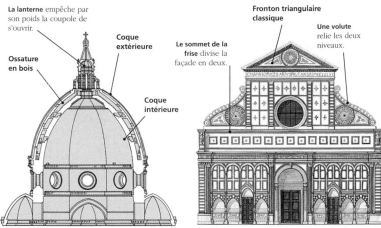

La lanterne empêche par son poids la coupole de s'ouvrir.

Coque extérieure

Ossature en bois

Coque intérieure

Fronton triangulaire classique

Le sommet de la frise divise la façade en deux.

Une volute relie les deux niveaux.

Le Duomo *de Florence est surmonté de la coupole révolutionnaire par sa taille que lui donna Brunelleschi en 1436. Il utilisa un échafaudage mobile et une structure en deux coques pour l'édifier (p. 280-281).*

La façade de Santa Maria Novella *de Florence (1458-1470) dessinée par Leon Battista Alberti incorpore des éléments gothiques dans une composition générale typique de la Renaissance (p. 296-297).*

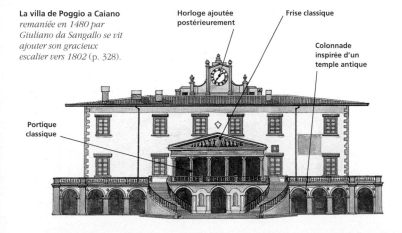

La villa de Poggio a Caiano *remaniée en 1480 par Giuliano da Sangallo se vit ajouter son gracieux escalier vers 1802 (p. 328).*

Horloge ajoutée postérieurement

Frise classique

Colonnade inspirée d'un temple antique

Portique classique

ÉMILIE-ROMAGNE

S'étendant des Apennins jusqu'au delta du Pô et aux plages de l'Adriatique, l'Émilie-Romagne marque le passage entre les Alpes et la Méditerranée. Ses vastes terres fertiles, son industrie dynamique et les milliers de visiteurs attirés par ses villes historiques en font une des régions les plus prospères de la péninsule.

Construite en 187 av. J.-C., la via Emilia (aujourd'hui doublée d'une autoroute) traverse toute l'Émilie-Romagne de Rimini, sur la côte adriatique, à Plaisance, ancienne garnison romaine sur le Pô. Presque toutes les grandes agglomérations de la région la bordent, notamment Bologne qui occupe l'emplacement de la puissante Felsina étrusque. Ravenne échappe à cette règle, mais sa situation ne l'empêcha pas de jouer un rôle de capitale entre la chute de l'Empire romain et l'invasion lombarde du VIIIe siècle.

Au Moyen Âge, la via Emilia reste une importante voie de passage, en particulier pour les pèlerins désirant se rendre à Rome. Elle participe à la prospérité du territoire où le pouvoir politique échoit aux puissantes familles patriciennes : les Malatesta à Rimini, les Bentivoglio à Bologne, les Este à Ferrare et Modène, les Farnese à Parme et Plaisance. Leurs cours brillantes attirent des poètes, comme Dante ou l'Arioste, et des peintres, sculpteurs et architectes dont les œuvres ornent toujours les centres historiques des villes.

Constituée en 1860 lors de son entrée dans l'Italie unifiée, la région moderne a reçu ses frontières en 1947. Sa moitié occidentale, l'Émilie, a plus subi l'influence du Nord que la Romagne qui, dominée par Ravenne, s'est tournée vers le Sud pour trouver ses sources d'inspiration culturelles et politiques. Une passion les unit toutefois : la gastronomie. Un art dont le développement a profité des richesses agricoles de la vallée du Pô et d'un élevage de qualité, dont certaines productions comme le parmesan ou le jambon de Parme ont conquis les gourmets du monde entier.

Un souvenir du Moyen Âge à Ferrare : le palazzo del Comune

◁ La fontana del Nettuno à Bologne

À la découverte de l'Émilie-Romagne

Dominée au sud par la chaîne des Apennins, la plaine du Pô occupe la moitié de la superficie de l'Émilie-Romagne et étend son rivage sablonneux le long de l'Adriatique. Cœur de la province, Bologne constitue une base idéale pour l'explorer, mais les autres grandes villes, Modène à la superbe cathédrale romane, Parme au charme provincial et Ferrare l'hédoniste, conservent des personnalités fascinantes. De jolis villages, tel Castell'Arquato, jalonnent les collines au sud du Pô.

La piazza Cavalli au centre de Plaisance

VOIR AUSSI

- **Hébergement** p. 574-576
- **Restaurants** p. 624-626

Paysage lagunaire dans le delta du Pô

LA RÉGION D'UN COUP D'ŒIL

CIRCULER

L'autoroute A 1 suit le tracé de la via Emilia qui reste la grande voie de circulation d'une région qu'elle traverse entièrement du nord-ouest au sud-est. Depuis Bologne, une des branches de la A 1 - E 35 franchit au sud les Apennins en direction de Florence, tandis que la A 13 rejoint Venise au nord. Depuis Parme, la A 15 - E 31 permet d'atteindre le littoral ligure. Toutes les villes jouissent de bonnes dessertes ferroviaires.

Plage de Cesenatico au nord de Rimini sur la côte adriatique

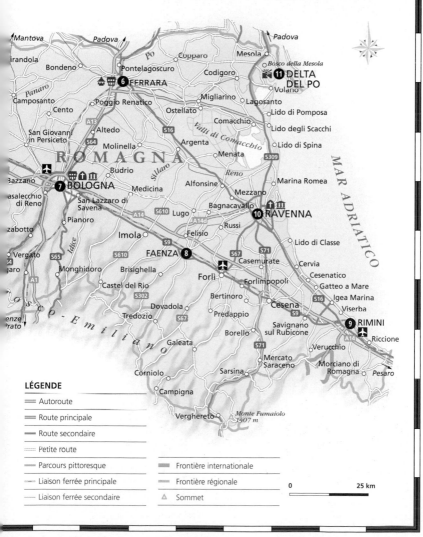

LÉGENDE

═══ Autoroute

═══ Route principale

──── Route secondaire

▒▒▒▒ Petite route

──── Parcours pittoresque

──·── Liaison ferrée principale

──── Liaison ferrée secondaire

═══ Frontière internationale

──── Frontière régionale

△ Sommet

0   25 km

Le palazzo Pretorio (XIIIe siècle) de Castell'Arquato

Piacenza ❶

🏠 105 000. 🚊 🚌 ℹ️ *Piazza Cavalli 7 (0523 32 93 24).* 🔄 *mer., sam.*

Commandant un passage stratégique sur le Pô, Plaisance devint une colonie romaine au IIIe siècle av. J.-C. et joua un rôle déterminant dans la défense de Rome face à Hannibal et aux Gaulois. Son centre historique a conservé son plan antique et renferme de beaux édifices du Moyen Âge et de la Renaissance.

Il s'organise autour de la piazza dei Cavalli où se dressent les **statues** équestres d'Alexandre Farnese et de son fils Ranuccio, ducs de Parme qui gouvernèrent la ville aux XVIe et XVIIe siècles. Exécutées par Francesco Mochi, un élève de Jean de Bologne, elles sont considérées comme une grande réussite de la sculpture baroque. Derrière les statues s'élève le **palazzo del Comune**, aussi appelé « il Gothico », édifice spécifique du gothique lombard entrepris à la fin du XIIIe siècle.

Au bout de la via XX Settembre, le **Duomo** (1122-1233) est roman. Son campanile date du XIVe siècle. Des fresques médiévales ornent les murs intérieurs, mais la décoration de la coupole, à laquelle participa le Guerchin, date du XVIIe siècle. Des fresques de saints jouxtent aussi la porte principale.

Commencé en 1558 et resté inachevé, le palazzo Farnese de style Renaissance abrite le **Museo Civico** qui présente un assortiment éclectique de sculptures et de peintures dont le joyau est une *Vierge à l'Enfant* de Botticelli (1444-1510). Le musée possède également des collections d'armes et de carrosses et une section archéologique célèbre pour son *Fegato di Piacenza*, foie de mouton en bronze utilisé par les Étrusques pour la divination.

🏛️ **Museo Civico**
Palazzo Farnese, Piazza Cittadella. **Tél** 0523 49 26 58. 🔄 *mar.-dim. (mar.-jeu. matin seul.)* 🔴 *jours fériés* 🖼️

Castell'Arquato ❷

Piacenza. 🏠 4 500. 🚌 ℹ️ *Piazza Municipio 1 (0523 80 32 15).* 🔄 *lun.*

S'accrochant à flanc de coteau entre Fidenza et Plaisance, Castell'Arquato est l'un des plus jolis villages qui jalonnent les collines formant le pied des Apennins au sud de la plaine du Pô. Le week-end, les Italiens fuyant l'agitation des villes d'Émilie emplissent les bars et les restaurants qui entourent, avec le **palazzo Pretorio** (1293) et une intéressante basilique romane du début du XIIe siècle, la belle **piazza Matteotti**. Derrière, la **rocca VisContea**, forteresse communale remaniée par Luchino Visconti au XIVe siècle, se dresse sur la piazza del Municipio qui offre un large panorama de la vallée de l'Arda.

Fidenza ❸

Parma. 🏠 23 000. 🚊 🚌 ℹ️ *Piazza Duomo 16 (0524 833 77).* 🔄 *mer., sam.*

C'est grâce à la via Emilia que Fidenza acquit une certaine importance sous l'Empire romain puis s'enrichit au Moyen Âge en subvenant aux besoins des pèlerins qui s'arrêtaient sur la route de Rome afin de se recueillir devant le tombeau de san Donnino martyrisé en 291. Les reliques du saint se trouvent toujours dans la crypte du **Duomo**, superbe église des XIIe et XIIIe siècles mariant éléments romans et gothiques. Les trois portails de sa façade présentent une riche décoration sculptée attribuée à Benedetto Antelami et aux artisans qui travaillèrent avec lui à la cathédrale de Parme. L'intérieur a conservé, à l'abside, des fresques du XIIIe siècle.

Statue de la façade du Duomo de Fidenza

À l'intérieur du baptistère de Parme

Parma ➍

🏛 175 000. FS 🚌 ℹ *Via Melloni 1a (0521 21 88 89).* ⛴ *mer. et sam. ; jeu. (puces).* **www**.comune.parma.it

Si Parme doit son renom à son jambon, elle offre plus que de bons restaurants. Son opéra est l'un des meilleurs de la péninsule. Beaux édifices anciens, riches collections de peintures et sculptures remarquables y entretiennent le souvenir de la magnificence des princes qui y régnèrent de 1355 à 1801.

Exemple grandiose du style roman lombard, le **Duomo** entrepris au XIᵉ siècle présente à la coupole une *Assomption* lumineuse peinte en 1534 par le Corrège, artiste né en Émilie. Des œuvres de ses élèves ornent la nef. Benedetto Antelami sculpta

au XIIᵉ siècle le trône épiscopal et la frise du transept sud. Il réalisa aussi le majeure partie du ravissant **baptistère** (1196) octogonal dont les reliefs et les statues, en particulier celles des *Mois*, forment un des ensembles sculptés romans les plus importants d'Italie.

À l'est de la cathédrale, une *Vision de saint Jean* (v. 1520) par le Corrège s'admire à la coupole de l'église **San Giovanni Evangelista** (rebâtie de 1498 à 1510) qui abrite également, comme la **Madonna della Steccata** (XVIᵉ siècle) de la via Dante, des fresques du Parmesan.

🏛 Palazzo Pilotta
Piazzale della Pilotta 15. **Galleria** *Tél 0521 23 33 09.* ⭘ *mar.-dim. matin* 🎦 ♿ **Museo** *Tél 0521 23 37 18* ⭘ *mar.-sam. matin, dim. après-midi* 🎦

Cet immense bâtiment élevé à partir de 1602 pour abriter la cour des Farnese a été en partie reconstruit après la Seconde Guerre mondiale. Le **Teatro Farnese** (1628) inspiré du ravissant théâtre en bois édifié par Palladio à Vicence (*p. 152*) exigea une complète restauration.

Le palais abrite également la

Galleria Nazionale réputée pour sa collection de tableaux du Corrège et du Parmesan, mais qui présente aussi des œuvres de Fra Angelico, du Bronzino et du Greco et deux immenses peintures de Ludovic Carrache.

Au premier étage, le **Museo Archeologico Nazionale** expose des objets trouvés dans la nécropole étrusque de Velleia et sur des sites préhistoriques de la région.

🏛 Camera di Correggio
Via Melloni. *Tél 0521 23 33 09.* ⭘ *mar.-dim., après-midi seul.* 🎦 ♿

Le Corrège décora en 1518 de fresques d'inspiration mythologique cette ancienne salle à manger d'un monastère bénédictin.

Campanile et baptistère de Parme

FABRICATION DU PARMESAN ET DU JAMBON DE PARME

Fromage utilisé dans la cuisine italienne, notamment dans les sauces, mais qui se mange aussi seul (ou avec des poires), le parmesan (*parmigiano*) continue d'être fabriqué selon des techniques qui ont peu changé au cours des siècles. Allongé de petit lait pour activer la fermentation, du lait partiellement écrémé caillé grâce à un apport de présures, puis, égoutté, mis en forme et salé, vieillit jusqu'à donner le parmigiano-reggiano apprécié des gourmets ou le grana de moindre qualité. C'est le rebut

Boutique proposant les spécialités culinaires de Parme

de sa fabrication qui sert traditionnellement à engraisser les porcs dont les cuissots deviennent le célèbre *prosciutto crudo* de Parme. La saveur de cette charcuterie tient à la qualité de la viande, qui n'exige guère plus pour se conserver que du poivre et du sel, mais aussi à la pureté de l'air dans les collines du Langhirino où les jambons mûrissent avant de se voir apposer la couronne à cinq pointes de l'ancien duché de Parme garantissant leur origine.

Flora de Carlo Cignani (1628-1719) à la Galleria Estense de Modène

Modena ❺

🏛 175 000. **FS** ≈. **ℹ** *Piazza Grande (059 203 26 60).* 🚢 *lun.* **www**.comune.modena.it/infoturismo

Pour beaucoup d'Italiens, le nom de Modène évoque surtout des voitures de rêve, car Ferrari et Maserati fabriquent leurs bolides dans sa banlieue. Des trésors plus anciens y séduiront les amateurs d'art et d'architecture. Prospère colonie romaine sur la via Emilia, la cité se développa au Moyen Âge grâce à un arrière-pays fertile. La famille d'Este en fit sa capitale en 1598 et y entretint une cour brillante jusqu'au XVIIIᵉ siècle.

🏛 Duomo

Corso Duomo. **Tél** *059 21 60 78.* ◯ *t.l.j.* **Torre Ghirlandina** ◯ *avr.-oct. : dim. 9h30-12h30, 15h-19h* 🚢 *août.*
Fondée en 1099 par la comtesse Matilda de Toscane qui gouvernait la ville au XIᵉ siècle, la **cathédrale** dessinée par Lanfranco est un des chefs-d'œuvre romans de l'Italie du Nord. Haut de 88 m, son campanile, la **Torre Ghirlandina**, accroche le

regard. Malgré son inclinaison, on peut monter jusqu'à sa flèche gothique. La tour renfermait jadis la *Secchia*, seau en bois évoqué par Alessandro Tassoni (1565-1635) dans son poème héroï-comique : *La Secchia Rapita*. Arraché par les soldats de Modène à leurs ennemis de Bologne lors d'une bataille en 1325, il serait resté l'enjeu d'un long conflit entre les deux villes.

C'est le Lombard Wiligelmo qui sculpta au début du XIIᵉ siècle les superbes reliefs de la *Genèse* ornant la façade principale. À l'intérieur, les *Scènes de la Passion* du jubé (1170-1220) sont d'Anselmo da Campione. Un autre maître de Campione, Arrigo, exécuta la chaire en 1322. Sous le chœur, d'élégantes colonnettes soutiennent les trois nefs de la crypte qui abrite une *Sainte famille* (1480) en terre cuite peinte et le tombeau de san Geminiano, patron de Modène.

▦ Palazzo dei Musei

Largo di Porta Sant'Agostino 337.
Galleria Estense Tél *059 439 57 11.* ◯ *mar.-dim. 8h30-19h30.* ◯ *1ᵉʳ janv., 1ᵉʳ mai, 25 déc.* 🎫 ♿
Biblioteca Estense Tél *059 22 22 48.* ◯ *lun.-sam. (ven.-sam. : après-midi seul.).* ◯ *jours fériés.*
Un dédale de jolies ruelles conduit au nord-ouest de la cathédrale jusqu'à cet ancien arsenal bâti au XVIIIᵉ siècle qu'occupent les plus beaux musées de Modène.

Le plus prestigieux, la **Galleria Estense**, présente les collections d'art que la famille d'Este déménagea de Ferrare quand son

ancienne capitale entra dans les États pontificaux. Elle comprend des peintures d'artistes émiliens comme Reni ou les Carrache, de Vénitiens, tels que Le Tintoret et Véronèse, et possède des toiles espagnoles, flamandes, allemandes et françaises.

Parmi les ouvrages visibles dans la **biblioteca Estense** figurent une édition de 1481 de *La Divine Comédie* de Dante et une des premières cartes (1501) à montrer l'itinéraire suivi par Christophe Colomb en 1492. Le joyau de son exposition permanente reste toutefois la Bible de Borso d'Este décorée de plus de 1 200 enluminures par des artistes de l'école de Ferrare du XVᵉ siècle, notamment Taddeo Crivelli et Franco Russi.

La Torre Ghirlandina de Modène

Aux environs :
À 20 km au sud de Modène, Enzo Ferrari installa son usine en 1945. Désormais sous contrôle de la Fiat, elle produit 2 500 voitures chaque année. La galleria Ferrari expose des souvenirs et de nombreux véhicules de la marque.

🏛 Galleria Ferrari

Via Dino Ferrari 43, Maranello.
Tél *0536 94 32 04.* ◯ *t.l.j. 9h30-18h.* ◯ *1ᵉʳ janv., 25 déc* 🎫 ♿

Ferrari 250 SWB fabriquée entre 1959 et 1962

Ferrara ❻

🏙 *140 000.* FS 🚌 ℹ️ *Castello Estense, Largo Castello (0532 20 93 70).* 🏛 *lun. et ven.*

Depuis Obizzo II qui s'empara du pouvoir en 1264 et que Cesare dut céder sa capitale au pape en 1598 pour s'installer à Modène, les tyrans et mécènes de la maison d'Este ont laissé une marque indélébile sur cette ville qu'entoure une magnifique enceinte fortifiée.

Façade du Duomo de Ferrare

♟ Castello Estense

Largo Castello. ***Tél** 0532 29 92 33.* 🏛 *mar.-dim. (mars-mai t.l.j.).* ⚫ *jours fériés.* 🎟

Entreprise en 1385, l'étonnante forteresse à la belle cour Renaissance d'où régnèrent les Este domine de

La forteresse moyenâgeuse du Castello Estense à Ferrare

ses tours le centre-ville. Bien des drames se déroulèrent entre ses murs. Niccolò III y exécuta notamment son épouse parce qu'elle le trompait avec un de ses fils, Ugo, et Ercole Ier décapita un neveu qui l'avait spolié.

🏛 Palazzo del Comune

Piazza Municipale.

Ce palais commencé en 1243 est orné des copies de statues en bronze du XVe siècle par Leon Battista Alberti représentant Niccolò III et son fils Borso.

🏛 Museo della Cattedrale

Via San Romano. ***Tél** 0532 76 12 99.* 🏛 *mar.-dim.* ⚫ *6 janv., Pâques, 25-26 déc.* 🎟

Associant styles roman et gothique, le **Duomo** de Ferrare présente des influences françaises dans les sculptures de sa façade. Son **musée** possède un bel ensemble de 12 reliefs en marbre des *Travaux des mois* datant de la fin du XIIe siècle, la superbe *Vierge à la grenade* (1408) de Jacopo della Quercia et deux volets d'orgue (1469) peints par Cosmè Tura d'un *Saint Georges* et d'une *Annonciation.*

🏛 Palazzo Schifanoia

Via Scandiana 23. ***Tél** 0532 641 78.* 🏛 *t.l.j.* ⚫ *jours fériés.* 🎟

Cette résidence d'été entreprise en 1385 est célèbre par son salon des Mois aux murs peints par des artistes ferrarais dirigés par Cosmè Tura. Ces superbes fresques ésotériques mettent en scène Borso d'Este et sa cour.

🏛 Museo Archeologico Nazionale

Palazzo di Ludovico il Moro, Via XX Settembre 122. ***Tél** 0532 662 99.* 🏛 *mar.-dim.* ⚫ *1er mai, 25 déc.* 🎟 ♿

Ses pièces les plus belles proviennent de la nécropole gréco-étrusque de Spina découverte près de Comacchio dans le delta du Pô.

🏛 Palazzo dei Diamanti

Corso Ercole d'Este 21. ***Tél** 0532 20 58 44.* 🏛 *mar.-dim. matin, jeu.après-midi.* ⚫ *1er janv., 1er mai, 25 déc.* 🎟 📷

Nommé d'après les motifs ornant sa façade, ce palais Renaissance abrite une galerie d'art moderne, un musée consacré au Risorgimento et la Pinacoteca Nazionale qui comprend des œuvres des écoles ferraraise et bolonaise.

LA FAMILLE D'ESTE

D'origine lombarde, la dynastie d'Este compta autant de tyrans que de mécènes et entretint une des cours les plus brillantes d'Europe. Elle protégea ainsi certains des plus grands esprits et artistes de la Renaissance, qu'il s'agisse d'auteurs comme Pétrarque, le Tasse et l'Arioste, ou de peintres tels que Mantegna, Titien et Bellini. Cela n'empêcha pas certains de ses membres de se montrer sanguinaires, à l'exemple de Niccolò III (1383-1441) qui tua sa femme Parisina et son amant, l'un des nombreux bâtards de son mari (on lui en attribue 27). Ercole Ier (1431-1505) fit quant à lui décapiter un neveu. Son fils Alfonso Ier (1476-1534) épousa la célèbre Lucrèce Borgia.

Portrait d'Alfonso Ier d'Este par Titien (v. 1485-1576)

Bologna pas à pas ❼

Détail de la façade de San Petronio

Le centre de Bologne tient son charme des arcades, portiques et murs de brique qui s'organisent autour de deux places bordées de palais médiévaux : la piazza Maggiore et la piazza del Nettuno. Au sud, se dressent les églises de San Petronio et de San Domenico, ainsi que l'Archiginnasio qu'occupa aux XVIIe et XVIIIe siècles la plus vieille université d'Europe. À l'est, les torri degli Asinelli e Garisenda et le campanile de Santo Stefano marquent l'horizon de leurs silhouettes.

Fontana di Nettuno
Les magnifiques statues de bronze fondu par Jean de Bologne ornent la célèbre fontaine de Neptune (1566) dessinée par Tomaso Laureti.

Le Palazzo del Podestà (XIIIe siècle) fut remanié en 1484.

Information touristique

Gare Ferrara

Modena

VIA UGO BASSI

VIA DELL'INDIPENDENZA

VIA RIZZOLI

VIA OREFICI

PIAZZA MAGGIORE

VIA IV NOVEMBRE

★ **San Petronio**
Lorenzo Costa, qui peignit ce Martyre de saint Sébastien *dans la cappella di San Sebastiano, appartenait à l'école ferraraise du XVe siècle.*

Archiginnasio

VIA D'AZEGLIO

VIA DELL'ARCHIGINNASIO

VIA FARINI

Piazza Cavour
Les rues dallées et les immeubles à arcades qui entourent cette belle place sont typiques du centre élégant de Bologne.

PIAZZA CAVOUR

VIA DE'

VIA GARIBALDI

À NE PAS MANQUER

★ San Petronio

San Domenico
(1251) abrite le superbe tombeau de saint Dominique.

San Giacomo Maggiore
Ce Triomphe de la Mort
*(1483-1486) de Costa orne
la cappella Bentivoglio.*

MODE D'EMPLOI

🏛 400 000. ✈ Marconi 9 km
au N.-O. 🚆 P. Medaglia d'Oro.
🚌 P. XX Settembre. ℹ Stazione
Centrale (051 23 96 60). P.
Maggiore 1/A (051 23 96 60).
Aéroport. 🚌 ven., sam. 🎪
mars-juin : festival de musique ;
juin-sept. : Bologna Sogna.
www.bolognaturismo.info

Pinacoteca
Nazionale
Museo di
Anatomia
Umana
Normale

VIA ZAMBONI

VIA BENEDETTO XIV

Ravenna

VIA SAN VITALE

STRADA MAGGIORE

PIAZZA DI
PORTA
RAVEGNANA

VIA SANTO STEFANO

VIA CASTIGLIONE

Firenze

🔒 San Giacomo Maggiore
Piazza Rossini. ***Tél*** *051 22 59 70.*
🕐 *t.l.j.*

Ce sanctuaire romano-
gothique entrepris en 1267 et
plusieurs fois remanié attire
les visiteurs pour sa cappella
Bentivoglio commandée par
Annibale Bentivoglio en 1445
et consacrée en 1486. C'est
bien entendu un portrait de
la famille qui occupe la place
d'honneur. Ce tableau subtil
est de Lorenzo Costa (1460-
1535) qui peignit aussi
l'*Apocalypse*, la *Vierge en
majesté* et le *Triomphe de la
Mort* qui décorent les parois.
Francesco Francia exécuta le

**Torri degli
Asinelli e
Garisenda**
*Depuis leur
construction au
XIIe siècle par de
puissantes
familles, ces tours
se sont mises à
pencher.*

retable représentant
une *Vierge avec
saints et deux anges
musiciens* (1488).
    Sculpté en 1435,
le tombeau
d'Antonio Galeazzo
Bentivoglio installé
en face de la
chapelle est une des
dernières œuvres du
Siennois Jacopo
della Quercia.
Accessible par la
sacristie, l'oratoire
Santa Cecilia est
décoré de fresques,
notamment par
Lorenzo Costa et
Francesco Francia
(1504-1506),
évoquant les vies de sainte
Cécile et de saint Valérien.

Abbazia di Santo Stefano
*La fontana di Pilato porte
une inscription lombarde du
VIIIe siècle. Selon la légende,
Ponce Pilate se serait lavé les
mains dans son bassin.*

LÉGENDE

– – – Itinéraire conseillé

0   150 m

**Tombeau d'A. G. Bentivoglio (1435)
par Jacopo della Quercia**

À la découverte de Bologne

De la basilique San Petronio, cœur du centre médiéval, à la Pinacoteca Nazionale dans le quartier de l'université, monuments et musées témoignent partout du riche passé culturel de Bologne.

⊞ Torri degli Asinelli e Garisenda

P. di Porta Ravegnana. ○ t.l.j. ▨

Deux cents tours érigées par des familles nobles se dressaient dans le ciel de Bologne au Moyen Âge. Quelques-unes seulement ont subsisté, dont les célèbres Torri Pendenti (tours Penchées) élevées au début du XIIe siècle et évoquées par Dante dans son *Enfer*. La construction de la torre Garisenda cessa avant son achèvement, alors qu'elle ne mesurait que 48 m de hauteur. Elle présente déjà néanmoins une inclinaison d'environ 3 m. Malgré ses 97 m de hauteur, la torre Asinelli ne penche que de 1,2 m. Cinq cents marches conduisent à son sommet qui offre une vue exceptionnelle.

🏠 Abbazia di Santo Stefano

Via Santo Stefano 24. **Tél** 051 22 32 56. ○ t.l.j. 9h-12h, 15h30-18h30. **www**.abbaziasantostefano.it

Sept églises juxtaposées sous un même toit formaient jadis ce curieux sanctuaire. Il en reste quatre, en comptant l'église du Crocifisso

L'abbazia di Santo Stefano

🏠 SAN PETRONIO

Piazza Maggiore. **Tél** 051 22 21 12. ○ t.l.j. ♿

Dédiée à saint Pétrone, premier évêque et saint patron de Bologne mort en 450, cette église compte parmi les plus vastes édifices médiévaux en briques d'Italie. Fondée en 1390, elle devait dépasser en taille Saint-Pierre de Rome, mais les autorités religieuses utilisèrent une partie des fonds à la construction du palazzo Archiginnasio voisin. Un rang de colonnes, sur son flanc oriental, attend ainsi toujours la voûte qu'il devait supporter, tandis que le haut de la façade ne reçut jamais son plaquage de marbre. Derrière un portail central sculpté à partir de 1425 par Jacopo della Quercia, l'intérieur renferme de nombreuses œuvres d'art.

Le retable du *Martyre de saint Sébastien* est de l'école ferraraise.

La clarté des murs accroît encore la sensation d'espace.

Des scènes de l'Ancien Testament (1425-1438) sculptées par Jacopo della Quercia ornent le portail principal.

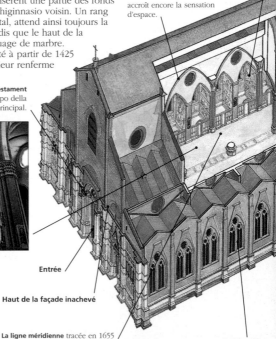

Intérieur gothique

La nef centrale s'élève à plus de 40 m de hauteur et 22 chapelles richement décorées ouvrent sur les bas-côtés. En 1547, le concile de Trente (p. 174) siégea un temps à San Petronio pour échapper à la peste.

Entrée

Haut de la façade inachevé

La ligne méridienne tracée en 1655 par l'astronome Jean-Dominique Cassini est longue de 67 m.

Les vitraux (1464-1466) de cette chapelle sont de Jacob d'Ulm.

(XIe siècle) qui n'est plus qu'un couloir d'accès à San Sepolcro, la plus intéressante des quatre. Du XIe siècle, cet édifice de plan polygonal renferme le tombeau de saint Pétrone au dessin inspiré du saint sépulcre. Dans la cour, la fontana di Pilato serait celle où Ponce Pilate se lava les mains après la condamnation de Jésus. Édifiée au Ve siècle mais reconstruite aux VIIIe et XIe siècles, Santi Vitale e Agricola abrite des sarcophages des martyrs romains dont elle porte le nom. Un petit musée occupe Santa Trinità et son cloître roman. Outre des peintures de l'école bolonaise, il présente une intéressante *Adoration des Mages*, groupe sculpté et peint par Simone dei Crocifissi vers 1370.

Clocher

Stalles
Raffaello da Brescia exécuta en 1521 les superbes stalles marquetées de la chapelle du Saint-Sacrement.

🏛 Pinacoteca Nazionale

Via delle Belle Arti 56.
***Tél** 051 421 19 84.*
⭕ *mar.-dim.* ⬤ *1er jan., 1er mai, 16 août, 25 déc.*
📷 ♿ **www.**
pinacotecabologna.it

La principale galerie d'art de Bologne, l'une des plus importantes collections de peintures d'Italie du Nord, se trouve en périphérie du quartier de l'université où abondent bars, librairies et restaurants bon marché. Ce musée contient des toiles de peintres bolonais, comme Vitale da Bologna, Guido Reni, le Guerchin et la famille Carrache,

L'Extase de sainte Cécile (v. 1515) de Raphaël à la Pinacoteca Nazionale

et de belles œuvres de l'école ferraraise, en particulier par Francesco del Cossa et Ercole di Roberti. Mais ses joyaux restent une *Vierge en majesté* (v. 1491) du Pérugin et l'*Extase de sainte Cécile* peinte vers 1515 par Raphaël.

🏛 Museo di Anatomia Umana Normale

Via Irnerio 48. ***Tél** 051 209 15 56.*
⭕ *lun.-jeu. 9h-13h30, 14h-16h30.*
⬤ *25 déc., 1er janv., Pâques, 1er mai, jours fériés.* 📷

Cet ancien théâtre d'anatomie fondé en 1742 devint en 1907 un petit musée, qui fait partie des plus pittoresques de Bologne. Représentant viscères, membres ou corps écorchés, les modèles en cire exposés servirent jusqu'au XIXe siècle aux cours de la faculté de médecine. Sculptés et non moulés, ils possèdent une réelle dimension artistique en plus de leur intérêt scientifique. Certains déplairont toutefois peut-être aux âmes sensibles.

🔒 San Domenico

Piazza di San Domenico 13.
***Tél** 051 640 04 11.* ⭕ *t.l.j.* ♿

Moine espagnol fondateur de l'ordre des dominicains, saint Dominique mourut à Bologne en 1221, et la construction de l'église qui lui est consacrée commença l'année suivant sa canonisation en 1234. Le sanctuaire connut un important remaniement au XVIIIe siècle.

Il abrite le superbe tombeau du saint, l'*arca di San Domenico*, dont Nicola Pisano et ses élèves sculptèrent le corps principal à partir de 1267. C'est Niccolò di Bari qui en exécuta le couronnement de 1468 à 1473. Michel-Ange réalisa en 1494 les statues de saint Pétrone, de saint Proculus et de l'ange de droite. Derrière le mausolée, un reliquaire (1383) par Jacopo Roseto contient la tête du saint.

Arca di San Domenico à la basilica di San Domenico

Sigismond Malatesta devant saint Sigismond (1451), fresque de Piero della Francesca au Tempio Malatestiano de Rimini

Faenza ⓫

Ravenna. 🏛 *54 000*. 🚉 🚌
ℹ️ *Voltone Molinella 2 (0546 252 31)*. 🍴 *mar., jeu. et sam.*

Caractéristiques, les céramiques aux émaux bleus et ocre fabriquées dans cette petite cité d'origine romaine jouissent d'un tel renom en Europe depuis plus de 500 ans que Faenza a donné son nom à la faïence.

De nombreux ateliers et petites usines entretiennent aujourd'hui une tradition qui trouve dans le **Museo Internazionale delle Ceramiche** une vitrine digne d'elle. Celui-ci ne présente toutefois pas que la production locale et sa collection de poteries, l'une des plus riches d'Europe, comprend aussi bien des pièces antiques que des œuvres de Picasso et de Matisse.

🏛 **Museo Internazionale delle Ceramiche**
Viale Baccarini 19. *Tél 0546 69 73 11*. ⭕ *avr.-oct. : mar.-dim. ; nov.-mars : mar.-dim. (mar. et jeu. matin).* ⭕ *1er janv., 1er mai, 15 août, 25 déc.* 🚻 📷

Rimini ⓬

🏛 *130,000*. 🚉 🚌 ℹ️ *Piazzale Fellini 3 (0541 569 02)*. 🍴 *mer. et sam.* **www**.*riminiturismo.it*

Federico Fellini (1920-1995) a grandi à Rimini et il a évoqué le charme de cette cité dans certains de ces films, en particulier *Amarcord*. Depuis l'époque de son enfance, Rimini est devenue la plus grande station balnéaire d'Europe et bars et restaurants bordent presque sans interruption son front de mer sur 15 km. Bien entretenues mais souvent d'accès payant, les plages y sont propres malgré la foule.

Heureusement, le développement touristique du littoral n'a pas enlevé son cachet au centre historique dont les rues pavées s'organisent autour de la **piazza Cavour** dominée par le **palazzo del Podestà** gothique. C'est sur la via IV Novembre que se trouve le plus bel édifice : le **Tempio Malatestiano**. L'architecte florentin Leon Battista Alberti transforma en 1450 cette ancienne église franciscaine en un des chefs-d'œuvre de la première Renaissance et en un monument en l'honneur de son commanditaire, Sigismond Ier Malatesta (1417-1468) dont la famille gouvernait la ville depuis le XIIIe siècle. Agostino di Duccio exécuta une grande partie des sculptures.

Personnage contrasté, Sigismond acquit une réputation de mécène, mais répudia ou fit périr ses trois premières épouses pour convoler avec sa maîtresse, Isotta degli Atti, dont les initiales, mêlées aux siennes, forment avec l'éléphant, emblème de la dynastie, un motif récurrent de la décoration du Tempio. Il y repose malgré une excommunication pour « meurtre, viol, adultère, inceste, sacrilège et parjure ». Un peu plus loin, la chapelle des Reliques abrite la fresque de *Sigismond Malatesta devant saint Sigismond* peinte par Piero della Francesca en 1451. Isotta repose dans la 2e chapelle.

🏛 **Tempio Malatestiano**
Via IV Novembre. *Tél 0541 511 30*. ⭕ *t.l.j. 8h30-12h30, 15h30-19h (dim. 9h-13h).* 🚻

Ravenna ⓭

🏛 *90 000*. 🚉 🚌 ℹ️ *Via Salara 8-12 (0544 354 04)*. 🍴 *mer. et sam. ; brocante : 3e w.-e. du mois.* **www**.*turismo.ravenna.it*

Ce sont les splendides mosaïques de ses édifices paléochrétiens qui attirent à Ravenne (*p. 268-269*) de nombreux visiteurs, mais ils y découvrent aussi vieilles rues,

Façade Renaissance du Tempio Malatestiano de Rimini

La piazza del Popolo, grand-place de Ravenne

jolies boutiques et places tranquilles. Le **Museo Nazionale** présente d'intéressantes collections de vestiges préhistoriques, de peintures et d'icônes, tandis que la piazza del Popolo offre un beau cadre médiéval.

🏛 **Museo Nazionale**
Via Flandrini. *Tél 0544 344 24.*
⬤ mar.-dim. ⬤ 1er janv., 1er mai, 25 déc. 🉑 ♿

Delta del Po ⓫

Ferrara. 🚉 Ferrara Ostellata. 🚌 jusqu'à Goro ou Gorino. ⛴ depuis Porto Garibaldi, Goro et Gorino. 🛈 Via Mazzini 4, Comacchio (0533 31 41 54). **Parco Delta del Po** *Tél 0533 31 40 03.* www.parcodeltapo.it

Le plus long cours d'eau d'Italie sine dans une vallée qui couvre 15 % de la superficie de l'Italie et où habite environ un tiers de sa population. Bien qu'ayant beaucoup souffert de la pollution industrielle et de l'urbanisme moderne, elle offre dans ses parties préservées des paysages d'une beauté subtile où des rangées de peupliers rythment de vastes étendues de champs brumeux.

Surnommé la « Camargue italienne », le delta du Pô mêle dunes et marais sur le littoral de l'Adriatique. Le **parco Delta del Po** est un immense parc national de 600 km² s'étendant jusqu'au Vénéto. Certaines zones marécageuses comme les **valli di Commachio** ont des réserves où peuvent se reproduire en paix de nombreux oiseaux tels que goélands, foulques, oies des moissons ou sternes noires. Les ornithologues qui s'y rassemblent observent également des espèces plus rares comme l'aigrette garzette, le busard Saint-Martin et le cormoran pygmée. À **Commachio**, le village le plus proche, la pêche traditionnelle reste celle à l'anguille dont les techniques remontent pour certaines à l'époque romaine.

Plus au nord, une autre réserve naturelle protège le **bosco della Mesola**, un bois planté par les Étrusques et entretenu par des générations de moines. En vous y promenant à pied ou à vélo, peut-être apercevrez-vous les cerfs qui l'habitent.

Busard Saint-Martin, un oiseau du delta

Suivant le tracé de l'ancienne via Romea, la N 309 traverse sur 100 km du nord au sud le territoire du parc. Les endroits les plus secrets se découvrent en bateau, depuis les villages de Ca'Tiepolo, Ca'Vernier et Taglio di Pô.

Il est aussi possible de louer des vélos et de suivre la rive droite du fleuve.

Au bord de l'eau dans le delta du Pô

Visite de Ravenne

C'est sous Auguste au Iᵉʳ siècle av. J.-C. que Ravenne se développe près de la base navale de Classis dont la flotte surveille l'Adriatique. Chrétienne dès le IIᵉ siècle, siège d'un évêché au IVᵉ, elle devient en 402 la capitale de l'Empire romain d'Occident, puis celle des rois goths Odoacre et Théodoric. Exarchat byzantin de 568 à 752, elle exerce son influence sur toute l'Italie du Nord. Ravenne tombe ensuite dans un oubli qui lui a permis de conserver un ensemble unique en Europe d'édifices paléochrétiens ornés de splendides mosaïques où se marient influences antiques et orientales.

Détail d'une mosaïque de San Vitale

Le Bon Pasteur ②
Cette mosaïque orne le petit Mausoleo di Galla Placidia entrepris en 430 et qui n'abrite probablement jamais la dépouille de la régente qui succéda à l'empereur Honorius.

San Vitale ①
Sur les mosaïques de l'abside (526-547), le Christ tendant une couronne de martyr à saint Vital domine les panneaux où figurent les cours de Theodora et de Justinien (p. 50-51).

Baptême du Christ ③
Nommé d'après l'évêque Néon qui commanda peut-être sa décoration, dont cette magnifique mosaïque, le Battistero Neoniano bâti au Vᵉ siècle près des vestiges de thermes romains est le monument le plus ancien de Ravenne.

Battistero degli Ariani ⑤
À la coupole de ce baptistère de la fin du Vᵉ siècle, les apôtres entourent une représentation du baptême du Christ.

MODE D'EMPLOI

San Vitale & Mausoleo di Galla Placidia, Via Fiandrini. **Tél** *0544 54 16 88.* ○ *t.l.j. : avr.-sept. 9h-19h30 ; nov.-fév. 9h30-17h ; mars et oct. 9h-17h30. (der. ent. 15 min av. la ferm.).* ● *1ᵉʳ janv., 25 déc.* **Battistero Neoniano**, Via Battistero. **Tél** *0544 54 16 88.* ○ *et* ● *comme ci-dessus (sauf nov.-fév. : 10h-17h).* **Sant'Apollinare Nuovo**, Via di Roma. **Tél** *0544 54 16 88.* ○ *et* ● *comme San Vitale.* **Tomba di Dante**, Via Dante Alighieri. **Tél** *0544 302 52.* ○ *t.l.j. : avr.-sept. 9h-19h, oct.-mars 9h-12h, 14h-17h (der. ent. 15 min av. la ferm.).* ● *1ᵉʳ janv., 1ᵉʳ mai.* **Battistero degli Ariani**, Via degli Ariani. **Tél** *0544 344 24.* ○ *t.l.j. : 8h30-19h30 (der. ent. 15 min av. la ferm.).* ● *1ᵉʳ janv., 1ᵉʳ mai* *Possibilité de prendre un billet groupé.* **Réservation :** **Tél** *800 303 999, 0544 54 16 88.* **www**.turismo.ravenna.it

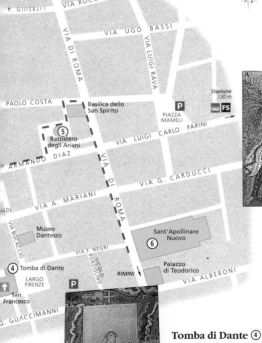

Sant'Apollinare Nuovo ⑥
Des processions de martyrs et de vierges apportant des présents au Christ et à sa mère décorent les murs de cette église du Vᵉ siècle dédiée au premier évêque de Ravenne.

Tomba di Dante ④
Les errances de Dante en Italie le conduisirent jusqu'à Ravenne où il mourut en 1321. C'est sa ville natale, Florence, qui fournit l'huile alimentant la lampe qui brûle dans son tombeau.

LÉGENDE

– – – Itinéraire conseillé

0   200 m

Pour les autres symboles de la carte *voir le rabat arrière de couverture*

FLORENCE

Florence est toute entière un magnifique monument de la Renaissance, ce mouvement artistique qui ouvrit la voie à l'ère moderne dès le XVe siècle. Des auteurs comme Dante, Pétrarque et Machiavel contribuèrent au renom de la ville, et les peintres et les sculpteurs de génie tels que Botticelli, Michel-Ange ou Donatello en firent une des capitales mondiales des arts.

Bien que les Étrusques aient occupé plusieurs siècles avant eux les collines entourant Fiesole, ce sont les Romains qui fondèrent Florence en 59 av. J.-C. Conquise par les Lombards au VIe siècle, la cité profita des troubles qui secouèrent le Moyen Âge pour acquérir son indépendance. Au XIIIe siècle, l'industrie textile et le commerce, soutenus par un solide secteur bancaire, en font une des grandes puissances italiennes. Détenu par les corporations professionnelles, le pouvoir politique s'organise en république, puis passe entre les mains des familles patriciennes. La plus influente est celle des Médicis, une dynastie de banquiers très riches. Ils prennent le contrôle de Florence, puis de toute la Toscane, et le gardent pendant près de trois siècles pendant lesquels leur capitale devient un des principaux centres artistiques de l'Europe où peintres, sculpteurs et architectes, financés par des mécènes fortunés, créent dans les rues, dans les églises et dans les palais certains des plus grands chefs-d'œuvre de la Renaissance. La dynastie s'éteint en 1737 et Florence est autrichienne (et brièvement française sous Napoléon) jusqu'au début de l'unification italienne en 1860. Éphémère capitale du jeune royaume d'Italie de 1865 à 1871, elle subit en novembre 1966 une inondation aux conséquences dramatiques pour son patrimoine inestimable.

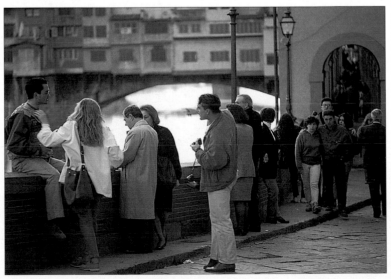

En promenade devant le ponte Vecchio (1345) où s'accrochent des boutiques au-dessus de l'Arno

◁ Brunelleschi acheva en 1436 la coupole du Dôme de Florence

À la découverte de Florence

Clocher du palazzo Vecchio

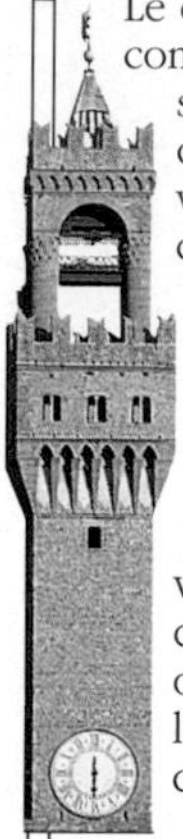

Le cœur historique de Florence se révèle étonnamment compact et la plupart des monuments décrits dans les pages suivantes s'atteignent aisément à pied. Un des premiers buts de visite est souvent l'ensemble formé au centre de la vieille ville par le Dôme, le campanile et le baptistère. Les collections du Museo dell'Opera del Duomo illustrent leur construction. Au sud s'étend la piazza della Signoria bordée par le palazzo Vecchio, ancien palais des Médicis, et la Galerie des Offices (Gli Uffizi), l'un des plus beaux musées d'art du monde. À l'est se dresse l'église Santa Croce ornée de fresques par Giotto. À l'ouest, l'autre grand sanctuaire de la ville, Santa Maria Novella, abrite également de nombreuses œuvres d'art. Sur la rive opposée de l'Arno, le quartier de l'Oltrarno renferme une autre demeure des Médicis, le palazzo Pitti, où se trouvent des tableaux d'artistes tels que Raphaël ou Titien.

CIRCULER

Florence possède un bon réseau de bus, et une ligne de tramway est en construction. Compact et restreint à la circulation, le centre historique se visite agréablement à pied.

LÉGENDE

- Pas à pas autour de San Marco *p. 274-275*
- Pas à pas autour du Dôme *p. 278-279*
- Pas à pas autour de la piazza della Repubblica *p. 292-293*
- L'Oltrarno pas à pas *p. 300-301*
- FS Gare ferroviaire
- P Parc de stationnement
- Information touristique
- Mur d'enceinte
- Station de tramway (ouv. 2010-2011)

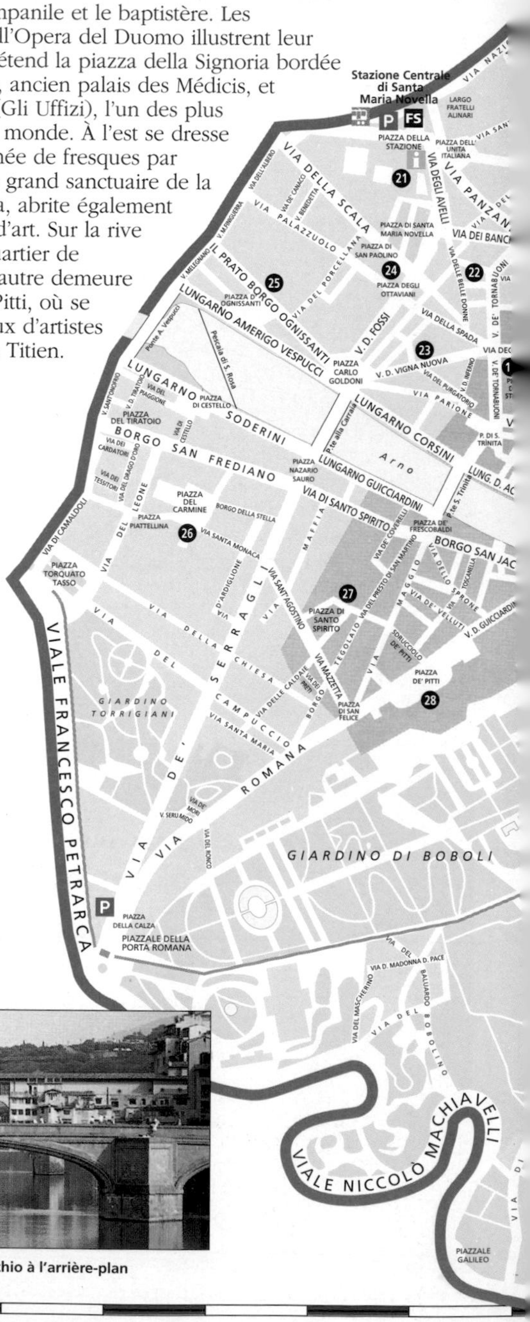

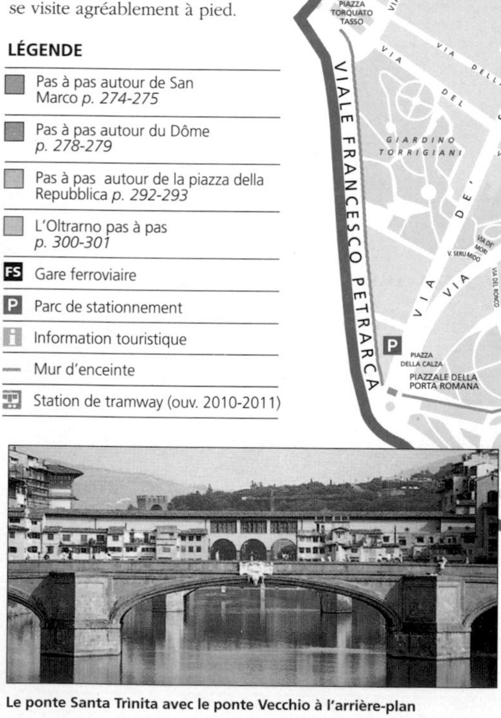

Le ponte Santa Trìnita avec le ponte Vecchio à l'arrière-plan

Pour les autres symboles de la carte *voir le rabat arrière de couverture*

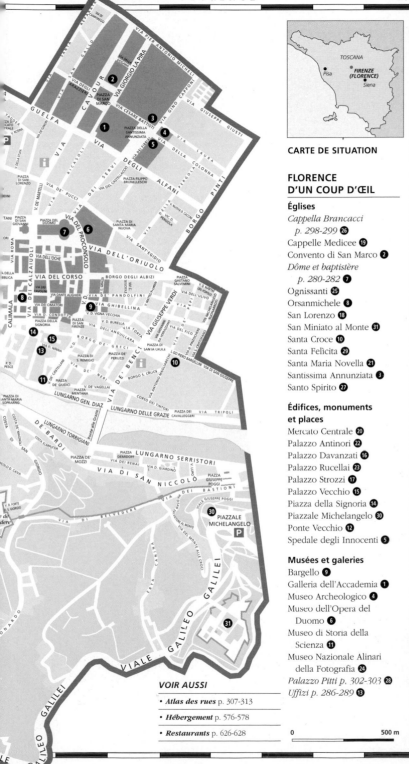

CARTE DE SITUATION

FLORENCE D'UN COUP D'ŒIL

Églises

Cappella Brancacci
  p. 298-299 **26**
Cappelle Medicee **19**
Convento di San Marco **2**
Dôme et baptistère
  p. 280-282 **7**
Ognissanti **25**
Orsanmichele **8**
San Lorenzo **18**
San Miniato al Monte **31**
Santa Croce **10**
Santa Felìcita **29**
Santa Maria Novella **21**
Santissima Annunziata **3**
Santo Spirito **27**

Édifices, monuments et places

Mercato Centrale **20**
Palazzo Antinori **22**
Palazzo Davanzati **16**
Palazzo Rucellai **23**
Palazzo Strozzi **17**
Palazzo Vecchio **15**
Piazza della Signoria **14**
Piazzale Michelangelo **30**
Ponte Vecchio **12**
Spedale degli Innocenti **5**

Musées et galeries

Bargello **9**
Galleria dell'Accademia **1**
Museo Archeologico **4**
Museo dell'Opera del
  Duomo **6**
Museo di Storia della
  Scienza **11**
Museo Nazionale Alinari
  della Fotografia **24**
Palazzo Pitti p. 302-303 **28**
Uffizi p. 286-289 **13**

0   500 m

Pas à pas autour de San Marco

Alors située à la périphérie de la ville, cette
partie de Florence renfermait jadis la
ménagerie des Médicis avec ses lions,
girafes et éléphants. C'est aujourd'hui un
quartier d'étudiants qui emplissent la piazza
di San Marco entre deux cours à l'université
ou à l'Accademia di Belle Arti, la plus
ancienne école d'art du monde.
Fondée en 1563, elle eut Michel-Ange
pour premier directeur.

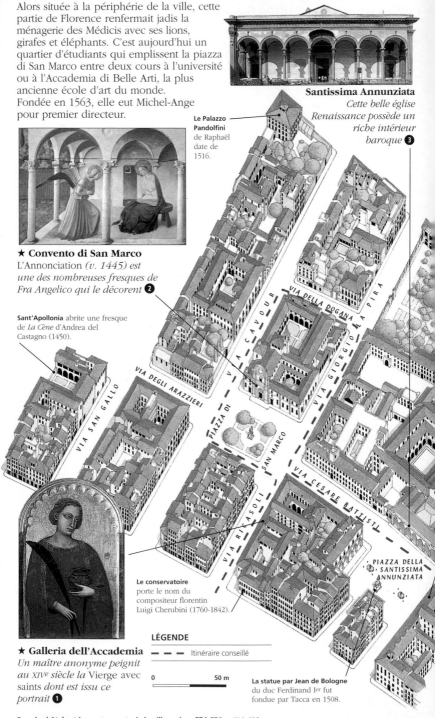

Santissima Annunziata
*Cette belle église
Renaissance possède un
riche intérieur
baroque* **3**

**Le Palazzo
Pandolfini**
de Raphaël
date de
1516.

★ **Convento di San Marco**
*L'Annonciation (v. 1445) est
une des nombreuses fresques de
Fra Angelico qui le décorent* **2**

Sant'Apollonia abrite une fresque
de *La Cène* d'Andrea del
Castagno (1450).

VIA DEGLI ARAZZIERI

VIA SAN GALLO

VIA CAVOUR

VIA DELLA DOGANA

VIA GIORGIO LA PIRA

PIAZZA DI SAN MARCO

VIA RICASOLI

VIA CESARE BATTISTI

PIAZZA DELLA
SANTISSIMA
ANNUNZIATA

Le conservatoire
porte le nom du
compositeur florentin
Luigi Cherubini (1760-1842).

LÉGENDE

– – – Itinéraire conseillé

0 _____ 50 m

★ **Galleria dell'Accademia**
*Un maître anonyme peignit
au XIVe siècle la* Vierge avec
saints *dont est issu ce
portrait* **1**

La statue par Jean de Bologne
du duc Ferdinand Ier fut
fondue par Tacca en 1508.

Pour les hôtels et les restaurants de la ville, voir p. 574-576 et 626-628

Décor par Lo Scheggia du *Cassone Adimari* (xve siècle) à l'Accademia

CARTE DE SITUATION
Voir l'atlas des rues de Florence, plan 2

Spedale degli Innocenti
Andrea della Robbia réalisa les médaillons qui ornent l'orphelinat achevé par Brunelleschi en 1445 ❺

Le **Giardino dei Semplici** ouvrit en 1543.

VIA GINO CAPPONI

Museo Archeologico
Beaucoup de ses pièces étrusques proviennent des collections des Médicis ❹

À NE PAS MANQUER

★ Convento di San Marco

★ Galleria dell'Accademia

Galleria dell'Accademia ❶

Via Ricasoli 60. **Plan** 2 D4. **Tél** 055 238 86 09 (information) ; 055 29 48 83 (réservations). ◯ mar.-dim. 8h15-18h50 (certains jours d'été : horaires plus tardifs). ◯ j.f. 📷 🚫 ♿

Fondée en 1563 à l'initiative de la corporation des artistes, l'académie des beaux-arts de Florence fut la première école d'Europe d'enseignement de la peinture, de la sculpture et de l'architecture. Constituée à partir de 1784 dans le but de donner aux élèves des sujets d'étude, sa collection d'art comprend plusieurs œuvres parmi les plus importantes de Michel-Ange, notamment son célèbre *David* (1504). Commandé par la ville de Florence, il prit place, une fois achevé, devant le palazzo Vecchio. L'artiste devint grâce à lui, à 29 ans, le sculpteur le plus admiré de son temps. On déplaça en 1873 la statue à l'Accademia pour la protéger des intempéries et de la pollution et c'est une copie qui décore aujourd'hui la piazza della Signoria (*p. 290-291*). Une autre se dresse au centre du piazzale Michelangelo.

Avec le *David*, une pietà bouleversante et une statue de saint Matthieu destinée à la façade du Dôme, toutes deux inachevées,

David par Michel-Ange

sont également présentées dans la galerie dite des Captifs car elle contient quatre ébauches des *Captifs* (ou *Esclaves*) sculptés à partir de 1521 pour le tombeau du pape Jules II. Ces corps musculeux luttant pour s'arracher à leur gangue de pierre font partie des œuvres les plus troublantes de l'histoire de la sculpture. Installées en 1585 dans la grotte de Buontalenti des jardins de Boboli, elles ont été remplacées par des moulages.

La Galleria dell'Accademia possède également une importante collection de tableaux peints par des contemporains de Michel-Ange tels Fra Bartolomeo, Filippino Lippi, Bronzino et Ridolfo del Ghirlandaio. Parmi les plus belles pièces figurent la *Vierge de la mer* attribuée à Botticelli (1445-1510), *Vénus et Cupidon* exécutée par le Pontormo (1494-1556) d'après un dessin de Michel-Ange et le *Cassone Adimari* (1440-1445), un coffre de mariage que décore la représentation de la noce Adimari-Ricasoli sur la piazza San Giovanni.

Le Salone della Toscana abrite des sculptures et des toiles des membres de l'académie au xixe siècle, dont une série de plâtres du sculpteur Lorenzo Bartolini (1777-1850).

L'ancienne bibliothèque, lumineuse et aérée, dessinée par Michelozzo

Convento di San Marco ❷

Piazza di San Marco. **Plan** 2 D4. **Tél** 055 28 76 28 (information). ◯ *7h-12h,16h-20h.* 🛈 **Museo di San Marco Tél** *055 238 86 08 ; 055 29 48 83 (réservations).* ◯ *t.l.j. 8h15-13h50. (sam., dim. plus tard).* ⬤ *1er janv., 1er mai, 25 déc., 2e et 4e lun. et 1er, 3e et 5e dim. du mois.* 📷 ♿ 🚫

Fondé au XIIIe siècle, le couvent de Saint-Marc connut un important agrandissement quand Cosme l'Ancien invita

en 1437 les dominicains de Fiesole. Son architecte préféré, Michelozzo, dessina les cloîtres et les cellules dépouillées qui offrent leur cadre harmonieux aux fresques empreintes de spiritualité peintes par un moine florentin connu sous le nom de Fra Angelico (1387-1455). Des œuvres provenant de diverses églises et galeries de Florence les complètent pour former le remarquable **Museo di San Marco**.

Derrière la billetterie s'étend l'élégant **chiostro di Sant'Antonino** décoré de fresques de Bernardino Pocetti évoquant la vie de saint Antonin (1389-1459), premier prieur du couvent et archevêque de Florence. Sous l'arcade droite, un panneau de Fra Angelico représente le Christ en tenue de pèlerin accueilli par des moines. Il surmonte l'entrée de l'**Ospizio dei Pellegrini**, l'ancienne salle d'hôtes du couvent. Parmi les peintures présentes

figurent deux célèbres chefs-d'œuvre de Fra Angelico : la *Déposition de Croix* (v. 1435-1440), triptyque destiné à l'origine à l'église de la Santa Trinità, et la *Vierge des Linajuoli* commandée en 1433 par la corporation des liniers.

À droite de l'ancienne cloche du monastère, la **Sala Capitolare** voûtée abrite sa grande *Crucifixion allégorique* (1440) malheureusement très restaurée. La *Cène* (v. 1480) ornant le petit **Refettorio** est de Domenico Ghirlandaio.

Au haut de l'escalier menant au 1er étage, on voit l'une des plus belles œuvres Renaissance de la ville : l'*Annonciation* (v. 1440),

Détail de la *Déposition de Croix* (v. 1440)

introduction par Fra Angelico aux scènes de la *Vie du Christ* (1439-1455) dont il a orné avec ses disciples les 44 minuscules **cellules** qui bordent le cloître sur trois côtés. Un couloir blanc les dessert, décoré, à droite, d'une *Vierge à l'Enfant avec des saints* (p. 32) qui est de la main du maître à l'instar des fresques des cellules 1 à 11.

Les cellules 12 à 14 contiennent des souvenirs de Jérôme Savonarole, nommé prieur de San Marco en 1491. Ce moine fanatique se rendit responsable de la destruction de nombreuses œuvres d'art après avoir instauré une éphémère république théocratique. Il finit pendu puis brûlé sur la piazza della Signoria en 1498.

Au bout du couloir, les cellules 38 et 39 sont celles où Cosme l'Ancien aimait se retirer. Elles renferment chacune deux fresques. Non loin s'ouvre la **bibliothèque**, arcade lumineuse et aérée élevée par Michelozzo de 1441 à 1444. Fra Angelico occupait une cellule toute proche, la 32, dont il a exécuté le décor comme celui des cellules 34 et 35. Saint Antonin dormait et priait dans la cellule 31.

Dans cette fresque allégorique, *Le Christ bafoué* (v. 1442), Fra Angelico représente par des symboles les outrages subis par le Christ

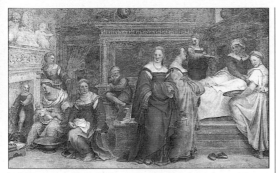

La Naissance de la Vierge (1514) par del Sarto à Santissima Annunziata

Santissima Annunziata ❸

Piazza della Santissima Annunziata.
Plan 2 E4. *Tél* 055 26 61 81.
⬤ *t.l.j. 7h30-12h30,16h-18h30.*

Michelozzo construisit entre 1444 et 1481 l'église de la Très-Sainte-Annonciation à la place d'un oratoire fondé par les servites en 1250. Plusieurs artistes maniéristes travaillèrent aux fresques de son atrium, notamment Rosso Fiorentino, le Pontormo et Andrea del Sarto qui peignit *L'Adoration des Mages* (1511) et *La Naissance de la Vierge* (1514).

Étonnamment baroque et chargée pour Florence, la décoration intérieur comprend un plafond peint par Pietro Giambelli en 1669. À gauche de l'entrée se dresse un petit temple en marbre abritant une Annonciation réputée miraculeuse. Les jeunes couples qui viennent y offrir un bouquet à la Vierge auront un mariage heureux.

Neuf chapelles rayonnent autour du chœur. Jean de Bologne repose dans celle du centre qu'il orna d'un crucifix et de reliefs en bronze. Depuis le transept nord, on accède au cloître Saint-Luc, ou *cloître des Morts* car il servit longtemps de lieu de sépulture. L'émouvante *Vierge au sac* (1525) peinte au-dessus de la porte est d'Andrea del Sarto. L'église domine le côté nord de la **piazza della Santissima Annunziata**. Bordée à l'est par la colonnade de l'hôpital des Innocents de Brunelleschi, c'est l'une des plus jolies places Renaissance de Florence. Œuvre de Jean de Bologne, la statue équestre de Ferdinand Ier qui se dresse au centre fut achevée en 1608 par son assistant, Pietro Tacca. Celui-ci réalisa également les deux fontaines.

Museo Archeologico ❹

Via della Colonna 36. **Plan** 2 E4.
Tél 055 235 75. ⬤ *mar.-dim. 8h30-14h (mar. et jeu. 19h) ; lun. 14h-19h*
⬤ *1er janv., 1er mai, 25 déc.* ♿ 📷

Le Musée archéologique occupe depuis 1870 un palais construit en 1620 par Giulio Parigi pour la princesse Marie-Madeleine de Médicis. Il propose au visiteur une captivante collection de vestiges des civilisations égyptienne, grecque, étrusque et romaine. Endommagée par l'inondation de 1966, une partie du patrimoine reste en restauration. Le 1er étage abrite un magnifique ensemble de bronzes étrusques, en particulier la célèbre *Chimère d'Arezzo* (IVe siècle av. J.-C.), et l'*Orateur*, statue funéraire d'un aristocrate du Ier siècle av. J.-C. où se marient styles étrusque et romain. Une grande partie

**Guerrier étrusque,
Museo Archeologico**

du 2e étage est consacrée aux céramiques. Datant de 570 av. J.-C., le vase François, mis au jour dans une tombe étrusque près de Chiusi, constitue indéniablement le clou de la collection de poteries grecques.

Spedale degli Innocenti ❺

Piazza della Santissima Annunziata 12. **Plan** 2 E4. *Tél* 055 203 73 08.
⬤ *lun.-sam. 8h30-19h, dim. 8h30-14h.* ⬤ *1er janv., Pâques, 25 déc.* 📷

**Arcade de la loggia de Brunelleschi,
Spedale degli Innocenti**

Œuvre de Brunelleschi, le premier orphelinat d'Europe ouvrit en 1444 et une partie du bâtiment remplit toujours cette fonction d'accueil. Andrea della Robbia ajouta vers 1490 les médaillons en terre cuite représentant des bébés emmaillotés qui ornent chaque arcade de l'élégante loggia. La *rota*, petite porte à tambour à l'extrémité gauche du portique, servit jusqu'en 1875 à déposer les enfants. Elle pivotait, préservant l'anonymat du « donateur ».

Brunelleschi dessina également les deux cloîtres à l'intérieur de l'édifice. Des *sgraffiti*, dessins réalisés en grattant un enduit mince, ornent le plus grand, le **chiostro degli Uomini** bâti entre 1422 et 1445. Un petit musée ouvre sur le second. On peut y admirer notamment les terres cuites des della Robbia et des peintures de Botticelli, Piero di Cosimo et Domenico Ghirlandaio.

Pas à pas autour du Dôme

Vitrail du Dôme

Au cœur d'une cité presque entièrement reconstruite à la Renaissance, cette partie de Florence conserve un aspect distinctement médiéval et Dante (1265-1321) reconnaîtrait sans aucun doute son dédale de ruelles où se cache probablement son lieu de naissance.

Il reconnaîtrait aussi la Badia Fiorentina où il aperçut pour la première fois sa bien-aimée Béatrice, la silhouette massive du Bargello qui se dresse en face et, bien entendu, le baptistère, l'un des plus anciens édifices de la ville. Il ne connut toutefois pas le campanile ni le Dôme entrepris à la fin de sa vie.

★ Dôme et baptistère
Leurs murs extérieurs possèdent une riche décoration en marbre dont ce relief de la façade du Dôme offre un exemple **7**

La Loggia del Bigallo
(1358) était l'endroit où l'on exposait les enfants perdus ou abandonnés avant de les placer, si nécessaire, dans des familles d'accueil.

Orsanmichele
Cette copie du Saint Georges *de Donatello représente un des patrons des corporations* **8**

PIAZZA DI SAN GIOVANNI

PIAZZA DEL DUOMO

VIA DELL'OCHE

VIA S. ELISABETTA

VIA DE' MEDICI

VIA ROMA

VIA D. SPEZIALI

VIA DE' CALZAIUOLI

VIA DE' CERCHI

V.D. TAVOLINI

V.D. CIMATORI

V. DE' LAMBERTI

CALIMALA

VIA PORTA ROSSA

VIA DELLA

LÉGENDE

– – – Itinéraire conseillé

0 _____ 100 m

La Via dei Calzaiuoli
est une rue animée bordée de boutiques élégantes.

Piazza della Signoria

Pour les hôtels et les restaurants de la ville, voir p. 576-578 et 626-628

Museo dell'Opera del Duomo

Il présente des œuvres d'art provenant du Dôme, du campanile et du baptistère **6**

Pegna vend vins, huile et miel de qualité.

CARTE DE SITUATION
Voir l'atlas des rues de Florence, plan 6

La Badia Fiorentina, église d'une abbaye fondée en 978, abrite *L'Apparition de la Vierge à saint Bernard* (1485) de Filippino Lippi.

La Casa di Dante, maison médiévale restaurée, serait le lieu de naissance du poète.

★ **Bargello**
L'ancienne prison renferme une collection d'art éclectique comprenant ce Mercure (1564) par Jean de Bologne **9**

À NE PAS MANQUER

★ Bargello

★ Dôme et baptistère

Relief de la tribune des chantres de della Robbia au Museo dell'Opera

Museo dell'Opera del Duomo **6**

Piazza del Duomo 9. **Plan** 2 D5 (6 E2). **Tél** *055 230 28 85.* ☐ *t.l.j. 9h-18h50 (13h dim. et jours fériés) (dernière entrée 40 min av. la ferm.)* ☐ *25 déc., 1er janv., l'àques.* 🖼 &

Le musée de l'Œuvre du Dôme présente une splendide collection de sculptures ôtées de la cathédrale, du campanile et du baptistère.

Les premières salles du rez-de-chaussée sont consacrées à Brunelleschi et renferment des outils utilisés par les maçons du XVe siècle et des maquettes du Dôme. On peut également y admirer une reconstitution de la façade originale d'Arnolfo di Cambio et sa *Vierge aux yeux de verre* (1296), statue gothique sculptée, à l'instar du *Saint Jean* (1408-1415) de Donatello, pour orner une de ses niches.

La *Pietà* de Michel-Ange occupe une place de choix dans l'escalier. À l'étage, la première salle renferme les deux *cantorie* (tribunes des chantres) aux reliefs par Luca della Robbia et Donatello. De ce dernier, ne manquez pas non plus la *Madeleine* (1455) pathétique d'humanité et son *Habacuc* (1423-1425), destiné à l'origine au campanile et que les Florentins baptisèrent affectueusement « lo zuccone » (la tête de courge). Dans la salle voisine sont exposés quatre panneaux originaux des portes du baptistère (p. 274) par Ghiberti.

Dôme et baptistère 🌀

Sir John Hawkwood par Paolo Uccello dans le Dôme

La cathédrale Santa Maria del Fiore, le Dôme, domine de son immense coupole les toits en tuiles romanes du cœur de la ville. Consacrée en 1436 et quatrième église d'Europe par la taille, elle témoigne par ses dimensions de l'ambition de Florence de se montrer première en tout. Commencé en 1334 par Giotto, le campanile, l'un des plus élégants d'Italie, connut trois architectes et ne fut achevé qu'en 1359, 22 ans après sa mort. Le baptistère, aux portes célèbres dans le monde entier, remonterait au IVe siècle.

Campanile
Paré de marbre blanc, vert et rose, il mesure 85 m de hauteur, soit 6 de moins que la coupole.

Fenêtres gothiques

La façade néo-gothique, bien que du style du campanile, ne date que de 1871-1887.

★ **Baptistère**
Des mosaïques du XIIIe siècle illustrant le Jugement dernier *surmontent les fonts octogonaux où bien des Florentins célèbres, dont Dante, reçurent le baptême. Les portes sont d'Andrea Pisano (sud) et Lorenzo Ghiberti (nord et est).*

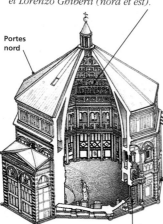

Portes nord

Portes est
(voir p. 282)

Entrée principale

Portes sud

Reliefs du campanile
Des copies des sculptures d'Andrea Pisano et Luca della Robbia représentent la Vie *et les* Travaux humains, *ici la chasse, le tissage et l'exercice de la justice.*

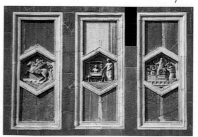

Le sommet de la coupole offre une vue spectaculaire sur la cité.

★ **Coupole de Brunelleschi**
C'est grâce à un échafaudage mobile que Brunelleschi put achever en 1463 la plus vaste coupole de son temps. Un escalier de 463 marches permet d'atteindre le sommet.

Les fresques du *Jugement dernier* (1572-1574) par Vasari furent achevées par Zuccari.

MODE D'EMPLOI

P. del Duomo. **Plan** 2 D5 (6 E2). *Tél* 055 230 28 85. 🚌 1, 6, 14, 17, 23. **Cathédrale** ☐ lun.-sam. 10h-17h (15h30 jeu., 16h45 sam.) ; dim. 13h30-16h45. 🚻 👪 **Crypte** ☐ lun.-sam. 13h30-16h45. 🖼 **Dôme** ☐ lun.-sam. 8h30-19h (17h40 sam.). 🖼 👪 **Campanile** ☐ t.l.j. 8h30-19h30. 🖼 **Baptistère** ☐ lun.-sam. 12h-19h, dim. 8h30-14h. 🖼 **Tous les monuments** ⬤ 1er janv., Pâques, 15 août, 8 sept., 25 déc. www.operaduomo.firenze.it

Des briques disposées en chevrons entre des arêtes de marbre forment une voûte autoportante – une technique copiée sur le Panthéon de Rome.

Chapelles
Chacune des trois absides renferme cinq chapelles. Lorenzo Ghiberti dessina le vitrail au XVe siècle.

Entrée de l'escalier de la coupole

Le maître-autel et sa balustrade octogonale (1555) sont de Baccio Bandinelli.

Pavement de marbre
Baccio d'Agnolo et Francesco da Sangallo dessinèrent une partie des motifs en dédale du pavement du XVIe siècle.

Dante expliquant la Divine Comédie
(1465) Cette peinture de Michelino montre le poète devant Florence et entre l'Enfer, le Purgatoire et le Paradis.

À NE PAS MANQUER

★ Baptistère

★ Coupole de Brunelleschi

Portes est du baptistère

En concurrence avec sept artistes de l'envergure de Donatello, Jacopo della Quercia et Brunelleschi, le jeune Lorenzo Ghiberti remporta le concours organisé en 1401 pour la commande des portes nord et est du baptistère de Florence.

Le panneau de Ghiberti

Son panneau d'essai et celui de Brunelleschi sont si différents du gothique toscan de l'époque, notamment dans la maîtrise de la perspective et le traitement des personnages, qu'on les considère souvent comme les premières œuvres de la Renaissance.

« PORTES DU PARADIS »

Ayant consacré 21 ans aux portes nord, Ghiberti travailla sur celles de l'est de 1424 à 1452. Enthousiasmé, Michel-Ange les baptisa « Portes du Paradis ». Illustrant des scènes de la Bible, les 10 panneaux en relief du baptistère ne sont que des copies, les originaux se trouvant au Museo dell'Opera del Duomo (*p. 279*).

Abraham et le sacrifice d'Isaac
Les rochers déchiquetés, symbole de la douleur d'Abraham, mettent en relief l'acte sacrificiel.

Joseph vendu aux marchands et reconnu par ses frères
Le relief moins marqué des éléments architecturaux en perspective ajoute à l'illusion de profondeur.

DESCRIPTION DES PORTES EST

1	2
3	4
5	6
7	8
9	10

1 Adam et Ève chassés du Paradis
2 Caïn tue son frère Abel
3 L'ivresse de Noé
4 Abraham et le sacrifice d'Isaac
5 Ésaü et Jacob
6 Joseph vendu aux marchands
7 Moïse reçoit les Tables de la Loi
8 La chute de Jéricho
9 Le combat contre les Philistins
10 Salomon reçoit la reine de Saba

Détail d'un relief par Donatello à Orsanmichele

Orsanmichele ❽

Via dell'Arte della Lana. **Plan** 3 C1 (6 D3). *Tél* 055 28 49 44. ☐ mar.-dim. 10h-17h ▣ 1er mai, 25 déc.

Contraction de *Orto di San Michele*, le nom de cette curieuse église rappelle qu'elle se dresse à l'emplacement du jardin d'un couvent. Construit en 1337 pour abriter un marché aux grains, l'édifice était à l'origine une loggia surmontée d'étages d'entrepôts. On mura ses arcades après sa conversion en lieu de culte en 1347.

Quatorze niches extérieures contiennent les statues (ou leurs copies) des saints patrons des Arts majeurs (corporations) de Florence, par Lorenzo Ghiberti, Donatello ou Verrocchio. L'intérieur abrite une *Vierge à l'Enfant avec sainte Anne* sculptée en 1522 par Francesco da Sangallo et un superbe autel gothique (1349-1359) par Andrea Orcagna. Le tableau enchâssé, une *Vierge à l'Enfant* (1348), est de Bernardo Daddi.

Bargello ❾

Via del Proconsolo 4. **Plan** 4 D1 (6 E3). *Tél* 055 238 86 06. ▦ 14, A. ☐ t.l.j. 8h15-13h50 ▣ 2e et 4e lun., 1er, 3e et 5e dim. du mois, 1er janv., 1er mai, 25 déc. ▨ ▨ ▧

Le musée le plus important de Florence après les Offices propose un magnifique ensemble d'objets d'art et la plus belle collection de sculptures Renaissance d'Italie. Entrepris en 1255, l'édifice qu'il occupe était à l'origine l'hôtel de ville, puis devint au XVIe siècle une prison et le palais du capitaine des sbires (*bargello*). Des exécutions publiques eurent lieu dans sa cour jusqu'à l'abolition de la peine de mort par le grand-duc Pierre-Léopold en 1786. Remanié, il est depuis 1865 l'un des plus anciens musées nationaux italiens.

Superbement restaurée après l'inondation de 1966, la salle du rez-de-chaussée dédiée à Michel-Ange abrite trois œuvres qui offrent par leurs diversités un aperçu de l'étendue de son talent. Son *Bacchus* (1497) s'éloigne de la vision idéalisée de l'Antiquité et montre le dieu du vin en pleine ivresse. Non loin se trouve le seul buste qui lui soit attribué, celui de *Brutus* (1539-1540), aussi puissant que le médaillon de la *Vierge à l'Enfant* est délicat. Parmi les autres œuvres figurent un *Mercure* du grand maniériste Jean de Bologne et plusieurs bronzes du sculpteur, aventurier et orfèvre Benvenuto Cellini (1500-1571).

La cour contient un riche ensemble de fragments et porte sur ses murs les armoiries des anciens occupants du Bargello.

Deux autres salles renferment des sculptures provenant de divers lieux de la ville.

Un escalier extérieur conduit au 1er étage où la loggia abrite une ménagerie de bronze délicieusement excentrique par Jean de

David (v. 1430) par Donatello au Bargello

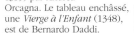

Le Sacrifice d'Isaac (1402) de Brunelleschi au Bargello

Bologne. À droite s'ouvre le Salone del Consiglio Generale, ancien tribunal où sont exposées les plus belles pièces du début de la Renaissance possédées par le musée, dont un *Saint Georges* (1416) commandé à Donatello par la corporation des armuriers et qu'une copie a remplacé sur la façade d'Orsanmichele.

À sa pose guerrière s'oppose la sensualité androgyne du *David* qu'il réalisa en bronze vers 1430, premier nu sculpté en Occident depuis l'Antiquité. À ne pas manquer : les deux panneaux représentant *Le Sacrifice d'Isaac*, contributions de Brunelleschi et Lorenzo Ghiberti au concours organisé en 1401 pour choisir le créateur des portes du baptistère.

Après la salle du Conseil général, l'exposition met l'accent sur les arts décoratifs, et tapis, céramiques, argenterie et objets d'art emplissent pièce après pièce. La plus intéressante est le Salone del Camino qui recèle au 2e étage la plus riche collection de petits bronzes d'Italie. Certains sont des reproductions d'œuvres antiques, d'autres de statues d'artistes de la Renaissance tels que Jean de Bologne, Benvenuto Cellini ou Antonio del Pollaiuolo.

La salle d'armes, de l'autre côté de la cour, abrite la collection d'armes et d'armures des Médicis.

Bacchus (1497) par Michel-Ange

Santa Croce ⑩

La magnifique église gothique Santa Croce (1294) abrite les tombeaux de maints Florentins célèbres tels que Michel-Ange, Galilée et Machiavel. Giotto et son disciple Taddeo Gaddi peignirent au début du XIVe siècle les fresques radieuses qui décorent plusieurs de ses chapelles, et Brunelleschi créa, avec la cappella de'Pazzi, un des joyaux de l'architecture Renaissance.

Tombeau de Leonardo Bruni
(1447). L'effigie du grand humaniste réalisée par Rossellino apporta à l'art funéraire un réalisme alors inhabituel.

Guichet et entrée

Annonciation (XVe siècle) par Donatello

Tombeau de Machiavel

Tombeau de Michel-Ange
(1570) Les statues de Vasari représentent la Peinture, la Sculpture et l'Architecture.

La façade néogothique de Niccolò Matas date de 1863.

Tombeau de Galilée

Sortie

L'Arbre de vie de Taddeo Gaddi

Réfectoire

Crucifix de Cimabue
Très endommagée par l'inondation de 1966, cette peinture du XIIIe siècle fait partie, avec La Cène (v. 1355-1360) de Taddeo Gaddi, des chefs-d'œuvre présentés au musée.

★ **Cappella de'Pazzi**
Brunelleschi dessina en 1430 cette chapelle aux proportions classiques. Les médaillons en terre cuite (v. 1442-1452) sont de Luca della Robbia.

MODE D'EMPLOI

Piazza di Santa Croce. **Plan** 4 E1
(6 F4). **Tel** 055 246 61 05. ▥ C,
23. **Basilique** ◯ t.l.j. 9h30-
17h30 (13h dim.) La billetterie
ferme à 17h. ◯ pendant les
offices ✝ ♿ 🎧 (Comprend le
musée) ⊘ ■ Musée, cloître,
cappella de'Pazzi ◯ comme
ci-dessus. ◯ 1er janv., 25 déc ♿
🎧 (Visite de la Basilique incluse.)

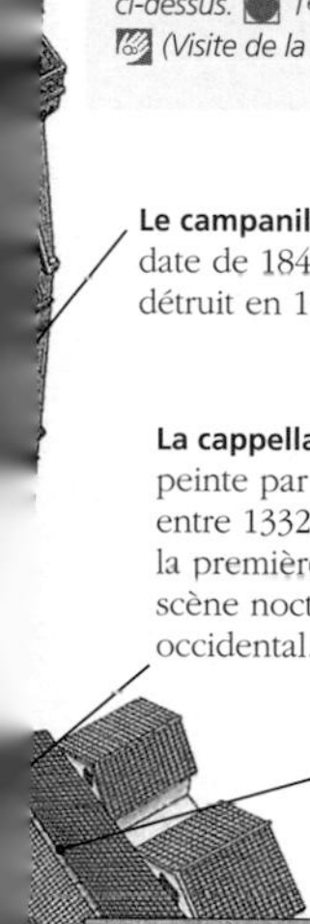

Le campanile néogothique
date de 1842. L'original fut
détruit en 1512.

La cappella Baroncelli
peinte par Taddeo Gaddi
entre 1332 et 1338 recèle
la première véritable
scène nocturne de l'art
occidental.

Sacristie

★ **Fresques de la
cappella Bardi**
*Giotto décora les chapelles
Bardi et Peruzzi, à droite
de l'autel, entre 1315 et
1330. Cette scène
émouvante représente la
Mort de saint François
(1317).*

À NE PAS MANQUER

★ Cappella de'Pazzi

★ Fresques de la
  cappella Bardi

Museo di Storia della Scienza ⓫

Piazza de' Giudici 1. **Plan** 4 D1
(6 E4). **Tél** 055 26 53 11. ◯ hiver :
lun.-mer. et sam. 9h30-17h (13h
mar.) ; été : lun.-sam. 9h30-17h (13h
mar., sam.). ◯ jours fériés. 🖼 🎧

Ce petit musée installé dans
le palais Castellani reflète la
passion pour les sciences qui
régnait à Florence au début
du XVIIe siècle sous le règne
du grand-duc Ferdinand II, le
protecteur de Galilée (1564-
1642). Une salle est d'ailleurs
consacrée au premier et une
autre au grand
astronome né à
Pise. On peut
y voir la
lunette qui lui
permit de
découvrir les
satellites de
Jupiter et des
reconstitutions
à grande échelle
de ses expériences
sur la vitesse et la
chute des corps.
C'est à sa
mémoire que
Ferdinand dédia
en 1657 la première
académie scientifique
du monde : l'Accademia
del Cimento (académie de
l'Expérimentation) dont les
membres perfectionnèrent
ou inventèrent de nombreux
instruments de mesure
ou d'observation exposés
au musée, tels que
thermomètres, baromètres,
microscopes ou astrolabes.
Les sphères armillaires,
splendides représentations
du mouvement des astres,
sont particulièrement
spectaculaires.
  Une carte du monde

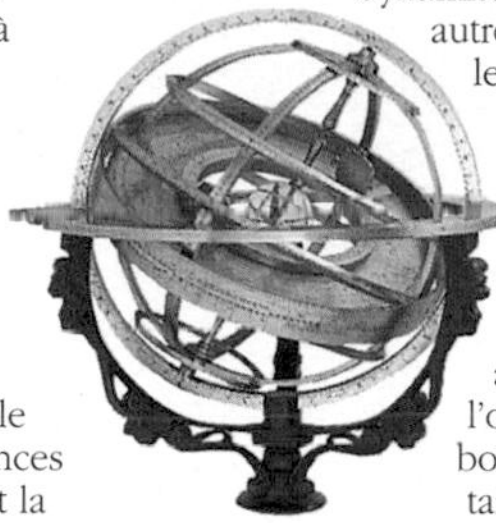

**Sphère armillaire,
museo di Storia
della Scienza**

dressée en 1554 par le
Portugais Lopo Homem
offre un aperçu des
connaissances
géographiques de l'époque.

Ponte Vecchio ⓬

Plan 4 D1 (6 E4).

Bâti en 1345 à un
emplacement où gués et
ponts se sont succédé
depuis les Romains,
le « Pont Vieux » de Florence
mérite sans conteste
son nom car les nazis
dynamitèrent tous les
autres pour protéger
leur retraite.
  Dessinées
par Taddeo
Gaddi,
l'élève de
Giotto, ses
échoppes
abritaient à
l'origine des
bouchers, des
tanneurs et des
forgerons qui
jetaient leurs
déchets dans le
fleuve. Indisposé
par leur vacarme et leur
pestilence, Ferdinand Ier les
expulsa en 1593 pour les
remplacer par des joailliers
et des orfèvres. La tradition
s'est maintenue et les visiteurs
se pressent sur le ponte
Vecchio autant pour flâner
devant les devantures
d'antiquités et de bijoux que
pour admirer la vue.
  C'est en 1565, pour
permettre aux Médicis de
circuler entre leurs palais sans
se mêler à la foule et risquer
un attentat, que Giorgio
Vasari construisit le corridor
qui surmonte les boutiques.

Le ponte Vecchio vu du ponte Santa Trìnita

Uffizi ⑬

Vasari édifia de 1560 à 1580 pour Cosme Ier ces *Uffizi* (ou Offices) pour accueillir ses services administratifs. L'architecte ayant utilisé des renforts en acier, son successeur, Buontalenti, dota le dernier étage d'une verrière presque ininterrompue. Dès François Ier (1541-1587), les Médicis y exposèrent leurs œuvres d'art. Si une partie de leur collection se trouve désormais au musée archéologique et au Bargello, les Offices restent un des plus riches musées de peintures du monde dont la surface devrait doubler d'ici 2013.

Hall d'entrée

Escalier principal

Entrée

45
44 43
42
41
38

Escalier de Buontalenti

31 3
29

Bacchus adolescent
(v. 1589)
Le Caravage a donné au dieu du vin l'aspect d'un jeune débauché dont la déchéance trouve un écho dans le fruit pourrissant.

Le plafond du corridor est peint de « grotesques » inspirées de fresques romaines.

Annonciation *(1333)*
L'art gothique français a influencé le Siennois Simone Martini dont ce tableau est un des chefs-d'œuvre. Les deux saints sont de son élève, Lippo Memmi.

SUIVEZ LE GUIDE !

Les sculptures antiques sont au 2ᵉ étage du corridor qui longe le bord intérieur de ce bâtiment en forme de fer à cheval. Le couloir principal dessert les salles des peintures qui suivent l'évolution chronologique de l'art florentin du gothique à la Renaissance et au-delà. Les plus célèbres toiles sont exposées dans les salles 7 à 18. Certaines interruptions sont à prévoir jusqu'en 2012-2013 pour cause de planification de travaux : fermeture de salles, changement d'horaires d'ouverture, déplacements d'œuvres.

Vierge à l'Enfant avec anges et saints *(v. 1310)*
Ce tableau où Giotto creuse l'espace annonce la Renaissance.

LÉGENDE DU PLAN

☐	Corridor est
☐	Corridor ouest
☐	Corridor sud
☐	Salles d'exposition 1-45
☐	Circulations et services

MODE D'EMPLOI

Loggiata degli Uffizi 6. **Plan** 4 D1
(6 D4). **Tél** 055 238 86 51 (info) ;
055 29 48 83 (réserver à l'avance
pour éviter les queues). 🚌 B, 23.
🕐 mar.-dim. 8h15-18h50,
parfois plus tard l'été (dernière
entrée 45 min av. la ferm.).
🚫 1er janv., 1er mai, 25 déc. 📷
♿ 🖥 www.uffizi.firenze.it

Le duc et la duchesse d'Urbino (*v. 1465-1470*)
*Piero della Francesca peignit les portraits de Federico da
Montefeltro et de sa femme Battista Sforza morte à l'âge de
26 ans. Il s'inspira probablement de son masque mortuaire.*

La Tribune,
abrite les
œuvres
auxquelles
les Médicis
attachaient le
plus de prix.

La Naissance de Vénus (*v. 1485*)
*Ce tableau où des zéphyrs poussent la déesse
de l'amour vers la terre avait probablement
pour Botticelli une signification symbolique :
la beauté naît de la fertilisation de la matière
par le souffle divin.*

Sainte Famille (*1508*)
*Le traitement des
couleurs et des
attitudes dans ce
tableau de Michel-
Ange, le premier à
ne pas représenter
Jésus sur les genoux
de la Vierge, inspira
les maniéristes.*

**Façade classique de
Vasari sur l'Arno (1560)**

**Le corridor de
Vasari** traverse
l'Arno jusqu'au
palais Pitti.

Vénus d'Urbino (*1538*)
*Titien aurait pris pour
modèle de ce nu sensuel
inspiré de la* Vénus
*couchée de Giorgione une
courtisane à la beauté
digne d'une déesse.*

À la découverte des Uffizi

Créée en 1581 par le grand-duc François Ier à partir de ses propres collections, la galerie des Offices offre l'occasion d'admirer le plus bel ensemble de peintures de la Renaissance italienne du monde. Les plus grands maîtres de toute l'Europe ont travaillé pour les Médicis et ceux-ci n'ont cessé d'enrichir la collection jusqu'en 1737 où Anne Marie-Louise, dernière de la dynastie, la légua au peuple de Florence.

Vierge florentine (1455-1466)
par Fra Filippo Lippi

ART GOTHIQUE

Passé la salle 1 des antiquités, trois *Maestà*, ou Vierge en majesté, permettent de comparer le travail de trois des plus grands peintres du XIIIe siècle : Giotto, Duccio di Buoninsegna et Cimabue. Chaque œuvre marque une étape de l'évolution qui conduisit du symbolisme hiératique des conventions byzantines vers le naturalisme rayonnant de la Renaissance. Celle de Giotto, une *Vierge à l'Enfant avec anges et saints*, manifeste le mieux cette transition, notamment dans la mise en perspective du trône et le réalisme des personnages aux expressions variées.

Ce peintre eut une influence qui apparaît clairement dans la salle 4 consacrée à l'école florentine du XIVe siècle dont les représentants, tels Bernardo Daddi ou Giottino, suivirent son enseignement. Leurs tableaux offrent un intéressant contrepoint à l'exposition de la salle 3 dédiée aux peintres siennois comme Pietro et Ambrogio Lorenzetti, ou Simone Martini qui peignit sa superbe *Annonciation* en 1333.

La salle 6 regroupe les productions du gothique tardif, style très décoratif dont l'exquise *Adoration des Mages* (1423) de Gentile da Fabriano offre un exemple caractéristique.

PREMIÈRE RENAISSANCE

Une meilleure compréhension de la géométrie permit aux artistes de la Renaissance de donner l'illusion de la troisième dimension dans leurs tableaux. Paolo Uccello (1397-1475), en particulier, se passionnait pour la perspective. Son étonnante

Bataille de San Romano (1456) domine la salle 7 où se situent également deux panneaux peints par Piero della Francesca en 1460 : les portraits du duc et de la duchesse d'Urbino d'un côté et la représentation de leurs vertus de l'autre.

Si l'exactitude de ces visages de profil conserve une certaine froideur, la *Vierge florentine* (1455-1466) de Filippo Lippi, en salle 8, est rayonnante de chaleur et d'humanité. Au travers d'un sujet religieux, le peintre célèbre des prodiges plus terrestres, tels que la beauté d'une femme ou celle du paysage toscan.

En salles 10 à 14, les

Le Printemps (1480) de Botticelli

tableaux de son élève, Sandro Botticelli, justifient à eux seuls la visite des Offices. Ses chefs-d'œuvre, *La Naissance de Vénus* (v. 1485) et *Le Printemps* (1480), témoignent des efforts entrepris par les humanistes pour unir mysticismes antique et chrétien. Fasciné par la mythologie païenne, Botticelli craignait le péché. Sa Vénus a la pureté de la Vierge et sa déesse du printemps la douceur de Marie. À travers la Beauté, c'est à l'Absolu qu'aspire l'artiste. Celui-ci s'est représenté, en manteau jaune, dans l'*Adoration des Mages* (v. 1475).

Détail de l'*Annonciation* (1472-1475) par Léonard de Vinci

HAUTE RENAISSANCE ET MANIÉRISME

La salle 15 abrite des œuvres de jeunesse de Léonard de Vinci et l'on voit, de l'*Annonciation* (1472-1475) à l'*Adoration des Mages* (1481) restée inachevée, l'influence de ses maîtres s'effacer devant son propre style.

Dans la salle 18, connue sous le nom de « la Tribune ». Bernardo Buontalenti dessina en 1584 ce petit temple octogonal au plafond incrusté de nacre pour servir d'écrin aux œuvres préférées des Médicis, dont la *Vénus des Médicis* (Ier siècle av. J.-C.), copie romaine de la statue grecque réputée la plus érotique de l'Antiquité. Cette sensualité conduisit Cosme III à retirer la reproduction de la Villa Médicis de Rome pour éviter qu'elle ne corrompe les étudiants en art de la Ville Sainte. Parmi les tableaux,

remarquez les portraits de Cosme Ier et d'Éléonore de Tolède peints par Bronzino vers 1545, et celui de Cosme l'Ancien du Pontormo.

Les salles 19 à 23 proposent des œuvres d'autres écoles que celle de Florence et montrent avec quelle rapidité les idéaux et les techniques de la Renaissance se diffusèrent en Europe. Les peintures allemande, flamande et ombrienne, avec notamment le Pérugin (1446-1523), sont bien représentées, mais les tableaux offrant le plus d'intérêt sont ceux d'artistes d'Italie du Nord comme Mantegna, Carpaccio, le Corrège et Bellini.

L'art toscan reprend la place d'honneur à partir de la salle 25 qui renferme *La Sainte Famille* de Michel-Ange. Marquée par son regard de sculpteur, cette toile eut une énorme influence sur toute une génération de peintres, notamment Bronzino (1503-1572), le Pontormo (1494-1556) et le Parmesan (1503-1540), dont la *Madone au long cou* (v. 1534) exposée en salle 29 offre un exemple remarquable, avec ses couleurs éclatantes et sa posture exagérée, du style qui prendra le nom de maniérisme.

Salle 26, parmi les maîtres de la haute Renaissance, Raphaël est à l'honneur avec la *Vierge au chardonneret* (1506) qui porte des traces des dommages causés par le tremblement de terre de 1547.

***Vierge au chardonneret* (1506) par Raphaël**

***Madone au long cou* (v. 1534) par le Parmesan**

En salle 28, le chef-d'œuvre de Titien, la *Vénus d'Urbino* (1538), considéré comme l'un des plus beaux nus jamais peints, éveilla la fureur de l'écrivain américain Mark Twain qui y voyait « le tableau le plus obscène du monde ».

PEINTURES PLUS TARDIVES

Après avoir vu autant de chefs-d'œuvre, les visiteurs ne jettent souvent qu'un regard distrait sur les dernières pièces des Offices. Or, si les salles 30 à 35 renferment des peintures émiliennes et vénitiennes offrant peu d'intérêt, les salles 41 à 45 présentent des œuvres importantes. Salles 41 et 42 sont exposées des œuvres de Rubens et Van Dyck. Dédiée aux écoles de l'Europe du Nord, la salle 44 abrite *Le Vieux Rabbin* de Rembrandt (1665) et deux autoportraits exécutés en 1634 et 1664. Les nouvelles salles du Ier étage présentent les tableaux du Caravage, notamment la *Méduse* (1596-1598) commandée par un cardinal romain, *Bacchus adolescent* (v. 1589) l'une de ses premières œuvres et le *Sacrifice d'Isaac* (v. 1590) dont la douceur du paysage de fond contraste avec la violence du sujet. On trouve également dans ces salles des toiles de Guido Reni.

Piazza della Signoria

**Savonarole
(1452-1498)**

La place de la Seigneurie, cœur de la vie sociale et politique florentine depuis le XIVᵉ siècle, est le lieu où se tenaient le *parlamento* (réunion du peuple) à l'appel de la cloche du palazzo Vecchio, et aussi les exécutions capitales. C'est aujourd'hui une véritable galerie de sculptures. Ses statues (ou leurs copies) commémorent de grands événements de l'histoire de Florence. L'un de ses personnages les plus célèbres n'est toutefois évoqué que par une simple plaque : elle rappelle que Jérôme Savonarole fut pendu puis brûlé sur cette place.

David *(1501)*
Cette statue de Michel-Ange (l'original se trouve à l'Académie) célébrait le triomphe de la République sur la tyrannie.

Frise d'écus
Les clés croisées rappellent que quatre Médicis furent papes.

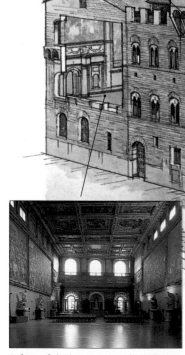

Sala dei Gigli

Salone dei Cinquecento *(1495)*
Le Génie victorieux *de Michel-Ange et des fresques de Vasari évoquant les succès florentins face à Sienne et à Pise ornent cette vaste salle.*

Sur la fontana di Nettuno
(1575) d'Ammanati, des Naïades par Jean de Bologne commémorent les victoires navales de Florence.

Le Marzocco est une copie du lion héraldique de Florence sculpté par Donatello en 1420. L'original est au Bargello (*p. 283*).

Pour les hôtels et les restaurants de la ville, voir p. 576-578 et 626-628

★ **Palazzo Vecchio** (achevé en 1332)
*Au-dessus de l'entrée, l'inscription « Christ est roi »
rappelle qu'aucun souverain mortel ne possède le
pouvoir absolu.*

★ **L'Enlèvement
des Sabines** (1583)
*Jean de Bologne tailla ce
groupe fluide dans un bloc de
marbre défectueux.*

Uffizi

La Loggia dei Lanzi
(1382), d'Orcagna, porte le nom
des lansquenets qui formaient la
garde de Cosme Ier.

Des statues de la Rome
antique décorent la loggia.

★ **Persée** (1554)
*Ce bronze de
Cellini montrant
Méduse décapitée
devait avertir les
ennemis de
Cosme Ier du sort
qui les attendait.*

À NE PAS MANQUER

★ *L'Enlèvement des
Sabines par Jean
de Bologne*

★ *Palazzo Vecchio*

★ *Persée par Cellini*

Palazzo Vecchio ⑮

Piazza della Signoria (entrée par la
via della Ninna). **Plan** 4 D1 (6 D3).
Tél *055 276 82 24.* 🚌 *A, B.*
⭘ *t.l.j. 9h-19h (14h jeu.), dernière
entrée 1h av. la ferm.* ⬤ *1er janv.,
Pâques, 1er mai, 15 août, 25 déc.* 📷
♿ **Itinéraires secrets et Musée
des enfants** *sur réservation* ***Tél*** *055
276 82 24.*

L'installation, au sommet de
son imposant campanile, de la
cloche destinée à prévenir
les citoyens de la tenue
d'une réunion ou de
l'approche d'une menace
marqua en 1322 l'achèvement
du « Palais Vieux » ou palais
de la Seigneurie. Si l'édifice a
conservé son aspect
médiéval, Cosme Ier le
remodela l'intérieur en
1540. Après avoir pressenti
Léonard de Vinci et
Michel-Ange, ce fut
finalement Vasari qu'il
chargea de sa décoration.
Depuis la cour, où la copie
d'un bronze de Verrocchio
orne la fontaine, un escalier
monumental conduit au
1er étage à la salle des Cinq
Cents où se dresse *Le Génie
victorieux* de Michel-Ange.
Trente grands peintres
maniéristes ornèrent entre
1569 et 1573 le Studiolo.
Au 2e étage, voyez les
fresques (1540-1545) du
Bronzino dans la
cappella Eleonora et la
sala dei Gigli (salle des
Lys) avec *Judith et Holopherne*
(v. 1455) de Donatello et des
fresques de héros romains
(1485) par Ghirlandaio.

**Une copie de la fontaine de
Verrocchio dans la cour de Vasari**

Pas à pas autour de la piazza della Repubblica

Le plan régulier de la Florentia fondée sur les rives de l'Arno par des vétérans romains en 59 av. J.-C. transparaît encore sous celui de la cité actuelle, en particulier autour de la piazza della Repubblica qui occupe l'emplacement où s'étendit le forum antique puis le marché d'alimentation de la ville médiévale. Élevé au milieu du XIXe siècle, un arc de triomphe célèbre le fait que Florence fut capitale de 1865 à 1870.

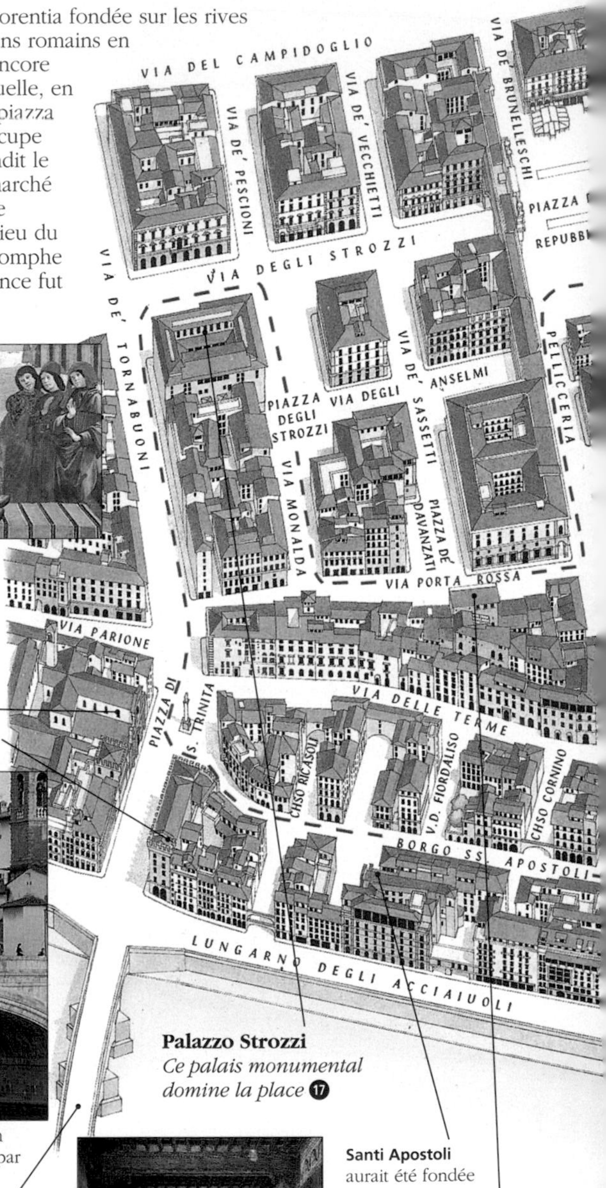

À Santa Trìnita des fresques par Ghirlandaio de la *Vie de saint François* (1486) évoquent des événements survenus dans le quartier. Ici, un enfant sauvé par le saint après une chute depuis le palazzo Spini-Ferroni.

Palazzo Spini-Ferroni

Le Ponte Santa Trìnita bâti en bois en 1290 fut reconstruit par Ammannati en 1567 pour célébrer la défaite de Sienne.

VIA DEL CAMPIDOGLIO
VIA DE' PESCIONI
VIA DE' VECCHIETTI
VIA DE' BRUNELLESCHI
PIAZZA
REPUBBL
VIA DEGLI STROZZI
VIA DE' TORNABUONI
PELLICCERIA
PIAZZA DEGLI STROZZI
VIA DEGLI SASSETTI
VIA DE' ANSELMI
VIA MONALDA
PIAZZA DE' DAVANZATI
VIA PORTA ROSSA
VIA PARIONE
PIAZZA DI S. TRINITA
VIA DELLE TERME
CHISO RICASOLI
V. D. FIORDALISO
CHISO CORNINO
BORGO SS APOSTOLI
LUNGARNO DEGLI ACCIAIUOLI

Palazzo Strozzi
Ce palais monumental domine la place ⑰

Santi Apostoli
aurait été fondée par Charlemagne.

Palazzo Davanzati
Des oiseaux exotiques décorent la sala dei Papagalli, l'ancienne salle à manger de ce palais du XIVe siècle ⑯

LEGENDE

— — — Itinéraire conseillé

0 _____ 200 m

Pour les hôtels et les restaurants de la ville, voir p. 576-578 et 626-628

CARTE DE SITUATION
Voir l'atlas des rues de Florence, plans 5 et 6

La **piazza della Repubblica**, ouverte au XIXe siècle, est bordée par certains des cafés les plus connus de Florence.

Le Mercato Nuovo (1547) abrite surtout des marchands de souvenirs.

Le palazzo di Parte Guelfa servit de siège au parti guelfe qui domina la vie politique florentine au Moyen Âge.

Ponte Vecchio *(p. 285)*

Détail d'une fresque du palazzo Davanzati

Palazzo Davanzati 🅰

Via Porta Rossa 13. **Plan** 3 C1 (5 C3). **Tél** 055 238 86 10. ⬤ t.l.j. 8h15-13h50. ⬤ 1er, 3e et 5e lun., 2e et 4e dim. du mois. 🎟 10h, 11h, 12h (2ème étage seul.)

Typique des demeures patriciennes de la fin du Moyen Âge, ce palais, édifié au début du XIVe siècle pour une riche famille de lainiers, abrite le museo della Casa Fiorentina Antica (musée de la Maison florentine d'autrefois) dont les pièces, et notamment la cuisine, donnent un aperçu de la vie domestique en Toscane du XIVe au XVIIe siècle. Une exposition de dentelles et de broderies anciennes occupe une partie du 1er étage, le *piano nobile* où l'on recevait. Les perroquets qui la décorent ont valu à la salle à manger son nom de sala dei Papagalli. Les fresques de la grande chambre illustrent des épisodes d'un roman médiéval français : *La Châtelaine de Vergi.*

Palazzo Strozzi 🅱

Piazza degli Strozzi. **Plan** 3 C1 (5 C3). **Tél** 055 26 45 155 ♿ 📷

Le palazzo Strozzi impressionne par ses seules dimensions : il fallut démolir 15 immeubles pour dégager l'espace où il s'élève et, s'il ne possède que trois niveaux, son rez-de-chaussée paraît presque aussi haut qu'un palais normal. Mais Filippo Strozzi, le riche banquier qui l'avait entrepris, devait rétablir le rang de sa famille exilée par les Médicis. Il mourut toutefois en 1491, 2 ans après la pose de la première pierre.

Trois architectes se succédèrent jusqu'en 1536 pour achever la construction : Giuliano da Sangallo, Benedetto da Maiano et Simone di Pollaiuolo (dit il Cornaca). L'extérieur à bossage rustique est resté intact et on peut admirer ses ferronneries : les supports de torches et d'étendards, commandés au maître artisan Nicolò Grosso.

Depuis la cour intérieure, on accède à un petit musée, la Strozzina, où maquettes et dessins retracent l'histoire du bâtiment. Celui-ci sert désormais principalement de lieu d'exposition.

Extérieur à bossage rustique du palazzo Strozzi

San Lorenzo ⑱

À partir de 1424, Brunelleschi reconstruisit dans le style de la première Renaissance l'église paroissiale de la famille des Médicis. Les plus grands artistes participèrent à sa décoration ainsi qu'à celle des Cappelle Medicee, ensemble comprenant la chapelle des Princes et sa chapelle funéraire, la Nouvelle Sacristie dessinée par Michel-Ange. Celui-ci travailla aussi à la Bibliothèque laurentienne, écrin de la collection de manuscrits des Médicis.

Cappella dei Principi
Matteo Nigetti entama en 1604 la riche décoration de la chapelle des Princes, mausolée des Médicis.

La coupole de Buontalenti rappelle celle du Dôme *(p. 280-282).*

L'Ancienne Sacristie, dessinée par Brunelleschi (1420-1429), fut décorée par Donatello.

Campanile

Escalier de la bibliothèque
En dessinant cet escalier exécuté par Ammanati en 1559, Michel-Ange cherchait à donner plus d'ampleur à l'espace.

Michel-Ange conçut le plafond et les lutrins de cette bibliothèque où sont exposés des manuscrits des Médicis.

Le jardin du cloître est planté de haies décoratives, de grenadiers et d'orangers.

Le Martyre de saint Laurent *(1569)*
Plus qu'à l'agonie du saint, c'est à la chorégraphie des corps que s'est attaché Bronzino dans cette grande fresque typique du maniérisme.

Entrée de l'église

MODE D'EMPLOI

P. San Lorenzo. **Plan** 1 C5 (6 D1).
🚌 *7, 10, 11, 25, 31, 32.*
Basilique *Tél 055 21 66 34.*
🕐 *lun.-sam. 10h-17h.* 📷 🚻
Biblioteca *Tél 055 21 07 60.*
🕐 *avr.-juin (tél. pour horaires.).*
🌑 *j.f.* 📷

Une simple dalle marque l'emplacement du tombeau de Cosme l'Ancien (1389-1464), fondateur de la dynastie des Médicis.

Les Cappelle Medicee comprennent la cappella dei Principi et sa crypte, la Nouvelle Sacristie (*p. 295*).

Tombeau du duc de Nemours par Michel-Ange dans la Nouvelle Sacristie des Cappelle Medicee

Cappelle Medicee ⑲

Piazza di Madonna degli Aldobrandini. **Plan** 1 C5 (6 D1). *Tél 055 230 06 02 , 055 29 48 83 (réservations).* 🚌 *nombreuses lignes.* 🕐 *t.l.j. 8h15-17h (13h50 dim., vacances) dernière entrée : 30 min av. la ferm.).* 🌑 *1er, 3e et 5e lun. du mois, 1er janv., 2e et 4e dim. du mois, 1er mai, 25 déc* 📷 ♿

La crypte qui sert d'accès aux chapelles des Médicis offre avec sa voûte basse un cadre approprié aux tombeaux des membres de la famille qui y reposent. Un escalier monte jusqu'à la **cappella dei Principi** (chapelle des Princes). Entrepris en 1604 par Cosme Ier, ce vaste mausolée octogonal abrite les sépultures de six grands-ducs. Sous la coupole peinte par Pietro Benvenuti en 1828, des incrustations de pierres semi-précieuses et des mosaïques de marbre composent un décor d'une opulence rare à

Florence. Un couloir conduit ensuite à la **Nouvelle Sacristie**, contrepoint réalisé par Michel-Ange de l'Ancienne Sacristie de Brunelleschi et Donatello. Contre le mur de gauche se dresse le *Tombeau du duc d'Urbino* (petit-fils de Laurent le Magnifique) que le sculpteur a représenté plongé dans ses pensées. Le *Tombeau du duc de Nemours* (3e fils de Laurent) lui fait face. Les allégories du Jour et de la Nuit y symbolisent l'écoulement inexorable du temps. Michel-Ange ne put achever la superbe *Vierge à l'Enfant* (1521) qui domine à côté le sarcophage dépouillé où Laurent le Magnifique repose avec son frère Julien assassiné en 1418.

Mercato Centrale ⑳

Piazza del Mercato Centrale. **Plan** 1 C4 (5 C1). 🕐 *lun.-sam. 7h-14h.*

Édifice de pierre, d'acier et de verre construit en 1874 par Giuseppe Mengoni et agrandi en 1980 d'une mezzanine et d'un parking souterrain, le Mercato Centrale constitue avec ses marchands de produits alimentaires le cœur du marché le plus fréquenté de Florence, celui de San Lorenzo. Les éventaires du rez-de-chaussée proposent viandes, volailles, poissons, fromages et des spécialités toscanes telles que la *porchetta* (cochon de lait rôti) ou le *lampredotto* (tripes de porc). Ceux du premier étage vendent légumes, fruits, fleurs et, en saison, champignons.

Chaires de Donatello
Le sculpteur avait 74 ans quand il commença en 1460 les bas-reliefs de la Passion et de la Résurrection qui les décorent. Ses élèves durent les terminer.

Joseph et le Christ à l'atelier est une œuvre de Pietro Annigoni (1910-1988), l'un des rares artistes modernes dont le travail est visible à Florence.

Michel-Ange soumit plusieurs projets pour la façade de San Lorenzo, mais elle resta inachevée.

Éventaire coloré au Mercato Centrale

Santa Maria Novella 🟢

Construite par les dominicains de 1279 à 1357, cette église gothique est par sa simplicité et l'usage de marbres polychromes une adaptation toute florentine du style cistercien importé de Bourgogne. Leon Battista Alberti acheva sa façade de 1456 à 1470, mariant avec bonheur élan gothique et élégance Renaissance. De superbes fresques ornent l'intérieur, notamment la puissante *Trinité* de Masaccio. Le cloître vert décoré par Paolo Uccello forme, avec la chapelle des Espagnols, un musée.

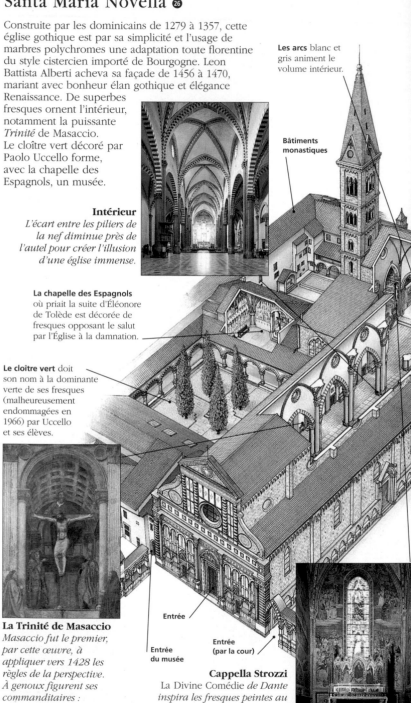

Les arcs blanc et gris animent le volume intérieur.

Bâtiments monastiques

Intérieur
L'écart entre les piliers de la nef diminue près de l'autel pour créer l'illusion d'une église immense.

La chapelle des Espagnols où priait la suite d'Éléonore de Tolède est décorée de fresques opposant le salut par l'Église à la damnation.

Le cloître vert doit son nom à la dominante verte de ses fresques (malheureusement endommagées en 1966) par Uccello et ses élèves.

La Trinité de Masaccio
Masaccio fut le premier, par cette œuvre, à appliquer vers 1428 les règles de la perspective. À genoux figurent ses commanditaires : le juge Lorenzo Lenzi et sa femme.

Entrée

Entrée du musée

Entrée (par la cour)

Cappella Strozzi
La Divine Comédie *de Dante inspira les fresques peintes au* XIVᵉ *siècle par Nardo di Cione et son frère Andrea Orcagna.*

MODE D'EMPLOI

Piazza di Santa Maria Novella.
Plan 1 B5 (5 B1).
🚌 A, 11, 12, 36, 37.
Église Tél 055 28 21 87.
🕐 lun.-jeu., sam. 9h-17h, dim.
9h-14h. 📷 ✝
Musée Tél 055 28 21 87.
🕐 lun.-jeu., sam. 9h-17h
(dernière entrée 30 min av. la
ferm.) ⬤ 1er janv., Pâques,
1er mai, 8 et 25 déc. 📷

Le tombeau de Strozzi
est de Benedetto
da Maiano
(1493).

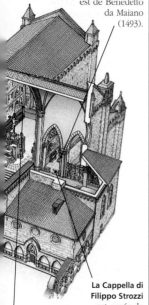

La Cappella di
Filippo Strozzi
est ornée de
fresques de Filippino Lippi sur
la vie de saint Philippe et de
saint Jean l'Évangéliste.

Cappella Tornabuoni

*Ghirlandaio situa ses
célèbres* Scènes de la vie de
saint Jean Baptiste *dans des
décors florentins et y fit
figurer ses contemporains.*

Vierge de Miséricorde (1472) par Ghirlandaio à Ognissanti

Palazzo Antinori ㉒

Via de' Tornabuoni. **Plan** 1 C5
(5 C2). ⬤ au public. **Cantinetta
Antinori Tél** 055 29 22 34. 🕐 lun.-
ven. 12h30-14h30, 19h-22h30.

Édifié de 1461 à 1466 pour
Giovanni Boni, l'un des plus
beaux petits palais florentins
de la première Renaissance
appartient depuis 1506 à la
famille Antinori. Un petit
restaurant, la *Cantinetta
Antinori*, permet de savourer
des plats toscans et de goûter
leurs productions : vins,
huiles d'olive et liqueurs.

Palazzo Rucellai ㉓

Via della Vigna Nuova 16.
Plan 1 C5 (5 B2). ⬤ au public.

Les Rucellai firent fortune au
XIIe siècle en important une
teinture rouge extraite d'un
lichen qu'on ne trouvait que
sur l'île de Majorque. Cette
précieuse teinture, appelée
oricello, donna son nom à
la famille.
   Leon Battista Alberti
(1404-1472) bâtit ce palais
de 1446 à 1451 en
s'efforçant d'appliquer des
principes d'harmonie
dérivés des canons
classiques. Il dessina aussi
la loggia construite en face
pour le mariage de
Bernardo Rucellai avec
Lucrèce de Médicis, sœur de
Laurent le Magnifique.
   Le palazzo Rucellai abritait
le musée dédié aux frères
Alinari (Archivio Alinari),
récemment transféré piazza
Santa Maria Novella.

Museo Nazionale Alinari della Fotografia ㉔

Piazza Santa Maria Novella 14a.
Plan 1 B5 (5 B2). **Tél.** 055 21 63 10.
🕐 jeu.-mar. 10h-19h. 📷 🎫 📱
www.mnaf.it

Les frères Alinari se mirent à
photographier Florence au
milieu du XIXe, peu après
l'invention de la photographie.
Des expositions tournantes de
clichés d'archives apportent un
témoignage unique sur la vie
de la cité ces 150 dernières
années et sur son attrait
touristique. Le musée abrite
également une collection de
divers documents et objets
illustrant l'histoire de la photo.

Ognissanti ㉕

Borgo Ognissanti 42. **Plan** 1 B5
(5 A2). **Tél** 055 239 87 00.
🕐 lun.-sam. 7h45-12h30, 16h-18h.
⬤ 1er et dernier lun. du mois. ♿

L'église de Tous-les-Saints fut
achevée en 1255. Il ne reste
du bâtiment d'origine que son
campanile. La deuxième
chapelle à droite renferme le
tombeau des Vespucci. Sur sa
fresque de la *Vierge de
Miséricorde* (1472),
Ghirlandaio représenta, entre
la Vierge et un vieillard le
navigateur Amerigo Vespucci
qui donna son nom au
continent américain. Sandro
Botticelli repose à Ognissanti
et son *Saint Augustin* (1480)
décore le mur sud. Une *Cène*
de Ghirlandaio orne le
réfectoire du cloître.

Cappella Brancacci ㉖

Les fresques de la *Vie de saint Pierre* commandées vers 1424 par le marchand florentin Felice Brancacci ont rendu célèbre l'église Santa Maria del Carmine. Commencées par Masolino en 1425, poursuivies par son élève Masaccio en 1426 et 1427, elles furent achevées par Filippino Lippi en 1485. L'usage que fit Masaccio de la perspective dans le *Paiement du tribut* et le réalisme tragique qu'il donna à *Adam et Ève chassés du Paradis* placent cet artiste à l'avant-garde de la peinture de la Renaissance. Michel-Ange, notamment, trouva dans ses fresques une source d'inspiration.

Saint Pierre guérissant les malades
Masaccio représenta les miséreux avec un réalisme révolutionnaire pour son époque.

Saint Pierre se reconnaît dans chaque scène à son manteau orange.

Les groupes de personnages stylisés reflètent l'intérêt de Masaccio pour la sculpture de son contemporain Donatello.

La simplicité du style de Masaccio concentre l'attention sur les personnages principaux.

Adam et Ève chassés du Paradis
L'intensité d'expression de ces deux êtres accablés de honte et de douleur révèle tout le talent de Masaccio à donner à ses personnages une densité psychologique.

DESCRIPTION DES FRESQUES : ARTISTES ET SUJETS

☐ Masolino

☐ Masaccio

☐ Lippi

1	2	3	7	8	9
4	5	6	10	11	12

1 Adam et Ève chassés du Paradis
2 Le Paiement du tribut
3 La Prédication de saint Pierre
4 Saint Pierre en prison reçoit la visite de saint Paul
5 Saint Pierre ressuscite le neveu de l'empereur ; saint Pierre en chaire
6 Saint Pierre guérissant les malades

7 Saint Pierre baptisant les convertis
8 Saint Pierre guérissant un estropié ; ressuscitant Tobie
9 La Tentation d'Adam
10 Saint Pierre et saint Jean faisant l'aumône
11 Le Crucifiement de saint Pierre ; saint Pierre devant le proconsul
12 L'Ange délivrant saint Pierre

MODE D'EMPLOI

Piazza del Carmine. **Plan** 3 A1 (5 A4). **Tél** 055 276 82 24 (rés. obligatoires). 🚌 D. 🕐 lun., mer.-sam.10h-17h, dim. 13h-17h. ⬤ jours fériés. 📷

La Tentation d'Adam par **Masolino** paraît bien conventionnelle comparée au couple de Masaccio sur le mur opposé.

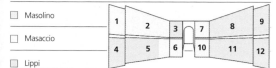

Femme au turban
Caché derrière l'autel pendant 500 ans, ce médaillon permit de découvrir la fraîcheur des couleurs originales de Masaccio.

Le **décor** des scènes est florentin.

Deux personnages
Le style de Masolino est extrêmement décoratif comparé à celui de Masaccio.

Saint Pierre devant le proconsul
Cette scène est de Filippino Lippi qui termina à partir de 1480 ce cycle de fresques que Masaccio, décédé à 28 ans, ne put achever.

L'Oltrarno pas à pas

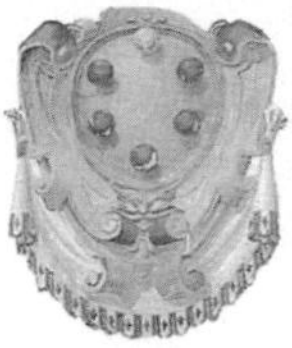

Armoiries des Médicis

Un dédale de voies étroites bordées de petites maisons, d'ateliers d'artisans, de magasins d'alimentation, de quincailleries et de boutiques d'antiquités occupe la majeure partie de ce quartier où les restaurants, restés authentiques, pratiquent des tarifs raisonnables. La via Maggio à la circulation incessante rompt ce maillage de ruelles, mais il suffit de s'en écarter pour apprécier le calme de la Florence traditionnelle. Parmi les visites à ne pas manquer figurent celle de Santo Spirito, élégante église Renaissance, et celle du palazzo Pitti et de ses musées.

Santo Spirito
La dernière église dessinée par Brunelleschi, et achevée après sa mort en 1446, est un modèle de simplicité ㉗

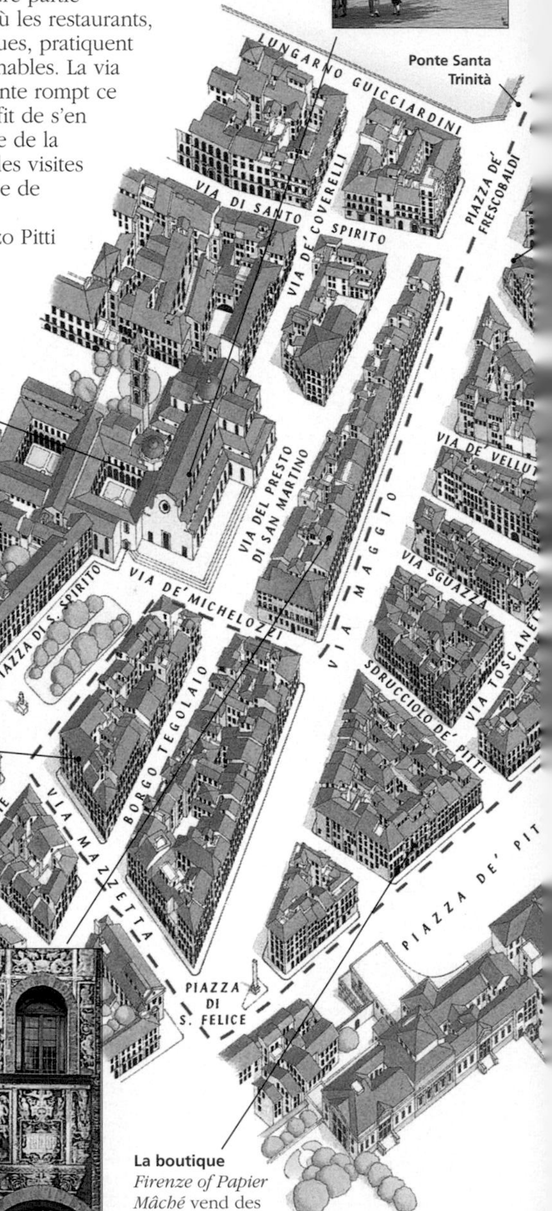

Ponte Santa Trinità

Le Cenacolo di Santo Spirito, ancien réfectoire d'un monastère, abrite une *Crucifixion* (v. 1360) attribuée à Orcagna.

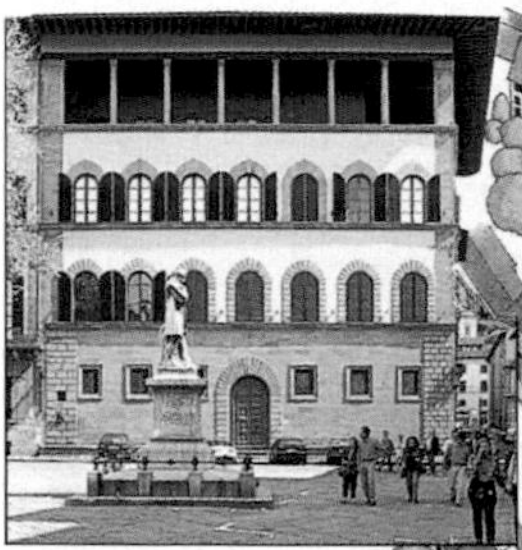

Le palazzo Guadagni (1500) fut le premier à avoir une loggia au dernier étage. Il sera beaucoup copié.

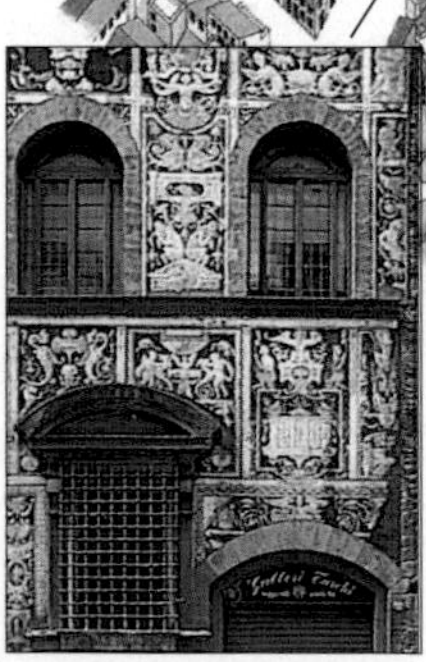

Le palazzo di Bianca Cappello (1579), décoré de sgraffiti, porte le nom de là maîtresse du grand-duc François Ier qui l'habitait.

La boutique *Firenze of Papier Mâché* vend des masques artisanaux.

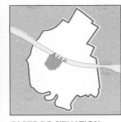

CARTE DE SITUATION
Voir l'atlas des rues de Florence, plans 3 et 5

La fontaine (XVIᵉ siècle) de la piazza de'Fresobaldi et la façade (1593-1594) de Santa Trinità, sur l'autre rive de l'Arno, sont l'œuvre de Buontalenti.

Ponte Vecchio *(p. 277)*

Le palazzo Guicciardini vit naître l'historien Francesco Guicciardini.

★ **Palazzo Pitti**
Plusieurs musées, notamment une remarquable collection de peintures, occupent ce palais imposant représenté ici en 1599 par Giusto Utens ㉘

LÉGENDE

– – – Itinéraire conseillé

À NE PAS MANQUER

★ Palazzo Pitti

0 ——————— 100 m

Santo Spirito ㉗

Piazza di Santo Spirito. **Plan** 3 B2 (5 B4). ▭ D. **Tél** *055 21 00 30.* ◯ *lun.-sam. 9h45-12h30, 16h-17h30.* ● *mer.*

L'ordre des augustins fonda une église sur ce site dès 1250 et commanda en 1435 à Brunelleschi le sanctuaire qui domine la jolie piazza di Santo Spirito. Les travaux se poursuivirent toutefois bien après la mort de l'architecte en 1446 puisque Baccio d'Agnolo n'acheva le campanile qu'en 1517 et que la façade date du XVIIIᵉ siècle.

Malgré le monumental baldaquin baroque du maître-autel ajouté par Giovanni Caccini en 1607, l'intérieur offre une harmonie de proportions qui fait de Santo Spirito un des plus beaux exemples d'architecture religieuse de la première Renaissance. Des peintures et des sculptures des XVᵉ et XVIᵉ siècles ornent ses 40 chapelles latérales, entre autres des œuvres de Cosimo Rosselli, Domenico Ghirlandaio et Filippino Lippi. Celui-ci peignit la magnifique *Vierge à l'Enfant* de la cappella Nerli dans le transept sud.

Dans la nef nord, une porte sous l'orgue mène au vestibule dont Simone del Pollaiuolo, plus connu sous le nom de Cronaca, peignit le plafond à caissons en 1491. Giuliano da Sangallo dessina en 1489 la sacristie.

À l'intérieur de Santo Spirito dans une nef latérale

Palazzo Pitti ㉘

La construction de cet impressionnant palais attribué à Brunelleschi commença en 1457 pour le compte de Luca Pitti, banquier décidé à dépasser en faste ses rivaux commerciaux : les Médicis. Ironie du sort, ceux-ci rachetèrent en 1540 l'édifice inachevé à ses héritiers ruinés. À partir de 1560, il devint la résidence principale des grands-ducs de Toscane, puis celle de tous les maîtres de Florence. Ses salles au décor somptueux accueillent les visiteurs venus admirer les trésors des collections des Médicis.

Judith (1620-1630) d'Artemisia Gentileschi

Les Trois Âges de l'Homme (v. 1510) attribué à Giorgione

GALLERIA PALATINA

Le musée le plus important du palais Pitti présente près de 1 000 tableaux d'artistes tels que Botticelli, Titien, le Pérugin, Andrea del Sarto, le Tintoret, Véronèse, Giorgione et Gentileschi. Accumulés par la famille Médicis et la Maison de Habsbourg-Lorraine, ils sont restés accrochés tels qu'ils plaisaient aux grands-ducs, c'est-à-dire sans soucis de sujets ou de chronologie. La galerie compte onze salles principales. Entre 1641 et 1665, Pierre de Cortone et son élève Ciro Ferri ornèrent les cinq premières fresques baroques décrivant sous forme allégorique l'éducation

d'un jeune prince. La salle 1, ou salle de Vénus, renferme la *Vénus italique* (1810) commandée par Napoléon à Antonio Canova pour remplacer la *Vénus des Médicis* (*p. 289*) qu'il voulait rapporter à Paris. Le *Portrait d'un gentilhomme* (1540) par Titien est sans doute la plus belle peinture de la salle d'Apollon (salle suivante), mais les salles 4 et 5 abritent également des chefs-d'œuvre, notamment par le Pérugin, Andrea del Sarto et, surtout, Raphaël, dont on

Vierge à la chaise (v. 1515) par Raphaël

peut admirer, entre autres, la *Vierge à la chaise* (v. 1514-1515) et la *Femme au voile* (v. 1516), deux portraits de sa maîtresse, la « Fornarina ».

À ne pas manquer non plus dans les salles suivantes : une délicieuse *Vierge à l'Enfant* peinte par Fra Filippo Lippi au milieu du XVᵉ siècle et un *Amour dormant* (1608) du Caravage.

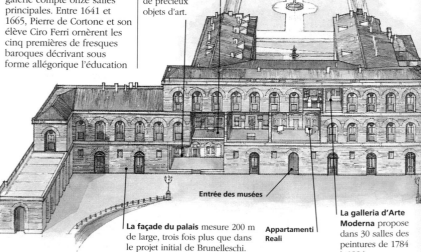

Galleria Palatina

Le Museo degli Argenti présente de précieux objets d'art.

Jardins de Boboli

Entrée des musées

La façade du palais mesure 200 m de large, trois fois plus que dans le projet initial de Brunelleschi.

Appartamenti Reali

La galleria d'Arte Moderna propose dans 30 salles des peintures de 1784 à 1924.

Rotonda dei Palmieri de Giovanni Fattori (1825-1908)

MODE D'EMPLOI

P. de' Pitti. **Plan** 3 C2 (5 B5). 🚌 D,
11, 36, 37. **Tél** 055 29 48 83
(infos et rés.). **Galleria Palatina,
Appartamenti reali Tél** 055 238
86 14 ; 055 29 48 83. ◯ mar.-
dim. 8h15-18h50. ● 25 déc. 📷
🚫 🚹 **Jardins de Boboli** ◯ t.l.j.
8h15-18h30 (ferm.variables).
● 1er et 4e lun. du mois. 📷 🚹
Autres collections ◯ mar.-dim.
8h15-13h50. ● 1er, 3e et 5e lun.,
2e et 4e dim., 1er janv, 1er mai,
25 déc. 📷 🚹

APPARTAMENTI REALI

Les salles d'apparat, ou
Appartements royaux, situées
au premier étage de l'aile sud
du palais furent construites au
XVIIe siècle. Les ducs de
Lorraine qui succédèrent aux
Médicis comme souverains de
Florence les réaménagèrent
dans le style néoclassique à la
fin du XVIIIe et au début du
XIXe siècle. En 1865, lorsque
Florence devint la capitale de
l'Italie, le roi Humbert Ier
et la reine Marguerite s'y
installèrent.

L'or utilisé à profusion dans
l'ornementation et les riches
soieries couvrant les murs,
comme dans la salle Ovale
ou celle des Perroquets,
rappellent que ces
appartements servaient aux
réceptions et cérémonies
officielles. Des fresques
d'artistes florentins les
décorent, ainsi que de
nombreuses tapisseries
et des portraits des Médicis
du peintre flamand Justus
Sustermans qui travailla à
la cour de Toscane de
1619 à 1681.

**Salle du Trône des Appartamenti
Monumentali**

Galleria del Costume

**La piazza della Signoria en
pierres précieuses**

AUTRES COLLECTIONS

Inaugurée en 1983, la galleria
del Costume retrace
l'évolution de la mode depuis
la fin du XVIIIe siècle
jusqu'aux années 1920 et
propose des expositions à
thème. Le billet d'entrée
donne également accès au
Museo degli Argenti installé
dans les pièces qui servaient
de palais d'été aux Médicis.
Il présente leur collection
d'objets précieux, fascinant
aperçu de leur immense
fortune. Bijoux, ambre, ivoire,
œuvres des plus grands
orfèvres florentins et
allemands, pièces antiques ou
byzantines emplissent neuf
salles. La sala Buia abrite le
clou du musée : l'ensemble
formé par seize vases en
pierres semi-précieuses qui
appartenaient à Laurent
le Magnifique.

Les tableaux les plus
intéressants de la
galleria d'Arte
Moderna sont
ceux des
membres du
mouvement des
Macchiaioli qui
suivirent au XIXe siècle
un style proche des
impressionnistes.

GIARDINO DI BOBOLI

**Copie de *l'Océan* (1576) par
Jean de Bologne**

Les Médicis
commencèrent en 1549
l'aménagement autour du
palazzo Pitti de cet
immense jardin à
l'italienne, l'un des plus
beaux du monde, et il ne
s'acheva qu'au XVIIe siècle.
À l'origine privé, le parc
ouvrit au public en 1776.
Agrémentés de fontaines,
parterres et haies
géométriques se mêlent à
des bosquets imitant la
fantaisie de la nature.
On y découvre également
une île, une grotte, de
superbes panoramas de
Florence, l'amphithéâtre
qui accueillait les
spectacles des fêtes des
Médicis et des centaines
de statues, en particulier
le long du Viottolone,
allée de cyprès plantés
en 1637. Bernardo
Buontalenti dessina en
1590 le Forte di Belvedere
qui domine les jardins et
protégeait le palais.

La Vierge de l'Annonciation (1528) du Pontormo

Santa Felicita ㉙

Piazza di Santa Felicita. **Plan** 3 C2 (5 C5). ▦ D. **Tél** 055 21 30 18. ◯ t.l.j. 9h-12h, 15h-18h (dim. : après-midi seul.). ♿

Ancien sanctuaire chrétien du IVe siècle, reconstruit au XIVe siècle puis doté en 1564 du porche au-dessus duquel passe le Corridor de Vasari, il fut remanié en 1736 par Ferdinando Ruggieri.

Ses peintures les plus réputées se trouvent à droite dans la chapelle Capponi. Il s'agit de l'*Annonciation* et de la *Déposition de Croix* par le Pontormo (1494-1556). Elles offrent avec leurs couleurs claires et intenses un bel exemple du style maniériste. Agnolo Bronzino aida le maître à peindre les évangélistes des médaillons de la voûte.

Piazzale Michelangelo ㉚

Piazzale Michelangelo. **Plan** 4 E3. ▦ 12, 13.

De tous les points de vue sur Florence, tels que les sommets du Dôme et du campanile, aucun n'offre un aussi beau panorama que la place

aménagée dans les années 1860 par Giuseppe Poggi et décorée de copies de statues de Michel-Ange. Elle attire d'ailleurs d'innombrables cars de touristes qu'attendent des marchands de souvenirs. Le spectacle d'un coucher du soleil sur l'Arno et les collines environnantes fait oublier l'animation du lieu.

San Miniato al Monte ㉛

Via del Monte alle Croci. **Plan** 4 E3. **Tél** 055 234 27 31. ▦ 12, 13. ◯ t.l.j. : avr.-sept. 8h-19h30 ; oct.-mars 8h-12h, 15h-18h (dim. : après-midi seul.). ◐ j. f. ♿

Selon la légende, cette église romane bâtie en 1018, l'une des mieux préservées de Toscane, se dresse à la place de la tombe de saint Minias, riche marchand arménien décapité au IIIe siècle et premier martyr florentin. Décorée au XIIe siècle en marbre blanc et serpentine, sa façade porte à son sommet la statue d'un aigle serrant un ballot de laine, emblème de la corporation des lainiers qui finança le sanctuaire à partir de 1288. La mosaïque qu'il surmonte date du XIIIe siècle mais a été restaurée. À l'instar de celle qui décore l'abside depuis 1297, elle représente

Façade de l'église romane San Miniato al Monte

le Christ entre la Vierge et saint Minias.

Des incrustations de marbre, dont un panneau figurant les signes du zodiaque (1207), ornent le dallage de la nef que ferme la cappella del Crocifisso (1448) dessinée par Michelozzo. Les colonnes de la crypte proviennent d'édifices antiques.

Des médaillons par Luca della Robbia parent la voûte de la chapelle du Cardinal, au nord. Antonio Rossellino sculpta en 1466 le monument qui accueille le tombeau de Iacopo di Lusitania, cardinal du Portugal mort à Florence en 1439 à l'âge de 25 ans. Spinello Aretino peignit en 1387 les *Scènes de la vie de saint Benoît* de la sacristie.

Le ponte Vecchio et l'Arno vus du piazzale Michelangelo

Faire des achats à Florence

Florence peut se targuer d'une profusion de magasins de grande qualité. Si vous parcourez ses rues médiévales, vous découvrirez tous les grands noms de la mode et de la bijouterie italiennes, des ateliers d'artisans et des commerces familiaux, ainsi que de riches magasins d'antiquités et de beaux-arts. Les tanneries toscanes méritent leur renommée et Florence est le meilleur endroit pour acheter des chaussures, sacs et autres articles de maroquinerie. Si vous cherchez des cadeaux et souvenirs originaux – papiers à lettre faits main aux délicieuses denrées alimentaires – vous trouverez également votre bonheur à Florence.

OÙ FAIRE LES BOUTIQUES

Le centre de Florence abrite une multitude de magasins. Les minuscules bijoutiers qui bordent le ponte Vecchio vendent des antiquités et des pièces d'or de grande qualité. Les antiquaires se concentrent autour des via dei Fossi, via dei Serragli et via Maggio. Les soldes de janvier et juillet regorgent de bonnes affaires.

CHAUSSURES ET MAROQUINERIE

Si l'on aime les chaussures italiennes, on trouve son bonheur chez **Ferragamo**, **Gucci** et **Prada**. Pour des styles plus classiques, rendez-vous chez **Francesco**. La moyenne gamme est bien représentée par **Peppe Peluso**, le magasin de chaîne **Bata** et **Quercioli**, qui vend des chaussures en cuir artisanales. Les rues autour de la piazza di Santa Croce abondent en maroquineries. À l'intérieur du cloître de l'église, la **Scuola del Cuoio** permet d'observer les artisans au travail.
Des sacs en cuir classiques sont vendus chez **Il Bisonte** et **Beltrami** ; pour des styles plus contemporains, rendez-vous chez **Coccinelle** et **Furla**.

VÊTEMENTS

La plupart des grands couturiers italiens – **Gucci**, **Armani**, **Versace** et **Prada**, entre autres – se situent dans la via de Tornabuoni, qui abrite aussi **Yves Saint-Laurent**. Face au palazzo Strozzi, on trouve **Louis**

Vuitton. **Dolce & Gabbana** et **Patrizia Peppe** sont à proximité ; **Valentino** est via dei Tosinghi. **La Perla**, spécialisée dans la lingerie chic se situe via Della Vigna Nuova, mais **Intimissimi** vend des modèles plus abordables. Parmi les grands magasins, **Coin** est une bonne adresse pour le prêt-à-porter.
La Rinascente, plus haut de gamme, propose des vêtements de couturiers et de la lingerie.
Dans le domaine du prêt-à-porter de luxe à des prix dégriffés, le designer *Barberino* se situe à 30 min de Florence, de même que **The Mall**, un centre de magasins d'usine.
Chez **Casa dei Tessuti**, on déniche des soies délicates et des articles tissés main.

BIJOUX

Florence s'est toujours distinguée par ses joailliers et ses orfèvres. Parmi les incontournables, **Torrini**, installé depuis six siècles, et l'étonnante boutique de **Pomellato** avec ses grosses bagues en or blanc surmontées d'énormes pierres semi-précieuses. **Bulgari** occupe la même rue, tout comme **Parenti**, qui vend des bijoux anciens uniques.
Aprosio & Co propose des bijoux fabriqués avec des métaux précieux et de minuscules pierres de verre.

ART ET ANTIQUITÉS

Romanelli possède des statues en bronze incrustées de pierres semi-précieuses et

Ducci propose un choix de boîtes, de gravures et de sculptures en marbre et bois. Pour les amateurs d'Art nouveau et d'Art déco, un tour chez **Galleria Tornabuoni** s'impose, alors qu'**Ugo Poggi** offre une sélection de porcelaine. **Ugolini** et **Mosaico di Pitti** réalisent des tables et des encadrements en marqueterie de marbre.

LIVRES ET CADEAUX

Feltrinelli International et **Edison** vendent des publications en plusieurs langues, tandis que la **Librairie française de Florence** propose livres et magazines. Pour la reliure et le papier marbré fait main, deux arts typiques de Florence, les meilleures adresses sont **Il Torchio** et **Il Papiro**. Pour la terre cuite et la céramique, **Sbigoli Terracotte** ; pour les chandeliers et les objets en verre décoratifs, **Bottega dei Cristalli**. **Signum** vend des cartes postales, des posters et des estampes, tandis que **Mandragora** possède un large choix de cadeaux.

ALIMENTATION ET MARCHÉS

Le principal marché alimentaire de Florence est le marché couvert **Mercato Centrale** (*p. 295*), mais on peut trouver des étals de fruits et légumes sur le **Mercato di Sant'Ambrogio**. Le mardi matin, un vaste marché se tient à **Parco delle Cascine**.
Pegna est un petit supermarché qui vend des produits frais et des plats gastronomiques. La **Bottega dell'Olio** propose de l'huile d'olive toscane extra, des huiles parfumées aux épices, ainsi que des cadeaux. Chez **Dolceforte**, on trouve des souvenirs en chocolat en forme de Duomo et de statue de David. **Alessi** se distingue par son choix considérable de biscuits et chocolats, de vins, spiritueux et liqueurs raffinés. Chez **Procacci**, on peut déguster un verre de vin italien tout en choisissant des mets délicats.

ADRESSES

VÊTEMENTS

Armani
Via de' Tornabuoni 48-50r.
Plan 1 C5 et 5 C2.
Tél. 055 21 90 41.

Barberino Designer Outlet
A1 Firenze-Bologna, Exit Barberino di Mugello.
Tél. 055 58 42 16.

Casa dei Tessuti
Via dei Pecori 20-24r.
Plan 1 C5 et 6 D2.
Tél. 055 21 59 61.

Coin
Via dei Calzaiuoli 56r.
Plan 6 D3.
Tél. 055 28 05 31.

Dolce & Gabbana
Via dei Strozzi 12-18r.
Plan 1 C5 et 5 C3.
Tél. 055 28 10 03.

Gucci
Via de' Tornabuoni 73r.
Plan 1 C5 et 5 C2.
Tél. 055 26 40 11.

Intimissimi
Via dei Calzaiuoli 99r.
Plan 3 C1 et 6 D3.
Tél. 055 230 26 09.

Louis Vuitton
Piazza degli Strozzi 1. **Plan** 3 C1. *Tél. 055 26 69 81.*

The Mall
Via Europa 8,
Leccio Reggello.
Tél. 055 865 77 75.

Patrizia Peppe
Via degli Strozzi 11/19r.
Plan 3 C1 et 6 D2.
Tél. 055 230 25 18.

La Perla
Via della Vigna Nuova 17-19. **Plan** 3 B1 et 6 D2.
Tél. 055 230 25 18.

Prada
Via de' Tornabuoni 67r.
Plan 1 C5 et 5 C2.
Tél. 055 28 34 39.

La Rinascente
Piazza della Repubblica 1.
Plan 1 C5 et 6 D3.
Tél. 055 21 91 13.

Valentino
Via dei Tosinghi 52r.
Plan 1 C5 et 6 D2.
Tél. 055 29 31 42.

Versace
Via de' Tornabuoni 13-15r.
Plan 1 C5 et 5 C2.
Tél. 055 28 26 38.

Yves Saint-Laurent
Via de' Tornabuoni 29r.
Plan 1 C5 et 5 C2.
Tél. 055 28 40 40.

CHAUSSURES ET MAROQUINERIE

Bata
Via dei Calzaiuoli 110r.
Plan 3 C1 et 6 D2.
Tél. 055 21 16 24.

Beltrami
Via della Vigna Nuova 70r.
Plan 1 C5 et 5 C2.
Tél. 055 28 77 79.

Il Bisonte
Via del Parione 31r.
Plan 1 C5 et 5 C3.
Tél. 055 21 57 22.

Coccinelle
Via Por Santa Maria 49r.
Plan 3 C1 et 6 D4.
Tél. 055 239 87 82.

Ferragamo
Via de' Tornabuoni 14r.
Plan 1 C5 et 5 C2.
Tél. 055 29 21 23.

Francesco
Via di Santo Spirito 62r.
Plan 3 B1 et 5 A4.
Tél. 055 21 24 28.

Furla
Via de' Calzaiuoli 47r.
Plan 3 C1 et 6 D3.
Tél. 055 238 28 83.

Peppe Peluso
Via del Corso 5-6r.
Plan 3 C1 et 6 D3.
Tél. 055 26 82 83.

Quercioli
Via de' Calzaiuoli 18/20r.
Plan 3 C1 et 6 D2.
Tél. 055 21 39 41.

Scuola del Cuoio
Piazza di Santa Croce 16.
Plan 3 C1 et 6 F4.
Tél. 055 24 45 33.

BIJOUX

Aprosio & Co
Via di Santo Spirito 11.
Plan 3 B1 et 5 B4.
Tél. 055 29 05 34.

Bulgari
Via de' Tornabuoni 61r.
Plan 1 C5 et 5 C3.
Tél. 055 239 67 86.

Parenti
Via de' Tornabuoni 93r.
Plan 1 C5 et 5 C2.
Tél. 055 21 44 38.

Pomellato
Via de' Tornabuoni 89-91r.
Plan 1 C5 et 5 C2.
Tél. 055 28 85 30.

Torrini
Piazza del Duomo 10r.
Plan 2 D5 et 6 D2.
Tél. 055 230 24 01.

ART ET ANTIQUITÉS

Ducci
Lungarno Corsini 24r.
Plan 3 B1 et 5 B3.
Tél. 055 21 45 50.

Galleria Tornabuoni
Borgo San Jacopo 53r.
Plan 3 C1 et 5 C4.
Tél. 055 28 47 20.

Mosaico di Pitti
Piazza de' Pitti 16-18r.
Plan 3 B2 et 5 B5.
Tél. 055 28 21 27.

Romanelli
Lungarno degli
Acciaiuoli 74r.
Plan 3 C1 et 5 C4.
Tél. 055 239 66 62.

Ugo Poggi
Via degli Strozzi 26r.
Plan 1 C5 et 5 C3.
Tél. 055 21 67 41.

Ugolini
Lungarno degli
Acciaiuoli 66-70r.
Plan 3 C1 et 5 C4.
Tél. 055 28 49 69.

LIVRES ET CADEAUX

La Bottega dei Cristalli
Via dei Benci 51r.
Plan 3 C1 et 6 F4.
Tél. 055 234 48 91.

Edison
Piazza della Repubblica
27r. **Plan** 1 C5 et 6 D3.
Tél. 055 21 31 10.

Feltrinelli International
Via Cavour 12-20r. **Plan** 2 D4. *Tél. 055 21 95 24.*

Librairie française de Florence
Piazza Ognissanti 1r.
Plan 1 B5 et 5 A2.
Tél. 055 212 659.

Mandragora
Piazza del Duomo 9r.
Plan 2 D5 et 6 D2.
Tél. 055 29 25 59.

Il Papiro
Piazza del Duomo 24r.
Plan 2 D5 et 6 D2.
Tél. 055 28 16 28.

Sbigoli Terracotte
Via Sant'Egidio 4r. **Plan** 6 F2. *Tél. 055 247 97 13.*

Signum
Borgo dei Greci 40r.
Plan 3 C1 et 6 E4.
Tél. 055 28 06 21.

Il Torchio
Via de' Bardi 17.
Plan 3 C2 et 6 D5.
Tél. 055 234 28 62.

ALIMENTATION ET MARCHÉS

Alessi
Via delle Oche 27r.
Plan 3 C1 et 6 D2.
Tél. 055 21 49 66.

Bottega dell'Olio
Piazza del Limbo 2r.
Plan 3 C1 et 6 D4.
Tél. 055 267 04 68.

Dolceforte
Via della Scala 21.
Plan 1 C5 et 5 B2.
Tél. 055 21 91 16.

Mercato Centrale
Via dell'Ariento 10-14.
Plan 1 C4 et 5 C1.

Mercato di Sant'Ambrogio
Piazza Sant'Ambrogio.
Plan 4 F1.
🕐 lun.-sam. 7h-14h.

Parco delle Cascine
Piazza Vittorio Veneto.
🕐 8h-14h.

Pegna
Via dello Studio 26r. **Plan** 6 E2. *Tél. 055 28 27 01.*

Procacci
Via de' Tornabuoni 64r.
Plan 1 C5 et 5 C2.
Tél. 055 21 16 56.

ATLAS DES RUES DE FLORENCE

L es références cartographiques données dans les articles décrivant les monuments de Florence renvoient aux plans de cet atlas. S'il y a 2 références, la seconde (entre parenthèses) renvoie aux plans agrandis 5 et 6. La carte ci-dessous précise la zone couverte par chacun des 6 plans de l'atlas. Ils vous permettront aussi de situer hôtels (*p. 576-578*), restaurants (*p. 626-629*) et adresses utiles grâce aux références données dans les *Bonnes adresses* et les *Renseignements pratiques* à la fin de ce guide. Il existe à Florence une double numérotation des rues. Les chiffres en rouge correspondent à des adresses professionnelles, ceux en noir ou en bleu à des résidences privées.

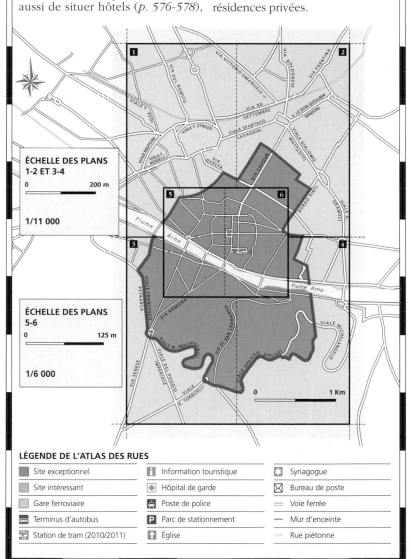

ÉCHELLE DES PLANS
1-2 ET 3-4

0   200 m

1/11 000

ÉCHELLE DES PLANS
5-6

0   125 m

1/6 000

0   1 Km

LÉGENDE DE L'ATLAS DES RUES

◼ Site exceptionnel	ℹ Information touristique	✚ Synagogue
◻ Site intéressant	✚ Hôpital de garde	⊠ Bureau de poste
◻ Gare ferroviaire	Poste de police	═ Voie ferrée
🚌 Terminus d'autobus	P Parc de stationnement	— Mur d'enceinte
🚊 Station de tram (2010/2011)	Église	Rue piétonne

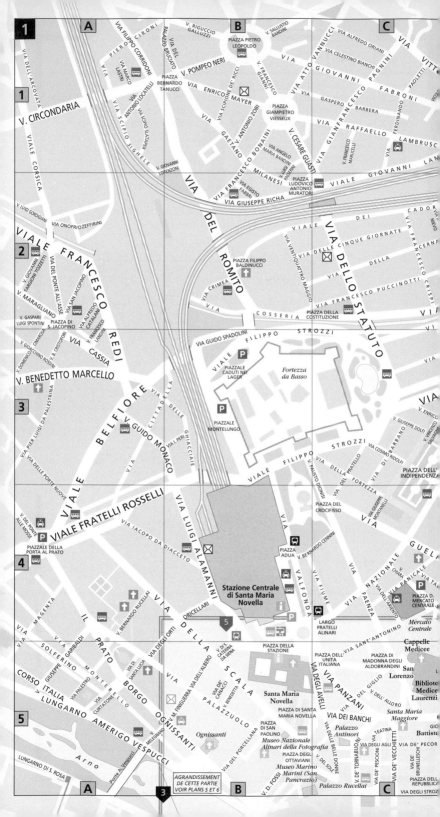

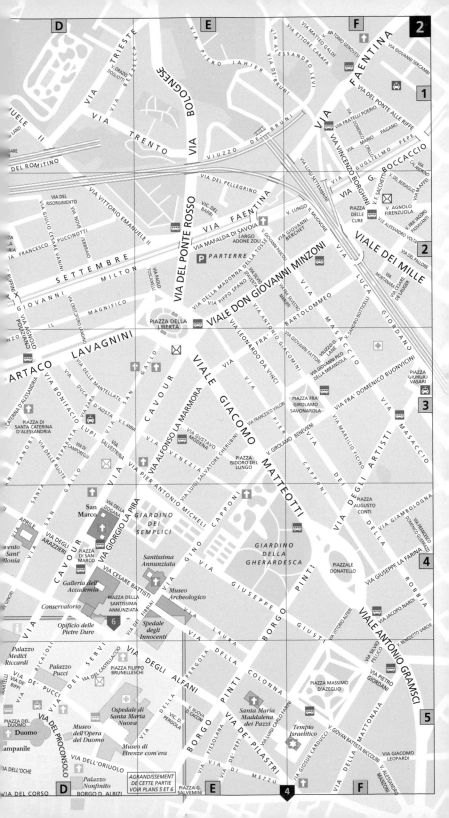

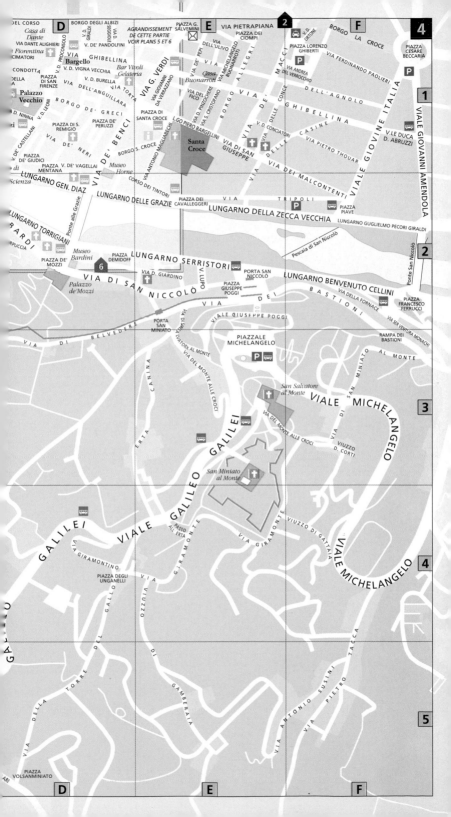

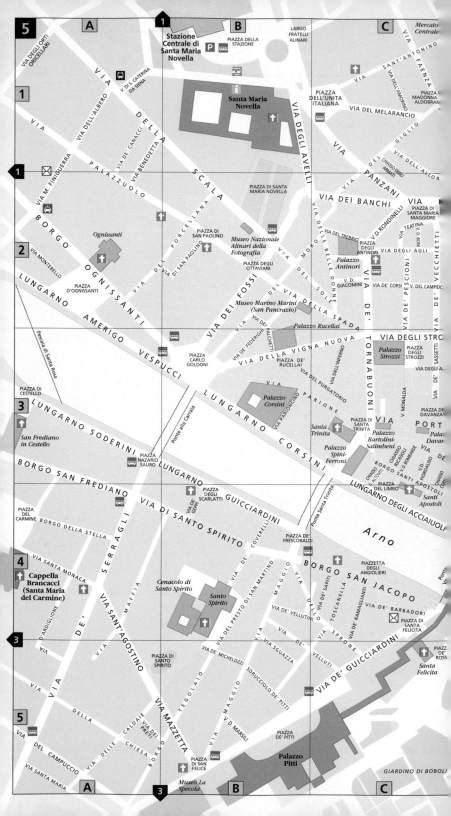

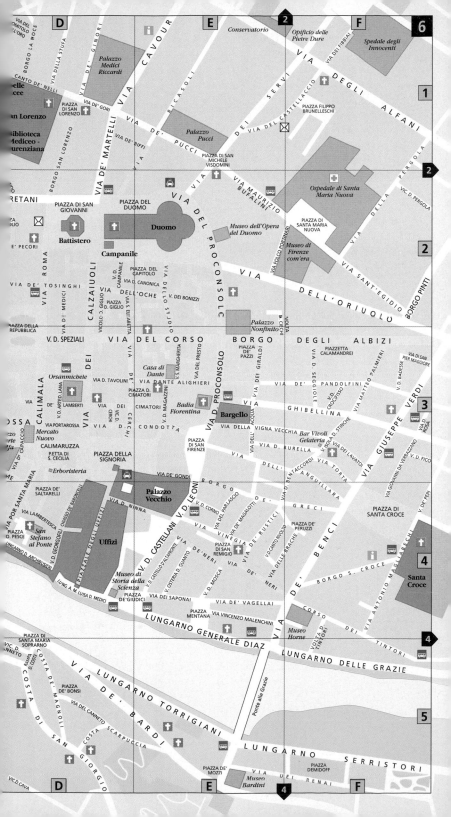

TOSCANE

Peu d'endroits au monde offrent au visiteur autant d'harmonie dans les paysages ruraux et de richesses artistiques et historiques que la Toscane. Le présent y respecte le passé au point que de nombreux villages perchés ont conservé des vestiges de leurs enceintes étrusques. En ville, de majestueux édifices publics rappellent le temps où chaque cité était un État indépendant.

Hameaux et fermes isolées parsèment les vignobles et les oliveraies des collines toscanes, où châteaux et villas fortifiées portent le témoignage des guerres entre communes voisines qui déchirèrent l'Italie pendant le Moyen Âge. Les villes ont hérité de cette époque des personnalités marquées et un farouche esprit de concurrence qui se reflètent dans leurs traditions et les monuments ambitieux érigés sur leur grand-place.

Au nord et à l'ouest, l'industrie domine la région densément peuplée qui s'étend entre Florence et Lucques. Fertiles, les plaines se prêtent à la culture intensive au pied de montagnes s'élevant jusqu'à 2 000 m d'altitude, tandis que sur le littoral jalonné de stations balnéaires, les environs de Livourne et de Pise sont devenus le moteur économique de la Toscane. Marqué d'influences maures, le magnifique ensemble d'édifices du Campo dei Miracoli rappelle que Pise domina la Méditerranée occidentale du XIe au XIIIe siècle.

Cœur de la Toscane centrale, Sienne a gardé quasiment intact l'aspect qu'elle avait lorsqu'elle passa sous la domination de sa vieille ennemie, Florence, en 1455. À quelques kilomètres, San Gimignano reste dominée par 13 tours médiévales. Elle en possédait 73 au XIIIe siècle.

Ses beautés naturelles ont de tout temps attiré ermites et saints dans l'est de la Toscane, où naquit et travailla le peintre Piero della Francesca (v. 1416-1492), auteur d'une œuvre à la piété lumineuse.

Le temps paraît s'être arrêté à Casole d'Elsa près de San Gimignano en Toscane centrale

◁ La tour penchée (entreprise en 1173) s'élève derrière le Duomo de Pise (entrepris en 1063)

À la découverte de la Toscane

Les villes toscanes : Florence, Sienne et Pise, mais aussi Lucques, Cortone et Arezzo, abritent certains des plus grands trésors artistiques d'Italie, tandis qu'au cœur de paysages ruraux harmonieux se nichent des villages médiévaux comme San Gimignano et ses célèbres tours, ou un joyau Renaissance tel que Pienza. Des plages du littoral aux sommets des Alpes Apuanes, la nature présente elle aussi une grande diversité.

LA TOSCANE D'UN COUP D'ŒIL

Cortone dans l'est de la Toscane

VOIR AUSSI

- *Hébergement* p. 578-582
- *Restaurants* p. 629-632

Cyprès caractéristiques des paysages toscans

0   25 km

CIRCULER

Les routes de campagne se révèlent souvent sinueuses, mais des autoroutes ou des routes à double voie relient Florence, pôle des réseaux routiers et ferroviaires toscans, à Sienne, Pise, Lucques et le Sud. Sur le littoral, l'autoroute A 12 - E 80 prolonge la via Aurelia. Le train dessert les villes les plus importantes.

LÉGENDE

▭	Autoroute
▭	Route principale
▬	Route secondaire
▭	Petite route
▬	Parcours pittoresque
—	Liaison ferroviaire principale
---	Liaison ferroviaire secondaire
▬	Frontière régionale
△	Sommet

Carrara ❶

Massa Carrara. 🐾 70 000. **FS** 🚌
i *Piazza Cesare Battisti N1 (0585 64 14 22).* 🚩 *lun.*

Près de 300 carrières autour de Carrare produisent le marbre blanc qui a rendu la cité célèbre dans le monde entier. Parmi les nombreux artistes à l'avoir utilisé, Michel-Ange y sculpta son *David* et Henry Moore (1898-1986) ses silhouettes à la frontière entre l'abstrait et la figuration. Exploité depuis l'Antiquité, c'est le plus ancien site industriel dont l'activité ne cessa pas. Plusieurs ateliers et scieries accueillent en ville les visiteurs, offrant l'occasion de découvrir les méthodes de façonnage de la pierre. Pour en apprendre plus sur les techniques utilisées, vous pourrez également vous rendre au **Museo Civico del Marmo**.

Le **Duomo** de Carrare dresse sa façade romano-gothique en marbre local décorée d'une rosace délicate sur la même place que la maison où résidait Michel-Ange quand il venait acheter les blocs où

Carrière de marbre près de Carrare

tailler ses statues. Un relief représentant les outils du sculpteur permet de la reconnaître.

Des services réguliers d'autobus conduisent aux marbrières de **Colonnata** et de **Fantiscritti** (pour les rejoindre en voiture, il suffit de suivre les panneaux indiquant « Cave di Marmo »). La carrière de Frantiscritti possède un petit musée consacré à l'art du carrier.

🏛 **Museo Civico del Marmo**
Viale XX Settembre. *Tél 0585 84 57 46.* ☐ *lun.-sam.*

Garfagnana ❷

Lucca. **FS** 🚌 *Castelnuovo di Garfagnana.* **i** *Piazza delle Erbe 1, Castelnuovo di Garfagnana (0583 641 0 07).*

Trois gros bourgs constituent de bonnes bases d'exploration de cette région montagneuse traversée par la jolie et paisible vallée du Serchio : **Barga, Seravezza** et **Castelnuovo di Garfagnana**. Avec son Duomo roman et ses rues typiques, Barga est la plus jolie de ces localités, mais les alentours de Castelnuovo offrent plus de possibilités d'excursions en voiture ou de randonnées à pied. **San Pellegrino in Alpe** possède un intéressant musée consacré au folklore, le **Museo Etnografico**, dont la visite complète celle de la collection d'essences alpines de l'**Orto Botanico Pania di Corfino** au siège du **parco dell'Orecchiella**.

À l'ouest, le Parco Naturale delle Alpi Apuane, protège la faune et la flore des Alpes Apuanes autour du monte Pisanino, point culminant de la région à 1 945 m d'altitude.

🏛 **Museo Etnografico**
Via del Voltone 15, San Pellegrino in Alpe. *Tél 0583 64 90 72.* ☐ *mar.-dim. ; juil.-août : t.l.j.* 🖼

🌿 **Parco dell'Orecchiella**
Centro Visitatori, Orecchiella. *Tél 0583 61 90 02.* ☐ *Pâques-mai, 15-30 sept. : sam.-dim. ; juin-sept. : t.l.j. ; oct. : dim.* ♿

🌿 **Orto Botanico Pania di Corfino** Parco dell'Orecchiella. *Tél 0583 64 49 11.* ☐ *mai-sept. : dim. ; juil.-août. : t.l.j.*

Le Parco Naturale delle Alpi Apuane à la limite de la Garfagnana

Café en bord de mer à Viareggio

Bagni di Lucca ❸

Lucca. 🏛 *7 400.* 🚎 ℹ *Via del Casino 4 (0583 80 57 45).* 🏪 *mer. et sam.*

Il existe en Toscane des sources d'eaux chaudes qu'exploitèrent les Romains pour offrir des thermes où se détendre aux vétérans installés dans des colonies comme celles que devinrent Florence et Sienne. Au début du XIXe siècle, Bagni di Lucca connut son heure de gloire quand aristocrates et grandes fortunes de toute l'Europe venaient profiter des vertus thérapeutiques de ses eaux sulfureuses. Son **casino**, construit en 1837, date de cette époque, tout comme son **église** néogothique (1839) sur la via Crawford et le **Cimitero Anglicano** (cimetière protestant) de la via Letizia.

À défaut d'y venir pour une cure, vous pouvez, depuis Bagni di Lucca, découvrir les forêts de châtaigniers des collines environnantes. Un bel itinéraire de promenade conduit ainsi à Montefegatesi, hameau cerné par les sommets des Apennins, puis au défilé spectaculaire de l'Orrido di Botri.

Aux environs :

Située au sud-est de Bagni di Lucca, **Montecatini Terme** fait partie des stations thermales les plus intéressantes de la région, notamment grâce aux édifices pittoresques bâtis au début du XXe siècle qui lui donnent un charme désuet.

Viareggio ❹

Lucca. 🏛 *55 000.* 🚆 🚎 ℹ *Viale Carducci 10 (0584 96 22 33).* 🏪 *jeu.*

Sa plage de sable fin, ses belles pinèdes et la douceur de son climat font de Viareggio une station balnéaire appréciée, en hiver comme en été, du littoral de la Versilia. Un incendie détruisit en 1917 la promenade et les pavillons en bois qui bordaient son front de mer. D'élégants édifices Art nouveau, tel le **Gran Caffè Margherita** dessiné par Galileo Chini, les ont remplacés. Ils servent de décor à des manifestations, dont un célèbre carnaval.

Torre del Lago Puccini ❺

Lucca. 🏛 *11 000.* 🚆 🚎 ℹ *Viale Kennedy 2 (0584 35 98 93).* 🏪 *ven. et dim.*

Une avenue plantée de tilleuls, la via dei Tigli, relie Viareggio à Torre del Lago Puccini où le compositeur de *La Bohème*, Giacomo Puccini (1858-1924),

vécut près du **lago Massaciuccoli** afin de s'adonner à sa passion, la chasse au gibier d'eau. Sa maison abrite le **Museo Villa Puccini**. Il y repose avec sa femme dans un mausolée entre la salle de musique où il composait et la pièce où il gardait son fusil. Il ne pourrait plus utiliser son arme aujourd'hui, le lac, où nidifient oiseaux migrateurs et espèces rares, étant classé réserve zoologique. Ses opéras sont donnés en été dans un théâtre de verdure au bord de l'eau.

🏛 **Museo Villa Puccini**
Piazzale Belvedere Puccini 226.
Tél 0584 34 14 45. ⏰ *jeu.-sam.* ⬤ *nov., 25 déc.* 📷 ♿

Près de la villa de Puccini à Torre del Lago Puccini

Lucca pas à pas ❻

Colonie romaine fondée en 180 av. J.-C., Lucca
(Lucques) est marquée par ses origines
antiques : ses rues forment un quadrillage
régulier et sa place principale s'étend à
l'emplacement du forum. L'église San
Michele in Foro qui la domine est l'un
des nombreux sanctuaires chrétiens
construits à Lucques aux XIIe et
XIIIe siècles dans le riche style romano-
pisan. Les solides remparts qui entourent
la ville la protègent de la circulation.

Casa Natale di Puccini
Giacomo Puccini (1858-1924), le compositeur de La Bohème, *naquit dans cette maison.*

San Frediano
Palazzo Pfanner

Information
touristique

VIA CALDERIA
VIA BUIA
VIA S. LUCIA
VIA FILLUNGO
PIAZZA S. SAN MICHELE
VIA VENETO
VIA BECCHERIA
VIA ROMA
VIA SANTA CROCE
VIA CENAMI
PIAZ. BERN.
VIA XX SETTEMBRE
VIA DEL BATTISTERO
PIAZZA NAPOLEONE
PIAZZA DEL GIGLIO
VIA DEL DUOMO
PIAZZA ANTELMINELLI
PIAZZA SAN MARTINO

Piazza Napoleone
Sœur de Napoléon, Elisa Baciocchi fit percer cette place lorsqu'elle dirigea Lucques de 1805 à 1815.

Gare ↙

★ **San Michele in Foro**
Trois rangs d'arcades aux colonnes toutes différentes animent la belle façade de cette église romano-pisane (XIIe-XIVe siècles).

San Giovanni

À NE PAS MANQUER

★ San Martino

★ San Michele in Foro

LÉGENDE

– – – Itinéraire conseillé

0   300 m

Le Museo
dell'Opera del
Duomo présente
des œuvres d'art
retirées de la
cathédrale San
Martino.

Pour les hôtels et les restaurants de la région, voir p. 578-582 et 629-632

MODE D'EMPLOI

🏛 100 000. 🚉 *P. Ricasoli.* 🚌
P. le Verdi. 🛈 *P. Santa Maria 35
(0583 91 99 31).* 🍴 *mer., sam.,
3e dim. du mois : marché aux
antiquités.* 🎪 *12 juil. : Palio della
Balestra ; juil.-sept. : Estate
Musicale ; 13 sept. : Luminara di
S. Croce ; sept. : Settembre
Lucchese.* **www**.*luccaturismo.it*

Apôtres de la mosaïque ornant la façade de San Frediano à Lucques

**Anfiteatro
Romano**

**Dans la via
Fillungo,** une rue
commerçante,
plusieurs
boutiques portent
des décorations
Art nouveau.

**Torre dei
Guinigi**

**Villa
Bottoni,
Pinacoteca
Nazionale**

Giardino Botanico

★ **San Martino**
*La façade asymétrique du
Duomo (XIe s.) de Lucques offre
un exemple caractéristique de
l'exubérant style romano-pisan.*

🔒 San Frediano
Piazza San Frediano. 🕐 *t.l.j.*
Une fresque colorée de
l'*Ascension* exécutée par
l'atelier de Berlinghieri au
XIIIe siècle orne la façade de
ce sanctuaire bâti entre 1112
et 1147. Le bas-côté droit
abrite une vaste fontaine
lustrale romane dont les
décorations sculptées narrent
des scènes des vies du Christ
et de Moïse. Notez celle où le
prophète et ses compagnons
franchissent la mer Rouge en
tenues de chevaliers
médiévaux. Les fresques
d'Amico Aspertini (1508-
1509), dans la 2e chapelle du
bas-côté gauche, relatent la
légende du Volto Santo.
Jacopo della Quercia et son
atelier sculptèrent le superbe
retable en marbre qui orne la
4e chapelle.

🔒 San Michele in Foro
Piazza San Michele. 🕐 *t.l.j.*
Bâtie du XIIe au XIVe siècle à
l'emplacement de l'ancien
forum romain, San Michele
possède une des plus
exubérantes façades de style
romano-pisan de Toscane.
Une immense statue de saint
Michel, entouré de deux
anges, surmonte ses arcades
et galeries au décor très
païen : mosaïques de marbre
représentant des scènes de
chasse et chapiteaux sculptés
de figures animales et
végétales. À l'intérieur voyez
la splendide peinture de

Filippino Lippi (1457-1504) :
*sainte Hélène, saint Jérôme,
saint Sébastien et saint Roch*.

🏛 Casa Natale di Puccini
Corte San Lorenzo 9. **Tel** *0583 58 40
28.* 🕐 *juin-oct. : t.l.j. 10h-1h ; nov.-
déc., mars-mai : mar.-dim; 10h-13h,
15h-18h.* 🚫 *1er janv., 25 déc.* 🎫
La belle maison du XVe siècle
où naquit Giacomo Puccini
est consacrée à sa mémoire et
contient des portraits, des
maquettes de costumes pour
ses opéras et le piano sur
lequel il composait sa
dernière œuvre, *Turandot*,
quand la mort le surprit.

🏛 Via Fillungo
La principale rue de Lucques,
qui s'enfonce au cœur de la
vieille ville depuis le portone
dei Borghi, longe l'Anfiteatro
Romano et conduit jusqu'à
San Cristoforo, église romano-
gothique du XIIIe siècle.
Plusieurs des boutiques qui
la bordent sont décorées de
ferronneries Art nouveau.

**L'un des nombreux bars et
magasins de la via Fillungo**

À la découverte de Lucques

Protégée derrière ses remparts Renaissance de l'agitation du monde moderne, Lucques offre un réseau de ruelles et de placettes où les édifices et le site d'un amphithéâtre romain évoquent son long passé.

Des maisons marquent l'emplacement de l'amphithéâtre de Lucques

♄ Anfiteatro Romano

Piazza del Mercato.
Il ne reste presque rien de l'amphithéâtre romain édifié ici au IIe siècle av. J.-C., car ses pierres ont servi à construire palais et églises. Son souvenir se retrouve néanmoins dans la forme elliptique de la piazza del Mercato dont la bordure de maisons, élevées au Moyen Âge contre les murs du monument, a laissé libre l'emplacement de l'arène. Mais cet ovale n'apparut qu'en 1830 quand Marie-Louise de Bourbon, souveraine de la ville, fit nettoyer les taudis qui s'y serraient. Situés aux quatre points cardinaux, les accès à la piazza correspondent aux portes qu'utilisaient les gladiateurs.

🏛 Museo dell'Opera del Duomo

Piazza Antelminelli 5. *Tél* 0583 49 05 30. ◯ nov.-mars, lun.-ven. matin seul. ● 1er janv., Pâques matin, 25 déc.
Installé dans l'ancien palais de l'archevêché (XIVe siècle), ce musée présente une collection d'œuvres provenant

♁ SAN MARTINO

Piazza San Martino. *Tél* 0583 95 70 68. ◯ t.l.j.
✎ Sacristie
Consacrée en 1070, la superbe cathédrale de Lucques, avec son campanile incrusté dans la façade, est ornée aux portails principaux de splendides reliefs du XIIIe siècle par Nicola Pisano et Giudetto da Como. À l'intérieur, le Tempietto abrite une toile du Tintoret et le Volto Santo, un crucifix en bois sculpté du XIIIe siècle.

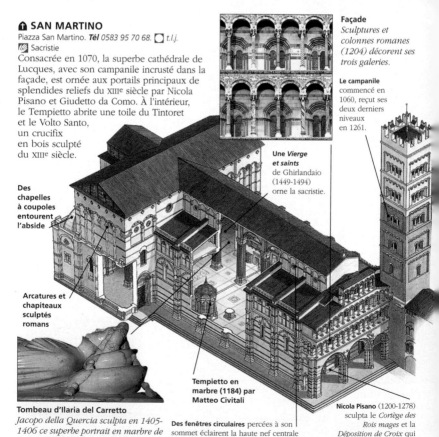

Façade
Sculptures et colonnes romanes (1204) décorent ses trois galeries.

Le campanile commencé en 1060, reçut ses deux derniers niveaux en 1261.

Une *Vierge et saints* de Ghirlandaio (1449-1494) orne la sacristie.

Des chapelles à coupoles entourent l'abside

Arcatures et chapiteaux sculptés romans

Tombeau d'Ilaria del Carretto
Jacopo della Quercia sculpta en 1405-1406 ce superbe portrait en marbre de la jeune épouse de Paolo Guinigi.

Tempietto en marbre (1184) par Matteo Civitali

Des fenêtres circulaires percées à son sommet éclairent la haute nef centrale de cette église.

Nicola Pisano (1200-1278) sculpta le *Cortège des Rois mages* et la *Déposition de Croix* qui ornent le portail gauche.

Pour les hôtels et les restaurants de la région, voir p. 578-582 et 629-632

Dieux et déesses baroques dans le jardin du palazzo Pfanner

de la cathédrale San Martino, dont une tête de roi sculptée au XIᵉ siècle qui ornait la façade originale, une cassette en porcelaine de Limoges du XIIᵉ siècle sans doute destinée à une relique de saint Thomas et un chef-d'œuvre d'orfèvrerie : la Croce di Pisani créée par Vincenzo di Michele en 1411. Le Christ rédempteur y est entouré d'anges, de la Vierge et de saints.

⛪ Palazzo Pfanner
Gardens Tél 340 923 30 85.
⬜ mars-oct. : jeu.-mar. 10h-18h.
Le palazzo Pfanner est un édifice imposant construit en 1667. Il possède l'un des plus beaux jardins à la française de Toscane, visible depuis les remparts. Des statues baroques de déesses et de dieux romains, séparées par des citronniers plantés dans d'énormes pots en terre cuite, bordent son allée centrale.

La maison renferme une riche collection de costumes de cour des XVIIIᵉ et XIXᵉ siècles. Beaucoup sont en soie, matière dont la production et le commerce firent prospérer Lucques.

⛪ Remparts
Une double rangée d'arbres ombrage l'enceinte fortifiée de Lucques dont le sommet constitue une très agréable promenade offrant de superbes vues de la ville. La construction de ces remparts commença vers 1500 quand l'évolution de l'art militaire rendit les vieilles défenses médiévales inefficaces. À l'achèvement des travaux en 1645, les fortifications faisaient partie des plus sophistiquées de leur époque. Elles dominaient un espace dégagé afin d'interdire aux ennemis d'approcher à couvert et celui-ci existe toujours aujourd'hui. L'enceinte n'a toutefois jamais subi d'attaque et Marie-Louise de Bourbon l'aménagea en jardin public au début du XIXᵉ siècle.

D'imposants remparts entourent Lucques depuis le XVIIᵉ siècle

🛈 Santa Maria Forisportam
Piazza di Santa Maria Forisportam.
⬜ t.l.j.
Bâtie au XIIᵉ siècle hors de l'enceinte romaine, cette église dont le nom signifie « au-delà de la porte » possède une façade inachevée de style romano-pisan. Un relief du *Couronnement de la Vierge* (XVIIᵉ siècle) orne son portail principal. Un remaniement au début du XVIᵉ siècle éleva la hauteur des nefs. Le Guerchin (1591-1666) peignit le portrait de *Sainte Lucie* et l'*Assomption* qui ornent respectivement la quatrième chapelle du bas-côté sud et le transept nord. C'est un sarcophage paléochrétien qui sert de fonts baptismaux.

🏛 Museo Nazionale di Villa Guinigi
Via della Quarquonia. **Tél** 0583 49 60 33. ⬜ mar.-dim. (dim. jusqu'à 14h30). ⬤ 1ᵉʳ janv. 1ᵉʳ mai, 25 déc. 🖼️ 🅿️

Lion roman au Museo Nazionale Guinigi

La puissante famille des Guinigi régna sur Lucques aux XIVᵉ et XVᵉ siècles et assura son indépendance face aux Médicis. Plusieurs édifices évoquent son souvenir, dont la torre dei Guinigi de 41 m de hauteur. Un petit jardin où poussent des chênes rouvres occupe son sommet qui offre une vue superbe sur la ville et les Alpes Apuanes.

C'est en 1418 que Paolo Guinigi fit construire l'imposante villa Renaissance où s'est installé le Musée national. Les vestiges d'une mosaïque romaine ainsi que des lions romans retirés des remparts ornent le jardin. Le rez-de-chaussée abrite les pièces archéologiques et les sculptures, dont un remarquable *Ecce homo* par le Lucquois Matteo Civitali (1435-1501) et des reliefs romans provenant de plusieurs églises. La collection de meubles et de peintures du premier étage comprend deux tableaux d'autel de Fra Bartolomeo et des stalles de la cathédrale de Lucques ornées de vues de la ville (1529) en marqueterie.

Pisa ❼

Incrustation de marbre, façade du Duomo

Au Moyen Âge, la puissance de sa flotte assura à Pisa (Pise) la domination de la Méditerranée occidentale. Commerçant avec l'Espagne et l'Afrique du Nord, ses marchands introduisent en Italie les découvertes et les réalisations du monde musulman. Elles permettent l'édification du Duomo, du campanile (la tour penchée) et du baptistère. En 1284, la défaite de Pise face à Gênes marque le début de son déclin. L'envasement de l'estuaire de l'Arno l'accélère et Florence s'empare de la ville en 1405. En 1944, des bombardements alliés entraînent des destructions.

Détail de la chaire du Duomo

cathédrale, le baptistère circulaire fut entrepris en 1152 dans le style roman. Après une longue interruption due à un manque d'argent, sa construction reprit en 1260 dans le style gothique sous la direction de Nicola et Giovanni Pisano. Le premier sculpta la magnifique chaire en marbre (1260) ornée, au-dessus de statues allégoriques des Vertus, de reliefs de la *Nativité*, de l'*Adoration des Mages*, de la *Présentation au Temple*, de la *Crucifixion* et du *Jugement dernier*. Les fonts baptismaux (1246) sont de Guido da Como.

⊞ Camposanto
Piazza dei Miracoli. **Tél** 050 387 22 10. ◯ t.l.j. ● 1er janv., 25 déc.
Le « Champ Saint », ou cimetière, est le quatrième élément de l'ensemble formé par les bâtiments du Campo dei Miracoli. Entreprises en 1278 par Giovanni di Simone, les vastes arcades de ce long édifice rectangulaire renferment des sarcophages antiques et paléochrétiens. Les bombardements de 1944 ont gravement endommagé les fresques qui les ornaient, en particulier celles du *Triomphe de la Mort* (1360-1380).

Le baptistère, le Duomo et la tour penchée du Campo dei Miracoli de Pise

⊞ Tour penchée
Voir p. 326. **www**.opapisa.it (réservation) 📷 *dernière visite 30 min av. la ferm. Enfant admis à partir de 8 ans.* 📷

🔒 Duomo et baptistère
Piazza Duomo. **Tél** 050 387 22 10. ◯ t.l.j. (Duomo dim. après-midi seul.). **www**.opapisa.it
La célèbre tour penchée de Pise posée sur le Campo dei Miracoli (Champ des Miracles) était à l'origine le campanile du Duomo commencé un siècle avant elle en 1063 par l'architecte Buscheto qui repose dans un sarcophage sous l'arcade la plus à gauche

de la façade du sanctuaire. Décorée de marqueteries polychromes, celle-ci possède trois portails aux vantaux de bronze exécutés par l'atelier de Jean de Bologne. Ceux du portale di San Ranieri qui ouvre sur le transept sud sont l'œuvre (1180) de Bonanno Pisano, premier architecte de la tour penchée. À l'intérieur, admirez la chaire sculptée par Giovanni Pisano entre 1302 et 1311, le tombeau de l'empereur Henri VII (1315) par Tino da Camaino et la mosaïque de l'abside, achevée par Cimabue en 1302.
Gracieux contrepoint à la

Fresque du *Triomphe de la Mort* au Camposanto

Santa Maria della Spina au bord de l'Arno

MODE D'EMPLOI

 100 000. ✈ Galileo Galilei, 5 km au sud. FS Pisa Centrale, P. della Stazione. P. Sant'Antonio. 🛈 P. Duomo (050 56 04 64) ; P. Vittorio Emanuele 16 (050 422 91). 🗓 mer., sam. 🎉 17 juin : Regata di San Ranieri ; dernier dim. de juin : Gioco del Ponte. **www**.pisa.turismo.toscana.it

🔒 Santa Maria della Spina

Lungarno Gambacorti. **Tél** 055 321 54 46. 🕐 mar.-dim.

Près du pont Solferino, les flèches, pinacles et statues qui hérissent la toiture de cette charmante chapelle romano-gothique en font un reliquaire approprié pour l'épine de la couronne du Christ (*spina*) qu'elle renferme depuis le XIVe siècle. Bâtie à l'origine à l'embouchure de l'Arno, Santa Maria fut démontée et reconstruite sur ce site à l'abri des crues du fleuve en 1871.

🏛 Piazza dei Cavalieri

La prestigieuse Scuola Normale Superiore de l'université de Pise occupe le grand bâtiment qui dresse sa façade ornée d'exubérants *sgraffiti* noir et blanc au nord de la place des Chevaliers. C'était au Moyen Âge l'hôtel de ville, ou palazzo degli Anziani, mais Cosme Ier commanda en 1562 à Vasari sa transformation en quartier général de l'ordre des Chevaliers de Saint-Étienne qu'il venait de fonder. Pietro Francavilla sculpta en 1596 la statue équestre de Cosme qui se dresse devant l'église Santo Stefano dei Cavalieri (1565-1569), œuvre de Vasari au superbe plafond.

🏛 Museo dell'Opera del Duomo

Piazza del Duomo 6. **Tél** 050 387 22 10. 🕐 t.l.j. 🚫 ♿

Installé dans l'ancien chapitre (XIIIe siècle) de la cathédrale, cet excellent musée moderne rassemble des œuvres d'art provenant du Duomo, du baptistère et du Camposanto. On peut y voir un imposant griffon en bronze coulé au Xe siècle par des artisans maures et volé par des aventuriers pisans. De beaux chapiteaux corinthiens et des panneaux décorés d'arabesques en mosaïque de marbre témoignent de la double influence, romaine et islamique, aux XIIe et XIIIe siècles. Le musée renferme aussi une section archéologique (objets étrusques, romains et égyptiens), et des sculptures par Nicola et Giovanni Pisano, notamment, de ce dernier, une *Vierge à l'Enfant* (1300) en ivoire réalisée pour le maître-autel du Dôme.

Griffon en bronze du Xe siècle

🏛 Museo Nazionale di San Matteo

Lungarno Mediceo, Piazza San Matteo. **Tél** 050 54 18 65. 🕐 mar.-dim. 8h30-19h (dim. matin seul.). 🚫 🚫

Au bord de l'Arno, ce musée occupe l'ancien couvent de San Matteo à l'élégante façade gothique. Souvent mal étiquetées, ses collections offrent néanmoins une occasion rare d'avoir un aperçu général des arts pisans et florentins du XIIe au XVIIIe siècle. Consacrées à la sculpture et aux peintres primitifs toscans, les premières salles permettent d'admirer un polyptyque du XIVe siècle du Pisan Francesco Traini représentant des *Scènes de la vie de saint Dominique*, ainsi qu'une *Vierge et saints* (1321) du Siennois Simone Martini. La *Madonna del Latte*, statue de la Vierge allaitant l'Enfant, est attribuée à Andrea Pisano.

La salle 6 abrite certaines des plus belles œuvres du musée comme le *Saint Paul* (1426) de Masaccio, le buste reliquaire de *Saint Lussorio* (1424-1427) par Donatello et une lumineuse *Vierge à l'Enfant* de Gentile da Fabriano (v. 1370-1427). Les dernières salles présentent des peintures de Guido Reni, Benozzo Gozzoli, Rosso Fiorentino et un *Christ* attribué à Fra Angelico (v. 1395-1455).

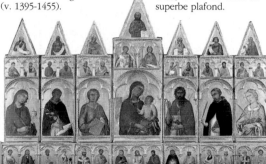

Vierge et saints (1321) par Simone Martini au Museo Nazionale

La tour penchée de Pise

Leurs fondations peu profondes et la composition du sol, sensible aux variations d'humidité, ont fait pencher tous les édifices du Campo dei Miracoli. Mais aucun ne penche comme la *Torre pendente*. Commencé en 1173, ce campanile pencha avant même l'achèvement de son troisième étage. On interrompit sa construction pendant 90 ans. Celle-ci ne fut achevée qu'au milieu du XIVᵉ siècle par l'ajout du clocheton d'où Galilée effectua ses expériences sur la chute des corps. Après de récentes interventions pour réduire son inclinaison (38 cm), la tour est à nouveau ouverte au public.

**Galilée
(1564-1642)**

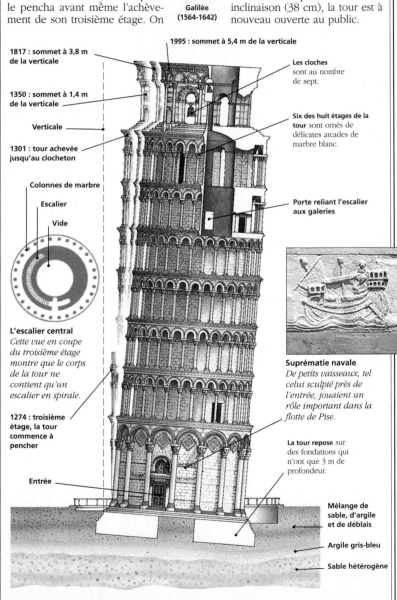

1995 : sommet à 5,4 m de la verticale

1817 : sommet à 3,8 m de la verticale

1350 : sommet à 1,4 m de la verticale

Verticale

1301 : tour achevée jusqu'au clocheton

Colonnes de marbre

Escalier

Vide

L'escalier central
Cette vue en coupe du troisième étage montre que le corps de la tour ne contient qu'un escalier en spirale.

1274 : troisième étage, la tour commence à pencher

Entrée

Les cloches sont au nombre de sept.

Six des huit étages de la tour sont ornés de délicates arcades de marbre blanc.

Porte reliant l'escalier aux galeries

Suprématie navale
De petits vaisseaux, tel celui sculpté près de l'entrée, jouaient un rôle important dans la flotte de Pise.

La tour repose sur des fondations qui n'ont que 3 m de profondeur.

Mélange de sable, d'argile et de déblais

Argile gris-bleu

Sable hétérogène

Vinci ❽

Florence. 🏠 1 500. 🚌 🚐 mer.

Dans le village natal de Léonard de Vinci (1452-1519), un château du XIIIᵉ siècle restauré en 1952 abrite le **Museo Leonardiano**, musée souvent bondé le dimanche. Réalisées à partir de croquis présentés à côté, de nombreuses maquettes des inventions du maître de la Renaissance, notamment une bicyclette, un véhicule blindé et des skis pour marcher sur l'eau, rendent hommage à son génie.

🏛 **Museo Leonardiano**
Castello dei Conti Guidi.
Tél 0571 560 55. ☐ t.l.j. 📷

Bicyclette d'après des dessins de Léonard, Museo Leonardiano

Pistoia ❾

🏠 93 000. 🚉 🚌 🛈 Palazzo dei Vescovi, Piazza del Duomo (0573 216 22). 🚐 mer. et sam.

Les habitants de Pistoia ont une réputation de fourberie dont les origines remontent aux luttes entre *Bianchi* et *Neri* (blancs et noirs) qui déchirèrent la ville au XIIIᵉ siècle. Beaucoup périrent d'un coup de *pistola*, petite dague dont les artisans de la cité s'étaient fait une spécialité. Aujourd'hui l'industrie mécanique est le moteur économique de Pistoia qui a conservé un beau centre historique.

🔒 **Duomo**
Piazza del Duomo. ☐ t.l.j.
Face au baptistère octogonal achevé en 1359, l'imposant campanile (XIIIᵉ siècle) et la façade en marbre de la cathédrale romano-pisane dominent la piazza del Duomo. Des terres cuites

Détail d'une frise (1514-1525) par Giovanni della Robbia, Ospedale del Ceppo

d'Andrea della Robbia ornent son portique (1311) et le tympan du portail central.

Le sanctuaire renferme plusieurs monuments funéraires. Dans le bas-côté droit, celui du poète Cino da Pistoia est orné d'un relief (1337) le montrant en train de donner une lecture. Non loin, une grille ferme la chapelle Saint-Jacques dont l'autel en argent comprend 628 personnages représentés sous forme de bas-reliefs ou de figurines. Commencé en 1287, ce chef-d'œuvre ne fut achevé qu'en 1456. Brunelleschi, qui débuta comme orfèvre avant de se consacrer à l'architecture, y travailla.

🔒 **Ospedale del Ceppo**
Piazza Giovanni XXIII.
Hospice et orphelinat fondé en 1277, cet établissement porte le nom du tronc d'arbre creux qui servait au Moyen Âge à recueillir les offrandes faites aux œuvres de bienfaisance. Michelozzo dessina le portique décoré de panneaux en terre cuite par Giovanni della Robbia représentant *Sept œuvres de miséricorde* (1514-1525).

Façade romano-pisane du Duomo (San Zeno) de Pistoia

🔒 **Cappella del Tau**
Corso Silvano Fedi 70. **Tél** 0573 322 04. ☐ lun.-sam. 8h30-13h30.
Le nom de cette chapelle vient du T (tau en grec) symbolisant une béquille que portaient sur leur soutane les moines appartenant à un ordre de charité qui commandèrent sa construction. Elle abrite des fresques de la *Création* et de la *Vie de saint Antoine* (1370) par Niccolò di Tommaso. Deux portes plus bas, le **palazzo Tau** abrite un centre de documentation sur l'artiste Marino Marini (1901-1980).

La Chute (1372) par Niccolò di Tommaso, cappella del Tau

🔒 **San Giovanni Fuorcivitas**
Via Cavour. ☐ t.l.j.
Cette église romano-pisane commencée au XIIᵉ siècle et achevée au XIVᵉ siècle se trouvait jadis, comme son nom l'indique, hors des murs de la ville. Gruamonte sculpta en 1162 le relief roman représentant *La Cène* au linteau du portail.

De nombreuses œuvres d'art décorent l'intérieur. Giovanni Pisano (1245-1320) exécuta les Vertus cardinales ornant la vasque du bénitier, et Fra Guglielmo da Pisa les scènes du Nouveau Testament (1270) de la chaire. Le polyptyque (1355) à gauche du maître-autel est de Taddeo Gaddi.

Prato ⑩

🏙 170 000. 🚋 ℹ️ *Piazza Duomo 8 (0574 241 12).* 🎪 *lun.*

Malgré les ateliers et les usines de textiles qui le cernent, le centre de Prato a conservé de beaux bâtiments anciens. Le **Duomo** (1211) est flanqué de la chaire de la Sainte-Ceinture (1434-1438) dessinée par Donatello et Michelozzo. Tous les ans, on y présente la relique que la Vierge aurait remise à saint Thomas. À l'intérieur se trouvent un cycle de fresques (1392-1395) d'Agnolo Gaddi et la *Vie de Saint-Jean-Baptiste* de Fra Filippo Lippi.

Parmi les autres monuments à visiter figurent le **Museo Civico**, l'église **Santa Maria delle Carceri** dessinée par Giuliano da Sangallo, le **castello dell'Imperatore** bâti par Frédéric II en 1237, le **Museo del Tessuto** (musée du Tissu) et le **Centro per l'Arte Contemporanea Pecci**.

🏛 **Museo Civico**
Palazzo Pretorio, Piazza del Comune. **Tél** *0574 183 63 02.* ⬤ *pour restauration.*

♣ **Castello dell'Imperatore**
Piazza delle Carceri. ⬜ *mer.-lun.*

🏛 **Centro per l'Arte Contemporanea Pecci**
Viale della Repubblica 277. **Tél** *0574 53 17.* ⬜ *mer.-lun.* 🈂

🏛 **Museo del Tessuto**
Via Santa Chiara 24. **Tél** *0574 61 15 03.* ⬜ *lun., mer.-sam. après-midi, dim. matin.*

Madonna del Ceppo de Fra Filippo Lippi au Museo Civico de Prato

La Villa di Artimino, ou « villa des cent cheminées », de Buontalenti

Artimino ⑪

Prato. 🏙 400. 🚋

Exemple typique de hameau fortifié, ou *borgo*, Artimino offre de beaux panoramas et possède une église romane, **San Leonardo**, très bien préservée. Hors des murs, Buontalenti édifia en 1594 pour Ferdinand Iᵉʳ la **villa di Artimino**. Aussi appelée « villa des cent cheminées », elle abrite le **Museo Archeologico Etrusco**.

Aux environs :
Les admirateurs de l'œuvre du Pontormo (1494-1557) se doivent de visiter l'église **San Michele** de Carmignano, à 5 km au nord d'Artimino, pour y contempler sa *Visitation* (1530). Plus à l'est, à **Poggio a Caiano**, se trouve la villa construite en 1480 par Giuliano da Sangallo pour Laurent le Magnifique (*p. 253*). Ornée de fresques, c'était la première villa italienne de style Renaissance.

🏢 **Villa di Artimino**
Viale Papa Giovanni 23. **Villa Tél** *055 875 14 27.* ⬜ *jeu. après-midi sur r.-v.* **Musée Tél** *055 871 81 24.* ⬜ *t.l.j. 9h30-12h30.* 🈂

🏢 **Poggio a Caiano**
Piazza Medici. **Tél** *055 87 70 12.* ⬜ *mar.-dim., 1ᵉʳ et 4ᵉ lun. du mois.* 🈂 ♿

San Miniato ⑫

Pisa. 🏙 3 900. 🚋 ℹ️ *Piazza del Bastione (0571 427 45).* 🎪 *mar.*

Malgré la proximité de la conurbation industrielle de la vallée de l'Arno, cette petite ville a réussi à préserver son caractère. Les ruines de la forteresse (*rocca*) élevée par l'empereur Frédéric II (1194-1250) la dominent. Non loin, le **Museo Diocesano** présente la *Vierge à la Sainte-Ceinture* par Andrea del Castagno (v. 1417-1457), un buste du Christ en terre cuite attribué à Verrocchio (1435-1488) et une belle *Crucifixion* (v. 1430) de Filippo Lippi. Le **Duomo** possède une façade romane en brique du XIIᵉ siècle. Des incrustations de majolique y rappellent les rapports commerciaux qui existaient au Moyen Âge entre la Toscane et l'Espagne et l'Afrique du Nord. Elles pourraient représenter les constellations servant de points de repère aux navigateurs.

🏛 **Museo Diocesano**
Piazza Duomo. **Tél** *0571 41 82 71.* ⬜ *mar.-dim. 10h-13h, 15h-19h (18h nov.-mars).* 🈂

Façade du Duomo de San Miniato

Fiesole ⑬

Florence. 🏙 15 000. 🚋 ℹ️ *Via Portigiani 3 (055 59 87 20).* 🎪 *sam.*

Niché dans des collines plantées d'oliviers, le village de Fiesole, réputé pour la salubrité de son air, domine la vallée de l'Arno à 8 km au nord de Florence. Fondée au VIIᵉ siècle av. J.-C., la colonie étrusque originale commença à décliner après la création de Florence au Iᵉʳ siècle av. J.-C.

L'imposant campanile du **Duomo**, la cathédrale San

Fiesole vu depuis la via di San Francesco

Remolo, se dresse sur la place centrale, la piazza Mino da Fiesole. Entrepris en 1028, le sanctuaire de style roman possède un intérieur dépouillé aux colonnes coiffées de chapiteaux antiques. Derrière l'église s'étend un jardin archéologique qui renferme les vestiges d'un **théâtre romain** du Ier siècle av. J.-C., des traces de **fortifications étrusques** du IVe siècle av. J.-C. et le **Museo Faesulanum** dont les collections comprennent des sculptures, des céramiques et des bijoux, certains remontant à l'âge du bronze.

Montée abrupte, la via di San Francesco offre de beaux points de vues et conduit au monastère franciscain de **San Francesco** et à la basilique **Sant'Alessandro** qui recèle derrière sa façade un intérieur roman du IXe siècle.

La via Vecchia Fiesolana rejoint le hameau de **San Domenico**. Son église du XVe siècle renferme une *Vierge avec saints* par Fra Angelico. Celui-ci peignit également vers 1430 la *Crucifixion* du réfectoire du couvent. La via della Badia dei Roccettini descend ensuite à la **Badia Fiesolana** dont la façade Renaissance inachevée incorpore celle, plus petite et incrustée de marbre, de l'ancienne église romane.

🏛 **Museo Faesulanum**
Via Portigiani 1. **Tél** 055 594 77. ◯
t.l.j. (oct.-mars : mer.-lun.). 📷

Arezzo ⑭

🚶 92 000. 🚉 ℹ *Piazza della Repubblica 28 (0575 377 678).*
🛍 *sam.*

L'orfèvrerie qu'elle exporte fait d'Arezzo l'une des plus riches cités de Toscane. En dépit d'importants dommages subis pendant la dernière guerre, elle conserve des monuments magnifiques, en particulier l'église **San Francesco** qu'ornent les célèbres fresques peintes par Piero della Francesca *(p. 330-331).* Non loin, la **Pieve di Santa Maria** dresse sur le corso Italia, principale rue commerçante, une façade romane qui fait partie des plus ouvragées de Toscane. Derrière, la **piazza Grande** marque une pente raide. Une élégante arcade dessinée par Vasari en 1573 la borde au nord, tandis qu'à l'ouest le **palazzo della Fraternità dei**

Laici (1377-1552) porte un relief de la *Vierge* sculpté en 1434 par Bernardo Rossellino.

L'immense **Duomo** recèle des vitraux du XVIe siècle et la fresque de *Marie-Madeleine* par Piero della Francesca (1416-1492) près du tombeau de l'évêque Guido Tarlati mort en 1327. Le **Museo Diocesano** présente trois crucifix en bois datant des XIIe et XIIIe siècles, un bas-relief en terre cuite de l'*Annonciation* (1434) par Bernardo Rossellino et des fresques de Vasari (1512-1574). D'autres œuvres de ce dernier se trouvent à la **casa di Vasari** qu'il édifia en 1540 ainsi qu'au **Museo d'Arte Medioevale e Moderna**, remarquable pour sa collection de majoliques.

La **fortezza Medicea**, ruine d'une forteresse édifiée au XVIe siècle, offre un beau panorama.

🏛 **Museo Diocesano**
Piazzetta dietro il Duomo 12. **Tél** 0575 402 72 29. ◯ mer.-dim. 📷

🏛 **Casa di Vasari**
Via XX Settembre 55. **Tél** 0575 40 90 40. ◯ mer.-dim. 📷

🏛 **Museo d'Arte Medioevale e Moderna**
Via di San Lorentino 8. **Tél** 0575 40 90 50. ◯ mar.-dim. 📷

⚓ **Fortezza Medicea**
Parco il Prato. **Tél** 0575 37 76 78. ◯ t.l.j.

Marché aux antiquités sur la piazza Grande d'Arezzo (tous les mois)

Arezzo : San Francesco

Piero della Francesca peignit de 1452 à 1466 dans l'abside de cette église du XIIIᵉ siècle son chef-d'œuvre : *La Légende de la Sainte Croix*. Ce cycle de fresques, l'un des plus beaux d'Italie, raconte comment la Croix, taillée dans l'arbre de la connaissance, fut découverte près de Jérusalem par l'impératrice Hélène, puis servit d'emblème à son fils Constantin lors de la bataille où se joua en 312 le sort de l'Empire romain et de la chrétienté.

Groupe de spectateurs
Ils s'agenouillent devant Héraclius, vainqueur du Perse Chosroês.

La croix revient à Jérusalem.

Déterrement de la Croix
La représentation de Jérusalem donne une bonne image d'Arezzo au XVᵉ siècle.

La défaite de Chosroês rend aux chrétiens la Croix dérobée par les Perses.

Judas révèle l'emplacement de la Croix.

LES FRESQUES

1 La Mort d'Adam ; un rameau de l'arbre de la connaissance est planté sur sa tombe ; **2** La Rencontre de Salomon et de la reine de Saba ; la reine prédit qu'un pont fait de l'arbre de la connaissance servira à crucifier le plus grand roi du monde ; **3** Salomon, se croyant le plus grand roi du monde, fait enterrer le pont ; **4** L'Annonciation ; la composition en croix de la fresque évoque la mort du Christ ; **5** Constantin rêve de la Croix et entend une voix prononcer : « Par ce signe tu conquerras » ; **6** Constantin défait son rival Maxence ; **7** Le Supplice du Juif Judas ; il révèle l'emplacement de la Croix ; **8** Trois croix sont déterrées ; Hélène, mère de Constantin, reconnaît la vraie ; **9** La Défaite de Chosroês, roi perse qui avait dérobé la Croix ; **10** La Croix revient à Jérusalem.

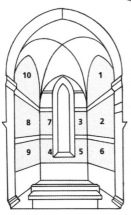

Crucifix peint
Le crucifix peint du XIIIᵉ siècle forme le point focal des fresques. Saint François, à qui l'église est dédiée, prie au pied de la Croix.

La Mort d'Adam
Ce portrait expressif d'Adam et Ève âgés témoigne de la maîtrise de l'anatomie par l'un des premiers artistes à peindre des personnages nus.

MODE D'EMPLOI

P. San Francesco. *Tél* 0575 35 27 27 rés. oblig. ⬜ lun.-sam. 9h-18h (17h30 sam.), dim. 13h-17h30. ⬤ 1er janv., 25 déc. 🕆 📷 ♿

Les prophètes ne semblent pas jouer de rôle dans le cycle narratif mais juste remplir une fonction décorative.

Les édifices, dans la fresque, reflètent les goûts architecturaux de la Renaissance.

Le bois de la Croix est enterré.

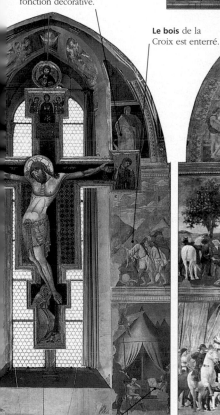

Constantin
rêve de la Croix la veille de la bataille contre Maxence.

Constantin conduit sa cavalerie à la bataille.

La reine de Saba reconnaît le bois de la Croix.

Rencontre de Salomon et de la reine de Saba
Elle symbolise l'espoir nourri au XVe siècle d'une union des Églises catholiques d'Orient et d'Occident.

La Résurrection (1463) de Piero della Francesca à Sansepolcro

Sansepolcro ⑮

Arezzo. 🏠 16 000. 🚌 🛈 *Via Matteotti 8 (0575 74 05 36).* 🗓 *mar., sam.*

Sansepolcro est la ville natale de Piero della Francesca (v. 1416-1492) et son **Museo Civico** expose le *Polyptyque de la Miséricorde*, première œuvre importante de l'artiste, et la célèbre *Résurrection* (1463). Ne pas manquer non plus une *Crucifixion* (XVᵉ siècle) par Luca Signorelli et, à l'église **San Lorenzo**, la *Déposition de Croix* du maniériste Rosso Fiorentino (1494-1541).

À 13 km au sud-ouest de Sansepolcro, le musée de Monterchi abrite la *Madonna del Parto* (1460) de Piero della Francesca.

🏛 **Museo Civico**
Via Aggiunti 65. *Tél 0575 73 22 18.* ◯ *t.l.j.* ◉ *jours fériés.* 🎦 🎦

Cortone ⑯

Arezzo. 🏠 23 000. 🚊 🚌 🛈 *Via Nazionale 42 (0575 63 03 52).* 🗓 *sam.*

Ville perchée fondée par les Étrusques, Cortone a gardé à l'intérieur de ses remparts un dédale de ruelles du Moyen Âge que dominent des bâtiments tels que le **palazzo Comunale** (XIIIᵉ-XVᵉ siècles) sur la piazza della Repubblica. Le **Museo dell'Accademia**

Etrusca borde aussi cette place. Il a de belles pièces étrusques et des objets égyptiens et romains. Installé dans l'église du Gesù (XVIᵉ siècle), le petit **Museo Diocesano** présente une *Crucifixion* de Piero Lorenzetti (v. 1280-1348), une sublime *Annonciation* (v. 1434) de Fra Angelico et une *Déposition de Croix* (1502) de Luca Signorelli. Né à Cortone, ce dernier repose dans l'église **San Francesco** bâtie en 1245 et décorée d'une *Annonciation* baroque, la dernière œuvre de Pierre de Cortone (1596-1669).

L'église de la **Madonna del Calcinaio** est un bijou de la Renaissance (1485) bâtie par Francesco di Giorgio Martini. Les vitraux (XVIᵉ siècle) sont de Guillaume Marcillat.

Le palazzo Comunale (XIIIᵉ siècle) de Cortone

🏛 **Museo dell'Accademia Etrusca**
Palazzo Casali, Piazza Signorelli 9. *Tél 0575 63 72 35.* ◯ *t.l.j. (sauf lun. en hiver).*

🏛 **Museo Diocesano**
Piazza del Duomo 1. *Tél 0575 628 30.* ◯ *t.l.j.* ◉ *t.l.j. (mar.-dim. l'été).* 🎦

Chiusi ⑰

Siena. 🏠 10 000. 🚊 🚌 🛈 *Piazza Duomo 1 (0578 22 76 67).* 🗓 *mar.*

Chiusi fut une importante cité étrusque qui atteignit le faîte de sa puissance aux VIIᵉ et VIᵉ siècles av. J.-C. (*p. 45*). Les tombes qui parsèment la campagne rappellent cette époque glorieuse. Les sarcophages et les urnes funéraires de toutes formes (maisons, silhouettes humaines, etc.) exposés au **Museo Nazionale Etrusco** proviennent des alentours. On peut s'y inscrire pour une visite guidée de la nécropole.

Cathédrale romane incluant des colonnes et des chapiteaux antiques, le **Duomo** est orné de peintures murales (1887) par Arturo Viligiardi. Sous le maître-autel se trouve une mosaïque romaine. Le cloître du sanctuaire abrite le **Museo della Cattedrale** et sa collection de sculptures romaines, lombardes et médiévales. Il propose des visites des galeries creusées sous la ville par les Étrusques et transformées aux IIIᵉ et Vᵉ siècles en catacombes chrétiennes.

🏛 **Museo Nazionale Etrusco**
Via Porsenna 93. *Tél 0578 201 77.* ◯ *t.l.j. 9h-20h.* 🎦 🎦

🏛 **Museo della Cattedrale**
P. del Duomo. *Tél 0578 22 64 90.* ◯ *t.l.j. (janv.-mars. : mar., jeu., sam., dim.).*

Frise étrusque au museo Nazionale Etrusco de Chiusi

La piazza Pio II de Pienza dessinée par Bernardo Rossellino (1459)

Montepulciano ⑱

Siena. 🏠 14 000. 🚌 🛈 Piazza don Minzoni 1 (0578 75 73 41). 🎏 jeu. www.prolocomontepulciano.it

Riche en palais Renaissance, voici l'une des villes fortifiées les plus hautes de Toscane ; elle offre de ses remparts de belles vues sur l'Ombrie et les vignobles d'où est issu le vino nobile qui a établi sa réputation. La rue principale, le corso, grimpe en sinuant jusqu'à la grand-place où s'élève le **Duomo** (1592-1630) qui abrite l'un des premiers chefs-d'œuvre de l'école siennoise : l'*Assomption de la Vierge* (1401) de Taddeo di Bartoli. Belle église Renaissance, le **tempio di San Biagio** (1518-1534) borde la route de Pienza.

Pienza ⑲

Siena. 🏠 2 300. 🚌 🛈 P. Dante Alighieri 18 (0578 74 83 59). 🎏 ven.

Né en 1405 dans un village qui s'appelait encore Corsignano, Enea Silvio Piccolomini devint l'un des humanistes les plus renommés de son temps, puis fut élu pape sous le nom de Pie II en 1458. L'année suivante, il engageait Bernardo Rossellino pour transformer son lieu de naissance en une ville conforme aux idéaux de la Renaissance et digne de porter son nom. Entre 1459 et 1462, l'architecte et sculpteur florentin éleva l'hôtel de ville,

la cathédrale et le palais pontifical, ou **palazzo Piccolomini**, qui se dressent autour de la piazza Pio II. L'ambitieux projet s'arrêta là, mais ce centre urbain créé pour lui enchanta tant son commanditaire qu'il pardonna même à Rossellino les détournements de fonds dont il s'était rendu coupable.

Les descendants de la famille Piccolomini habitèrent jusqu'en 1968 le palais, aujourd'hui ouvert au public, et la chambre et la bibliothèque de Pie II contiennent toujours ses objets personnels. Une élégante cour intérieure donne accès à un jardin suspendu et à sa loggia qui offre un superbe panorama.

Le **Duomo** voisin (*p. 252*) souffre d'un affaissement à son extrémité orientale qui provoque des fissures dans le sol et les murs. Il renferme 6 *Vierge à l'Enfant* commandées

aux plus grands peintres siennois de l'époque. Les remparts forment un très agréable lieu de promenade.

🏛 **Palazzo Piccolomini**
Piazza Pio II. **Tél** 0578 74 85 03. ○ mar.-dim. 10h-18h30. ● mi-fév.-début mars, mi-nov.-mi-déc. 🖼 📷

Montalcino ⑳

Siena. 🏠 5 100. 🚌 🛈 Costa del Municipio 1 (0577 84 93 31). 🎏 ven.

Les rues étroites de ce village perché au-dessus des vallées de l'Ombrone et de l'Asso grimpent jusqu'à la **fortezza** et ses remparts du XIVᵉ siècle qui le dominent et où une *enoteca* propose ses vins de la région, dont le brunello, l'un des vins rouges les plus réputés d'Italie. Le temps paraît s'être arrêté à Montalcino qui offre un cadre charmant où se promener pour découvrir notamment le monastère de Sant'Agostino et son église du XIVᵉ siècle, et juste ensuite le palazzo Vescovile. Sur la piazza del Popolo, la tour du palazzo Communale domine la ville.

⚓ **Fortezza**
Piazzale della Fortezza. **Tél** 0577 84 92 11. 🖼 pour les remparts. **Enoteca** ○ avril-oct. : t.l.j. 9h-20h ; nov-mars : mar.-dim. 9h-18h (sam.-dim. : jusqu'à 19h30).

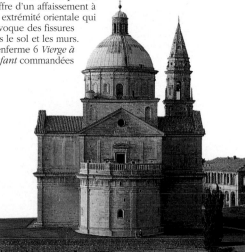

Le tempio di San Biagio à la périphérie de Montepulciano

Paysage du Crete Senesi

Crete Senesi ㉑

Asciano. **FS** 🚌 **ℹ** *Antiche Fonti Lavatoie 18 (0577 71 95 10).*

Au sud de Sienne s'étend la région connue sous le nom de Crete Senesi et surnommée le « désert toscan », car sans les haies de cyprès et de pins plantées pour protéger du vent quelques rares fermes isolées, ces collines argileuses ravinées par les pluies présenteraient des paysages très désolés. Les troupeaux de brebis qui y paissent produisent le lait nécessaire à la fabrication du *pecorino*, fromage très apprécié en Italie.

Siena ㉒

Voir p. 338-343.

Monteriggioni ㉓

Siena. 🏛 *7 000.* 🚌 **ℹ** *P. Roma (0577 30 48 34).* 🕐 *juin-août.* **www**.monteriggioniturismo.it

Ce bourg fondé en 1203 est un splendide exemple de village médiéval fortifié. Entouré de murailles dominées par 14 puissantes tours, il gardait le territoire contrôlé par Sienne d'une éventuelle offensive florentine. Le spectacle présenté par cette citadelle au Moyen Âge impressionna suffisamment Dante pour qu'il l'évoque dans son *Enfer* où il compare Monteriggioni à des géants debout dans un fossé. Il reste aujourd'hui tout aussi saisissant, en particulier lorsqu'on le découvre depuis

la route de Colle di Val d'Elsa.

À l'intérieur de son enceinte, le village assoupi ne contient qu'une vaste place, une jolie église romane, une ou deux boutiques d'artisanat, quelques restaurants et des magasins vendant les vins locaux.

Aux environs :

À 3 km à l'ouest de Monteriggioni, **Abbadia dell'Isola**, ancienne église cistercienne (XIIe siècle), connut une importante reconstruction au XVIIIe siècle après l'effondrement de sa coupole. Elle abrite des fresques par Taddeo di Bartolo et Vincenzo Tamagni.

San Gimignano ㉔

Voir p. 344-345.

Volterra ㉕

Pisa. 🏛 *13 000.* 🚌 **ℹ** *Via Giusto Turazza 2 (0588 861 50).* 🛍 *sam.* **www**.comune.volterra.pi.it

Perché à l'emplacement d'une ancienne ville étrusque, ce bourg médiéval offre une vue saisissante sur les collines qui l'entourent. Il doit sa réputation au travail de l'albâtre et à son musée archéologique, le **Museo Guarnacci**, qui possède la

plus riche collection étrusque d'Italie. Un ensemble unique de plus de 600 urnes funéraires en albâtre et en terre cuite en forme le cœur.

Sur la piazza dei Priori se dresse le **palazzo dei Priori**, siège du gouvernement au Moyen Âge. Entrepris en 1208, c'est le plus ancien palais toscan de ce modèle. Il est décoré de fresques du XIVe siècle. Sur la piazza San Giovanni, le **Duomo** romano-pisan renferme une chaire aux panneaux sculptés au XIIIe siècle.

Détail de la chaire du Duomo de Volterra

Attribué à Antonio da Sangallo l'Ancien, le palazzo Minucci-Solaini (XVe siècle) abrite la **Pinacoteca e Museo Civico** dont la collection contient des œuvres d'artistes florentins comme le *Rédempteur et des saints* peint par Ghirlandaio en 1492 pour le monastère San Giusto, couvent délaissé après un glissement de terrain. Luca Signorelli, dans sa *Vierge à l'Enfant avec des saints* (1451), rappelle dans une frise à la base du trône sa dette à l'art romain. La composition de son *Annonciation* (1451) est d'un grand équilibre, alors que celle de la *Déposition* maniériste peinte par Rosso Fiorentino en 1521 est centrée sur le corps inanimé du Christ.

Monteriggioni, ville fortifiée magnifiquement préservée

Une épaisse forêt entoure les ruines de l'abbaye de San Galgano

🏛 **Museo Guarnacci**
Via Don Minzoni 15. **Tél** 0588 863
47. ⬜ t.l.j. ⬤ 1er janv., 25 déc. ▨

🏛 **Pinacoteca e Museo Civico**
Via dei Sarti 1. **Tél** 0588 875 80.
⬜ t.l.j. ⬤ 1er janv., 25 déc. ▨

San Galgano ㉖

Siena. 🚌 de Sienne. **Abbaye et**
oratoire ⬜ t.l.j.
www.sangalgano.org

Des moines cisterciens
édifièrent de 1224 à 1288 ce
sanctuaire gothique en brique
et travertin et, bien qu'il ait
perdu sa toiture au XVIIe
siècle, il garde une aérienne
majesté. Abandonné en 1652,
le site resta de longues
années désert, mais une
congrégation de religieuses
olivétaines restaure
actuellement le cloître et les
bâtiments monastiques
attenants à l'église en ruine.

Sur la colline dominant
l'abbaye, la **chapelle**
Montesiepi occupe depuis
1185 l'emplacement de
l'ermitage de saint Galgano.
Juste derrière la porte de
l'**oratoire** circulaire, une
poignée d'épée dépassant du
rocher rappelle la légende de
ce chevalier né en 1148 qui,
frappé par la futilité de son
existence paillarde, décida de
se tourner vers Dieu. Il voulut
briser son épée, mais, au lieu
de se rompre, elle s'enfonça
dans le rocher, signe, pour

lui, que le Seigneur
approuvait sa vocation. Il
construisit une hutte sur le
lieu du miracle et y mourut
en ermite en 1181. Le pape
Urbain III le canonisa en
1185.

Des fresques estompées
d'Ambrogio Lorenzetti (1344)
décorent les murs de la petite
chapelle contre laquelle
s'appuie une échoppe
proposant, à côté de livres sur
l'histoire de la région, des
produits locaux.

Massa Marittima ㉗

Grosseto. 🏘 9 500. 🚌 🛈 Amatur, Via
Todini 3-5 (0566 90 27 56). 🛒 mer.

Située dans les collines
Métallifères d'où furent
longtemps extraits plomb,
cuivre et argent, cette
agréable cité médiévale
n'offre pas le
triste visage
d'une ville
industrielle
malgré son
histoire liée à
l'activité
minière.
République
indépendante
de 1225 à 1335,
elle s'embellit
pendant cette
période
d'édifices
romans tels que
le **Duomo**, sur la
piazza

Garibaldi, dédié à saint
Cerbone dont un relief au
tympan du portail principal
raconte la légende. La
cathédrale abrite une *Maestà*
(v. 1316) attribuée à Duccio.

En partie installé dans une
ancienne galerie de mine, le
Museo della Miniera présente
l'histoire de l'exploitation
minière, de ses techniques et
de son outillage.

Le **Museo Archeologico e**
Museo d'Arte Sacra rassemble
des objets datant du
Paléolithique à l'époque
romaine. On peut voir aussi
la Fortezza Senese et la Torre
della Candeliera.

🏛 **Museo della Miniera**
Via Corridoni. **Tél** 0566 90 22 89.
⬜ mar.-dim. (t.l.j. : juil.-août). ▨

🏛 **Museo Archeologico**
e Museo d'Arte Sacra
Palazzo del Podestà, Piazza Garibaldi.
Tél 0566 90 22 89. ⬜ mar.-dim. ▨

Le Duomo et les toits de Massa Marittima

Colline dénudée dans le Crete Senesi au sud-est de Sienne ▷

Siena pas à pas ㉒

Emblème d'une *contrada*

Comme Rome, Siena (Sienne) est bâtie sur sept collines et cette caractéristique ajoute au plaisir de son exploration : à tout moment, on peut déboucher d'un labyrinthe de maisons médiévales pour découvrir la ville s'offrant tout entière au regard. Ses rues convergent vers la piazza del Campo, l'une des plus vastes places médiévales d'Europe, cœur de la cité et de ses 17 *contrade*, paroisses dont l'intense rivalité s'exprime deux fois par an à l'occasion de la course du Palio (*p. 341*). Leurs emblèmes ornent partout les enseignes et les drapeaux.

Le Duomo de Sienne se détache sur l'horizon

La via della Galluzza conduit à la maison de sainte Catherine.

Le baptistère abrite de belles fresques et des fonts sculptés par Donatello, Jacopo della Quercia et Ghiberti.

★ Duomo

Surmontées des bustes de 171 papes, des colonnes de marbre supportent la voûte peinte en bleu et parsemée d'étoiles dorées pour évoquer le ciel nocturne.

Chaque étage du campanile possède une fenêtre de plus que celui du dessous.

Gare routière

Gare

VIA D. GALLUZZA

PIAZZA INDIPENDENZA

VIA DI FONTEBRANDA

VIA DI DIACCETO

VIA DI CITTA

VIA DEI PELLEGRINI

VIA FRANCIOSA

PIAZZA SAN GIOVANNI

VIC. D. CAMPANE

VIA DEL FUSARI

VIA DEL POGGIO

VIA DL CITTA

PIAZZA DEL DUOMO

VIA DEL CAPITANO

Museo dell'Opera del Duomo

La Maestà *de Duccio, l'une des plus belles peintures siennoises, fut portée en procession triomphale à son achèvement en 1311 et influença les artistes de la ville pendant des décennies.*

LÉGENDE

– – – Itinéraire conseillé

0   300 m

Loggia della Mercanzia

Marchands et changeurs
de monnaie se retrouvaient
pour leurs affaires sous
cette arcade bâtie en 1417.

La loggia del Papa fut construite en 1462 en l'honneur de Pie II.

PIAZZA DEL CAMPO

VIA BANCHI DI SOTTO

VIA DI PANTANETO

VIA MALAVOLTI

VIA DEL PORRIONE

VIA DI SALICOTTO

VIA DUPRÈ

PIAZZA DEL MERCATO

Information touristique

MODE D'EMPLOI

60 000. Piazzale Rosselli. Piazza S. Domenico. Piazza del Campo 56 (0577 28 05 51). mer. 2 juil., 16 août : Palio ; juil. : Settimana Musicale Chigiana (concerts de musique classique). www.terresiena.it

Tambour du Palio de Sienne

Fonte Gaia
Ces reliefs sont des copies
(XIXᵉ siècle) des originaux
par Jacopo della Quercia.

★ Palazzo Pubblico

La tour médiévale de ce
gracieux hôtel de ville
gothique achevé en 1342,
la torre del Mangia, est la
deuxième en hauteur
d'Italie (102 m).

À NE PAS MANQUER

★ Duomo

★ Palazzo Pubblico

⌂ Piazza del Campo

La plus gracieuse place d'Italie occupe l'emplacement du forum antique et commença à prendre son aspect actuel en 1293 quand le conseil des Neuf qui veillait alors aux destinées de la ville acquit un terrain en forme de coquillage pour doter la ville d'une vaste grand-place. En souvenir de ce gouvernement instauré au temps où la grandeur de Sienne assurait son indépendance, huit bandes claires partagent en neuf quartiers le pavage de briques rouges entrepris en 1327 et achevé en 1349. Elles symbolisent en outre les plis protecteurs du manteau de la Vierge.

Cafés, restaurants et palazzi élégants bordent la place que dominent le **palazzo Pubblico** (1297-1342) et sa **torre del Mangia** élevée en 1348 (*p. 340*). Par ses dimensions, cet ensemble imposant tend à éclipser la petite **fonte Gaia** qui leur fait face. Son bassin en marbre est orné de statues et d'une réplique des reliefs sculptés par Jacopo della Quercia entre 1409 et 1419. Ils représentent *La Création d'Adam*, une *Vierge à l'Enfant*, *Les Vertus* et *Adam et Ève chassés du Paradis*. Les originaux se trouvent sur la loggia à l'arrière du palazzo Pubblico. L'eau de la fontaine provenant de collines situées à 25 km est transportée par un aqueduc depuis le XIVᵉ siècle.

La piazza del Campo et la fonte Gaia vus depuis la torre del Mangia

À la découverte de Sienne

Préservée, l'architecture de Sienne entretient le souvenir de l'âge d'or que connut la cité de 1260 à 1348, époque où elle rivalisait avec Florence. La piazza del Campo et le dédale de ruelles médiévales qui l'entoure constitue le meilleur point de départ pour la découvrir.

Les Effets du Bon Gouvernement (1338) de Lorenzetti au palazzo Pubblico

🏛 Palazzo Pubblico

Piazza del Campo 1. **Tél** *0577 29 26 14*. **Museo Civico et Torre del Mangia** ⬜ *t.l.j.* 🖼

Ce palais sert de siège à la municipalité, mais le **Museo Civico** qui en occupe les étages supérieurs permet de visiter les salles où se réunissaient les gouvernements du Moyen Âge. La plus importante porte le nom de sala del Mappamondo car elle contient la carte du monde dessinée par Ambrogio Lorenzetti au début du XIVe siècle. Une *Maestà* (Vierge en majesté) peinte en 1315 par Simone Martini, maître de l'école siennoise, en décore le mur gauche. En face, l'artiste a représenté en 1328 *Guidoriccio da Fogliano*. Ce portrait du condottiere en grand appareil est l'une des premières peintures profanes italiennes. Taddeo di Bartolo exécuta en 1470 les fresques de la *Vie de la Vierge* de la chapelle voisine dont les stalles (1428) possèdent des dossiers en marqueterie.

C'est dans la sala della Pace que l'on peut admirer les allégories d'Ambrogio Lorenzetti. Achevées en 1338, ces œuvres forment le plus important cycle de fresques à sujet séculier du Moyen Âge. La cité florissante des *Effets du Bon Gouvernement* s'oppose à la ruine causée par le *Mauvais Gouvernement*.

La décoration de la sala del Risorgimento date de la fin du XIXe siècle et retrace les événements qui conduisirent à l'unification de l'Italie.

Dans la cour du palais s'ouvre l'entrée de la **torre del Mangia** érigée par les frères Muccio et Francesco di Rinaldo de 1338 à 1348. Haut de 102 m, ce beffroi doit son nom à son premier sonneur de cloche surnommé *Mangiaguadagni* (mangeur de bénéfice) à cause de sa paresse. 505 marches mènent au sommet et au splendide panorama qu'il offre.

🏛 Santuario e Casa di Santa Caterina

Costa di Sant'Antonio.
Tél *0577 24 73 93.* ⬜ *t.l.j.*

Patronne de Sienne et de l'Italie depuis 1939, Catherine Benincasa (1347-1380) était la fille d'un teinturier. Elle eut sa première vision du Christ avant 8 ans et reçut les stigmates de la Passion en 1374. Comme son homonyme, sainte Catherine d'Alexandrie, elle se serait fiancée à Jésus lors d'une apparition, image qui inspira plusieurs artistes. En 1376, elle persuada par son éloquence le pape Grégoire XI, alors en Avignon, de mettre fin au Grand Schisme en rentrant à Rome. Canonisée en 1461, sainte Catherine eut une grande influence par les textes qu'elle dicta, ne sachant pas écrire.

Des peintures évoquant sa vie, notamment de ses contemporains Francesco Vanni et Pietro Sorri, ornent sa maison, haut lieu de pèlerinage. Sanctuaires et cloîtres l'entourent, telle l'église de la Crucifixion bâtie en 1623 dans le verger pour abriter un crucifix du XIIe siècle devant lequel elle reçut les stigmates.

🏛 Palazzo Piccolomini

Via Banchi di Sotto 52. **Tél** *0577 24 71 45.* ⬜ *lun.-sam. matin.* ⬛ *1er-15 août.*

Construit dans les années 1460 sur des plans de

Cloître de la Casa di Santa Caterina, maison natale de la sainte patronne de Sienne

l'architecte et sculpteur florentin Bernardo Rossellino (*p. 333*), le plus imposant des palais privés de Sienne abrite désormais un musée des archives. Les documents présentés remontent pour certains au XIIIe siècle et comprennent un testament attribué à Boccace, le contrat passé par la ville avec Jacopo della Quercia pour la fonte Gaia (*p. 339*) et des bulles papales. Les plus intéressants demeurent toutefois les registres de comptabilité des responsables de la collecte des impôts. Ceux-ci commandèrent en effet pour les embellir, parfois à de grands artistes, des plaquettes de bois peintes aujourd'hui rassemblées dans la sala di Congresso.

🏛 Pinacoteca Nazionale

Via San Pietro 29. *Tél* 0577 28 11 61.
⬚ t.l.j. (dim., lun. matin seul.). 🖼 ♿

Détail du *Bienheureux Agostino Novello* (v. 1330) de Martini

Le palazzo Buonsignori (XIVe siècle) abrite une collection sans équivalent dans le monde de peintures de l'école de Sienne. Disposées par ordre chronologique du XIIIe siècle à la période maniériste (1520-1600), elles comprennent des œuvres majeures telles que la *Vierge des Franciscains* (1285) de Duccio, le panneau du *Bienheureux Agostino Novello* (v. 1330) de Simone Martini et les deux seuls paysages peints en Europe avant le XVe siècle : *Ville sur la mer* et *Château au bord d'un lac* d'Ambrogio Lorenzetti. Un tableau comme l'*Adoration des bergers* (1510) par Pietro da Domenico montre comment l'art resta influencé à Sienne par ses

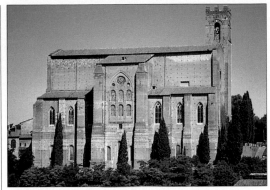

L'extérieur austère de l'église San Domenico entreprise en 1226

racines byzantines bien après que le naturalisme de la Renaissance florentine se fut répandu en Europe.

🔺 San Domenico

Piazza San Domenico. ⬚ *t.l.j.*
Commencée en 1226, la construction de cette église gothique se poursuivit par étapes jusqu'en 1465. Le clocher date de 1340.

À l'intérieur, la ravissante chapelle Sainte-Catherine est décorée de fresques par le Sodoma (1526) représentant l'*Extase* et l'*Évanouissement* de la patronne de Sienne. Le reliquaire en marbre, sur l'autel, renferme la tête de la sainte. Son ami Andrea Vanni peignit vers 1380 le seul portrait fidèle de Catherine. Il orne la cappella delle Volte où elle reçut les stigmates.

LE PALIO DE SIENNE

La plus célèbre manifestation de Toscane doit son nom à la bannière de soie (*palio*) remportée par le vainqueur. Opposant 10 des 17 *contrade* (paroisses) de la ville tirées au sort chaque année, cette course de chevaux montés à cru se déroule le 2 juillet et le 16 août sur la piazza del Campo. Attestée dès 1283, elle pourrait être bien

Emblème d'une *contrada*

plus ancienne et tirer ses origines de l'entraînement des soldats romains. Un défilé en costume la précède où les porte-étendards rivalisent d'adresse. Si les courses, qui attirent les foules et donnent lieu à d'importants paris, ne durent que 90 secondes, elles offrent le prétexte à des réjouissances pouvant durer des semaines.

Lancers de drapeaux avant le Palio

Duomo de Sienne

Nombreux furent les Siennois qui participèrent entre 1136 et 1382 à la construction de leur cathédrale, l'une des plus spectaculaires d'Italie, en transportant ses pierres noires et blanches extraites de carrières situées à la périphérie de la ville. La décision de lui donner trois nouvelles nefs, prise en 1339, devait en faire la plus grande église de la chrétienté, mais la peste ravagea la cité en 1348 et mit un terme à ce projet.

Symbole du Christ ressuscité sur la façade

Des chefs-d'œuvre décorent le sanctuaire, notamment des fresques du Pinturicchio et des sculptures par Nicola Pisano, Donatello et Michel-Ange.

Fonts baptismaux
Œuvre Renaissance de Donatello, Ghiberti et Jacopo della Quercia, ils se trouvent dans le baptistère.

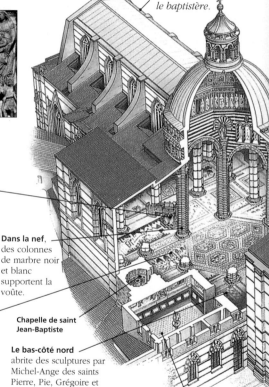

Panneaux de la chaire
Sculptés de 1265 à 1268 par Nicola Pisano, son fils Giovanni et Arnolfo di Cambio, ils représentent des Épisodes de la vie du Christ.

Dans la nef, des colonnes de marbre noir et blanc supportent la voûte.

Chapelle de saint Jean-Baptiste

Le bas-côté nord abrite des sculptures par Michel-Ange des saints Pierre, Pie, Grégoire et Paul (1501-1504).

Pavement
Exécutées de 1359 à 1547 en mosaïque de marbre, des scènes très variées, dont Le Massacre des Innocents, *couvrent le sol. On peut les voir en septembre chaque année.*

Bibliothèque Piccolomini
Les fresques du Pinturicchio (1509) narrent la vie de Pie II (Enea Silvio Piccolomini). Ici les fiançailles de Frédéric III et d'Éléonore de Portugal.

Pour les hôtels et les restaurants de la région, voir p. 578-582 et 629-632

Le Museo dell'Opera del Duomo occupe dans l'extension inachevée un bas-côté toituré pour l'abriter.

Le campanile date de 1313.

Arcade conduisant au baptistère

Sa façade révèle la taille prévue pour la nef

La nef inachevée devait mesurer 50 m de long sur 30 m de large.

Entrée du Duomo

Les portails datent de 1284-1297. Le reste de la façade est plus récent d'un siècle.

MODE D'EMPLOI

P. del Duomo. **Tél** *0577 28 30 48.* 🚌 *Pollicino.* ◯ *lun.-sam. 10h30-19h30 (juin-août : jusqu'à 20h ; sept.-oct. : 21h30 ; nov.-fév. 18h30), dim. 13h30-17h30 (juin-août : jusqu'à 18h30, sept.-oct. 19h30.)* 🏛

Statues de la façade
Remplacées par des copies, la plupart sont désormais au Museo dell'Opera del Duomo.

🏛 Museo dell'Opera del Duomo
Piazza del Duomo 8. **Tél** *0577 28 30 48.* ◯ *t.l.j.* ● *1er janv., 25 déc.* 🏛

Ce musée présente des œuvres qui proviennent de la cathédrale : des sculptures de Donatello et Jacopo della Quercia et les originaux, très érodés, des statues sculptées par Giovanni Pisano (1250-1314) pour sa façade. À l'étage, une salle entière est réservée à la *Maestà* peinte de 1308 à 1311 par Duccio di Buoninsegna pour remplacer au maître-autel la *Vierge aux gros yeux* (1220-1230) d'un anonyme. Chef-d'œuvre de l'école siennoise, la *Maestà* comportait au revers 26 *Épisodes de la Passion*, empreints de la même poésie, aujourd'hui exposés en vis-à-vis.

Statues du Duomo exposées au Museo dell'Opera

🏰 Fortezza Medicea
Viale Maccari. **Fortezza** ◯ *t.l.j.* **Enoteca** *Tél 0577 28 84 97.* ◯ *lun.-sam.12h-1h* 🏛

Baldassarre Lanci édifia cette énorme forteresse de brique rouge pour Cosme Ier en 1560. Florence venait de vaincre sa vieille rivale au terme d'un siège de 18 mois où avaient péri plus de 8 000 Siennois. Impitoyables, les Médicis interdirent à la ville décimée les activités bancaires et lainières qui assuraient sa prospérité. Toute construction s'arrêta.

La citadelle abrite aujourd'hui un restaurant et l'Enoteca Italica où l'on peut déguster et acheter des vins de toute l'Italie.

San Gimignano pas à pas ⓴

Les pèlerins venant du nord de l'Europe et se rendant à Rome firent la prospérité de San Gimignano. Sa population comptait au Moyen Âge deux fois plus d'habitants qu'aujourd'hui. La peste de 1348 puis la création de nouveaux itinéraires de pèlerinage entraînèrent le déclin de la ville qui se figea dans son aspect médiéval. Elle l'a conservé, mais son architecture n'est pas son seul intérêt. Elle recèle en effet de nombreuses œuvres d'art, de bons restaurants et de belles boutiques.

Les célèbres tours de San Gimignano se découpent sur le ciel depuis le Moyen Âge

Collegiata
La Création d'Ève *(1367) par Bartolo di Fredi est une des fresques sur les murs de cette église du XIIᵉ siècle.*

Palazzo del Popolo
Une Vierge en majesté *de Lippo Memmi orne la salle du conseil de cet imposant hôtel de ville (1288-1323).*

Annonciation par Ghirlandaio
Cette fresque achevée en 1482 se situe sous une arcade bordant le flanc gauche de la Collegiata.

Sant' Agostino

Information touristique

VIA SAN MATTEO

VIA CAPASSI

VIA DIACCETO

PIAZZA NOMI

PIAZZA DEL DUOMO

PIAZZA DELLA CISTERNA

VIA DELLA COSTERELLA

VIA DI QUERCECCHIO

VIA BERIGNANO

VIA SAN GIOVANNI

VIA

Gare routière

La via San Giovanni est bordée de magasins vendant des produits locaux.

MODE D'EMPLOI

Siena. 🚲 7 000. 🚌 Porta San
Giovanni. 🛈 Piazza del Duomo 1
(0577 94 00 08). 🚆 jeu.
🎭 Fêtes patronales : 31 janv. :
San Gimignano et 12 mars :
Santa Fina ; différents jours en
fév. : Carnaval ; 1er dim. d'août :
Fiera di Santa Fina ; 29 août :
Fiera di Sant'Agostino ; 8 sept. :
Festa della Madonna di Panacole.
www.sangimignano.com

Sur la piazza del Duomo,
le palazzo Vecchio del
Podestà (1239)
possède la tour
probablement la plus
vieille de la ville.

**Piazza della
Cisterna**
*Cœur de la
vieille ville,
elle doit son
nom au puits
qui s'y
trouve.*

**Le Museo
Civico** donne accès
à la plus haute des 13 tours
encore debout.

LÉGENDE

– – – Itinéraire conseillé

0 _____ 250 m

🏛 Museo Civico

Palazzo del Popolo, Piazza del Duomo.
Tél 0577 99 03 12. **Musée et tour**
⚪ t.l.j. ⚫ 1er janv., 31 déc., 24 déc.
🈳 🈲

Une *Vierge à l'Enfant*
(xive siècle) par Taddeo di
Bartolo et les armoiries des
magistrats de la cité décorent
la cour du musée installé
dans l'hôtel de ville aussi
appelé Palazzo Nuovo del
Podestà. Un escalier extérieur
mène à la sala di Dante,
ornée d'une *Vierge en majesté*
(1317) de Lippo Memmi. Une
inscription rappelle que le
poète y plaida le 8 mai 1300
la cause de l'alliance guelfe.

Ⅰ La collection de
peintures du 2e étage
comprend des œuvres
du Pinturicchio, de
Bartolo di Fredi, de
Benozzo Gozzoli et de
Filippino Lippi, et les
célèbres *Scènes nuptiales*
par Memmo di
Filippucci, regard
indiscret sur un couple
du début du xive siècle.

🛐 Collegiata

Piazza del
Duomo. ⚪ t.l.j.
Cette église romane
consacrée en 1148
abrite dans sa nef
nord 26 épisodes
de l'Ancien
Testament peints
par Bartolo di
Fredi et achevés
en 1367. Le mur qui leur fait
face est orné de scènes de la
Vie du Christ (1333-1341) par
Lippo Memmi, tandis que le
revers de la façade présente

**Christ par Bartolo di
Fredi, Sant'Agostino**

**Le plafond de la Collegiata parsemé
d'étoiles dorées**

un *Jugement dernier* (1393-
1396) par Taddeo di Bartolo.
Des fresques de Ghirlandaio
(1475) décorent la chapelle
Sainte-Fine et l'arcade de la
piazza Pecori.

🛐 Sant'Agostino

Piazza Sant'Agostino. ⚪ t.l.j.
Église romano-gothique
consacrée en 1298,
Sant'Agostino a une façade
dont la simplicité contraste
avec l'exubérance de sa
décoration intérieure
rococo (v. 1740).
Ⅰ Le *Couronnement
de la Vierge* (1483),
au-dessus du maître-
autel, est de Piero
del Pollaiulo.
Benozzo Gozzoli
et son atelier
peignirent en
1465 les fresques
qui illustrent la
Vie de saint Augustin dans le
chœur. La chapelle San
Bartolo, à droite de l'entrée, a
un autel sculpté en 1495 par
Benedetto da Maiano.

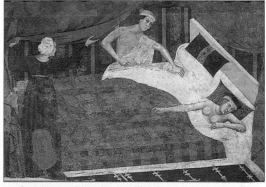

Une des *Scènes nuptiales* peintes au début du xive siècle par Memmo di
Filippucci, au Museo Civico

Elba

Livorno. 30 000. Portoferraio
Calata Italia 26 (0565 91 46
71). Portoferraio : ven.

Le plus célèbre résident de
l'île d'Elbe, Napoléon
Bonaparte, n'y était pas qu'un
simple prisonnier. Il en reçut
la souveraineté à sa première
abdication en 1814 et y régna
neuf mois avant de partir à la
reconquête de son empire
perdu. Réputée pour ses
mines de fer depuis les
Étrusques, l'île est aujourd'hui
fréquentée par des vacanciers
qui empruntent les navettes
desservant Portoferraio au
départ de Piombino, un trajet
de 20 km. Ils y trouvent des
paysages variés offrant un
large éventail d'activités
sportives et de détente :
plages de sable à l'ouest,
oliveraies et vignobles sur les
coteaux de l'intérieur, hautes
falaises et plages de galets sur
le rivage oriental.

L'un des meilleurs moyens
de découvrir l'arrière-pays
consiste à prendre la route
reliant Marciana Marina au
village médiéval de Marciana
Alta. Une voie secondaire en
part qui mène à la télécabine
grimpant au sommet du
monte Cappane (1 018 m),
un superbe point de vue.

Marciana Marina sur l'île d'Elbe

Sovana

Grosseto. 100. Piazza Busatti 8
(0564 63 30 99).

Sovana est l'un des plus jolis
villages du sud de la Toscane.
Sa seule rue aboutit à la
piazza del Pretorio où se
dresse l'église Santa Maria,

Pitigliano, village perché sur une falaise percée de grottes

dont l'intérieur orné de
fresques de l'école siennoise,
abrite un baldaquin d'autel du
IXᵉ siècle. Derrière, une allée
conduit entre des oliviers
jusqu'au Duomo roman.

Les Étrusques creusèrent de
nombreuses tombes dans les
environs. Beaucoup,
clairement signalées, sont
faciles à visiter depuis le
village.

Maremma

Grosseto. Maremma Centro Visite,
Alberese (0564 40 70 98). **Zones
périphériques** jusqu'aux entrées
depuis Alberese. t.l.j.
Intérieur du parc Depuis Alberese
jusqu'aux points de départ des
excursions. mer., sam., dim., j.f.,
8h30-1h av. la nuit. juin-sept.
seul. : promenades guidées à 7h
et 16h.
www.parcomaremma.it

Cultivés dès l'Antiquité
par les Étrusques et les
Romains, les marais et
collines basses de la
Maremme devinrent après la
chute de l'Empire romain une
région qu'inondations et
malaria rendirent quasiment
déserte jusqu'au XVIIIᵉ siècle.
La réfection des canaux de
drainage a permis depuis de
transformer les marécages
en riche terre agricole, un
développement qui en
menaçait la flore et la faune
et a conduit à la création en
1975 du Parco Naturale
dell'Uccellina. Il protège l'une
des dernières côtes sauvages
d'Italie et l'accès à la majeure
partie de son territoire ne
peut se faire qu'à pied ou en
car depuis Albarese. Des
zones périphériques comme
la belle plage de Marina di
Albarese ou les alentours
cultivés de Talamone restent
plus faciles à découvrir.

Pitigliano

Grosseto. 4 400. Piazza
Garibaldi 51 (0564 61 71 11). mer.

Pitigliano offre un spectacle
impressionnant, perché au-
dessus de gorges creusées par
la Lente. La ville servit au
XVIIᵉ siècle de refuge à des
Juifs fuyant les persécutions
catholiques et elle conserve

Dans l'estuaire de l'Ombrone, marais,
dunes et pinèdes abritent des
oiseaux tels que pyrargues, flamants
et guêpiers.

LÉGENDE

Route	
Sentier	
Canal et rivière	
Itinéraire d'excursion	

0   2 km

Pour les hôtels et les restaurants de la région, voir p. 578-582 et 629-632

les vestiges d'un ghetto, labyrinthe de ruelles médiévales. Un aqueduc construit en 1545 alimente toujours en eau le **palazzo Orsini** qui abrite sur la grand-place le **Museo Zuccarelli**, petite collection d'œuvres de Francesco Zuccarelli (1702-1788). Cet artiste vécut à Pitigliano et exécuta deux des peintures d'autel du **Duomo**. Le **Museo Etrusco** présente les résultats de fouilles effectuées dans la région.

🏛 **Museo Zuccarelli**
Palazzo Orsini, Piazza della Fortezza Orsini 4. **Tél** 0564 61 60 74.
🕐 mar.-ven. : 10h-13h, 15h-19h (17h l'hiver). 🎟

🏛 **Museo Etrusco**
Piazza della Fortezza Orsini 59. **Tél** 0564 61 40 67. 🕐 appeler pour horaires.

Monte Argentario ㉜

Grosseto. 🏘 13 000. 🚍 ℹ
Piazzale Sant'Andrea, Porto Santo Stefano (0564 81 42 08). 🚢 mar.

Ce promontoire était une île jusqu'au début du XVIIIe siècle, puis l'accumulation d'alluvions forma les 2 langues de sable, appelées *tomboli*, qui enclosent la lagune d'**Ortebello**, petite ville reliée par une digue à la terre ferme depuis 1842.

La strada Panoramica fait le tour de la presqu'île et offre de beaux points de vue sur anses et falaises. Elle passe par **Porto Ercole** et **Porto Santo Stefano**, deux élégantes stations balnéaires réputées pour leurs restaurants de poisson. Des bateaux au

Porto Ercole près du Monte Argentario

départ de Porto Santo Stefano desservent l'isola del Giglio, appréciée des Italiens pour ses plages de sable et sa nature préservée,

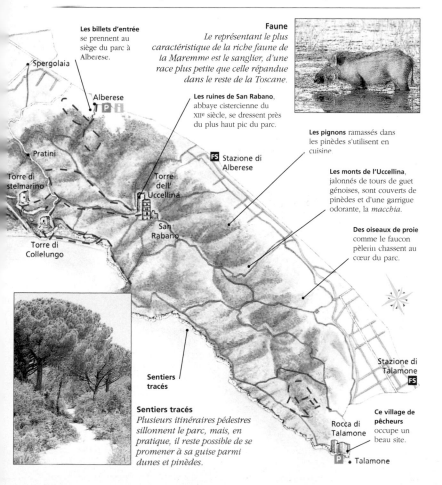

Les billets d'entrée se prennent au siège du parc à Alberese.

Faune
Le représentant le plus caractéristique de la riche faune de la Maremme est le sanglier, d'une race plus petite que celle répandue dans le reste de la Toscane.

Spergolaia

Alberese 🅿

Les ruines de San Rabano, abbaye cistercienne du XIIe siècle, se dressent près du plus haut pic du parc.

Les pignons ramassés dans les pinèdes s'utilisent en cuisine

Pratini

Torre di stelmarino

Torre dell'Uccellina

Stazione di Alberese 🚉

Les monts de l'Uccellina, jalonnés de tours de guet génoises, sont couverts de pinèdes et d'une garrigue odorante, la *macchia*.

San Rabano

Torre di Collelungo

Des oiseaux de proie comme le faucon pèlerin chassent au cœur du parc.

Stazione di Talamone 🚉

Sentiers tracés

Sentiers tracés
Plusieurs itinéraires pédestres sillonnent le parc, mais, en pratique, il reste possible de se promener à sa guise parmi dunes et pinèdes.

Rocca di Talamone 🅿

Ce village de pêcheurs occupe un beau site.

🅿 • Talamone

OMBRIE

*R*égion de montagnes et de collines creusée de vallées et de bassins fertiles, l'Ombrie a longtemps subi l'influence de la Toscane et de Rome, ses puissantes voisines. Malgré son surnom, « Cœur vert de l'Italie », elle n'offre pas seulement aux visiteurs la beauté de ses paysages pastoraux, mais possède de nombreuses villes anciennes à l'architecture médiévale remarquablement préservée.

Habité au VIIIe siècle av. J.-C. par un peuple d'agriculteurs pacifiques, les Ombriens, le territoire de l'actuelle Ombrie passa sous contrôle étrusque puis romain. Durant le haut Moyen Âge, les Lombards fondèrent un duché dont la capitale était Spolète, mais, au XIIIe siècle, le pouvoir politique fut éparpillé entre plusieurs communes indépendantes qu'absorbèrent les États pontificaux. Après un soulèvement à Pérouse, la région intégra le Royaume d'Italie en 1860.

Riches en palais gothiques et en sanctuaires romans aux cycles de fresques superbes, ses villes telles que Pérouse, la capitale régionale, ou des localités plus modestes comme Gubbio, Montefalco et Todi constituent le principal intérêt de l'Ombrie.

Spolète organise chaque été un festival artistique international qui a lieu dans le cadre grandiose de ses monuments médiévaux, ses vestiges romains et ses églises qui comptent parmi les plus vieilles d'Italie.

Assise vit naître saint François, dont la vie inspira à Giotto ses fresques de la basilique San Francesco, tandis qu'Orvieto, perché sur un spectaculaire rocher volcanique, possède l'une des plus belles cathédrales de la péninsule.

Forêts de chênes, ruisseaux limpides et sols fertiles offrent à la gastronomie ombrienne des ingrédients tels que truffes, truites, lentilles de Castelluccio, charcuterie de Norcia et fromages de montagne. Les vignobles de Torgiano et Montefalco produisent d'excellents crus.

Magasins vendant à Norcia une sélection des meilleurs jambons, saucisses et salamis d'Italie

◁ Dans la vieille ville de Todi

À la découverte de l'Ombrie

Assise et Spolète, les plus jolies cités d'Ombrie, offrent un cadre particulièrement agréable pour découvrir la région. Ces deux joyaux médiévaux méritent une visite, à l'instar du centre historique de Pérouse, le chef-lieu, ou des villes perchées de Gubbio, Orvieto Spello, Montefalco et Todi. Depuis les étendues désolées du Piano Grande et les cimes du parc national des Monti Sibillini (qui s'atteint depuis Norcia) jusqu'aux paysages moins austères de la Valnerina et des rives du lac Trasimène, la nature rivalise de beauté avec les villes.

L'OMBRIE D'UN COUP D'ŒIL

Assisi p. 354-355 ❷
Gubbio ❶
Lago Trasimeno ❹
Montefalco ❽
Monti Sibillini ❿
Norcia ⓫
Orvieto ❺
Perugia ❸
Spello ❾
Spoleto ❼
Todi ❻
Valnerina ⓬

VOIR AUSSI

- **Hébergement** p. 582-585
- **Restaurants** p. 632-635

Cueillette des olives près d'Orvieto

CIRCULER

Venant de Florence, l'autoroute A 1 passe par Orvieto, d'où la S 448 rejoint Todi. La S 75 relie Pérouse, Assise et Spello, puis la S 3 continue jusqu'à Trevi, Spolète et Terni. En train, les liaisons Rome-Florence desservent Orvieto et les liaisons Rome-Ancône Spolète. Des lignes secondaires rejoignent Pérouse, Spello et Assise. Autobus et autocars desservent toute la région.

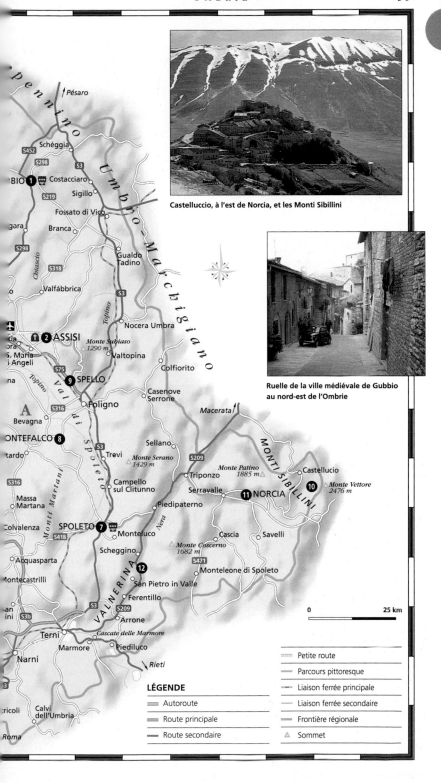

Castelluccio, à l'est de Norcia, et les Monti Sibillini

Ruelle de la ville médiévale de Gubbio
au nord-est de l'Ombrie

Pésaro

Schéggia
S452
S298
S3
BIO 1 Costacciaro
S219
Sigillo
Fossato di Vico
gara
Branca
S298
Gualdo
Tadino
S318
S3
Valfábbrica
Nocera Umbra

2 ASSISI
Monte Subiaso
△ 1290 m
Valtopina
S. Maria
i Angeli
S75
Colfiorito
na
9 SPELLO
Casenove
Serrone
Foligno
A
Bevagna
Macerata
ONTEFALCO 8
Sellano
tardo
Trevi
Monte Serano
△ 1429 m
S209
Triponzo
S316
Campello
sul Clitunno
Monte Patino
1885 m △
Castellucio
Massa
Martana
Serravalle
10 Monte Vettore
2476 m
Colvalenza
Piedipaterno
11 NORCIA
SPOLETO 7
Monteluco
Scheggino
Cascia
Savelli
Acquasparta
Monte Coscerno
1682 m
Montecastrilli
12
S471
San Pietro in Valle
Monteleone di Spoleto
an
ini
S3b
Ferentillo
S3
S209
Arrone
Terni
Cascate delle Marmore
Narni
Marmore
Piediluco
Rieti
3
ricoli
Calvi
dell'Umbria
Roma

0   25 km

LÉGENDE

Petite route

Parcours pittoresque

Liaison ferrée principale

Autoroute

Liaison ferrée secondaire

Route principale

Frontière régionale

Route secondaire

△ Sommet

Gubbio ❶

Perugia. 🏛 *33 000.* 🚉 *Fossato di Vico-Gubbio.* 🚍 ℹ️ *Via della Repubblica 15 (075 922 06 93).* 🛒 *mar.*

Gubbio est avec Assise la ville d'Ombrie qui a le moins changé depuis le Moyen Âge et le cadre que lui offrent les pentes des Apennins ajoute à la beauté de ses ruelles sinuant entre de vieilles maisons. La Tota Ikuvina, fondée par les Ombriens au IIIᵉ siècle av. J.-C., devint la colonie romaine Eugubium. Elle se développa sur le flanc du monte Ugino et s'érigea en commune libre au XIᵉ siècle. De 1387 à 1508, elle appartint au duché d'Urbino.

Bâti au XIIIᵉ siècle, le **Duomo** gothique possède une nef élégante dont les arcs s'incurvent avec grâce pour symboliser des mains en prière. La via dei Consoli conduit au **palazzo del Bargello** (XIIIᵉ siècle). Il domine la **fontana dei Matti** (fontaine des Fous) dont, selon la légende, il ne faut jamais faire trois fois le tour sous peine de perdre la raison. Comme partout à Gubbio, les demeures médiévales qui bordent la rue présentent à côté de l'entrée principale une petite porte murée appelée **porte della Morte**. Selon la tradition, elle servait au passage des cercueils. On suppose aujourd'hui qu'elle avait plutôt une fonction défensive ou permettait d'atteindre les étages quand un entrepôt occupait le rez-de-chaussée.

Façade du palazzo dei Consoli à Gubbio

L'intérieur de l'église San Pietro de Pérouse reconstruite au XVᵉ siècle

Plus bas dans la ville s'élève l'église **San Francesco** (1259-1282) à l'abside décorée de 17 scènes de la *Vie de la Vierge* (1408-1413) par Ottaviano Nelli. En face se trouve l'arcade du **Tiratoio** (loggia des Lainiers) où était mise à sécher la laine. À l'ouest subsistent les ruines d'un théâtre romain.

🏛 Palazzo dei Consoli

Piazza Grande. **Tel** *075 927 42 98.* ⏰ *t.l.j. 10h-13h, 15h-18h (nov.-mars 10h-13h, 14h-17h).* 🔴 *1ᵉʳ janv., 13-15 mai, 25 déc.* 📷

Le palais des Consuls témoigne, par sa magnificence, de la fierté de la commune libre de Gubbio qui la fit construire par Gattapone en 1332. Son salone dell'Arengo abrite le Museo Civico et ses célèbres tables Eugubines (250-150 av. J.-C.). Ces sept tablettes de bronze, découvertes en 1444, portent les transcriptions en latin et en langue ombrienne de rituels religieux.

Table Eugubine à Gubbio

🏛 Palazzo Ducale

Via Federico da Montefeltro. **Tel** *075 927 58 72.* ⏰ *mar.-dim. 8h30-19h.* 🔴 *1ᵉʳ janv., 25 déc.* 📷♿

Attribuée à Francesco di Giorgio Martini, cette copie du palais d'Urbino (*p. 370-371*) bâtie pour les Montefeltro possède une superbe cour Renaissance.

Assise ❷

Voir p. 354-355.

Perugia ❸

🏛 *160 000.* 🚉 🚍 ℹ️ *P. Matteotti 18 (075 572 33 27).* 🛒 *mar.-sam.* **www**.perugia.umbria2000.it

Le centre historique de Perugia (Pérouse) s'étend de part et d'autre du corso Vanucci, nom du peintre le plus célèbre de la ville : Pietro Vanucci dit le Pérugin (v. 1448-1523). Il mène à la piazza IV Novembre où la **fontana Maggiore** sculptée au XIIIᵉ siècle par Nicola et Giovanni Pisano se dresse devant le **Duomo** gothique bâti de 1345 à 1490.

Une statue du pape Jules III (1555) et une chaire (1425) où prêcha saint Bernardin de Sienne flanquent l'entrée. Dans le bas-côté sud s'ouvre la cappella del Santo Anello. Elle abrite, dans un reliquaire, le bijou en agate qui, selon la légende, fut l'anneau nuptial de la Vierge. Dans la nef centrale, un pilier porte la *Vierge des Grâces* attribuée à Gian Nicola di Paolo devant laquelle les mamans viennent s'agenouiller avec leurs enfants récemment baptisés. Des ex-voto témoignent de ses pouvoirs miraculeux. Les papes Urbain IV et Martin V reposent dans le transept.

Il faut s'éloigner du corso Vanucci pour rejoindre

l'**oratorio di San Bernardino** (1457-1461) qui offre sur la piazza San Francesco une superbe façade réalisée par Agostino di Duccio. Hors des murs, l'église **San Pietro** s'élève sur le borgo XX Giugno. Fondée au Xe siècle et reconstruite en 1463, elle abrite au sein d'une décoration foisonnante de belles stalles sculptées (1526).

Sur la piazza Giordano Bruno, la plus grande église d'Ombrie, **San Domenico** (1305-1632), contient le tombeau gothique de Benoît XI (v. 1304).

🏛 Museo Archeologico Nazionale dell'Umbria

San Domenico, Piazza Giordano Bruno 10. *Tél 075 572 71 41.* ⬜ *t.l.j.* ⬤ *1er janv., 1er mai, 25 déc.* 📷 ⬤
Installé dans le cloître de San Domenico, il présente des objets préhistoriques, étrusques et romains.

🏛 Palazzo dei Priori

Corso Vannucci 19. *Tél 075 572 85 99.* ⬜ *t.l.j. (dim. : après-midi seul.)* ⬤ *1er janv., 1er mai, 25 déc., 1er lun. du mois.* ⬤ **Collegio del Cambio** ⬜ *t.l.j.* 📷
Malgré l'aspect redoutable de ses hauts murs et de ses créneaux, ce palais (*p. 54-55*) est le plus bel édifice public de Pérouse. Symboles de la ville, un lion guelfe et un griffon en bronze (1274) gardent le portail qui domine la piazza IV Novembre. L'élégante entrée principale date du XVe siècle.

Au 1er étage, un disciple de

Dans le vieux Pérouse

Pietro Cavallini, en 1297, orna la vaste sala dei Notari de scènes de l'Ancien Testament. Construite vers 1390, la sala di Udienza del Collegio della Mercanzia reçut au début du XVe siècle une décoration de style gothique tardif incluant de superbes boiseries sculptées.

Le **collegio del Cambio** fait partie du palais. Entrepris en 1452, le siège de la corporation des changeurs de monnaie est décoré de belles fresques datant de 1498 et 1500 par le Pérugin. Elles mêlent thèmes classiques et chrétiens. L'artiste s'est peint sur le pilastre au centre du mur gauche. Son élève Raphaël participa sans doute à l'exécution du mur de droite.

Portail du palazzo dei Priori, Pérouse

🏛 Galleria Nazionale dell'Umbria

Palazzo dei Priori, Corso Vannucci 19. *Tél 075 572 10 09.* ⬜ *mar.-dim.* ⬤ *1er janv., 1er mai, 25 déc.* 📷 ⬤
Cette riche collection de peintures réunit des œuvres d'artistes ombriens du XIIIe au XVIIIe siècle, et possède parmi ses plus belles pièces des retables par Piero della Francesca et Fra Angelico.

Lago Trasimeno ❹

Perugia. 🚆 🚌 *Castiglione del Lago.* ℹ️ *P. Mazzini 10, Castiglione del Lago (075 965 24 84).* **www**.umbria2000.it

Entouré de collines basses et de terres cultivées, le lac Trasimène, quatrième lac d'Italie par la superficie possède, avec ses rives plantées de roseaux, un charme mélancolique. Les Romains commencèrent à le drainer et il continue aujourd'hui de s'assécher. Une atmosphère détendue règne à **Castiglione del Lago**, sa ville principale bâtie sur un promontoire fortifié. Son **château** du XVIe siècle accueille des concerts en été et l'église **Santa Maria Maddalena** entreprise en 1836 abrite une belle *Vierge à l'Enfant* (v. 1500) par Eusebio di San Giorgio.

Comme Castiglione, des vedettes desservent depuis **Passignano sul Trasimeno**, l'**Isola Maggiore** dont le charmant village est réputé pour ses dentelles.

LA BATAILLE DU LAC TRASIMÈNE

C'est en 217 av. J.-C. que les Romains subirent l'une de leurs pires défaites militaires. Le général carthaginois Hannibal attira les troupes dirigées par le consul Flaminius dans un piège dressé au bord du lac Trasimène près des actuels Ossaia (Lieu des Os) et Sanguineto (Lieu du Sang). Quelque 16 000 légionnaires périrent ici alors qu'Hannibal ne perdit que 1 500 hommes. On a découvert sur le champ de bataille (qui se visite) des fosses communes près de Tuoro sul Trasimeno.

Estampe d'Hannibal (XIXe siècle)

Façade de l'oratorio di San Bernardino de Pérouse

Assise : basilica di San Francesco

Le sanctuaire où repose saint François domine Assise et attire tout au long de l'année de très nombreux pèlerins. Sa construction commença en 1228, deux ans après la mort du saint. Au cours du siècle suivant, les plus grands artistes de l'époque, notamment Cimabue, Simone Martini et Pietro Lorenzetti, décorèrent les deux églises superposées qui composent la basilique. Les 28 fresques de la *Vie de saint François* peintes par Giotto entre 1290 et 1295 forment un des plus beaux ensembles de l'art italien.

Le campanile date de 1239.

Les fresques estompées d'artistes romains ornent les murs au-dessus de la *Vie de saint François* de Giotto.

Le chœur (1501) abrite un trône pontifical du XIIIe siècle.

Saint François
Ce portrait (v. 1280) par Cimabue exprime bien l'humilité d'un saint qui prêcha la pauvreté, la chasteté et l'obéissance à Dieu.

Escalier vers le trésor

★ **Fresques par Lorenzetti**
Par sa composition audacieuse, cette Déposition de Croix tronquée peinte par Pietro Lorenzetti concentre l'attention sur le corps sans vie du Christ.

Église inférieure
Le nombre grandissant de pèlerins imposa la construction de chapelles latérales au XIIIe siècle.

La crypte renferme la tombe de saint François.

À NE PAS MANQUER

★ Cappella di San Martino

★ Fresques par Giotto

★ Fresques par Lorenzetti

MODE D'EMPLOI

Piazza San Francesco.
Tél 075 819 00 84. [⊞] **FS** Assisi.
[○] t.l.j. 6h30-19h. [↑][&]

Église supérieure

Cette église gothique bâtie de 1230 à 1253 évoque par ses lignes l'envol vers le ciel et Dieu. Elle influença les églises franciscaines ultérieures.

La façade et sa rosace offrent un exemple du premier gothique italien.

Entrée de l'église supérieure

Entrée de l'église inférieure

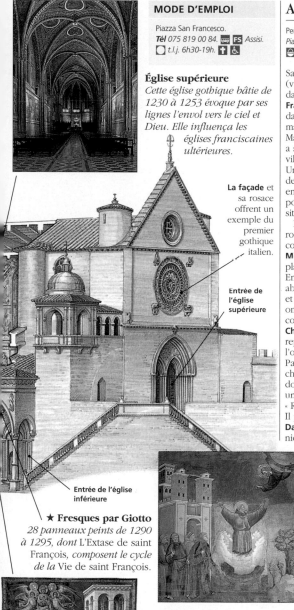

★ Fresques par Giotto

28 panneaux peints de 1290 à 1295, dont L'Extase de saint François, *composent le cycle de la* Vie de saint François.

★ Cappella di San Martino

Le Siennois Simone Martini, qui peignit en 1315 les fresques de la Vie de saint Martin *(ici la* Mort du saint*) ornant la chapelle, dessina également ses vitraux.*

Assisi ❷

Perugia. [⋔] *25 000.* **FS** [⊞] [ℹ]
Piazza del Comune 22 (075 81 25 34).
[✉] *sam.* **www**.assisi.umbria2000.it

Saint François d'Assise (v. 1181-1226), qui repose dans la **basilica di San Francesco**, a rendu célèbre dans toute la chrétienté cette magnifique ville médiévale. Malheureusement, un séisme a sérieusement endommagé la ville le 26 septembre 1997. Une partie assez importante des restaurations a été engagée. L'office de tourisme pourra vous renseigner sur les sites ouverts et ceux détruits.

La façade d'un temple romain superbement conservé, le **tempio di Minerva**, domine la grand place : la piazza del Comune. En face, le palazzo Comunale abrite la **Pinacoteca Comunale** et sa collection de peintures ombriennes. Le corso Mazzini conduit à la **basilica di Santa Chiara**, église gothique où repose sainte Claire qui fonda l'ordre des Clarisses (ou Pauvres Dames). Une des chapelles renferme le crucifix dont le Christ aurait donné un ordre à saint François : « Restaure ma maison ». Il provient de l'église de **San Damiano**, paisible monastère niché dans les oliviers au sud de la porta Nuova.

Derrière une belle façade romane, dont on peut admirer la finesse des sculptures, le **Duomo (San Rufino)** élevé aux XIIe et XIIIe siècles recèle un petit musée d'art religieux. La crypte abrite des vestiges archéologiques. Depuis la cathédrale, il faut prendre la via Maria delle Rose pour rejoindre la **Rocca Maggiore**, forteresse reconstruite en 1367, qui offre une superbe vue sur la ville. L'église **San Pietro**, sur la place du même nom, est un édifice roman du XIIIe siècle soigneusement restauré. L'**oratorio dei Pellegrini** (XVe siècle) voisin est orné de fresques par Matteo da Gualdo.

L'Apparition de saint François au chapitre d'Arles (v. 1295) à la basilica di San Francesco d'Assise ▷

PRETS EN COURS EN DATE DU 2014-04-17 11:40
pour: Chombo Garcia Aurelio

Italie / [etabli] par Ros Belford ... ...
Échéance: 2014-05-08   GBU

Nombre de documents : 1

Orvieto ❺

Terni. 🏔 22 000. **FS** 🚌 ℹ️ *Piazza Duomo 24 (0763 34 17 72).* 🛍 *jeu., sam.*

Perchée sur un socle volcanique au-dessus d'une plaine dont les vignobles produisent un vin réputé, Orvieto est superbe de tous points de vue avec ses ruelles médiévales que domine son Duomo romano-gothique, l'une des plus belles cathédrales italiennes.

Au bout de la via Scalza, la petite église **San Lorenzo in Arari** (XIIIᵉ siècle) est décorée de peintures murales décrivant le martyre de saint Laurent. Son maître-autel inclut une pierre sacrificielle étrusque. La via Malabranca conduit à **San Giovenale** qui offre un vaste panorama depuis la pointe ouest de la ville. Des fresques des XVᵉ et XVIᵉ siècles couvrent presque entièrement ses parois. Sur la piazza della Repubblica,

Sant'Andrea a un curieux campanile roman à 12 pans du XIIᵉ siècle.

🏛 Museo dell' Opera del Duomo

Piazza Duomo. *Tél 0763 34 35 92.* 📅 *mer.-lun.* 🌐 www.opsm.it

Le palazzo Soliano (1296-1304) abrite une collection éclectique, dont des peintures de Lorenzo Maitani (mort en 1330) et des sculptures par Andrea Pisano (v. 1270-1348).

🏛 Museo Archeologico Faina et Museo Civico

Piazza Duomo 29. *Tél 0763 34 15 11.* ⬜ *t.l.j.* ⬛ *1ᵉʳ janv., 24-26 déc., nov.-fév. : lun.* 🎫 ♿ Le premier de ces deux musées, le Museo Archeologica Faina, comprend des vases grecs et des urnes funéraires retrouvés dans des sépultures étrusques

Le Pozzo di San Patrizio à Orvieto

de la région. Le second musée, le Museo Civico, contient des pièces grecques et les copies étrusques d'œuvres hellénistiques.

🏛 Museo d'Arte Moderna « Emilio Greco »

Palazzo Soliano, P. Duomo. *Tél 0763 34 46 05.* ⬜ *t.l.j. après-midi (oct.-mars : mer.-lun.)* 🎫 *accès aussi au Pozzo di San Patrizio* ♿ Il est consacré au sculpteur sicilien qui exécuta, de 1964 à 1970, les portes de bronze du Duomo d'Orvieto.

⛪ DUOMO D'ORVIETO

Piazza Duomo. *Tél 0763 34 11 67.* ⬜ *t.l.j.* ♿ Entreprise en 1290, la construction de la superbe cathédrale d'Orvieto, avec son admirable façade, exigea près de trois siècles. Elle célébrait le miracle de Bolsena où, en 1263, du sang suintant d'une hostie tacha le corporal (linge d'autel).

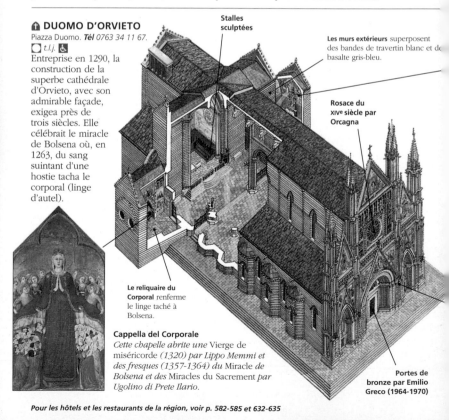

Stalles sculptées

Les murs extérieurs superposent des bandes de travertin blanc et de basalte gris-bleu.

Rosace du XIVᵉ siècle par Orcagna

Le reliquaire du Corporal renferme le linge taché à Bolsena.

Cappella del Corporale
Cette chapelle abrite une Vierge de miséricorde (1320) *par* Lippo Memmi *et des fresques (1357-1364) du* Miracle de Bolsena *et des* Miracles du Sacrement *par* Ugolino di Prete Ilario.

Portes de bronze par Emilio Greco (1964-1970)

🏛 Pozzo di San Patrizio

Viale San Gallo. **Tél** 0763 34 37 68.
⭕ t.l.j. 🈳 accès aussi au Museo d'Arte Moderna.

C'est le pape Clément VII qui commanda en 1572 à l'architecte florentin Antonio da Sangallo ce puits pour assurer l'alimentation en eau de la ville en cas de siège. Deux escaliers de 248 marches s'enfoncent à 62 m de profondeur, formant deux hélices qui ne se croisent jamais. L'achèvement de cet ouvrage demanda 10 ans.

🏛 Necropoli Etrusca – Crocefisso del Tufo

Strada Statale 71 à Orvieto Scalo, 1,6 km. **Tél** 0763 34 36 11. ⭕ t.l.j. 8h30-19h (17h oct.-mars).
🈳 1er janv., 1er mai, 25 déc. 🈳 ♿

Construits en tuf, les tombeaux et chambres funéraires de cette nécropole étrusque du VIe siècle av. J.-C. portent des inscriptions qui seraient les noms des défunts.

Cappella Nuova
Fra Angelico et Benozzo Gozzoli commencèrent en 1447 son cycle de fresques décrivant l'Apocalypse, mais Luca Signorelli en peignit la majeure partie entre 1499 et 1504.

Façade
Les reliefs d'inspiration biblique (v. 1320-1330) sculptés par Lorenzo Maitani à la base des quatre principaux piliers comprennent la description de l'enfer et de la damnation.

La ville de Todi perchée au-dessus de la vallée du Tibre

Todi ❻

Perugia. 🏠 17 000. 🚇 🚃
🛈 Piazza del Popolo 38 (075 894 54 16). 🍴 sam.

Ville perchée typique de l'Ombrie, Todi occupe un superbe site au-dessus de la vallée du Tibre et la terrasse de sa piazza Garibaldi offre un large panorama. Colonie étrusque, puis romaine, la cité a conservé, avec ses ruelles et ses placettes, son atmosphère médiévale. La grand-place, la **piazza del Popolo**, s'ouvre à côté de la piazza Garibaldi. Le **Duomo** y dresse sa façade romano-gothique de marbre clair. Bâti au XIIe siècle sur le site d'un temple d'Apollon, il recèle de beaux chapiteaux gothiques et de superbes stalles marquetées (1521-1530). Copie peu réussie du *Jugement dernier* de Michel-Ange, une grande fresque (1596) de Ferraù da Faenza orne l'intérieur de la façade. Un disciple du Pérugin, Giannicola di Paola, peignit le retable au fond du bas-côté droit.

Plusieurs édifices civils reliés entre eux bordent aussi la place : le **palazzo dei Priori** (1293-1337), surmonté d'une tour et percé de fenêtres Renaissance, le **palazzo del Capitano** (1290) aux fenêtres gothiques et le **palazzo del Popolo** (1213). Le palazzo del Capitano abrite la collection de vestiges archéologiques du **Museo Etrusco-Romano** et les œuvres d'art de la **Pinacoteca Comunale**.

À quelques pas de la piazza s'élève l'église **San Fortunato** (1292-1462) dédiée au premier évêque de Todi. Le décor de son portail gothique (1415-1458) est d'une richesse rare. Trois nefs d'égale hauteur donnent au sanctuaire un intérieur aérien et lumineux. Il renferme de belles stalles et, surtout, dans la quatrième chapelle à droite, la *Vierge à l'Enfant et deux anges* peinte en 1432 par Masolino di Panicale. Dans la crypte repose Jacopone da Todi (v. 1228-1306), moine poète dont l'œuvre jeta les bases du théâtre sacré italien.

À droite de San Fortunato s'étend un jardin ombragé d'où part un sentier (après le petit château) qui descend à travers les arbres jusqu'à l'église **Santa Maria della Consolazione** (1508-1607) près de la N 79. Bramante aurait dessiné cet harmonieux sanctuaire de la Renaissance au plan en croix grecque et aux absides polygonales. Austère mais lumineux, l'intérieur présente une coupole peinte, des fresques au maître-autel et les statues des douze apôtres sculptées par Scalza au XVIe siècle.

🏛 Museo Etrusco-Romano et Pinacoteca Comunale

Palazzi Comunali. **Tél** 075 895 61.
⭕ mar.-dim. 🈳 ♿

Santa Maria della Consolazione à Todi

Spoleto ❼

Perugia. 🏙 *38 000.* 🚉 🚌 ℹ️
*Piazza della Libertà 7 (0743 21 86 20
ou 743 21 86 21).* 🗓 *mar. et ven.*
www.spoleto.umbria2000.it

Fondée par les Ombriens, Spolète devint l'une des colonies romaines les plus importantes de l'Italie centrale et un élément essentiel de la défense de la République face à Hannibal. Les Lombards en firent au VIIe siècle la capitale d'un de leurs trois duchés italiens. La ville préserva son indépendance en tant que commune libre jusqu'en 1354 où elle intégra les États pontificaux. Depuis 1958, ses rues médiévales et ses monuments offrent un cadre superbe au Festival dei Due Mondi, manifestation internationale de théâtre, de musique et de danse.

À l'extrémité sud de la piazza del Mercato, l'**Arco di Druso**, arc de triomphe érigé au Ier siècle, jouxte l'église **Sant'Ansano** reconstruite au XVIIIe siècle mais dont la crypte abrite des fresques d'inspiration byzantines qui pourraient remonter au VIe siècle. De l'autre côté de la place, la via Aurelio Saffi conduit à **Sant'Eufemia**, sanctuaire roman du Xe siècle qui a conservé les tribunes d'où les femmes assistaient à l'office. Un peu plus loin, la piazza del Duomo s'ouvre en éventail devant la **cathédrale** (XIIe siècle) dont la façade est une des plus élégantes d'Italie. Remaniée dans le style baroque au XVIIe siècle, sa décoration intérieure a respecté les magnifiques fresques de la *Vie de la Vierge* peintes à l'abside par Fra Lippo Lippi entre 1467 et 1469 et, dans la cappella Erioli, une *Vierge à l'Enfant* (1497) inachevée du Pinturicchio.

La plus belle des églises de la ville basse, **San Salvatore**, se dresse dans le cimetière. Fondée au IVe siècle, elle inclut des matériaux

Façade de San Pietro à Spolète

antiques. À quelque distance s'élève **San Ponziano** dont la façade romane à trois niveaux est typique de l'Ombrie. Des fresques byzantines ornent sa crypte du Xe siècle. Des vestiges romains servirent en 1069 à la construction de **San Gregorio** et de son campanile qui dominent la piazza Garibaldi. Sous le chœur s'étend une jolie crypte à cinq nefs. Selon la légende, quelque 10 000 martyrs chrétiens reposent à proximité. Ils auraient péri dans l'**amphithéâtre** romain dont subsistent des arcs dans la cour d'une caserne bordant la via del Anfiteatro.

🌉 Ponte delle Torri

Bâti au XIVe siècle par Matteo Gattapone, originaire de Gubbio, ce superbe aqueduc aux arches gothiques offre du haut de ses 80 m une belle vue sur les bastions de la **rocca Albernoz**, immense

Ponte delle Torri, Spolète

ÉGLISES ROMANES D'OMBRIE

L'architecture religieuse ombrienne s'est développée à partir des basiliques antiques et des chapelles paléochrétiennes élevées à la mémoire des saints et martyrs de la région. Les façades romanes présentent en général trois niveaux et sont souvent percées de trois rosaces surmontant trois portails qui ouvrent sur une nef centrale et deux bas-côtés. Dans plusieurs sanctuaires, une crypte abritant les reliques d'un saint ou d'un martyr s'étend sous le chœur surélevé. Remaniées au fil des siècles, beaucoup d'églises romanes incorporent aujourd'hui des éléments gothiques, Renaissance ou baroques.

San Lorenzo di Arari
(XIVe siècle) à Orvieto doit son nom à un autel étrusque (arari). Elle possède une façade très dépouillée (p. 358).

Campanile du XIIe siècle

Portique Renaissance

Le Duomo *(1198) de Spolète dont les huit roses surmontent un portique Renaissance (1491) a un campanile bâti à partir de vestiges antiques.*

forteresse que le même architecte construisit pour la papauté entre 1359 et 1364. Au bout du « pont des Tours », un sentier conduit à la strada di Monteluco et à l'église **San Pietro** dont la façade présente de magnifiques reliefs du XIIe siècle.

🚩 Rocca Albornoz
Piazza San Simone. **Tél** 0743 46 434. ⃝ t.l.j. 📷 obligatoire 🅿

🏛 Museo del tessile e del costume
Palazzo Spada, vicolo terzo in corso mazzini. **Tél** 0743 459 40. ⃝ mer.-dim. ● 1er janv., 25 déc. 🅿
Au sein de cette superbe collection, on admirera les habits sacerdotaux avec leurs étoles, mitres, et chaînes en or, ainsi qu'un ensemble de tapisseries du XVIIe siècle ayant appartenu à la reine Christine de Suède.

Montefalco ❽
Perugia. 🏠 4 900. 🚌 🚆 lun.

Dédale de ruelles médiévales cerné de remparts du XIVe siècle, voici le plus intéressant des charmants villages du Val de Spolète. Son nom, « Mont du Faucon », comme son surnom, « balcon d'Ombrie », évoquent le vaste panorama qu'offre le boulevard qui la ceinture, la *Circonvallazione*. Les vignobles qui s'étendent dans le bassin du Clitumne produisent un vin excellent,

Fresque de Gozzoli (1452) au Museo Civico de Montefalco

le Sagrantino di Montefalco, que vous pourrez acheter piazza del Comune.
À quelques pas, le **Museo Civico** borde la via Ringhiera Umbra. Il occupe l'ancienne église San Francesco (XIVe siècle) dont l'abside abrite les lumineuses fresques de la *Vie de saint François* exécutées par Benozzo Gozzoli en 1452. Parmi les grands peintres ombriens figurent le Pérugin, Tiberio d'Assisi et Niccolò Alunno.
D'autres fresques datant du XIVe au XVIe siècle ornent sur le corso Mamelli la petite église **Sant'Agostino** entreprise dans le style gothique en 1279. Hors des murs, les fresques qui décorent **Sant'Illuminata** sont l'œuvre d'artistes du XVIe

siècle, notamment Francesco Melanzio. Gozzoli et Tiberio d'Assisi peignirent celles de **San Fortunato** (à 2 km sur la route de Spolète).

Aux environs : Trevi occupe le site le plus spectaculaire du Val de Spolète. Les églises de **San Martino** (XVIe siècle), sur la passeggiata di San Martino, et de la **Madonna delle Lacrime** (1487-1522), sur la route arrivant du sud, renferment des peintures du Pérugin et de Tiberio d'Assisi.

🏛 Museo Civico di San Francesco
Via Ringhiera Umbra 9. **Tél** 0742 37 95 98. ⃝ mars-oct. t.l.j. ; nov.-fév. :mar.-dim. ● 1er janv., 25 déc. 🅿 ♿

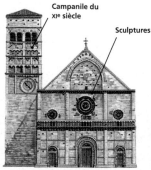

Campanile du XIe siècle
Sculptures

Le Duomo *(1253) d'Assise offre un bel exemple de façade à trois niveaux. Une galerie de colonnettes, trois rosaces et des sculptures l'animent (p. 355).*

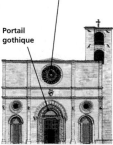

Rosace
Portail gothique

Le Duomo *de Todi date du XIIe siècle, mais ses portails et ses rosaces furent remaniés jusqu'au XVIIe siècle (p. 359).*

Rosace du XVIIIe siècle

San Michele *(v. 1195) à Bevagna possède un superbe portail roman incorporant des éléments antiques (p. 362).*

Spello ❾

Perugia. 👥 8 000. 🚆 ▦ ℹ Piazza
Matteotti 3 (0742 30 10 09). 🏛 mer.

Ce petit bourg du val de
Spolète doit son renom au
cycle de fresques inspirées du
Nouveau Testament peintes
vers 1500 par Pinturicchio
dans la cappella Baglioni de
l'église **Santa Maria Maggiore**
(XIIe-XIIIe siècles) qui borde la
via Consolare. En direction du
centre du village, le sanctuaire
gothique de **Sant'Andrea**
(XIIIe siècle) s'élève sur la via
Cavour, rue qui devient la via
Garibaldi avant de rejoindre
San Lorenzo, bijou baroque
aménagé dans un édifice
roman du XIIe siècle.
Quelques vestiges de
l'époque d'Auguste
témoignent des origines
romaines de Spello,
notamment la **porta Consolare**
ouvrant la via Consolare et la
porta Venere que dominent
deux tours jumelles. La route
d'Assise offre de belles vues
depuis le **monte Subasio**.

Aux environs : À l'instar de
Spello, **Bevagna** se développa
dans le Val de Spolète en tant
que ville-étape sur la via
Flaminia. Elle a conservé du
Moyen Âge une partie de ses
remparts et de nombreux
bâtiments, notamment autour
de sa place centrale, la piazza
Silvestri, où se dressent
deux églises romanes
bâties par
Maestro
Binello :

Les majestueux Monti Sibillini en
Ombrie orientale

San Silvestro (1195), pleine
d'atmosphère avec sa crypte
sous un chœur surélevé,
et **San Michele** (fin du
XIIe siècle) au portail encadré
de mosaïques et de petites
gargouilles.

Monti Sibillini ❿

Macerata. 🚆 Spoleto. ▦ Visso.
ℹ Piazza del Forno 1, Visso (0737 97
27 11). **www**.sibillini.net

Ce massif montagneux long
de 40 km fait partie de la
chaîne des Apennins qui
soulève la péninsule italienne
de Gênes jusqu'en Sicile.
Devenu depuis peu un parc
national, il offre à l'est de
l'Ombrie les paysages les plus
sauvages et les plus
spectaculaires de la région.
Son point culminant, le
monte Vettore,
s'élève à
1476 m de
hauteur

près de la grotte où selon la
légende, la sibylle qui donna
son nom à la région, rendait
ses oracles.

Des sentiers tracés et
indiqués sur d'excellentes
cartes font du parc un paradis
pour les randonneurs. En
voiture, des routes en lacet
grimpent jusqu'à des points
de vue parmi les plus
magiques d'Italie. Les
paysages à découvrir
comprennent en premier
lieu le **Piano Grande**, plateau
dénudé qui s'étend dans
un vaste amphithéâtre et
se couvre de fleurs sauvages
au printemps. Seul lieu
d'habitation, **Castelluccio**,
village de montagne
longtemps négligé mais en
cours de restauration, s'atteint
par la route depuis Norcia et
Arquata del Tronto.

Produits locaux à la devanture
d'un magasin de Norcia

Norcia ⓫

Perugia. 👥 4 700. ▦ ℹ Via
Solferino 22 (0743 82 81 73).
🏛 jeu.

La réputation des truffes et
des charcuteries de cette
petite ville de montagne a
dépassé les frontières de
l'Ombrie et elle compte parmi
les capitales gastronomiques
italiennes. Cet atout contribue
à en faire une excellente base
d'où découvrir la Valnerina et
les Monti Sibillini.

Ses principaux monuments
bordent la **piazza San
Benedetto**, notamment l'église
San Benedetto dont la crypte
renferme les vestiges d'un
édifice du Ve siècle. Selon la
légende, il s'agit de la maison
natale de saint Benoît et de sa
sœur sainte Scholastique dont
les statues ornent le portail du
XIVe siècle.

Annonciation (v. 1500) du Pinturicchio à Santa Maria Maggiore, Spello

Pour les hôtels et les restaurants de la région, voir p. 582-585 et 632-635

La Valnerina offre un cadre superbe à l'abbaye de San Pietro in Valle (VIIIᵉ siècle)

À gauche du sanctuaire se dresse le **palazzo Comunale** récemment restauré, monument à la gloire de l'indépendance que connut Norcia aux XIIIᵉ et XIVᵉ siècles, époque dont le bâtiment conserve un portique. De l'autre côté de la place, la forteresse de la **Castellina** domine la ville depuis 1554. Jules III la commanda à Vignole afin d'imposer l'autorité papale à une région de montagne turbulente. À gauche de la Castellina, le **Duomo** (1560) a souffert au fil des siècles des nombreux tremblements de terre qui expliquent la faible hauteur des maisons de Norcia et l'importance de leurs murs de renfort.

Plusieurs magasins d'alimentation ouvrent aussi sur la piazza et leurs devantures mettent l'eau à la bouche. Sur la via Anicia, l'église gothique **Sant'Agostino** recèle de belles fresques du XVIᵉ siècle. Un peu plus loin sur la piazza Palatina, l'**oratorio di sant'Agostinaccio** possède un superbe plafond du XVIIᵉ siècle. Bordant la via Umberto, l'**Edicola** est un petit édifice élevé en 1354 et sculpté, pense-t-on, à l'occasion d'une procession de la semaine sainte.

Valnerina ⑫

Perugia. **FS** *Spoleto, puis bus.*
i *Piazza Garibaldi 1, Cascia (0743 711 47).*

La « Petite vallée de la Nera » forme un large arc de cercle à l'est de l'Ombrie et la rivière, après avoir drainé les Monti Sibillini et les montagnes proches de Norcia, se jette dans le Tibre en aval de Terni. Hameaux fortifiés et villages perchés s'accrochent à ses rives abruptes et boisées.

San Pietro in Valle, abbaye bâtie sur le flanc du monte Solenne au-dessus du village de Colleponte, en constitue le site le plus intéressant. Fondé au VIIIᵉ siècle, ce monastère a conservé de ses origines lombardes les absides, le transept et l'autel de l'église dont la nef est ornée de fresques romanes datant d'un remaniement au XIIᵉ siècle. Malgré le témoignage qu'elle apporte sur une période du Moyen Âge qui a laissé peu de vestiges, l'abbaye connaît moins de succès que la **cascate delle Marmore** près de Terni, l'une des plus hautes cascades d'Europe (165 m). Les Romains la créèrent artificiellement lors de travaux de drainage de la plaine de Rieti. À cause des barrages de centrales hydro-électriques, elle ne coule toutefois désormais que certains jours et à certaines heures.

🏠 San Pietro in Valle
Località Ferentillo, Terni. ***Tél*** *0744 78 03 16.* ⬜ *t.l.j.*

🏞 Cascate delle Marmore
À 7 km sur la S209 Valnerina, Terni. ⬜ *Sporadiquement. Demander à l'office de tourisme.*

L'église San Benedetto sur la piazza du même nom à Norcia

MARCHES

Succession de vallées creusées d'ouest en est par les cours d'eau dévalant des Apennins vers l'Adriatique, les Marches offrent à la fois paysages sauvages, villes anciennes et plages de sable. Port actif, Ancône en est devenue le chef-lieu, mais ce furent des cités de l'intérieur comme Urbino qui eurent le plus d'éclat au Moyen Âge.

Au IVe siècle av. J.-C., des exilés de Syracuse firent d'Ancône le comptoir grec le plus au nord de l'Italie et colonisèrent une grande partie du littoral proche. La région prit son nom au début du Moyen Âge quand elle formait la frontière (ou « marche ») entre l'Empire germanique, au nord, et les États pontificaux, au sud.

Au XVe siècle elle connut son âge d'or quand Urbino devint, grâce au duc Federico de Montefeltro, un des grands centres intellectuels de la Renaissance. Le splendide palazzo Ducale et sa collection de peintures offrent un brillant témoignage de cette grandeur. Ancienne capitale des Picéniens, peuple qui résista aux Romains jusqu'au Ier siècle av. J.-C., Ascoli Piceno possède presque autant de charme qu'Urbino avec sa splendide piazza del Popolo bordée de monuments médiévaux. Des localités comme San Leo, Urbania et San Marino renferment aussi de beaux édifices historiques.

La majorité des visiteurs qui séjournent dans les Marches en été y viennent pour les plages. Les amoureux de la nature leur préféreront sans doute les montagnes de l'intérieur, notamment les majestueux Monti Sibillini.

Les spécialités culinaires accommodent truffes, charcuterie et fromages de montagne. Un vin blanc sec comme le verdicchio, le plus connu, ou encore le bianchello del metaure, accompagnera à merveille le *brodetto*, soupe de poissons servie sur la côte. Les olives sont farcies de viande et d'aromates (*olive ascolane*).

Coquelicots et oliviers au cœur des Marches

◁ La république de San Marino a gardé ses fortifications médiévales

À la découverte des Marches

Urbino et Ascoli Piceno sont les villes dont les monuments présentent le plus d'intérêt, mais des bourgs et villages pleins de charme, à l'image de San Leo dominé par sa forteresse, jalonnent les collines de l'intérieur des terres. Les Apennins culminent à 2 476 m dans le parc national des Monti Sibillini (*p. 352*).

Ancône et Pèsaro sont les deux pôles les plus actifs du littoral que bordent de belles plages de sable et des stations balnéaires.

Rimini

SAN MARINO **2**
San Marino

Gabicce Mare

Cesena

Novafeltria ● **1** SAN LEO

3 PI

Sant'Agata
Feltria

Mercatino
Conca

Montecchio

FA

Montefeltro

Macerata Feltria

Foglia

Casteldelci

Sassocorvaro

Mombaro

Càrpegna

S423

Calcinelli

Belforte all' Isauro

Lunano

5 URBINO

S3

Mercatello
sul Metauro

S73b

URBANIA **6**

Fermignano

Fossombrone

Mondavi

Acqualagna

San Lorenzo
in Campo

S73b

Piobbico

Pergola

Arezzo

Apecchio

Monte Nerone
△ *1525 m*

Cagli

S3

Monte Petrano
1162 m △

Cantiano

Monte Catria
△ *1701 m*

Sassofer

A

GROTTE DI FRASASSI **7**

Appennino

Sa
Vitto

Fabriano

S76

Umbro-Marchigian

Mateli

S361

Piorac

Foligno ↓

LÉGENDE

═══	Autoroute
▬▬	Route principale
▬▬	Route secondaire
═ ═ ═	Petite route
▬▬	Parcours pittoresque
▬∘▬	Liaison ferrée principale
▬▬	Liaison ferrée secondaire
▬▬	Frontière internationale
▬▬	Frontière régionale
△	Sommet

**Paysage de collines entre
Lorette et Ascoli Piceno**

Ascoli Piceno, l'une des plus jolies villes des Marches

Pour les autres symboles de la carte *voir le rabat arrière de couverture*

LES MARCHES D'UN COUP D'ŒIL

Près de Portonovo sur la péninsule du Conero

CIRCULER

Les reliefs rendent difficile la circulation du nord au sud à l'intérieur des terres et c'est sur le littoral qu'il est le plus facile de circuler, notamment en voiture car la seule autoroute à traverser les Marches, l'A 14-E 55, longe la côte. Des routes à double voie en partent vers Urbino, Jesi et Ascoli Piceno. Les liaisons en car ou en train partent aussi des villes du littoral.

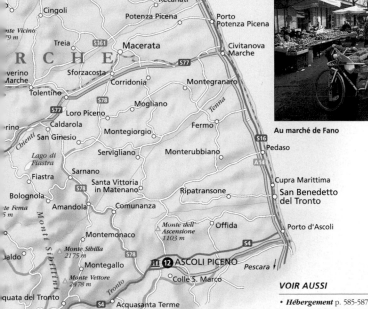

Au marché de Fano

VOIR AUSSI

- *Hébergement* p. 585-587
- *Restaurants* p. 635-636

Le clocher du Duomo au-dessus du village de San Leo

San Leo ❶

Pèsaro. ⓘ *Piazza Dante Alighieri 14 (0541 91 63 06).* 🚌 *de Rimini, changer à Villanova.*

Une impressionnante **forteresse** domine le village perché de San Leo depuis l'ancien Mons Feretrius où les Romains avaient bâti un temple à Jupiter. Dante s'en inspira pour l'un des paysages de son *Purgatoire* et Machiavel la considérait comme l'une des grandes réussites de l'architecture militaire italienne.

Sa prison eut pour détenu le plus célèbre le comte de Cagliostro (1743-1795). Cet alchimiste et occultiste réputé pour ses cures miraculeuses et ses dons de spirite mena une vie fastueuse et eut de nombreux disciples dans toute l'Europe. Il commit l'erreur de revenir en Italie. Victime de l'Inquisition, il fut jeté dans un cachot dont la fenêtre donne sur les deux sanctuaires du village, spectacle qui devait l'inciter au repentir. Il y resta jusqu'à sa mort, et la cellule fait partie d'un petit musée.

Les majestueux remparts Renaissance construits par Francesco di Giorgio Martini pour les ducs de Montefeltro offrent un vaste panorama.

L'église paroissiale, ou **Pieve**, de San Leo date du IXᵉ siècle et incorpore, comme le **Duomo** roman (XIIᵉ siècle) qui s'élève derrière elle, des éléments antiques. Dans la cathédrale, des reliefs païens se découvrent derrière l'autel. La crypte abrite le couvercle du sarcophage de saint Léon.

⛪ Forteresse
Via Leopardi. **Tél** *0541 91 63 06.* ◯ *t.l.j.* 📷

San Marino ❷

🏙 *26 000.* 🚌 *San Marino Città (depuis Rimini).* ⓘ *Contrada Omagnano 20, San Marino (0549 88 29 98).* **www**.*visitsanmarino.com*

Selon la légende, c'est un tailleur dalmate, saint Marin, qui fonda au IVᵉ siècle la plus ancienne république d'Europe. Fuyant les persécutions organisées sous Dioclétien, il se réfugia avec son ami Léon, à qui l'on doit le nom de la ville San Leo, en haut du monte Titano. Le petit État (à peine 12 km de large) possède ses propres pièces de monnaie, ses timbres, son équipe de football et une armée (1 000 hommes). Une course de Formule 1 s'y déroule aussi.

Détail du *Couronnement de la Vierge* (v. 1470) de Bellini aux Musei Civici

Garibaldi y trouva refuge en 1849, et un monument sur la place porte son nom. Depuis **Borgomaggiore**, la ville la plus peuplée, un funiculaire mène à la capitale, **San Marino**, interdite aux voitures. Du haut du monte Titano, cette cité très touristique offre, à l'instar des trois forteresses qui la dominent, de superbes vues portant jusqu'à la plaine du Pô.

Pèsaro ❸

🏙 *85 000.* 🚆 🚌 ⓘ *Piazza della Libertà (0721 693 41).* 🛒 *mar. et 1ᵉʳ jeu. du mois.*

Devenue l'une des plus importantes stations balnéaires de l'Adriatique, Pèsaro a conservé, derrière le mur d'hôtels de sa promenade, un quartier médiéval où la galerie d'art municipale, les **Musei Civici**, présente une superbe collection de céramiques et, parmi les peintures, un chef-d'œuvre de Giovanni Bellini : le polyptyque du *Couronnement de la Vierge* (v. 1470).

Au **Museo Archeologico Oliveriano**, du mobilier funéraire retrouvé dans la nécropole de Novilara et des vestiges allant de l'âge du fer aux Romains évoquent le lointain passé de la région.

La plus belle des églises de Pèsaro, **Sant'Agostino**, borde le corso XI Settembre. Elle recèle de remarquables stalles marquetées, notamment de vues de la cité.

Gioachino Rossini est né à

Magasins de produits détaxés à San Marino

Pour les hôtels et les restaurants de la région, voir p. 585-587 et 635-636

Pèsaro et la ville lui rend hommage à la **casa Rossini** et au **conservatorio Rossini** où se trouvent son piano et quelques manuscrits. En août, ses opéras sont donnés au **Teatro Rossini** sur la piazza Lazzarini.

🏛 Musei Civici
Piazza Mosca 29. **Tél** 0721 38 74 74. ⭕ Téléphoner pour les horaires. ♿

🏛 Museo Archeologico Oliveriano
Via Mazza 97. **Tél** 0721 333 44. ⭕ lun.-sam. ♿

🎵 Casa Rossini
Via Rossini 34. **Tél** 0721 38 73 57. ⭕ mar.-mer matin, jeu. dim. 📷

🎵 Conservatorio Rossini
Piazza Olivieri 5. **Tél** 0721 336 71. ⭕ lun.-sam., téléphoner d'abord. ⬤ jours fériés.

Fano ❹

Pèsaro. 🏠 54 000. **FS** 🚌 🚢 ℹ Via Cesare Battisti 10 (0721 80 35 34). 🏠 mer., sam.

Sa vieille ville et ses monuments historiques donnent à Fano un cachet qu'on ne voit pas ailleurs sur la côte adriatique. Au débouché de la via Flaminia sur la mer, la ville prit sous les Romains le nom de *Fanum Fortunae* d'après le temple de la Fortune qui s'y dressait depuis 207 av. J.-C. Élevé en l'an 2, l'**arco d'Augusto** faillit ne pas résister au siège mené en 1463 par Federico da Montefeltro, alors condottiere pour le pape, qui détruisit sa partie supérieure.

Sur la piazza XX Settembre, derrière la **fontana della Fortuna** ornée d'une statue (1593) d'Ambrosi, se dresse le vaste **palazzo Malatesta.** Bâti en 1420 pour la famille qui régna sur Fano jusqu'en 1463, il fut agrandi en 1544. Il abrite le **museo Civico** et la **Pinacoteca Malatestiana** qui présentent un bel ensemble de faïences et, à côté d'œuvres de peintres locaux, des tableaux d'artistes plus célèbres tels que le Guerchin, Guido Reni, Palma le Jeune et Michele Giambono.

🏛 Museo Civico et Pinacoteca Malatestiana
Piazza XX Settembre. **Tél** 0721 82 83 62. ⭕ mar.-dim. ⬤ 1er janv., 25 et 26 déc. 📷

Entrée du palazzo Ducale d'Urbania

Urbino ❺

Voir p. 370-371.

Urbania ❻

Pèsaro. 🏠 7 200. 🚌 ℹ Corso Vittorio Emanuele 21 (0722 31 31 40). 🏠 jeu.

Urbania doit son nom au pape Urbain VIII (1623-1644) qui nourrit un temps le projet de transformer le village médiéval alors appelé Castel Durante en une ville conforme aux idéaux de la Renaissance.

Le principal monument d'Urbania remonte toutefois à une époque antérieure. Les Montefeltro entreprirent en effet dès le début du XIIIe siècle la construction du **palazzo Ducale**, l'une de leurs résidences hors d'Urbino, la capitale du duché. Reconstruit au XVe et au XVIe siècles, il abrite dans un site agréable au bord du Metauro un petit musée de peintures et d'objets d'art ainsi que l'ancienne bibliothèque du duc Federico riche de quelque 2 000 gravures.

🏛 Palazzo Ducale
Palazzo Ducale. **Tél** 0722 31 31 51. ⭕ mar.-sam. ⬤ jours fériés. 📷

Fontana della Fortuna **sur la piazza XX Settembre de Fano**

Urbino : le Palazzo Ducale

Federico da Montefeltro, duc d'Urbino de 1444 à
1482, a construit le plus beau palais Renaissance
d'Italie. Il fut condottiere au service des papes,
mais c'est en tant qu'humaniste et mécène des
arts qu'il resta dans l'histoire. Il invita de grands
artistes pour décorer son palais où se trouve
aujourd'hui la Galleria Nazionale delle Marche.

**★ Flagellation par Piero
della Francesca**
*Le peintre joue ici de la perspective
pour renforcer l'effet dramatique.*

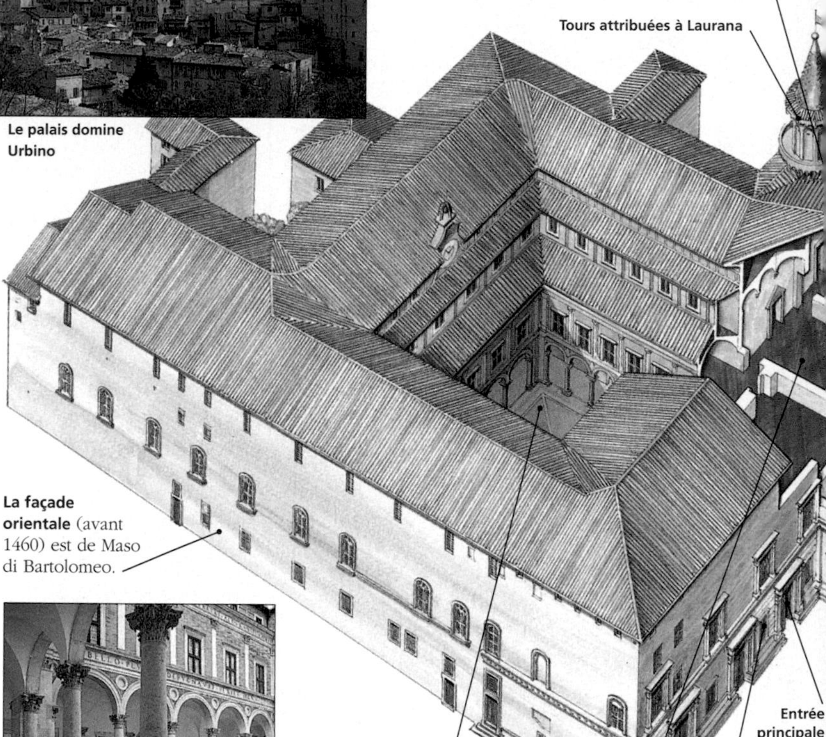

Tours attribuées à Laurana

**Le palais domine
Urbino**

**La façade
orientale** (avant
1460) est de Maso
di Bartolomeo.

Cortile d'Onore
*Le Dalmate Luciano Laurana
(1420-1479) dessina cette
cour de la première
Renaissance.*

**Entrée
principale**

La bibliothèq
était l'une de
plus riches d
l'époque.

Vue de la cité idéale
*Attribuée à Luciano
Laurana, cette peinture
qui joue de la perspective
propose une cité
imaginaire dans un décor
inspiré de l'Antiquité.*

Pour les hôtels et les restaurants de la région, voir p. 585-587 et 635-636

MODE D'EMPLOI

Piazza Duca Federico 13.
Tél *0722 32 26 25.*
Piazza del Mercatale.
○ *8h30-14h, mar.-dim.
8h30-19h15 (dernière entrée 1 h
av. la ferm.).* ○ *1er janv., 25 déc.*
www.turismo.marche.it

★ **Studiolo**
*Botticelli dessina une partie du
décor marqueté du cabinet de
Federico da Montefeltro.*

**Portrait de Federico
par Pedro Berruguete**
*Représenté ici avec son
fils, le duc montre
toujours son profil
gauche sur les portraits
pour cacher une
cicatrice au visage.*

**Jardin
suspendu**

Les pièces de cette
aile forment
l'appartamento
della Duchessa.

★ **Muta par Raphaël**
*Cette « muette » était peut-
être une noble florentine :
Maddalena Doni.*

À NE PAS MANQUER

★ *Flagellation* par Piero
della Francesca

★ *Muta* par Raphaël

★ Studiolo

Urbino ⑤

Pèsaro. 16 000. Piazza
Rinascimento 1 (0722 26 13). sam.
www.turismo.pesarourbino.it

Dans le dédale de rues
bordées d'immeubles
médiévaux et Renaissance de
cette superbe cité s'élève sur
la piazza Federico le **Duomo**
néoclassique construit en
1789. Sa plus belle
peinture est une *Cène*
de Federico Barocci
(v. 1535-1612). Le
Museo Diocesano
présente de la verrerie,
des céramiques et des
objets religieux.

L'intérêt de la visite
de la **casa Natale di
Raffaello**, où grandit
le peintre Raphaël
(1483-1520), est
surtout de découvrir
une atmosphère.

Sur la via Barocci se
dressent l'**oratorio di
San Giuseppe**, construit
au Moyen Âge et
réputé pour sa crèche,
et l'**oratorio di San
Giovanni Battista** bâti
au XIVe siècle et décoré
en 1416 par Giacomo
et Lorenzo Salimbeni
de fresques représentant
la *Crucifixion* et des
scènes de la *Vie de saint
Jean-Baptiste*.

La **fortezza dell'Albornoz**
(XVe siècle), sur le viale Bruno
Buozzi, offre une vue
d'ensemble de la ville.

Museo Diocesano
Piazza Pascoli 2. **Tél** *0722 26 13.*
Pour restauration, téléphoner.

Casa Natale di Raffaello
Via di Raffaello 57. **Tél** *0722 32 01
05.* ○ *t.l.j. (dim. le matin seul.).*
○ *1er janv., 25 déc.*

**Le centre d'Urbino a gardé son
cachet ancien**

Sur le port d'Ancône

Grotte di Frasassi ❼

Ancona. **Tél** 0732 972 11. **FS** Genga
San Vittore Terme. ⬜ t.l.j. visites
guidées seulement (1 h 20).
⬛ 1er janv., 10-30 janv., 4 et 25 déc.
🖼️ 🖼️ www.frasassi.com

Les eaux du Sentino ont
creusé au sud-ouest de Jesi
un réseau de 18 km de
grottes dont 1 000 m environ
sont ouverts au public
dans le cadre d'une visite
guidée. Elle permet de
découvrir l'impressionnante
grotta del Vento dont la voûte
atteint une hauteur de 240 m
et qui est assez vaste pour
contenir la cathédrale de
Milan. Elle a servi à diverses
expériences, notamment des
études du comportement
humain lors de longues
périodes passées sous terre,
seul ou en groupe.

Jesi ❽

Ancona. 🏛️ 41 000. **FS** 🚌
🛈 Piazza della Repubblica 11
(0731 538 420). 🖼️ mer., sam.
www.comune.jesi.an.it

Cette petite ville animée
s'étend sur une longue arête
rocheuse en bordure de
l'Esino. Dans la vallée, des
vignobles l'entourent. Ils
produisent le Verdicchio, vin
blanc sec réputé, fabriqué
dans les villages appelés
Castelli di Jesi. La forme
traditionnelle des bouteilles
le contenant découle de celle
des amphores qui servaient
à son exportation en Grèce
pendant l'Antiquité.
    Installés dans le palazzo
Pianetti édifié en 1730, les

Pinacoteca e Musei Civici
présentent de belles peintures
de Lorenzo Lotto, mais la
galerie centrale du palais et
son exubérante décoration
rococo justifient presque à
elles seules la visite. Non loin,
le **palazzo della Signoria**
Renaissance abrite une
intéressante collection de
vestiges archéologiques. Hors
de l'enceinte fortifiée du
XIVe siècle s'élève l'église
gothique **San Marco** ornée
de fresques du XIVe siècle
inspirées de Giotto.

🏛️ **Pinacoteca e Musei Civici**
Via XV Settembre. **Tél** 0731 53 83
42. ⬜ mar.-dim. 🖼️
🏛️ **Palazzo della Signoria**
P. Colocci. **Tél** 0731 53 83 45.
⬜ lun.-sam. ⬛ lun. matin,
sam. après-midi.

Ancona ❾

🏛️ 98 000. ✈️ **FS** 🚌 🚢 🛈 Via
Thaon de Revel 4 (071 35 89 91). 🚢
mar., ven. www.turismo.marche.it

La fondation d'Ancône,
chef-lieu des Marches,
remonte au moins au
IVe siècle av. J.-C. quand s'y
installèrent des exilés de
Syracuse. Son nom dérive
d'ailleurs du mot grec ankon
qui signifie « coude »,
une référence au promontoire
rocheux qui donne à la ville
son port naturel.
    Des bombardements
pendant la Seconde Guerre
mondiale ont détruit
beaucoup de sa partie
historique, et la **loggia dei
Mercanti** (XIVe siècle) sur la
via della Loggia, est l'un des
rares monuments du Moyen
Âge à avoir survécu, avec
l'église romane **Santa Maria
della Piazza** qui dresse un peu
plus loin une jolie façade.
    La **Pinacoteca Comunale
F. Podesti e Galleria d'Arte
Moderna** présente des
peintures de Titien, Lorenzo
Lotto et Carlo Crivelli, entre
autres, mais le musée
offrant le plus d'intérêt
est le **Museo Archeologico
Nazionale delle Marche** aux
riches collections
préhistorique, grecque et
romaine. Près du port, l'**Arco
di Traiano** date de l'an 115.

Une des salles souterraines des grotte di Frasassi

Plage de Sirolo sur la péninsule du Conero

🏛 **Pinacoteca Comunale F. Podesti e Galleria d'Arte Moderna**
Via Pizzecolli 17. **Tél** 071 222 50 41. ⬤ t.l.j. mar.-sam. (dim. après-midi). ⬤ jours fériés. 📷 ♿

🏛 **Museo Archeologico Nazionale delle Marche**
Via Ferretti 1. **Tél** 071 20 26 02.
⬤ mar.-dim. ⬤ 1er janv., 1er mai, 15 août, 25 déc. 📷 ♿

Péninsule du Conero ⑩

Ancona. 🚆 ⬛ Ancona.
⬛ d'Ancône à Sirolo ou Numana.
ℹ Via Thaon de Revel 4, Ancona (071 35 89 91).

La superbe péninsule rocheuse du Conero, seule formation naturelle à briser la ligne presque ininterrompue de plages de sable qui forme le littoral des Marches, est plantée de vignes produisant des vins réputés (notamment le rosso del cornero). Criques isolées et petites stations balnéaires jalonnent sa côte.
Portonovo est la plus agréable de ces stations. Bâtie au-dessus de la plage, **Santa Maria di Portonovo**, une église romane évoquée par Dante dans le chant XXI du *Paradis*, date du XIe siècle. **Sirolo** et **Numana** se révèlent plus touristiques, mais il reste possible d'échapper à la foule en gravissant les pentes du monte Conero (572 m), ou en prenant un bateau jusqu'à des plages inaccessibles en voiture.

Loreto ⑪

Ancona. 🏠 11 000. 🚆 ⬛ ℹ Via Solari 3 (071 97 02 76). ⬤ ven.

Selon la légende, des anges soulevèrent la maison où naquit la Vierge (**Santa Casa**) en Terre Sainte pour la transporter en 1294 dans un bois de lauriers au sud d'Ancône. Chaque année, trois millions de pèlerins viennent la contempler dans la **basilique** de Loreto (Lorette), entreprise en 1468 dans le style gothique mais en grande partie construite et décorée pendant la Renaissance par des artistes et architectes tels que Bramante, Sansovino, Giuliano da Sangallo et Luca Signorelli. Le **Museo Pinacoteca** possède des tableaux de Lorenzo Lotto.

La Santa Casa de Lorette

🔒 **Basilique et Santa Casa**
Piazza Santuario. **Tél** 071 97 01 04.
⬤ t.l.j. ♿

🏛 **Museo Pinacoteca**
Palazzo Apostolico. **Tél** 071 97 47 198.
⬤ avr.-oct. : jeu.-dim. ; nov.-mars : ven.-dim. 📷

Ascoli Piceno ⑫

🏠 54 000. ⬛ ℹ Palazzo Comunale, Piazz Arringo (0736 25 30 45). ⬤ mer. et sam.

Peuple originaire de l'Illyrie, les Picéniens résistèrent aux Romains jusqu'en 89 av. J.-C.
Leur capitale devint alors l'Asculum Picenum dont le plan régulier est visible dans le centre-ville. Son héritage architectural témoigne du dynamisme de la commune au Moyen Âge. Sur la **piazza del Popolo** voisinent le **palazzo dei Capitani del Popolo** (XIIIe siècle) dont Cola dell'Amatrice remania la façade en 1548 et l'église gothique **San Francesco** élevée de 1262 à 1549.
Depuis la place, la via del Trivio mène jusqu'à l'ancien quartier s'étendant sur la rive du Tronto. Sur la via Cairoli se dresse **San Pietro Martire** datant du XIIIe siècle.
En face, **Santi Vincenzo e Anastasio** (XIe siècle) possède une crypte ornée de fresques.
Sur la piazza dell'Arringo, le **Duomo** (XIIe siècle), doit sa façade à Cola dell'Amatrice. Sa cappella del Sacramento abrite un polyptyque de Carlo Crivelli (v. 1430-v. 1495), dont d'autres peintures sont exposées à la **Pinacoteca Civica**. Le **Museo Archeologico** expose des objets picéniens, romains et lombards.

🏛 **Pinacoteca Civica**
Palazzo Comunale, Piazza Arringo.
Tél 0736 29 82 13. ⬤ t.l.j. (nov.-mars : mar.-dim.). 📷 ♿

🏛 **Museo Archeologico**
Palazzo Panighi, Piazza Arringo.
Tél 0736 25 35 62. ⬤ mar.-dim. ⬤ 1er janv., 1er mai, 25 déc. 📷 ♿

Ascoli Piceno a gardé son charme médiéval

ROME ET LATIUM

Rome et le Latium d'un coup d'œil

Les premières colonies de la région furent fondées par les Étrusques, dont la culture s'effaça devant la puissante civilisation créée par les Romains. Celle-ci ne résista pas aux invasions barbares, mais la capitale de l'Empire resta celle de la chrétienté et, après une éclipse au Moyen Âge, les plus grands artistes et architectes vinrent y travailler, notamment pendant les périodes Renaissance et baroque. De somptueux monuments, à Rome comme aux environs, témoignent de ce passé prestigieux.

La piazza Navona, *bordée de cafés, possède 3 fontaines baroques, dont la fontaine des Quatre Fleuves du Bernin (p. 399).*

Saint-Pierre, *dont Michel-Ange dessina la coupole majestueuse, est d'une somptuosité digne du Saint-Siège (p. 418-419).*

Saint-Pierre

QUARTIER DE PIAZZA NAVO *(p. 396-405)*

Fontana dei Quattro Fiumi

VATICAN ET TRASTEVERE *(p. 414-429)*

Santa Maria in Trastevere, *l'un des premiers sanctuaires chrétiens de Rome, est ornée de mosaïques remarquables dont une Vie de la Vierge (1291) de Cavallini (p. 428).*

RITORIA

E PATER POST TEMPO

Santa Maria in Trastevere

LATIUM *(p. 460-471)*

Nécropole de Cerveteri

ROME *(Voir plan principal)*

0   15 km

Cerveteri *est l'une des nombreuses nécropoles laissées par les Étrusques dans le nord du Latium. Sous les tumulus, les tombes abritaient souvent des fresques ou des objets usuels (p. 466).*

◁ Les allégories de quatre grands fleuves ornent la fontana dei Quattro Fiumi du Bernin sur la piazza Navona

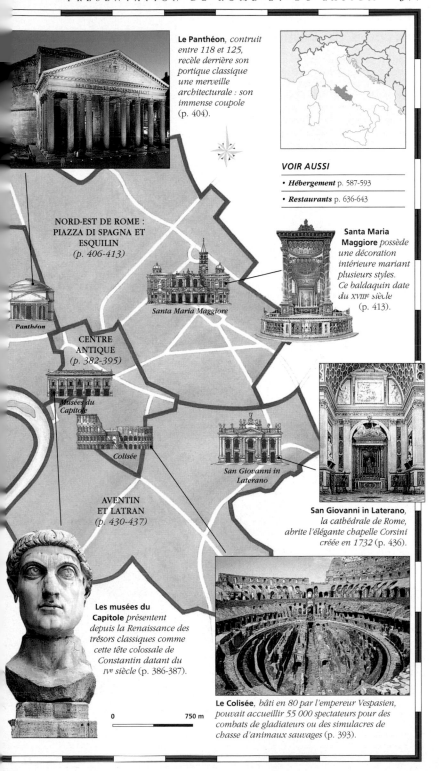

Le Panthéon, *construit entre 118 et 125, recèle derrière son portique classique une merveille architecturale : son immense coupole* (p. 404).

VOIR AUSSI

• *Hébergement* p. 587-593

• *Restaurants* p. 636-643

NORD-EST DE ROME :
PIAZZA DI SPAGNA ET
ESQUILIN
(p. 406-413)

Santa Maria Maggiore

Santa Maria Maggiore *possède une décoration intérieure mariant plusieurs styles. Ce baldaquin date du XVIIIe siècle* (p. 413).

Panthéon

CENTRE
ANTIQUE
(p. 382-395)

Musées du Capitole

Colisée

San Giovanni in Laterano

San Giovanni in Laterano, *la cathédrale de Rome, abrite l'élégante chapelle Corsini créée en 1732* (p. 436).

AVENTIN
ET LATRAN
(p. 430-437)

Les musées du Capitole *présentent depuis la Renaissance des trésors classiques comme cette tête colossale de Constantin datant du IVe siècle* (p. 386-387).

0   750 m

Le Colisée, *bâti en 80 par l'empereur Vespasien, pouvait accueillir 55 000 spectateurs pour des combats de gladiateurs ou des simulacres de chasse d'animaux sauvages* (p. 393).

Saveurs de Rome et du Latium

Dans la campagne du Latium se côtoient des collines légèrement ondulées, des montagnes et un littoral chatoyant. Les oliveraies et les vignobles couvrent cette région fertile, où vous dégusterez toutes sortes de gibiers. Mais la véritable cuisine romaine transforme en plats savoureux les « pauvres » abats, par une cuisson lente et inventive. Si les pâtes demeurent l'ingrédient essentiel de tout repas, nombre des grands restaurants de la capitale sont spécialisés dans le poisson et les fruits de mer. Patrie de la *dolce vita*, Rome propose aussi son lot de délicieux gâteaux, pâtisseries et glaces.

Artichauts

Un étal de légumes du Latium, fraîchement transportés du potager au marché

La cuisine romaine traditionnelle est née dans le quartier du Testaccio, près de l'ancien abattoir, dont les bouchers (*vaccinari*) étaient en partie payés en abats. Le « cinquième quart » (*quinto quarto*) incluait la tête, les pieds, la queue, les intestins, la cervelle et d'autres morceaux de l'animal, qui, cuits doucement et parfumés d'herbes et d'épices, devenaient un véritable régal. Ces plats robustes, comme la *coda alla vaccinara* (« queue de bœuf à la mode du boucher de l'abattoir »), sont toujours servis dans les restaurants.

CUCINA ROMANA

L'authentique *cucina romana* puise aussi ses racines dans la cuisine juive du quartier du Ghetto. Des artichauts de la région sont frits entiers dans l'huile d'olive (*carciofi alla giudea*) ou servis *alla romana*, avec de l'huile, de l'ail et de la menthe. Les beignets de morue (*filetti di baccalà*) sont tout aussi populaires. Les restaurants de poisson et fruits de mer figurent parmi les meilleurs de Rome. Le mouvement *Slow Food* est né dans le Piémont en réponse à l'implantation du

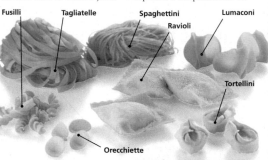

Fusilli　　　Tagliatelle　　　Spaghettini　　　Lumaconi

Ravioli

Tortellini

Orecchiette

Quelques-unes des centaines de variétés de pâtes disponibles en Italie

---

PLATS RÉGIONAUX ET SPÉCIALITÉS

Les légumes frits, notamment les artichauts et les fleurs de courgette (*zucchini*), sont des hors-d'œuvre (*antipasti*) classiques. Les pâtes sont généralement servies en plat principal (*primo*), comme les *bucatini all'amatriciana* – nappées d'une sauce tomate épicée à la saucisse ou au lard, saupoudrées de pecorino râpé. Le veau est très apprécié (*rigatoni alla pajata* : pâtes agrémentées d'intestins de veau de lait). L'agneau est également très prisé (*abbacchio al forno* : agneau de lait rôti, ou *alla cacciatore* : « à la mode du chasseur », avec une sauce aux anchois). Le mot générique pour les abats est *animelle*, et on déguste, entre autres mets, la *cervelle* (cervelle de veau), l'*ossobuco* (jarret de bœuf à la moelle), les *pajata* (intestins de veau) et les *trippa* (tripes).

Bruschetta

Gnocchi alla romana *Boulettes de pâte à base de farine de semoule, avec une sauce (ragù) à la tomate ou à la viande.*

Pizzas romaines brûlantes, tout droit sorties du four à bois

premier Mac Donald's à Rome en 1986 (p. 174), mais la nourriture de style *fast-food*, plus typiquement romaine, est, entre autres, représentée par la *bruschetta* (« pain légèrement grillé »), frottée d'ail, de sel de mer, parfumée d'huile d'olive et garnie de divers ingrédients. L'authentique *pizza romana*, fine et croustillante, est cuite au feu de bois et servie *al taglio* – à la coupe.

PASTA, PASTA

Les pâtes demeurent le pilier du repas romain, surtout les *spaghetti*. Les *spaghetti alla carbonara*, agrémentés de *pancetta* (lard fumé) ou de *guanciale* (joue de porc), de jaunes d'œuf et de fromage, font partie des plats classiques, tout comme les *spaghetti alle vongole*

(ail et palourdes). Il existe au bas mot un type de pâte pour chaque jour de l'année et nombre d'entre elles possèdent un nom joliment descriptif, comme les *capelli d'angelo* (cheveux d'ange) ou les *ziti* (mariées).

Différents parfums de *gelati* dans un salon de thé romain

LA DOLCE VITA

Les noix, les fruits et la ricotta se mêlent souvent en de succulentes douceurs. La glace est un véritable art à Rome, où certains salons de thé offrent plus de 100 parfums de *gelati* maison. On peut y déguster aussi bien les classiques *crema* et *frutta* que la *grattachecca* (glace à l'eau), ou encore le *semifreddo* (entremets mi-froid à base de gâteaux de Savoie) ou la *granità* (copeaux de glace parfumés au sirop de fruit). La glace traditionnelle (*gelato*), se savoure à Rome à toute heure du jour et de la nuit.

AU MENU

Abbacchio alla cacciatore
Petit agneau cuit avec des anchois, de l'ail, du vin Castelli Romani, du romarin et de l'huile d'olive.

Coda alla vaccinara Queue de bœuf braisée aux herbes, tomate et céleri.

Fave al guanciale Jeunes fèves de printemps (*fava*) mijotées dans l'huile d'olive avec joue de porc et oignon.

Filetti di baccalà Beignets de morue – ancienne spécialité juive devenue un classique de la cuisine romaine.

Spigola alla romana Bar aux champignons *porcini* (cèpes), à la mode romaine.

Spaghetti alle vongole *Les classiques pâtes italiennes sont ici agrémentées de petites palourdes et de tomates.*

Saltimbocca alla romana *Tranches de veau garnies de prosciutto et sauge. Saltimbocca signifie « saute-en-bouche ».*

Torta di ricotta *Tarte à la ricotta, garnie de sucre, de citron, de cognac et de cannelle.*

Architecture de Rome et du Latium

Héritiers des traditions grecques et étrusques, les
Romains développent sous l'Empire une architecture
originale, notamment en utilisant l'arc, la voûte
et la coupole. Édifice civil rectangulaire à plusieurs
nefs, la basilique inspire les premières églises
paléochrétiennes, qui évoluent vers le dépouillement
du style roman. Le gothique lui succède mais marque
peu Rome, qui adopte en revanche les proportions
classiques de l'architecture Renaissance née à
Florence. Avec le baroque, exubérante réaction à
l'austérité protestante, la Ville éternelle retrouve au
XVIIe siècle son originalité créatrice.

La foisonnante fontana di Trevi
baroque à Rome

DES ÉTRUSQUES À LA ROME CLASSIQUE

Le Podium
mettait le temple
en valeur.

L'arc devint caractéristique
de l'architecture romaine.

Les reliefs proviennent
de monuments plus
anciens.

Des colonnes
soutiennent le
portique.

L'intérieur était divisé
en 3 nefs.

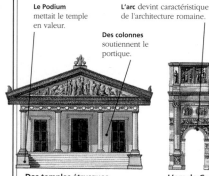

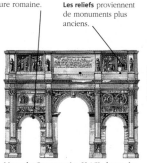

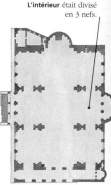

Des temples étrusques,
*copiés de modèles grecs avec
leur portique, inspirèrent les
premiers édifices romains.*

L'arc de Constantin *(315), haut de
25 m, est typique de l'architecture
triomphale de l'Empire romain
(p. 389).*

**Les basiliques
paléochrétiennes**
*(IVe siècle) avaient un
plan rectangulaire.*

DE LA RENAISSANCE AU BAROQUE

**Des colonnes
doriques**
ressuscitent le
classicisme.

Bramante adopta la
forme circulaire des
temples antiques.

**Un appareillage
rustique** aux
joints profonds
anime la façade.

Des pilastres ioniques
ajoutent à l'élégance
des étages supérieurs.

L'escalier
elliptique est un
trait typique des
demeures
maniéristes.

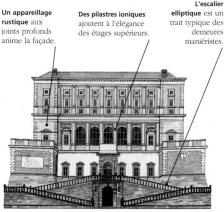

Le Tempietto *(1502) de San Pietro
in Montorio à Rome, modèle de
simplicité et d'harmonie, est de la
première Renaissance (p. 429).*

Le palazzo Farnese de Caprarola, *édifice pentagonal
achevé en 1575, associe des effets décoratifs maniéristes
aux formes dépouillées et géométriques caractéristiques
du début de la Renaissance (p. 465).*

OÙ VOIR L'ARCHITECTURE ROMAINE

Une simple promenade dans les rues du centre entraîne la découverte de chefs-d'œuvre architecturaux d'à peu près toutes les époques, y compris celle des pharaons représentée par sept obélisques rapportés d'Égypte. L'éléphant du Bernin (*p. 404*) porte l'un d'eux. De la Rome antique subsistent des arcs de triomphe et le Panthéon (*p. 404*). L'église San Clemente (*p. 435*) conserve des éléments romans, la Renaissance a donné sa coupole à la basilique Saint-Pierre (*p. 418-419*). Parmi les merveilles baroques de la ville, nombre des fontaines animent ses places. Hors du centre, ne manquez pas les villas Renaissance telle celle de Caprarola (*p. 465*).

Détail du socle d'un obélisque égyptien sculpté par le Bernin

Des caissons réduisent le poids de la voûte.

Un oculus percé au sommet de la coupole est la seule source de lumière.

Les chapiteaux corinthiens ont un décor de feuilles d'acanthe.

Le portique provient d'un temple antérieur.

Les colonnes doriques ont des chapiteaux simples.

Les colonnes ioniques sont ornées de volutes.

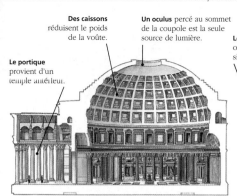

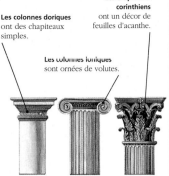

Le Panthéon *est une des réalisations majeures de l'architecture romaine. Achevé en 125, il s'éloigne de la structure du temple grec pour offrir un volume intérieur aux proportions parfaites* (p. 404).

Les ordres *de l'architecture classique, empruntés aux Grecs, se définissent par la décoration des colonnes et des chapiteaux.*

Les arêtes de la coupole augmentent la sensation d'espace.

Des renfoncements profonds créent des effets d'ombre et de lumière.

Deux triangles équilatéraux structurent le plan complexe de l'église.

Des piliers engagés remplacent les pilastres de la Renaissance.

Un portique concave reprend l'ellipse de l'église.

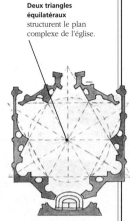

Le plan ovale baroque *de Sant'Andrea al Quirinale tire un parti ingénieux d'un site exigu* (p. 411).

La façade du Gesù *(1584) marquait le début du style affirmé de la Contre-Réforme et fut imitée dans tout le monde catholique* (p. 403).

Sant'Ivo alla Sapienza *(1642) privilégie la majesté sur les proportions classiques* (p. 400).

LE CENTRE ANTIQUE

Centre symbolique de la Rome antique, la colline du Capitole portait les trois temples les plus importants : celui de Minerve, déesse de la sagesse et de la guerre, et ceux de Jupiter Optimus Maximus et de Juno Moneta, divinités qui représentaient la cité et la protégeaient. Le Capitole domine le Forum, jadis cœur des activités de la

La Louve du Capitole avec Romulus et Remus

cité, les forums impériaux, construits pour l'agrandir quand la population augmenta, et le Colisée où avaient lieu les jeux du cirque. Au sud du Forum s'élève le mont Palatin, lieu mythique de la fondation de Rome par Romulus au VIIIe siècle av. J.-C. Les empereurs y demeurèrent dans leur palais pendant plus de 400 ans.

LE QUARTIER D'UN COUP D'ŒIL

Sites et monuments antiques
Arc de Constantin ⑩
Colisée p. 393 ⑨
Forum d'Auguste ⑤
Forum de César ⑦
Forum et marché de Trajan ④
Forum romain p. 390-391 ⑧
Palatin p. 394-395 ⑪
Prison Mamertine ⑥

Église
Santa Maria in Aracoeli ③

Musées et galeries
Musées du Capitole p. 386-387 ①

Place historique
Piazza del Campidoglio ②

COMMENT Y ALLER

Le Capitole se rejoint à pied depuis la piazza Venezia où convergent de nombreuses lignes de bus. La ligne B du métro dessert le Forum, le Colisée et le Palatin à la station Colosseo. Les bus 81, 87 et 186 relient la piazza Venezia et le Colisée au corso Rinascimento du centro storico.

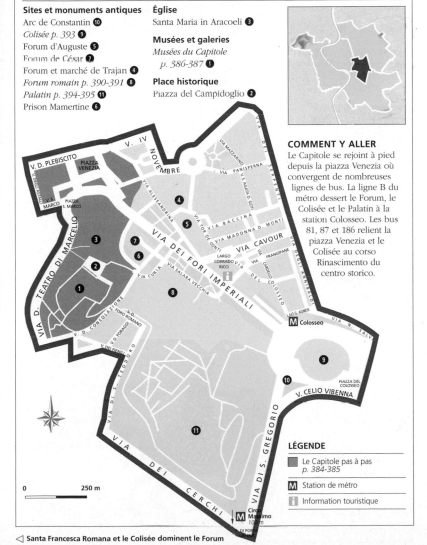

LÉGENDE

	Le Capitole pas à pas p. 384-385
M	Station de métro
i	Information touristique

◁ **Santa Francesca Romana et le Colisée dominent le Forum**

Le Capitole pas à pas

C'est Michel-Ange qui réaménagea au XVIe siècle l'ancien centre religieux de la Rome antique, créant la piazza di Campodiglio et le large escalier qui y conduit : la Cordonata. Il dessina également les façades du palazzo Nuovo et du palazzo dei Conservatori qui abritent les musées du Capitole et leurs riches collections de sculptures et de peintures. Une agréable promenade conduit à la roche Tarpéienne d'où étaient précipités les traîtres pendant l'Antiquité. Elle offre une belle vue sur le Forum.

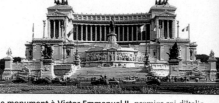

Le monument à Victor-Emmanuel II, premier roi d'Italie, fut entrepris en 1885 et inauguré en 1911.

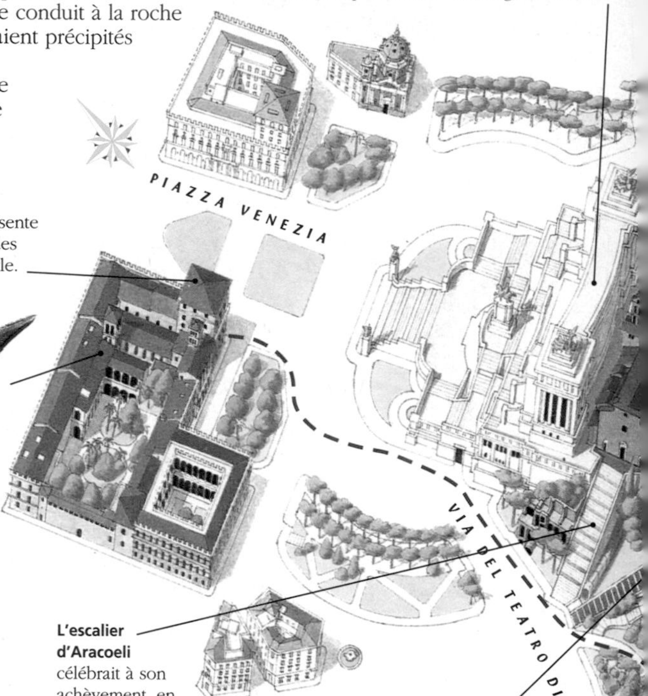

PIAZZA VENEZIA
VIA DEL TEATRO DI MARCELLO

San Marco, dédiée au patron de Venise, présente à l'abside de splendides mosaïques du IXe siècle.

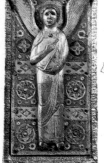

Le palazzo Venezia, qu'habita Mussolini, abrite une riche collection d'art dont les plus belles pièces, tel cet ange émaillé, datent de la fin du Moyen Âge.

L'escalier d'Aracoeli célébrait à son achèvement, en 1348, la fin de la peste.

La Cordonata est dominée par les statues colossales de Castor et Pollux.

★ **Musées du Capitole**
Leurs collections d'objets d'art antiques incluent cette statue de l'empereur Marc Aurèle qui se dressait jadis au centre de la place ❶

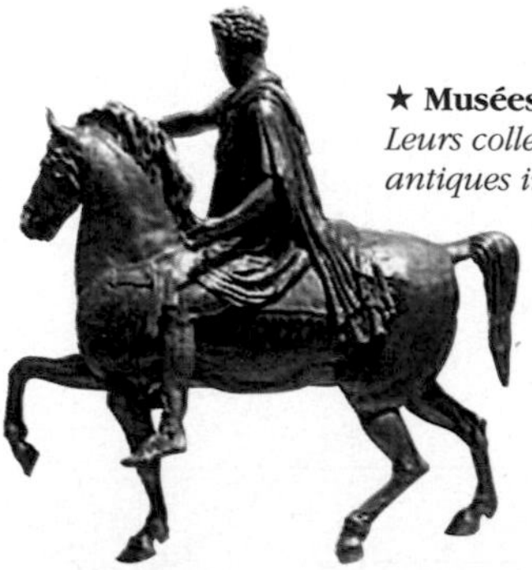

À NE PAS MANQUER

★ Musées du Capitole

LÉGENDE

— — — Itinéraire conseillé

0 75 m

Pour les hôtels et les restaurants de la ville, voir p. 587-592 et 636-641

Santa Maria in Aracoeli
L'église abrite entre autres trésors cette fresque du XVe siècle du Pinturicchio : Les Funérailles de saint Bernardin **❸**

NORD-EST DE ROME

LE CENTRE ANTIQUE

Tevere

L'AVENTIN ET LE LATRAN

CARTE DE SITUATION
Voir l'atlas des rues de Rome, plan 3

Musées du Capitole **❶**

Voir p. 386-387.

Piazza del Campidoglio **❷**

Plan 3 A5. 🚌 *40, 64, 70, 75.*

Pour la visite de Charles Quint en 1536, le pape Paul III demanda à Michel-Ange de restaurer le Capitole. L'artiste dessina la place au sommet de la colline, les façades des palais et l'escalier de la Cordonata, dominé par les statues de Castor et Pollux, qui y conduit. Les travaux ne finirent qu'un siècle après sa mort en 1564.

Santa Maria in Aracoeli **❸**

Piazza d'Aracoeli. **Plan** 3 A5.
Tél *06 679 38 39.* 🚌 *64, 70, 75.*
⬜ *t.l.j. 9h-12h30, 15h-18h30 (14h30-17h30 en hiver).*

Le palazzo Nuovo devint un musée public en 1734.

PIETRO IN CARCERE

Le palazzo Senatorio, de style Renaissance, siège de la municipalité, s'élève sur les ruines du Tabularium antique.

Piazza del Campidoglio
Michel-Ange dessina son pavement géométrique et les façades de ses palais **❷**

Palazzo dei Conservatori

Le temple de Jupiter, représenté sur cette pièce était dédié au dieu qui, avec Junon, symbolisait la cité et possédait donc le pouvoir de la protéger ou de la détruire.

VIA DEL TEMPIO DI GIOVE

La roche Tarpéienne domine la falaise d'où étaient précipités les traîtres à la Rome antique.

Escalier vers le Capitole

Cette église dont l'origine remonte au VIe siècle se dresse à l'emplacement du temple de Junon, en haut du Capitole. Son intérieur date du XVIe siècle et présente un riche plafond de 1575. Des fresques du Pinturicchio (1454-1513) évoquent la vie de saint Bernardin de Sienne. Le *Santo Bambino*, petit Jésus en bois réputé miraculeux, volé en 1994, a été remplacé par une copie.

L'austère Santa Maria in Aracoeli domine un escalier en marbre

Musées du Capitole ❶

Palazzo Nuovo

C'est le pape Sixte IV qui commença en 1471 la collection de sculptures des musées du Capitole. En 1734, Clément XII inaugura au Palais Neuf le premier musée public du monde (auquel on accède par le palazzo dei Conservatori) dessiné par Michel-Ange et achevé en 1654. Benoît IV créa en 1749 la pinacothèque du palais des Conservateurs.

CARTE DE SITUATION

Palazzo Nuovo

Piazza del Campidoglio

Palazzo dei Conservatori

Discobole
Un sculpteur français effectua au XVIIIe siècle les ajouts qui transformèrent un torse de discobole grec en guerrier blessé.

Alexandre Sévère en chasseur
Dans ce groupe en marbre du IIIe siècle, l'empereur imite la pose de Persée brandissant la tête de Méduse après l'avoir tuée dans son sommeil.

Mosaïque des Colombes
Cette charmante mosaïque du Ier siècle décorait le sol de la villa Adriana à Tivoli (p. 468).

Salle des Philosophes
Elle contient les répliques romaines de bustes de philosophes et poètes grecs qui ornaient les demeures de riches particuliers.

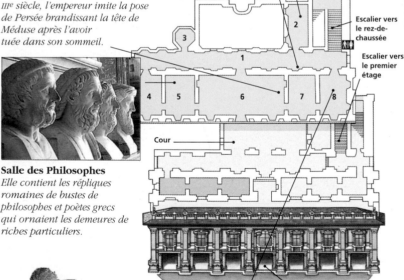

Escalier vers le rez-de-chaussée

Escalier vers le premier étage

2

3

1

4   5   6   7   8

Cour

Sortie

Gaulois mourant
Une grande émotion émane de cette copie romaine d'une statue grecque du IIIe siècle av. J.-C.

LÉGENDE DU PLAN

☐ Rez-de-chaussée

☐ Premier étage

☐ Deuxième étage

☐ Circulations et services

Palazzo dei Conservatori

À la fin du Moyen Âge, les délibérations des conseillers municipaux se tenaient au palais des Conservateurs et il abrite toujours au rez-de-chaussée le bureau de l'état-civil. Son musée présente une riche collection de sculptures antiques, notamment les fragments d'une statue colossale de Constantin. Au deuxième étage, la pinacothèque comprend des tableaux de Véronèse, du Tintoret, du Caravage, de Van Dyck et de Titien.

MODE D'EMPLOI

Musei Capitolini, Piazza del Campidoglio. **Plan** 3 A5.
Tél 06 06 08.
40, 63, 64, 70, 73, 81 et 87 et nombreuses lignes vers la piazza Venezia.
mar.-dim. 9h-20h.
1er janv., 1er mai, 25 déc.
billet valable pour les 2 musées.
www.museicapitolini.org

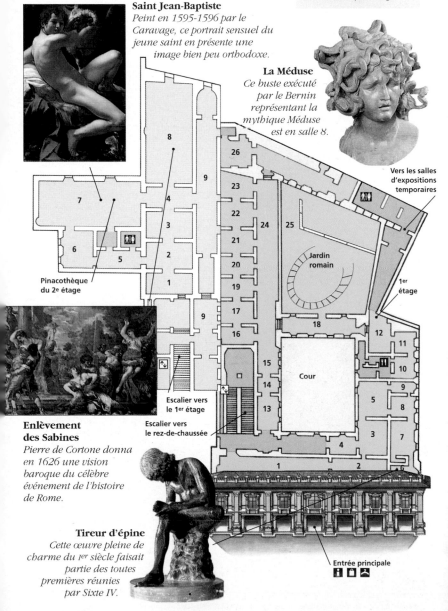

Saint Jean-Baptiste
Peint en 1595-1596 par le Caravage, ce portrait sensuel du jeune saint en présente une image bien peu orthodoxe.

La Méduse
Ce buste exécuté par le Bernin représentant la mythique Méduse est en salle 8.

Vers les salles d'exposition temporaires

Pinacothèque du 2e étage

Jardin romain

1er étage

Escalier vers le 1er étage

Escalier vers le rez-de-chaussée

Cour

Enlèvement des Sabines
Pierre de Cortone donna en 1626 une vision baroque du célèbre événement de l'histoire de Rome.

Tireur d'épine
Cette œuvre pleine de charme du 1er siècle faisait partie des toutes premières réunies par Sixte IV.

Entrée principale

Forum et marché de Trajan ❹

Plan 3 B4. **Forum de Trajan**, Via dei Fori Imperiali. ⬤ *au public*. **Marché de Trajan**, Via IV Novembre. **Tél** 06 992 35 21. ◯ *t.l.j. 9h-18h45 (dern. ent. 18h.)* 🖼️ 📷 ♿

L'empereur Trajan commença en 107 la construction du plus ambitieux des forums de Rome, vaste esplanade dont sa statue équestre occupait le centre, entourée de deux portiques, d'une immense basilique et de deux grandes bibliothèques. Il n'en reste que des ruines et la **colonne Trajane** haute de 40 mètres. Elle célèbre les campagnes victorieuses

Colonne Trajane

menées en Dacie (l'actuelle Roumanie) en 101-102 et 105-106, et plus de 2 500 personnages sculptés en haut-relief sur elle fût présentent le déroulement des opérations militaires, du départ de Rome jusqu'à la retraite des ennemis, composant un décor en spirale qui va en s'agrandissant de la base au sommet pour compenser l'effet de perspective. Des plates-formes permettaient jadis d'en admirer le détail depuis les deux bibliothèques qui encadraient la colonne. Un jeu complet de moulages permet aujourd'hui de l'étudier au Museo della Civiltà Romana (*p. 442*).

Situé derrière le forum et construit comme lui par

La via Biberatica, rue principale du marché de Trajan

Apollodore de Damas, le marché, mieux conservé, formait un ensemble visionnaire de 150 boutiques, entrepôts, bureaux et salles de négoce où se vendait de tout, de la soie aux poissons conservés en viviers. L'*annone*, ration de blé accordée gratuitement aux citoyens, y était aussi distribuée, une pratique instituée sous la République pour assurer les familles

RECONSTITUTION DU MARCHÉ DE TRAJAN

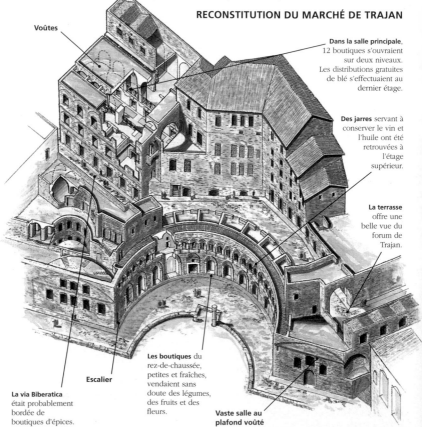

Voûtes

Dans la salle principale, 12 boutiques s'ouvraient sur deux niveaux. Les distributions gratuites de blé s'effectuaient au dernier étage.

Des jarres servant à conserver le vin et l'huile ont été retrouvées à l'étage supérieur.

La terrasse offre une belle vue du forum de Trajan.

Escalier

La via Biberatica était probablement bordée de boutiques d'épices.

Les boutiques du rez-de-chaussée, petites et fraîches, vendaient sans doute des légumes, des fruits et des fleurs.

Vaste salle au plafond voûté

patriciennes de la docilité du peuple.

Forum d'Auguste ❺

Piazza del Grillo 1. **Plan** 3 B5.
Tél 06 06 08 🚌 87, 186.
⬜ sur r.-v. pour les chercheurs 📷

En grande partie recouvert par la via dei Fori Imperiali ouverte par Mussolini, ce forum fut construit par Auguste pour célébrer sa victoire en 42 av. J.-C. contre Cassius et Brutus, les assassins de Jules César, avec au centre un temple dédié à Mars Vengeur. Il en subsiste des marches et trois colonnes. La statue du dieu ressemblait fort à Auguste et pour qu'aucun doute ne subsiste, une statue colossale de l'empereur se dressait contre le mur protégeant le forum des incendies du quartier de Suburre.

Gardes visitant des prisonniers à la Mamertine (gravure du XIXᵉ s.)

Prison Mamertine ❻

Clivo Argentario 1. **Plan** 3 B5.
Tél 06 679 29 02. 🚌 84, 85, 87, 175, 186. ⬜ t.l.j. 9h-19h (jusqu'à 17h en hiver). **Offrande**

Sous l'escalier d'une église du XVIᵉ siècle, San Giuseppe dei Falegnami (Saint-Joseph-des-Charpentiers), s'ouvre l'entrée de la prison Mamertine aménagée pendant l'Antiquité dans une ancienne citerne. Selon la légende, saint Pierre

Podium du temple de Mars Vengeur, forum d'Auguste

et saint Paul, incarcérés ici, firent jaillir une source afin de baptiser leurs codétenus et leurs deux gardiens. La cellule supérieure, ou *carcer Mamertinus*, servait aussi de lieu d'exécution. Un sombre cachot s'étendait dessous. Vercingétorix y attendit six ans d'être étranglé.

Forum de César ❼

Via del Carcere Tulliano. **Plan** 3 B5.
Tél 06 06 08. 🚌 84, 85, 87, 175, 186, 810, 850. ⬜ sur r.-v. pour les chercheurs.

L'augmentation de la population au Iᵉʳ siècle av. J.-C. imposa la création du premier des forums impériaux. Afin d'accomplir un vœu fait sur le champ de bataille de Pharsale où il vainquit Pompée en 48 av. J.-C., César dépensa presque tout le butin rapporté de Gaule pour acheter les maisons qui existaient sur le site, les démolir et élever un temple à Vénus Genetrix, mère mythique d'Énée dont il prétendait descendre. Outre une statue de la déesse, ce sanctuaire, dont ne subsistent que le podium et trois colonnes, abritait les effigies de César et de Cléopâtre. Il dominait une place rectangulaire cernée d'une double colonnade protégeant des boutiques. Domitien puis Trajan durent restaurer l'ensemble après un incendie en 80. Trajan construisit en outre la

basilique Argentaria, qui devint un important centre financier doté de toilettes publiques chauffées.

Forum romain ❽

Voir p. 390-391.

Colisée ❾

Voir p. 393.

Arc de Constantin ❿

Entre Via di San Gregorio et Piazza del Colosseo. **Plan** 7 A1.
🚌 75, 85, 87, 110, 175, 673, 810.
🚊 3. Ⓜ Colosseo.

Le « Sénat et le peuple de Rome » érigèrent cet arc de triomphe en 315, quelques années avant que la capitale de l'Empire ne se déplace à Byzance, pour commémorer la victoire de Constantin sur Maxence à la bataille du pont Milvius. Constantin affirma devoir ce succès à un rêve où une voix lui avait ordonné d'inscrire sur les boucliers de ses hommes les deux premières lettres grecques du nom du Christ : *chi* et *rho*. Selon une légende souvent illustrée en peinture, il eut en outre une vision de la Croix pendant le combat. L'arc n'a toutefois rien de chrétien, une grande partie de ses décorations provenant de monuments plus anciens.

Palatin ⓫

Voir p. 394-395.

Face nord de l'arc de Constantin

Forum romain ❽

Au début de son existence, étals de marchands et maisons closes voisinaient sur le Forum avec les temples et le Sénat. Il fut décidé au IIe siècle que Rome avait besoin d'un centre plus respectable et des basiliques les remplacèrent. Les empereurs ne cessèrent ensuite jamais de rénover les bâtiments anciens et d'en construire des neufs, l'esplanade restant le théâtre des grandes cérémonies romaines.

Arc de Septime Sévère
Érigé en 203, il célébrait le dixième anniversaire de l'arrivée au pouvoir de l'empereur.

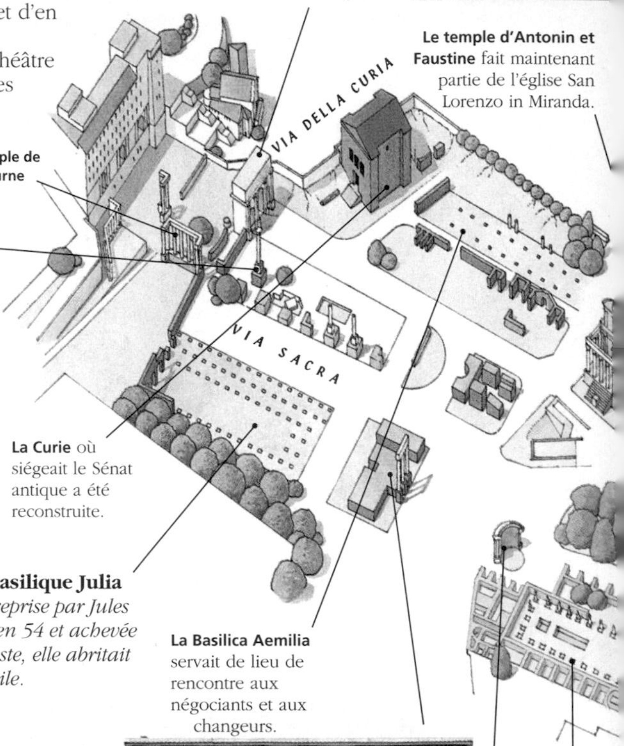

Le temple d'Antonin et Faustine fait maintenant partie de l'église San Lorenzo in Miranda.

VIA DELLA CURIA

Temple de Saturne

Les Rostres servaient de tribune aux orateurs.

VIA SACRA

La Curie où siégeait le Sénat antique a été reconstruite.

Basilique Julia
Entreprise par Jules César en 54 et achevée par Auguste, elle abritait la cour civile.

La Basilica Aemilia servait de lieu de rencontre aux négociants et aux changeurs.

Temple de Vesta

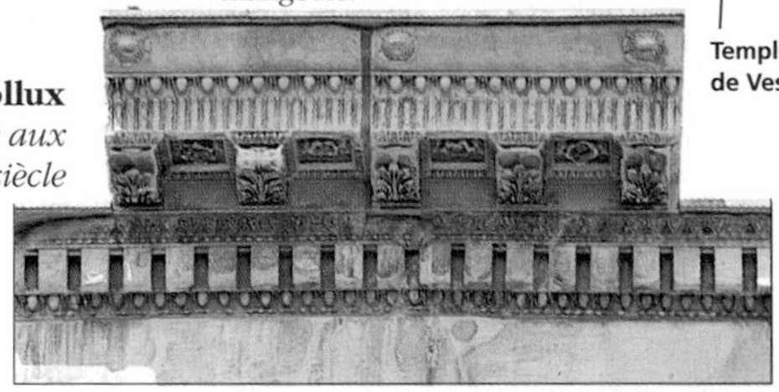

Temple de Castor et Pollux
Les Romains élevèrent un temple aux fils jumeaux de Jupiter dès le Ve siècle av. J.-C., mais les vestiges actuels datent d'une reconstruction en l'an 6.

À NE PAS MANQUER

★ Basilique de Maxence et de Constantin

★ Maison des Vestales

★ **Maison des Vestales**
Les vierges qui veillaient sur le feu sacré du temple de Vesta habitaient cette vaste maison construite autour d'un jardin.

0   75 m

★ Basilique de Maxence et de Constantin

Il ne reste que trois hautes voûtes du plus vaste édifice du Forum qui abritait un tribunal et servait de lieu de rendez-vous d'affaires.

MODE D'EMPLOI

Entrée Via della Salara Vecchia 5/6. **Plan** 3 B5.
Tél *06 39 96 77 00.* 85, 87, 117, 175, 186, 810, 850.
 Colosseo. 3. *t.l.j. 9h à 1h av. la nuit.* *1er janv., 1er mai, 25 déc.* Billet incluant l'accès au Colisée et au Palatin.

Le Temple de Romulus, bien qu'incorporé à l'église *Santi Cosma e Damiano*, a conservé ses portes de bronze du IVe siècle.

Arc de Titus

L'empereur Domitien le fit bâtir en 81 pour célébrer le sac de Jérusalem, 13 ans plus tôt, par son père Vespasien et son frère Titus.

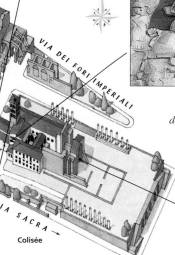

Antiquarium Forense

Ce petit musée expose des découvertes archéologiques faites au Forum, comme des urnes funéraires de l'âge du fer ou cette frise d'Énée de la basilique Aemilia.

Le temple de Vénus et de Rome, en grande partie dessiné par Hadrien, fut bâti en 135.

VIA DEI FORI IMPERIALI

VIA SACRA

VIA SACRA

Colisée

Palatin

Santa Francesca Romana

Cette église à la façade baroque dresse un campanile roman au-dessus des ruines antiques du Forum.

VESTALES

Le culte de Vesta, déesse du feu et de la pureté, date au moins du VIIIe siècle av. J.-C., Romulus et Remus étant, selon la légende, les fils de Mars et de la vestale Rhea. Six vierges entretenaient jour et nuit la flamme sacrée, symbole de l'État, dans le temple circulaire. Celle qui la laissait mourir recevait le fouet, celle qui manquait à son vœu de chasteté était enterrée vivante. Ces prêtresses étaient choisies enfant dans les familles patriciennes et restaient attachées au culte 30 ans pendant lesquels elles jouissaient de privilèges. Elles pouvaient ensuite se marier, mais peu le firent.

Statue de vestale

À la découverte du Forum

Avant de se lancer à la découverte du dédale de ruines formé par les vestiges du Forum romain, mieux vaut en avoir une vue d'ensemble depuis la terrasse du Capitole. De cet observatoire, on distingue notamment le tracé de la Via Sacra, la voie qu'empruntaient les processions religieuses et triomphales en direction du temple de Jupiter (*p. 385*). Au pied de la colline, l'arc de Septime Sévère et les colonnes du temple de Saturne restèrent à demi ensevelis jusqu'au XVIIIe siècle.

Colonnes corinthiennes du temple de Castor et Pollux

Les principaux sites

Les premiers vestiges à droite de l'entrée sont ceux de la **basilique Aemilia**, vaste halle rectangulaire bâtie en 179 av. J.-C. où se retrouvaient les usuriers, les politiciens et les collecteurs d'impôts. Il n'en subsiste guère plus que des moignons de colonnes cernant un pavement de marbre incrusté de taches de bronze peut-être laissées par des pièces qui fondirent lors de l'incendie de la basilique par les Wisigoths au Ve siècle.

L'austère bâtiment de briques voisin, la Curie, où se réunissait le Sénat romain, abrite les **bas-reliefs de Trajan** qui décoraient jadis les Rostres, tribune d'où les orateurs s'adressaient aux assemblées populaires. Sur l'un d'eux figurent des piles de registres de taxes que Trajan détruisit pour libérer des citoyens de leurs dettes. L'**arc de Septime Sévère**, le monument le mieux conservé du Forum, est orné de reliefs, très érodés, dépeignant les victoires de l'empereur sur les Parthes (aujourd'hui Iraniens et Irakiens) et en Arabie.

Le **temple de Saturne** était, chaque année en décembre, le centre d'une semaine de célébrations, les saturnales, marquées par un renversement de l'ordre social. Les écoles fermaient, aucune guerre ne pouvait être déclarée et les esclaves ne servaient plus leurs maîtres à table et avaient le droit de boire du vin jusqu'à l'ivresse. L'échange de petits cadeaux qui accompagnait ces réjouissances reste une des traditions de nos fêtes de Noël.

Dominant la basilique Julia s'élèvent trois colonnes corinthiennes en marbre blanc. Elles appartenaient au **temple de Castor et Pollux** dédié aux fils jumeaux de Jupiter qui intervinrent pendant la bataille du lac Regille (499 av. J.-C.) opposant les Romains aux Latins et aux Étrusques.

Évocation des huttes des premiers habitants du Latium, le plan circulaire du **temple**

Partie restaurée du temple de Vesta

de Vesta, en partie reconstruit en 1930, témoigne de l'ancienneté d'un culte associant la déesse de la Terre à une flamme symbolisant la pérennité de l'État. Les prêtresses, ou vestales, habitaient la **maison des Vestales** dont les vestiges s'étendent derrière le temple.

Ce vaste palais comprenait 50 pièces entourant sur trois étages un atrium. Sous le regard des statues de Grandes Vestales, des poissons rouges jouent entre les nénuphars des deux bassins de cette ancienne cour intérieure.

De l'autre côté du Forum s'élèvent les ruines de la **basilique de Maxence et Constantin** entreprise en 308 par l'empereur Maxence et achevée par Constantin après sa victoire au pont Milvius en 312. Ce fut le plus grand bâtiment du Forum et les trois voûtes à caissons, hautes de 24 m, encore debout n'en constituaient que les berceaux latéraux. La nef centrale, couverte par une immense voûte d'arête, avait une hauteur de 35 m. Des débris d'un escalier en spirale jonchent encore le sol. Il conduisait au toit que des plaques de bronze doré protégèrent jusqu'au VIIe siècle où Honorius Ier les fit enlever pour en couvrir la première basilique Saint-Pierre. Visible de tout le bâtiment, une statue colossale de Constantin, en bronze et en marbre, se dressait dans l'abside occidentale. Il reste des fragments au palazzo dei Conservatori (*p. 377*).

Atrium de la maison des Vestales

Colisée ⑨

Bouclier de gladiateur

Vespasien entama en 72 l'édification du plus vaste amphithéâtre de Rome. Son fils Titus l'inaugura en 80 par trois mois de jeux où périrent quelque 2 000 gladiateurs et plus de 9 000 animaux.
Œuvre d'art, le Colisée était une réussite technique formidable pouvant accueillir 55 000 spectateurs placés selon leur rang sous un vélum les protégeant du soleil.

MODE D'EMPLOI

P. del Colosseo. **Plan** 7 A1. **Tél** 06 39 96 77 00. 🚌 75, 81, 85, 87, 117, 175, 673, 810. Ⓜ Colosseo. 🚃 3 jusqu'à la P. del Colosseo. ⭕ t.l.j. 9h à 1h av. la nuit. ⬤ 1er janv., 25 déc. 🎫 incluant l'accès au Forum et au Palatin. 📷 🚻 🎫 ♿ limité.

Couloirs intérieurs
Ils permettaient à un spectateur d'atteindre sa place en moins de 10 min.

Colosse de Néron
Le Colisée tient peut-être son nom de cette immense statue qui ornait le palais de Néron voisin.

Le velarium, immense toile abritant les spectateurs du soleil, était tendu sur des mâts dressés au sommet du bâtiment.

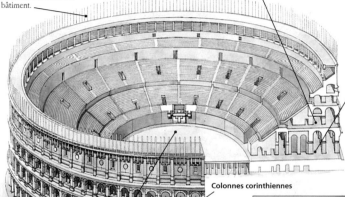

Colonnes corinthiennes

Des voies d'accès et des escaliers conduisaient aux rangs de gradins. L'empereur et le consul avaient leur propre entrée.

Colonnes ioniques

L'arène recouvrait un dédale souterrain où l'on gardait les animaux.

Colonnes doriques

Entrées

Trois étages d'arcades
Les colonnes de chaque étage sont d'un ordre différent (p. 371), ce qui inspira les architectes de la Renaissance.

Combat de gladiateurs
Ces luttes à mort tiraient leur origine de l'entraînement des soldats mais mettaient généralement aux prises des esclaves ou des prisonniers.

Vespasien
Il ordonna la construction du Colisée à l'emplacement du lac ornant le parc du palais de Néron pour marquer sa distance avec le tyran.

Palatin ⑪

Statue de la déesse Cybèle

Ancien lieu de résidence des empereurs et des aristocrates, le Palatin est le plus agréable des sites archéologiques de Rome. De la simplicité de la maison d'Auguste et de sa femme Livie à l'orgueilleux palais de Domitien, ses ruines offrent un aperçu du mode de vie des maîtres de l'Empire romain.

Des huttes d'une colonie du IXe siècle av. J.-C., soi-disant fondée par Romulus, ont laissé les trous de leurs supports.

Temple de Cybèle, déesse de la fertilité

★ **Maison d'Auguste**
Cette demeure contient, entre autres, quatre pièces avec des fresques magnifiques.

★ **Maison de Livie**
La partie privée de la maison où Auguste aurait vécu avec sa femme Livie a gardé nombre de ses peintures murales.

★ **Palais Flavien**
Une mosaïque de marbre ornait le sol du palais Flavien, partie publique du palais de Domitien dont les poètes vantèrent la beauté.

La Domus Augustana était la partie où vivaient les empereurs.

À NE PAS MANQUER

★ Maison d'Auguste

★ Maison de Livie

★ Palais Flavien

Septime Sévère
Empereur de 193 à 211, il agrandit la Domus Augustana et la dota de thermes impressionnants.

0   75 m

Cryptoportique
Des répliques remplacent les stucs de cette longue galerie voûtée construite par Néron.

MODE D'EMPLOI

Via di San Gregorio 30.
Plan 6 F1. *Tél* 06 39 96 77 00.
75, 85, 87, 117, 175, 186, 810, 850. **M** Colosseo. 3.
t.l.j. 9h à 1h av. la nuit
1er janv., 25 déc.
comprend l'accès au Colisée, au Forum et au musée du Palatin.

Dans la cour du palais Flavien, du marbre poli comme un miroir permettait à Domitien de se garder d'éventuels assassins.

La loggia du Stade fut ajoutée par Hadrien au IIe siècle.

↗ **Vers le Forum**

Stade
Intégré au palais de Domitien, il servait de jardin d'agrément et de promenade.

Palais de Septime Sévère
Cette extension de la Domus Augustana reposait sur des arcades colossales.

HISTOIRE DE LA COLLINE DU PALATIN

Romains de la décadence par Thomas Couture (1815-1879)

Fondation de Rome
Selon la tradition, une louve nourrit Romulus et Remus sur le Palatin et c'est là, selon l'historien Varron, que Romulus, ayant tué son jumeau, fonda en 753 av. J.-C. le village qui allait devenir Rome. La découverte sur la colline de traces de huttes remontant à cette époque a prouvé que la légende reposait au moins sur un fond de vérité.

La République
Au Ier siècle av. J.-C., le Palatin était le lieu de résidence le plus recherché de Rome, et des aristocrates et des hommes aussi célèbres que le poète Catulle et l'orateur Cicéron y aménagèrent des villas où dalles de bronze, portes incrustées d'ivoire et murs décorés de fresques créaient un décor luxueux.

L'Empire
Octave naquit sur le Palatin en 63 av. J.-C. et il y vécut après être devenu le premier empereur sous le nom (et titre) d'Auguste. Ses successeurs l'imitèrent et l'orgueilleux palais de Domitien, entrepris en 83, resta la résidence officielle des maîtres de l'Empire pendant plus de 300 ans. Les appartements privés, la Domus Augustana, y étaient séparés de la partie publique, le palais Flavien.

QUARTIER DE LA PIAZZA NAVONA

onnu sous le nom de *centro storico*, le quartier qui s'étend autour de la place Navone est habité depuis plus de 2 000 ans. La place a conservé la forme de l'arène du stade antique qu'elle a remplacé. Non loin, le Panthéon date de l'an 27 et, dans le Ghetto, des appartements

Vierge du XVIIIe siècle, Campo de' Fiori

occupent le théâtre de Marcellus entrepris par Jules César. Le Moyen Âge fut une période noire, mais le quartier connut un âge d'or après le retour des papes d'Avignon. Tout au long de la Renaissance et de l'époque baroque, princes et dignitaires de l'Église y élevèrent palais, églises et fontaines.

LE QUARTIER D'UN COUP D'ŒIL

Églises et temples
Chiesa Nuova **6**
Gesù **13**
La Maddalena **20**
San Luigi dei Francesi **3**
Santa Maria della Pace **5**
Santa Maria sopra Minerva **15**
Sant'Ignazio di Loyola **17**
Sant'Ivo alla Sapienza **2**

Musées et galeries
Palazzo Doria Pamphilj **14**
Palazzo Spada **10**

Sites et monuments antiques
Area Sacra di Largo Argentina **12**
Panthéon **16**

Bâtiments historiques
Palazzo Altemps **4**
Palazzo della Cancelleria **7**
Palazzo Farnese **9**

Rues et places historiques
Campo de' Fiori **8**
Ghetto et Île tibérine **11**
Piazza Colonna **18**
Piazza di Montecitorio **19**
Piazza Navona **1**

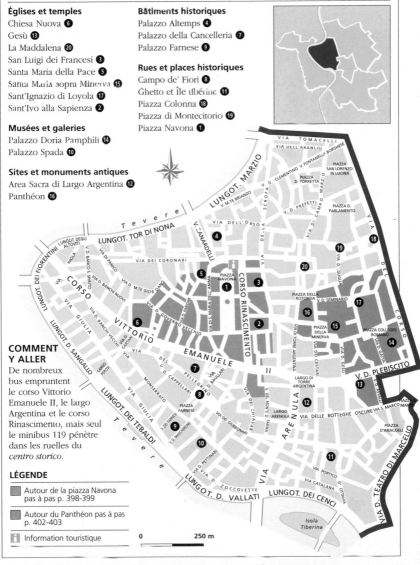

COMMENT Y ALLER
De nombreux bus empruntent le corso Vittorio Emanuele II, le largo Argentina et le corso Rinascimento, mais seul le minibus 119 pénètre dans les ruelles du *centro storico*.

LÉGENDE

▨ Autour de la piazza Navona pas à pas p. 398-399

▨ Autour du Panthéon pas à pas p. 402-403

ℹ Information touristique

0   250 m

◁ **La fontana del Moro (1653) et l'église Sant'Agnese in Agone (XVIIe siècle) sur la piazza Navona**

Pas à pas autour de la piazza Navona

Cœur piétonnier d'un quartier où il se passe toujours quelque chose, de nuit comme de jour, la place Navone offre à l'expansive vie sociale romaine un véritable décor de théâtre avec sa forme de stade antique, ses cafés luxueux, ses fontaines et églises baroques. Pour découvrir un aspect plus ancien de la ville, empruntez la via del Governo Vecchio bordée de façades Renaissance, de boutiques d'antiquités et de trattorias.

La Torre dell'Orologio par Borromini (1648) fait partie de l'oratorio dei Filippini.

Chiesa Nuova
Elle fut reconstruite en 1575 pour l'ordre fondé par saint Philippe Neri **6**

Le Vatican

VIA DEL CORALLO

L'Oratorio dei Filippini (1637) donna son nom d'« oratorio » à la forme de drame lyrique inventée par les musiciens qui le fréquentaient.

VIA DEL GOVERNO VECCHIO

VIA DI PARIONE

La via del Governo Vecchio est bordée de belles maisons Renaissance.

CORSO VITTORIO EMANUELE II

VIA DI SANTA MARIA

PIAZZA DI PASQUINO

Santa Maria della Pace
Quatre Sibylles par Raphaël ornent cette église Renaissance à la cour dessinée par Bramante et au portique baroque de Pierre de Cortone **5**

À NE PAS MANQUER

★ Piazza Navona

Le Pasquin est un fragment érodé d'un groupe sculpté hellénistique du IIIe siècle av. J.-C. auquel les Romains accrochaient des vers satiriques.

Palazzo Pamphilj

Fontana del Moro

Campo de' Fiori

Le palazzo Braschi, bâti à la fin du XVIIIe siècle par Cosimo Morelli, possède un superbe balcon surplombant la place.

Sant'Andrea della Valle, entreprise en 1591, présente une remarquable façade baroque encadrée d'anges sculptés par Ercole Ferrata. Elle sert de décor au premier acte de *Tosca* de Puccini.

LÉGENDE

– – – Itinéraire conseillé

0   75 m

Pour les hôtels et les restaurants de la ville, voir p. 587-592 et 636-641

Sant'Agnese in Agone

(1657), œuvre de Borromini, s'élèverait à l'endroit où sainte Agnès fut exposée nue en 304 avant son martyre.

CARTE DE SITUATION
Voir l'atlas des rues de Rome, plan 2

LE VATICAN ET LE TRASTEVERE

QUARTIER DE LA PIAZZA NAVONA

Tevere

Piazza Navona ❶

Plan 2 E4. 🚌 40, 46, 62, 64, 81, 87, 116, 492, 628.

La plus belle place baroque de Rome, et probablement du monde, doit au stade de Domitien, dont elle occupe le site, sa forme mais aussi son nom puisqu'il dérive des *agonis* (luttes dans les jeux publics) qui s'y déroulaient. En ruines pendant des siècles, puis marché de la ville, elle prit son aspect actuel au XVIIe siècle grâce au pape Innocent X dont le palais familial se dressait en bordure. Il commanda le remaniement de l'église Sant'Agnese in Agone, dont Borromini dessina la façade, et la construction de la fontana dei Quattro Fiumi (fontaine des quatre Fleuves), chef-d'œuvre du Bernin. Dominées par un obélisque, des statues allégoriques représentent le Nil, le Rio de la Plata, le Gange et le Danube.

Jusqu'au milieu du XIXe siècle, on inondait la place Navone les samedis et dimanches d'août. Les puissants s'y promenaient en carrosse, s'amusant à projeter des gerbes d'éclaboussures. La piazza demeure un lieu magique car, du 8 décembre au 6 janvier, elle accueille la *Befana*, foire aux jouets et décorations de Noël.

Fontana dei Quattro Fiumi

Saint-Louis-des-Français
Des œuvres du Caravage ornent cette église française ❸

Le Sénat italien occupe le **palazzo Madama**, une demeure bâtie au XVIe siècle pour les Médicis sur le site d'une de leurs banques.

Sant'Ivo alla Sapienza
Ce petit sanctuaire (1642-1650) coiffé d'une lanterne est l'une des créations les plus originales de Borromini ❷

VIA DEL SALVATORE
PIAZZA NAVONA
CORSIA AGONALE
CORSO DEL RINASCIMENTO
VIA DEGLI STADERARI
VIA DEI SEDIARI
PIAZZA DI SANT'ANDREA DELLA VALLE
Largo di Torre Argentina

★ Piazza Navona
Bordée de cafés, la place Navone offre un cadre unique où se désaltérer autour de trois exubérantes fontaines baroques ❶

Le Nil de la fontaine des Quatre Fleuves du Bernin

Sant'Ivo alla Sapienza ❷

Corso del Rinascimento 40.
Plan 2 F4. **Tél** 06 686 49 87.
🚌 40, 46, 64, 70, 81, 87, 116, 186, 492, 628. ⬤ dim. 9h-12h ♿

Entre 1642 et 1660, Borromini créa avec cette chapelle un chef-d'œuvre du baroque romain dans la cour du palais de la Sapienza, siège de l'université de Rome du XVᵉ siècle à 1935.

Coiffée d'une spirale tranchant sur les toits qui l'environnent, une lanterne inonde de lumière la subtile combinaison de parois concaves et convexes de l'intérieur. Les emblèmes de trois papes apparaissent dans le décor : Urbain VIII, Innocent X et Alexandre VII.

San Luigi dei Francesi ❸

Piazza di san Luigi dei Francesi 5.
Plan 2 F4 et 12 D2. **Tél** 06 688 27 1.
🚌 70, 81, 87, 116, 186, 492, 628.
⬤ t.l.j. 10h-12h30, 14h30-19h.
⬤ jeu. après-midi. 📷

Église nationale de France à Rome, Saint-Louis-des-Français (1518-1589) abrite dans la 5ᵉ chapelle à gauche trois œuvres du Caravage peintes entre 1597 et 1602 : la *Vocation de saint Matthieu*, le *Martyre de saint Matthieu* où l'artiste s'est représenté parmi les personnages, et *Saint Matthieu et l'Ange*. Le Caravage dut refaire cette dernière car le saint avait les pieds sales.

Détail de la *Vocation de saint Matthieu* (1599) du Caravage, Saint-Louis-des-Français

Bas-relief du trône de Ludovisi au palazzo Altemps

Palazzo Altemps ❹

Via di Sant'Apollinare 46. **Plan** 2 E3.
Tél 06 39 96 77 00. 🚌 70, 81, 87, 115, 280, 628. ⬤ mar.-dim. 9h-19h45. ⬤ 1ᵉʳ janv., 25 déc. 📷 📷 📷 ♿

Une extraordinaire collection de sculpture classique est abritée dans cette succursale du Museo Nazionale Romano (*p. 412*). Transformé en musée en 1990, le palais fut construit par Girolamo Riario, neveu du pape Sixte IV en 1480. À la mort de ce dernier en 1484, le peuple romain se rebella contre le pouvoir et les instances et mit à sac le palais. Girolamo dut fuir la ville. En 1568, le cardinal Marco Sittico Altemps racheta le palais, rénové en 1570 par Martino Longhi qui rajouta un obélisque en marbre.

De tout temps, la famille Altemps entretint des liens avec les artistes et reprit la collection de sculptures des Ludovisi. Vous pourrez admirer au salone del Camino *Le Suicide de Galatée*, copie en marbre dont l'original est en bronze. Le premier étage compte des sculptures grecques du Vᵉ siècle apr. J.-C. dont l'une représente Aphrodite.

Le Suicide de Galatée au palazzo Altemps

Santa Maria della Pace ❺

Vicolo del Arco della Pace 5.
Plan 2 E3. **Tél** 06 686 11 56.
🚌 46, 62, 64, 70, 81, 87, 116, 492, 628. ⬤ mar.-sam. 10h-12h. ♿

Destinée à célébrer la paix à l'issue de la guerre contre les Turcs, cette église fut entreprise dans les années 1480 sous le règne du pape Sixtius IV. Bramante bâtit le cloître en 1504, tandis que la façade fut dessinée en 1656 par Pierre de Cortone. L'intérieur recèle les quatre splendides fresques des *Sybilles* de Raphaël.

Chiesa Nuova ❻

Piazza della Chiesa Nuova.
Plan 2 E4. **Tél** 06 687 52 89.
🚌 46, 64. ⬤ t.l.j. 8h-12h (13h dim.), 16h30-19h. ♿

Philippe Neri, saint très populaire de la Contre-Réforme, accepta en 1575 que Grégoire XIII l'aide à bâtir pour sa congrégation une nouvelle église sur le site de la petite Santa Maria in Vallicella. Le saint souhaitait voir les murs du sanctuaire rester blancs, mais, après sa mort, Pierre de Cortone orna de splendides fresques baroques la nef et l'abside. Trois tableaux de Rubens entourent l'autel. L'artiste les repeignit sur de l'ardoise après le refus de premières versions trop brillantes.

Palazzo della Cancelleria ❼

Piazza della Cancelleria. **Plan** 2 E4.
Tél 06 69 89 34 05. 🚌 46, 62, 64, 70, 81, 87, 116, 492. ⬤ sur r.-v. seul. lun. après-midi et sam. mat.

Le cardinal Raffaele Riario, neveu du pape Sixte IV, finança en partie la

Pour les hôtels et les restaurants de la ville, voir p. 587-592 et 636-641

construction de ce chef-d'œuvre de la première Renaissance. Construit de 1485 à 1517 par Andrea Bregno, le portail principal ouvre sur une cour attribuée à Bramante. La Chancellerie pontificale l'occupe depuis 1870. Le bâtiment est rarement ouvert, mais des concerts ont lieu dans sa cour ornée de colonnes doriques.

Campo de' Fiori

L'île tibérine et le ponte Cestio qui la relie au Trastevere

Plan 2 E4. 🚌 *116 et ceux vers le Corso Vittorio Emanuele II.*

Cette place occupe l'espace dégagé qui s'étendait jadis devant le théâtre de Pompée. Au Moyen Âge et à la Renaissance, cardinaux et aristocrates s'y mêlaient aux marchands de poissons et aux pèlerins, en faisant un centre très animé. Des auberges l'entouraient, dont celles qui appartenaient au XVe siècle à Vannozza Catanei, maîtresse du pape Alexandre VI et mère de ses deux enfants : César et Lucrèce Borgia. À l'angle de la place et de la via dell'Pellegrino, on peut voir son blason où se côtoient ses armoiries, celles de son mari et celles de son amant.

Tous les matins sauf le dimanche, un marché emplit le Campo de' Fiori. Ses étals entourent la statue de Giordano Bruno que le Vatican n'a pas pu faire enlever malgré tous ses

efforts. Elle rappelle qu'en 1600, ce moine dominicain épris d'humanisme y fut brûlé vif pour hérésie.

Palazzo Farnese ❾

Piazza Farnese. **Plan** 2 E5. 🚌 *23, 116, 280 et ceux vers le corso Vittorio Emanuele II.* 🌐 *au public.*

Antonio da Sangallo le Jeune entreprit ce palais en 1514 pour le cardinal Alexandre Farnese, qui devint le pape Paul III en 1534. L'architecte mourut en 1546 et Michel-Ange poursuivit les travaux, donnant à l'édifice sa loggia centrale, son second étage et sa grande corniche.

Siège de l'ambassade de France, le bâtiment est fermé au public, mais le soir, quand s'allument les lustres, vous réussirez peut-être à apercevoir le décor du plafond de la Galleria (1597-1603) inspiré à Annibal Carrache par les *Métamorphoses* d'Ovide.

Palazzo Spada ❿

Piazza Capo di Ferro 13. **Plan** 2 E5. **Tél** *06 686 11 58.* 🚌 *23, 116, 280 Argentina.* ⬤ *mar.-dim 8h30-19h.* ⬤ *1er janv., 25 déc.* 🈁 🎫 🚻 🛗 **www**.galleriaborghese.it

Le cardinal Bernardino Spada acheta en 1632 ce palais construit en 1540 par l'architecte Giulio Merisi.

Derrière une vitre de son aile gauche, on aperçoit la colonnade en trompe l'œil créée par Borromini. L'accès à la galerie Spada se trouve dans la seconde cour. Ce musée présente la collection d'art du cardinal : des œuvres de Dürer, du Guerchin, d'Andrea del Sarto et d'Artemisia Gentileschi.

Ghetto et l'île tibérine ⓫

Plan 2 F5 et 6 D1. 🚌 *23, 63, 280, 780 et ceux vers le largo di Torre Argentina.*

Les premiers juifs qui arrivèrent à Rome étaient des esclaves ramenés par Pompée après la prise de Jérusalem en 63 av. J.-C. Leur communauté subit toutefois moins de persécutions sous l'Empire qu'à partir de 1556, quand le pape Paul IV la força à s'installer dans le quartier actuel, alors insalubre, qu'enfermait un rempart. Vidé par la grande rafle nazie de 1943, il a retrouvé son cachet, notamment sur la via del Portico d'Ottavia qui conduit à la synagogue. Le ponte Fabricio construit en 62 av. J.-C. relie le ghetto à l'île tibérine occupée dans sa majeure partie par un hôpital.

Étalage de fruits au Campo dei Fiori

Pas à pas autour du Panthéon

Riche en monuments, cafés et restaurants, un dédale de ruelles s'étend autour du Panthéon dont la majestueuse coupole domine la ville depuis près de 2 000 ans. Centre politique et financier de la capitale italienne, ce quartier renferme aussi le Parlement, des ministères et la Bourse.

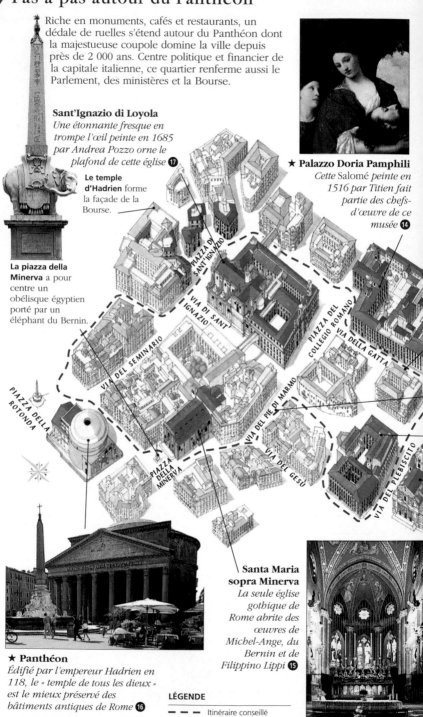

Sant'Ignazio di Loyola
Une étonnante fresque en trompe l'œil peinte en 1685 par Andrea Pozzo orne le plafond de cette église ⓱

Le temple d'Hadrien forme la façade de la Bourse.

La piazza della Minerva a pour centre un obélisque égyptien porté par un éléphant du Bernin.

★ **Palazzo Doria Pamphili**
Cette Salomé *peinte en 1516 par Titien fait partie des chefs-d'œuvre de ce musée* ⓮

PIAZZA DI SANT'IGNAZIO

VIA DI SANT'IGNAZIO

PIAZZA DEL COLLEGIO ROMANO

VIA DELLA GATTA

VIA DEL SEMINARIO

PIAZZA DELLA ROTONDA

VIA DEL PIE DI MARMO

PIAZZA DELLA MINERVA

VIA DEL GESÙ

VIA DEL PLEBISCITO

Santa Maria sopra Minerva
La seule église gothique de Rome abrite des œuvres de Michel-Ange, du Bernin et de Filippino Lippi ⓯

★ **Panthéon**
Édifié par l'empereur Hadrien en 118, le « temple de tous les dieux » est le mieux préservé des bâtiments antiques de Rome ⓰

LÉGENDE

– – – Itinéraire conseillé

CARTE DE SITUATION
Voir l'atlas des rues de Rome, plan 3

La via della Gatta doit son nom à cette statue de chat *(gatta)*.

Le Pie' di Marmo
est le vestige d'une statue colossale en marbre qui ornait sans doute le temple d'Isis.

Le palazzo Altieri incorpore la masure qu'une vieille femme refusa de voir détruite au XVIIᵉ siècle pour laisser place au palais.

Gesù
Bâtie à la fin du XVIᵉ siècle, cette église jésuite servit de modèle aux sanctuaires de l'ordre dans le monde entier ⓭

À NE PAS MANQUER

★ Palazzo Doria Pamphili

★ Panthéon

0 ___ 75 m

Area Sacra di Largo Argentina ⓬

Largo di Torre Argentina. **Plan** 2 F4.
🚌 40, 46, 62, 64, 70, 81, 87, 186, 492. ◻ sur autorisation seul. (p. 664).

Les ruines de quatre temples mises au jour lors de fouilles archéologiques effectuées entre 1926 et 1929 forment l'aire sacrée située sur le largo Argentina, carrefour à la circulation intense et important terminus d'autobus. Ces sanctuaires, identifiés par les lettres A, B, C et D, comptent parmi les plus anciens retrouvés à Rome, notamment le temple C qui date du début du IIIᵉ siècle av. J.-C. Avec son haut podium précédé d'un autel, il se démarque des modèles grecs.

Le podium du temple A édifié au IIIᵉ siècle av. J.-C. servit au Moyen Âge de fondation à la petite église de San Nicola di Cesarini, dont il reste deux absides et l'autel devant les vestiges d'une des deux toilettes publiques bâties à l'époque impériale dans l'Hécatostylum, portique aux 100 colonnes dont ne restent que des socles. Le temple circulaire B (Iᵉʳ siècle av. J.-C.), sur la gauche, était dédié à la Fortune du Jour présent. La vaste plate-forme de blocs de tuf qui s'étend derrière faisait partie de la curie de Pompée où se réunissait le Sénat et où Jules César tomba sous les coups de poignards de ses assassins le 15 mars 44 sav. J.-C.

L'Area Sacra et les ruines circulaires du temple B

La Foi écrasant l'idolâtrie
par Pierre Legros au Gesù

Gesù ⓭

Piazza del Gesù. **Plan** 3 A4.
Tél 06 69 70 01. 🚌 46, 62, 64, 70, 81, 87, 186, 492, 628 et autres. ◻ t.l.j. 7h-12h30, 16h-19h15

Soldat espagnol blessé à la guerre en 1521, Ignace de Loyola (1491-1556) se mit au service du pape en 1534 après une retraite mystique et fonda en 1540 la Compagnie de Jésus, fer de lance de la réaction catholique face au protestantisme : la Contre-Réforme. L'ordre ne se limita pas à une œuvre de reconquête et envoya des missionnaires dans le monde entier.

Construite de 1568 à 1584, la première église jésuite, le Gesù, marque le début d'un nouveau style et sa large nef ouverte aux foules affirme la fonction principale du sanctuaire : le prêche. À la nef et à la coupole, le *Triomphe du nom de Jésus* peint en trompe l'œil par Il Baciccia au XVIIᵉ siècle illustre le message des prédicateurs jésuites : les catholiques vont au paradis et les protestants et autres hérétiques en enfer.

Le même thème inspire les statues baroques qui encadrent dans la cappella di Sant'Ignazio l'autel somptueusement décoré par Andrea Pozzo : le *Triomphe de la Religion sur les Infidèles* de Théodon, à gauche, et *La Foi écrasant l'idolâtrie* de Legros, à droite. Sous l'autel, une urne en bronze doré renferme les reliques de saint Ignace.

Palazzo Doria Pamphili ⑭

Via del Corso 305. **Plan** 3 A4. **Tél** 06 679 73 23. 64, 81, 85, 117, 119, 492. ◯ t.l.j. 10h-17h. ⬤ 25 déc., 1er janv., Pâques, 1er mai, 15 août. sur r.-v. pour les appartements.

Les parties les plus anciennes de cette immense bâtisse au cœur de Rome datent de 1435. À partir de 1647, les Pamphili édifièrent l'aile de la via della Gatta, une splendide chapelle et un théâtre.

Le palais présente les collections d'art de la famille dont le portrait d'Innocent X Pamphili par Vélasquez et plus de 400 tableaux datant du XVe au XVIIIe siècle, notamment par le Caravage, Titien, le Guerchin et Claude Lorrain. Somptueux, les appartements ont conservé une grande partie de leur ameublement.

Portrait d'Innocent X (1650) par Vélasquez

Santa Maria sopra Minerva ⑮

Piazza della Minerva 42. **Plan** 2 F4. **Tél** 06 679 39 26. 116 et autres lignes. ◯ lun.-sam. 7h-19h, dim. 8h-13h, 15h-19h.

Construite au XIIIe siècle, la seule église gothique de Rome s'élève sur le site d'un temple de Minerve. L'ordre dominicain y installa son siège en 1370 et l'Inquisition occupa le cloître attenant au sanctuaire. C'est là qu'elle condamna à mort le philosophe Giordano Bruno en 1600 et que Galilée comparut en 1633 parce qu'il affirmait que la Terre tournait.

Remaniée au XVIIe et au XIXe siècles, Santa Maria sopra Minerva abrite plusieurs œuvres d'art notamment une *Annonciation* d'Antoniazzo Romano (1460), dans une des chapelles. Dans la chapelle Carafa, des fresques, restaurées, de Filippino Lippi évoquent des épisodes de la vie de saint Thomas d'Aquin, tandis que la chapelle Aldobrandini abrite les tombeaux des papes de la famille des Médicis : Léon X et Clément VII. Près de l'escalier du chœur, le *Christ portant sa croix* commencé par Michel-Ange a été achevé par ses disciples. Sur la place devant l'église se dresse l'obélisque égyptien du VIe siècle av. J.-C. que le Bernin percha sur un éléphant.

L'intérieur du Panthéon, mausolée des monarques italiens

Panthéon ⑯

Piazza della Rotonda. **Plan** 2 F4. **Tél** 06 68 30 02 30. 116 et autres lignes. ◯ t.l.j. 8h30-19h30 (9h-18h dim.). ⬤ 1er janv., 1er mai, 25 déc.

Élevé par Agrippa entre 27 et 25 av. J.-C., le premier sanctuaire à occuper ce site avait un plan rectangulaire traditionnel et c'est Hadrien qui fit construire, et peut-être dessina, l'édifice actuel, le plus extraordinaire et le mieux conservé des monuments antiques de Rome.

Après un impressionnant portique de 33 m de largeur et 15,5 m de profondeur soutenu par 16 colonnes monolithiques, on découvre toute la splendeur de l'ancienne cella du « temple de tous les dieux ». Le diamètre (43,3 m) de sa coupole, dont 5 rangées de caissons composent la voûte, est exactement égal à la hauteur de l'édifice. Seule source d'éclairage, la lumière tombant de l'oculus au faîte du dôme donne une atmosphère très particulière et propice au recueillement.

Au VIIe siècle, des fidèles se plaignant de possession démoniaque au voisinage du temple, on en fit une église, qui abrite le tombeau de Raphaël et d'imposants sarcophages des rois d'Italie.

La nef de Santa Maria sopra Minerva

Sant'Ignazio di Loyola ⑰

Piazza di Sant'Ignazio. **Plan** 2 F4.
Tél 06 679 44 06. 🚌 117, 119, 492.
⭘ t.l.j. 7h30-12h15, 15h-19h15. ✝

Construite par le cardinal Ludovisi en 1626 en l'honneur de saint Ignace de Loyola, fondateur de la Compagnie de Jésus, l'église domine l'une des grandes réussites du baroque romain : la piazza di Sant'Ignazio dessinée en 1727 par Filippo Raguzzini. Façades curvilignes, balcons et fenêtres pleins de fantaisie y composent un véritable décor de théâtre.

Avec sa foisonnante décoration de marbre, de dorures et de stucs, le sanctuaire possède un intérieur moins froid que le Gesù (*p. 403*), l'autre grande église jésuite. Les religieuses d'un couvent voisin s'opposèrent à la construction de sa coupole qui aurait obscurci leur jardin suspendu. Œuvre du père Andrea Pozzo, un dôme en trompe l'œil l'a remplacée.

Ce théoricien de la perspective exécuta également en 1685 l'impressionnante composition picturale de la voûte, allégorie des succès jésuites sur les quatre continents. Un cercle de marbre beige, au centre de la nef, indique l'endroit où l'effet d'illusion de ces deux fresques est le plus complet.

Reliefs de la colonne de Marc Aurèle, piazza Colonna

Piazza Colonna ⑱

Plan 3 A3. 🚌 95, 116, 492.

Cette place bordée par le palazzo Chigi, résidence officielle du Premier ministre italien, doit son nom à la colonne de Marc Aurèle qui s'élève en son centre.

Imitation de la colonne Trajane (*p. 388*) érigée en 180, ce monument commémore les campagnes de l'empereur contre deux tribus barbares du Danube. Un grand changement artistique et culturel s'est toutefois produit pendant les 80 années qui séparent les deux créations. Des personnages simplifiés, au relief plus marqué, illustrent les guerres et les victoires de Marc Aurèle. La clarté narrative a pris le pas sur le respect de l'esthétique et des proportions classiques.

Piazza di Montecitorio ⑲

Plan 2 F3. **Palazzo di Montecitorio**
Tél 06 676 01. 🚌 116 ⭘ 1er dim.
du mois 10h-18h.

Rapporté d'Héliopolis, l'obélisque servait d'aiguille au gigantesque cadran solaire aménagé par Auguste sur le Champ de Mars (près de l'actuelle piazza San Lorenzo). Oublié vers le IXe siècle, le monolithe fut retrouvé au XVIe sous des maisons médiévales.

Entrepris par le Bernin en 1650 et achevé en 1687, sept ans après sa mort, par Carlo Fontana, l'austère palazzo di Montecitorio abrite la Chambre des députés depuis 1871.

Façade de la Maddalena

Maddalena ⑳

Piazza della Maddalena. **Plan** 2 F3.
Tél 06 899 281. 🚌 116 et autres
lignes. ⭘ t.l.j. 8h-12h (sam.-dim. à
9h30) ,17h-20h.

Dominant une petite place proche du Panthéon, la façade de style rocaille (1735) de cette petite église témoigne de l'amour porté à la lumière et au mouvement par le baroque finissant.

Malgré sa taille réduite, l'intérieur de la Maddalena n'a pas découragé l'ardeur de ses décorateurs des XVIIe et XVIIIe siècles et, bien que les statues des niches de la nef représentent la Simplicité et l'Humilité, ils l'ont recouvert d'ornements du sol jusqu'au faîte de l'élégante coupole.

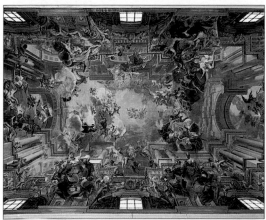

Plafond baroque par Andrea Pozzo à Sant'Ignazio di Loyola

NORD-EST DE ROME

réé au XVIᵉ siècle autour de rues percées pour faciliter la circulation des pèlerins vers le Vatican, le quartier de la piazza di Spagna et de la piazza del Popolo renferme de nombreux hôtels et certaines des plus belles boutiques de la ville. Il s'étend jusqu'au Quirinal, l'une des sept collines des origines de

Fontaine sur la piazza del Popolo

Rome, où les papes établirent leur résidence d'été et aménagèrent des voies aérées ornées d'élégants monuments. Un temps habité par les employés des souverains pontifes, le mont voisin, l'Esquilin, est un des quartiers les plus pauvres de la Ville éternelle mais il recèle de nombreuses églises d'origine paléochrétienne.

LE QUARTIER D'UN COUP D'ŒIL

Églises
San Carlo alle Quattro Fontane ❽
San Pietro in Vincoli ⓮
Santa Maria della Concezione ❿
Santa Maria della Vittoria ⓫
Santa Maria del Popolo ❸
Santa Maria Maggiore ⓯
Sant'Andrea al Quirinale ❼
Santa Prassede ⓭

Musée et galerie
Museo Nazionale Romano ⓬
Palazzo Barberini ❾

Sites et monuments antiques
Ara Pacis ❹
Mausolée d'Auguste ❺

Bâtiment historique
Villa Médicis ❷

Place et fontaine
Fontaine de Trevi ❻
Piazza di Spagna et escalier de la Trinité-des-Monts ❶

COMMENT Y ALLER
Sur la ligne A du métro, les stations Repubblica, Barberini et Spagna desservent le quartier s'étendant de la gare Termini à la piazza del Popolo. Les bus 93 et 93b relient Termini à Santa Maria Maggiore par la via Merulana.

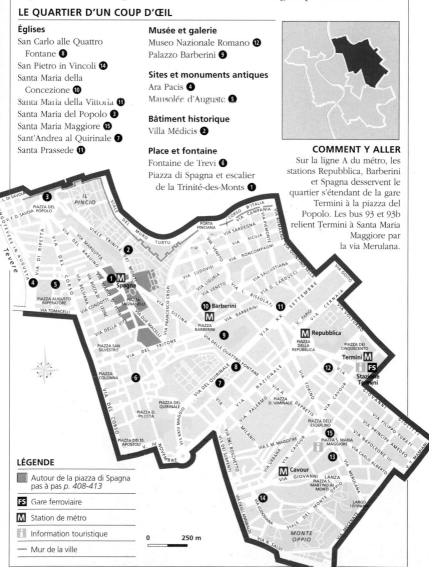

LÉGENDE
Autour de la piazza di Spagna pas à pas *p. 408-413*
FS Gare ferroviaire
M Station de métro
i Information touristique
0 250 m
— Mur de la ville

◁ **Azalées sur l'escalier de la Trinité-des-Monts, piazza di Spagna**

Autour de la piazza di Spagna pas à pas

Le réseau de rues étroites et piétonnières qui s'étend entre la piazza di Spagna et la via del Corso est l'un des quartiers les plus animés de la Ville éternelle, et Romains et touristes se pressent aux devantures des magasins de luxe à l'origine de sa réputation. Boutiques d'antiquités et galeries d'art jalonnent la via del Babuino qui mène à la piazza del Popolo. Bordée de cafés et dominée par l'escalier de la Trinité-des-Monts, la place d'Espagne est idéale pour faire une pause.

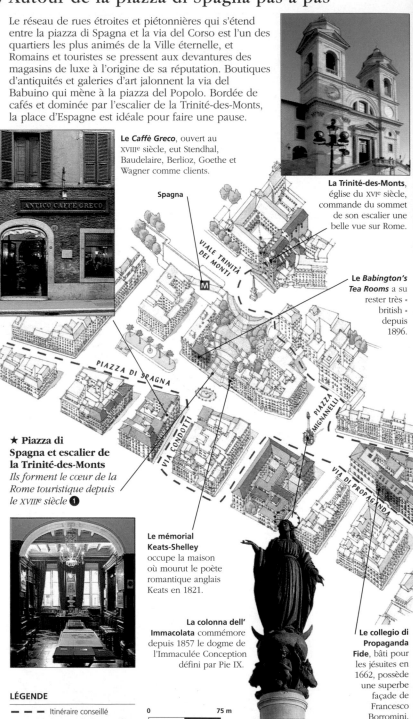

Le *Caffè Greco*, ouvert au XVIIIe siècle, eut Stendhal, Baudelaire, Berlioz, Goethe et Wagner comme clients.

ANTICO CAFFÈ GRECO

Spagna

La Trinité-des-Monts, église du XVIe siècle, commande du sommet de son escalier une belle vue sur Rome.

VIALE TRINITÀ DEI MONTI

Le *Babington's Tea Rooms* a su rester très « british » depuis 1896.

PIAZZA DI SPAGNA

PIAZZA MIGNANELLI

VIA CONDOTTI

VIA DI PROPAGANDA

★ Piazza di Spagna et escalier de la Trinité-des-Monts
Ils forment le cœur de la Rome touristique depuis le XVIIIe siècle ❶

Le mémorial **Keats-Shelley** occupe la maison où mourut le poète romantique anglais Keats en 1821.

La colonna dell' Immacolata commémore depuis 1857 le dogme de l'Immaculée Conception défini par Pie IX.

Le **collegio di Propaganda Fide**, bâti pour les jésuites en 1662, possède une superbe façade de Francesco Borromini.

LÉGENDE

– – – Itinéraire conseillé

0   75 m

QUARTIER
DE LA PIAZZA
NAVONA

DE LA PIAZZA DI
SPAGNA À
L'ESQUILIN

LE CENTRE
ANTIQUE

Tevere

CARTE DE SITUATION
*Voir l'atlas des rues de Rome,
plan 3*

Sant'Andrea delle Fratte
abrite deux anges du Bernin
sculptés en 1669 pour le
ponte Sant'Angelo mais que
Clément X trouva
trop charmants pour
subir les intempéries.

À NE PAS MANQUER

★ Piazza di Spagna
et escalier de la
Trinité-des-Monts

**La fontaine de la Barcaccia
sur la plazza di Spagna**

Piazza di Spagna et escalier de la Trinité-des-Monts ❶

Plan 3 A2. 🚌 116, 117. Ⓜ *Spagna.*

Il y a foule toute la journée et
une bonne partie de la nuit
(l'été) sur cette place entourée
d'immeubles aux façades
peintes d'ocre et de roux.
Elle doit son nom au palais
donnant sur la piazza
Mignanelli édifié au
XVIIe siècle pour
l'ambassadeur d'Espagne
auprès du Saint-Siège. Des
Français avaient à l'époque
des propriétés dans les
environs et les incidents avec
les Espagnols, qui se
comportaient en terrain
conquis, furent nombreux.
On parle même d'étrangers
enrôlés de force dans les
armées ibériques.

Ces rivalités n'existaient
plus au XVIIIe siècle et la
construction, de 1723 à 1726,
du majestueux escalier de
travertin qui monte à l'église

française de la Trinité-des-
Monts donna à la piazza l'une
des perspectives les plus
théâtrales de Rome. Les
Français désiraient ériger au
sommet une statue équestre
de Louis XIV, mais l'idée de
voir se dresser l'effigie d'un
souverain étranger sur la
capitale des États pontificaux
déplut à Alexandre VII. Le
projet proposé par Francesco
de Santis offrit un compromis.

Au pied de l'escalier se
trouve la fontana della
Barcaccia (1627-1629), œuvre
de Pietro Bernini, père du
Bernin, installée au-dessous
du niveau de la rue à cause
d'un manque de pression
d'eau.

Villa Médicis ❷

Accademia di Francia a Roma,
Viale Trinità dei Monti 1. **Plan** 3 A2.
Tél 06 67 611. 🚌 117. Ⓜ *Spagna.*
◯ jardins : mer., sam.-dim 9h45,
11h, 12h15, 15h. 🈲 🚫 seul.

Construite en 1540 sur la
colline du Pincio, cette
somptueuse demeure a gardé
le nom qu'elle prit quand le
cardinal Ferdinand de Médicis
l'acheta en 1576. Ses superbes
jardins, qui contrastent avec la
sobriété de la façade,
occupent la place de ceux
que Lucullus avait dessinés
pour son agrément en
60 av. J.-C. La vue depuis la
terrasse va jusqu'au Castel
Sant'Angelo (*p. 417*).

Berlioz et Debussy, parmi
bien d'autres « Grands Prix de
Rome », eurent l'occasion de
la contempler, la villa Médicis
abritant l'Académie de France
depuis 1803.

La façade sur cour de la villa Médicis (gravure du XIXe siècle)

La Sibylle de Delphes (1509) par le Pinturicchio à Santa Maria del Popolo

Santa Maria del Popolo ❸

P. del Popolo 12. **Plan** 2 F1. *Tél* 06 361 08 36. 🚌 95, 117, 119, 490, 495, 926. Ⓜ *Flaminio.* ⭘ *lun.-sam. 7h30-12h, 16h-19h, dim. 7h30-13h30, 16h30-19h30.*

C'est Sixte IV qui commanda en 1472 l'édification de l'une des premières églises Renaissance de Rome, à l'emplacement d'un petit sanctuaire du XIIIᵉ siècle dont le « peuple » avait financé la construction. Ses successeurs sur le trône pontifical et de riches mécènes en firent un des hauts lieux artistiques de la Ville éternelle.

Peu après la mort de Sixte en 1484, le Pinturicchio et ses élèves décorèrent pour sa famille, les della Rovere, la 1ʳᵉ et la 3ᵉ chapelles à droite. Dans la première, Pinturicchio peignit les fresques des lunettes et la belle *Adoration de l'Enfant* en 1490 de l'autel où une colonne classique domine l'étable. Le maître exécuta également les sibylles et les apôtres de l'abside élevée par Bramante pour Jules II, le neveu de Sixte.

En 1513, le riche banquier Agostino Chigi engagea Raphaël pour dessiner sa chapelle personnelle (2ᵉ à gauche) et l'artiste composa une œuvre audacieuse où se marient sacré et profane. Au plafond de la coupole, la mosaïque représente Dieu le Père entouré des symboles des sept planètes. Le Bernin ajouta au XVIIᵉ siècle les statues de Daniel et d'Habacuc.

À gauche du maître-autel, deux tableaux peints par le Caravage en 1601, la *Conversion de saint Paul* et le *Crucifiement de saint Pierre*, ornent la chapelle Cerasi. Tous deux sont d'un naturalisme et d'une audace de composition étonnants.

Détail d'une frise de l'Ara Pacis

Ara Pacis Augustae ❹

Lungotevere in Augusta. **Plan** 2 F2. *Tél* 06 06 08. 🚌 70, 81, 117, 119, 186, 628. ⭘ *mar.-jeu. 9h-19h.* ♿ **www.**arapacis.it

Retrouvé par morceaux de 1565 à 1937, l'Autel de la Paix d'Auguste, érigé par le Sénat de 13 à 9 av. J.-C., célèbre la campagne en Gaule et en Espagne qui permit à l'empereur d'imposer la paix sur le pourtour méditerranéen. L'enceinte de marbre est ornée de reliefs du plus pur style impérial. Ceux des faces extérieures des murs sud et nord représentent la procession de consécration du monument, le 4 juillet 13 av. J.-C. La famille impériale y figure derrière Marius Agrippa, gendre et héritier

désigné d'Auguste. L'ensemble fait désormais parti d'un bâtiment construit par l'architecte Richard Meier.

Mausolée d'Auguste ❺

Piazza Augusto Imperatore. **Plan** 2 F2. *Tél* 06 06 08. 🚌 81, 117, 492, 628, 926. ⭘ *sur r.-v. seul.* 📷 ♿

Construite par Auguste en 26 av. J.-C., la sépulture la plus prestigieuse de Rome n'est plus aujourd'hui qu'une butte herbeuse cernée de cyprès, mais deux obélisques de granit (érigés piazza del Quirinale et piazza dell'Esquilino) encadraient à l'origine l'entrée de ce monument circulaire de 87 m de diamètre inspiré du tombeau d'Alexandre le Grand.

Quatre murs concentriques entouraient la chambre mortuaire où le premier empereur romain reposa à partir de l'an 14 après y avoir inhumé son neveu Marcellus, son gendre Agrippa et sa sœur Octavie.

Fontaine de Trevi ❻

Piazza di Trevi. **Plan** 3 B3. 🚌 116 et autres lignes.

La fontaine de Trevi fait tellement partie de l'imagerie romaine qu'elle donne l'impression d'avoir toujours existé. Achevée en 1762, l'œuvre baroque de Nicola Salvi n'est qu'une création

La célèbre fontaine de Trevi, la plus grande et la plus célèbre de Rome

récente à l'échelle du temps de la Ville éternelle. Au centre, deux chevaux marins tirent le char de Neptune. L'un paisible et l'autre rétif, ils évoquent les humeurs de l'océan.

À l'origine, un aqueduc construit en 19 av. J.-C. par Agrippa, héritier désigné d'Auguste, acheminait ici l'eau pour alimenter les thermes de Rome. Au-dessus des statues, des bas-reliefs illustrent la légende de Trivia, qui aurait indiqué la source de l'Aqua Virgo qui alimente la fontaine, à des soldats romains.

La coupole de San Carlo alle Quattro Fontane de Borromini

Intérieur de Sant'Andrea al Quirinale

Sant'Andrea al Quirinale ❼

Via del Quirinale 29. **Plan** 3 B3.
Tél 06 474 48 72. 🚌 116, 117.
⭕ t.l.j. 8h30-12h, 15h30-18h.
⚫ août après-midi. ∅

Le Bernin, qui édifia cette église de 1558 à 1571 pour les novices de la compagnie de Jésus, la considérait comme l'une de ses grandes réussites. Le sanctuaire paraît en effet dépasser les possibilités permises par un site exigu. Bien qu'organisé en fonction du petit axe d'une ellipse, il offre une impression d'ampleur due à des chapelles latérales rectangulaires. La décoration s'organise autour du *Martyre de saint André*, peinture de Jacques Courtois, que des anges soutiennent de manière à élever le regard vers une effigie du saint en stuc puis vers la lanterne.

San Carlo alle Quattro Fontane ❽

Via del Quirinale 23. **Plan** 3 B3.
Tél 06 488 32 61. 🚌 116 et autres lignes vers Piazza Barberini.
Ⓜ Barberini. ⭕ lun.-ven. 10h-13h, 15h-18h (sam.-dim. mat. seul.).

L'ordre des Trinitaires confia en 1638 à Francesco Borromini la construction de cette église si petite qu'elle a, dit-on, la taille d'un des piliers de la coupole de la basilique Saint-Pierre.

À l'intérieur, la coupole fut conçue pour paraître plus haute qu'en réalité. Borromini n'acheva la façade qu'en 1665 et ses courbes tourmentées traduisent l'angoisse de l'architecte avant son suicide en 1667.

Palazzo Barberini ❾

Via delle Quattro Fontane 13.
Plan 3 B3. **Tél** 06 482 4184.
🚌 52, 53, 61, 62, 63, 80, 95, 116, 175, 492, 590. Ⓜ Barberini.
⭕ mar.-dim. 8h30-19h. ⚫ j.f.
∅ ∅ 🎦 📷 🛒 ♿
www.galleriaborghese.it

Le pape Urbain VIII (Maffei Barberini) commanda en 1623 à Carlo Maderno cette demeure de prestige, sur un terrain situé alors à la périphérie de la ville !

Maderno mourut peu après l'achèvement des fondations et la majeure partie de l'édifice est due à Borromini et au Bernin, auteur aussi de la fontaine du Triton sur la place.

Le plafond du grand salon peint en trompe l'œil par Pierre de Cortone entre 1633 et 1639 constitue le joyau de la décoration intérieure qui offre un sompteux écrin baroque aux œuvres de la galerie nationale d'Art ancien.

La collection comprend des toiles de Filippo Lippi, de Titien, d'Artemisia Gentileschi et du Caravage, mais son tableau le plus célèbre reste *La Fornarina* qui serait un portrait de sa maîtresse par Raphaël.

Détail d'une fresque du palazzo Barberini (1633)

Santa Maria della Concezione ❿

Via Veneto 27. **Plan** 3 B2. **Tél** 06 487 11 85. 🚌 52, 53, 61, 62, 63, 80, 95, 116, 175. Ⓜ Barberini.
Crypte ⭕ ven.-mer 9h-12h, 15h-18h. 📷

Sous cette église s'étend une crypte tapissée des ossements de 4000 capucins. Disposés pour certains de façon à créer des motifs chrétiens comme la couronne d'épines ou le Sacré-Cœur, les reliques, dont l'émouvant squelette d'une enfant Barberini, rappellent le caractère transitoire de la vie.

Santa Maria della Vittoria ⓫

Via XX Settembre 17. **Plan** 3 C2.
Tél 06 42 74 05 71. 🚌 *61, 62, 84,
175, 910.* Ⓜ *Repubblica.*
⬜ *t.l.j. 8h30-12h, 15h30-18h.*

Église intime à la somptueuse
décoration baroque, elle
recèle dans la chapelle
Cornaro la plus ambitieuse
des sculptures du Bernin :
*Le Ravissement de sainte
Thérèse* (1646) inspiré de la
description que laissa la
sainte de ses extases. Éclairés
par une source de lumière
cachée, des rayons de bronze
symbolisent en fond la gloire
divine et renforcent l'aspect
surnaturel d'une apparition à
laquelle les cardinaux de la
famille Cornaro assistent
depuis des niches évoquant
les baignoires d'un théâtre.

*Le Ravissement de sainte Thérèse
du Bernin, Santa Maria della
Vittoria*

Museo Nazionale Romano ⓬

Palazzo Massimo, Largo di Villa
Peretti 1 (1 des 5 sites). **Plan** 4 D3.
Tél 06 481 55 76. lignes vers Termini.
Ⓜ *Repubblica.* ⬜ *mar.-dim. 9h-
19h45.* 🎟️ *billet valable pour les
cinq sites.* 🔶 ♿ 🔶 🔶

Composé d'anciennes
collections privées et de la
plupart des antiquités
découvertes dans la capitale
italienne depuis 1870, ce
musée fondé en 1889 resta

longtemps l'un
des plus
riches au
monde en art
classique.
Depuis 1990,
le musée est
installé dans
5 succursales :
le palazzo
Altemps
(*p. 400*), les
thermes de
Dioclétien,
le Aula
Ottagona, la
crypte Balbi et
le palazzo
Massimo. Les
œuvres de ce
dernier datent
du IIe siècle
av. J.-C. au
IVe siècle apr. J.-C. et sont
réparties sur trois niveaux.
Parmi ces chefs-d'œuvre,
vous admirerez les *Quattro
Aurighe*, mosaïques
provenant d'une villa au nord
de Rome, une série de
fresques sublimes venant de
la villa d'été de Livia et la
fameuse statue de son époux
l'empereur Auguste.

Santa Prassede ⓭

Via Santa Prassede 9a. **Plan** 4 D4.
Tél 06 488 24 56. 🚌 *16, 70, 71, 75,
714.* Ⓜ *Vittorio Emanuele.*
⬜ *t.l.j. 7h30-12h, 16h-18h30.* ♿

Pascal Ier construisit cette
église en 822 et il apparaît sur
les superbes mosaïques du
chœur à côté du Christ, avec
sainte Praxède et saint Paul.
Son nimbe carré, et non rond,
révèle qu'il fut représenté
de son vivant.

Le pape édifia également la
chapelle Saint-Zénon, à
l'intérieur entièrement

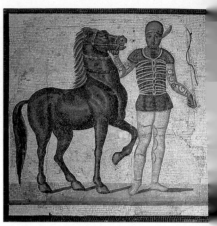

**Détail de l'une des mosaïques *Quattro Aurighe*,
Museo Nazionale Romano**

recouvert de mosaïques,
comme mausolée pour sa
mère Theodora. Elle renferme
dans une niche la colonne de
jaspe à laquelle on aurait
attaché Jésus pour le flageller.

San Pietro in Vincoli ⓮

P. di San Pietro in Vincoli. **Plan** 3 C5.
Tél 06 488 28 65. 🚌 *75, 84, 117.*
Ⓜ *Colosseo.* ⬜ *t.l.j. 7h-12h30,
15h-19h (18h oct.-mars).* ♿

Saint Pierre aurait porté les
chaînes (*vincoli*) exposées
sous le maître-autel dans un
tabernacle en bronze décoré
de beaux reliefs attribués à
Caradosso. L'une l'attachait à
Jérusalem et l'autre à Rome,
dans la prison Mamertine
(*p. 389*), mais, une fois
réunies, elles se soudèrent
miraculeusement et
l'impératrice Eudoxie, femme
de Valentinien III, fonda
l'église en 442 pour accueillir
ces précieuses reliques.

Des colonnes antiques
séparent les trois nefs. Celle
de droite abrite le tombeau
de Jules II avec son *Moïse*,
mausolée qui ne représente
qu'une petite partie de ce que
devait réaliser Michel-Ange.
Les hésitations du pape puis,
après sa mort, la commande
du *Jugement dernier* pour la
chapelle Sixtine ne permirent
à l'artiste que de sculpter les
Esclaves se trouvant aujour-
d'hui à Florence et à Paris.

Mosaïque (IXe siècle) Santa Prassede

Santa Maria Maggiore ⑮

La basilique Sainte-Marie-Majeure présente un mariage particulièrement réussi entre architectures d'époques différentes. Alors que son pavement de marbre cosmatesque et son campanile roman remontent au Moyen Âge, elle garde du sanctuaire paléochrétien initial (Ve siècle) sa triple nef ornée de colonnes ioniques et de superbes mosaïques. Le plafond à caissons date de la Renaissance, les coupoles et les façades sont baroques.

MODE D'EMPLOI

Piazza di Santa Maria Maggiore.
Plan 4 D4. **Tél** 06 69 98 68 00.
🚌 16, 70, 71, 714. 🚋 14.
Ⓜ Termini, Cavour.
⭘ t.l.j. 7h-19h. 🕇 ♿

Couronnement de la Vierge
La mosaïque de l'abside par Jacopo Torriti (1295) incorpore des éléments du Ve siècle.

Campanile

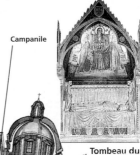

Tombeau du cardinal Rodriguez
Ce superbe mausolée gothique (1299) est de Giovanni di Cosma.

Mosaïques du Ve siècle

Façade du XVIIIe siècle par Ferdinando Fuga

Mosaïques du XIIIe siècle

Cappella Paolina
Flaminio Ponzo, architecte de la villa Borghese, créa cette superbe chapelle funéraire en 1611 pour Paul V.

Colonne de la piazza di Santa Maria Maggiore
Provenant de la basilique de Maxence et Constantin, elle porte une Vierge à l'Enfant (1611) de Berthelot.

Cappella Sistina
Construite par Domenico Fontana qui employa des marbres antiques, elle abrite le tombeau de Sixte Quint (pape de 1584 à 1587).

LE VATICAN ET LE TRASTEVERE

S ur le site du supplice et du tombeau de saint Pierre, la cité du Vatican est à la fois la capitale mondiale du catholicisme et le plus petit État de la planète. Cerné de hauts murs, il s'étend sur 43 hectares dont la basilique Saint-Pierre et le palais papal et ses jardins occupent la majeure partie. Le palais abrite les musées du Vatican qui forment, avec

**Armoiries d'Urbain VIII
à Saint-Pierre**

la chapelle Sixtine et les Chambres de Raphaël, un extraordinaire ensemble artistique. Une atmosphère différente règne dans le Trastevere voisin, quartier populaire dont les habitants se considèrent comme les seuls vrais Romains, mais où, malheureusement pour eux, se multiplient restaurants, boutiques et boîtes de nuit à la mode.

LE QUARTIER D'UN COUP D'ŒIL

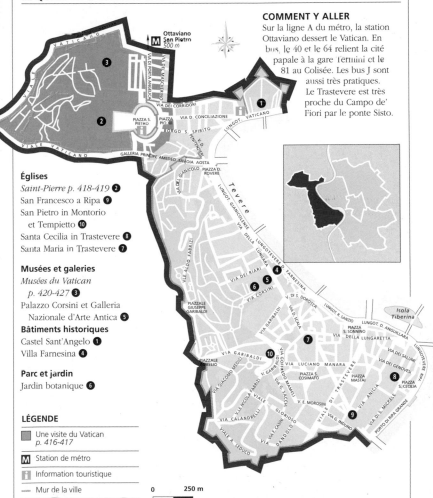

COMMENT Y ALLER

Sur la ligne A du métro, la station Ottaviano dessert le Vatican. En bus, le 40 et le 64 relient la cité papale à la gare Termini et le 81 au Colisée. Les bus J sont aussi très pratiques. Le Trastevere est très proche du Campo de' Fiori par le ponte Sisto.

Églises
Saint-Pierre p. 418-419 ❷
San Francesco a Ripa ❾
San Pietro in Montorio
et Tempietto ❿
Santa Cecilia in Trastevere ❽
Santa Maria in Trastevere ❼

Musées et galeries
Musées du Vatican
p. 420-427 ❸
Palazzo Corsini et Galleria
Nazionale d'Arte Antica ❺
Bâtiments historiques
Castel Sant'Angelo ❶
Villa Farnesina ❹

Parc et jardin
Jardin botanique ❻

LÉGENDE

Une visite du Vatican
p. 416-417

M Station de métro

ℹ Information touristique

— Mur de la ville

0   250 m

◁ **Saint-Pierre de Rome et le ponte Sant'Angelo**

Une visite du Vatican

Crucifix au Vatican

État souverain depuis les accords de Latran signés avec Mussolini en 1929, le Vatican est gouverné par le pape, seul monarque absolu d'Europe. Environ 500 personnes habitent la cité qui possède ses propres systèmes postaux, bancaires, monétaires et judiciaires, ainsi qu'une station de radio et un journal : L'*Osservatore Romano*.

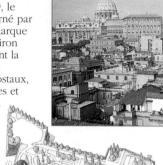

★ **Saint-Pierre de Rome**
Presque tous les grands architectes de la Renaissance et du baroque ont participé à la création de la plus célèbre basilique de la chrétienté (p. 418-419).

La radio du Vatican émet en 20 langues depuis cette tour qui fait partie des remparts léonins du IXᵉ siècle.

★ **Chapelle Sixtine**
Des fresques de Michel-Ange, la Genèse (1508-1512) et le Jugement dernier (1534-1541), ornent cette chapelle utilisée par les cardinaux lors des conclaves (p. 424).

Salle des audiences pontificales

★ **Chambres de Raphaël**
Raphaël décora ces pièces au début du XVIᵉ siècle. Des œuvres comme L'École d'Athènes lui valurent une réputation égale à celle de Michel-Ange (p. 427).

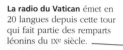

Bureau d'information

PIAZZA DEL SANT'UFFIZIO

PIAZZA SAN PIETRO

PIAZZA PIO X

La place Saint-Pierre fut dessinée par le Bernin entre 1656 et 1667.

Vers la via della Conciliazione

Cet escalier des musées dessiné par Giuseppe Momo en 1932 a la forme d'une double hélice, l'une pour la montée, l'autre pour la descente.

CARTE DE SITUATION
Voir l'atlas des rues de Rome, plan 1

Entrée des musées du Vatican

★ Musées du Vatican
Leurs collections d'art comprennent le groupe du Laocoon *sculpté en l'an 1 (p. 422).*

Le Cortile della Pigna doit son nom à une pomme de pin en bronze antique.

Les jardins du Vatican (un tiers du territoire) se découvrent en visite guidée.

VIA DI PORTA ANGELICA

0   75 m

À NE PAS MANQUER

★ Chambres de Raphaël

★ Chapelle Sixtine

★ Musées du Vatican

★ Saint-Pierre de Rome

Castel Sant'Angelo ❶

Lungotevere Castello. **Plan** 2 D3. **Tél** 06681 91 11. 23, 34, 280. mar.-dim. 9h-19h *(dernière entrée 18h30).* 1er janv., 25 déc. **www**.castelsanangelo.com

La forteresse massive du château Saint-Ange doit son nom à l'archange saint Michel qui, lors d'une procession au vie siècle, apparut au pape Grégoire Ier le Grand annoncer la fin de la peste.

L'édifice était à l'origine le mausolée entrepris en 135 par l'empereur Hadrien pour y reposer. Transformé en forteresse et prison, il devint au Moyen Âge un refuge pour les papes en période de troubles.

La visite du musée permet de découvrir aussi bien ses sombres cachots que les appartements raffinés des souverains pontifes de la Renaissance, la cour d'Honneur, le Trésor ou la salle Pauline ornée de fresques en trompe l'œil (1546-1548) par Pellegrino Tibaldi et Perin del Vaga.

Saint-Pierre de Rome ❷

Voir p. 418-419.

Musées du Vatican ❸

Voir p. 420-427.

Le castel Sant'Angelo vu depuis le ponte Sant'Angelo

Saint-Pierre de Rome ❷

Centre somptueux de la chrétienté, la basilique Saint-Pierre attire chaque année des millions de pèlerins et de touristes du monde entier. Parmi ses centaines d'œuvres d'art, certaines proviennent du sanctuaire original bâti par Constantin en 324 sur le lieu du tombeau de saint Pierre, mais c'est le génie baroque du Bernin qui détermine la tonalité de la décoration intérieure. Il est en particulier l'auteur du baldaquin dominé par l'immense coupole dessinée par Michel-Ange et du monument de l'abside contenant un trône épiscopal attribué au premier des papes.

Coupole
Michel-Ange mourut avant l'achèvement de sa coupole de 136,5 m de hauteur.

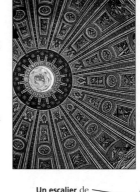

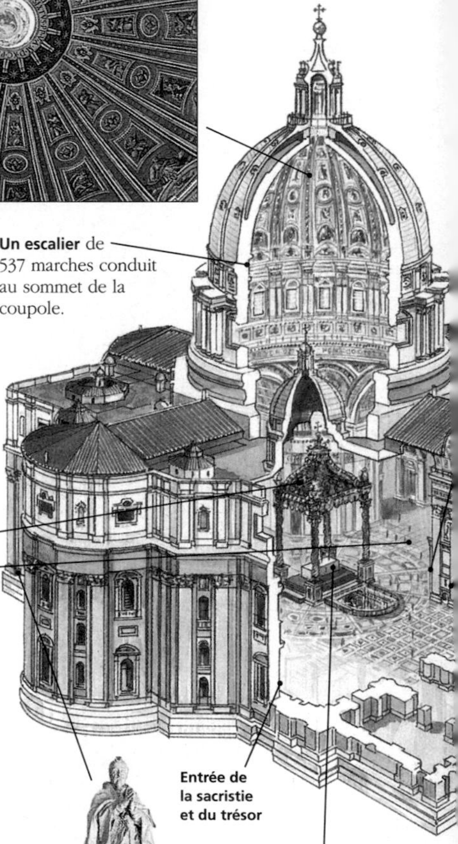

Un escalier de 537 marches conduit au sommet de la coupole.

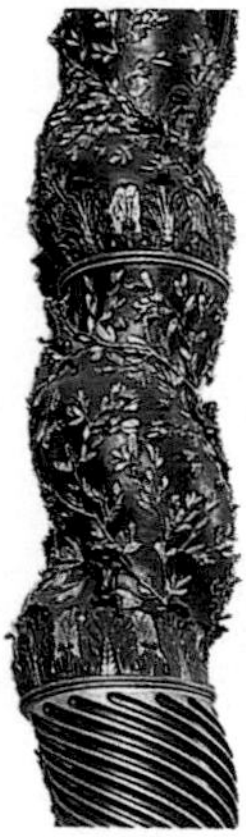

Baldaquin
Commandé par Urbain VIII en 1624, l'étonnant baldaquin baroque du Bernin domine l'autel et le tombeau de saint Pierre.

L'église est longue de 186 m.

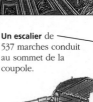

Entrée de la sacristie et du trésor

L'autel papal se trouve au-dessus de la crypte où reposerait saint Pierre.

PLAN HISTORIQUE DE LA BASILIQUE SAINT-PIERRE

Saint Pierre fut inhumé en 64 dans une nécropole proche du cirque de Néron, lieu de son supplice. Sur son tombeau, Constantin édifia en 324 une église, qui tombait en ruine au XVe siècle. Entrepris en 1506, le nouveau sanctuaire fut consacré en 1626, mais sa construction, par plusieurs architectes, s'étendit jusqu'à la fin du XVIIe siècle.

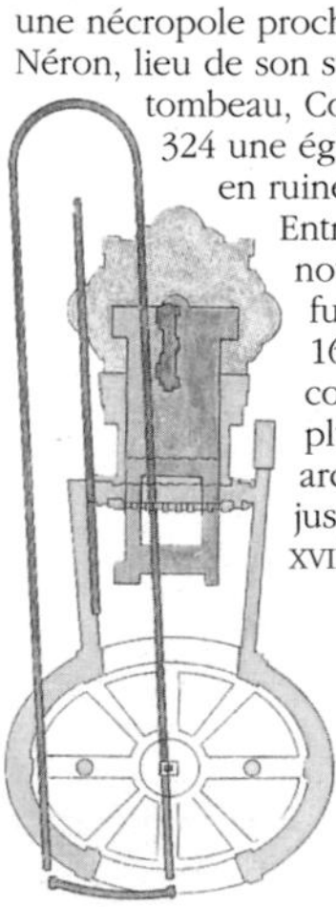

LÉGENDE

- Cirque de Neron
- Constantin
- Renaissance
- Baroque

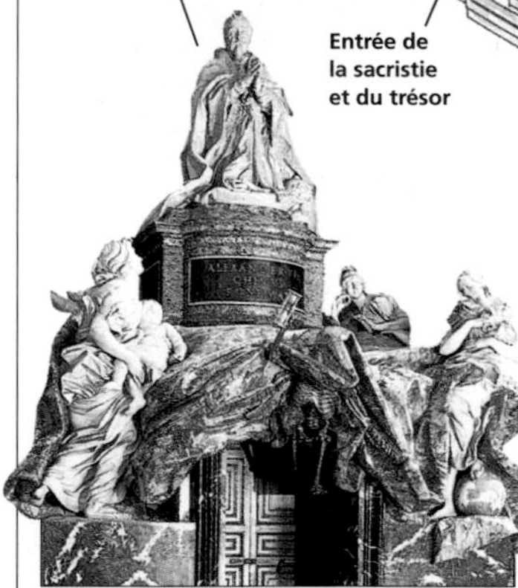

Monument d'Alexandre VII
Achevée en 1678, la dernière œuvre du Bernin montre le pape entouré de la Vérité, de la Justice, de la Charité et de la Prudence.

Pour les hôtels et les restaurants de la ville, voir p. 587-592 et 636-641

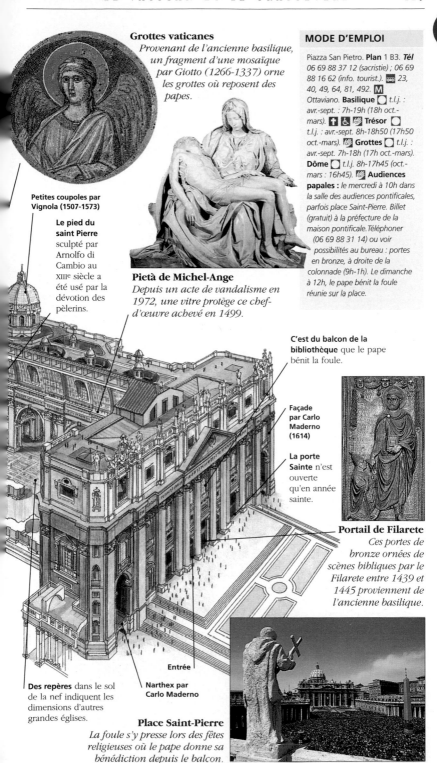

Grottes vaticanes
Provenant de l'ancienne basilique, un fragment d'une mosaïque par Giotto (1266-1337) orne les grottes où reposent des papes.

Petites coupoles par Vignola (1507-1573)

Le pied du saint Pierre sculpté par Arnolfo di Cambio au XIIIᵉ siècle a été usé par la dévotion des pèlerins.

Pietà de Michel-Ange
Depuis un acte de vandalisme en 1972, une vitre protège ce chef-d'œuvre achevé en 1499.

MODE D'EMPLOI

Piazza San Pietro. **Plan** 1 B3. **Tél**
06 69 88 37 12 (sacristie) ; 06 69
88 16 62 (info. tourist.). 🚌 23,
40, 49, 64, 81, 492. Ⓜ
Ottaviano. **Basilique** ⬜ t.l.j. :
avr.-sept. : 7h-19h (18h oct.-
mars). ✝ & ♿ 🔊 **Trésor** ⬜
t.l.j. : avr.-sept. 8h-18h50 (17h50
oct.-mars). 🔊 **Grottes** ⬜ t.l.j. :
avr.-sept. 7h-18h (17h oct.-mars).
Dôme ⬜ t.l.j. 8h-17h45 (oct.-
mars : 16h45). 🔊 **Audiences
papales :** le mercredi à 10h dans
la salle des audiences pontificales,
parfois place Saint-Pierre. Billet
(gratuit) à la préfecture de la
maison pontificale. Téléphoner
(06 69 88 31 14) ou voir
possibilités au bureau : portes
en bronze, à droite de la
colonnade (9h-1h). Le dimanche
à 12h, le pape bénit la foule
réunie sur la place.

C'est du balcon de la bibliothèque que le pape bénit la foule.

Façade par Carlo Maderno (1614)

La porte Sainte n'est ouverte qu'en année sainte.

Portail de Filarete
Ces portes de bronze ornées de scènes bibliques par le Filarete entre 1439 et 1445 proviennent de l'ancienne basilique.

Des repères dans le sol de la nef indiquent les dimensions d'autres grandes églises.

Entrée

Narthex par Carlo Maderno

Place Saint-Pierre
La foule s'y presse lors des fêtes religieuses où le pape donne sa bénédiction depuis le balcon.

Musées du Vatican ●

Riches d'un patrimoine artistique inestimable
incluant la chapelle Sixtine et les Chambres de
Raphaël, les musées du Vatican occupent les
palais construits pour des papes de la Renaissance
tels que Jules II, Innocent VIII et Sixte IV. Agrandis
au XVIIIe siècle, les souverains pontifes rendirent
accessibles au public les collections qu'ils avaient
accumulées pendant des siècles.

Musée étrusque
*La collection étrusque comprend cette
grande fibule en or découverte à
Cerveteri (p. 450), au nord de Rome,
dans une tombe du VIIe siècle av. J.-C.*

Galerie des Cartes
*Le Siège de Malte est l'un des 40
tableaux des territoires de l'Église
dont le cartographe Ignazio Danti
décora ses parois au XVIe siècle.*

Galerie des
Candélabres

Chambres de
Raphaël
*Voici un détail
d'*Héliodore
chassé du temple,
*l'une des
nombreuses
fresques peintes
par Raphaël et ses
élèves dans les
appartements de
Jules II (p. 427).*

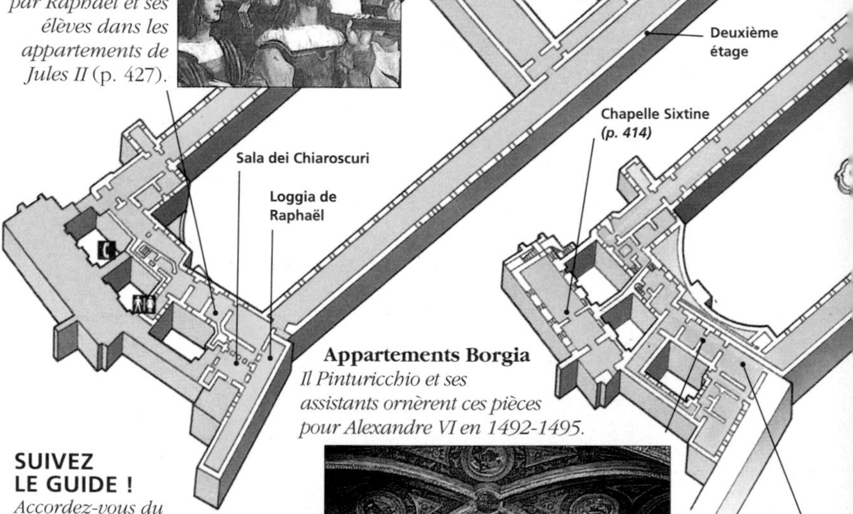

Galerie des
Tapisseries

Descente

Deuxième
étage

Chapelle Sixtine
(p. 414)

Sala dei Chiaroscuri

Loggia de
Raphaël

Appartements Borgia
*Il Pinturicchio et ses
assistants ornèrent ces pièces
pour Alexandre VI en 1492-1495.*

SUIVEZ
LE GUIDE !
*Accordez-vous du
temps, 20 à 30 min à pied séparant
la chapelle Sixtine de l'entrée ! Un
strict fléchage à sens unique régit
la visite et mieux vaut se montrer
sélectif dans ses choix ou opter
pour l'un des quatre itinéraires
conseillés. Leur durée varie, selon
la couleur, de 90 min à 5 heures.*

**La collection
d'Art religieux
moderne**
comprend des
œuvres d'artistes
tels que Bacon
ou Max Ernst.

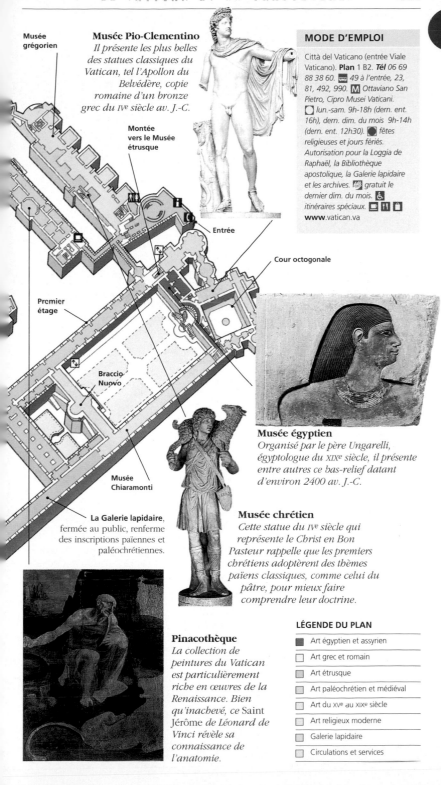

Musée grégorien

Musée Pio-Clementino
Il présente les plus belles des statues classiques du Vatican, tel l'Apollon du Belvédère, copie romaine d'un bronze grec du IVᵉ siècle av. J.-C.

Montée vers le Musée étrusque

Entrée

Premier étage

Braccio Nuovo

Cour octogonale

Musée Chiaramonti

La Galerie lapidaire, fermée au public, renferme des inscriptions païennes et paléochrétiennes.

MODE D'EMPLOI

Città del Vaticano (entrée Viale Vaticano). **Plan** 1 B2. *Tél* 06 69 88 38 60. 49 à l'entrée, 23, 81, 492, 990. Ottaviano San Pietro, Cipro Musei Vaticani. lun.-sam. 9h-18h (dern. ent. 16h), dern. dim. du mois 9h-14h (dern. ent. 12h30). fêtes religieuses et jours fériés. Autorisation pour la Loggia de Raphaël, la Bibliothèque apostolique, la Galerie lapidaire et les archives. gratuit le dernier dim. du mois. itinéraires spéciaux. **www**.vatican.va

Musée égyptien
Organisé par le père Ungarelli, égyptologue du XIXᵉ siècle, il présente entre autres ce bas-relief datant d'environ 2400 av. J.-C.

Musée chrétien
Cette statue du IVᵉ siècle qui représente le Christ en Bon Pasteur rappelle que les premiers chrétiens adoptèrent des thèmes païens classiques, comme celui du pâtre, pour mieux faire comprendre leur doctrine.

Pinacothèque
La collection de peintures du Vatican est particulièrement riche en œuvres de la Renaissance. Bien qu'inachevé, ce Saint Jérôme de Léonard de Vinci révèle sa connaissance de l'anatomie.

LÉGENDE DU PLAN

- Art égyptien et assyrien
- Art grec et romain
- Art étrusque
- Art paléochrétien et médiéval
- Art du XVᵉ au XIXᵉ siècle
- Art religieux moderne
- Galerie lapidaire
- Circulations et services

À la découverte des musées du Vatican

Parmi les trésors les plus précieux du Vatican figurent
les antiquités gréco-romaines et de splendides objets
découverts au XIXe siècle dans des tombes égyptiennes
et étrusques. La pinacothèque présente près de
500 tableaux du XIe au XVIIIe siècle, notamment des
œuvres des grands artistes de la Renaissance qui, tels
Raphaël, travaillèrent à la décoration des anciens
appartements des papes ou à celle de la chapelle Sixtine.

**Tête d'athlète, mosaïque (217)
provenant des thermes de Caracalla**

ART ÉGYPTIEN
ET ASSYRIEN

Si la collection d'art égyptien
inclut des répliques antiques
provenant de la villa Adriana
(*p. 468*) et de temples dédiés
à Rome à des divinités
comme Isis et Sérapis, elle
se compose en majeure
partie de statues rapportées
d'Égypte à l'époque de
l'Empire et des résultats
de fouilles effectuées
aux XIXe et XXe siècles.

Les œuvres et objets
véritablement égyptiens
sont présentés à l'étage
inférieur près du musée
Pio-Clementino.
Parmi les plus belles
pièces figurent la tête
de Mentouhotep IV
(XXIe siècle av. J.-C.) ;
le sarcophage de la
reine Hetepheretes ;
le tombeau d'Iri,
gardien de la
pyramide de
Chéops (XXIe siècle
av. J.-C.) ; et la statue
de la reine Touya, mère
de Ramsès II (XIIIe siècle
av. J.-C.), découverte
en 1714 sur le site des
Horti Sallustiani près
de la via Veneto.

Une salle du musée
est consacrée à des reliefs
assyriens qui ornaient
les palais d'Assurbanipal
et de Sennacherib.

**Copie romaine du
Doryphore grec**

ART ÉTRUSQUE,
GREC ET ROMAIN

Le Musée étrusque présente
une superbe collection
d'objets façonnés par les
cultures préromaines d'Étrurie
et du Latium ou provenant
des colonies grecques du sud
de l'Italie. La place d'honneur,
en salle 2, revient aux bijoux

en or découverts dans la
tombe Regolini-Galassi (650
av. J.-C.) de la nécropole de
Cerveteri (*p. 466*). Cette
sépulture contenait également
les vestiges d'un char
funéraire et du mobilier.

Source d'inspiration des
artistes de la Renaissance, les
plus belles des œuvres
gréco-romaines du Vatican
forment le noyau du
musée Pio-
Clementino. Elles
comprennent des
répliques romaines
(v. 320 av. J.-C.) de
statues grecques telles
que l'*Apoxyomène*
(athlète s'essuyant le
corps après une course)
et l'*Apollon du
Belvédère*. Le
magnifique groupe de
Laocoon et ses fils,
sculpté à Rhodes au
Ier siècle apr. J.-C.,
fut retrouvé en
1506 dans les
ruines de la Domus
Aurea de Néron.

Plus petit, le
musée Chiaramonti est riche
en bustes antiques et a
presque conservé la structure
que lui donna Canova au
début du XIXe siècle. Dans
son extension, le *Braccio*

Nuovo, une statue d'Auguste
du Ier siècle av. J.-C.
provenant de la villa de sa
femme Livie fait face à une
copie romaine en marbre du
Doryphore (porteur de lance)
du Grec Polyclète (Ve siècle
av. J.-C.). Remarquez la
similitude des postures. Le
Musée grégorien profane suit
l'évolution de l'art romain
depuis l'imitation de modèles
grecs avec d'importants
fragments du Parthénon
jusqu'à l'émergence d'un style
propre. On y admirera
deux reliefs, les *Rilievi della
Cancelleria*, commandés en
81 par Domitien, et des
pavements en mosaïque qui
ornaient, pour deux d'entre
eux, les thermes de Caracalla
(*p. 437*) et, pour celui de la
salle ronde, les thermes
d'Otricoli en Ombrie.

Dans la Bibliothèque,
une fresque du Ier siècle
représente les préparatifs de
mariage d'une jeune Romaine.

Mosaïque provenant des thermes d'Otricoli (Ombrie), salle ronde

ART PALÉOCHRÉTIEN ET MÉDIÉVAL

Abritant la majeure partie de la collection d'art paléochrétien du Vatican, le Musée chrétien présente des sarcophages, des mosaïques, des épigraphes et des sculptures provenant des catacombes et des basiliques fondées par les premiers disciples du Christ. Une statue comme le *Bon Pasteur* témoigne de leurs efforts pour adapter des thèmes classiques à leur doctrine religieuse.

Peint près d'un millénaire plus tard et exposé à la pinacothèque, dont les deux premières salles sont consacrées au gothique, le *Polyptyque Stefaneschi* (v. 1300) de Giotto ornait le maître-autel de l'ancienne basilique Saint-Pierre. Il révèle l'évolution des rapports entretenus par l'Église avec l'héritage antique à la fin du XIIIe siècle.

La Bibliothèque possède de nombreux trésors médiévaux, entre autres des reliquaires, des manuscrits, des émaux et des icônes.

Mise au tombeau (v. 1471-1474) de Giovanni Bellini à la pinacothèque

Détail du *Polyptyque Stefaneschi* (v. 1300) de Giotto

ART DU XVe AU XIXe SIÈCLE

Les souverains pontifes de la Renaissance se comportaient en mécènes éclairés. Ainsi, les galeries entourant la cour du Belvédère furent décorées par de grands artistes entre le XVIe et le XIXe siècle et abritent toutes des œuvres de qualité : la galerie des Tapisseries, des tapisseries de Bruxelles exécutées d'après les cartons d'élèves de Raphaël ; les appartements de Pie V, de splendides tapisseries flamandes du XVe siècle ; la galerie des Cartes, des fresques du XVIe siècle.

Près des Chambres de Raphaël (*p. 427*) se trouvent la salle dite des Clairs-obscurs et la petite chapelle de Nicolas V décorée par Fra Angelico entre 1447 et 1451. Ornés de fresques vers 1490 par il Pinturicchio et ses élèves, les appartements Borgia méritent également une visite. Il faut une autorisation spéciale pour découvrir les superbes peintures de la Loggia de Raphaël.

Adoration *des Mages* (1490) du Pinturicchio, appartements Borgia

La pinacothèque présente de nombreux tableaux de la Renaissance dont, pour le XVe siècle, une belle *Mise au tombeau* par Giovanni Bellini, qui faisait partie de son polyptyque du *Couronnement de la Vierge* de Pèsaro (*p. 368*), et le *Saint Jérôme* inachevé de Léonard de Vinci retrouvé par hasard en deux parties. L'une servait de couvercle de coffre chez un brocanteur, l'autre de siège de tabouret à un cordonnier. Parmi les chefs-d'œuvre du XVIe siècle figurent une *Descente de Croix* du Caravage et la *Vierge des Frari* de Titien. Dans une salle consacrée à Raphaël, on voit les tapisseries dont il dessina les cartons, sa *Madone de Foligno* et sa *Transfiguration*. Peinte par Véronèse, *Sainte Hélène* porte une somptueuse tenue d'aristocrate.

Chapelle Sixtine : la voûte

Pour peindre ces fresques commandées par Jules II, Michel-Ange travailla seul, perché sur un échafaudage spécial, de 1508 à 1512. Les panneaux centraux illustrent la Genèse. Parmi les sujets qui les entourent, les cinq sibylles qui, selon la légende, prophétisèrent la naissance du Christ, ne sont pas inspirées de l'Ancien Testament. La restauration entreprise dans les années 1980 a révélé les éclatantes couleurs originales.

Sibylle libyenne
Comme pour de nombreuses femmes que peignit Michel-Ange, ce fut probablement un homme qui servit de modèle.

Architecture en trompe l'œil

Création des astres
Michel-Ange donne un grand dynamisme mais un aspect terrifiant au Créateur qui commande au soleil d'éclairer la Terre.

LÉGENDE

☐ **LA GENÈSE : 1** Dieu séparant la lumière des ténèbres ; **2** Création des astres ; **3** Dieu séparant la terre de l'eau ; **4** Création d'Adam ; **5** Création d'Ève ; **6** Le Péché originel ; **7** Le Sacrifice de Noé ; **8** Le Déluge ; **9** L'Ivresse de Noé.

☐ **LES ANCÊTRES DU CHRIST : 10** Salomon et sa mère ; **11** Les Parents de Jessé ; **12** Jéroboam et sa mère ; **13** Asa et ses parents ; **14** Josué et ses parents; **15** Ézéchias et ses parents ; **16** Jézabel et ses parents ; **17** Josias et ses parents.

☐ **LES PROPHÈTES : 18** Jonas ; **19** Jérémie ; **20** Daniel ; **21** Ézéchiel ; **22** Isaïe ; **23** Joël ; **24** Zacharie.

☐ **LES SIBYLLES : 25** Sibylle libyenne ; **26** S. de Perse ; **27** S. de Cumes ; **28** S. érythréenne ; **29** S. de Delphes.

☐ **SCÈNES DE L'ANCIEN TESTAMENT : 30** Le Supplice d'Aman ; **31** Le Serpent d'airain ; **32** David et Goliath ; **33** Judith et Holopherne.

Le Péché originel
Dans cette scène où Adam et Ève goûtent au fruit de l'arbre de la connaissance, Michel-Ange a donné au serpent un corps de femme.

Les Ignudi, athlètes adolescents, symbolisent la force de l'Homme.

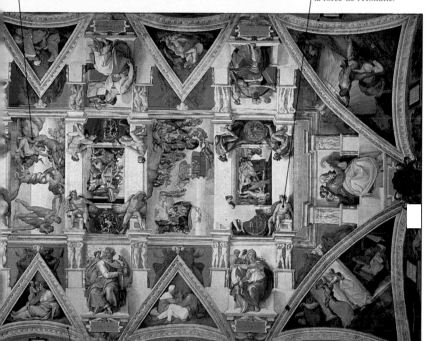

Dans les lunettes figurent des ancêtres du Christ tels qu'Ézéchias.

RESTAURATION DE LA VOÛTE

De l'informatique à la spectrographie, les derniers restaurateurs à intervenir dans la chapelle Sixtine ont tiré parti des techniques les plus modernes pour étudier les fresques avant d'entreprendre leur nettoyage. Ils ont découvert que certains de leurs prédécesseurs avaient utilisé des produits aussi curieux que le pain ou le vin résiné pour tenter le même travail. Éclatantes,

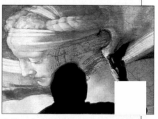

Nettoyage de la Sibylle libyenne

les couleurs qu'a révélées cette dernière restauration offraient tant de différences avec les teintes grisées connues jusqu'à présent qu'un critique affirma qu'une couche de vernis passée par l'artiste pour les assombrir avait été ôtée. Après examen, la majorité des experts estime néanmoins que ces couleurs lumineuses sont bien celles peintes par Michel-Ange.

Chapelle Sixtine : les murs

Certains des plus grands artistes des XVe et XVIe siècles, tels le Pérugin, Botticelli, Ghirlandaio et Signorelli, peignirent à fresque les parois de la principale chapelle du Vatican entreprise par Sixte IV en 1473. Au registre inférieur, 12 panneaux établissent un parallèle entre les vies de Moïse et du Christ. Au mur du maître-autel, Michel-Ange a exprimé avec génie dans *Le Jugement dernier* (1534-1541) toute son angoisse face à la foi et au péché.

LÉGENDE DES FRESQUES

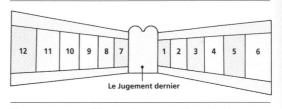

Le Jugement dernier

☐ Le Pérugin   ☐ Botticelli   ☐ Ghirlandaio

☐ Rosselli   ☐ Signorelli   ☐ Michel-Ange

1 Le Baptême du Christ
2 Les Tentations du Christ
3 La Vocation des apôtres Pierre et André
4 Le Sermon sur la montagne
5 Le Christ remettant les clés à saint Pierre
6 La Cène

7 Le Voyage de Moïse vers l'Égypte
8 La Vocation de Moïse
9 Le Passage de la mer Rouge
10 L'Adoration du Veau d'Or
11 La Punition de Core, Dathan et Abiron
12 Les Derniers Jours de Moïse

LE JUGEMENT DERNIER DE MICHEL-ANGE

Redevenue visible en 1993 après un an de restauration, cette peinture murale de 20 m de haut sur 10 m de large, chef-d'œuvre de Michel-Ange commandé par le pape Paul III, nécessita la destruction de fresques antérieures, masquées par un enduit pour éviter le dépôt de poussière, et la condamnation de deux fenêtres au-dessus de l'autel.

Selon la tradition, ce thème – les âmes des morts s'élevant jusqu'à Dieu pour affronter son jugement – figure à l'entrée des églises et non à l'autel, mais Paul III voulait rappeler aux catholiques les dangers qu'ils couraient à renoncer à leur foi pour se tourner vers la religion réformée. Il offrait en outre ainsi à Michel-Ange un support idéal pour exprimer ses tourments face au péché.

Centre de la composition et du mouvement tourbillonnant qui l'anime, son Christ manifeste d'ailleurs bien peu de compassion pour les saints qui l'entourent en portant l'instrument de leur martyre, notamment saint Barthélemy, mort écorché vif et dont la peau qu'il tient porte le visage de Michel-Ange. Si le ciel s'ouvre aux Élus arrachés à leur tombe, les Damnés, malgré leurs supplices, n'ont pas de pitié à espérer. Précipités dans la barque de Charon, ils affronteront Minos, juge des Enfers. Ces deux figures mythologiques sont inspirées de *La Divine Comédie* de Dante. Michel-Ange donna à Minos, doté d'oreilles d'âne, les traits de Biagio da Cesena, maître de cérémonie de la cour pontificale qu'il détestait. Celui-ci s'offusqua de la nudité des personnages de la fresque. Plusieurs seront recouverts de voiles.

Les Damnés affrontent la colère du Christ dans *Le Jugement dernier* de Michel-Ange

Pour les hôtels et les restaurants de la ville, voir p. 587-592 et 636-641

Les Chambres de Raphaël

Le pape Jules II aménagea ses appartements au-dessus de ceux de son prédécesseur haï, Alexandre VI Borgia, mort en 1503. Impressionné par le travail d'un jeune peintre peu connu, il lui commanda la décoration des quatre chambres (*stanze*). Raphaël et son atelier débutèrent en 1508, recouvrant les œuvres d'artistes plus célèbres, notamment du maître de Raphaël : le Pérugin. L'exécution du projet demanda plus de 16 ans et son concepteur mourut avant son achèvement.

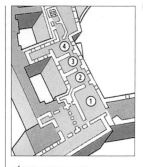

Détail de La *Messe de Bolsena* (1512)

SALLE DE CONSTANTIN

Julio Romano, Giovanni Francesco Penni et Rafaellino del Colle, élèves de Raphaël, réalisèrent la majeure partie de ces fresques achevées en 1525, cinq ans après la mort de leur maître. Elles ont pour thème le triomphe du christianisme sur le paganisme et les quatre principales peintures illustrent des épisodes de la vie de Constantin, premier empereur romain converti, tels que la *Vision de la Croix* et la *Bataille du pont Milvius* réalisée d'après les dessins préparatoires de Raphaël.

CHAMBRE D'HÉLIODORE

Raphaël la décora entre 1512 et 1514 de scènes évoquant l'actualité de son époque. À droite de l'entrée, *Héliodore chassé du temple* fait référence aux victoires de Jules II face à des armées étrangères. Sur le mur de gauche, la *Messe de Bolsena*

décrit un miracle survenu en 1263 *(p. 348)* et prouvant l'existence de la transsubstantiation mise en doute par les protestants. Au-dessus de la fenêtre, *La Délivrance de saint Pierre*, superbe composition en trois parties, s'inspire d'un épisode de la vie de Léon X qui, capturé par les Français à Ravenne en 1512, réussit à s'enfuir.

CHAMBRE DE LA SIGNATURE

Peintes entre 1508 et 1511, ses fresques forment la série la plus harmonieuse. Imposés par Jules II, leurs sujets illustrent l'aspiration humaniste à atteindre la vérité par l'union de la culture classique et du christianisme. L'œuvre la plus célèbre, *L'École d'Athènes*, montre les philosophes grecs Platon et Aristote entourés d'une foule où figurent maints contemporains de Raphaël, dont Léonard de Vinci, Bramante et Michel-Ange. En face, sur *La Dispute du Saint-Sacrement*, Dante apparaît portant une couronne de laurier.

CHAMBRE DE L'INCENDIE DU BORGO

Cette salle à manger devint un salon de musique au terme de sa décoration sous Léon X, pape dont les fresques font l'éloge au travers de ses prédécesseurs du IXe siècle : Léon III et Léon IV. Dessinées par Raphaël, elles furent achevées par ses élèves de 1514 à 1517. Celle peignant *L'Incendie du Borgo*, relate le miracle survenu en 847 quand Léon IV éteignit d'un signe de croix le feu ravageant le quartier *(borgo)* entourant la basilique Saint-Pierre. En représentant un vieillard mis à l'abri par un jeune homme, Raphaël trace un parallèle entre cet événement et l'incendie de Troie qu'Énée dut fuir en portant son père Anchise.

L'*École d'Athènes* (1511) réunit philosophes grecs et maîtres de la Renaissance

Villa Farnesina ❹

Via della Lungara 230. **Plan** 2 E5.
Tél 06 68 02 72 68. 🚌 23, 280.
⏲ lun.-sam. 9h-13h. 📷 ⏏

Le richissime banquier
siennois Agostino Chigi
commanda en 1508 à son
compatriote Baldassare
Peruzzi la construction d'une
villa « de campagne » sur la
rive droite du Tibre.
L'architecte créa un bâtiment
aux lignes simples prolongé
de deux courtes ailes : l'une
des premières véritables villas
Renaissance. Elle offrit un
cadre raffiné aux fêtes
somptueuses organisées par
Chigi et auxquelles assistaient
artistes, diplomates, princes,
cardinaux et même le pape.
Le banquier venait aussi y
séjourner avec sa maîtresse, la
courtisane Imperia qui aurait
servi de modèle à l'une des
trois Grâces de la *Légende de
Psyché* peinte par Raphaël et
ses élèves au plafond de la
loggia. Le peintre exécuta
également la fresque
représentant *Galatée entourée
de génies marins* dans le
salon voisin où les
constellations de la voûte
représentent le ciel de
naissance de Chigi. Des
scènes mythologiques les
illustrent, œuvres de Peruzzi
à l'instar de la décoration de
la sala della Prospettiva où
des colonnades en trompe
l'œil ouvrent sur des vues de
Rome au XVIe siècle.
   Achetée par la famille
Farnese en 1577, la villa abrite
aujourd'hui le Cabinet
national des Estampes.

Les Trois Grâces de Raphaël à la
villa Farnesina

**Chambre de la reine Christine de
Suède au palazzo Corsini**

Palazzo Corsini et Galleria Nazionale d'Arte Antica ❺

Via della Lungara 10. **Plan** 2 D5.
Tél 06 68 80 23 23. 🚌 23, 280.
⏲ mar.-dim. 8h30-19h (dern. ent. 30
min av. la ferm.). ⬤ 1er mai, 15 août,
25 déc., 1er janv. 📷 ☑ ♿ ⏏ 🅿
www.galleriaborghese.it

Édifié entre 1510 et 1512 pour
le cardinal Domenico Riario,
ce palais eut de nombreux
occupants célèbres dont
Bramante, le jeune Michel-
Ange, Érasme et la mère de
Napoléon. La reine Christine
de Suède l'habita 30 ans et y
mourut en 1689. En 1736,
Ferdinando Fuga le
reconstruisit pour le cardinal
Neri Corsini et il lui donna
une façade conçue pour être
regardée de côté car l'étroite
via della Lungara ne laissait
pas assez de recul pour bien
la voir de face.
   En cédant le palais à l'État
en 1893, la famille Corsini fit
aussi don de sa collection de
peintures qui fut exposée à la
galerie nationale d'Art ancien.
Cette collection est répartie
entre le palais Barberini et le
palais Corsini. Elle comprend
des œuvres de Van Dyck,
Rubens et Murillo. Parmi les
tableaux les plus intéressants
figurent un *Saint Jean-
Baptiste* (v. 1604) du Caravage
et une *Salomé* (1638) par
Guido Reni. Le plus curieux,
par J. Van Egmont, est un
portrait où la reine Christine
fait une Diane bien en chair.

Jardin botanique ❻

Largo Cristina di Svezia 24.
Plan 2 D5. **Tél** 06 49 91 71 07.
🚌 23, 280. ⏲ lun.-sam.
9h-18h30 (17h oct.-mars).
⬤ jours fériés. 📷 ☑

Séquoias, palmiers, superbes
broméliacées, somptueuses
orchidées ou ginkgo dont
l'espèce date de 150 millions
d'années, l'*Orto botanico* de
Rome présente sur 12 ha
plus de 7 000 espèces
végétales du monde entier,
exotiques ou indigènes,
regroupées de manière à
montrer leurs similitudes et
leur capacité d'adaptation
à des climats et à des
écosystèmes différents.

**Palmiers du jardin botanique dans
le Trastevere**

Santa Maria in Trastevere ❼

Piazza Santa Maria in Trastevere. **Plan**
5 C1. **Tél** 06 581 48 02. 🚌 H, 23,
280. ⏲ t.l.j. 7h30-21h. ♿ ⏏

Selon la tradition, c'est au
cœur d'un quartier populaire
proche du port où s'étaient
installés des marins et
marchands étrangers
pratiquant de multiples
religions que saint Callixte
fonda au IIIe siècle le premier
sanctuaire officiel d'un culte
alors très minoritaire : le
christianisme. Entreprise par
Innocent II, l'église actuelle
date du XIIe siècle et
22 colonnes en granit
provenant d'édifices antiques
séparent ses trois nefs. Malgré
quelques ajouts baroques,
elle a gardé ses mosaïques
romaines originales. Celle de
la façade représente une

Triomphe de la Vierge, **mosaïque de l'abside de Santa Maria in Trastevere**

Vierge à l'Enfant entourée de dix saintes dont les lampes symbolisent la virginité, tandis qu'à l'abside, sous un *Triomphe de la Vierge* (1140) stylisé, Pietro Cavallini a exécuté au XIIIe siècle six magnifiques panneaux inspirés de la *Vie de la Vierge*.

La plus ancienne représentation de la mère du Christ se trouve toutefois dans la cappella Altemps. La *Madone de Clémence*, une icône du VIIe siècle, la figure en impératrice byzantine entourée d'une garde d'anges.

Santa Cecilia in Trastevere ❽

Piazza di Santa Cecilia. **Plan** 6 D1. *Tél* 06 589 92 89. 🚌 H, 23, 44, 280. ⬤ t.l.j. 9h30-12h30, 16h-18h30. **Fresque de Cavallini** ⬤ t.l.j. 10h15 (11h15 sam.)-12h15.

Seule la tradition possède des certitudes sur sainte Cécile, la patronne des musiciens : elle connut ici le martyre en 230, décapitée après avoir survécu miraculeusement au supplice de l'étouffement.

Un premier sanctuaire fut fondé au IVe siècle à l'emplacement de sa maison, et on peut visiter celle-ci, ainsi que les vestiges d'une tannerie antique, sous l'église actuelle. Pascal Ier reconstruisit ce lieu de culte au IXe siècle après que le corps de la sainte eut été retrouvé dans les catacombes de San Callisto (*p. 442*), et la belle mosaïque de l'abside

date de cette époque.

Sous l'autel, la statue par Stefano Maderno représente Cécile telle que l'artiste la vit, remarquablement préservée, lorsqu'on ouvrit son sarcophage en 1599.

Il faut passer par le couvent contigu pour admirer le baldaquin par Arnolfo di Cambio et la splendide fresque du *Jugement dernier* de Pietro Cavallini. Tous deux datent du XIIIe siècle, l'une des rares périodes où Rome eut un style qui lui soit propre.

San Francesco a Ripa ❾

Piazza San Francesco d'Assisi 88. **Plan** 5 C2. *Tél* 06 581 90 20. 🚌 H, 23, 44, 75, 280. ⬤ lun.-sam. 7h-12h, 16h-19h30 ; dim. 7h-13h, 16h-19h. ♿

Lors de son séjour à Rome en 1219, saint François d'Assise dormit ici dans une cellule (préservée) de l'hospice San Biagio où il laissa un crucifix et son oreiller en pierre. Un de ses disciples, Rodolfo Anguillara, bâtit l'église, que

le cardinal Pallavicini fit reconstruire à la fin du XVIIe siècle. Elle renferme de nombreuses sculptures. L'une d'elle justifie à elle seule la visite du sanctuaire : l'étonnante représentation par le Bernin de *La Bienheureuse Ludovica Albertoni* (1674), dans la chapelle Altieri (quatrième à gauche).

San Pietro in Montorio et le Tempietto ❿

Piazza San Pietro in Montorio 2. **Plan** 5 B1. *Tél* 06 581 39 40. 🚌 44, 75, 100. ⬤ t.l.j. 8h30-12h, lun.-ven. 15h-16h. **Tempietto** ⬤ mar.-dim. 9h30-12h30, 14h-16h (16h-18h en été).

Le Tempietto de Bramante à San Pietro in Montorio

Chef-d'œuvre de la Renaissance avec ses colonnes doriques et sa balustrade délicate, le « petit Temple » achevé par Bramante en 1504 a la forme circulaire d'un *martyrium*, chapelle paléochrétienne élevée à l'emplacement du martyre d'un saint, car il se dresse dans la cour de l'église San Pietro in Montorio fondée au Moyen Âge à l'endroit où l'on croyait, à tort, que s'étendait le cirque de Néron, lieu du supplice de saint Pierre.

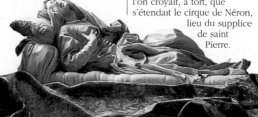

La Bienheureuse Ludovica Albertoni **du Bernin à San Francesco a Ripa**

L'AVENTIN ET LE LATRAN

Outre les alentours de la piazza San Giovanni in Laterano, voici une des parties les plus aérées de Rome. Dominant le Colisée, la colline du Cælius aujourd'hui jalonnée d'églises était un lieu recherché de la Rome impériale alors que fonctionnaient les thermes de Caracalla. Derrière leurs ruines s'élève l'Aventin, colline qui

Fragment de mosaïque, thermes de Caracalla

offre un cadre verdoyant à la superbe basilique Santa Sabina et une vue superbe sur le Trastevere et Saint-Pierre. Ce sont désormais des voitures et des scooters qui tournent à l'emplacement de la piste du cirque Maxime. Au sud, un quartier populaire s'est développé autour du monte Testaccio, amas de débris antiques haut de 36 m.

LE QUARTIER D'UN COUP D'ŒIL

Églises
San Clemente ❻
San Giovanni in
    Laterano ❼
Santa Maria in Cosmedin ❷
Santa Maria in Domnica ❸
Santa Sabina ⓫
Santi Quattro Coronati ❺
Santo Stefano Rotondo ❹

Sites et monuments antiques
Temples du forum
    Boarium ❶
Thermes de Caracalla ❽

Cimetière et tombeaux
Cimetière protestant ❿
Pyramide de Caius Cestius ❾

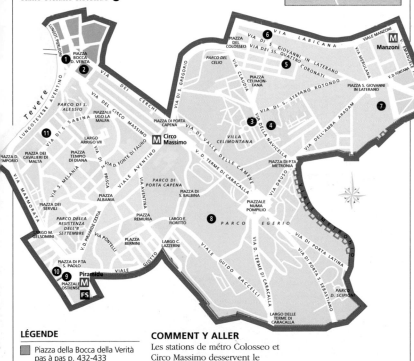

LÉGENDE

◼ Piazza della Bocca della Verità
pas à pas p. 432-433

FS Gare ferroviaire

M Station de métro

— Information touristique

COMMENT Y ALLER
Les stations de métro Colosseo et Circo Massimo desservent le Cælius. Depuis celle de Piramide, le bus 95 rejoint la piazza della Bocca della Verità. Le tram 3 et les bus 81, 160 et 715 permettent de visiter l'Aventin.

0   250 m

◁ Au sommet de l'Aventin, les pins et les orangers du parco Savelli encadrent la coupole de Saint-Pierre

Piazza della Bocca della Verità pas à pas

Ce quartier ancien s'étend de la berge du Tibre, où roule une intense circulation, jusqu'à la pointe sud du Capitole, lieu d'exécution capitale pendant l'Antiquité et le Moyen Âge. De nombreux visiteurs viennent enfoncer leur main dans la « Bouche de la vérité », supposée se refermer sur celle des menteurs, sous le portique de Santa Maria in Cosmedin, ancienne église de la communauté byzantine qui fonda également San Giorgio in Velabro. En face, sur la place, se dressent deux temples républicains. Avec l'arc de Janus et les vestiges du pont Æmilius, ils évoquent l'époque où le port aménagé non loin sur le fleuve approvisionnait Rome.

La Casa dei Crescenzi, bâtie au XIIᵉ siècle par la famille des Crescenzi pour contrôler l'accès au fleuve, incorpore des éléments antiques.

Sant'Omobono s'élève sur un site où l'on a découvert des vestiges datant du VIᵉ siècle av. J.-C.

★ Temples du forum Boarium
Ces deux édifices sont les temples républicains les mieux conservés de Rome ❶

Le Ponte rotto (pont rompu) est tout ce qui reste (une arche) du pont Æmilius édifié en 179 av. J.-C. et emporté par une crue en 1598.

La Fontana dei Tritoni, créée par Carlo Bizzaccheri en 1715, témoigne de l'influence exercée par le Bernin.

★ Santa Maria in Cosmedin
Elle abrite sous son portique la Bocca della Verità, plaque d'égout antique ❷

LUNGOTEVERE DEI PIERLEONI

TEVERE

PONTE PALATINO

VIA DI SAN GIOVANNI DECOLLATO

PIAZZA DELLA BOCCA DELLA VERITÀ

VIA DELLA GREC

LÉGENDE

- - - Itinéraire conseillé

0   75 m

San Giovanni Decollato appartenait à une confrérie qui encourageait les condamnés à mort à se repentir.

CARTE DE SITUATION
Voir l'atlas des rues de Rome, plan 6

Santa Maria della Consolazione
doit son nom à une image de la Vierge placée en 1385 sur le chemin des condamnés à mort.

San Teodoro, église en rotonde au bord du Palatin, présente à l'abside des mosaïques du VIe siècle.

San Giorgio in Velabro, basilique du VIIe siècle, fut restaurée après une explosion en 1994.

Arco degli Argentari

L'arc de Janus bâti au IVe siècle au-dessus d'un carrefour offrait son ombre aux tractations entre acheteurs et vendeurs du marché du forum Boarium.

À NE PAS MANQUER

★ Santa Maria in Cosmedin

★ Temples du forum Boarium

Les temples du forum Boarium ❶

Piazza della Bocca della Verità.
Plan 6 E1. 🚌 *23, 44, 81, 95, 160, 170, 280, 628, 715, 716.*

Situés au bord du Tibre, ces deux temples de l'ère républicaine très bien conservés offrent un beau spectacle au clair de lune. La journée, ils paraissent moins romantiques, isolés au milieu de la circulation automobile.

Construit sur un podium et précédé d'un portique soutenu par quatre colonnes doriques, le sanctuaire rectangulaire (IIe-Ier siècle av. J.-C.) évita la destruction en devenant au haut Moyen Âge l'église Santa Maria Egiziaca consacrée à une prostituée du Ve siècle devenue ermite. Un temps appelé temple de Fortuna Virilis, il était dédié à Portunus, dieu protecteur des fleuves et des ports, et donc des bateliers naviguant entre Ostie et le port antique voisin.

Le temple rond, le plus ancien en marbre de Rome, est une reconstruction du temps d'Auguste d'un sanctuaire du IIe siècle av. J.-C. Vingt colonnes corinthiennes cannelées entourent une cella en marbre recouverte de travertin. Malgré sa similitude avec le temple de Vesta du Forum (*p. 380*), il était dédié à Hercule Vainqueur.

La façade du temple de Portunus datant de la Rome républicaine

Mosaïque de l'abside représentant une Vierge à l'Enfant (IXᵉ siècle), Santa Maria in Domnica

Santa Maria in Cosmedin ❷

Piazza della Bocca della Verità.
Plan 6 E1. **Tél** 06 678 14 19.
🚌 23, 44, 81, 95, 160, 170, 280, 628, 715, 716. 🕐 t.l.j. 9h30-18h (17h en hiver). 🚹 🚻 🏛

Fondée au VIᵉ siècle sur les ruines du marché antique, agrandie sous Adrien Iᵉʳ (772-795) puis au XIIᵉ siècle (construction du portique et du campanile), cette belle église a retrouvé après une restauration du XIXᵉ siècle sa simplicité initiale. Les Cosmas réalisèrent au Moyen Âge les superbes pavement et le mobilier de marbre. La crypte d'Adrien, remarquable avec ses trois petites nefs séparées par des colonnettes, occupe le site d'un ancien temple païen.

Scellé dans le mur du portique, la Bocca della

Verità, disque de marbre vieux de plus de 15 siècles, était sans doute une plaque d'égout. Selon la légende, cette « Bouche de la vérité » se referme sur la main des menteurs.

Santa Maria in Domnica ❸

Piazza della Navicella 12. **Plan** 7 A2.
Tél 06 772 026 85. 🚌 81, 117, 673.
Ⓜ Colosseo. 🕐 t.l.j. 9h-12h. 🚻

Un élégant portique élevé en 1513 par Andrea Sansovino, fruit d'une restauration commandée par Léon X, précède cette église probablement fondée au VIIᵉ siècle et reconstruite au IXᵉ par Pascal Iᵉʳ, pape qui apparaît agenouillé au pied de la Vierge sur la superbe mosaïque de l'abside où se marient influences byzantines et hellénistiques. Le nimbe carré qui l'auréole indique qu'il fut représenté de son vivant.

Santo Stefano Rotondo ❹

Via di Santo Stefano Rotondo 7.
Plan 7 B2. **Tél** 06 42 11 99. 🚌 81, 117, 673. 🕐 sur réservation par mail : santo.stefano.rotondo@cgu.it 🚫

Le pape Simplicius (468-483) édifia cette église, l'une des plus anciennes d'Italie, sur le modèle du Saint-Sépulcre de Jérusalem. Elle comportait à l'origine 3 nefs concentriques

Pavement des Cosmas dans la nef de Santa Maria in Cosmedin

éclairées par les 22 fenêtres, mais en 1450, Nicolas V, sur les conseils de Leon Battista Alberti, fit supprimer l'anneau extérieur et murer sa colonnade.

Au XVᵉ siècle, Niccolò Pomarancio et Antonio Tempesta peignirent les murs de fresques décrivant de terribles scènes de martyres.

Cloître du Santi Quattro Coronati

Santi Quattro Coronati ❺

Via dei Santi Quattro Coronati 20.
Plan 7 B1. **Tél** 06 70 47 54 27. 🚌 85, 117, 850. 🚋 3. 🕐 t.l.j. 6h30-12h30, 15h30-19h45. **Cloître et Chapelle St-Sylvestre** 🕐 t.l.j. 10h-11h45, 16h-17h45. 🚻

Ce couvent fortifié érigé au IVᵉ siècle en mémoire de quatre martyrs qui avaient refusé de rendre honneur à une statue d'Esculape dut être reconstruit après un incendie allumé en 1084 par les Normands de Robert Guiscard.

Il recèle un superbe cloître roman et, dans la chapelle Saint-Sylvestre, de belles fresques du XIIᵉ siècle relatant la conversion de Constantin par le pape Sylvestre.

San Clemente ❻

Sur trois niveaux, dont deux souterrains, San Clemente présente un fascinant raccourci de l'histoire de Rome. L'église actuelle, construite au XIIe siècle et restaurée au XVIIIe, se dresse au-dessus d'une basilique détruite par les Normands en 1084 qui occupait depuis le IVe siècle le premier étage du « titulus Clementis », sanctuaire privé où aurait résidé saint Clément, troisième successeur de saint Pierre. Une maison contiguë abritait un temple au dieu iranien Mithra.

MODE D'EMPLOI

Via di San Giovanni in Laterano.
Plan 7 B1. **Tél** 06 774 00 21.
85, 87, 117, 186, 810, 850.
Colosseo. 3. ⬤ lun.-sam. 9h-12h30, 15h-18h (ouv. à 12h dim., j.f.) dern. ent. 20 min av. ferm.
niveaux inférieurs.

Cappella di Santa Caterina
Restaurées, ces fresques peintes au XVe siècle par l'artiste florentin Masolino da Panicale illustrent la vie de sainte Catherine d'Alexandrie.

Entrée

Mosaïque de l'abside
Chef-d'œuvre d'art roman, le Triomphe de la Croix *date du XIIe siècle.*

Candélabre pascal
Ce candélabre torsadé du XIIe siècle orné de mosaïques est un magnifique exemple d'art cosmatesque.

Basilique du XIIe siècle

Façade du XVIIIe siècle

Piscine

Basilique du IVe siècle

Schola Cantorum

Temple de Mithra

Vie de saint Clément *Des fresques évoquent la vie du quatrième pape. Celle-ci relate un miracle survenu dans la chapelle apparue au fond de la mer Noire pour lui servir de tombeau.*

Triclinium
Un autel où Mithra est représenté sacrifiant un taureau était abrité dans le triclinium, salle de banquets rituels.

San Giovanni in Laterano ❼

Fondée au début du IVe siècle par Constantin, Saint-Jean-de-Latran, cathédrale de Rome, a connu plusieurs reconstructions, notamment en 1646 quand Borromini remania l'intérieur, mais a conservé son plan basilical.

Avant le départ des papes pour Avignon en 1309, les pontifes avaient pour résidence officielle le palais de Latran attenant. L'édifice actuel date de 1589 mais a gardé des parties plus anciennes comme la Scala Santa, escalier qu'aurait gravi le Christ pour son jugement.

MODE D'EMPLOI

Piazza di San Giovanni in Laterano. **Plan** 8 D2. **Tél** 06 69 88 64 33. 🚌 16, 81, 85, 87, 650. 🚋 3. Ⓜ San Giovanni.
Cathédrale ⬭ t.l.j. 7h-18h30.
Cloîtres ⬭ t.l.j. 9h-18h.
Musée ⬭ lun.-sam. 9h-13h (dernière entrée 12h). 🚻 ✝
♿ **Baptistère** ⬭ t.l.j. 8h-12h30, 16h-19h.

Baptistère
Bien que très restauré, il a conservé de superbes mosaïques du Ve siècle.

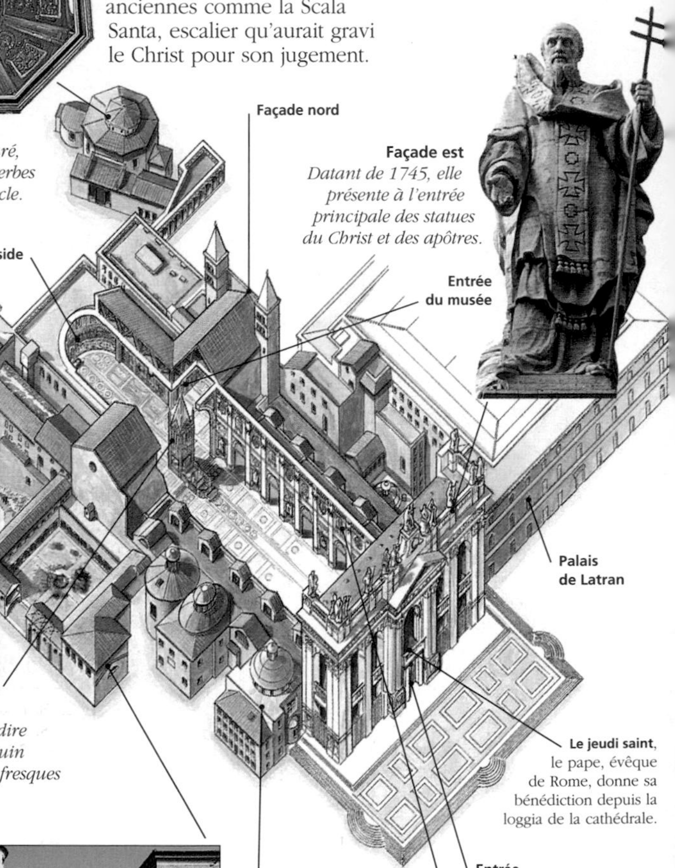

Façade nord

Façade est
Datant de 1745, elle présente à l'entrée principale des statues du Christ et des apôtres.

Abside

Entrée du musée

Palais de Latran

Autel papal
Seul le pape peut y dire la messe. Le baldaquin gothique décoré de fresques date du XIVe siècle.

Le jeudi saint, le pape, évêque de Rome, donne sa bénédiction depuis la loggia de la cathédrale.

Entrée principale

La chapelle Corsini (1732) abrite le tombeau du pape Clément VII Corsini dont l'urne funéraire provient du Panthéon.

Cloître
Jacopo et Pietro Vassalletto réalisèrent de 1215 à 1232 ce splendide cloître cosmatesque à colonnettes torsadées et frise de mosaïque.

Fresque de Boniface VIII
Attribuée à Giotto, elle montre le pape proclamant l'année sainte de 1300 qui attira environ 2 millions de pèlerins.

Dans l'un des gymnases des thermes de Caracalla

Thermes de Caracalla ❽

Viale delle Terme di Caracalla 52.
Plan 7 A3. **Tél** 06 39 96 77 00. 🚌
160, 628. 🚊 3. 🕐 *mar.-dim. 9h-1h
av. la nuit, lun. 9h-14h.* ● *1er janv.,
25 déc.* 🖼️ 🔲 🚻

Au pied de l'Aventin s'élèvent
les superbes vestiges en
briques rouges des thermes
entrepris par l'empereur
Septime Sévère en 206 et
achevés par son fils Caracalla
en 217. Pouvant accueillir
1 600 personnes, ils restèrent
en fonction jusqu'au VIe siècle
et la destruction par les Goths
des aqueducs alimentant la
ville en eau.

Le bain avait une grande
importance dans la vie des
Romains, et des
établissements comme ces
thermes renfermaient des
gymnases, des jardins, des
bibliothèques, des salles de
conférence et des marchands
de nourriture et de boissons.

Le parcours type du
baigneur commençait par des
échauffements et exercices
gymniques suivis d'un bain
de vapeur dans le *laconicum*. On
passait ensuite dans le
calidarium, vaste salle
chauffée où des bassins
humidifiaient l'atmosphère,
puis dans l'ambiance tiède du
tepidarium, avant de
rejoindre la grande halle
centrale appelée *frigidarium*.
Il existait en outre une piscine
en plein air, la *natatio*. Une
fois propres, les plus fortunés
s'offraient une friction avec
un linge imbibé de parfum.

Les thermes présentaient
une riche décoration en
marbre que les Farnèse
pillèrent au XVIe siècle pour
orner leur palais (*p. 401*).
Le Museo Nazionale
Archeologico de Naples
(*p. 490-491*) et le Musée
grégorien profane du Vatican
(*p. 422*) possèdent toutefois
des mosaïques et des statues
en provenant.

En août, les ruines
servent de décor à des
représentations d'opéra.

Pyramide de Caïus Cestius ❾

Piazzale Ostiense. **Plan** 6 E4.
🚌 23, 95, 280. 🚊 3. Ⓜ *Piramide.*

Caïus Cestius, riche préteur et
tribun romain, mourut en l'an
12 av. J.-C. Imposante
pyramide plaquée de marbre
blanc inscrite dans le mur
d'Aurélien près de la porta
San Paolo, son tombeau,
lui vaut d'être resté dans
l'histoire. Haut de 27 m,
le monument, dont la
construction prit 330 jours
selon une inscription,
témoigne du goût pour
l'architecture égyptienne des
contemporains d'Auguste.

**La pyramide de Caïus Cestius
sur le piazzale Ostiense**

Cimetière protestant ❿

Cimitero Acattolico, Via di Caio Cestio.
Plan 6 D4. **Tél** 06 574 19 00. 🚌 23,
280. 🚊 3. 🕐 *lun.-sam. 9h-17h, dim.
9h-13h, dern. ent. 30 min av. la ferm.*
Offrande.

Derrière le mur d'Aurélien,
ce cimetière où reposent
les non-catholiques
inhumés à Rome depuis
1738 est un lieu romantique.
Sa partie la plus ancienne
renferme les sépultures des
poètes Percy Bysshe Shelley,
mort en 1822, et John Keats,
décédé piazza di Spagna
(*p. 408*) en 1821. La tombe
de ce dernier porte sa
célèbre et très belle épitaphe :
« Ci-gît quelqu'un dont le nom
était écrit sur l'eau. »

L'intérieur de Santa Sabina

Santa Sabina ⓫

Piazza Pietro d'Illiria 1. **Plan** 6 D2.
Tél 06 57 94 06 00. 🚌 23, 44, 95,
170, 781. 🕐 *t.l.j. 6h30-12h45,
15h-19h (18h en hiver).* ♿

Pierre d'Illyrie fonda en 425
sur l'Aventin cette basilique,
restaurée au IXe et au
XIIIe siècles. Au travers de
hautes fenêtres aux claustras
ajourés, la lumière inonde
une large nef bordée de
colonnes corinthiennes
soutenant une arcade ornée
d'une frise de marbre
polychrome du Ve siècle. Sous
le portique latéral (passez par
le vestibule), une porte, du
Ve siècle, est sculptée de
18 scènes de la Bible. La
Crucifixion, en haut à gauche,
est l'une des plus anciennes
connues.

En dehors du centre

Le visiteur curieux prêt à sortir du centre de Rome se verra récompensé de ses efforts en découvrant la richesse du Musée étrusque de la Villa Giulia ou la beauté du parc de la Villa Borghèse dont le musée présente d'extraordinaires sculptures du Bernin. Catacombes et sanctuaires paléochrétiens témoignent de la ferveur du début du christianisme. Le quartier de l'E.U.R. offre un exemple d'urbanisme fasciste.

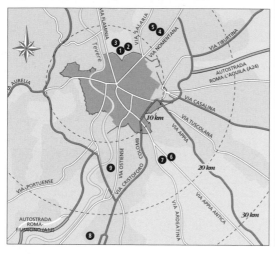

Villa Borghese ❶

Plan 3 B1. 🚌 52, 53, 88, 95, 116, 490. 🚊 3, 19. 🕐 t.l.j. mars-oct. : 9h30-18h (17h nov.-fév.). 🔴 1er mai, 25 déc.

C'est le cardinal Scipion Borghese, neveu du pape Paul V, qui fit aménager au début du XVIIe siècle le pavillon, ou *casino*, où il réunit l'une des plus riches collections d'art et d'antiquités d'Europe. Il fit planter 400 arbres pour créer son **parc**, le premier jardin à la française de Rome. De nombreuses sculptures, notamment par Pietro Bernini, le père du Bernin, ornaient ses parterres géométriques et ses larges allées. Fontaines, îlots fleuris, enclos de bosquets, animaux et oiseaux exotiques ajoutaient au plaisir de s'y promener. Il y avait même un automate doué de la parole, un fauteuil qui gardait prisonnier ceux ou celles qui s'y asseyaient et une grotte où tombait une pluie artificielle.

Les jardins étaient au début ouverts au public, mais la collection de peintures érotiques de Scipion scandalisa un jour un visiteur et Paul V estima plus prudent d'en faire une propriété strictement privée.

À partir de 1773, le parc connut un remaniement dans le style romantique, popularisé par les tableaux de

Temple de Aesculapius du XVIIIe siècle à la Villa Borghese

paysagistes comme Claude Lorrain et Nicolas Poussin, mariant imitation de la nature et temples et fontaines néoclassiques. Acheté par l'État en 1902, il servit de cadre à l'Exposition universelle de 1911. Edwin Lutyens dessina le plus impressionnant des pavillons construits par les pays participants : la **British School at Rome**. Un zoo ouvrit la même année, mais ses cages exiguës dispersées sur 17 ha en rendent la visite déprimante.

Le domaine de la Villa Borghèse, celui de la Villa Giulia et les jardins du Pincio communiquent désormais pour former un vaste parc public. Au centre, le **giardino del Lago** en constitue la partie la plus agréable. Une copie du XVIIIe siècle de l'arc de Septime Sévère en marque l'entrée principale et un faux temple grec dédié à Esculape, le dieu de la Médecine, se dresse sur l'île du lac artificiel qui lui a valu son nom. Parmi les aménagements charmants du parc figure un temple de Diane circulaire érigé entre la porta Pinciana, au sommet de la via Veneto, et la piazza di Siena, amphithéâtre gazonné où se tient en mai un concours hippique, et en été des opéras en plein air.

Au nord-ouest du parc se trouve la galleria nationale d'Arte et l'orangerie, qui accueille le nouveau musée Carlo Bilotti. Une partie des collections du cardinal Scipion Borghese et ses descendants se trouve au Museo Borghese.

Amour sacré et profane du Titien (1514), Galleria Borghese

Museo e Galleria Borghese ➋

Villa Borghese, Piazzale Scipione Borghese 5. **Tél** 06 328 10. 🚍 52, 53, 116, 910. 🚋 3, 19. 🕐 mar.-dim. 9h 19h (rés. conseillée sam.-dim.). ⬤ jours fériés. 🖼️ 📷 🔲 🔲 🔲 🔲 ♿ www.galleriaborghese.it

C'est l'architecte du pape Paul V, Flaminio Ponzio, qui éleva à partir de 1605 la villa, ou *casino*, où le cardinal Borghese recevait ses invités et abritait son exceptionnelle collection de peintures et de sculptures. Il lui donna deux ailes saillant dans le jardin, plan traditionnel des maisons de campagne romaines. Entre 1801 et 1809, Camillo Borghese, époux de Pauline Bonaparte, sœur de Napoléon Ier, se vit obligé de vendre à ce dernier nombre

des plus beaux tableaux. Pendant ces mêmes années, il décorait une propriété dans le Piémont avec 200 des statues classiques de Scipion. Bien que la France ait rendu une partie des pièces acquises, dont l'autre partie est restée au Louvre, la collection n'a pas retrouvé tout son éclat.

Elle compte cependant de nombreux chefs-d'œuvre, dont les sculptures que le cardinal, en mécène éclairé, commanda au jeune Bernin. Elles sont présentées au rez-de-chaussée dans 8 pièces qui s'organisent autour d'un salon central dont le pavement incorpore des fragments d'une mosaïque antique du IVe siècle représentant un combat entre gladiateurs et animaux. La première salle, à droite, renferme la statue par Canova de Pauline Borghese en *Vénus victorieuse* (1805), portrait dénudé que l'époux de Pauline mit sous clé, en interdisant même l'accès à son auteur. Dans la salle 2 se situe le *David* sculpté par le Bernin en 1623 à l'âge de 25 ans. L'artiste a représenté le jeune héros biblique au moment où il va laisser filer sa pierre. Selon la légende, le pape Urbain VIII tint le miroir qui permit à l'artiste de donner ses traits au visage grimaçant de concentration de son personnage. Une autre de ses œuvres parmi les plus célèbres, *Apollon et Daphné* (1624), a donné son nom à la salle suivante. Inspirée des *Métamorphoses* d'Ovide, elle aussi saisit avec virtuosité la tension dramatique d'un instant, ici celui où la nymphe Daphné se transforme en laurier pour échapper aux attentions trop pressantes du dieu du Soleil. En salle 4, l'*Enlèvement de*

Détail de l'*Enlèvement de Proserpine* (1622) du Bernin, Museo Borghese

Proserpine illustre également une scène mythologique. Si le mouvement s'y exprime avec moins de maîtrise, la massivité de Pluton, seigneur des Enfers, exacerbe la fragilité et la féminité de la jeune déesse qu'il entraîne dans son royaume souterrain pour en faire sa compagne.

En salle 5, l'*Hermaphrodite endormi* est une réplique romaine d'une statue du grec Polyclète datant d'environ 150 av. J.-C. Andrea Bergondi rajouta la tête et la couche au XVIIe siècle. Enfin, la salle suivante abrite une copie romaine représentant le dieu *Bacchus* par le sculpteur grec Praxitèle, ainsi qu'une série de mosaïques du IIIe siècle montrant des gladiateurs se battant avec des animaux sauvages.

La Galleria Borghese, au premier étage, est pour le moment en restauration, mais une grande partie de sa collection de peintures se retrouve au Complesso San Michele dans le Trastevere,

Apollon et Daphné (1624) du Bernin

notamment la *Déposition* par Raphaël, la *Danaé* du Corrège et des œuvres du Caravage, de Titien, de Rubens, du Pinturicchio et de Barocci.

Villa Giulia ❸

Michel-Ange et Vasari contribuèrent à la construction de la résidence d'été du pape Jules III entreprise en 1550 sur des dessins de Vignola et Ammanati. 36 000 arbres furent plantés dans les jardins parsemés de pavillons et de fontaines et tant de statues décoraient la demeure et son parc qu'il fallut effectuer 160 voyages en bateau pour rapporter sculptures et ornements au Vatican après la mort du souverain pontife en 1555.

Depuis 1889, la villa abrite le Museo Nazionale Etrusco, remarquable ensemble de collections publiques et privées d'art étrusque.

MODE D'EMPLOI

Piazzale di Villa Giulia 9.
Tel 06 322 65 71.
🚌 52, 95. 🚃 3, 19.
🕐 mar.-dim. 8h30-19h30.
⬤ 1er janv., 1er mai, 25 déc.
Concerts dans le nymphée en juil. 📷 🎫 📹 🚫 💻
♿ 🏪

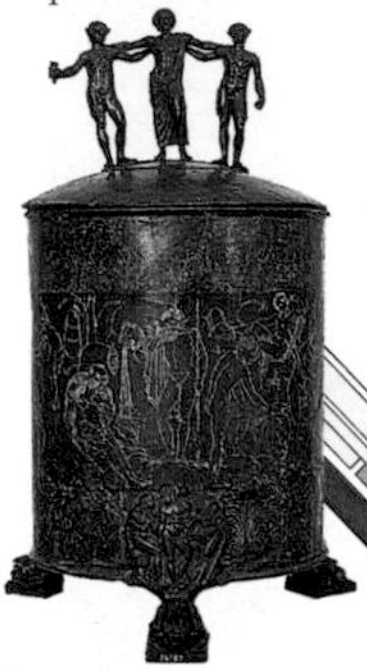

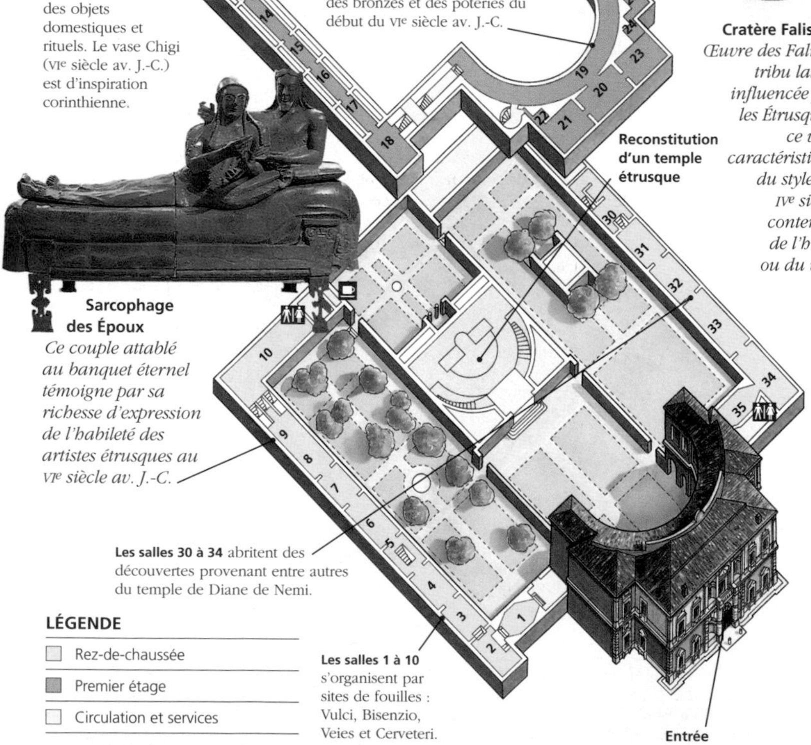

Les salles 24 à 29 présentent des découvertes provenant de l'Ager Faliscus situé entre le Tibre et le lac Bracciano, notamment des temples de Falerii Vetere, la ville principale.

Ciste Ficoroni
Ce magnifique coffre de mariage en bronze gravé contenait des objets de toilette. Il date du IVe siècle av. J.-C.

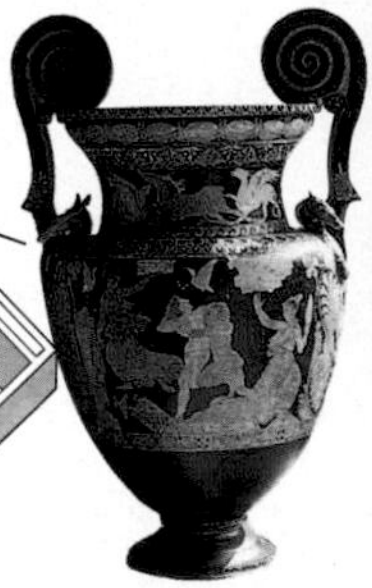

Les salles 11 à 18 abritent des objets domestiques et rituels. Le vase Chigi (VIe siècle av. J.-C.) est d'inspiration corinthienne.

La salle 19 consacrée à la collection Castellani renferme des bronzes et des poteries du début du VIe siècle av. J.-C.

Cratère Faliscan
Œuvre des Falisci, tribu latine influencée par les Étrusques, ce vase caractéristique du style du IVe siècle contenait de l'huile ou du vin.

Reconstitution d'un temple étrusque

Sarcophage des Époux
Ce couple attablé au banquet éternel témoigne par sa richesse d'expression de l'habileté des artistes étrusques au VIe siècle av. J.-C.

Les salles 30 à 34 abritent des découvertes provenant entre autres du temple de Diane de Nemi.

LÉGENDE

☐ Rez-de-chaussée
☐ Premier étage
☐ Circulation et services

Les salles 1 à 10 s'organisent par sites de fouilles : Vulci, Bisenzio, Veies et Cerveteri.

Entrée

Sainte Agnès entre deux papes à l'abside de Sant'Agnese

Sant'Agnese fuori le Mura ❹

Via Nomentana 349.
Tél 06 861 08 40. 36, 60, 84, 90.
t.l.j. 7h30-12h, 16h-19h45.
pour les catacombes.

Fondée en 342, selon la légende, par Constance, fille de Constantin, l'église Sainte-Agnès-hors-les-Murs s'élève au-dessus des catacombes où fut inhumée sainte Agnès. Malgré de nombreuses altérations, elle conserve de ses origines paléochrétiennes son plan basilical.

À l'abside, une mosaïque du VIIe siècle représente la jeune martyre en impératrice byzantine vêtue d'une étole dorée et d'une robe violette. D'après la tradition, elle apparut ainsi 8 jours après sa mort. Elle tenait un agneau et tous les 21 janvier, deux de ces animaux reçoivent la bénédiction à l'église. Leur laine sert à la confection du *pallium*, vêtement donné à un nouvel archevêque.

Santa Costanza ❺

Via Nomentana 349. **Tél** 06 861 08 40. 36, 60, 84, 90. t.l.j. 9h-12h, 16h-18h (dim. après-midi seul.).

Magnifique édifice circulaire bâti au IVe siècle, le mausolée des filles de Constantin, Constance et Hélène, devint une église au XIIIe siècle. Douze paires de colonnes de granit soutiennent le tambour et la coupole. La voûte de la galerie qu'elles délimitent présente les plus anciennes mosaïques paléochrétiennes à nous être parvenues. Datant du IVe siècle, elles reproduisent des thèmes séculiers classiques : scènes de vendanges, animaux et oiseaux, fleurs. Une niche au fond du sanctuaire abrite une réplique du sarcophage en porphyre sculpté de Constance. L'original se trouve aux musées du Vatican depuis 1790.

La sainteté de la fille de Constantin reste sujette à caution. L'historien Marcellinus la décrit en véritable harpie poussant sans cesse à la violence son déplaisant mari

L'intérieur de l'église circulaire Santa Costanza (IVe siècle)

Hannibalianus. Une confusion avec une pieuse religieuse du même nom pourrait être à l'origine de sa canonisation.

Via Appia Antica ❻

118, 218, 760.

Percée en 312 av. J.-C. jusqu'à Capoue par le censeur Appius Claudius, prolongée en 190 av. J.-C. jusqu'aux ports de Tarente et de Brindisi, la

La via Appia antica

via Appia devint sous l'Empire la grande voie de communication entre la capitale et les provinces orientales. Les processions funéraires du dictateur Sylla (78 av. J.-C.) et de l'empereur Auguste (14 apr. J.-C.) l'empruntèrent et saint Paul la suivit, prisonnier, pour arriver à Rome en 56.

Sortant de la ville par la porte San Sebastiano et bordée de tombeaux antiques en ruine, notamment de sépultures collectives appelées *columbariums*, elle passe devant la petite église Domine Quo Vadis où, selon la légende, saint Pierre aurait rencontré le Christ. Sous les champs qu'elle traverse ensuite s'étendent des catacombes, en particulier celles de San Callisto et San Sebastiano.

Catacombes ❼

Via Appia Antica 126. 📠 118, 218.
San Callisto *Tél 06 51 30 15 80.*
🕐 *jeu.-mar. 9h-12h, 14h-17h.*
⬤ *1er janv., fév., dim. de Pâques,
25 déc.* 🚻 🛗 🎧 📷 🚫

Les premiers chrétiens
n'enterraient pas leurs morts
dans des nécropoles
souterraines situées hors des
murs de la ville à cause des
persécutions mais pour se
conformer aux lois de
l'époque. De nombreux
martyrs y furent ainsi
inhumés, et les catacombes
devinrent plus tard des lieux
de pèlerinage.

Plusieurs catacombes
sont ouvertes au public,
notamment celles de San
Callisto creusées dans le tuf
sur 4 étages. Leur visite
permet de découvrir des
loculi, niches qui contenaient
2 ou 3 dépouilles, et les
tombeaux de plusieurs papes.
Les catacombes de San
Sebastiano, voisines, auraient
abrité les reliques de saint
Pierre et de saint Paul.

**Cérémonie chrétienne aux
catacombes de San Callisto**

Quartier E. U. R. ❽

📠 *170, 671, 714.* Ⓜ *EUR Fermi,
EUR Palasport.* **Museo della Civiltà
Romana** *P. G Agnelli 10. Tél 06 54
22 09 19.* 🕐 *mar.-sam. 9h-14h
(13h30 dim.), dern. ent. 1h av. ferm.*
⬤ *1er janv., 1er mai, 25 déc.* 🎧

Malgré son annulation à cause
de la guerre, l'*Esposizione
Universale di Roma* a laissé
son nom à ce quartier
entrepris en 1937 au sud de la

Le palazzo della Civiltà del Lavoro

ville afin de servir de vitrine
au parti fasciste. En arrivant
de l'aéroport Fiumicino,
impossible de ne pas voir
son édifice le plus célèbre,
le **palazzo della Civiltà del
Lavoro** (palais de la
Civilisation du travail),
parfois appelé Colisée carré
ou Colisée de Mussolini,
exemple caractéristique de
l'architecture monumentale
de l'époque mussolinienne.
C'est toutefois le **Museo della
Civiltà Romana** (musée de la
Civilisation romaine) qui offre
la visite la plus intéressante.
Son exposition comprend une
grande maquette de Rome
montrant tous les bâtiments
qui se dressaient au IVe siècle
à l'intérieur du mur
d'Aurélien, ainsi que les
moulages des reliefs de la
colonne Trajane (*p. 388*) et de
celle de Marc Aurèle (*p. 405*).

Interrompu en 1942,
l'aménagement du quartier
reprit dans les années 1950
et des bureaux occupent
les immeubles modernes
bordant ses larges
avenues

et ses places démesurées.
Au sud s'étendent un parc
et un petit lac que domine
la masse imposante du
palazzo dello Sport édifié
pour les Jeux Olympiques
de 1960.

San Paolo fuori
le Mura ❾

Via Ostiense 186. 📠 *23, 128, 170,
670, 761, 766, 769.* Ⓜ *San Paolo.*
Tél 06 541 03 41. 🕐 *t.l.j. 7h-18h30.*
Cloître ⬤ *13h-15h.* 🛗 ♿ 📷

L'église actuelle de Saint-Paul-
hors-les-Murs est une réplique
fidèle, mais qui manque un
peu d'âme, de la grande
basilique du IVe siècle ravagée
par un incendie le 15 juillet
1823. Par chance, le sinistre
épargna son cloître du début
du XIIIe siècle, l'un des plus
gracieux de Rome avec ses
élégantes colonnettes
géminées.

À l'intérieur, des mosaïques
du Ve siècle, bien restaurées,
ornent une face d'un grand
arc de triomphe. Celles du
revers, par Pietro Cavallini
(v. 1250-1330), décoraient
à l'origine la façade.
Des Vénitiens exécutèrent
en 1220 celles de l'abside,
qui représentent le Christ
entre saint Pierre et saint
André à côté de saint Luc
et saint Paul.

Un superbe baldaquin en
marbre, sculpté en 1285 par
Arnolfo di Cambio et, peut-
être, Pietro Cavallini, domine
le maître-autel. À droite,
à l'entrée du transept, se
dresse un remarquable
candélabre pascal du
XIIe siècle, œuvre de
Nicolò di Angelo et
Pietro Vassalletto.

Mosaïque du XIXe siècle ornant la façade de San Paolo fuori le Mura

Faire des achats à Rome

Rome attirait jadis les meilleurs artisans ainsi que des objets et produits de toutes sortes, importés des 4 coins de l'Empire pour satisfaire les besoins de la riche population locale. La cité entretient encore aujourd'hui cette tradition de diversité. Les créateurs italiens ont une réputation méritée pour leur style extrêmement élégant en matière de mode, tricots et articles de maroquinerie (surtout chaussures et sacs à main), ainsi que dans la décoration intérieure, les tissus, la céramique et le verre. La tradition artisanale est forte et même les plus petits articles témoignent de cet amour du « beau ». Rome n'est, certes, pas la cité des bonnes affaires (bien que globalement meilleur marché que Florence ou Milan), mais elle ravira sans aucun doute les amateurs de lèche-vitrines.

MODE

L'Italie est l'un des pays phares de la mode de luxe, ou *alta moda*. Si de nombreux créateurs sont établis à Milan, Rome abrite une multitude de maisons de couture internationalement reconnues. Les plus remarquables sont probablement **Fendi**, **Biagiotti**, **Prada** et **Valentino**, qui domine la piazza Mignanelli. Mais même si vous n'avez pas l'habitude d'acheter des vêtements de haute couture, les vitrines situées aux alentours de la piazza di Spagna valent le détour. Rome n'est pas le bon endroit pour acheter des vêtements de tous les jours car la capitale manque cruellement de magasins de moyenne gamme, entre la mode très haut de gamme et excessivement coûteuse des créateurs (*alta moda*) et les habits des marchés qui ne coûtent quasiment rien. **Discount dell'Alta Moda** propose toutefois des modèles fin de saison de créateurs à 50 % du prix pratiqué dans les boutiques.

LIVRES ET CADEAUX

Rome regorge de boutiques de cadeaux, allant des magasins pour touristes du centre historique aux plus petites boutiques situées dans des quartiers moins fréquentés permettant de découvrir des artisans originaux qui travaillent la céramique, comme chez **Le Tre Ghinee**. Dans le domaine de l'art contemporain, le **palazzo delle Esposizioni** offre un vaste choix d'objets réalisés par de célèbres créateurs. La librairie **Feltrinelli International** possède d'excellents ouvrages de fiction en langue étrangère, ainsi que des objets variés illustrant, entre autres, l'art et l'architecture, la cuisine, les voyages et l'histoire de l'Italie. Cette boutique recèle également de superbes posters photo, ainsi que des affiches d'art et de cinéma. Pour faire des affaires, les étals de second choix de via della Terme di Diocleziano et de largo della Fontanella di Borghese sont parfaits. Près du Panthéon, le Fiorentin **Il Papiro** propose un grand choix d'articles de papeterie, dont des journaux intimes, des agendas, des enveloppes et de beaux sceaux de cire… Autant d'idées de cadeaux. Les librairies situées près des principales basiliques, telles que la **Libreria Belardetti**, près de la basilique Saint-Pierre, regorgent d'objets religieux. D'autres magasins se sont spécialisés dans les objets religieux destinés aux ecclésiastiques et aux laïcs. Face aux grilles du Vatican, la via di Porta Angelica est bordée de plusieurs boutiques, dont **Al Pellegrino Cattolico**, qui vend des souvenirs aux pèlerins.

ALIMENTATION ET BOISSONS

Pour remporter chez soi les délicieuses spécialités italiennes, comme le pecorino (fromage romain), le jambon de Parme, l'huile d'olive vierge extra, les champignons (*porcini*) séchés, les tomates séchées, les olives, la grappa, ainsi que les succulents vins du Latium et d'ailleurs, les magasins d'alimentation, *alimentari*, sont l'endroit indiqué. **Fratelli Fabbi**, magasin bien fourni près de la piazza di Spagna, propose viandes froides, fromages, vins et champagnes de qualité. Dans la même rue, **Focacci** regorge de spécialités. Quant au très historique, mais coûteux **Volpetti**, à Testaccio, il est synonyme de qualité absolue. Outre des fromages originaux, des huiles d'olive, des vinaigres et des paniers garnis, on y trouve un large choix de lard italien et du caviar.
À Pinciano, **Casa dei Latticini Miocci** propose des fromages de toutes les régions d'Italie, y compris les plus lointaines, tandis qu'à Trastevere, le commerce familial **Antica Caciara Trasteverina** possède un vaste assortiment de produits laitiers locaux et régionaux, dont de la ricotta de brebis et de la *toma del fen* piémontaise. Des fromages très frais, aux prix raisonnables sont vendus chez **Cisternino**.
Chocolat, dans le centre historique, vend des chocolats de marque et faits maison, et organise de temps à autre des dégustations et des dîners réservés aux connaisseurs, alors que **L'Albero del Cacao**, près de la piazza di Spagna, est spécialisé dans les chocolats noir, au lait, aux noix et aux céréales.
La Deliziosa, près de la piazza Navona, propose de nombreux desserts et gâteaux italiens ; ceux à la ricotta méritent une mention toute particulière.
Attention pour les Canadiens : les restrictions douanières peuvent également s'appliquer à certains aliments.

MARCHÉS

Les marchés à ciel ouvert de Rome symbolisent parfaitement l'exubérance et la truculence qui font la renommée des Romains. Les marchands italiens y exposent leurs légumes, formant de véritables œuvres d'art.

La capitale regorge de petits marchés alimentaires locaux tout à fait fascinants. Citons, entre autres, **Campo de' Fiori** pour les aliments, le **Mercato delle Stampe** pour les vieux estampes, livres et magazines, et le **Nuovo Mercato Esquilino** pour les aliments de tous pays.

Le célèbre marché aux puces du Trastevere, **Porta Portese**, a vu le jour peu après la fin de la Seconde Guerre mondiale et s'est largement développé depuis.

On y trouve tout et n'importe quoi, entassé sur des étals dans un désordre soigneusement organisé – vêtements, chaussures, sacs, linge, bagages, matériel de camping, serviettes, pots, poêles, ustensiles de cuisine, plantes, animaux domestiques, cassettes et CD, vieux 33 tours et 78 tours.

Au cœur de la vieille ville, le marché alimentaire le plus pittoresque est également le plus ancien. Son nom, Campo de' Fiori (*p. 401*), dont la traduction littérale est « champ de fleurs », induit souvent en erreur les visiteurs. Le nom de ce marché vient en réalité de *Campus Florae* (place de Flora) – Flora étant la bien-aimée du grand général romain Pompée. Un marché se tient sur cette magnifique place centrale depuis plusieurs siècles. Tous les matins, excepté le dimanche, la place est transformée par une multitude d'étals de fruits et légumes, viandes, volailles et poissons. Un ou deux stands se spécialisent dans les légumineuses, le riz, les fruits secs et les noix.

Tout au long de l'année, Rome héberge aussi des foires de rue. On y découvre de nombreux produits locaux, œuvres artisanales et vêtements. Des foires saisonnières ont également lieu, surtout aux alentours de Noël, dont la **Natale Oggi**, dans la Fiera di Roma, riche en spécialités italiennes.

Veillez à bien surveiller vos portefeuilles lorsque vous flânez sur les marchés, car les pickpockets sont très rapides au milieu de la foule.

ADRESSES

MODE

Discount dell'Alta Moda
Via dei Serviti 27.
Plan 3 B3.
Tél 06 482 7790.

Via di Gesù e Maria 14 et 16A. **Plan** 2 F2.
Tél 06 361 3796.

Fendi
Largo Goldoni 419.
Plan 10 E3.
Tél 06 696 661.

Laura Biagiotti
Via Borgognona 43-44.
Plan 10 E1.
Tél 06 679 1205.

Prada
Via Condotti 92-95.
Plan 3 A2.
Tél 06 679 0897.

Valentino
Via Bocca di Leone 15.
Plan 3 A2.
Tél 06 673 9430.

LIVRES ET CADEAUX

Al Pellegrino Cattolico
Via di Porta Angelica 83.
Plan 1 C2.
Tél 06 6880 2351.

Feltrinelli International
Via VE Orlando 84-86.
Plan 3 C3.
Tél 06 482 7878.

Le Tre Ghinee
Via del Pellegrino 90.
Plan 2 E4.
Tél 06 687 2739.

Libreria Belardetti
Via della Conciliazione 4A.
Plan 1 C3.
Tél 06 686 5502.

Palazzo delle Esposizioni
Via Milano 15-17.
Plan 3 B4.
Tél 06 4891 3361.

Il Papiro
Via del Pantheon 50 (conduit à la Via d'Orfani).
Plan 10 D2.
Tél 06 679 5597.

ALIMENTATION ET BOISSONS

Antica Caciara Trasteverina
Via San Francesco a Ripa 140A/B. **Plan** 5 C1.
Tél 06 581 2815.

Casa dei Latticini Miocci
Via Collina 14.
Plan 4 D2.
Tél 06 474 1784.

Chocolat
Via della Dogana Vecchia 12. **Plan** 10 D3.
Tél 06 6813 5545.

Cisternino
Vicolo del Gallo 19-20.
Plan 9 C4.
Tél 06 687 2875.

La Deliziosa
Vicolo Savelli 50.
Plan 9 B3.
Tél 06 6880 3155.

Focacci
Via della Croce 43.
Plan 2 F2.
Tél 06 679 1228.

Fratelli Fabbi
Via della Croce 28.
Plan 2 F2.
Tél 06 679 0612.

L'Albero del Cacao
Via di Capo le Case 21.
Plan 10 F1.
Tél 06 679 5771.

Volpetti
Via Marmorata 47.
Plan 6 D2.
Tél 06 574 2352.

MARCHÉS

Campo de' Fiori
Piazza Campo de' Fiori.
Plan 2 E4 & 9 C4.
◻ lun.-sam. : 7h-13h30

Mercato delle Stampe
Largo della Fontanella di Borghese.
Plan 2 F3 & 10 D1.
◻ lun.-sam. : 7h-13h30

Natale Oggi
Fiera di Roma, quartier Portuense.

Nuovo Mercato Esquilino
Via Principe Amedeo.
Plan 4 E4.
◻ lun.-sam. : 7h-14h

Porta Portese
Via Portuense & Via Ippolito Nievo.
Plan 5 C3.
◻ dim. : 6h30-14h

Se distraire à Rome

Les divertissements à Rome sont synonymes d'une certaine exaltation. Que l'on soit ou non amateur, le football et l'opéra méritent, par exemple, d'être découverts pour leur seule ambiance. Le jazz est également bien représenté dans la capitale, par des artistes italiens et internationaux. Contre toute attente, malgré les nombreux magasins et restaurants fermés, l'été est la période la plus vivante à Rome en termes de divertissements et d'événements culturels. Les places Renaissance de la capitale, ses vastes parcs, ses jardins et ses ruines classiques accueillent plusieurs festivals d'art. Les concerts et les films prennent une autre dimension lorsqu'ils sont joués sous les étoiles. Rome compte, par ailleurs, beaucoup de discothèques.

INFORMATIONS PRATIQUES

Pour connaître les manifestations du moment, consultez *Roma c'è* et *Trovaroma*, supplément hebdomadaire du jeudi du journal *La Repubblica*. Procurez-vous aussi *L'Evento*, disponible auprès de l'office de tourisme (*p. 665*), qui fournit des renseignements en anglais sur l'actualité culturelle de la capitale.

RÉSERVATION DE BILLETS

Orbis et **Box Office** sont deux des agences qui peuvent réserver des places de spectacle (contre une somme modique). De nombreux théâtres n'acceptent pas les réservations par téléphone. Ils font payer un supplément *prevendita* (environ 10 % du prix normal) pour tous les billets vendus à l'avance. Le guichet de location du **Teatro dell'Opera** gère les ventes pour les saisons d'été et d'hiver. Les billets pour les principaux concerts de rock et de jazz sont en vente chez Orbis et dans les grands magasins de disques, tels que **Ricordi Media Store**. Des billets *due per uno* sont disponibles dans les bars.

DIVERTISSEMENTS DE PLEIN AIR

Des concerts d'opéra, de musique classique et de jazz, ainsi que des séances de cinéma en plein air jalonnent le calendrier romain de fin juin à début septembre. Le festival **Cineporto**, en bordure du Tibre, au Ponte Milvio, et le **Festival di Massenzio**, au Forum, proposent des films, de la musique, de l'alimentation et de petites expositions en juillet et août. On peut également assister à d'excellents festivals de rock, jazz et musique du monde en plein air, tandis que le principal festival d'art de Rome, **RomaEuropa**, a lieu en automne et accueille parfois des spectacles dans la Villa Medici. Le festival du Trastevere, la **Festa de Noiantri** (*p. 67*), est plus traditionnel, proposant musique, défilés et feu d'artifice. Ce festival religieux commence le samedi suivant le 16 juillet et continue jusqu'à la fin du mois.

MUSIQUE CLASSIQUE ET DANSE

Il est parfois difficile de trouver des billets pour des premières d'opéra, mais les concerts donnés en plein air, dans des églises ou des villas par des solistes, des groupes ou des orchestres sont plus accessibles. Tout au long de l'année, des solistes et orchestres de renommée mondiale se produisent dans des lieux tels que le **Parco della Musica**, conçu par Renzo Piano, et l'**Accademia Filarmonica Romana**. Ils ont accueilli entre autres, Luciano Pavarotti et Placido Domingo, le Philharmonique de Berlin et la danseuse étoile Sylvie Guillem.

L'un des programmes les plus innovants de musique classique et contemporaine est à l'affiche de la **Aula Magna dell'Università La Sapienza**. La saison d'opéra débute tard au **Teatro dell'Opera**, entre novembre et janvier. Les grands classiques du ballet sont également mis en scène dans ce lieu. L'**Equilibrio Festival**, en février, propose des spectacles de danse contemporaine qui ont lieu principalement au Parco della Musica.

ROCK, JAZZ ET MUSIQUE DU MONDE

Les spectacles de musique « non classique » ne sont pas programmés longtemps à l'avance. On peut toutefois évoquer la très grande variété de musiques proposée dans les clubs comme le **Palalottomatica**. Les meilleurs musiciens de jazz se produisent à la **Casa del Jazz** et à l'**Alexanderplatz**. La **Big Mama** du Trastevere compte parmi les adresses légendaires de la capitale pour les grands noms du jazz, tandis que la musique du monde est représentée au **Villaggio Globale**.
Pour accéder à des lieux plus intimes, il faut disposer d'une carte de membre mensuelle ou annuelle (de 2 à 11 €), qui permet d'assister à des concerts de petits groupes moins connus.

CINÉMA ET THÉÂTRE

Le cinéma fait partie des loisirs à Rome, avec 40 films à l'affiche en moyenne un jour de semaine. La plupart des cinémas sont *prima visione* (première diffusion) et diffusent les derniers films internationaux en version doublée. Les meilleurs cinémas pour le décor et le confort sont la **Fiamma** (2 écrans) et le **Barberini** (3 écrans). Les films en version originale sont joués au **Metropolitan** (tous les jours) et au **Nuovo Olimpia** (le lundi). Les cinémas d'art et d'essai, tels que l'**Azzurro Scipioni**, diffusent plutôt des films étrangers sous-titrés.

Les productions théâtrales sont jouées en italien. Les principaux théâtres – **Teatro Argentina**, **Teatro Quirino** et **Teatro Valle** – offrent un choix de pièces des grands auteurs italiens ou étrangers. On peut assister à des représentations de théâtre d'avant-garde, ainsi que des spectacles de danse et de cabaret traditionnel au **Teatro India**. Les billets de théâtre coûtent entre 8 et 50 € et doivent être réservés à l'avance au guichet de location du théâtre ou via des agences telles que Box Office.

VIE NOCTURNE

Au cours des dernières années, les bars et les clubs se sont multipliés afin de satisfaire la demande de la clientèle. Autrefois, il fallait choisir entre quelques bars bien établis du centre et les clubs populaires de Testaccio, comme le très commercial **Akab-Cave** ou le plus animé **Locanda Atlantide**, qui accueille de nombreux DJ's, représentants de la musique funk au reggae. Aujourd'hui, la capitale offre de quoi satisfaire tous les goûts et tous les budgets.
Commencez par un bar-club de style comme le **Crudo** où vous pourrez côtoyer les Romains de sortie, et profiter de l'éclectisme de l'endroit : le club comprend en effet un bar à cocktail, un bar à vins, un restaurant, et un bar à sushi. Pour un début de soirée plus décontracté, vous pouvez aussi aller boire un bon verre de vin sur l'une des merveilleuses places du centre-ville.
Si vous recherchez un endroit gay, **Coming Out**, près du Colisée, attire à la fois les buveurs homo et hétéro, et **Alpheus**, juste à la sortie de via Ostiense, organise régulièrement des nuits gay. Pour échapper à l'agitation « classique » de la vie nocturne, essayez donc les *centri sociali*, bâtiments illégalement occupés et transformés en centres d'arts et de loisirs. Au **Brancaleone**, des DJ's italiens et internationaux proposent ce qu'il y a de meilleur en matière de musique house et électronique.
Les prix sont montés en flèche à Rome depuis l'introduction de l'euro – un cocktail coûte jusqu'à 10 €. Pour une soirée moins coûteuse, mieux vaut opter pour l'un des nombreux bars situés autour de San Lorenzo.

ADRESSES

RÉSERVATION DE BILLETS

Box Office
Galleria Alberto Sordi
(dans la librairie Feltrinelli).
Plan 10 E2.
Tél 06 679 4957.

Orbis
Piazza dell'Esquilino 37.
Plan 4 D4.
Tél 06 474 4776.

Ticketeria
www.ticketeria.it

MUSIQUE CLASSIQUE ET DANSE

Accademia Filarmonica Romana
Via Flaminia 118.
Tél 06 320 1752.
www.filarmonica
romana.org

Aula Magna dell'Università La Sapienza
Piazzale Aldo Moro 5.
Plan 4 F3. **Tél** 06 361 0051.
www.concertiiuc.it

Parco della Musica
Viale de Coubertin 30.
Tél 06 8024 1281
(renseignements) ; 19 910
9783 (ventes par CB).
www.auditoriumroma.com

RomaEuropa
Via dei magazzini
generali 20a.
Tél 06 4555 3000.
www.romaeuropa.net

Teatro dell'Opera
Piazza Beniamino Gigli 1.
Plan 3 C3.
Tél 06 4816 0255.
www.operaroma.it

ROCK, JAZZ ET MUSIQUE DU MONDE

Alexanderplatz
Via Ostia 9. **Plan** 1 B1.
Tél 06 5833 5781.

Big Mama
Vicolo San Francesco a
Ripa 18. **Plan** 5 C2.
Tél 06 581 2551.

Casa del jazz
Viale di Porta Ardeatina 55
Plan 7 A4.
Tél 06 704 731.
www.casajazz.it

Palalottomatica
Piazzale dello Sport.
Tél 199 128 800.

Villaggio Globale
Ex-Mattatoio, Lungotevere
Testaccio 2. **Plan** 6 D4.
Tél 334 179 0006.

CINÉMA ET THÉÂTRE

Azzurro Scipioni
Via degli Scipioni 82.
Plan 1 C2.
Tél 06 3973 7161.

Barberini
Piazza Barberini 52.
Plan 3 B3.
Tél 06 482 1082.

Fiamma
Via Bissolati 47. **Plan** 3 C2.
Tél 06 48 56 26.

Metropolitan
Via del Corso 7.
Plan 2 F1.
Tél 06 320 0933.

Nuovo Olimpia
Via in Lucina 16.
Plan 10 E1.
Tél 06 686 1068.

Teatro Argentina
Largo Argentina 56.
Plan 2 F4.
Tél 06 684 000 311.
www.teatrodiroma.net

Teatro India
Via L Pierantoni 6.
Plan 5 C5.
Tél 06 684 000 311.

Teatro Quirino
Via delle Vergini 7.
Plan 3 B3 et 10 F2.
Tél 06 679 4585.
www.teatroquirino.it

Teatro Valle
Via del Teatro Valle 21.
Plan 3 A4 et 10 D3.
Tél 06 6880 3794.
www.teatrovalle.it

VIE NOCTURNE

Akab-Cave
Via di Monte Testaccio 69.
Plan 6 D4.
Tél 06 5725 0585.

Alpheus
Via del Commercio 36-38
Plan 8 D5.
Tél 06 574 7826.

Brancaleone
Via Levanna 13
(à Montesacro).
Tél 06 8200 4382.

Coming Out
Via Sangiovanni
in Laterano 8.
Plan 5 C1.
Tél 06 700 9871.

Crudo
Via degli Specchi 6.
Plan 10 D5.
Tél 06 683 8989.

Locanda Atlantide
Via dei Lucani 22b
(quartier de San Lorenzo).
Plan 6 D4.
Tél 06 4470 4540.

ATLAS DES RUES DE ROME

La carte ci-dessous précise la zone couverte par chacun des 8 plans de l'atlas des rues de Rome. Toutes les références cartographiques données dans les articles décrivant les sites et monuments de la capitale italienne renvoient à ces plans qui vous permettront aussi de situer hôtels (*p. 587-592*), restaurants (*p. 636-641*) et adresses utiles grâce aux références indiquées dans les *Bonnes adresses* et les *Renseignements pratiques* de la fin de ce guide. Le premier chiffre de la référence correspond au numéro du plan à consulter, la lettre et le chiffre qui suivent repèrent le site sur un quadrillage. Pour plus de facilité, les principaux monuments sont représentés. Des symboles, explicités ci-dessous, situent d'autres édifices importants.

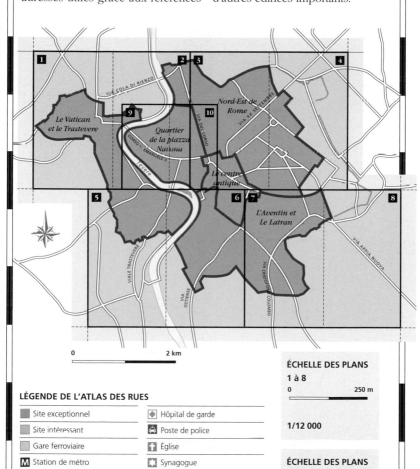

0   2 km

ÉCHELLE DES PLANS

1 à 8

0   250 m

1/12 000

ÉCHELLE DES PLANS

9 à 10

0   150 m

1/7 600

LÉGENDE DE L'ATLAS DES RUES

- Site exceptionnel
- Site intéressant
- Gare ferroviaire
- **M** Station de métro
- Terminus d'autobus
- Terminus de tramway
- **P** Parc de stationnement
- Information touristique

- Hôpital de garde
- Poste de police
- Église
- Synagogue
- Bureau de poste
- Voie ferrée
- Mur de la ville
- Rue à sens unique

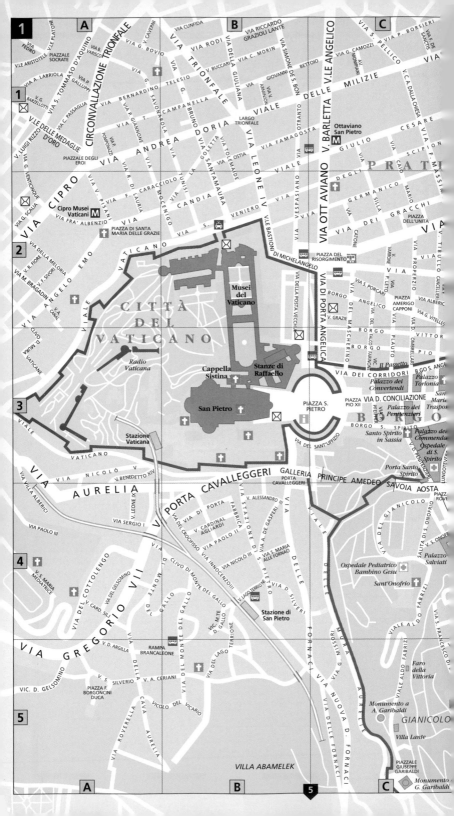

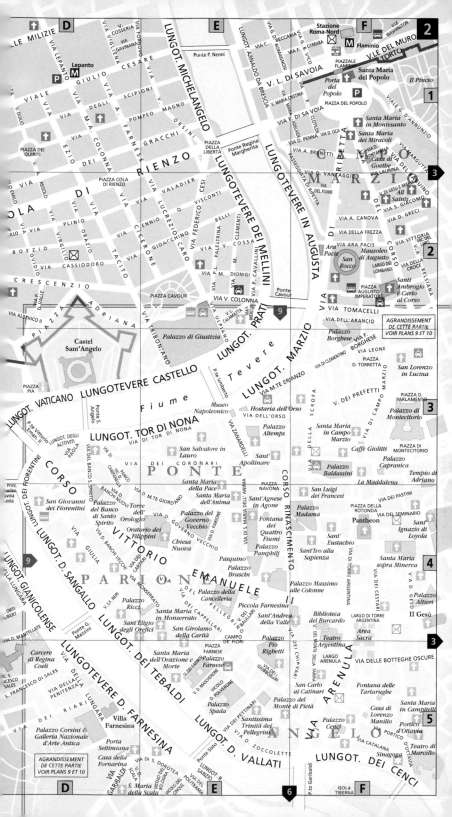

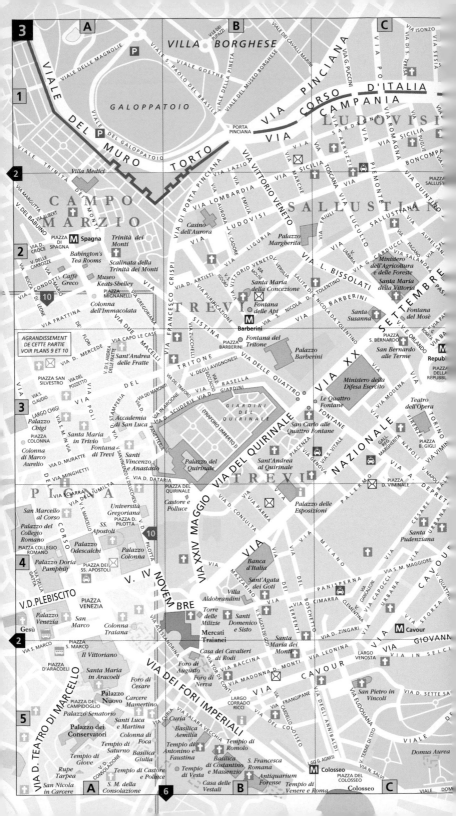

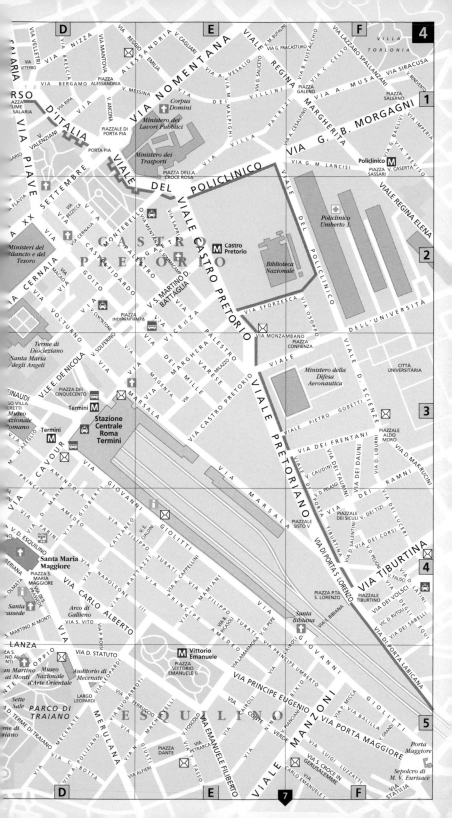

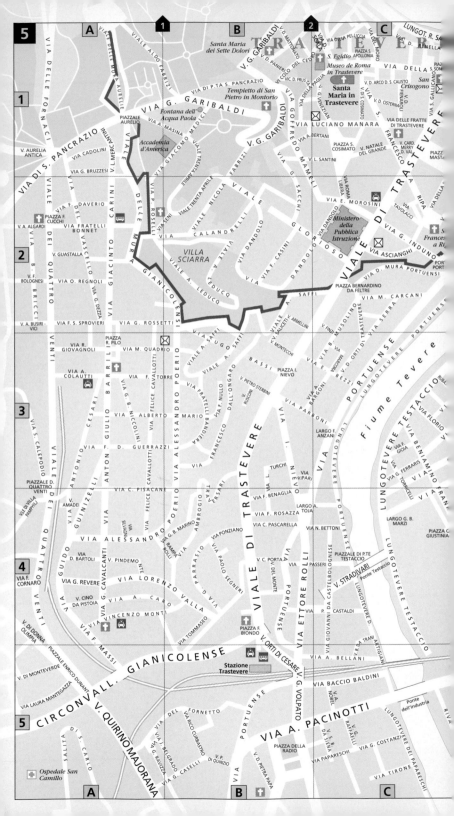

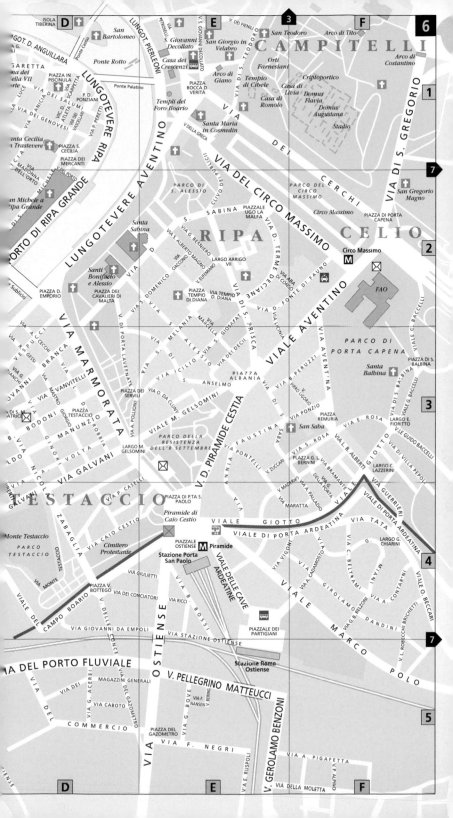

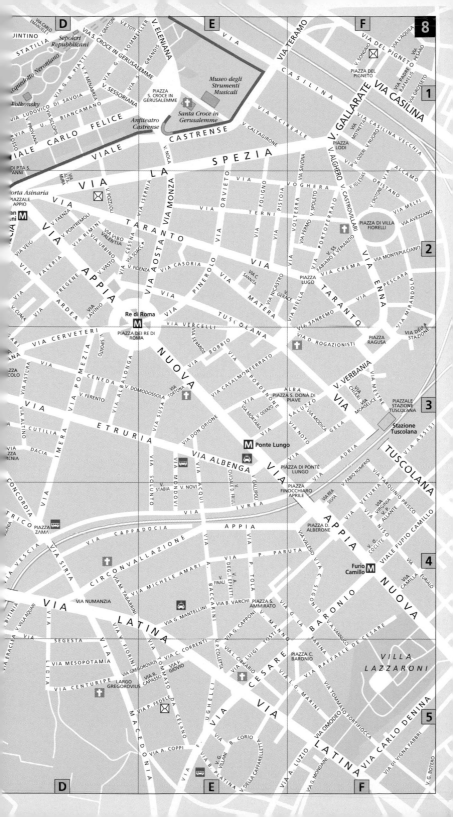

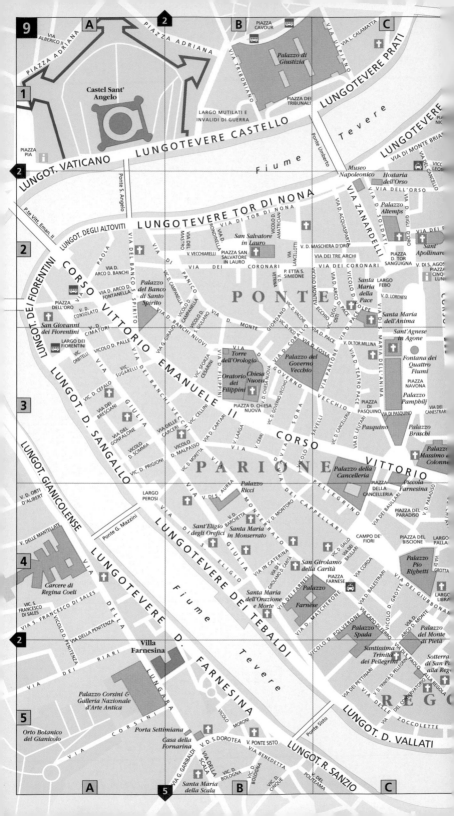

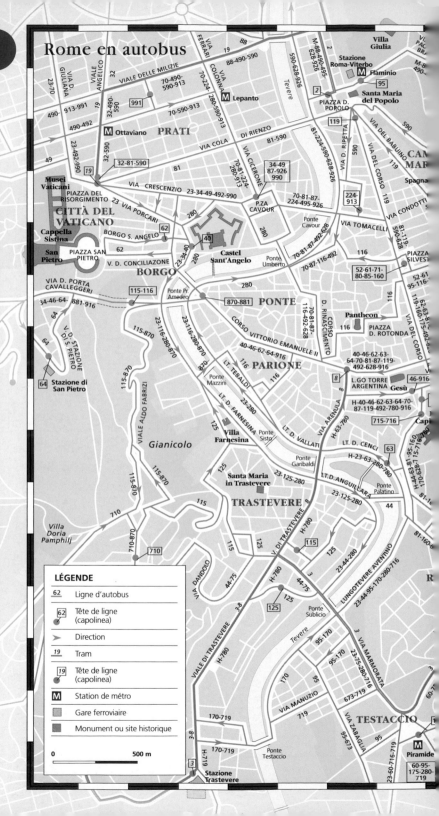

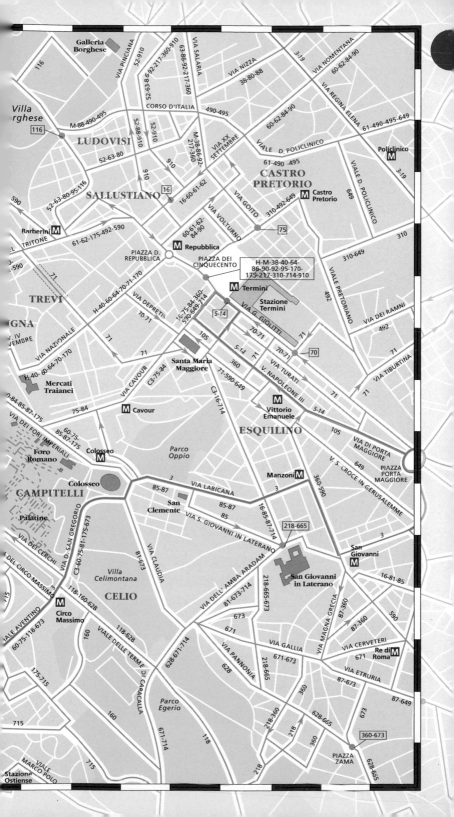

LATIUM

Des Apennins aux plages de la côte tyrrhénienne, le Latium présente des paysages très variés : montagnes creusées de ravins, cratères volcaniques occupés par des lacs, coteaux plantés de vignes et d'oliviers dominant des plaines maraîchères. Outre les trésors laissés par une histoire plus ancienne encore que celle de Rome, la région propose de nombreuses activités sportives et balnéaires.

Des hommes habitent le Latium depuis au moins 60 000 ans, mais les premiers signes d'une culture structurée remontent au Xe siècle avant notre ère. Au VIIe siècle av. J.-C., la civilisation basée sur le commerce et l'agriculture des Étrusques et des Sabins s'épanouissait dans le nord, tandis qu'au sud s'implantaient les Latins, les Volsques et les Herniques. Le mythe se mêle à l'histoire quand Virgile affirme qu'Énée, fils de la déesse Aphrodite, épousa la fille du roi des Latins après avoir fui Troie en flammes. Mais la légende permet ainsi d'en faire l'ancêtre de Romulus et Remus et de donner une origine divine aux fondateurs de Rome, la Ville éternelle.

La montée en puissance de cette dernière se fait au détriment de la région qui l'entoure. Conquis puis absorbés, les peuples du Latium perdent leur originalité. Routes et aqueducs drainent richesses et populations vers la ville. De riches patriciens se font toutefois bâtir de somptueuses villas. Le VIe siècle voit saint Benoît fonder à Subiaco et Montecassino les premiers monastères de l'ordre dont il rédige la règle. Elle marquera tout le Moyen Âge.

Si les papes et leurs familles commandent pendant la Renaissance et l'époque baroque de superbes résidences de campagne aux meilleurs architectes, ils se préoccupent peu du développement de la région et la malaria sévit dans les marais Pontins jusqu'à ce que Mussolini les fasse drainer et qu'il ouvre de nouvelles routes dans les années 1920.

Caprarola à l'heure de la *passeggiata*

◁ **L'élégant jardin Renaissance dessiné par Vignola à la villa Lante de Viterbe**

À la découverte du Latium

Entre Apennins et Méditerranée, quatre anciens volcans rythment les paysages du Latium. Des lacs occupent désormais leurs cratères tandis que vignes, oliveraies, vergers et forêts de châtaigniers prospèrent sur leurs pentes fertiles. De leur activité passée subsistent des sources d'eau chaude, notamment autour de Tivoli, de Viterbo et de Fiuggi. C'est au nord de Rome, cité qui n'a permis le développement d'aucune autre ville importante, au milieu de collines boisées, que se trouvent les plus beaux lacs. Au sud, les plages les plus agréables s'étendent entre Sabaudia et Gaeta dans le parco nazionale del Circeo.

LE LATIUM D'UN COUP D'ŒIL

Anagni **15**
Bomarzo **4**
Caprarola **5**
Cerveteri **7**
Frascati
  et les Castelli Romani **10**
Gaeta **19**
Lago di Bracciano **8**
Montecassino **14**
Montefiascone **3**
Ostia Antica **9**
Palestrina **12**
ROMA (*ROME*) *p. 382-459*
Sermoneta et Ninfa **16**
Sperlonga **18**
Subiaco **13**
Tarquinia **6**
Terracina **17**
Tivoli **11**
Tuscania **1**
Viterbo **2**

VOIR AUSSI

• *Hébergement* p. 592-593

• *Restaurants* p. 641-643

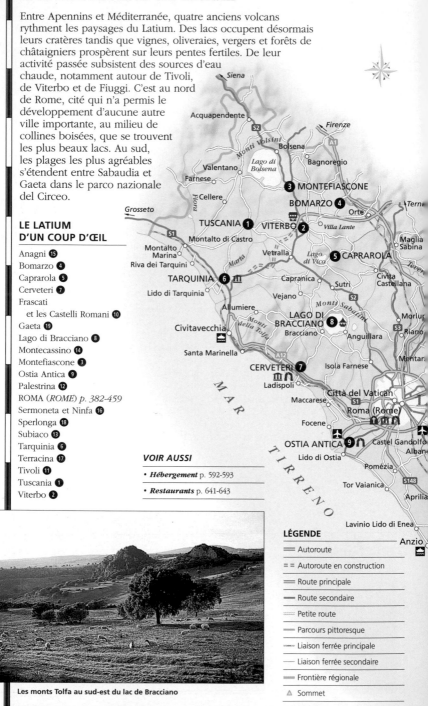

Les monts Tolfa au sud-est du lac de Bracciano

LÉGENDE

═══	Autoroute
═ ═	Autoroute en construction
═══	Route principale
▬▬	Route secondaire
┅┅	Petite route
▬▬	Parcours pittoresque
┈┈	Liaison ferrée principale
──	Liaison ferrée secondaire
═══	Frontière régionale
△	Sommet

La vieille ville domine la plage à Sperlonga

CIRCULER

Les deux aéroports internationaux du Latium, Fiumicino et Ciampino, sont ceux de Rome, ville d'où rayonnent les grands axes routiers de la région depuis un boulevard périphérique, le *Grande Raccordo Annulare*. Les deux autoroutes principales ne longent pas le littoral. L'A1-E45 relie Rome à Florence et Naples, et l'A24-E80 franchit les Apennins jusqu'à Pescara sur l'Adriatique. Les bus de la COTRAL desservent les plus grandes villes et assurent des correspondances vers les petites localités depuis Rome, Latina, Frosinone, Viterbe et Rieti. En train, les liaisons intérieures sont lentes et peu fréquentes.

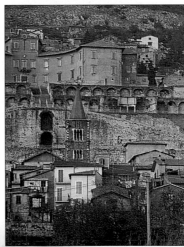

Palestrina s'accroche à flanc de colline

La loggia del Palazzo papale à Viterbe

Tuscania ❶

Viterbo. 🏚 7 500. 🚌 ℹ️ *Viale Trieste.* 🎪 *ven.*

Les murailles et les tours de ce bourg fortifié s'aperçoivent de loin dans la plaine qui s'étend entre Viterbe et Tarquinia. Durement touchés par un séisme en 1971, ses édifices du Moyen Âge et de la Renaissance ont depuis été restaurés.

Les deux plus intéressants se situent hors des murs, sur la colline rocheuse où s'implanta la colonie étrusque, conquise par les Romains en 300 av. J.-C., à l'origine de la ville.

Au pied de l'éminence, **Santa Maria Maggiore** présente une façade asymétrique typique du style roman lombard avec ses

Façade de San Pietro, Tuscania

arcatures aveugles et sa belle rosace. Encadrée de motifs abstraits et de scènes bibliques, une Vierge à l'Enfant en marbre domine le portail principal. Le sanctuaire abrite dans une nef latérale une piscine de baptême du XIIe siècle. Du même style, **San Pietro** s'élève au sommet de la colline à côté de deux tours médiévales et d'un palais épiscopal. Des mosaïques de marbres polychromes ornent son portail sous une rosace entourée des symboles des évangélistes. Remanié au XIe siècle, l'intérieur a conservé son plan du VIIIe siècle avec ses colonnes trapues, ses chapiteaux sculptés de motifs végétaux et son pavement cosmatesque. La crypte mérite une visite.

Viterbo ❷

🏚 63 000. 🚆 FS 🚌 ℹ️ *Ex-gare de Porta Romana (0761 30 47 95).* 🎪 *sam.*

Importante colonie étrusque conquise par les Romains au IVe siècle av. J.-C., Viterbe connut son âge d'or quand les papes s'y installèrent de 1257 à 1281 avant de partir à Avignon. Les dommages subis pendant la Seconde Guerre mondiale ont été réparés et la vieille ville ceinte de remparts a son aspect du Moyen Âge.

Dans le quartier le plus ancien et le mieux préservé, **San Pellegrino**, les maisons bordant ruelles sinueuses et placettes ornées de fontaines ont conservé fenêtres géminées, tours et escaliers extérieurs. Sur la piazza San Lorenzo se dresse le **Duomo** bâti au XIIe siècle. Il associe un élégant campanile noir et blanc du XIVe siècle, une solennelle façade du XVIe siècle et un austère intérieur roman. À côté, le **palazzo Papale**, doté d'une belle loggia, date du XIIIe siècle. La via San Lorenzo mène à la piazza del Plebiscito dominée par les édifices civils de Viterbe. Des fresques par Baldassare Croce évoquant l'histoire, réelle et légendaire, de la cité ornent l'intérieur du **palazzo dei Priori** (XVe siècle).

Hors des murs, sur le viale Capocci, **Santa Maria della Verità** abrite de superbes fresques peintes au XVe siècle par Lorenzo da Viterbo.

Petit mais superbe, le jardin Renaissance de la villa Lante est un des chefs-d'œuvre de Vignola

Pour les hôtels et les restaurants de la région, voir p. 592-593 et 641-643

Aux environs :
Au nord-est de Viterbe, la **villa Lante**, entreprise en 1477 pour le cardinal Gambera et achevée en 1578 sur des plans de Vignola, possède de superbes jardins Renaissance. Le ruissellement des fontaines imite le parcours d'un fleuve, torrent près de sa source qui s'apaise dans la plaine.

🏛 **Palazzo dei Priori**
Piazza Plebiscito. *Tél 0761 34 82 41.* ◯ *Téléphoner pour horaires.* ♿ ▮

🏛 **Villa Lante**
Bagnaia. *Tél 0761 28 80 08.* ◯ *mar.-dim.* ● *1ᵉʳ janv., 1ᵉʳ mai, Pâques, 25 déc.* ▮ ♿ *aux jardins.*

La façade principale du palazzo Farnese de Caprarola

Montefiascone ❸

Viterbo. 🚶 *13 000.* 🚋 🚌 ℹ *Largo Plebiscito 1 (0761 83 20 60).* 🔲 *mer.*

Chapiteau du XIᵉ siècle à San Flaviano, Montefiascone

Cette jolie ville se perche sur le bord d'un ancien cratère volcanique entre la via Cassia et le lac de Bolsena dont elle offre une belle vue depuis l'esplanade proche des ruines de sa forteresse. Le Duomo, **Santa Margherita**, domine le cœur de la cité. Carlo Fontana lui donna vers 1670 sa coupole, la plus grande d'Italie après celle de Saint-Pierre de Rome.

Au pied de la ville en direction d'Orvieto, **San Flaviano** superpose deux églises : un sanctuaire du XIᵉ siècle tourné vers l'ouest et un autre du XIIᵉ siècle faisant face à l'est. Des fresques du XIVᵉ siècle et de beaux chapiteaux inspirés, pense-t-on, de la tradition étrusque, décorent l'intérieur.

Aux environs :
À 15 km au nord, la station balnéaire de **Bolsena** a donné son nom au lac qu'elle borde. Des bateaux en partent pour les îles Bisentina et Martana.

Bomarzo ❹

Parco dei Mostri, Bomarzo. *Tél 0761 92 40 29.* 🚋 *jusqu'à Viterbe.* 🚌 *de Viterbe (pas le dim. ni les j.f.).* ◯ *8h30-1h avant le coucher du soleil.* ▮ ♿

Le « *sacro bosco* » (bois sacré) proche du village de Bomarzo est un étrange jardin créé entre 1522 et 1580 par le duc Vicino Orsini en mémoire de sa défunte épouse. Des rochers sculptés en forme d'animaux gigantesques ou de monstres allégoriques y prennent au milieu de la végétation une vie fantastique (et, pour certains, chargée d'érotisme), qui séduisit les surréalistes.

L'un des étonnants monstres de pierre du « *sacro bosco* » de Bomarzo

Caprarola ❺

Viterbo. 🚶 *4 900.* 🚌 ℹ *Via Filippo Nicolai 2 (0761 64 61 57).* 🔲 *mar.*

Le **palazzo Farnese** (*p. 380*), sans doute la plus vaste des résidences de campagne édifiées au XVIIᵉ siècle par les riches familles romaines, domine la place principale de ce bourg médiéval. Dessiné par Vignola et bâti de 1559 à 1575, il doit sa forme pentagonale aux fondations d'une forteresse élevée un demi-siècle plus tôt sur des plans d'Antonio da Sangallo le Jeune. Un escalier en spirale orné de fresques par Tempesti conduit à l'étage de réception dont les frères Zuccari exécutèrent en 1560 la plupart des peintures murales, notamment celles évoquant des actes héroïques accomplis par Hercule et des membres de la famille Farnese.

Aux environs :
À 4 km à l'ouest de Caprarola, le **lac de Vico**, créé, selon la légende, par une massue qu'Hercule posa au sol, occupe un ancien cratère volcanique. Une réserve naturelle protège une grande partie des forêts des monts Cimini qui l'entourent et une route panoramique suit sa berge. Le meilleur endroit où se baigner est au sud-ouest.

🏛 **Palazzo Farnese**
Caprarola. *Tél 0761 64 60 52.* ◯ *mar.-dim.* ● *1ᵉʳ janv., 25 déc.* ▮

Tumulus étrusques de la nécropole de Cerveteri

Tarquinia ❻

Viterbo. 🏠 15 000. 🚉 FS 🚌 ℹ️ Piazza Cavour 23 (0766 84 92 82). 🛒 mer.

La ville d'origine, l'une des plus puissantes citadelles étrusques, occupait une position stratégique au nord-est de la Tarquinia actuelle, sur une crête dominant la plaine côtière. Conquise par Rome au IVe siècle av. J.-C., elle fut abandonnée par ses habitants après son invasion par les Sarrasins au VIe siècle.

La cité ne manque pas de charme avec sa grande place centrale et ses églises médiévales, mais son principal intérêt est le **Museo Archeologico**, avec sa collection d'objets d'art étrusques, l'une des plus riches d'Italie. Elle comprend de belles reconstitutions de tombes et un magnifique groupe sculpté de chevaux ailés en terre cuite du IVe siècle av. J.-C. (*p. 44*).

À 2 km se trouve la **nécropole** dont les sépultures creusées dans le tuf ont révélé des peintures murales offrant un large et rare aperçu de la culture étrusque.

🏛 **Museo Archeologico e Necropoli**
Piazza Cavour. *Tél 0766 85 60 36 ; 0766 55 63 08 (nécropole).*
◯ mar.-dim. ⬤ 1er janv., 1er mai, 25 déc. 📷 ♿

Cerveteri ❼

Roma. 🏠 30 000. 🚉 FS 🚌 ℹ️
P. Risorgimento 19 (06 99 55 19 71).
🛒 ven.

Au VIe siècle av. J.-C., l'antique Caere, riche et puissante cité étrusque, commerçait avec la Grèce et contrôlait un vaste territoire le long de la côte. Son importante **nécropole**, à 2 km du bourg actuel, témoigne de cette grandeur passée. Datant du VIIe au Ier siècle av. J.-C., les sépultures y forment une véritable ville parcourue de rues. Coiffées de tumulus, les plus importantes reproduisent l'intérieur d'une habitation avec ses différentes pièces. La tomba dei Rilievi (tombe des Reliefs) doit son nom à ses stucs représentant outils, animaux et figures mythologiques. En ville, le petit **Museo Nazionale Cerite** présente quelques objets découverts, mais les plus

Fresque provenant d'une tombe du IVe siècle av. J.-C. exposée au Museo Archeologico de Tarquinia

beaux se trouvent dans de grands musées comme ceux du Vatican à Rome.

Aux environs :
À **Norchia** se visite une autre nécropole, creusée dans une falaise ; l'amphithéâtre de **Sutri** est un des rares vestiges étrusques autres que funéraires à avoir subsisté.

🏠 **Necropolis**
Via Necropoli. *Tél 06 994 00 01.*
◯ mar.-dim. ⬤ certains j.f. 📷

🏛 **Museo Nazionale Cerite**
Piazza Santa Maria. *Tel 06 994 13 54.* ◯ mar.-dim. ⬤ vac. scol. 📷

Lac de Bracciano ❽

Roma. 🚉 FS 🚌 Bracciano. ℹ️ Piazza IV Novembre, Bracciano (06 99 84 00 62).

La ville de Bracciano est située aux abords d'un lac, réputé pour ses eaux poissonneuses, mais aussi

Une ruelle d'Anguillara sur le lac de Bracciano

pour ses sports d'eau et ses ravissants espaces de pique-nique. À l'est, le lac est surplombé par le château d'Orsini-Odescalchi, une forteresse du XVe siècle ornée de fresques d'Antoniazzo Romano et d'autres artistes toscans ou ombriens. Au sud, la cité médiévale d'Anguillara est sans doute la plus belle ville des abords du lac, avec ses paysages romantiques.

⛪ **Castello Orsini-Odescalchi**
Piazza Mazzini 14. *Tél 06 99 80 23 79.* ◯ mar.-dim. ⬤ 1er janv., 25 déc. 📷 📹

Ostia Antica

Viale dei Romagnoli 717, Ostia. **Tél**
06 56 35 80 99. **M** *Piramide, puis*
FS *de Porta San Paolo à Ostia Antica.*
Musée et fouilles ☐ *mar.-dim.*
8h30-1h av. la nuit. ● *1er janv.,*
25 déc. 🎫

Pendant plus de 600 ans,
Ostia fut le principal
port de Rome et un
centre commercial très
actif. Son déclin
commença avec le
développement au
IVᵉ siècle du Portus
Romae établi sur
l'autre rive du Tibre.
Les limons du fleuve
recouvrirent une
partie des édifices
antiques et ils se
trouvent désormais à 5 km
à l'intérieur des terres.

Dégagées, les ruines offrent
une image très parlante de la
vie à cette époque. L'artère
principale, le **Decumanus
Maximus**, traverse le forum
où se dressait le plus grand
temple de la ville, le **Capitole**.
Son axe dépasse ensuite le
théâtre, qui accueille en été
des concerts en plein air.
Thermes, boutiques, ateliers
et immeubles de rapport, ou
insulae, bordent la rue.

Les briques des
murs restaient
apparentes ou
étaient couvertes
de décorations.

La cour intérieure
est restée une
caractéristique
des habitations
italiennes.

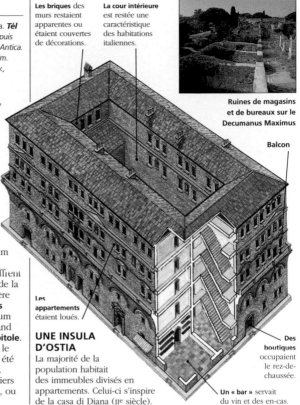

**Ruines de magasins
et de bureaux sur le
Decumanus Maximus**

Balcon

Les
appartements
étaient loués.

UNE INSULA
D'OSTIA
La majorité de la
population habitait
des immeubles divisés en
appartements. Celui-ci s'inspire
de la casa di Diana (IIᵉ siècle).

**Des
boutiques**
occupaient
le rez-de-
chaussée.

Un « bar » servait
du vin et des en-cas.

Frascati et les Castelli Romani ⑩

Roma. **FS** 🚌 *Frascati.* **ℹ** *06 9418*
4272). **Villa Aldobrandini** ☐ *sur*
autorisation, téléphoner 06 9422 560
quelques jours à l'avance.

Les monts Albains servent
depuis des siècles de lieu de
villégiature aux Romains. Des
villas les parsemaient pendant
l'Antiquité, puis le Moyen Âge
vit s'élever des châteaux pour
protéger les 13 villages qui les
jalonnent, d'où leur nom de
Castelli Romani. Aux XVIᵉ et
XVIIᵉ siècles, les familles
patriciennes y bâtirent de
luxueuses demeures de
campagne cernées de jardins
raffinés. Malheureusement, les
nazis établirent leurs défenses
dans les collines et les
bombardements alliés ont
causé de graves dommages.
Les vignobles des Castelli

Romani produisent un vin
blanc réputé.
Sur la place centrale de
Frascati se dresse la villa
Aldobrandini, majestueux
édifice entouré d'un parc
agrémenté de fontaines
et de statues.
À 3 km au sud, l'abbazia di
San Nilo fondée en 1004 à
Grottaferrata abrite dans sa
chapelle de superbes fresques

peintes en 1610 par le
Dominiquin. À 6 km au sud,
Castel Gandolfo domine le lac
d'Albano. Le pape y a sa
résidence d'été. Il s'adresse à
la foule depuis le balcon du
palais pontifical dessiné par
Carlo Maderno. À 10 km au
sud-est s'étend le lac de **Nemi**
où se mirent le village,
renommé pour ses fraises, et
son château du IXᵉ siècle.

Des pentes boisées entourent le petit lac de Nemi

Tivoli, en été havre de fraîcheur en comparaison de Rome

Tivoli ⓫

Roma. 🏛 57 000. 🚊 ▦
ⓘ 0774 453 589). ⬤ mer.

Ville en terrasses accrochée sur les pentes des collines Tiburini, Tivoli devint pendant l'Antiquité un lieu de villégiature apprécié de personnages restés aussi célèbres que Mécène ou Catulle. Les temples où ils rendaient hommage aux divinités demeurent visibles par endroits. La plupart ne subsistent que sous forme de vestiges, parfois incorporés à des édifices médiévaux, mais le temple de la Sibylle (ou de Vesta), dans le jardin du

restaurant *Sibilla* bordant la rue du même nom, a conservé son élégance.

C'est la **villa d'Este** qui attire de nombreux visiteurs à Tivoli. Pirro Ligorio aménagea au XVIᵉ siècle pour le cardinal Hippolyte d'Este cette somptueuse résidence à partir d'un couvent bénédictin. Des fresques maniéristes ornent l'intérieur des bâtiments, mais ce sont les jardins, qui offrent le plus d'intérêt. Rocailles et jeux d'eau y composent en effet un décor visuel et sonore inoubliable, notamment sur le viale delle Cento Fontane. La fontaine de l'Orgue, restée impressionnante, jouait jadis de la musique grâce à un mécanisme hydraulique.

De l'autre côté de la ville, une puissante cascade jaillit dans le parc de **la villa Gregoriana** devenue aujourd'hui un hôtel.

Aux environs :

À 5 km à l'ouest de Tivoli, les ruines de la **villa Adriana**, résidence d'été bâtie par Hadrien de 125 à 135, offrent un cadre romantique où se promener ou pique-niquer. Ses souvenirs de voyage inspirèrent l'empereur quand il décida de son aménagement et il fit reproduire certaines des merveilles architecturales qu'il avait admirées dans le monde, notamment la Stoa Poikile, portique aux colonnes peintes où débattaient les philosophes stoïques d'Athènes. La propriété renfermait également deux thermes, des bibliothèques, un théâtre

grec, un pavillon installé sur un îlot et une reproduction du temple de Sérapis d'Alexandrie. Soucieux du détail, Hadrien éleva cette dernière au-dessus d'un canal artificiel, le Canope, imitant la voie navigable conduisant au sanctuaire égyptien.

🏛 **Villa d'Este**
Piazza Trento 1. *Tél* 0774 31 20 70. ⬜ mar.-dim. ⬤ 1ᵉʳ janv.,1ᵉʳ mai, 25 déc. ▨

🏛 **Villa Gregoriana**
Largo Sant'Angelo. *Tél* 06 39 96 77 01. ⬜ mar.-dim. ⬤ déc.-fév.

⛰ **Villa Adriana**
Tél 0774 53 02 03. ⬤ j.f. ▨

Palestrina ⓬

Roma. 🏛 18 000. ▦ ⓘ Piazza Santa Maria degli Angeli 2 (06 957 31 76).

Fragment d'une mosaïque d'une crue du Nil, musée de Palestrina

Fondée au VIIIᵉ siècle av. J.-C., détruite par Sylla en 92 av. J.-C., la Praeneste antique devait son rayonnement à un immense complexe religieux dédié à la déesse Fortuna Primigenia où se rendaient certains des plus prestigieux oracles romains. Reconstruit au 1ᵉʳ siècle av. J.-C., il s'étageait à flanc de colline et la Palestrina médiévale s'est élevée sur ses ruines. Des vestiges de colonnes et de portiques jalonnent ainsi la montée vers le **palazzo Barberini** bâti à l'emplacement d'un temple circulaire. Il abrite le **Museo Nazionale Archeologico**.

🏛 **Museo Nazionale Archeologico**
Via Barberini. *Tél* 06 953 81 00. ⬜ t.l.j. ⬤ 1ᵉʳ janv., 1ᵉʳ mai, 25 déc. ▨

Copies romaines de cariatides grecques à la villa Adriana

Subiacoe ⓭

Roma. 🏛 9 000. 🚉
ℹ️ *Bibliothèque municipale,*
Via della Republica 26
(0774 82 2008). 📅 *sam.*

Au Ve siècle, saint Benoît de
Nursie et sa sœur Scholastique
se retirèrent ici dans une grotte.
Rejoints par des disciples,
ils fondèrent 12 couvents.
Il n'en reste que deux.
Santa Scolastica s'organise
autour de trois cloîtres.
Le 1er date de la Renaissance,
le 2e est gothique et le 3e fut
exécuté aux XIIe et XIIIe siècles
par les Cosmas.

Plus haut, **San Benedetto**
s'accroche à flanc de rocher
au-dessus d'une gorge. Son
église comprend deux
niveaux. Gothique, l'église
supérieure abrite des fresques
siennoises du XIVe siècle.
L'église inférieure, ornée de
fresques du XIIIe siècle, donne
accès au **Sacro Speco**, la
grotte où saint Benoît resta
trois ans et imagina la règle
des bénédictins.

🏠 **Santa Scolastica**
3 km à l'E. de Subiaco.
Tél *0774 824 21.* 🔲 *t.l.j.* 📷 ♿

🏠 **San Benedetto**
3 km à l'E. de Subiaco.
Tél *0774 850 39.* 🔲 *t.l.j.* 📷
♿ *église inférieure seul.*

Montecassino ⓮

Cassino. **Tél** *0776 31 15 29.* 🚆
Cassino puis bus. 🔲 *t.l.j. 9h-12h30,*
15h30-18h30 (17h nov.-mars).

Fondée en 529 par saint
Benoît, la première abbaye
bénédictine devint un des
grands centres intellectuels
européens et ses moines
pratiquaient la miniature,
la fresque et la mosaïque.
Il connut son apogée au
XIe siècle.

Les Allemands s'y
retranchèrent en octobre 1943
pour barrer la route de Rome
aux Alliés qui venaient de
prendre Naples et, malgré
d'intenses bombardements,
ils résistèrent pendant 3 mois.
30 000 Polonais, Américains,
Français et Anglais périrent
lors de la bataille de Cassino,
et reposent dans le cimetière
commémorant leur sacrifice.

Rosace à
Fossanova

MONASTÈRES DU LATIUM

Saint Benoît fonda vers 529 l'abbaye de
Montecassino où il rédigea la règle
bénédictine : pratique de la chasteté, pauvreté,
obéissance basée sur la prière, l'étude et le
travail manuel. Richesse et puissance politique
conduisirent de nombreux monastères à en
oublier les principes et, au XIe siècle, les cisterciens
éprouvèrent le besoin de revenir à sa source. Ils fondèrent
leur première abbaye à Fossanova, puis s'établirent, entre
autres, à Valvisciolo (au
nord-est de Sermoneta) et à
San Martino in Cimino (près
du lac de Vico). La simplicité
de leurs églises gothiques
reflète leur aspiration à
retrouver les règles prônées
par saint Benoît.

L'abbaye de Montecassino,
qui datait du XVIIe siècle,
fut reconstruite à l'identique
après sa destruction en 1944.

L'abbaye de San Benedetto
s'élève à Subiaco au-dessus de
la grotte de saint Benoît. Un
escalier taillé dans le roc
descend jusqu'à la caverne où
il prêchait les bergers.

L'abbaye de Casamari, *fondée*
en 1035 à 14 km à l'est de
Frosinone, fut reconstruite
en 1203 par des cisterciens.

Le village abandonné de Ninfa est devenu un superbe jardin

Anagni ⑮

Frosinone. 🏛 20 000. FS 🚌
ℹ Piazza Innocenzo III (0775 72 78
52). 🏪 mer.

Selon la légende, Saturne créa
cinq villes, Anagni, Alatri,
Arpino, Arche et Atina, dans
le sud-est du Latium, une
région appelée la Ciociaria
car on y portait encore il y a
30 ans les *ciocie*, des sandales
en écorce. Plusieurs tribus
s'étaient implantées sur ce
territoire avant sa conquête
par les Romains : les
Volsques, les Sannites et les
Herniques. Elles ont laissé
peu de traces en dehors des
remparts extraordinaires dont
elles entouraient leurs
colonies, des fortifications si
imposantes qu'elles ont pris le
nom de « murs cyclopéens ».
   Capitale des Herniques
jusqu'à sa destruction en
309 av. J.-C. par les Romains,
Anagni vit naître plusieurs
papes au Moyen Âge, dont
Boniface VIII qui fit construire
à la fin du XIIIe siècle un
palais qui se dresse toujours
dans la vieille ville
superbement préservée. À
l'emplacement de l'ancienne
acropole, la cathédrale
romane **Santa Maria** abrite un
beau pavement cosmatesque
exécuté en 1227 et des
peintures murales de l'école
siennoise du XIVe siècle.

Vassalletto sculpta en 1263 le
baldaquin et le chandelier
pascal. Un superbe ensemble
de fresques des XIIe et
XIIIe siècles orne les parois
de la crypte.

Aux environs :
Perchée sur un flanc de
colline planté d'oliviers à
28 km à l'est d'Anagni, **Alatri**
fut une des plus importantes
cités des Herniques et elle a
conservé de son acropole du
VIIe siècle av. J.-C. une
enceinte cyclopéenne longue
de 2 km et haute de 3 m.
Dans la ville médiévale, au-
dessous des murailles, l'église
romane Santa Maria Maggiore,
bien restaurée au XIIIe siècle,
possède une belle rosace.
   À 40 km à l'est, **Arpino**, ville
natale de Cicéron (106-43 av.

**Porte ogivale de l'enceinte
cyclopéenne d'Arpino**

J.-C.) dont le centre est resté
moyenâgeux, s'étend à 3 km
des ruines de Civitavecchia
où de remarquables murailles
cyclopéennes comprennent
une porte à la forme ogivale
particulièrement rare.

Sermoneta
et Ninfa ⑯

Latina. FS Latina Scalo. 🚌 de Latina.
ℹ ViaDuca di Mare 19, Latina (0773
69 54 04). **Ninfa Tél** 0773 63 39 35
(réservation pour les groupes).
⭕ avr.-oct. : 1er sam. du mois
(téléphoner pour d'autres dates). 📷

Perché au-dessus de la plaine
Pontine, Sermoneta est un
bourg charmant dont les
ruelles pavées sinuent entre
des maisons, des églises et
des palais médiévaux. Dans la
nef droite de la collégiale, un
panneau de Benozzo Gozzoli
représente la Vierge portant la
ville dans ses mains, ce qui
permet d'en découvrir l'aspect
au XVe siècle. Imposante
forteresse, le castello Caetani
(XIIIe et XVe siècles) abrite des
fresques mythologiques d'un
élève du Pinturicchio.
   La vallée qui s'étend
au-dessous de Sermoneta
renferme les ruines du village
médiéval de **Ninfa**, abandonné
au XVIIe siècle. En 1921, la
famille Caetani les aménagea
en un beau jardin botanique.

Terracina ⑰

Latina. 🏙 40 000. 🚉 🚌 🛈 Via
Leopardi (0773 72 77 59). 🗓 jeu.

Aujourd'hui station balnéaire,
Terracina était pendant
l'Empire romain un important
centre commercial sur la via
Appia. Abandonnée au
Moyen Âge à cause de la
malaria, elle reprit vie après
les travaux de drainage
entrepris au XVIIIe siècle par
Pie VI. La ville moderne, qui
abonde en hôtels, restaurants
et bars, s'étend sur le littoral
au pied du quartier ancien,
puzzle de vestiges antiques et
de constructions médiévales.
   Les bombardements de la
Seconde Guerre mondiale ont
déterré une partie des
structures de la
ville romaine,
notamment le
dallage du forum,
sur la piazza del
Municipio. Le
Duomo conserve
des éléments d'un
temple romain, en
particulier son
escalier. Au
sommet, une
mosaïque du
XIIe siècle orne un
portique. Le beau
pavement de la cathédrale
date du XIIIe siècle. L'hôtel de
ville voisin abrite les
collections grecque et
romaine du **Museo
Archeologico**.
   À 3 km au-dessus de la ville,
le podium et les fondations
du temple de Jupiter Anxur
coiffent le monte Sant'Angelo.

Le Duomo de Terracina et
son escalier antique

Cette vaste plate-forme
du Ier siècle offre un panorama
vertigineux sur la plaine
Pontine et la baie de
Terracina.

🏛 **Museo Archeologico**
Piazza Municipio. **Tél** 0773 70 73
13. 🕐 lun. après-midi dim.
⬤ certains j.f. 📷

Sperlonga ⑱

Latina. 🏙 4 000. 🚌 🛈 Corso San
Leone 22 (0771 55 70 00). 🗓 sam.

Sperlonga est une grande
station balnéaire, et bars,
restaurants et boutiques ont
envahi le village de pêcheurs
dont les maisons blanchies
bordent ruelles et placettes
sur un promontoire rocheux
dominant la partie moderne
de la ville édifiée sur la côte.
La région était déjà un lieu de
villégiature pendant
l'Antiquité et Tibère
y avait, selon
Suétone et Tacite,
sa résidence d'été.
En fouillant le site
de sa villa, à 1 km
au sud de
Sperlonga sur la
route de Gaeta,
des archéologues
ont découvert en 1957 une
grotte ouverte sur la mer qui
contenait de superbes
groupes sculptés. Attribués à
Agesandros, Athanadoros et
Polydoros, les artistes de
Rhodes qui exécutèrent au
Ier siècle av. J.-C. le Laocoon
(p. 417), ces groupes illustrent
des scènes de l'Odyssée

Campanile du XIIIe siècle à Gaeta

d'Homère : L'Aveuglement de
Polyphème, L'Assaut de Scylla
au navire d'Ulysse, Ménélas et
Patrocle et L'Enlèvement du
Palladium de Troie.
Ils se trouvent au **Museo
Archeologico Nazionale**
installé dans la zone
archéologique.

🏛 **Zona Archeologica**
Via Flacca. **Tél** 0771 54 80 28.
🕐 t.l.j. ⬤ 1er janv., 25 déc. 📷

Gaeta ⑲

Latina. 🏙 22 000. 🚌 🛈 Via
Emanuele Filiberto 5 (0771 46 11 65).
🗓 mer.

Le monte Orlando partage en
deux cette cité dont le nom
découlerait, selon Virgile, de
celui de Caieta, la nourrice
d'Énée qui y mourut. Le
quartier moderne et balnéaire
s'étend le long des plages de
sable de la baie de Serapo
dans le golfe de Gaète. Les
maisons de la vieille ville sont
dominées par une puissante
forteresse aragonnaise.
   Le plus beau monument
de Gaeta est le campanile de
son **Duomo**. De style roman
marqué d'influences maures,
il présente en décor des
disques de faïence.
À l'intérieur, des scènes des
vies du Christ et de saint
Érasme ornent le candélabre
pascal du XIIIe siècle. En bord
de mer, la minuscule église
de **San Giovanni a Mare** date
du Xe siècle et possède un sol
en pente pour évacuer l'eau
en cas de tempête.

Le littoral entre Gaeta et Terracina

ITALIE
DU SUD

L'Italie du Sud d'un coup d'œil

L'empreinte d'une histoire longue et mouvementée reste visible en Italie du Sud. La culture nouragique a laissé près de 7 000 édifices mégalithiques en Sardaigne, des ruines grecques jalonnent la côte méridionale de la péninsule et le littoral sicilien, Pompéi demeure telle qu'au moment de sa destruction en 79. Le Moyen Âge et le baroque ont paré de chefs-d'œuvre architecturaux Naples, les Pouilles et la Sicile. Chaque terroir possède ses spécialités culinaires ainsi que de superbes paysages à découvrir lors d'un vagabondage dans les régions les plus sauvages.

Abruzzo

Parco Nazional d'Abruzzo

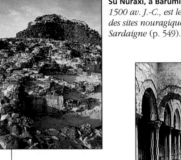

Dans le Parco Nazionale d'Abruzzo, *une vaste réserve naturelle, vivent loups, ours et 300 espèces d'oiseaux (p. 506-507).*

Su Nuraxi, à Barumini, *fondé vers 1500 av. J.-C., est le plus connu des sites nouragiques de Sardaigne (p. 549).*

Su Nuraxi

SARDAIGNE
(p. 544-551)

Le cloître de la **cathédrale de Montreale** *présente une décoration où styles arabe et roman se marient pour composer un chef-d'œuvre de l'architecture normande (p. 530-531).*

Cathédrale de Monreale

La vallée des temples d'Agrigente, *en Sicile, renferme certaines des plus belles ruines grecques hors de Grèce. Doriques pour la plupart, elles datent des VIᵉ et Vᵉ siècles av. J.-C. (p. 536).*

Temple de la Concorde

0   100 km

◁ **Vignes et citronniers sur la côte amalfitaine**

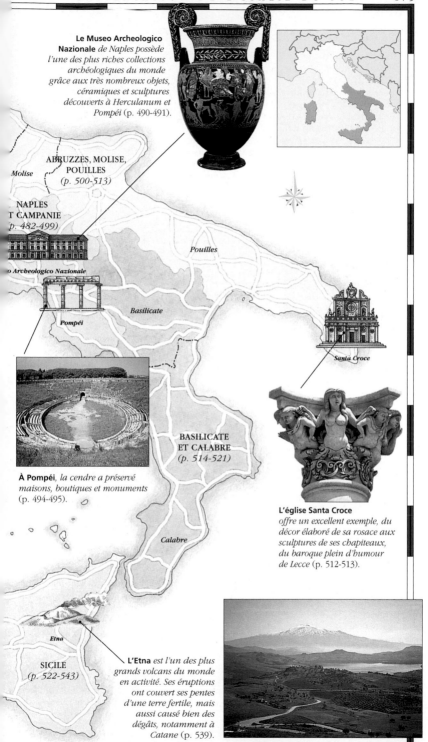

Le Museo Archeologico Nazionale *de Naples possède l'une des plus riches collections archéologiques du monde grâce aux très nombreux objets, céramiques et sculptures découverts à Herculanum et Pompéi* (p. 490-491).

ABRUZZES, MOLISE, POUILLES
(p. 500-513)

Molise

NAPLES T CAMPANIE
p. 482-499)

o Archeologico Nazionale

Pompéi

Pouilles

Basilicate

Santa Croce

À Pompéi, *la cendre a préservé maisons, boutiques et monuments* (p. 494-495).

BASILICATE ET CALABRE
(p. 514-521)

Calabre

L'église Santa Croce *offre un excellent exemple, du décor élaboré de sa rosace aux sculptures de ses chapiteaux, du baroque plein d'humour de Lecce* (p. 512-513).

Etna

SICILE
(p. 522-543)

L'Etna *est l'un des plus grands volcans du monde en activité. Ses éruptions ont couvert ses pentes d'une terre fertile, mais aussi causé bien des dégâts, notamment à Catane* (p. 539).

Saveurs de l'Italie du Sud

« Terre du soleil de midi », le Mezzogiorno est
majestueux et fertile, bien qu'aride et pauvre par
endroits. C'est la région du régime méditerranéen,
avec ses superbes légumes et ses fruits de mer, ses
herbes aromatiques et son huile d'olive fruitée.
L'agneau est la viande la plus répandue. Les
Pouilles sont la région d'Italie qui produit le plus
de raisins et d'olives, tandis que le sol volcanique
est idéal pour cultiver des légumes, des fruits et des
vignes. Naples est le lieu de naissance de la pizza et la
région produit l'une des meilleures mozzarellas.

Herbes variées

**Fromager sicilien portant un seau
de ricotta fraîche**

CAMPANIE

Naples est célèbre pour la
pizza, pour la sauce à base
de tomate servie avec les
pâtes et pour l'association
tomate-mozzarella. Les
longues tomates effilées de
San Marzano, à Salerno, sont
particulièrement appréciées.
Les pâtes ont ici une forme
de tube (alors que dans le
Nord elles ressemblent

plutôt à des rubans).
La cuisine locale utilise
largement l'huile d'olive, l'ail,
les piments et les citrons. Le
poulpe et les calmars, les
anchois, les moules et les
palourdes sont d'excellents
fruits de mer. L'agneau, le
chevreau, le buffle font
partie des viandes les plus
appréciées. Enfin, les
pâtisseries et les glaces sont
des spécialités traditionnelles
de la région.

POUILLES

Près de 80 % des pâtes
italiennes et la plupart du
poisson du pays proviennent
de cette région, qui possède
400 km de côtes. La volaille
et le bœuf y sont des
viandes rares, alors que
celles d'agneau, de porc et
de chevreau sont plus
communes. La pâte la plus
populaire est l'*orecchiette*, en
forme d'oreille. Les légumes

Plateau de fruits de mer du littoral méridional

Thon   Homard   Calmars   Sardines   Moules   Palourdes

PLATS RÉGIONAUX ET SPÉCIALITÉS

Certaines sauces classiques italiennes
sont originaires de Naples, telles
que la *puttanesca*, sauce forte aux
tomates, anchois, piments,
câpres et olives. La *zuppa di
cozze* (moules dans une sauce
chaude au poivre) est une spécialité de
la côte campanienne. Le poulpe a une
saveur particulière, servi dans des plats

Figues

tels que le *polpo alla luciana*, mijoté dans les tomates et
l'huile d'olive, avec du persil et de l'ail. Les *orecchiette
con cime di rapa* (« petites oreilles aux pousses de
navets ») sont un plat des Pouilles, tout comme l'*agnello
allo squero* – agneau rôti à la broche avec du thym
et des herbes. Quant à la *cassata Siciliana*, c'est un
mélange de biscuits de Savoie et de ricotta, de liqueur,
de fruits confits et de pistaches.

Maccheroncini con le sarde
*Macaroni siciliens agrémentés
de sardines, fenouil, pignons,
raisins, chapelure et safran.*

Tresses de tomates de vigne suspendues à un étal de marché du sud

et les fruits, dont les figues, les coings et les noix, poussent à l'état sauvage. Parmi les fromages, on peut citer, outre la mozzarella, la ricotta, les fromages de brebis et les fromages fumés.

SICILE

La cuisine sicilienne est, à l'image de son histoire, influencée par les cultures étrangères. L'île a, en effet, subi plusieurs invasions. Au VIIIᵉ siècle, les colons grecs furent stupéfaits de la fertilité du sol volcanique. Le riz fut introduit sur l'île par les Arabes. L'influence de la cuisine nord-africaine se remarque dans le *cuscusu* (couscous) ainsi que dans des plats sucrés et épicés parfumés aux citron, amandes et raisins. L'agneau et le porc sont

élevés dans les pâturages de montagne. Le poisson est excellent, surtout les sardines, le thon, les anchois et l'espadon. Les légumes sont délicieusement charnus. La ricotta de lait de brebis fait partie des ingrédients

Olives fraîchement récoltées, prêtes à être pressées

de nombreux pâtisseries et entremets, tels que la *cassata* sicilienne.

AUTRES RÉGIONS

Les Abruzzes et le Molise, montagneux, sont propices à l'élevage ovin. L'agneau est une spécialité, comme les pâtes « à la guitare » (*Maccheroni alla chitarra*). En Basilicate et en Calabre, les plats sont très épicés. Le pain non levé, mince comme du papier à cigarette – *carta da musica* (papier à musique) – est une spécialité sarde. Évoquons le miel, le jambon de sanglier, les grives et le *torrone*, délicieux nougat aux amandes.

AU MENU

Arancini Boulettes de riz généralement farcies de viande, fromage ou légumes.

Caciocavallo Fromage de lait de vache, spécialité d'Avellino en Campanie.

Insalata caprese Salade de Campanie avec mozzarella, tomate, basilic, olives et origan.

Maccheroni di fuoco Spécialité de pâtes de Basilicate, agrémentées d'ail et de piment.

Porcheddu Petit cochon de lait sarde rôti à la broche.

Seadas Sorte de beignets de Sardaigne, frits et enrobés de miel.

Pizza Napoletana *Pizza à la croûte fine garnie de tomate, d'ail, d'origan, de basilic et d'anchois.*

Pesce spada *En Campanie, Pouilles et Sicile, le steak d'espadon est frit ou grillé avec citron et origan.*

Sfogliatella *Couches de pâte très fines garnies de beurre, sucre, cannelle, zeste d'orange et ricotta.*

Architecture de l'Italie du Sud

L'architecture romane doit beaucoup en Italie méridionale aux Normands venus de France qui s'imposèrent aux XIe et XIIe siècles. S'ils reprirent la Sicile aux Sarrasins, ils gardèrent à leur cour de Palerme des artistes musulmans dont l'influence, souvent mêlée à des apports byzantins, marque de nombreux édifices de cette époque. Au XVIIe siècle, ce sont le baroque romain et les traditions hispaniques qui se métissent dans une région alors sous

Décor baroque à la villa Palagonia de Bagheria

contrôle espagnol. Ce mariage donne lieu à des déclinaisons différentes : décor foisonnant à Lecce et dans les Pouilles, majesté des volumes à Naples.

ARCHITECTURE ROMANE

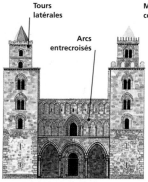

Tours latérales

Arcs entrecroisés

Marbres cosmatesques

Mosaïques exécutées en 1143

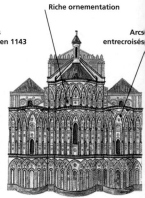

Riche ornementation

Arcs entrecroisés

La cathédrale de Cefalù, *entreprise par Roger II en 1131, est, avec ses tours massives caractéristiques, l'une des grandes églises normandes de Sicile (p. 535).*

Une mosaïque byzantine du Christ Pantocrator orne la **Cappela Palatina** *(p. 526).*

La cathédrale de Monreale, *bâtie par le Normand Guillaume II à partir de 1172, possède un chevet polychrome au décor arabisant (p. 530-531).*

ARCHITECTURE BAROQUE

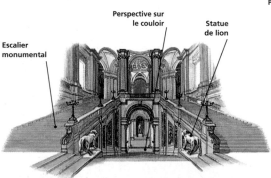

Escalier monumental

Perspective sur le couloir

Statue de lion

Putti

Draperie rythmant la composition

Le palazzo Reale *de Caserte, entrepris en 1752 par Luigi Vanvitelli pour Charles III, devait rivaliser par son ampleur avec Versailles. Des effets de perspective renforcent l'impression d'espace offerte par le vestibule d'où un escalier d'apparat conduit aux appartements royaux (p. 496).*

*Les stucs de l'***oratorio di Santa Zita** *témoignent à Palerme du caractère enjoué de l'art du maître baroque Giacomo Serpotta (p. 529).*

OÙ VOIR L'ARCHITECTURE DE L'ITALIE DU SUD

Avec le nord de la Sicile aux villes ornées de superbes cathédrales normandes, la région des Pouilles est la plus riche en églises romanes. Parmi les plus belles figurent celles de Trani (*p. 509*), de Canosa, de Molfetta et de Bitonto près de Bari ; celle de Ruvo di Puglia (*p. 510*) ; celle de San Leonardo di Siponto sur le promontoire du Gargano ; et celle de Martina Franca près

Portail du Duomo de Ruvo di Puglia

d'Alberobello. Le baroque fleurit à Naples et dans les Pouilles, comme à Lecce (*p. 512-513*). En Sicile, on l'admire surtout à Palerme (*p. 526-527*), Bagheria (*p. 532*), Noto, Modica, Raguse et Syracuse (*p. 542-543*), les églises de Piazza Armerina (*p. 537*), Trapani (*p. 532*), Palazzolo Acreide (près de Syracuse) et Acireale (près de Catane) valent aussi une visite.

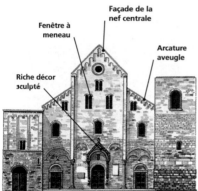

La basilica di San Nicola *de Bari, consacrée en 1197 et modèle de nombreuses églises des Pouilles, est typique de l'architecture normande avec ses deux tours et sa façade divisée à l'image de l'intérieur (p. 510).*

Fenêtre à meneau
Façade de la nef centrale
Riche décor sculpté
Arcature aveugle

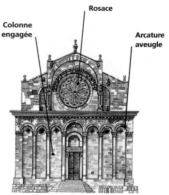

La cathédrale de Troia *(1093-1125), à la façade d'inspiration pisane, présente des éléments de décor byzantins et arabes (p. 508-509).*

Colonne engagée
Rosace
Arcature aveugle

La façade du **Duomo de Syracuse** *(1728-1754) par Andrea Palma joue sur le contraste entre courbes et droites (p. 542-543).*

Volute
Colonne en avancée

San Giorgio *(1738-1775), à Raguse, possède une façade par Gagliardi dont le décor entraîne le regard vers le clocher (p. 547).*

Étages de tailles décroissantes
Clocher central
Surface courbe

La chiesa del Rosario *de Lecce, bâtie par Lo Zingarello à partir de 1691, présente une foisonnante décoration sculptée (p. 612-613).*

Décoration sculptée

Les Grecs en Italie du Sud

Les premiers Grecs s'installèrent en Italie dès le XIe siècle av. J.-C. près de Naples. Cinq siècles plus tard, les colonies formant la Grande-Grèce étaient devenues une importante puissance commerciale en Méditerranée. Leurs cités, où vécurent Pythagore, Archimède et Eschyle, se parèrent de temples et de monuments, et leurs vestiges comprennent certaines des plus belles ruines hellènes. On peut les admirer notamment à Syracuse et Gela en Sicile, et à Crotone, Locri et Paestum dans la péninsule. Les excellents musées archéologiques de Syracuse, Naples et Tarente présentent les objets découverts dans les sites de fouilles.

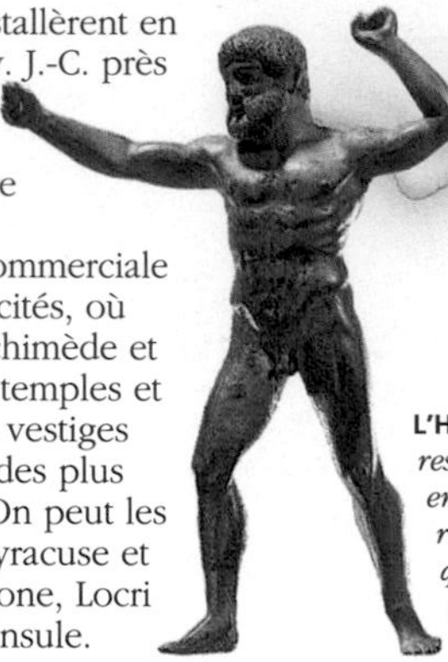

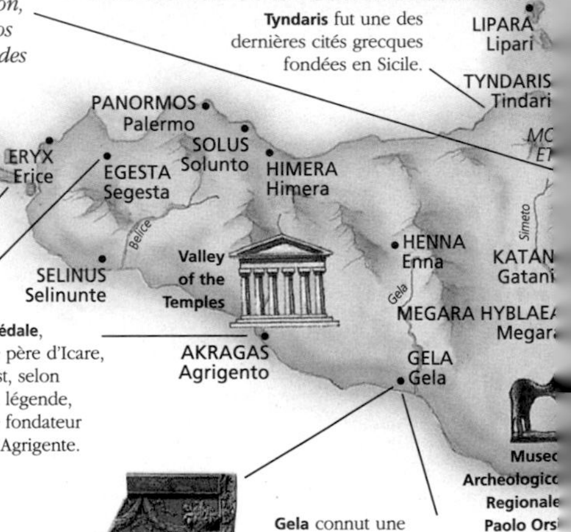

KYME
Cuma

NEAPOLIS
Napoli

HERAKLEI
Ercolano

L'Héraklia grecque *resta dédiée à Hercule en devenant la romaine Herculanum qu'une éruption du Vésuve ensevelit en 79 (p. 495).*

POSEIDONIA
Paestum

EL'
Ve

De Poséidonia *(actuelle Paestum), cité dédiée au dieu de la Mer, subsistent des ruines du VIe siècle av. J.-C., notamment deux des plus beaux temples doriques d'Europe (p. 498-499).*

L'Etna *abritait, pensait-on, la demeure d'Héphaïstos (Vulcain) et les forges des Cyclopes (p. 539).*

Tyndaris fut une des dernières cités grecques fondées en Sicile.

LIPARA
Lipari

TYNDARIS
Tindari

MC
E

Eryx, qui fonda la ville, était le fils d'Aphrodite et de Poséidon.

PANORMOS
Palermo

SOLUS
Soluto

ERYX
Erice

EGESTA
Segesta

HIMERA
Himera

HENNA
Enna

KATAN
Gatani

SELINUS
Selinunte

Valley of the Temples

MEGARA HYBLAEA
Megar

Dédale, le père d'Icare, est, selon la légende, le fondateur d'Agrigente.

AKRAGAS
Agrigento

GELA
Gela

Muse
Archéologicc
Regionale
Paolo Ors

Gela connut une grande prospérité sous Hippocrate au Ve siècle av. J.-C.

Egesta *était une colonie des Élymes, peuple dont les origines remontent peut-être à Troie. L'influence de ses voisins grecs marque cependant les ruines du théâtre et du temple qui nous sont parvenues (p. 534).*

Eschyle *mourut à Gela en 456 av. J.-C. Père de la tragédie grecque, il écrivit notamment* Prométhée enchaîné, Les Suppliantes *et* Sept contre Thèbes.

0   100 km

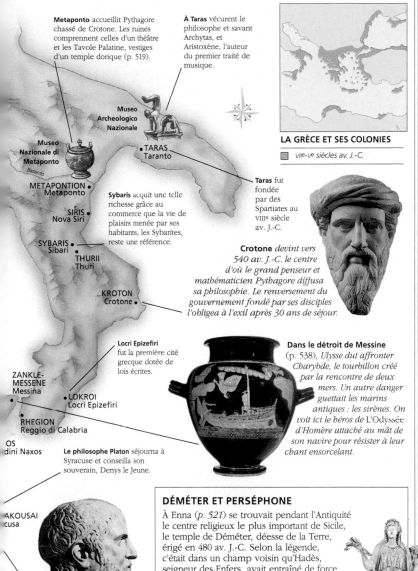

Metaponto accueillit Pythagore chassé de Crotone. Les ruines comprennent celles d'un théâtre et les Tavole Palatine, vestiges d'un temple dorique (p. 519).

À Taras vécurent le philosophe et savant Archytas, et Aristoxène, l'auteur du premier traité de musique.

Museo Archeologico Nazionale

Museo Nazionale di Metaponto

METAPONTION Metaponto

SIRIS Nova Siri

SYBARIS Sibari

THURII Thuri

KROTON Crotone

TARAS Taranto

Sybaris acquit une telle richesse grâce au commerce que la vie de plaisirs menée par ses habitants, les Sybarites, reste une référence.

LA GRÈCE ET SES COLONIES

VIIe-Ve siècles av. J.-C.

Taras fut fondée par des Spartiates au VIIIe siècle av. J.-C.

Crotone devint vers 540 av. J.-C. le centre d'où le grand penseur et mathématicien Pythagore diffusa sa philosophie. Le renversement du gouvernement fondé par ses disciples l'obligea à l'exil après 30 ans de séjour.

Locri Epizefiri fut la première cité grecque dotée de lois écrites.

ZANKLE-MESSENE Messina

LOKROI Locri Epizefiri

RHEGION Reggio di Calabria

OS dini Naxos

AKOUSAI cusa

Dans le détroit de Messine (p. 538), *Ulysse dut affronter Charybde, le tourbillon créé par la rencontre de deux mers. Un autre danger guettait les marins antiques : les sirènes. On voit ici le héros de L'Odyssée d'Homère attaché au mât de son navire pour résister à leur chant ensorcelant.*

Le philosophe Platon séjourna à Syracuse et conseilla son souverain, Denys le Jeune.

Archimède, *mathématicien et ingénieur, naquit à Syracuse vers 287 av. J.-C. Parmi ses découvertes figurent le théorème et la vis qui portent toujours son nom (p. 542-543).*

DÉMÉTER ET PERSÉPHONE

À Enna (*p. 521*) se trouvait pendant l'Antiquité le centre religieux le plus important de Sicile, le temple de Déméter, déesse de la Terre, érigé en 480 av. J.-C. Selon la légende, c'était dans un champ voisin qu'Hadès, seigneur des Enfers, avait entraîné de force Perséphone, fille de Déméter et de Zeus, dans son royaume souterrain. Le chagrin de Déméter rendit la terre stérile et plongea les hommes dans la famine. Zeus accepta d'imposer la libération de sa fille à une condition : qu'elle n'ait rien mangé chez Hadès. Or, elle s'était laissé tenter par une graine de grenade. Depuis, Perséphone doit donc chaque année retourner plusieurs mois dans le royaume des Enfers, ces mois d'hiver où la végétation ne pousse pas. Pendant son séjour terrestre, du printemps à l'automne, la nature retrouve sa fertilité.

Statue de Perséphone

NAPLES ET CAMPANIE

*C*apitale de la Campanie, Naples est une des rares villes d'Europe à avoir toujours joué un rôle de premier plan et ce depuis l'Antiquité. Prospère colonie grecque puis romaine, elle réussit à défendre son autonomie après la chute de l'Empire, puis se donne en 1140 au Normand Roger II. Charles d'Anjou en fait en 1282 la capitale d'un royaume qui prendra diverses formes en sept siècles.

Vacarme, décrépitude et pauvreté règnent au centre de Naples comme dans les banlieues qui la cernent le long de la superbe baie où s'est développée son agglomération de plus de 2,5 millions d'habitants. Il règne aussi dans ces ruelles bordées d'une multitude de palais et d'églises baroques une exubérance qui transcende la misère. À l'ouest de la ville s'élève le Vésuve et dans son ombre s'étendent les ruines de Pompéi et d'Herculanum, cités recouvertes par une éruption en 79. Les objets qui y furent mis au jour font du Musée archéologique de Naples l'un des plus beaux du monde.

Au large se trouvent les jolies îles de Capri, d'Ischia et de Procida. L'Antiquité a laissé de nombreux vestiges dans la région : de superbes temples grecs comme à Paestum, ou des ruines romaines telles celles de Bénévent ou Santa Maria Capua Vetere et Pozzuoli. Au sud de Naples, des stations balnéaires jalonnent la côte Amalfitaine aux paysages sublimes. À l'intérieur des terres, de riches plaines et plateaux agricoles donnent les légumes et les fromages qui constituent, avec les produits de la mer, la base d'une cuisine simple et saine. Le haut pays, peu visité, offre un visage plus austère.

Dans le Quartieri Spagnoli de Naples

◁ **Maisons de pêcheurs sur l'île de Procida dans la baie de Naples**

À la découverte de Naples et de la Campanie

Métropole anarchique, Naples offre la base la plus centrale d'où explorer la Campanie. Au nord, des plaines verdoyantes s'étendent jusqu'à Santa Maria Capua Vetere. À l'est se trouve la province montagneuse de Bénévent. Au-delà du Vésuve, Avellino reste marquée par les séismes dans une cuvette cernée de montagnes. Le littoral, au nord de Naples, présente moins d'intérêt que les ruines romaines qui le bordent, en particulier celles de Cumes. Au sud, la côte Amalfitaine est spectaculaire. Après la presqu'île de Sorrente, la côte offre, à l'instar des îles de Capri, Ischia et Procida, de belles plages où se baigner.

LA CAMPANIE D'UN COUP D'ŒIL

Benevento 5
Capri 9
Caserta 4
Costiera Amalfitana 6
Ischia et Procida 10
Napoli (Naples) p. 486-493 1
Paestum 8
Pompei p. 494-495 2
Salerno 7
Santa Maria Capua Vetere 3

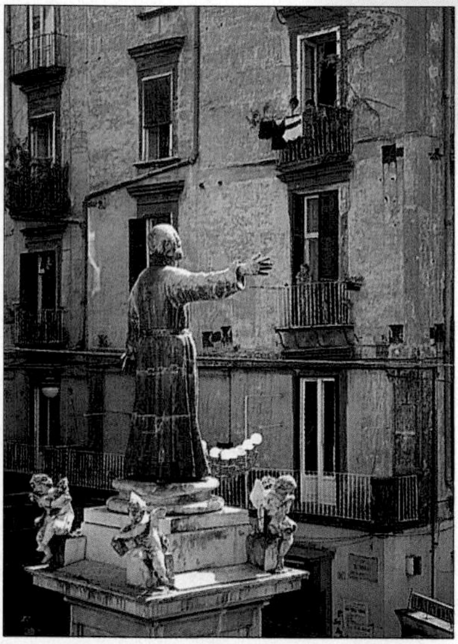

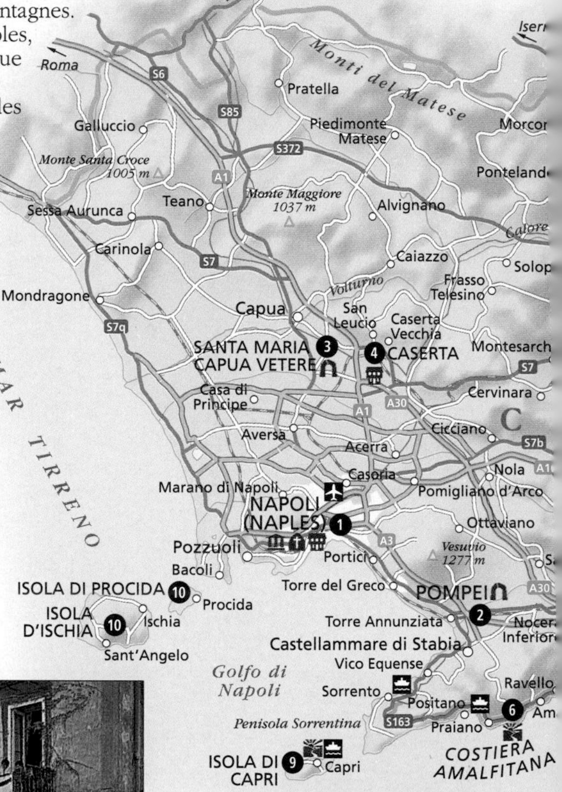

LÉGENDE

- Autoroute
- Route principale
- Route secondaire
- Petite route
- Parcours pittoresque
- Liaison ferrée principale
- Liaison ferrée secondaire
- Frontière régionale
- △ Sommet

0 25 m

Une rue de Naples vue depuis Santa Maria Maggiore

Pour les autres symboles de la carte *voir le rabat arrière de couverture*

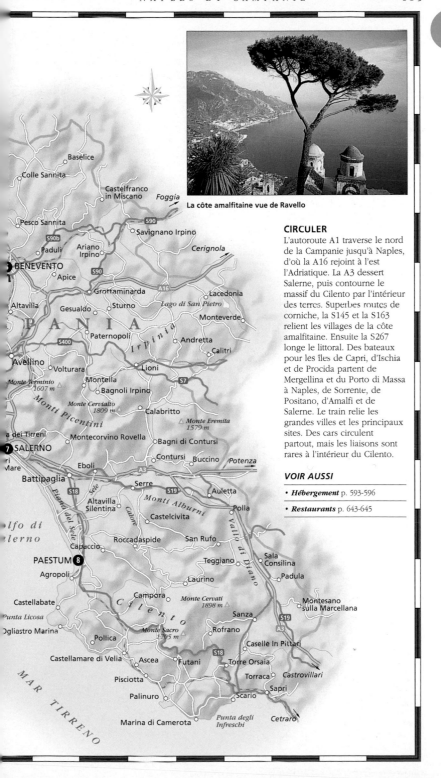

La côte amalfitaine vue de Ravello

CIRCULER

L'autoroute A1 traverse le nord de la Campanie jusqu'à Naples, d'où la A16 rejoint à l'est l'Adriatique. La A3 dessert Salerne, puis contourne le massif du Cilento par l'intérieur des terres. Superbes routes de corniche, la S145 et la S163 relient les villages de la côte amalfitaine. Ensuite la S267 longe le littoral. Des bateaux pour les îles de Capri, d'Ischia et de Procida partent de Mergellina et du Porto di Massa à Naples, de Sorrente, de Positano, d'Amalfi et de Salerne. Le train relie les grandes villes et les principaux sites. Des cars circulent partout, mais les liaisons sont rares à l'intérieur du Cilento.

VOIR AUSSI

- **Hébergement** p. 593-596
- **Restaurants** p. 643-645

Napoli (Naples) ❶

Compact et riche en églises et palais, le centre de Naples s'organise autour de la piazza del Plebiscito et de quelques rues principales, notamment la via Toledo qui rejoint au nord la piazza Dante. À l'est de cette artère commerçante, les étroites via del Tribunale et via San Biaggio dei Librai traversent le cœur historique et bruyant de la cité. Au sud de la piazza del Plebiscito s'étend le quartier Santa Lucia, à l'ouest se trouvent le port de Mergellina et la colline du Vomero.

Saint Janvier, protecteur de Naples

La baie de Naples et le Vésuve

À la découverte du quartier de la cathédrale

Le nord-est de Naples compte plusieurs trésors artistiques et architecturaux dont le Museo Archeologico Nazionale et ses collections provenant de Pompéi et Herculanum. Du Duomo gothique à la Porta Capuana Renaissance, les édifices offrent de nombreux styles.

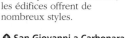
Tombeau de Ladislas, San Giovanni a Carbonara

⌂ San Giovanni a Carbonara

Via Carbonara 5. **Tél** 081 29 58 73.
◯ t.l.j. 9h-13h.
Le travail effectué dans cette église édifiée en 1345 pour effacer les outrages causés par les bombardements de la dernière guerre et des années de manque d'entretien est une des rares réussites à inscrire dans les annales

napolitaines de la restauration de monuments. Bien que ce roi de Naples mourût excommunié, derrière le maître-autel se dresse le tombeau de Ladislas (1386-1414), chef-d'œuvre de Marco et Andrea da Firenze. La chapelle qui s'ouvre derrière présente un beau pavement de majoliques et des fresques du XVe siècle.

🏛 Porta Capuana et Castel Capuano

Piazza Enrico de Nicola.
Encadrée de deux grosses tours qui faisaient partie des fortifications érigées par les Espagnols, la Porta Capuana, œuvre de Giuliano da Maiano achevée en 1490 par Luca Fancelli, est la plus belle porte Renaissance d'Italie, avec ses sculptures délicates. Devant s'étend un marché très animé.
Non loin, le Castel Capuano, entrepris par le roi normand Guillaume Ier et achevé par Frédéric II de Souabe, servit de résidence royale jusqu'en 1540. Il abrite le palais de Justice.

La Porta Capuana, superbe monument Renaissance

0   250 m

Pour les hôtels et les restaurants de la région, voir p. 593-596 et 643-645

NAPLES D'UN COUP D'ŒIL

À l'intérieur du Duomo

🏛 Duomo

Via Duomo 147.
Tél 081 44 90 97. ⬜ *t.l.j.*
Élevée de 1294 à 1323, la
cathédrale de Santa Maria
Assunta possède une façade
du XIXe siècle percée de
trois élégants portails sculptés
en 1407. À l'intérieur, des
colonnes antiques renforcent
les piliers séparant les trois
nefs. La cappella San Gennaro,
saint patron de Naples,
(3e chapelle à droite), au
grand luxe baroque et ornée
d'œuvres de Lanfranco et du
Dominiquin, abrite des
ampoules avec le sang du
saint coagulé. Il se liquéfie
miraculeusement trois fois par
an, assurant les Napolitains
que leur protecteur martyrisé
en 305 veille sur eux. D'autres
reliques sont dans la capella
Carafa, joyau Renaissance bâti
entre 1497 et 1506.
Par le bas-côté gauche, on
accède à la basilica di Santa
Restituta fondée au IVe siècle
sur le site d'un temple
d'Apollon et remaniée au
XIVe siècle. Dans sa nef, le
baptistère du Ve siècle a
conservé des mosaïques.
Le Museo del Tesaro di San
Gennaro abrite une fine
collection d'argenterie, d'or,
de bijoux, de statues et
d'objets d'art.

MODE D'EMPLOI

🏙 1 300 000. ✈ Capodichino,
4 km au N.-O. 🚉 Centrale,
P. Garibaldi. 🚌 P. Garibaldi.
⛴ Stazione Marittima, Molo
Beverello & Mergellina. 🛈 P. del
Gesù Nuovo (081 551 27 01), Via
San Carlo (081 4023 94). 🚌 t.l.j.
📅 19 sept. : San Gennaro.
www.inaples.it

🏛 Pio Monte di Misericordia

Via Tribunali 253. **Tél** 081 44 69 44.
Église et Galerie ⬜ t.l.j. 9h-14h30.
⬤ mer., j.f. 🖼 Galerie seul.
www.piomontedellamisericordia.it
Bâtie au XVIIe siècle, l'église
octogonale appartenant à une
association recèle les *Sept
œuvres de Miséricorde* (1607)
du Caravage. La collection de
peintures de la galerie
comprend des toiles de Luca
Giordano et Mattia Preti.

🏛 Cappella Sansevero

Via Francesco de Santis 19. **Tél** 081
551 84 70. ⬜ mer.-lun. 10h-17h40
(13h10 dim.) 🖼 🚫 ♿ (église).
Chapelle funéraire de la
famille Sangro di Sansevero,
ce petit sanctuaire du
XVIe siècle doit sa riche
décoration baroque, mêlant
symboles maçonniques et
chrétiens, au prince Don
Raimondo, un excentrique
féru d'expériences étranges.
Il réussit à ne conserver d'un
homme et d'une femme
enceinte que le squelette
et le réseau des vaisseaux
sanguins. Ces « écorchés »
sont dans la crypte. Des
statues du XVIIIe siècle d'une
étonnante virtuosité ornent
la chapelle. Sculptée par
Antonio Corradini, la *Pudeur*
prend ainsi l'apparence
d'une femme aux formes
voluptueuses évoquées par
un voile. En face, de l'autre
côté du chœur, le *Désespoir*
se débat contre le filet qui
l'emprisonne. Moulé par un
suaire, le *Christ mort* de
Giuseppe Sammartino prend
une présence saisissante.

Le Christ mort (1753) par Sammartino dans la cappella Sansevero

Pour les autres symboles de la carte *voir le rabat arrière de couverture*

À la découverte du centre de Naples

La partie de Santa Lucia délimitée par la via Duomo à l'est, la via del Tribunale au nord, la via Toledo à l'ouest et la mer au sud forme le centre historique de Naples. De nombreuses églises des XIVe et XVe siècles ajoutent au plaisir de découvrir l'animation de ses rues.

Somptuosité baroque à San Giorgio Armeno

🏠 San Lorenzo Maggiore

Via Tribunali 316. **Tél** 081 211 0860.
Église ☐ t.l.j. 9h-13h, 15h-18h. ♿
Fouilles ☐ lun.-sam. 9h30-17h30,
dim. 9h30-13h30. 📷

Cette église franciscaine bâtie aux XIIIe et XIVe siècles pendant le règne de Robert le Sage d'Anjou fut remaniée dans le style baroque. Une restauration lui rendit son austérité gothique mais lui laissa sa façade du XVIIIe siècle. C'est là que Boccace (1313-1375) aurait rencontré en 1334 Maria d'Aquino, fille naturelle de Robert qui lui inspira l'*Elegia di Madonna Fiammetta*.

Le sanctuaire abrite de beaux tombeaux, dont celui sculpté en 1323 pour Catherine d'Autriche par un élève du maître gothique Giovanni Pisano. La nef droite donne accès au cloître d'un ancien couvent où séjourna le poète et humaniste Pétrarque (1304-1374). Des fouilles y ont mis au jour les vestiges d'une basilique romaine et d'édifices grecs et médiévaux.

🏠 San Gregorio Armeno

Via San G. Armeno 1.
Tél 081 552 01 86. ☐ t.l.j.
matin. 📷 (cloître).

Toujours occupé par des bénédictines, le couvent attaché à cette église accueillait les filles de la noblesse et elles y vivaient dans le luxe, ce qui explique la somptuosité de la décoration baroque du sanctuaire. Il comprend des fresques peintes par Luca Giordano. Dans la rue, de nombreux artisans vendent des figurines pour les célèbres crèches napolitaines (*presepi*).

🏛 Museo Filangieri

Palazzo Cuomo, Via Duomo 288.
Tél 081 20 31 75. ● pour
restauration. 📷

De style Renaissance, le palazzo Cuomo (XVe siècle) abrite ce musée fondé en 1881 à partir des collections réunies par le prince Gaetano Filangieri et dont un incendie détruisit une partie en 1943. Outre les peintures d'artistes tels que Luca Giordano, Ribera et Mattia Preti, l'exposition propose aujourd'hui des porcelaines, des broderies, des manuscrits, des objets provenant de chantiers archéologiques locaux et des armes anciennes italiennes et espagnoles.

🏠 Sant'Angelo a Nilo

Piazzetta Nilo. **Tél** 081 551 62 27.
☐ t.l.j. matin.

Tombeau du cardinal Brancaccio,
Sant'Angelo a Nilo

Sur une placette proche de l'université au cœur de la vieille ville, cette église du XIVe siècle recèle le tombeau Renaissance du cardinal Rinaldo Brancaccio. Dessiné par le Florentin Michelozzo et sculpté à Pise, il fut achevé en 1428. Donatello aurait exécuté l'ange tenant le rideau de droite, le relief de l'*Assomption* et la tête du cardinal.

Le déambulatoire de San Lorenzo Maggiore
atteste une influence française

🔒 San Domenico Maggiore

Piazza San Domenico Maggiore.
Tél 081 45 91 88. ⬜ t.l.j. ♿
Cette grande église d'origine gothique (1283-1324) compte de belles sculptures Renaissance et des œuvres par Tino da Camaino : la dalle tombale de Jean de Durazzo dans le transept sud, et les personnages soutenant le chandelier pascal (1585) du chœur. Jacopo della Pila exécuta en 1492 le mausolée Brancaccio de la Chiesa Antica. Le cappellone del Crocifisso abrite un *Crucifix* du XIIIᵉ siècle, peinture sur bois objet d'un culte car elle aurait parlé à saint Thomas d'Aquin. Des fresques (XVIIIᵉ siècle) de Solimena ornent le plafond de la sacristie.

🔒 Santa Chiara

Via Benedetto Croce. ⬜ t.l.j. (dim. : mat. seul.) **Église Tél** 081 552 62 09. 🖼️ ♿ **Cloître Tél** 081 552 15 97.
Bombardée en 1943, cette église bâtie au XIVᵉ siècle dans le style gothique provençal retrouva lors de sa restauration sa simplicité originale. Elle abrite les tombeaux de plusieurs membres de la dynastie angevine.
Tino da Camaino et son atelier sculptèrent ceux de Charles de Calabre (mort en 1328) et de sa femme Marie de Valois (morte en 1331). Le

tombeau de Robert le Sage (mort en 1343) est de Giovanni et Pacio Bertini. De superbes majoliques décorent le cloître attenant. On découvre également un musée d'art médiéval et des bains romains.

🔒 Gesù Nuovo

Piazza del Gesù Nuovo 2.
Tél 081 551 86 13. ⬜ t.l.j.
Valeriano, puis Fanzago et Fuga bâtirent de 1584 à 1601 pour les jésuites cette église qui doit au palais des Sanseverino (XVᵉ siècle), dont elle occupe la place, sa façade ornée de reliefs en pointe de diamant. Typique du baroque napolitain, enclin à inciter à la ferveur collective, son décor baigné de lumière par cinq coupoles date des XVIIᵉ et XVIIIᵉ siècles et associe marbres polychromes et grandes fresques, par Ribera notamment. Solimena peignit au-dessus du portail *Héliodore chassé du temple*.

Détail de la façade de Gesù Nuovo

🔒 Sant'Anna e San Bartolomeo dei Lombardi

Via Monteoliveto. **Tél** 081 551 33 33. ⬜ lun.-ven. 9h-12h (seul. la Sacristie et la Pietà).
Bâtie en 1411 et restaurée après les bombardements de 1943, cette église révèle, une

Pietà de Guido Mazzoni à Sant'Anna e Bartolomeo dei Lombardi

fois dépassé le tombeau (1627) de Domenico Fontana, l'architecte qui acheva la construction de la coupole de Saint-Pierre de Rome après la mort de Michel-Ange, toute la richesse de son intérieur décoré de nombreuses œuvres d'art Renaissance.
La cappella Mastroguidice abrite une *Annonciation* (1489) du sculpteur florentin Benedetto da Maiano, qui acheva également le monument à Marie d'Aragon (v. 1475) de la cappella Piccolomini, commencé par Antonio Rossellino. Une *Pietà* (1492) très réaliste par Guido Mazzoni occupe la cappella del Santo Sepolcro.
Ornées de fresques en 1544 par Vasari, la sacristie recèle des stalles marquetées exécutées en 1510 par Giovanni di Verona.

Scène campagnarde en majolique dans le cloître de Santa Chiara

Naples : Museo Archeologico Nazionale

L'un des plus grands musées archéologiques du monde, le Museo Archeologico Nazionale occupe d'anciennes écuries royales du XVIᵉ siècle. Au début du XVIIᵉ siècle, le bâtiment est reconstruit pour accueillir l'université de Naples. En 1777, il est remanié pour abriter le Real Museo Borbonico ainsi qu'une bibliothèque, tandis que Ferdinand IV fait transférer l'université dans l'ancien monastère de Gesù Vecchio. Propriété publique depuis 1860, le musée a été très endommagé par le séisme de 1980, et un programme de restauration a totalement réorganisé l'ensemble des collections.

Jeune fille
Cette fresque de Stabies représente une jeune fille cueillant des fleurs. Ce chef-d'œuvre de grâce et d'élégance a gardé toute sa fraîcheur.

Villa des Papyrus

Pseudo-Sénèque
Découverte dans la villa des Papyrus d'Herculanum, cette statue en bronze du Iᵉʳ siècle av. J.-C. a été prise longtemps pour un buste du philosophe Sénèque (v. 60 av. J.-C.- v. 39 apr. J.-C.), mais cette identification n'est pas certaine.

★ Bataille d'Alexandre
Cette mosaïque de la maison du Faune de Pompéi (p. 494) décrit la victoire d'Alexandre le Grand sur le roi perse Darius III à la bataille d'Issos (333 av. J.-C.).

LÉGENDE DU PLAN

- ☐ Collection épigraphique
- ☐ Collection égyptienne
- ☐ Cabinet des Gemmes
- ☐ Sculptures
- ☐ Mosaïques
- ☐ Numismatique
- ☐ Didactique
- ☐ Herculanum et Pompéi
- ☐ Hall du Cadran Solaire
- ☐ Collections préhistorique, grecque et étrusque
- ☐ Circulation et services

Cabinet secret
Les œuvres érotiques de Pompéi et Herculanum, jugées trop osées au temps des Bourbons, sont exposées au public aujourd'hui.

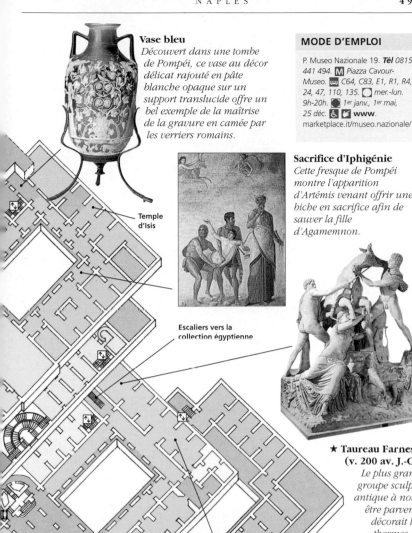

Vase bleu
Découvert dans une tombe de Pompéi, ce vase au décor délicat rajouté en pâte blanche opaque sur un support translucide offre un bel exemple de la maîtrise de la gravure en camée par les verriers romains.

MODE D'EMPLOI

P. Museo Nazionale 19. **Tél** 0815 441 494. Ⓜ Piazza Cavour-Museo. 🚌 C64, C83, E1, R1, R4, 24, 47, 110, 135. ◯ mer.-lun. 9h-20h. ● 1er janv., 1er mai, 25 déc. ⓰ ☑ www. marketplace.it/museo.nazionale/

Temple d'Isis

Sacrifice d'Iphigénie
Cette fresque de Pompéi montre l'apparition d'Artémis venant offrir une biche en sacrifice afin de sauver la fille d'Agamemnon.

Escaliers vers la collection égyptienne

★ Taureau Farnese (v. 200 av. J.-C.)
Le plus grand groupe sculpté antique à nous être parvenu décorait les thermes de Caracalla (p. 437) à Rome. C'est la pièce la plus célèbre de la collection Farnèse. Elle représente le châtiment de Dircé, attachée à un taureau enragé par les fils d'Antiope qu'elle avait maltraités.

Entrée

★ Hercule Farnese
Napoléon aurait regretté en 1797 de ne pouvoir emporter en quittant l'Italie cette copie par Glykon d'Athènes d'une statue d'Héraclès sculptée par le Grec Lysippe.

Naples : du Castel Nuovo au Vomero

Au sud de Naples, le Quartier espagnol, réputé mal-famé, s'étend non loin des anciennes résidences royales. À la périphérie de la vieille ville, plusieurs édifices historiques abritent des musées.

♠ Castel Nuovo

Piazza Municipio. **Tél** 081 795 58 77. ⬤ lun.-sam. 9h-19h. Dernière entrée à 18h. ⬤ certains j.f. ♿ **Museo Civico** ⬤ lun.-sam. 🖼️

Portant aussi le nom de Maschio Angioino, cette forteresse construite pour Charles Ier d'Anjou de 1279 à 1282 connut d'importants remaniements et ne conserve de ses origines que ses tours trapues et la Cappella Palatina au portail orné d'une *Vierge* (1474) par Francesco Laurana. Ce dernier dessina sans doute l'arc de triomphe dominant l'entrée du château. Érigé entre 1445 et 1468, il est orné d'un bas-relief commémorant l'entrée dans la ville d'Alphonse Ier d'Aragon en 1443. Les édifices antiques représentés à l'arrière-plan existaient encore à l'époque. La porte de bronze (1468) par Guillaume le Moine s'admire désormais au palazzo Reale. Le **Museo Civico** occupe une partie du castel Nuovo. Ses collections offrent un résumé de l'évolution de la peinture napolitaine du XVe au XIXe siècle. La cour reçoit des représentations théâtrales.

Ruelle du Quartier espagnol tracé au XVIIe siècle

⊞ Quartieri Spagnoli

Via Toledo (Roma) vers via Chiaia. Le Quartier espagnol doit son nom aux soldats qui tracèrent au XVIIe siècle son quadrillage serré de ruelles à l'ouest de la via Toledo. Encore marqué par le séisme, c'est sans doute l'endroit où la vie populaire napolitaine s'exprime avec le plus d'exubérance. Il devient toutefois moins souriant la nuit.

⚑ Certosa di San Martino

Largo di San Martino 5. **Tél** 081 578 17 69. **Musée** ⬤ jeu.-mar. 8h30-19h30. 🎥 🖼️ ♿ **Castel Sant'Elmo** ⬤ jeu.-ven. 9h-18h30.

Perchée sur le Vomero au-dessus de Santa Lucia, cette chartreuse a été fondée au XIVe siècle. Elle est accessible par funiculaire et offre une vue superbe sur la baie de Naples. Remaniée de 1580 à 1629 dans le style baroque napolitain par Dosio et Fanzago, son église est décorée de peintures du XVIIe siècle. Par son cloître on accède à un **musée** qui abrite un bel ensemble d'œuvres d'art et de crèches (*presepi*).

Près de la chartreuse, le **castel Sant'Elmo** (1329-1343) reconstruit au XVIe siècle, domine toute la ville.

🏛 Museo Principe di Aragona Pignatelli Cortes

Riviera di Chiaia 200. **Tél** 081 761 23 56. ⬤ mer.-lun. 8h30-13h30. ⬤ 1er janv., 1er mai, 15 août. 🖼️

Au pied du Vomero dans le quartier de Chiaia, la villa Pignatelli, de style néoclassique, a conservé les meubles, les porcelaines et les œuvres d'art qui formaient le décor luxueux d'une demeure patricienne.

⊞ Galleria Umberto I

Via Toledo. ⬤ t.l.j. Inspirée de la galleria Vittorio Emanuele II de Milan (*p. 188*),

L'entrée Renaissance du castel Nuovo tranche sur les tours médiévales qui l'enserrent

cette immense et élégante galerie vitrée élevée en 1887 fut reconstruite après la dernière guerre.

🎭 Teatro San Carlo
Via Toledo. *Tél 081 66 45 45.*
● *août.* ◗ *t.l.j. 9h-17h30 (sauf répétitions et concerts).* 🔓 ✉
www.teatrosancarlo.it
C'est le plus vaste opéra d'Italie. Bâti par Charles de Bourbon en 1737 puis remanié, il possède une salle décorée d'or et d'argent enviée jadis de toutes les cours européennes.

Danaë recevant la pluie d'or (v. 1540) par Titien au Museo di Capodimonte

La grande verrière de la Galleria Umberto I

🏛 Palazzo Reale
Piazza Plebiscito. **Museo** *Tél 081 40 05 47.* ◗ *jeu.-mar. 9h-19h (dernière entrée 1h av. ferm.).* ● *1er janv., 1er mai, 25 déc.* ✉ **Biblioteca** *Tél 081 781 02 31.* ◗ *lun.-ven. 8h30-19h30 (13h30 sam.).* *Se munir d'une pièce d'identité.*
La biblioteca nazionale occupe une grande partie de l'élégant palais royal entrepris en 1600 pour les vice-rois espagnols par Domenico Fontana, puis embelli et agrandi par ses occupants successifs. Outre les peintures du musée, sa visite permet de découvrir les anciens appartements royaux, et le teatrino di Corte bâti par Ferdinando Fuga en 1768.

Commandées par le roi d'Italie Humbert Ier (1844-1900), les statues des neuf principaux souverains de Naples ornent la façade. Sur la même place, **San Francesco di Paola** (1817-1846) s'inspire du Panthéon de Rome.

🎭 Villa Floridiana
Via Cimarosa 77. *Tél 081 229 21 10.* ◗ *mer.-lun. 8h30-13h30.* ✉ 🔓 **Parc** ◗ *t.l.j.* ● *1er janv., 1er mai, 15 août, 25 déc.* ✉
Dominant la baie, cette villa néoclassique abrite le **Museo Nazionale della Ceramica Duca di Martina** réputé pour ses collections de porcelaines, d'émaux et de majoliques.

🏛 Museo di Capodimonte
Parco di Capodimonte. *Tél 081 749 91 11.* ◗ *jeu.-mar. 8h30-19h30.* ✉
Construit à partir de 1738 pour Charles III de Bourbon, le **palazzo reale di Capodimonte** abrite la remarquable collection de peintures réunie en grande partie par les Farnèse.

Elle compte des œuvres magnifiques d'artistes tels que Simone Martini, Masaccio, Sandro Botticelli, Raphaël, Titien, le Pérugin, Sebastiano del Piombo, le Caravage, El Greco et Pieter Bruegel.

⛪ Catacombes de San Gennaro
Via di Capodimonte 13. *Tél 081 741 10 71.* ✉ *Tél. pour rés.* ✉
Premier lieu de sépulture de saint Janvier (v. 250-305), ces catacombes s'ouvrent près de la petite basilique San Gennaro in Moenia fondée au Ve siècle et restaurée dans son aspect original. Creusées en grande partie dans le tuf, elles forment une nécropole souterraine où mosaïques et fresques témoignent des débuts du christianisme. Les catacombes de San Gaudioso s'étendent sous une église du XVIIe siècle : Santa Maria della Sanità.

🏰 Castel dell'Ovo
Borgo Marinari. *Tél 081 41 50 02.* ◗ *t.l.j. 8h30-19h30 (14h dim.* ✉ *(expositions).*
Commencé en 1154, le château prit son aspect actuel à la fin du XVIIe siècle. Résidence royale du temps des Normands et des Hohenstaufen, il appartient aujourd'hui à l'armée mais accueille expositions et spectacles.

Ses remparts dominent les restaurants de poissons installés sur les quais et la via Partenope, large et jolie promenade en bord de mer qui conduit à l'ouest à Mergellina.

Façade du palazzo Reale

Pompei ❷

Le 24 août 79, le Vésuve recouvrit de pierres et de cendres Pompéi, ville romaine de 25 000 habitants. Cette gangue protégea les édifices, souvent riches en peintures, mosaïques et sculptures, jusqu'au début des fouilles en 1748. Dans les rues pavées où les murs portent encore des graffiti, les fantômes d'un passé vieux de près de 2 000 ans semblent presque tangibles.

Villa des Mystères

★ Maison des Vettii
Des fresques ornent la villa des riches marchands Aulus Vettius Conviva et Aulus Vettius Restitutus (p. 48-49). Fermée pour restauration jusqu'en 2010.

VICOLO DEI VETTII

VIA DELLA FORTUNA

VIA STABIANA

VICOLO DEL LU

VIA DEGLI AUGUSTALI

VIA DELL ABBONDANZA

Thermes du forum

★ Maison du Faune
L'ancienne demeure des patriciens Casii doit son nom à cette statuette de bronze. Réservez à l'avance pour la visiter ainsi que d'autres maisons sur le site.

0   100 m

VIA DEL FORO

Forum

La boulangerie
de Modestus renfermait des pains carbonisés.

Sanctuaire des dieux Lares
En face du forum et près du temple de Vespasien, il abritait les divinités protectrices de la ville.

À NE PAS MANQUER

★ Maison des Vettii

★ Maison du Faune

Macellum
Le marché couvert atteste l'importance du commerce pour les Pompéiens.

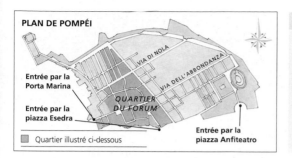

PLAN DE POMPÉI

VIA DI NOLA

VIA DELL'ABBONDANZA

QUARTIER DU FORUM

Entrée par la Porta Marina

Entrée par la piazza Esedra

Entrée par la piazza Anfiteatro

☐ Quartier illustré ci-dessous

MODE D'EMPLOI

Piazza Esedra 5. **Tél** 081 857 53 47. 🚆 FS Naples-Salerno : Pompei Scavi ; Circumvesuviana Naples-Sorrento : Pompei Villa dei Misteri. ⏰ t.l.j. : avr.-oct. 8h30-19h30 (dern. ent. 18h) ; nov.-mars 8h30-17h (dern. ent. 15h30). 🔴 1er janv., 25 déc. 📷♿🏪 **www**.pompeiisites.org pour rés. **www**arethusa.net.

QUARTIER DU FORUM

La partie occidentale de la ville renferme des ruines pour certaines remarquablement préservées. Les habitants les plus aisés résidant en dehors du centre-ville, on trouve plusieurs villas patriciennes dans la partie est, mais les fouilles sont loin d'être terminées.

Amphithéâtre et palestre

Grand théâtre

Via dell'Abbondanza
Ateliers, magasins et tavernes bordaient cette grande artère qui reste très évocatrice de la vie dans la cité antique.

VÉSUVE ET VILLES DE CAMPANIE

Près de 2 000 ans après l'éruption qui les détruisit, les cités romaines fondées au pied du Vésuve continuent de livrer leurs trésors. Au sud-est de Naples et du volcan, Pompéi et Stabies (Castellammare di Stabia) disparurent sous des cendres incandescentes et des projections de pierre ponce. Les toits de leurs édifices s'effondrèrent et une grande partie de leur contenu – tissus, bijoux, aliments, outils ou ustensiles – fut détruit. À l'ouest, c'est une coulée de boue qui prit Herculanum (Ercolano), préservant les couvertures des bâtiments et de nombreux objets. Presque tous les habitants de cette petite ville aristocratique purent s'échapper, alors qu'environ 2 000 Pompéiens périrent. Soldat, écrivain et naturaliste, Pline l'Ancien (23-79) commandait lors de l'éruption la flotte basée à Misène, à l'ouest de Naples. Il mourut asphyxié en allant à Stabies voir le phénomène de plus près et aider un ami qui avait une villa menacée. Resté à Misène, de l'autre côté du golfe, son neveu Pline le Jeune a donné, dans une lettre

Vase de Pompéi au museo Archeologico Nazionale

adressée à Tacite, un compte-rendu détaillé, et utile aux scientifiques, des premières heures du drame. Nous devons aux découvertes faites à Pompéi et Herculanum une grande partie de ce que nous savons de la vie des Romains. La plupart des objets s'admirent au Musée archéologique de Naples (p. 490-491) et font de sa collection l'une des plus riches du monde. Sa visite est le complément de celle de Pompéi, site qui nécessite une journée entière. Le Vésuve n'est pas entré en éruption depuis 1944. Très surveillé, le volcan peut s'atteindre sans risque en train ou en voiture. 2 sites utiles à la promenade : www.guidevesuvio.it et www.laportadelvesuvio.it.

Moulage d'une mère et de son enfant à Pompéi

Santa Maria Capua Vetere ❸

Caserta. 🏙 34 000. 🚉 ☷
🛈 Palazzo Reale, Caserta (0823 32
22 33). 🛒 jeu. et dim.

Ce bourg agricole occupe
le site de l'antique Capoue,
cité étrusque puis romaine.
De son **amphithéâtre**,
jadis le plus grand après
le Colisée, ne subsistent que
les couloirs qui s'étendaient
sous l'arène et les gradins.
Spartacus les emprunta.
Sur le lieu, le **musée des
Gladiateurs** retrace leur
histoire. Non loin se situe
un temple de **Mithra** des IIe et
IIIe siècles orné d'une fresque.
À Capoue, le **Museo
Archeologico dell'Antica
Capua** présente les objets
découverts lors de fouilles.

🜊 Amphithéâtre
Piazza 1 Ottobre. **Tél** 0823 79 88 64.
◯ mar.-dim. 9h à 1h av. la nuit.
🔲 valable aussi pour le **Mithraeum**
◯ mar.-dim.

🏛 Museo Archeologico
dell' Antica Capua
Via Roberto d'Angio 48, Capua.
Tél 0823 84 42 06. ◯ lun.-sam.
9h-13h30, 14h30-17h. 🌀 j.f.

**Tunnel de l'amphithéâtre de Santa
Maria Capua Vetere**

Caserta ❹

🏙 66 000. 🚉 ☷ 🛈 Palazzo
Reale (0823 32 22 33). 🛒 mer. et
sam. www.casertaturismo.it

La masse colossale du **Palazzo
Reale** (p. 478) domine la ville.
Lorsqu'il en confia la
construction, en 1752, à
l'architecte baroque Luigi
Vanvitelli, Charles III de
Bourbon voulait que ce palais

Une des fontaines des jardins du palazzo Reale de Caserte

rivalise avec Versailles.
L'édifice compte plusieurs
appartements luxueusement
décorés. Orné de jeux d'eau
et de statues, son vaste parc
est somptueux. Les soirs d'été
des spectacles sont organisés.

Aux environs : À 10 km au
nord-est, la petite cité
médiévale de **Caserta Vecchia**
recèle un Duomo (entrepris
en 1113) à la décoration
métissée d'influences arabes.
Ferdinand IV fonda à 3 km au
nord-ouest la ville de **San
Leucio** qu'il voulait idéale. On
continue à y travailler la soie,
activité initiée par ce roi.

🜊 Palazzo Reale
Piazza Carlo III. **Tél** 0823 45 62 13.
◯ mer.-lun. 8h30-19h30.
◯ 1er janv., 25 déc. 🔲 🛗 **Parc**
◯ t.l.j. 8h30-1h av. la nuit.

Benevento ❺

🏙 62 000. 🚉 ☷ 🛈 Via Sala 31
(0824 31 99 11/38). 🛒 ven. et sam.
www.eptbenevento.it

C'est à Bénévent,
chef-lieu d'une
province
montagneuse et
peu peuplée,
que se trouve
l'**arc de Trajan**,
remarquable
monument
romain édifié
de 114 à 166
pour célébrer la
construction de
la via Appia
Traiana, qui fit

la prospérité de la ville en lui
assurant une position
stratégique sur la route du
commerce avec l'Orient. Ses
reliefs d'une grande finesse
illustrent des épisodes de
l'histoire de la cité et des actes
de bienfaisance de l'empereur.
   Les amateurs d'antiquités
visiteront aussi les ruines du
théâtre romain édifié au
IIe siècle sous Hadrien et le
Museo del Sannio, qui
possède une intéressante
collection artistique allant de
l'Antiquité à l'époque
moderne. Située sur le trajet
de l'offensive alliée pendant la
Seconde Guerre mondiale,
Bénévent subit d'intenses
bombardements et sa
cathédrale du XIIIe siècle dut
être reconstruite. Elle possède
une belle façade sculptée
de style pisan. Des fragments
de sa porte de bronze
d'inspiration byzantine
s'admirent dans la crypte.
   Production locale, la
Strega (Sorcière) est une
marque de liqueur qui finance
un prix littéraire décerné
en été à Rome.

**Des reliefs superbement conservés ornent l'arc
de Trajan (IIe siècle) de Bénévent**

⌂ Théâtre romain
Piazza Caio Ponzio Telesino. *Tél 0824
47 213.* ⬤ *t.l.j. 9h-1h av. la nuit.*
⬤ *j.f.* 🖼 ♿

🏛 Museo del Sannio
Piazza Matteotti. *Tél 0824 218 18.*
⬤ *mar.-dim. 8h-19h.* ⬤ *1er janv.,
25 déc.* 🖼 ♿

Costiera Amalfitana ❻

Salerno. 🚉 ⛴ *Amalfi.* 🛈 *Via
Roma 19/21, Amalfi (089 87 11 07).*
www.amalfitouristoffice.it ;
www.ravellotime.it ;
www.aziendaturismopositano.it

L'église d'Atrani domine la mer sur la côte amalfitaine

La plus belle route de Campanie sinue le long de la côte amalfitaine, littoral méridional de la péninsule de Sorrente. Elle offre de nombreux plaisirs : baignade, sublimes panoramas, ou bien dégustation de poissons grillés ou d'un verre de Lacrima Cristi, vin blanc doux issu des vignes poussant sur les flancs du Vésuve.

Depuis **Sorrento**, station balnéaire prestigieuse où séjournèrent des célébrités, la route en corniche rejoint **Positano**, village accroché à une falaise dans un site magnifique. Cette localité vouée au tourisme huppé est un bon endroit où se baigner ; on peut y prendre le bateau ou l'hydrofoil pour Capri. Plus loin, **Praiano** attire une clientèle tout aussi chic.

Amalfi, la ville la plus importante de la côte, fut une puissante république maritime avant d'être assujetie en 1131 par le roi Roger de Naples. Entrepris au IXe siècle, son Duomo, de style roman lombard, témoigne aussi d'influences du monde musulman. Sa façade est riche et colorée. Attenant, le chiostro del Paradiso (1268) servait de lieu de sépulture à la noblesse.

Depuis sa position dominante, **Ravello** offre les plus belles vues sur la Costiera, notamment depuis les jardins de la villa Cimbrone et de la villa Rufolo où Wagner trouva l'inspiration de son *Parsifal*. Son Duomo du XIe siècle possède une splendide porte de bronze (1179) par Barisano da Trani et une belle chaire du XIIIe siècle reposant sur six colonnes en hélice. La cappella San Pantaleone contient une ampoule du sang de ce saint du IVe siècle, patron de la ville, qui se liquéfie chaque année en mai et en août.

Au-delà d'**Atrani**, à **Minori**, les vestiges d'une villa romaine révèlent que cette côte était déjà un lieu de villégiature pendant l'Antiquité.

Le village de Positano sur la côte amalfitaine

Salerno ❼

Salerno. FS 🚌 ⛴ *Salerno.*
ℹ️ *Piazza Ferrovia (089 23 14 32) ;*
Lungomare Trieste (089 22 47 44).

Salerne est un grand port animé situé au fond du golfe où les Alliés débarquèrent en 1943. Malgré les dégâts causés par les bombardements, la vieille ville a gardé son cachet. Son **Duomo** entrepris par le Normand Robert Guiscard (1015-1085) est précédé d'un atrium dont les colonnes antiques proviennent de Paestum. L'intérieur recèle des fragments de mosaïques du XIᵉ au XIIIᵉ siècle. Dans la crypte se trouve le tombeau de saint Matthieu. Parmi les ornements de la cathédrale aujourd'hui exposés au **Museo Diocesano** figure un remarquable devant d'autel en ivoire du XIIᵉ siècle. Le **Museo Provinciale** présente une collection archéologique.

Aux environs : Au sud de Salerne, le massif montagneux du **Cilento** longe une côte peu habitée. Parmi les localités qui la jalonnent, **Agropoli** est une petite station balnéaire animée à 42 km de Salerne. 28 km plus loin, près de Castellammare di Velia, se trouvent les ruines de la ville grecque d'**Élée** fondée au VIᵉ siècle av. J.-C. Zénon et Parménide, ses philosophes, acquièrent une haute réputation. Après sa conquête par les Romains, Cicéron y séjourna, ainsi qu'Horace à qui son médecin avait prescrit

Le temple d'Hera I (à gauche) et le temple de Neptune à Paestum

une cure de bains de mer. Des fouilles ont révélé une superbe porte du IVᵉ siècle, la Porta Rosa, des thermes, les fondations d'un temple et des vestiges de l'acropole antique.

🏛️ **Museo Diocesano**
Largo Plebiscito. **Tél** 089 23 91 26.
🕐 *t.l.j. 9h-13h (et dim. 15h -19h).*

🏛️ **Museo Provinciale**
Via San Benedetto. **Tél** 089 23 11 35.
🕐 *mar.-sam. 8h-13h15, 14h-15h.*

Paestum ❽

Zona Archeologica. ℹ️ *Via Magna Grecia 887.* **Tél** *0828 81 10 23.* 🚌 *de Salerne.* FS *Paestum.* 🕐 *t.l.j. 9h-1h av. la nuit.* **Musée Tél** *0828 81 10 23.* 🕐 *t.l.j. 9h-19h (14h dim. et j.f.).* ⊘ *1ᵉʳ et 3ᵉ lun. du mois, 1ᵉʳ janv., 25 déc.* 📷 ♿

Nulle part en Campanie n'ont subsisté autant de vestiges grecs qu'à Paestum, l'ancienne Poséidonia fondée au

Capri ❾

Napoli. ⛴ *Capri.* ℹ️ *Piazza Umberto I, Capri (081 837 06 86).* **Grotta Azzurra** ⛴ *de Marina Grande.* 🚌 *de Anacapri* 🕐 *par mer calme.* **Certosa** *Via Certosa, Capri.* **Tél** *081 837 62 18.* 🕐 *mar.-dim. 9h-14h.* ♿ **Villa Jovis** *Via Tiberio.* 🕐 *t.l.j.* 📷 *www.capritourism.com*

Petit paradis terrestre de 6 km sur 3 posé sur les eaux bleues de la Méditerranée dans le prolongement de la péninsule de Sorrente, Capri mérite sa

réputation de piège à touristes. Le visiteur y oublie pourtant la foule, présente toute l'année, pour tomber sous le charme d'une beauté qui a séduit les empereurs romains Auguste et Tibère. Au début du XIXᵉ siècle, les romantiques, anglais et allemands en particulier, succombèrent à leur tour à son attrait.

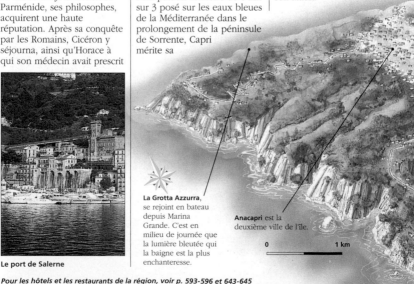

Le port de Salerne

La Grotta Azzurra, se rejoint en bateau depuis Marina Grande. C'est en milieu de journée que la lumière bleutée qui la baigne est la plus enchanteresse.

Anacapri est la deuxième ville de l'île.

0 | 1 km

VIe siècle dans la plaine du Sélé qui coulait alors contre sa muraille encore debout. Conquise par les Romains en 273 av. J.-C., elle déclina quand la région devint marécageuse. Après avoir perdu ses derniers habitants au IXe siècle, elle fut redécouverte vers 1750.

Trois temples ont établi sa renommée : le **temple d'Héra I**, appelé aussi **Basilica**, du VIe siècle av. J.-C., le superbe **temple de Neptune** élevé au Ve siècle av. J.-C. et très bien conservé, et le **temple de Cérès** construit à une période intermédiaire. Des fouilles ont révélé l'organisation de la ville antique et les vestiges de nombreux monuments. Un **musée** expose les fresques qui ornaient la tombe du Plongeur et un ensemble de reliefs du VIe siècle av. J.-C. parmi les plus importants à nous être parvenus.

Le golfe vu de Terra Murata, le point culminant de Procida

Ischia et Procida ⑩

Napoli. 🚢 Ischia Porto & Procida Porto. ℹ Via Sogliuzzo 72, Ischia (081 507 42 11). Via V. Emanuele 168, Procida (081 810 19 68). **La Mortella** Tél 081 98 62 20. ◯ avr.-oct. : mar., jeu., sam.-dim. 9h-19h. 🌐 www.infoischiaprocida.it

Ischia est la plus grande des îles du golfe de Naples et elle attire sur ses plages presque autant de touristes que Capri car ses hôtels sont moins chers. Les bateaux accostent à **Ischia Porto**, la partie moderne d'**Ischia**, la ville principale, que quelques minutes à pied séparent du quartier ancien : **Ischia Ponte**. Le nord et l'ouest de l'île sont plus urbanisées, en raison notamment des stations thermales. Sur la côte sud, plus calme, un ancien volcan, le **monte Epomeo**, domine le village de **Sant'Angelo**. Son sommet (778 m) offre un splendide panorama du golfe de Naples. Les jardins de **La Mortella** à Forio méritent aussi un détour.

Procida ne fait que 3,5 km de long ; la ville principale, qui s'appelle aussi **Procida**, reste plus authentique et reçoit moins de touristes qu'Ischia ou Capri. Elle n'en possède pas moins de belles plages, en particulier à **Chiaiolella**.

Du nord de l'île, la vue sur le golfe de Naples porte jusqu'au Vésuve.

Capri est la plus grande ville de l'île.

Marina Grande
Des façades multicolores dominent le principal port de Capri, celui où accostent les ferries venant de Naples et d'autres villes de la côte.

I Faraglioni

Marina Piccola s'atteint par la pittoresque via Krupp.

Villa Jovis
Au sein d'un immense domaine, c'était la villa d'où Tibère dirigea l'Empire romain à la fin de sa vie.

Certosa di San Giacomo
Fondée en 1371 sur le site d'une villa de Tibère, cette chartreuse fermée en 1808 fait partie d'une école. Derrière se dressent les îlots appelés I Faraglioni.

ABRUZZES, MOLISE, POUILLES

*D*u talon de la botte formée par la péninsule italienne jusqu'à l'embouchure du Tronto, Pouilles, Abruzzes et Molise offrent le long de l'Adriatique des paysages contrastés. À la plaine de Foggia faisant des Pouilles une grande région agricole s'opposent les hauteurs des Apennins qui culminent à 2 914 m dans les Abruzzes.

Pour conquérir le territoire du Molise et des Abruzzes actuels, les Romains affrontèrent jusqu'au Ier siècle av. J.-C. des tribus installées dans les Apennins à l'âge du bronze. Au XIIe siècle, les Normands unifièrent la région, mais les dynasties qui leur succédèrent sur le trône de Naples laissèrent se développer une multitude de petits fiefs dont les conflits freinèrent le développement économique. Aujourd'hui, le littoral, où se multiplient les stations balnéaires, prend un visage résolument moderne, alors que l'intérieur des terres reste agricole et que dans les villages de montagne la vie suit toujours un rythme d'un autre siècle.

La fertile région des Pouilles a connu une histoire plus brillante que ses voisines. Après une longue présence grecque, l'Apulea romaine jouit sous l'Empire d'une grande prospérité grâce aux richesses importées d'Orient qui transitent par des ports tels que Brindisi et Bari. Un nouvel âge d'or, sous le gouvernement des Normands et, surtout, de Frédéric II de Souabe (1220-1250), parera ses villes de cathédrales romanes et de châteaux gothiques. Ils ne constituent pas les seules richesses architecturales. Les étranges *trulli* des Pouilles centrales, l'éblouissante architecture baroque de Lecce ou l'ambiance levantine des villes marchandes raviront aussi le visiteur. Celui-ci pourra également apprécier les vins, variés et réputés, et l'huile d'olive, d'une province où l'agriculture emploie encore plus de 15 % de la population active.

Discussion entre amies à Scanno dans les Abruzzes

◁ C'est autour d'Alberobello et de Locorotondo, au centre des Pouilles, que se voient le plus de *trulli*

À la découverte des Abruzzes, du Molise et des Pouilles

Dominé par la chaîne des Apennins, qui culmine à 2914 m au Gran Sasso, l'arrière-pays des Abruzzes et du Molise est l'un des grands espaces naturels de l'Italie, riche en vastes forêts et en collines et plateaux verdoyants. Dans les Pouilles, le promontoire du Gargano possède un magnifique littoral. Au sud s'étendent la plaine fertile du Tavoliere di Puglia puis le plateau calcaire des Murges. Celui-ci s'étage jusqu'à la péninsule salentine, plate et sèche, bordée par l'Adriatique et le golfe de Tarente.

Le village des *trulli* d'Alberobel dans les Pouilles centrale

San Benedetto del Tronto

Bellante · Giulianova

Teramo

Montereale · Crognaleto · Pineto

ATRI ❷

Corno Grande 2912 m △ Gran Sasso d'Italia · Penne · Montesilvano Marina · Pescara

Pizzoli · Loreto Aprutino · Francavilla al Mare

L'AQUILA ❶ · Capestrano · Chieti · Ortona

A B R U Z Z O · LANCIANO ❻

Monte Velino 2487 m △ · Popoli · Punta della Penna

Celano · Casoli · Vasto · Isola San Nicola

Carsoli · Cocullo · SULMONA ❸ · San Salvo

Roma · Avezzano · Capistrello · Termoli · Campomarino

SCANNO ❹ · Palata · Lago di Lesina

PARCO NAZIONALE ❺ D'ABRUZZO · Opi · Capracotta · Trivento · Rotello · Apricena

Carovilli · M O L I S E · San Severo

Isernia · Colletorto

Cassino · Campobasso · LUCERA ❾ · Foggia

CIRCULER

Depuis Rome, l'A24 et sa ramification, l'A25-E80, traversent le nord des Abruzzes. L'A25 rejoint à Pescara l'A14-E55 qui longe la côte, puis dessert Foggia, Bari et Tarente. La S17 lui est parallèle dans l'arrière-pays des Abruzzes et du Molise. Depuis Bari et Tarente, de bonnes routes conduisent à Brindisi, principal port pour la Grèce. Le train dessert les grandes villes, mais il faut prendre le car en zones rurales.

Venafro · Bojano · Alberona · Sepino · TROIA ❿

Bovino · Candela

Napoli

Plage de Vieste sur le promontoire du Gargano dans les Pouilles

LÉGENDE

Autoroute

Route principale

Route secondaire

Route en construction

Petite route

Parcours pittoresque

Liaison ferrée principale

Liaison ferrée secondaire

Frontière régionale

△ Sommet

Pour les autres symboles de la carte *voir le rabat arrière de couverture*

LA RÉGION D'UN COUP D'ŒIL

Le Gran Sasso au nord de L'Aquila dans les Abruzzes

**La rosace de Santa Croce,
typique du baroque joyeux de Lecce**

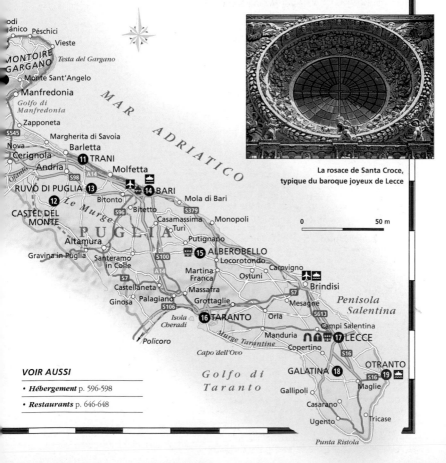

odi
ánico Péschici
Vieste
MONTOIRE
GARGANO *Testa del Gargano*
Monte Sant'Angelo
Manfredonia
*Golfo di
Manfredonia*
Zapponeta

M A R

A D R I A T I C O

S545
Nova Margherita di Savoia
Cerignola Barletta
Andria ⑪ TRANI
Molfetta
RUVO DI PUGLIA ⑬
⑫ Bitonto ⑭ BARI
CASTEL DEL Bitetto Mola di Bari
MONTE *Le Murge* S379
Altamura Casamassima Monopoli
PUGLIA Turi
Gravina in Puglia Putignano
Santeramo ⑮ ALBEROBELLO
in Colle Locorotondo
Martina Carovigno
Castellaneta Franca Ostuni
Ginosa Massafra Brindisi
Palagiano Grottaglie
Isola S106 Mesagne
Cheradi ⑯ TARANTO Orla *Penisola
Salentina*
Murge Tarantine Campi Salentina
Manduria ⑰ LECCE
Policoro Copertino
Capo dell'Ovo OTRANTO
GALATINA ⑱ ⑲
Golfo di Maglie
Taranto Gallipoli
Casarano
Ugento Tricase
Punta Ristola

0 _____ 50 m

La splendide façade romane de Santa Maria di Collemaggio à L'Aquila

L'Aquila ❶

🏛 *70 000.* FS 🚌 🛈 *Via XX Settembre 10 (0862 223 06).* 🌐 *t.l.j.* **www**.abruzzoturismo.it

Au pied du plus haut sommet de la péninsule italienne, le **Gran Sasso** (2912 m), se trouve la capitale des Abruzzes. En avril 2009, un séisme d'une magnitude de 6,3 sur l'échelle de Richter a frappé le centre de l'Italie. L'épicentre se situait près de L'Aquila. Un grand nombre des églises et demeures présentés ici ont été gravement endommagées et sont fermés pour restauration. Renseignez-vous auprès de l'office de tourisme.

Au bout de la via qui porte son nom, **Santa Giusta** (1257) possède une belle rosace et abrite un *Martyre de saint Étienne* (1615) par le Cavalier d'Arpin. Près de la via Paganica, **Santa Maria di Paganica** présente une façade du XIVe siècle et un beau portail sculpté. De style néoclassique, la façade du **Duomo**, fondé en 1278, fut reconstruite au XVIIIe siècle.

Sur la piazza di Collemaggio, **Santa Maria di Collemaggio** est un superbe édifice à la façade parée de pierres ocre et roses. Pietro dal Morrone, le futur pape Célestin V, en commença la construction en 1287.

La sépulture de saint Bernardin de Sienne, sculptée au début du XVIe siècle par Silvestro dell'Aquila, se trouve dans la **basilique San Bernardino**, sanctuaire bâti de 1454 à 1472, mais dont l'harmonieuse façade conçue par Cola dell'Amatrice date de 1527. Le plafond baroque est de Ferdinando Mosca. Une terre cuite par Andrea della Robbia décore la deuxième chapelle de la nef droite. Le beffroi s'est malheureusement effondré lors du tremblement de terre.

Au terme de la via San Iacopo, la **fontanelle delle Novantanove Cannelle**, d'origine médiévale, évoque les 99 villages qui, selon la tradition, s'unirent pour fonder L'Aquila en 1240. De l'autre côté de la vieille ville, le château du XVIe siècle, abrite le **Museo Nazionale d'Abruzzo**, qui comprend un département archéologique et de belles collections d'art.

Fontaine à L'Aquila

🏛 **Museo Nazionale d'Abruzzo** Castello Cinquecentesco. **Tél** 0862 63 32 29. 🕐 *mar.-dim. 8h30-19h30.* 🔴 *1er mai, 25 déc.* 📷 ♿

Atri ❷

Teramo. 🏛 *11 000.* 🚌 🛈 *0861 24 42 22.* 🌐 *lun.*

Jolie petite ville perchée des Abruzzes, Atri offre un dédale de ruelles, d'allées et de passages pentus bordés d'édifices. Le **Duomo** du XIIIe siècle occupe le site des thermes romains. La crypte était une piscine et des fragments de sa mosaïque originale ornent l'abside, qui abrite un somptueux cycle de fresques d'Andrea Delito du XVe siècle. Du cloître, belle vue du campanile bâti en brique au XVe siècle.

Aux environs :
Au sud d'Atri, les bâtiments de brique rouge bordant les rues de **Penne** composent un tableau de couleur chaude merveilleusement homogène. À l'est d'Atri, **Loreto Aprutino** mérite une visite pour la fresque du *Jugement dernier* (XIVe siècle) de l'église Santa Maria in Piano.

Détail d'une fresque du XVe siècle par Andrea Delitio au Duomo d'Atri

Sulmona ❸

L'Aquila. 🏛 *26 000.* FS 🚌 🛈 *Corso Ovidio 208 (0864 532 76).* 🌐 *mer., sam.* 📷 *sept. : exposition internationale d'art contemporain.* **www**.comune.sulmona.aq.it

Cernée de montagnes, la ville natale du poète latin Ovide est aussi la patrie des *confetti,* dragées offertes aux mariés en signe de prospérité et de bonheur. La cité a conservé de nombreux bâtiments anciens, notamment le long de la **via dell'Ospedale**. Le plus beau se trouve sur le corso Ovidio : le palais de l'**Annunziata**, entrepris en 1320, mêle les styles gothique et Renaissance. Le **Museo Civico** qui l'occupe présente des antiquités de la région, des peintures et des objets d'orfèvrerie.

Attenante, l'église de l'**Annunziata** doit sa façade baroque à une reconstruction au XVIIIe siècle. Derrière elle se trouvent les ruines d'une maison romaine. Au bout du viale Matteotti, la cathédrale **San Panfilo** s'élève sur le site d'un temple romain. Sur la piazza del Carmine, **San Francesco della Scarpa** a gardé un portail gothique. Un aqueduc du XIIIe siècle alimente la **fontana del Vecchio** (1474).

Aux environs : À l'est de Sulmona, des chemins de randonnée sillonnent les vallées boisées dominées par les 61 sommets du parc national de la Maiella. À l'ouest, à Cocullo, a lieu en mai la procession dei Serpari qui promène à travers la ville la statue recouverte de serpents du saint patron local, san Domenico Abate, car il aurait laissé au XIe siècle une molaire protégeant des morsures de ces reptiles.

🏛 **Museo Civico**
Tél 0864 21 02 16. ⬜ mar.-dim. (dim. et j.f. mat. seul.)

OVIDE, LE POÈTE LATIN

Sulmona entretient avec ferveur le souvenir de son fils le plus célèbre, le poète Ovide. Elle a donné son nom à sa rue principale, le **corso Ovidio**, a dressé une statue à son effigie sur la piazza XX Settembre, et lui a même attribué une **villa** en ruine à la sortie de la ville. Né en 43 av. J.-C., Publius Ovidius Naso passa son enfance à Sulmona avant de partir étudier à Rome. Auteur de grands classiques en vers tels que L'Art d'aimer ou les Métamorphoses, il tomba en disgrâce auprès de l'empereur Auguste (p. 48-49) pour une histoire d'adultère et sous prétexte d'avoir fait preuve d'immoralité dans l'Art d'aimer. Il mourut en exil en 17 au bord de la mer Noire.

Scanno ➍

L'Aquila. 🏔 2 400. ⬜ 🚩 P. Santa Maria della Valle 12 (0864 743 17). 🗓 mar. **www**.scanno.org

Remarquablement préservée dans le cadre sauvage que lui offrent les Apennins, cette petite ville médiévale est une étape touristique appréciée sur la route du Parco Nazionale d'Abruzzo (p. 506-507), en particulier en été où les plaisirs permis par le vaste plan d'eau du **lago di Scanno** complètent ceux proposés en août par un festival de musique classique. En toute saison, ruelles, escaliers pentus, placettes et maisons anciennes éveillent la nostalgie d'une époque dont les broderies et bijoux fabriqués depuis des siècles à Scanno maintiennent vivant l'héritage. Au mois de janvier, pendant la festa di Sant'Antonio Abate, un grand plat de lasagnes est préparé puis distribué gracieusement devant l'église **Santa Maria della Valle**, sanctuaire de style bourguignon fondé au XIIIe siècle sur le site d'un temple païen.

Costume noir porté à Scanno

Les maisons du village médiéval de Scanno se serrent dans les Abruzzes au pied des Apennins

Parco Nazionale d'Abruzzo, Lazio e Molise ❺

Créé en 1923 dans la haute vallée du Sangro et inauguré en 1992, ce vaste parc où sommets dénudés, gorges, lacs et forêts composent de splendides paysages est l'une des plus importantes réserves naturelles d'Europe, refuge de 66 espèces de mammifères, 52 espèces de reptiles, amphibiens et poissons, et 230 espèces d'oiseaux, dont l'aigle royal et le pic à dos blanc. Un réseau de sentiers permet de randonner à pied ou à cheval. Les visiteurs peuvent également pratiquer le canoë et le ski.

Iris

Des aigles royaux s'aperçoivent près du Sangro.

Chamois des Abruzzes
Cette espèce rare se reconnaît aux taches de son cou. Cerfs et chevreuils vivent aussi dans le parc.

Des forêts couvrent les deux tiers du parc.

Pescasseroli
Au creux d'une cuvette, cette petite station de ski et de villégiature renferme le centre de renseignements du parc et un petit jardin zoologique.

Loup des Apennins
Environ 30 représentants de cette espèce rare vivent dans le parc, mais vous avez peu de chances d'en apercevoir un.

Ours marsicain
Cet ours brun faillit disparaître, mais il y en aurait entre 80 et 100 dans le parc, surtout sur les hauts plateaux.

MODE D'EMPLOI

L'Aquila. **FS** *Avezzano ou Castel di Sangro.* 🚌 *Pescasseroli.* **ℹ** *Nature Centre : Pescasseroli (0863 911 32 42).* ⏰ *t.l.j. 10h-13h, 15h-19h.* **www**.parcoabruzzo.it

Promenade
Certaines parties du parc peuvent se découvrir à dos de poney.

La Camosciara sauvage et spectaculaire, abrite une faune d'une grande richesse.

Lac Barrea
Autour de ce lac artificiel sur le Sangro, forêts et vallées se prêtent à de belles promenades à pied et à dos de poney.

Essences
Charmes, frênes, aubépines, merisiers, pommiers et poiriers sauvages parsèment les forêts de hêtres et d'érables.

LÉGENDE

▬▬	Route principale
▭▭	Route secondaire
▪▪	Sentier de randonnée
🔆	Point de vue
ℹ	Information touristique

0   5 km

Lanciano ⑥

Chieti. 🏛 *35 000.* **FS** 🚌
ℹ *Piazza Plebiscito 50 (0872 71 78 10).* 🛒 *mer., sam.*

De grandes parties du centre historique de Lanciano ont gardé leur aspect moyenâgeux, en particulier le quartier décrépit de Civitanova. Il renferme plusieurs belles églises : **Santa Maria Maggiore** (1227) qui possède un superbe portail gothique et une croix en argent émaillé (1422) ; le sanctuaire désaffecté de **San Biagio** entrepris vers 1059. Non loin, la **porta San Biagio** (XIᵉ siècle) s'ouvre toujours dans les remparts. Le **Duomo** incorpore des vestiges d'un pont romain de l'époque de Dioclétien. Un souterrain relie le pont au **Sanctuaire du Miracle de l'Eucharistie**. La Ripa Sacca (ghetto) était un quartier commerçant animé au Moyen Âge, époque où les Aragonais élevèrent les imposantes **torri Montanara**.

Isole Tremiti ⑦

Foggia. 🏛 *400.* ⛴ *San Nicola.*
ℹ *Via Perrone 17, Foggia (0881 72 31 41) ; Via Sant'Antonio Abate 21, Monte Sant'Angelo (0884 56 89 11).* **http://**tremiti.planetek.it

Au large du promontoire du Gargano, les îles italiennes les moins fréquentées séduiront les amoureux de la mer et de la plongée sous-marine. La plus importante (2,8 km de long, 1,7 km de large), **San Domino**, couverte d'une belle pinède, possède une plage de sable. Certaines des grottes perçant ses côtes rocheuses se visitent en barque.

Centre administratif de l'archipel, **San Nicola** a conservé d'une abbaye fortifiée bénédictine fondée au VIIIᵉ siècle l'église **Santa Maria a Mare** édifiée au sommet d'une falaise à partir de 1045. À l'intérieur se trouvent un pavement roman en mosaïque et, au maître-autel, un polyptyque gothique du XVᵉ siècle.

Près de Peschici sur le promontoire du Gargano

Promontoire de Gargano ⑧

Foggia. **FS** 🚌 **i** *Piazza del Popolo 10, Manfredonia (0884 58 19 98) ; Via Sant'Antonio Abate 21, Monte Sant'Angelo (0884 56 89 11).* **www**.*parcogargano.it*

Péninsule rocheuse s'enfonçant dans l'Adriatique, le plateau calcaire du Gargano garde une lumineuse beauté malgré l'essor touristique de son littoral où une route en corniche relie les stations balnéaires de **Rodi Garganico, Peschici, Vieste** et **Manfredonia**. À l'est s'étend

Une ruelle de Vieste sur le promontoire du Gargano

la **Foresta Umbra**, l'une des plus belles forêts d'Italie. Au nord, poissons et oiseaux prospèrent dans les lagunes de **Lesina** et **Varano**.

Depuis **San Severo**, la N 272 suit le vieil itinéraire de pèlerinage de **Monte Sant'Angelo**. Elle passe par **San Marco in Lamis**, dominé par un monastère du XVIᵉ siècle, puis **San Giovanni Rotondo** où un célèbre thaumaturge récemment béatifié, le padre Pio (1887-1968), repose au couvent de Santa Maria delle Grazie. À **Monte Sant'Angelo**, un sanctuaire médiéval garde l'entrée de la grotte où l'archange saint Michel serait apparu à l'évêque de Siponto en 493.

Au sud de Manfredonia, près des ruines de l'antique Siponte, se dresse **Santa Maria di Siponto** (XIIᵉ siècle) aux influences orientales.

Lucera ⑨

Foggia. 🏠 35 000. 🚌 **i** *Piazza Nocelli 6 (0881 52 27 62).* 🗓 mer.

Lucera a gardé de son passé romain les vestiges d'un **amphithéâtre** (fermé pour restauration) au nord-est de la ville. Frédéric II bâtit en 1233 son immense forteresse, que Charles Iᵉʳ d'Anjou (1226-1285) agrandit encore. 24 tours jalonnent ses 900 m de remparts, mais il ne reste

que des ruines. Frédéric II peupla la cité de 20 000 musulmans venus de Sicile et ceux-ci donnèrent un tel dynamisme à Lucera que sa population avait bientôt triplé. En 1300, Charles II en massacra la majorité et construisit sur le site de la principale mosquée le **Duomo**, qui a conservé ses hautes nefs gothiques ornées de fresques et de sculptures.

L'exposition du **Museo Civico Fiorelli** illustre l'histoire de Lucera.

🏛 **Museo Civico G. Fiorelli**
Via de Nicastri 74. *Tél 0881 54 70 41.* ⏱ *Tél. pour horaires.*

Ruines au château de Lucera

Troia ⑩

Foggia. 🏠 33 000. 🚌 **i** *0881 97 82 41.* 🗓 1ᵉʳ et 3ᵉ sam. du mois.

Forteresse fondée en 1017 par les Byzantins pour se défendre des Lombards, cette petite ville perchée passa sous contrôle normand en 1066 et le resta jusqu'en 1229. Sa conquête par Frédéric II, puis par de puissants évêques donnèrent aux Pouilles certains de ses édifices les plus remarquables, comme le **Duomo** de Troia *(p. 478-479).*

Entreprise en 1093, cette cathédrale marie dans sa partie inférieure le style romano-pisan avec des influences byzantines et musulmanes. Datant du XIIIᵉ siècle, une magnifique rosace délicatement ciselée domine ses arcatures aveugles. Oderisio da Beneventano exécuta en 1119 les élégantes portes de bronze d'inspiration byzantine du portail principal et du portail du flanc droit.

À l'intérieur, animaux monstrueux, ornements végétaux et masques ornent les chapiteaux des colonnes séparant les trois nefs. Sculptée en 1169, la chaire romane présente de magnifiques reliefs.

Trani ⑪

Bari. 🏘 *55 000*. 🚉 🚌
ℹ️ *Piazza Sacra Regia Udienza II (0883 58 88 30).* 🗓 *mar.*
www.traniweb.it

Important centre viticole et station balnéaire, Trani a conservé un petit port animé dominé par des façades blanchies et un quartier ancien qui rappelle qu'au Moyen Âge, marchands de Gênes, d'Amalfi, de Pise et de Ravello s'y pressaient. La ville rivalisait avec sa voisine Bari

Façade du Duomo de Trani

et, jalouse des reliques de saint Nicolas que celle-ci détenait (*p. 510*), elle revendiqua son propre saint, Nicolas le Pèlerin, berger grec qui serait venu y mourir en 1094 porté par un dauphin. Magnifique édifice roman, la **cathédrale** lui est dédiée. Construite, pour l'essentiel, entre 1159 et 1186 à

l'emplacement d'un sanctuaire du VIIe siècle dont subsistent des vestiges dans la crypte, elle présente à l'extérieur un remarquable décor sculpté, notamment au portail principal et à la rosace. Œuvres de Barisano da Trani, ses superbes portes de bronze datent de 1175-1179.

Près du Duomo, le **château** bâti par Frédéric II entre 1233 et 1249 et remanié aux XIVe et XVe siècles domine la mer.

Dans la vieille ville, sur la piazza Trieste, le **palazzo Caccetta** est un exemple rare de demeure gothique du XVe siècle. Non loin, l'église romane d'**Ognissanti**, bâtie au XIIe siècle dans la cour de l'hôpital des Templiers, a conservé son portique. L'église de Santa Teresa et le monastère de La Colonna méritent aussi une visite. À l'est du port, le jardin public de la **villa comunale** offre une belle vue sur Trani.

Castel del Monte ⑫

Località Andria, Bari. ℹ️ *Beni Culturali (0883 56 99 97).* 🕐 *t.l.j. 10h15-19h15.* 🚫 *1er janv., 25 déc.*
🌐 **www**.puglia.org

Frédéric II

Dominant la plaine depuis une hauteur des Murge proche de Ruvo di Puglia, cet édifice entrepris en 1240 témoigne de l'originalité d'un souverain exceptionnel : Frédéric II de Souabe, empereur germanique qui consacra son règne à valoriser son royaume de Sicile et de Naples. Alors

qu'il construisit en Italie près de 200 châteaux rectangulaires, sa motivation pour donner au castel del Monte un plan entièrement régi par le chiffre 8 (8 côtés, 8 tours octogonales, 8 salles à chaque étage) demeure mystérieuse. Les vestiges de parement de marbre et de conduites d'eau révèlent qu'il y résidait.

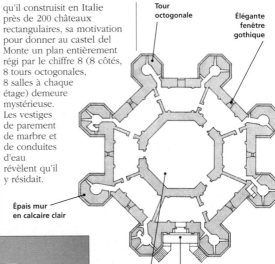

Tour octogonale

Élégante fenêtre gothique

Épais mur en calcaire clair

Cour

Le portail principal s'inspire des arcs de triomphe romains.

PLAN DU CHÂTEAU

D'une rigueur géométrique absolue, le château, aux tours hautes de 24 m, possédait une fontaine (octogonale !), au centre de la cour, mais pas d'écuries, de cuisine ou de chapelle.

Le castel del Monte

Ruvo di Puglia ⑬

Bari. 🏘 *24 000.* FS 🚌 ℹ️ *Via Vittorio Veneto 48 (080 361 54 19).* 🗓 *sam.* **www**.puglia.org

Ruvo di Puglia produisit jusqu'au IIe siècle av. J.-C. une céramique réputée qui s'inspirait, comme le font découvrir les quelque 2 000 vases de la collection du **Museo Archeologico Nazionale Jatta**, de modèles corinthiens et attiques à figures rouges et noires.

Élevée au début du XIIIe siècle, la **cathédrale** est typique du roman apulien avec sa façade dépouillée et son portail mariant des motifs byzantins, maures et classiques.

🏛 **Museo Archeologico Nazionale Jatta**
Piazza Bovio 35. **Tél** 080 361 28 48. ⏰ *dim.-mer. 8h30-13h30, jeu.-sam. 8h30-19h30.* ⚫ *1er janv., 1er mai, 25 déc.* ♿ **www**.palazzojatta.org

---

Bari ⑭

🏘 *400 000.* ✈ FS 🚌 ⛴ ℹ️ *Piazza Aldo Moro 33a (080 524 23 61).* 🗓 *t.l.j.* **www**.pugliaturismo.com

L'ancien comptoir commercial romain de Barium devint en 875 le siège du *catapan*, le gouverneur byzantin du sud de l'Italie. Après sa conquête en 1071 par le Normand Robert Guiscard, la cité joue le rôle de port d'embarquement pour les croisades, et rivalise avec Venise. Une rivalité qui s'étend au domaine religieux : les Vénitiens détenant les reliques de saint Marc depuis 828, des marins de Bari s'emparent en 1027 de celles de saint Nicolas conservées à Myra. La **basilica di San Nicola** (*p. 479*) entreprise en 1087 pour les abriter est l'une des premières grandes églises normandes des Pouilles et fut celle qui servit de modèle au roman apulien, style métissé d'influences musulmanes et byzantines.

Sculpture du château de Bari

Le superbe portail principal, le baldaquin du maître-autel et le trône épiscopal sont l'œuvre de sculpteurs du XIIe siècle.

Protecteur de la Russie, des enfants et des marins, saint Nicolas repose dans la crypte.

D'origine romane, la **cathédrale** a perdu l'une de ses deux tours lors d'un

Détail du portail du Duomo de Ruvo di Puglia

tremblement de terre en 1613. Une fenêtre au décor sculpté orne son chevet. Des portails baroques incluant des éléments du XIIe siècle s'ouvrent dans sa façade dépouillée sur un intérieur à la sobriété médiévale. Le baldaquin du maître-autel, la chaire et le trône épiscopal ont été reconstitués à partir de fragments des originaux du XIIe siècle. Remanié par Frédéric II entre 1233 et 1240, le **château** abrite une collection de moulages, de sculptures et d'éléments architecturaux caractéristiques du roman apulien.

Le château de la Città Vecchia de Bari

Alberobello ⓯

Bari. **FS** *jusqu'à Alberobello et
Ostuni.* **🛈** *Piazza Ferdinando IV 4
(080 432 51 71).* 📷 *offertes par
Trulli e Natura (080 432 38 29).*
🎭 *oct.-nov. : Frantoi Aperti (visites
des principaux producteurs d'huile
d'olive).* **www**.alberobello.net

Entre Putignano et Ostuni,
les étonnantes petites
constructions en pierres
blanchies à la chaux appelées
trulli abondent parmi les
vignes, les oliveraies et les
vergers au point qu'elles ont
donné leur nom à la région,
le **Murge dei Trulli**.
　Leur origine reste incertaine
(les plus anciennes sont du
XIIᵉ siècle), mais leurs toits
coniques en lauzes, un pour
chaque pièce, évoquent une
influence orientale.
Certaines ont été converties
en habitations modernes,
en boutiques, en restaurants,
en église ou bien en
dépendances agricoles.
　Alberobello est inscrit au
patrimoine de l'humanité à
l'Unesco.

Aux environs :
Le village perché de
Locorotondo est un
des plus jolis de la
région, tandis qu'à
Martina Franca,
d'élégants édifices
baroques et rococo
bordent des rues
en dédale. Un
festival de musique,
le Festivale della
Valle d'Itria, s'y
tient en été.

Taranto ⓰

🏛 *220 000.* **FS** 🚌 **🛈** *Corso
Umberto I (099 453 23 92).* 🛒 *mer.,
ven., sam.* **www**.puglia.org

Tarente a beaucoup souffert
pendant la Seconde Guerre
mondiale, puis a vu s'installer
un important centre
sidérurgique. Son quartier
ancien, la **Città Vecchia**, où se
tient un marché au poisson
haut en couleur abrité dans
un bâtiment Art nouveau,
occupe toujours l'île. Séparant
la Mare (mer) grande de la
Mare piccolo (petite), celle-ci

Dans le village des *trulli* d'Alberobello

**Aphrodite au
musée de
Tarente**

fut choisie vers 708 av. J.-C.
par des Spartiates pour fonder
une colonie qui devint l'une
des plus prospères de la
Grande-Grèce. S'il en reste
peu de traces
architecturales, le
**Museo Archeologico
Nazionale** présente
une superbe
collection d'objets
découverts dans sa
nécropole.
　Commencé en 1071,
le **Duomo** connut
plusieurs remaniements
et possède une façade
baroque. Des colonnes
antiques séparent ses
trois nefs et la crypte
renferme des
sarcophages et des fresques
du XIIᵉ siècle. Derrière la
cathédrale, l'église **San
Domenico Maggiore** a
conservé sa façade du
XIVᵉ siècle malgré l'ajout d'un
escalier baroque. À l'est de
l'île, l'immense **château**
entrepris par Ferdinand
d'Aragon en 1480 est
désormais une zone militaire
à l'accès strictement réservé.

🏛 **Museo Archeologico
Nazionale**
Palazzo Pantaleo, Corso Vittorio
Emanuele II. **Tél** 099 471 84 92.
🕐 *t.l.j. 8h30-19h15.* 📷

LA TARENTELLE

Au son des mandolines,
cette gracieuse
danse populaire
de l'Italie du
Sud entraîne
des couples
dans un jeu de
séduction taquin
qu'ils rythment en agitant
des tambourins. Une
controverse règne sur
l'origine de son nom. Pour
certains il ne viendrait pas
de « Tarente » mais de
« tarentule ». En effet, les
victimes de cette araignée
venimeuse se soignaient
jadis en dansant avec
frénésie pensant éliminer
le venin avec leur
transpiration. Ce rituel
reste visible les 28 et
29 juin pour la fête des
saints Pierre et Paul dans
les célébrations organisées
à Galatina (*p. 513*), ville
de la péninsule salentine.

Lecce pas à pas ⓱

Détail de la façade de Santa Croce

Principal marché agricole de la péninsule salentine, Lecce fut une riche cité romaine, puis la capitale de la Terre d'Otrante. Siège d'une université et jouissant d'une grande prospérité au XVIIᵉ siècle, elle para ses monuments médiévaux d'un exubérant décor baroque auquel le calcaire local prêta sa couleur miel. Aisé à travailler, il permit à des artistes tels que Giuseppe Zimballo (lo Zingarello) d'exprimer toute leur fantaisie. Lecce est aussi connue pour son artisanat de papier-mâché.

★ Palazzo Vescovile et Duomo
Le palais épiscopal (reconstruit en 1632), le Duomo par lo Zingarello (1659-1670) et un séminaire (1709) entourent la piazza Duomo.

Information touristique

Chiesa del Rosario
Commencée en 1691, la dernière œuvre de lo Zingarello est caractéristique de son style alliant fantaisie et minutie.

Le séminaire formait jadis pour le Vatican des chanteurs castrats.

Porta Rudiae
Bâtie au XVIIIᵉ siècle, elle ouvre sur la ville moderne et les ruines de la Rudiae romaine.

VIA UMBERTO I · PIAZZA CASTROMEDIANO · VIA RUBICHI · PIAZZA SANT'ORONZO · VIA PERONELLI · VIA PALADINI · VIA VITTORIO EMANUELE · PIAZZA DUOMO · VICOLO SANTA VENERA · VIA MARCO BASSEO · VIA MORELLI · VIA GIUSEPPE LIBERTINI · VIA G. CINO · VIA R. CARACCIOLO

Célèbre atelier de papier mâché (carta pesta)

Chiesa del Carmine

À NE PAS MANQUER

★ Palazzo Vescovile et Duomo

★ Santa Croce

LÉGENDE
— — — Itinéraire conseillé

0 ——— 100 m

★ Santa Croce
Bâtie de 1549 à 1679 cette église fut commencée par Gabrielle Riccardi. Les vitraux de la rosace sont de lo Zingarello.

MODE D'EMPLOI

🏠 105 000. 🚊 *Viale Oronzo Quarta.* 🚌 *Via Boito et Via Adua.* ℹ️ *Via Vittorio Emanuele 23 (0832 33 24 63).* 🛒 *lun., ven.* 🎉 *24-26 août : Sant'Oronzo ; 13-24 déc. : Fiera dei Pupi e Pastori.* www.puglaturismo.it

Le Castello est formé d'une enceinte bâtie (1539-1548) par Charles Quint autour d'un édifice du XIIe siècle. Seul un étage est ouvert au public.

Église San Matteo

Colonna di Sant'Oronzo
Cette statue en bronze du premier évêque de Lecce, nommé par saint Paul en 54 et martyrisé sous Néron, date de 1739.

Le théâtre romain a gardé son orchestre et une partie de ses gradins.

Gare

Amphithéâtre romain
Déterré en 1938, il pouvait accueillir 25 000 spectateurs à son achèvement au IIe siècle. Fermé pour restauration.

Viale XXV Luglio
Via A Grandi
Via d'Aragona
Via Lecce

Détail d'une fresque (XVe siècle) de Santa Caterina d'Alessandria

Galatina ⑱

Lecce. 🏠 28 000. 🚊 🚌 ℹ️ *Sala dell'Orologio (0836 63 31 11).* 🛒 *jeu.* 🎉 *29 juin : fête de saint Pierre et saint Paul.* www.comune.galatina.le.it

La colonie grecque qui y prospéra au Moyen Âge a laissé une atmosphère particulière à cette petite ville viticole réputée pour les tarentelles qui s'y dansent les 28 et 29 juin (*p. 511*).
Son plus beau monument, l'église **Santa Caterina d'Alessandria**, dresse sa façade de style gothique sur la piazza Orsini. Entrepris en 1384, le sanctuaire abrite un superbe cycle de fresques peintes au début du XVe siècle par plusieurs artistes.

Otranto ⑲

Lecce. 🏠 5 500. 🚊 🚌 ⛴ ℹ️ *P. Castello (0836 84 14 36).* 🛒 *mer.*

Ce port, niché au fond d'une anse de la péninsule salentine et bordé de belles plages, a perdu l'importance qu'il connut sous les Romains, les Byzantins puis les Normands, quand il était un des grands centres du commerce avec la Grèce. C'est sa conquête par les Turcs en 1480 qui brisa son essor. Les vainqueurs n'épargnèrent que 800 hommes qui se virent proposer la vie sauve s'ils se convertissaient à l'islam. Ils refusèrent et périrent. Sur la via Duomo, la **cathédrale** fondée par les Normands en 1080 abrite leurs reliques. Elle possède un beau pavement du XIIe siècle. Le **château** (1485-1498) bâti par les Aragonais au-dessus du port offre une belle vue de la ville.

BASILICATE ET CALABRE

À la pointe de la botte italienne, les pentes arides de la chaîne apennine créent de majestueux paysages entre mers Tyrrhénienne et Ionienne, mais isolent ces deux provinces qui, si elles ont conservé leur authenticité et un littoral que le tourisme de masse découvre à peine, forment la partie la plus pauvre d'Italie.

Entités administratives distinctes, la Basilicate et la Calabre partagent une histoire commune. Intégrées à la Grande-Grèce, elles connaissent jusqu'au IIᵉ siècle av. J.-C. une période brillante qu'illustrent les collections du musée de Crotone ainsi que les ruines de Metaponto en Basilicate et de Locri en Calabre. Conquises par les Romains, elles passent à la chute de l'empire d'Occident sous le contrôle des Byzantins, constructeurs à Stilo de la superbe Cattolica, et servent de refuge à des moines basiliens chassés de leurs monastères grecs par la crise iconoclaste qui secoue le christianisme oriental à partir de 726. Ceux-ci s'installent notamment dans les *sassi* troglodytiques de Matera. Comme le montrent de nombreux monuments, le règne normand est ensuite propice à la région, mais après l'installation de la capitale du royaume à Naples en 1282, elle sombre dans l'oubli et l'isolement, ce qu'a superbement décrit Carlo Levi dans *Le Christ s'est arrêté à Eboli* (1945). Pendant des siècles, l'émigration représente souvent le seul moyen d'échapper à la misère pour les habitants des villages accrochés aux montagnes.

L'assainissement du littoral, où régna longtemps la malaria, et le percement de voies de communication, notamment d'une autoroute jusqu'à Reggio di Calabria, offrent aujourd'hui un espoir à la Basilicate et à la Calabre. L'industrie s'y tourne vers les technologies modernes et le tourisme se développe, en particulier sur la côte. Il n'a toutefois pas encore défiguré la beauté âpre d'une région ancrée dans ses traditions.

Des terres arides entourent Stilo dans le sud de la Calabre

◁ Le quartier des Sassi, habitations en partie troglodytiques de Matera

À la découverte de la Basilicate et de la Calabre

Ruines grecques, abbayes médiévales, châteaux normands et villages perchés parsèment la Basilicate (ou Lucanie), région montagneuse aux paysages souvent lunaires, telles les vallées entourant Matera. Parfois décrite comme un rocher entre deux mers, la Calabre possède de superbes côtes. Ses ruines antiques, notamment celles de Sybaris et Locri Epizephiri, ajoutent à l'intérêt du littoral ionien. À l'intérieur des terres, des villes et villages perchés ont conservé une atmosphère hors du temps.

Scène de rue à Pizzo, au nord-est de Tropea

LA RÉGION D'UN COUP D'ŒIL

Gerace **10**
Lagopesole **3**
Maratea **6**
Matera **4**
Melfi **1**
Metaponto **5**
Reggio di Calabria **11**
Rossano **7**
Stilo **9**
Tropea **8**
Venosa **2**

VOIR AUSSI

- **Hébergement** p. 598-599

- **Restaurants** p. 648-649

Le pittoresque village de Rivello, au nord-est de Maratea en Basilicate

LÉGENDE

▬▬	Autoroute
▬▬	Route principale
▬▬	Route secondaire
═══	Petite route
▬▬	Parcours pittoresque
┄┄	Liaison ferrée principale
────	Liaison ferrée secondaire
▬▬	Frontière régionale
△	Sommet

Le port de Maratea sur la côte tyrrhénienne de la Basilicate

CIRCULER

Depuis Naples, l'autoroute A3-E45, dont une ramification rejoint Potenza en Basilicate, traverse toute la région du nord au sud jusqu'à Reggio di Calabria. Pour se rendre sur le littoral ionien, la S280-E848 permet d'éviter le massif de l'Aspromonte dont les routes étroites traversent des paysages souvent déserts. Elle relie Catanzaro à Lamezia où se trouve l'un des trois aéroports, avec celui de Reggio di Calabria et celui de Brindisi (dans les Pouilles), desservant la région. Le train relie les villes principales, des cars assurent des liaisons avec les petites localités.

Paysage rural près de Miglionico, au sud de Matera

L'impressionnant château de Melfi réunit des constructions de plusieurs époques

Melfi ❶

Potenza. 🏙 16 600. **FS** 🚌 **ℹ️**
Piazza Umberto 1 (0972 23 97 51).
📧 mer., sam. **www**.aptbasilicata.it

Cette petite ville médiévale est dominée par une imposante forteresse, le **château** où le pape Nicolas II accorda en 1059 l'investiture à Robert Guiscard. Celui-ci fit de Melfi la capitale du comté des Pouilles et c'est ici que Frédéric II promulgua en 1231 les *Constitutiones Augustales* définissant les lois de son royaume. Le château abrite le **Museo Nazionale del Melfese** qui comprend des bijoux byzantins. Reconstruit au XVIIIe siècle, le **Duomo** ne conserve que le campanile du sanctuaire bâti en 1153.

🏛 **Museo Archeologico Nazionale del Melfese**
Castello, Via Castello. **Tél** 0972 23 87 26. ⬜ t.l.j. ⬤ 1er janv., 25 déc., lun. mat. 📷 ♿ 📷 sam., dim.

Venosa ❷

Potenza. 🏙 12 200. **FS** 🚌 **ℹ️**
Piazza Castello 47 (0972 316 09).
📧 1er sam. et 3e jeu. du mois.

Venosa fut une importante colonie romaine, celle où naquit le poète Horace (65-8 av. J.-C.), et la zone archéologique bordant la via Vittorio Emanuele renferme les vestiges de **thermes** et d'un **amphithéâtre** près de

l'abbaye de **La Trinità** bâtie à la place d'un temple romain.

Le **Museo Archeologico Nazionale** renferme de nombreux trésors. Le monastère possède deux églises, la **Chiesa Vecchia**, une ancienne cathédrale paléochrétienne, et la **Chiesa Nuova** entreprise en 1135 et inachevée. Robert Guiscard, ses demi-frères et sa première femme, Aubrée, y furent enterrés, mais, de leurs tombeaux d'origine, seul celui d'Aubrée subsiste.

Dominant également la via Vittorio Emanuele, le **Duomo** est du XVIe siècle, comme l'imposant château de la piazza Umberto I.

🏛 **Museo Archeologico Nazionale**
Piazza Castello. **Tél** 0972 360 95. ⬜ t.l.j. (mar. ap.-m. seul.). 📷

Lagopesole ❸

Potenza. **Tél** 0971 860 83. **FS**
jusqu'à Lagopesole Scalo puis bus jusqu'à la ville. ⬜ t.l.j. 9h30-13h, 16h-19h (15h-17h en hiver).
www.aptbasilicata.it

Occupant un site prodigieux, le **château** de Lagopesole est le dernier que construisit Frédéric II, entre 1242 et 1250. Il lui servit de pavillon de chasse. L'édifice possède une belle décoration et les portraits sculptés au-dessus du portail du donjon seraient ceux de Frédéric Barberousse (le grand-père de Frédéric II)

et de sa femme Béatrice. Les appartements royaux et leur chapelle se visitent.

Matera ❹

🏙 56 900. **FS** 🚌 **ℹ️** Via de Viti de Marco 9 (0835 33 19 83). 📠 0835 31 94 58. 📧 sam.

Le quartier des Sassi à Matera

Perchée au bord d'un profond ravin, cette ville juxtapose avec violence deux univers et deux époques. Au sommet, le quartier neuf se révèle peu esthétique mais animé. Au-dessous, celui des **Sassi** a sombré dans le silence, alors qu'à la fin de la dernière guerre près de 20 000 personnes se serraient dans le fouillis de maisonnettes et d'habitats troglodytiques autour du Duomo.

La **strada panoramica dei Sassi** qui court au fond de la gorge offre le meilleur moyen de découvrir ces grottes surnommées « cailloux » (*sassi*). La surpopulation les rendait si insalubres que Carlo Levi les compara à l'Enfer de Dante dans *Le Christ s'est arrêté à Eboli*. Un programme de relogement, achevé en 1977, déplaça leurs habitants dans le quartier neuf.

Du VIIIe au XIIIe siècle, des moines basiliens chassés d'Orient par les iconoclastes occupèrent ces abris creusés dans le rocher, et le quartier des Sassi et celui des Agri (à l'extérieur de la ville) renferment quelque 120 *chtest rupestri* (**www**.parcomurgia. it). Parmi celles-ci, **Santa Maria di Idris**, sur le monte Errone, et **Santa Lucia alle Malve**, dans le quartier albanais, abritent des fresques du XIIIe siècle. D'autres exemples d'art sacré provenant d'églises souterraines se trouvent au **Muzeo Nazionale Ridola** dont les collections illustrent l'histoire d'une région peuplée dès le Néolithique. À côté se trouve le **Purgatorio** (1770) à la façade macabre.

Dressé entre les deux principaux quartiers de *sassi*, le Sasso Barisano et le Sasso Caveoso plus pittoresque, le **Duomo** possède une belle façade de style roman apulien et une décoration intérieure baroque. Il abrite un tableau d'inspiration byzantine (XIIIe siècle) : la *Madonna della Bruna*, sainte patronne de Matera. **San Francesco d'Assisi** (XIIIe siècle), remaniée dans le style baroque, célèbre la venue de saint François d'Assise en 1218. **San Domenico**, sur la piazza Vittorio Veneto, et **San Giovanni Battista**, dans la via San Biagio, sont du XIIIe siècle. Le **Museo della Tortura** retrace l'histoire de l'Inquisition. Mel Gibson tourna la majeure partie de *La Passion du Christ* (2004) à Matera.

🏛 **Museo Nazionale Ridola**
Via Ridola 24. *Tél* 0835 31 00 58.
⏰ t.l.j. 9h-20h (lun. 14h-20h). ♿

Tavole Palatine de Metaponto

Metaponto ❺

Metaponto Borgo. 🚉 **FS** *jusqu'à Metaponto.* ℹ️ *Via Apollo Licio (0835 74 52 20).* ⏰ *t.l.j. 9h à 1h av. la nuit.* ⛔ *1er janv., Pâques, 25 déc.* ♿ www.aptbasilicata.it

Fondée au VIIe siècle av. J.-C., la prospère colonie grecque de Métaponte accueillit Pythagore (v. 570-v. 480 av. J.-C.) lorsqu'il dut quitter Crotone, et il y resta jusqu'à sa mort. Parmi les ruines figurent les **Tavole Palatine**, au pont du Bradano, à 5 km de la ville, et les vestiges d'un temple dorique du VIe siècle av. J.-C.

L'église San Francesco de Matera

Le **Museo Nazionale di Metaponto** présente les objets trouvés sur ce site et sur celui de la **zone archéologique** où se découvrent les traces d'autres temples, d'édifices

civils et d'ateliers de céramique de la cité antique. Plus au sud, **Policoro** occupe la place de l'ancienne Hérakleia (fondée entre les VIIe et Ve siècles av. J.-C.) qu'évoque l'exposition du **Museo Nazionale della Siritide**.

🏛 **Museo Nazionale di Metaponto**
Via Aristea 21. *Tél* 0835 74 53 27.
⏰ t.l.j. 9h-20h. ⛔ lun. mat. et j. f.
🎫 inclus l'accès à la zone archéologique. ♿

🏛 **Museo Nazionale della Siritide**
Via Colombo 8, Policoro. *Tél* 0835 97 21 54. ⏰ t.l.j. 9h-20h. ⛔ j.f.
🎫 ♿

Maratea ❻

Potenza. 🏘 5 000. **FS** 🚌
ℹ️ Piazza del Gesù 32 (0973 87 69 08). 🎪 1er et 3e sam. du mois.

La Basilicate possède un étroit débouché sur la mer Tyrrhénienne dans le golfe de Policastro. Sur ce littoral magnifique, le vieux quartier de Maratea s'accroche à flanc de colline. À moins de 5 km par la route, une immense statue du **Christ Rédempteur** se dresse au sommet du monte Biagio (624 m) qui offre un superbe panorama.

Aux environs :
Dans un cadre spectaculaire à 23 km au nord de Maratea, à **Rivello**, des influences byzantines marquent le décor des églises **San Nicola dei Greci** et **Santa Barbara**.

Le petit port de Maratea Inferiore

Une page du précieux *Codex Purpureus Rossanensis*

Rossano ❼

Cosenza. 🏘 *32 000*. 🚆 🚌
🚌 *2e et 4e ven. du mois.*

Cette petite ville perchée au milieu des oliviers fut du IXe au XIe siècles le siège du pouvoir byzantin quand les Sarrasins occupaient Reggio di Calabria, et son **Museo Diocesano** présente le *Codex Purpureus Rossanensis*, évangéliaire grec du VIe siècle écrit sur du parchemin teinté de pourpre et illustré de splendides miniatures.

La **cathédrale** du XIe siècle abrite la *Madonna Acheropita*. Cette fresque ornant le troisième pilier de gauche aurait une origine angélique.

Aux environs :
Dans la via Archivescado se trouve la **Panaglia**, église byzantine du XIe siècle. Les cinq coupoles d'un autre sanctuaire grec, **San Marco** (Xe siècle), se dressent sur une colline au sud-est.

Sur une hauteur à 18 km à l'ouest de Rossano, la gracieuse église **Santa Maria del Partirion**, seul vestige d'un important monastère basilien, n'a presque pas changé depuis sa construction vers 1095. Elle offre un large panorama sur la plaine de Sibari où se développa la colonie grecque de Sybaris détruite en 510 av. J.-C.

🏛 **Museo Diocesano**
Palazzo Arcivescovile, Via Arcivescovado 5. **Tél** *0983 52 02 82.* ⭕ *mar.-dim. (juil.-sept. t.l.j.).* ⚫ *j.f.* ♿

Tropea ❽

Vibo Valentia. 🏘 *7 000*. 🚆 🚌
🚶 *Piazza Ercole (0963 614 75).*
🚌 *sam.* www.tropea.biz

Bâtie au sommet d'une falaise du littoral tyrrhénien, cette petite ville ancienne domine d'agréables plages de sable et devient en été une station balnéaire à la mode. De la piazza del Cannone, la vue sur la mer et l'ancien sanctuaire bénédictin de **Santa Maria dell'Isola**, qui couronne un îlot rocheux, est splendide. La via Roma conduit à la **cathédrale** qui a gardé trois jolies absides normandes. Elle abrite la *Madonna di Romania* (XIIe siècle), peinture d'inspiration byzantine.

De belles maisons bordent les rues de Tropea, notamment la **casa Trampo** (XIVe siècle) et le **palazzo Cesareo** (début du XXe siècle) dont le balcon orné de sculptures domine le vicolo Manco.

Deux autres villes de la côte, **Pizzo** au nord et **Palmi** au sud, méritent une visite.

Stilo ❾

Reggio di Calabria. 🏘 *3 000*. 🚆 🚌
🚶 *Mairie (0964 77 60 06).* 🚌 *mar.*

À quelques kilomètres de la côte ionienne, ce village marqué par les séismes accroche ses maisons au flanc aride du monte Consolino. Sur une terrasse dominant les oliviers se dresse la **Cattolica** dont la pureté de formes et l'harmonie de proportions font l'admiration des amateurs d'architecture byzantine. Bâti en brique au Xe siècle par des moines basiliens, ce petit édifice carré au plan en croix grecque est couronné de cinq hauts tambours coiffés de toits en coupole et percés de fenêtres qui éclairent les fresques ornant l'intérieur, peintes au XIe siècle et restaurées en 1927. Quatre colonnes antiques soutiennent la voûte. Leur position inversée, chapiteau vers le bas, symbolise la victoire du christianisme sur le paganisme.

Dans la via Tommaso Campanella se trouvent le **Duomo** médiéval et les ruines du **couvent San Domenico** où vécut le philosophe dominicain Tommaso Campanella (1568-1639). Construite vers 1400, l'église **San Francesco** abrite un bel autel en bois sculpté et la *Madonna del Borgo*, gracieuse peinture anonyme du XVIe siècle.

À Bivigondi, au nord-ouest de Stilo, l'église **San Giovanni** date du XIe siècle ; elle reste généralement fermée sauf pendant la semaine de Pâques.

🏰 **Cattolica**
2 km au-dessus de Stilo dans la via Cattolica. ⭕ *t.l.j.* ♿

Tropea, joyau de la superbe côte tyrrhénienne

Pour les hôtels et les restaurants de la région, voir p. 598-599 et 648-649

La Cattolica au-dessus de Stilo

Gerace ⑩

Reggio di Calabria. 🏠 3 000. 🚌
🛈 Pro Loco, Via Regina Margherita
77, Locri (0964 23 27 60).

Pour se protéger des
incursions sarrasines, des
habitants de **Locri Epizephiri**
fondèrent au IXᵉ siècle ce
village sur ce site au flanc
nord-est de l'Aspromonte.
Le château qui le défendait
est en ruine, mais l'enceinte
médiévale enserre toujours les
maisons. Gerace se dépeuple
aujourd'hui au profit du
littoral, mais elle possède la
plus grande **cathédrale** de
Calabre. Entreprise à l'époque
normande en 1045 et
remaniée au XIIIᵉ siècle sous
Frédéric II, elle obéit à un
plan basilical et d'élégantes
colonnes antiques provenant
de Locri Epizephiri séparent
ses trois nefs. La crypte mérite
une visite.
   Au terme de la via Cavour
se dresse l'église **San
Giovanello** (XIIᵉ siècle) qui
marie style normand et
influence byzantine. Non loin,
San Francesco d'Assisi,

sanctuaire gothique fondé en
1252, abrite un maître-autel
baroque en marbre et le
tombeau de style pisan de
Nicolò Ruffo (mort en 1372).

Aux environs : À 3 km de
Locri, les ruines de **Locri
Epizephiri** bordent la route
de Reggio di Calabria. Cette
colonie grecque, la première
à se doter de lois écrites (660
av. J.-C.), avait un grand
temple dédié à Perséphone
où ont été trouvées des
tablettes votives. Le **musée**
en présente quelques-
unes, ainsi que des
monnaies, des
inscriptions et des
fragments de sculptures.
Explorer la zone
archéologique permet de
découvrir les vestiges
d'autres temples, d'un
théâtre, d'habitations, de
boutiques et de tombes.

🏛 Locri Epizephiri
Sud-ouest de Locri sur la S106,
Contrada Marasà. ⬤ t.l.j. 9h-19h.
Museo Nazionale, Contrada
Marasà, SS 106. **Tél** 0964 39 00 23.
⬤ mar.-dim. ⬤ 1ᵉʳ mai, 25 déc.

Reggio di Calabria ⑪

🏠 183 000. ✈ FS 🚌 ⛴
🛈 Station (0965 271 20). ⬤ ven.

Dévastée par plusieurs
séismes, Reggio n'est pas une
belle ville, mais les collections
du **Museo Nazionale della
Magna Grecia** justifient de
s'y rendre. Illustrant l'histoire
de la région pendant la
préhistoire et l'époque de
la Grande-Grèce, elles
regroupent des pièces
découvertes sur les sites
archéologiques de Calabre et
dessinent une image de ces
civilisations disparue.
   Les bronzes de Riace attirent
plus particulièrement les
visiteurs au musée. Retrouvés
en 1972 au fond de la mer
Ionienne au large de Riace,
ces statues représentent deux
guerriers légèrement plus
grands que nature. Superbes
exemples de l'art classique
grec du Vᵉ siècle av. J.-C., ils
datent probablement, pour le
personnage le plus jeune
(statue A), de 460 av. J.-C., et
pour l'autre, de 430 av. J.-C.
(statue B). Ils ont été exécuté
par Phidias et Polyclète.

🏛 Museo Nazionale
della Magna Grecia
Piazza de Nava 26.
Tél 0965 81 22 55. ⬤ mar.-dim.
9h-19h30. ⬤ 1ᵉʳ et 3ᵉ lun. du mois.
🚫 📷 ♿

**Bronzes de Riace (Vᵉ siècle av. J.-C.)
au Museo Nazionale de Reggio**

SICILE

P roche à la fois de l'Afrique et de l'Europe, ouverte sur l'Orient et ceinturée de plaines fertiles, la Sicile a de tout temps attisé les convoitises. La plupart des grandes civilisations européennes s'y sont implantées et ces envahisseurs successifs ont donné à l'île une architecture d'une grande variété et marqué de leurs influences ses coutumes, sa cuisine et ses traditions artistiques. Après des siècles de repli sur elle-même, la Sicile s'ouvre aujourd'hui au tourisme.

Les ruines qu'elles ont laissées révèlent qu'il ne devait guère y avoir de différence entre Athènes et les grandes cités grecques qui disputaient le contrôle de la Sicile aux Phéniciens de Carthage. Cette guerre profita finalement aux Romains qui imposèrent leur domination au IIIᵉ siècle av. J.-C. À la chute de l'empire d'Occident, le monde hellène prend sa revanche en 535 et l'île reste byzantine jusqu'à sa conquête par les Sarrasins au IXᵉ siècle. La Sicile connaît alors une grande prospérité, mais il ne subsiste que peu de traces de cette période faste malgré l'atmosphère exotique du marché Vucciria de Palerme. Un autre âge d'or suivra à partir de 1061 sous l'autorité des Normands. À leur cour, toutes les cultures se côtoient, donnant le jour à un art original dont les cathédrales de Monreale et Cefalù offrent de superbes exemples.

Après la mort de Frédéric II en 1250, ses souverains étrangers négligent la Sicile qui sombre, avec le reste de l'Italie du Sud, dans une longue léthargie. Le baroque l'en tire aux XVIIᵉ et XVIIIᵉ siècles et les artistes siciliens donnent dès lors un nouveau visage, exubérant, à Palerme, Noto, Ragusa, Modica, Syracuse ou Catane.

Malgré la réputation que lui vaut sa mafia, qui se révèle moins gênante pour le visiteur que la délinquance née d'un fort taux de chômage, son patrimoine architectural et la beauté de son littoral attirent de plus en plus de touristes. Beaucoup y font aussi la découverte de la richesse humaine de ses habitants, de la qualité de leur cuisine et de la ferveur de leurs fêtes traditionnelles.

Détail d'une mosaïque du XIIᵉ siècle au palazzo dei Normanni de Palerme

◁ **Le temple de la Concorde (v. 430 av. J.-C.) a superbement résisté au temps dans la vallée des temples d'Agrigente**

À la découverte de la Sicile

De très belles plages jalonnent le littoral sicilien, notamment près de Taormina et dans le golfe de Castellammare bordé à l'ouest par la réserve naturelle du cap San Vito. Fleuris et verdoyants au printemps, arides en été, déserts hors des gros bourgs où se regroupe l'habitat, les vallées et massifs montagneux de l'intérieur des terres offrent des paysages plus rudes. Volcan en activité, l'Etna constitue le but d'excursion le plus spectaculaire. Vergers, orangeraies et vignes couvrent le pied de ses pentes fertiles.

Pêcheurs de Syracuse

LA RÉGION D'UN COUP D'ŒIL

CIRCULER

Palerme, Catane et Trapani possèdent des aéroports internationaux. Des ferry-boats desservent Messine et Catane depuis Reggio di Calabria, et Palerme depuis Gênes et Naples. Depuis Catane, l'autoroute A19-E932 traverse l'intérieur de l'île vers Palerme et la A18-E45 longe la côte ionienne jusqu'à Messine. Le train assure un service efficace entre les grandes villes. Pour atteindre les petites localités, mieux vaut prendre le car.

Le temple dorique de Ségeste

Le Duomo normand de Palerme

Isola Alicudi

Isola Filicudi

Isola Salina

Malfa

Isola Panarea

Isole

Eolie

Isola Lipari

Lipari

Isola Vulcano

TIRRENO

Golfo di Milazzo

Capo di Milazzo

Capo Peloro

Milazzo

A20

MESSINA
14

Capo d'Orlando

S113

TINDARI
13

Naso Patti

Barcellona Pozza di Gotto

Itala

Monti Peloritani

Stretto di Messina

A18

Ali Terme

Mandanici

CEFALÙ

Sant'Agata di Militello

Torremuzzo

A20

San Fratello

Tortorici

Pizzo di Vernà 1286 m

Castelbuono

Mistretta

Nebrodi

Monte Soro 1847 m

Floresta

Alcantara

Gole dell'Alcantara

15 **TAORMINA**

Pizzo Carbonara 1975 m

S117

Monti

Monte Castelli 1567 m

Capizzi

Randazzo

Linguaglossa

Capo Schisò

d o n i e

alia

120

Gangi

Troina

S120

Bronte

MONTE ETNA
16

Giarre

Riposto

M A R

I O N I O

Nicosia

Almena

Salso

Agira

S117

S121

Adrano

Simeto

S114

A18-E45

Acireale

Leonforte

Paternò

Belpasso

Aci Castello

Caterina

12 **ENNA**

A19-E932

Monti Erei

Misterbianco

17 **CATANIA**

Caltanissetta

Valguarnera Caropepe

Gornalunga

Piana di Catania

S114

Golfo di Catania

Pietraperzia

Barrafranca

11 **PIAZZA ARMERINA**

Palagonia

S194

Capo Campolato

Sommatino

S117

Mazzarino

S417

Mineo

Lentini

Capo Santa Croce

vanusa

Gela

Caltagirone

Monti Iblei

Francofonte

S194

Melilli

Augusta

Golfo di Augusta

Butera

Grammichele

Niscemi

Vizzini

Sortino

Castel Eurido

S117

PANTALICA
18

Anapo

11 **19** **SIRACUSA**

Gela

Chiaramonte Gulfi

Palazzolo Acreide

Floridia

SS114-E45

Capo Murro di Porco

Golfo di Gela

S115-E45

Val di Noto

S514

S164

Canicattini Bagni

S115

Scoglitti

Vittoria

Comiso

Ragusa

NOTO
20

Avola

Modica

Golfo di Noto

Capo Scaramia

Irminio

Scicli

Rosolini

Ispica

Pachino

Punta Religione

Pozzallo

Punta delle Formiche

LÉGENDE

▬▬ Autoroute	▬▬ Parcours pittoresque
▬ ▬ Route principale	▬ Liaison ferrée principale
▬▬ Route secondaire	— Liaison ferrée secondaire
▬ Petite route	△ Sommet
▭▭ Autre route	

VOIR AUSSI

• *Hébergement* p. 599-602

• *Restaurants* p. 649-652

Palermo ❶

Détail d'une mosaïque de la Cappella Palatina

Protégée à l'est par le monte Alfano, Palerme s'étage sur le flanc du monte Pellegrino au creux d'une baie dont la fertilité justifie le nom de Conca d'Oro. Capitale de la Sicile, elle résume les contradictions de l'île. Malgré le spectacle de la rue, des quartiers délabrés ou envahis de constructions modernes offrent un triste écrin aux joyaux laissés par les Normands et les architectes baroques et Art nouveau. Avec son atmosphère exotique, la cité reste envoûtante.

🔒 Gesù

Piazza Casa Professa. *Tél 091 607 62 23.* ⬜ *t.l.j. 7h-11h30 (12h30 dim.), 17h-18h30 (août : mat. seul.).* 🔵 *pendant les offices.*

La plus ancienne église jésuite de Sicile (1564-1633) se dresse près du marché animé de la piazza Ballarò. Appelée Casa Professa, ce parfait exemple de baroque palermitain offre des sculptures et des marqueteries de marbre somptueuses.

Un havre de paix : le jardin du cloître de San Giovanni degli Eremiti

🏛 San Giovanni degli Eremiti

Via dei Benedettini. *Tél 091 651 50 19.* ⬜ *t.l.j. (dim. mat. seul.), dern. ent. 30 min av. la ferm.).* 📷

Les coupoles et les arcades de l'église normande Saint-Jean-des-Ermites, bâtie sur le site d'une mosquée entre 1132 et 1148, témoignent de l'influence des architectes arabes à Palerme. Les ruines du cloître (XIIIᵉ siècle) abritent aujourd'hui un joli jardin.

🏛 Palazzo Reale

Piazza del Parlamento. *Tél 091 705 11 11.* **Palazzo Reale** ⬜ *lun.-sam. 8h30-17h.* 📷 **Cappella Palatina** ⬜ *lun.-sam. 8h30-17h; dim., j.f. 8h30-12h30.* 🔵 *Pâques, 25 avril, 1ᵉʳ mai, 25 déc., pendant les messes.* 📷 🔒 *dim.*

Aussi appelé palazzo dei Normanni car il garde de la forteresse élevée par Roger II au XIIᵉ siècle une tour pisane et le corps de bâtiment central, ce vaste édifice à la façade austère accueille les réunions de l'Assemblée régionale de Sicile. On y visite les appartements royaux et un chef-d'œuvre de l'art médiéval : la Cappella Palatina. Construite de 1132 à 1140, elle marie avec génie une structure romane, des marbres polychromes cosmatesques, un plafond à pendentifs arabe et des mosaïques byzantines.

À côté du palais se dresse la Porta Nuova (1583) au décor excentrique.

Un Christ Pantocrator orne la coupole de la Cappella Palatina

Juxtaposition de styles au Duomo

MODE D'EMPLOI

📊 660 000. ✈ Punta Raisi 32 km
à l'O. 🚇 Stazione Centrale, P.
Giulio Cesare. 🚌 Via Balsamo. ⚓
Stazione Marittima, Molo Vittorio
Veneto. ℹ P. Castelnuovo 35
(091 605 81 11). ⬛ lun.-sam.
🎭 10-15 juil. : U Festinu, fête de
sainte Rosalie, patronne de la
ville ; 4 sept. : pèlerinage à la
grotte de sainte Rosalie ; Pâques :
fêtes orthodoxes à La Martorana.
www.palermotourism.com

PALERME D'UN COUP D'ŒIL

Duomo ④
Gesù ③
La Magione ⑭
La Martorana ⑥
Museo Archeologico
    Regionale ⑩
Oratorio del Rosario di
    San Domenico ⑧
Oratorio di San Lorenzo ⑫

Oratorio di Santa Zita ⑪
Palazzo Abatellis et Galleria
    Regionale di Sicilia ⑬
Palazzo Reale ②
San Domenico ⑨
San Giovanni degli Eremiti ①
Santa Caterina ⑤
Villa Giulia ⑮
Vucciria ⑦

Légende des autres symboles *voir rabat de couverture*

ⓘ Santa Caterina

P. Bellini. ⬛ office du dim., 29 avr. et
Pâques.
Si la construction de l'église
Sainte-Catherine débuta en
1566, sa décoration intérieure
date pour l'essentiel des XVIIe
et XVIIIe siècles. Le baroque
sicilien s'y exprime dans un
paroxysme de couleurs, de
textures et de marqueteries de
marbre. Filippo Randazzo
peignit la fresque en trompe
l'œil de la nef et Vito d'Anna
celle de la coupole. Sur la
piazza Pretoria bordant le
sanctuaire se dresse une
fontaine monumentale
maniériste (1544).

ⓘ Duomo

Corso Vittorio Emanuele. **Tél** 091 33
43 73. ⬛ lun.-sam. 9h30-13h30,
14h30-17h30 ; dim., j.f. 7h30-13h30,
16h-19h. ⬛ pendant les offices.
Trésor ⬛ t.l.j. 9h30-11h30, 14h30-
17h30. 🎥 ♿
www.cathedrale.palermo.it
Fondée en 1184 par
l'archevêque de Palerme, la
cathédrale est un mélange de
styles hétéroclite. Elle garde
de ses origines normandes
des absides au décor
arabisant, possède une façade
plutôt gothique et présente
sur son flanc sud un beau
portique aragonais (1453)
protégeant une mosaïque du
XIIIe siècle et une porte
sculptée en 1432. La coupole
et la décoration intérieure
datent de la fin du
XVIIIe siècle. Près du portail
sud se trouvent les tombeaux
des souverains de Sicile :
l'empereur Frédéric II, sa
femme Constance d'Aragon,
sa mère, fille de Roger II qui
s'appelait aussi Constance,
son père Henri VI et son
beau-père Roger II. Le trésor
expose la couronne de
Constance d'Aragon.

La fontana Pretorio devant l'église
Santa Caterina

À la découverte de Palerme

La via Maqueda et le corso Vittorio Emanuele se croisent aux Quattro Canti, carrefour central de la ville. À l'est, palais et sanctuaires se découvrent au hasard des rues. Puis on s'enfonce dans le dédale des vieux quartiers, souvent délabrés, qui vont jusqu'au port.

🔒 La Martorana

Piazza Bellini. **Tél** *091 616 16 92.*
⬜ *lun.-sam. 8h-13h, 15h30-17h30 ;
dim. 8h30-13h (été : jusqu'à 19h).*
Ce sanctuaire est appelé aussi Santa Maria dell'Ammiraglio, car c'est l'amiral de Roger II, Georges d'Antioche, qui commanda sa construction en 1140. Il apparaît, aux pieds de la Vierge, sur une mosaïque ornant l'aile gauche. À droite, le Christ présente la couronne au roi Roger. D'autres mosaïques du XIIe siècle, superbes, décorent la voûte de la nef et la coupole au-dessus de fresques datant d'un remaniement baroque. C'est dans le couvent voisin, créé en 1193 par Eloisa Martorana, que le parlement sicilien décida en 1295 de confier la couronne à Frédéric d'Aragon.

Mosaïque du Christ Pantocrator à la coupole de La Martorana

📷 Vucciria

Via Roma. ⬜ *t.l.j.*
Nulle part, ce que Palerme a d'oriental n'est plus manifeste que dans ce grand marché, le plus important de la ville. Depuis la piazza San Domenico, sur la via Roma, il s'étend jusqu'au port dans un quartier médiéval aujourd'hui décrépit mais dont les noms de rues entretiennent le souvenir des artisans qui y travaillaient jadis. Étals variés, vendeurs à la sauvette, odeurs épicées et brouhaha composent un spectacle haut en couleur. Attention ! de nombreux pickpockets et voleurs à l'arraché y rôdent.

Stucs par Serpotta à l'oratorio del Rosario di San Domenico

🔒 Oratorio del Rosario di San Domenico

Via Bambinai 2. **Tél** *091 609 03 08.*
⬜ *t.l.j. 9h-14h (rés.).*
Génial stucateur baroque, Giacomo Serpotta a donné vers 1720 à ce petit sanctuaire du XVIe siècle une décoration où s'expriment sa virtuosité et sa fantaisie. Ses angelots, ses draperies et ses allégories des Vertus encadrent des tableaux peints notamment par Luca Giordano et Pietro Novelli. La *Vierge du Rosaire* (1624-1628) du maître-autel est d'Anton Van Dyck.

🔒 San Domenico

Piazza San Domenico. **Tél** *091 32 95 88.* ⬜ *mar.-sam. 9h-12h (et sam.-dim. 17h-19h).* **Cloître** ⬜
Téléphoner pour infos. **Museo del Risorgimento Tél** *091 58 27 74.*
📷 *pour rénovation.*
www.storiapatria.it
La construction du sanctuaire actuel commença en 1640 sur un site occupé par une église bénédictine. Tommaso Maria Napoli, un des maîtres du baroque sicilien, lui donna en 1726 son exubérante façade après avoir aménagé en 1724 la place qu'elle domine.
L'élément le plus intéressant de la décoration intérieure est le bas-relief de *Sainte Catherine* (1528) par Antonello Gagini dans la troisième chapelle à gauche. Celle-ci ouvre sur le cloître du XIVe siècle qui donne accès au Museo del Risorgimento.

🏛 Museo Archeologico Regionale

Piazza Olivella 24. **Tél** *091 611 68 05.* ⬜ *lun.-ven. 8h30-13h15, 15h-18h15 ; sam.-dim. 8h30-13h15.* 📷
Installé dans l'ancien monastère des Filippini, le plus grand musée de Sicile présente des objets découverts sur les sites archéologiques phéniciens, grecs et romains de l'île. Les collections proposent sculptures, céramiques, verrerie, bijoux et armes. Les pièces les plus célèbres ornaient jadis les temples de Sélinonte (*p. 534*). Il s'agit de métopes, éléments sculptés d'une frise dorique. Parmi les scènes mythologiques figurent l'*Enlèvement d'Europe* et *Persée tuant la Méduse*.

Le marché Vucciria à l'est de la via Roma

🛉 Oratorio del Rosario di Santa Cita

Via Valverde 3. **Tél** 091 33 27 79. ⏱ *lun.-sam. 9h-13h ou sur rés. (091 609 03 08).*

Ce petit oratoire est dédié à la Vierge du Rosaire dont l'intervention aurait décidé du sort de la bataille navale de Lépante (*p. 58-59*). Giacomo Serpotta réalisa les stucs de sa décoration intérieure entre 1688 et 1718, et l'illustration de la bataille et de diverses scènes du Nouveau Testament lui a servi de prétexte pour créer de charmants angelots. L'église Santa Zita voisine abrite plusieurs œuvres sculptées par Antonello Gagini entre 1517 et 1527.

L'oratorio di Santa Zita

🛉 Oratorio di San Lorenzo

Via Immacolatella 5. **Tél** 091 58 23 70. ⏱ *t.l.j. 9h-12h45 sur r.-v. seul.*

Les scènes des vies de saint François et de saint Laurent dont le stucateur baroque Giacomo Serpotta a décoré entre 1699 et 1706 les murs de ce sanctuaire témoignent de son étonnante virtuosité et de sa passion pour les angelots. Un espace nu au-dessus de l'autel a remplacé la *Nativité* (1609) du Caravage dérobée en 1969.

L'église San Francesco d'Assisi (XIIIᵉ siècle) domine l'oratoire. Derrière un élégant portail gothique, elle abrite de très nombreuses sculptures. La plus belle est l'arc triomphal (1468) de la cappella Mastrantonio par Francesco Laurana et Pietro da Bonitate.

La palazzina Cinese (1799) et le parco della Favorita

🏛 Palazzo Abatellis et Galleria Regionale di Sicilia

Via Alloro 4. **Tél** 091 623 00 11. ⏺ *pour restauration.* 📷

Ce palais (XVᵉ siècle) par Matteo Carnevilari mêle des éléments de la fin du gothique et du début de la Renaissance. Il abrite la galerie régionale de Sicile qui comprend entre autres : l'*Annonciation* (1473) par Antonello da Messina, le buste d'Éléonore d'Aragon (XVᵉ siècle) de Francesco Laurana et, dans la chapelle, la fresque anonyme du *Triomphe de la Mort* (XVᵉ siècle).

Des sculptures par Serpotta ornent l'église de La Gancia voisine.

Annonciation (1473) par da Messina à la Galleria Regionale

🛉 La Magione

Via Magione 44. **Tél** 091 617 05 96 ou 339 377 41 37 *(portable).* ⏱ *lun.-sam. 8h45-11h45, 15h-18h ; dim. 8h45-12h30.* 🚻 ♿ 📷

Restaurée après la dernière guerre, cette église fondée en 1150 par Matteo d'Aiello, chancelier de Roger II, a retrouvé sa sobre élégance. Sa nef abrite les pierres tombales des chevaliers teutoniques.

🌿 Villa Giulia

Via Abramo Lincoln. ⏱ *t.l.j. 10h-17h.* ♿ **Orto Botanico Tél** 800 90 36 31. ⏱ *nov.-mars : t.l.j. 9h-17h (14h dim.) ; été : horaires plus larges* ⏺ *j.f.* 📷 ♿

Aménagé au XVIIIᵉ siècle, ce jardin paré de fontaines et de statues était une évocation exotique du monde antique qui émerveilla Goethe. Aujourd'hui, l'atmosphère de grandeur déchue qui en émane en fait un très agréable lieu de promenade. L'Orto Botanico voisin possède une des plus riches collections de fleurs et d'espèces végétales d'Europe. Certaines peuvent s'admirer dans le Gymnasium néoclassique dessiné par Léon Dufourny en 1789.

🌿 Parco della Favorita

Entrées P. Leoni et P. Generale Cascino. ⏱ *t.l.j.* ♿ **Museo Etnografico Siciliano Pitré**, Via Duca degli Abruzzi 1. **Tél** 091 740 48 90. ⏱ *sam.-jeu. 8h30-13h, 15h30-18h30.* ⏺ *j.f.* 📷

À l'orée de l'ancienne réserve de chasse créée en 1799 par Ferdinand IV se dresse la palazzina Cinese (en rénovation). Le Museo Etnografico Siciliano occupe les écuries de ce pavillon. Il présente la reconstitution d'un théâtre de marionnettes et ses collections dressent un portrait remarquable des arts, superstitions et traditions populaires de l'île.

Monreale ❷

Bâtie sur un flanc de colline dominant la Conca d'Oro, le Duomo de Monreale est un des grands chefs-d'œuvre de l'architecture normande. Fondée en 1172 par Guillaume II, dernier roi de la dynastie qui y repose à côté de son père, elle abrite un cycle de mosaïques exceptionnelles par leur

Chapiteau d'une colonne du cloître

beauté et leur facture, une indulgence très italienne venant adoucir la rigueur du style byzantin. Édifié pour des bénédictins, le cloître est tout aussi remarquable par la finesse de sa colonnade.

★ Christ Pantocrator
Depuis l'abside centrale, cette mosaïque des XIIe et XIIIe siècles domine l'église au plan en croix latine.

Les trois nefs sont séparées par des colonnes antiques

Magnifique plafond arabe

Extérieur de l'abside
Construites à l'apogée de l'art normand, les trois absides ont une décoration polychrome très orientale.

Entrée de la cappella del Crocifisso et du trésor

Pavement cosmatesque

Le tombeau de Guillaume II, en marbre, et celui de Guillaume Ier, en porphyre, se trouvent à droite du chœur.

Les portes en bronze du flanc nord (1179), œuvres de Barisano da Trani, s'admirent sous un portique (1547-1569) dessiné par Gian Domenico et Fazio Gagini.

★ Cycle de mosaïques
Achevées en 1182, de superbes mosaïques, telle cette Arche de Noé, illustrent la Genèse dans la nef centrale, les enseignements du Christ dans le chœur et ses miracles dans les nefs latérales.

★ **Cloître**
Supportant des arcades de style arabe, ses 228 colonnettes aux chapiteaux sculptés et aux fûts ornés de motifs en mosaïque ou en relief présentent des décors tous différents.

MODE D'EMPLOI

Piazza Duomo. 389, 809, 8/9 et autres lignes vers l'ouest.
Église *Tél* 091 640 44 13.
◻ mai-sept. : t.l.j. 8h-18h ; oct.-avr. : t.l.j. 8h-12h30, 15h30-18h.
Cloître *Tél* 091 640 44 03.
◻ lun.-sam. 9h-18h30.
Trésor ◻ même horaires que l'église.

Le mur sud et le cloître appartenaient au monastère original.

Fontaine *(p. 474)*

Adam et Ève
Des artistes de toute l'Italie du Sud ont sculpté de reliefs d'une grande finesse les fûts de certaines colonnettes.

Porche du XVIIIᵉ siècle

À NE PAS MANQUER

★ Christ Pantocrator

★ Cloître

★ Cycle de mosaïques

Panneau des portes en bronze
Signées par Bonanno da Pisa en 1185, les portes sont ornées de 42 scènes de la Bible. Le lion et le griffon étaient les emblèmes des rois normands.

Bagheria ❸

Palermo. 🏛 *40 000.* FS 🚌
ℹ *Pro Loco, Corso Umberto I*
(091 90 90 20). 🚢 *mer.*

Cette petite cité est désormais
devenue une banlieue de
Palerme, mais, au XVIIe siècle,
la beauté de ses paysages
ruraux incita Giuseppe
Branciforte, prince de Butera,
à y construire une résidence
d'été, initiative qu'imitèrent
bientôt de nombreux
aristocrates palermitains.
Leurs villas baroques et
néoclassiques agrémentent
toujours le centre-ville.

Tommaso Maria Napoli
édifia en 1705 la plus
étonnante, la **villa
Palagonia**, pour
Ferdinando Gravina,
prince de Palagonia.
À la sophistication
baroque de l'escalier
extérieur et de la
façade concave
répondait celle d'une
trompe-l'œil d'une
décoration intérieure que son
délabrement rend aujourd'hui
encore plus insolite. Le prince
était d'une jalousie confinant à
la démence et il enferma sa
jeune épouse dans la villa qu'il

Sculpture de
la villa Palagonia

cerna d'un mur couronné de
statues de monstres et de
personnages difformes.
La **villa Valguarnera**
(entreprise par
Napoli en 1713) et
la **villa Trabia**
(milieu du XVIIIe
siècle) bordent
également la place.
Une galerie d'art
moderne occupe la
villa Cattolica (1736).

🏛 **Villa Palagonia**
Piazza Garibaldi 3.
Tél 091 93 20 88. ⬜ *t.l.j.*
Téléphoner. 📷

🏛 **Villa Cattolica**
Via Consolare. **Tél** 091 94 39 02.
⬜ *mar.-dim.* 📷

Bateaux de pêche et bateaux de plaisance voisinent dans le port de Trapani

Trapani ❹

🏛 *120 000.* FS 🚌 ⛴ ℹ *Piazza
Scarlatti 1 (0923 290 00).* 🚢 *t.l.j.*
www.apt.trapani.it

Quartier animé, le vieux
Trapani s'étend sur une
étroite péninsule et renferme
de belles églises, notamment
la **cathédrale San Lorenzo**
(1635) et la **chiesa del Collegio
dei Gesuiti** (v. 1614-1640).
Le **palazzo d'Ali** (XVIIe siècle)
présente de somptueuses
façades caractéristiques du
baroque exubérant de la
Sicile occidentale.

Dans la via San Francesco
d'Assisi, le **Purgatorio**
(XVIIe siècle) abrite les *Misteri*,
statues en bois du XVIIIe siècle
illustrant des scènes de la
Passion qui sont portées en
procession le Vendredi saint.
La *Madone des anges* (1435-
1525) par Andrea della
Robbia et un baldaquin
(1521) par Antonello Gagini
justifient une visite à **Santa
Maria del Gesù** dans la via
Maria Sant' Agostino.
Dans le quartier juif, à l'ouest
de la via XXX Gennaio, le
palazzo della Giudecca
(XVIe siècle) possède une tour
à bossage en pointes de
diamant.

Le **Museo Pepoli** expose des
collections d'art comprenant
un bel ensemble de figurines
de crèche. À côté, le
**Santuario di Maria Santissima
Annunziata** sert d'écrin à la
Madonna di Trapani révérée
par les pêcheurs et les marins
pour ses pouvoirs miraculeux.

🏛 **Museo Pepoli**
Via Conte Agostino Pepoli.
Tél 0923 55 32 69.
⬜ *mar.-dim.* 10h-18h. 📷

L'escalier et la façade baroque de la villa Palagonia de Bagheria

Erice ❺

Trapani. 🏛 29 000. 🚌 ℹ️ *Via Conte a Repoli 11 (0923 86 93 88)*. 🏛 *lun.*

Dominant la mer et Trapani depuis le mont Eryx, cette ville médiévale qu'enserre toujours son enceinte fortifiée occupe un site où Phéniciens, Grecs et Romains vénérèrent la déesse de l'Amour et de la Fertilité. Une tradition dont ne s'écartèrent pas les chrétiens qui dédièrent le **Duomo** à la Vierge.
Bâti en 1314 et flanqué d'un élégant campanile, le sanctuaire possède un beau portail gothique et un porche du XVᵉ siècle.
Il recèle une *Vierge à l'Enfant* (v. 1469) attribuée à Francesco Laurana ou Domenico Gagini. Au terme du corso Vittorio Emanuele, le **Museo Cordici** présente une collection d'art et une ancienne bibliothèque.

Désormais un hôtel, **San Giovanni Battista** (XIIIᵉ siècle) abrite dans le viale Nunzio Nasi des sculptures par les Gagini. Leur atelier sculpta vers 1474 le bénitier de l'église **San Cataldo**, dans la rue du même nom.

Construit par les Normands aux XIIᵉ et XIIIᵉ siècles, le **castello di Venere** occupe l'emplacement du temple de Vénus derrière les jardins de la **villa Balio** d'où l'on a un panorama exceptionnel sur toute la ville et ses environs.

🏛 **Museo Cordici**
Piazza Umberto I. **Tél** 0923 86 91 72. ⬤ *mar., mer., ven. 8h-14h.*

Une rue typique de la ville médiévale d'Erice

ÎLES SICILIENNES

Plusieurs groupes d'îles entourent la Sicile. Au nord, accessibles depuis Milazzo, des volcans éteints ou assoupis forment l'archipel des îles Éoliennes, aussi appelées Lipari, auquel appartiennent Panarea, Lipari, Vulcano et Stromboli. Les îles Égades, notamment Favignana, Levanzo (où se trouvent des gravures et des peintures paléolithiques et néolithiques) et Marettimmo, la mieux préservée, possèdent au large de Trapani une atmosphère très orientale. Au nord de Palerme, la beauté de ses fonds marins fait d'Ustica un paradis pour les plongeurs, tandis qu'au sud d'Agrigente, les îles Pélagie évoquent déjà l'Afrique du Nord dont elles sont plus proches, comme Pantelleria.

L'île Éolienne *la plus vaste et la plus fréquentée est Lipari où les visiteurs trouvent hôtels, bars et restaurants près d'un joli petit port. Sa voisine, Vulcano, offre bains de boue et plages de sable noir.*

À Favignana, *la plus grande et la plus peuplée des îles Égades, se déroule chaque année en mai la* mattanza *: les pêcheurs regroupent avec des filets des bancs de thons qu'ils tuent au harpon.*

Dans les îles Pélagie, *Lampedusa, aux eaux limpides et aux plages blanches, appartint un temps à la famille de Giuseppe Tomasi di Lampedusa, auteur du célèbre roman* Le Guépard.

USTICA
ISOLE EOLIE (LIPARI)
Palermo
ISOLE EGADI
SICILE
PANTELLERIA
ISOLE PELAGIE
0   100 m

Marsala ❻

Trapani. 🏠 85 000. FS ▦ ⛴
ℹ️ Via XI Maggio 100
(0923 71 40 97). 🗓️ mar.
www.consorziovinomarsala.it

Des Anglais commencèrent au XVIIIᵉ siècle la production du marsala, vin liquoreux affiné dans des établissements, les *bagli*, qui, pour la plupart, se visitent. Les entrepôts désaffectés de l'un d'eux abritent sur le cap Lilibeo, où les Carthaginois fondèrent en 397 av. J.-C. la puissante cité fortifiée de Lilybée, le **Museo archeologico di Baglio Anselmi**. Il présente des pièces archéologiques découvertes dans la région, en particulier la reconstitution d'un navire phénicien coulé au large du cap San Teodoro, probablement pendant la première guerre punique (264-241 av. J.-C.).

Dominée par la façade baroque du **Duomo**, la piazza della Repubblica marque le centre de la ville. Entreprise au XVIIᵉ siècle sur le site d'un sanctuaire normand, la cathédrale recèle de nombreuses sculptures exécutées par les membres de la famille Gagini : Antonio, Domenico, Antonino et Antonello. Derrière, dans la via Garazza, le petit **museo degli Arazzi** expose huit magnifiques tapisseries flamandes du XVIᵉ siècle.

Les Phéniciens de Carthage qui fondèrent **Lilybée** venaient de l'île de Mozia, située au nord de la ville actuelle, où ils étaient implantés depuis le VIIIᵉ siècle av. J.-C. La majorité de ce que nous savons de leur culture provient de la Bible et des fouilles entreprises sur cette île où subsistent les vestiges de fortifications, d'une nécropole et du tophet où les prêtres de Baal sacrifiaient par le feu les premiers-nés. Dans la villa Whitaker, le **museo di Mozia** présente le *Jeune homme à la tunique*, superbe statue retrouvée en 1979 où se marient style grec et éléments puniques.

Jeune homme à la tunique au museo di Mozia

🏛️ **Museo Archeologico di Baglio Anselmi**
Via Lungomare. *Tél 0923 71 13 27*. 🕐 t.l.j. 9h-18h. ♿

🏛️ **Museo degli Arazzi**
Via Garaffa 57. *Tél 0923 952 54.* 🕐 mar.-dim. 📷

🏛️ **Museo di Mozia**
Isola di Mozia. *Tél 0923 71 25 98.* 🕐 t.l.j. 📷 ♿

Segesta ❼

Trapani. 🚌 depuis Trapani et Palermo. *Tél 0924 95 58 41.* 🕐 t.l.j. 9h-18h (16h en hiver).

Selon la légende, des Troyens ayant fui leur ville en flammes sont à l'origine du peuple des Élymes qui fonda l'antique cité de Ségeste dont les vestiges restent encore en grande partie à exhumer.

Dans un site isolé, un monument témoigne de la grandeur passée de la ville : un **temple** dorique entrepris entre 426 et 416 av. J.-C. et dont la construction s'arrêta après la prise de Sélinonte par les Carthaginois en 409. À 2 km, près du sommet du monte Barbaro, un théâtre (IIIᵉ siècle av. J.-C.) se visite et accueille des concerts en été.

Selinunte ❽

Trapani. *Tél 0924 462 77.*
FS Castelvetrano puis bus.
🕐 t.l.j. 9h-18h (16h en hiver).
📷 dim. après-midi. ♿

Les habitants de Megara Hyblaea qui fondèrent en 651 av. J.-C. cette colonie au bord de l'actuel Modione lui donnèrent le nom du céleri sauvage (*selinon*) qui poussait en abondance. Sélinonte devint une des cités les plus prospères de la Grande-Grèce et l'histoire en a fait un des sites archéologiques majeurs de la Sicile. Les fortifications qu'élevèrent ses habitants restent en partie visibles, mais ces remparts ne suffirent pas à éviter en 409 av. J.-C. le massacre par les Carthaginois d'Hannibal.

Les ruines des temples de Sélinonte offrent un spectacle toujours impressionnant. Sur le plateau de Marinella, le **temple E** (490-480 av. J.-C.) a été en partie reconstruit ; le **temple F** (v. 560-540 av. J.-C.), plus petit, n'est que ruines et l'amas formé par les blocs de pierre effondrés du **temple G** (fin du VIᵉ siècle av. J.-C.) rappelle qu'il fut l'un des plus vastes du monde grec.

Plus haut, sur l'acropole, se trouvent les vestiges des **temples A, B, C, D** et **O** érigés aux VIᵉ et Vᵉ siècles av. J.-C. Au nord, au-delà de l'ancienne porte principale, s'étendait la nécropole.

Le petit **musée** de la zone archéologique et celui de Castelvetrano, à 14 km au nord, présentent des pièces retrouvées ici, mais les plus belles sont au Museo Archeologico Regionale de Palerme (*p. 508*).

Le temple inachevé de Ségeste se dresse dans un site spectaculaire

Cefalù ➒

Palermo. 🏛 14,000. 🚉 🚌 ℹ️ *Corso Ruggero 77 (0921 42 10 50)*. 🚤 *sam.* **www**.cefalu.it

Une majestueuse falaise où se dressait jadis un temple de Diane domine cette charmante station balnéaire dont la vieille ville s'étend au pied d'une des plus belles cathédrales normandes de Sicile. Commencée par Roger II en 1131, la construction du **Duomo** de Cefalù se poursuivit jusqu'au XIIIᵉ siècle. Exécutées en 1148, les splendides mosaïques byzantines de l'abside principale représentent un énorme Christ Pantocrator, la Vierge entourée de quatre archanges et les douze apôtres.

Le **Museo Mandralisca** présente d'intéressantes collections d'objets d'art comprenant le *Portrait d'homme* peint vers 1465 par Antonello da Messina.

🏛 **Museo Mandralisca**
Via Mandralisca. **Tél** *0921 42 15 47.*
⭕ *t.l.j. 9h-19h (plus tard en été).*
🖥 www.museomandralisca.it

Abside du Duomo de Cefalù

Façade du Duomo normand de Cefalù

Sillonné de ruelles médiévales, son quartier historique s'organise autour de la via Aetenea d'où la via Foderà mène à l'abbatiale **Santo Spirito** (XIIIᵉ siècle) qui a gardé de ses origines gothiques un beau portail ouvrant sur un intérieur décoré de stucs baroques par Giacomo Serpotta. Depuis la via Duomo, des escaliers conduisent à **Santa Maria dei Greci** bâtie sur les vestiges d'un temple du Vᵉ siècle av. J.-C. Fondé au XIᵉ siècle, le **Duomo** a connu de nombreux remaniements et marie apports normands, arabes et catalans.

Aux environs : La zone archéologique connue sous le nom de vallée des temples (*p. 536*) constitue l'attrait le plus important d'Agrigente. La visite du **Museo Regionale Archeologico** complète sa découverte. Particulièrement riches en céramiques, ses collections comprennent aussi de belles sculptures.

🏛 **Museo Regionale Archeologico**
Contrada San Nicola, Viale Panoramica.
Tél *0922 40 15 65.* ⭕ *t.l.j. 9h-19h (dim., lun. jusqu'à 13h30).* 🖥

Agrigento ➓

🏛 *57 000.* 🚉 🚌 🚤 ℹ️
Via Empedocle 73 (0922 203 91) ; Piazzale Aldo Moro (0922 204 54). 🚤 *ven.*

Agrigente s'est développée sur le site de l'antique Akragas, fondée, selon la légende, par Dédale, et dont l'historien Diodore vanta la richesse avant sa mise à sac par les Carthaginois en 406 av. J.-C.

MAFIA

Cette organisation criminelle aux ramifications internationales serait née à l'époque normande. Des bandits d'honneur défendaient les paysans que les Arabes avaient traités avec justice mais que spoliaient les seigneurs féodaux. Malgré les revers subis ces dernières années, le pouvoir de la mafia reste très important dans l'île. Le « capo di tutti capi », Bernardo Provenzano a été arrêté en 2006, après 43 années de cavale. Les actes de violence ne visent pas les touristes ; les Siciliens sont souvent d'une chaude hospitalité.

Règlement de compte entre mafiosi dans *Le Parrain III* (1990) de Francis Ford Coppola

La vallée des temples

Au sud de l'acropole d'Akragas, qu'a recouverte Agrigente, une terrasse aujourd'hui appelée Valle dei Templi était jadis réservée aux dieux. Dix temples doriques s'y dressaient, bâtis aux vie et ve siècles av. J.-C., et leurs vestiges forment un des plus beaux ensembles architecturaux hellènes hors de Grèce. Les Carthaginois les détruisirent en partie en prenant la ville en 406 av. J.-C., puis tremblements de terre et excès de zèle chrétiens achevèrent de les mettre à bas. Le matin (certains temples ouvrent à 8h30) et le soir sont les meilleurs moments pour les découvrir.

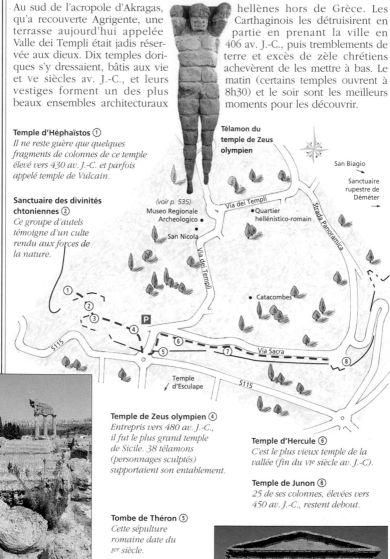

Temple d'Héphaïstos ①
Il ne reste guère que quelques fragments de colonnes de ce temple élevé vers 430 av. J.-C. et parfois appelé temple de Vulcain.

Sanctuaire des divinités chtoniennes ②
Ce groupe d'autels témoigne d'un culte rendu aux forces de la nature.

Télamon du temple de Zeus olympien

(voir p. 535)
Museo Regionale Archeologico
San Nicola
San Biagio
Sanctuaire rupestre de Déméter
Via dei Templi
Quartier hellénistico-romain
Strada Panoramica
Via dei Templi
Catacombes
S115
P
Via Sacra
Temple d'Esculape
S115

Temple de Zeus olympien ④
Entrepris vers 480 av. J.-C., il fut le plus grand temple de Sicile. 38 télamons (personnages sculptés) supportaient son entablement.

Temple d'Hercule ⑥
C'est le plus vieux temple de la vallée (fin du vie siècle av. J.-C).

Temple de Junon ⑧
25 de ses colonnes, élevées vers 450 av. J.-C., restent debout.

Tombe de Théron ⑤
Cette sépulture romaine date du ier siècle.

Temple de Castor et Pollux ③
Cet assemblage controversé d'éléments de plusieurs édifices se détache devant Agrigente depuis le xixe siècle (p. 535).

LÉGENDE

- - Itinéraire conseillé

P Parc de stationnement

— Mur antique

0 ————— 500 m

Temple de la Concorde ⑦
Bâti vers 430 av. J.-C., il fut transformé en église chrétienne au ive siècle, ce qui lui évita la destruction.

Piazza Armerina ⓫

Enna. 🏘 28 000. 🚌 ℹ️ Via Generale Muscara (0935 68 02 01). 📅 jeu.

Cette vivante petite cité a gardé son tracé médiéval au pied d'un somptueux **Duomo** baroque. Commencé en 1604, il possède une intéressante décoration intérieure.
Les 13 et 14 août, le *Palio dei Normanni* et ses parades en costumes des XIIe et XIIIe siècles attirent chaque année une foule animée.
C'est toutefois la **villa romana del Casale**, patrimoine de l'Unesco, située à 5 km au sud-ouest de la ville, qui motive la venue des visiteurs à Piazza Armerina.
La construction de cette immense résidence de campagne débuta à la fin du IIIe siècle, sans doute pour Maximien, un des Tétrarques (*p. 111*), et se poursuivit au IVe siècle. Il ne reste presque rien des parties supérieures des édifices, mais les mosaïques des sols forment un ensemble unique de quelque 4 000 m². L'œuvre la plus grande couvre un couloir long de 60 m et illustre dans le détail la capture d'animaux sauvages en Afrique.

🏛 Villa Romana del Casale
Contrada Casale. **Tél** 0935 68 00 36. ⬜ mar.-dim., téléphoner av. 📷

Détail de la mosaïque dite des *dix sportives*, villa romana del Casale

Enna ⓬

🏘 28 000. 🚊 FS 🚌 ℹ️ Piazza Colaianni 6 (0935 50 08 75). 📅 mar. **www**.apt-enna.com

La ville la plus haute de Sicile occupe au cœur des terres un site où les hommes rendirent pendant des siècles un culte à la déesse de la Fertilité. Celle-ci porta plusieurs noms avant de devenir la Déméter grecque puis la Cérès latine. Dominé par une statue colossale, son temple se dressait sur la **Rocca Cerere**, non loin de l'immense **castello di Lombardia** édifié au XIIIe siècle par Frédéric II.
La via Roma, qui traverse la vieille ville, et son réseau de ruelles médiévales longe

l'église **San Francesco** dont le clocher date du XVIe siècle. Sur la piazza Crispi, se dresse une copie de l'*Enlèvement de Proserpine* du Bernin (*p. 439*). Elle rappelle que c'est près d'Enna que le maître des Enfers s'empara de la fille de Déméter-Cérès (*p. 481*). Fondé au XIVe siècle, le **Duomo** incorpore des éléments du temple antique. Attenant, le **Museo Alessi** présente le trésor de la cathédrale et une riche collection de monnaies. Au **Museo Varisano** sont exposées des pièces archéologiques.
Hors du centre s'élève la **torre di Federico II** (XIIIe siècle), ancienne tour de guet octogonale.

Aux environs : Au nord-est d'Enna, la ville perchée de **Nicosia** a souffert du séisme de 1967 mais conserve de belles églises, notamment la cathédrale San Nicolo (XIVe siècle), au magnifique portail sculpté, et Santa Maria Maggiore qui abrite un polyptyque en marbre du XVIe siècle par Antonello Gagini. À une trentaine de kilomètres plus à l'est, **Troina** fut prise en 1062 par les Normands qui édifièrent la Chiesa Matrice. Au sud-est d'Enna, **Vizzini** offre de belles vues sur la campagne.

🏛 Museo Alessi
Via Roma 475. **Tél** 0935 50 31 65. ⬜ t.l.j. 8h-20h. 📷

🏛 Museo Varisano
Piazza Mazzini. **Tél** 0935 50 04 18. ⬜ t.l.j. 9h-1 heure avant la nuit. 📷

La jolie petite ville de Vizzini au sud-est d'Enna

Les Grecs édifièrent le théâtre de Taormine, dont les gradins font face à l'Etna

Tindari ⑬

Messina. **Tél** *0941 24 11 36.* FS *Patti ou Oliveri puis bus.* ⭘ *t.l.j. 9h-19h (16h en hiver).* ♿ ▨

Sur une falaise dominant le golfo di Patti, les remparts de **Tyndaris**, cité grecque fondée en 396 av. J.-C., se dressent en protecteurs de ruines principalement romaines, notamment celles d'une vaste **basilique**, d'un **théâtre** et d'habitations. Un **antiquarium** présente des objets découverts sur le site. Le même billet permet l'accès à la **villa Romana** à Patti Marina.

Sur piazzale Belvedere s'élève l'église abritant la **Vierge noire**, icône byzantine objet d'un pèlerinage.

Messina ⑭

🏛 *275 000.* FS ▭ ⛴ 🛈 *Piazza Cairoli 45 (090 293 52 92).* ⭘ *t.l.j.* www.*azienturismomessina.it*

Aucune ville sicilienne n'a souffert autant que Messine des bombardements et des séismes, et le **Museo Regionale** présente plusieurs trésors provenant d'édifices disparus, dont deux chefs-d'œuvre du Caravage. Fondé en 1160, le **Duomo** a connu tant de reconstructions que

l'église **Santissima Annunziata del Catalani** présentera une architecture normande plus intéressante.

L'une des plus jolies fontaines de Sicile, la **fontana d'Orione** (1547), orne la piazza del Duomo. Son auteur, G. A. Montorsoli, créa également la **fontana di Nettuno** (1557) de la piazza dell'Unità Italia.

🏛 Museo Regionale
Via della Libertà 465. **Tél** *090 36 12 92.* ⭘ *jeu.-mar. 9h-13h30 ; mar., jeu., sam. après-midi aussi).* ▨

Vierge à l'Enfant (1473) d'Antonello da Messina au Museo Regionale

Taormina ⑮

Messina. 🏛 *10 000.* FS ▭ 🛈 *Palazzo Corvaja, Piazza Santa Caterina (0942 232 43).* ▭ *mer.* www.*gate2taormina.com*

Dans un site exceptionnel, Taormine est devenu une station balnéaire chic mais garde assez de charme pour rester très agréable à visiter.

Son monument le plus célèbre, le **théâtre**, est un édifice entrepris par les Grecs au IIIe siècle av. J.-C., puis remanié par les Romains. Il accueille en été les spectacles d'un festival prestigieux. Les vestiges de l'**odéon** jadis consacré à la musique se voient derrière l'église Santa Caterina dont la façade domine la piazza Vittorio Emanuele à côté du **palazzo Corvaia** (XIVe siècle) avec les pierres d'un temple antique. Fondé au XIIIe siècle, le **Duomo** fut restauré en 1636.

Aux environs :
On peut rejoindre de la ville la superbe plage de **Mazzaró**, à l'eau transparente et au sable fin. Au sud de Taormine, le **capo Schisó** porte les ruines de l'antique **Naxos**. À l'ouest se trouvent les chutes d'eau et la rivière de **Gole dell'Alcantara**.

Etna

Catania. FS *jusqu'à Linguaglossa ou Randazzo ; ligne Circumetnea de Catane à Riposto.* jusqu'à Nicolosi. Via G. Garibaldi 63, Nicolosi (095 91 15 05). Pour prendre un guide : 095 791 47 55. www.apt.catania.it/etna/index.html

Les trains de la *Ferrovia Circumetnea* qui en font le tour permettent de découvrir le plus grand volcan d'Europe où, selon les anciens, Vulcain avait ses forges. Il est sous étroite surveillance afin d'éviter des catastrophes comme celles qui frappèrent Catane au XVIIe siècle. Pour aller au sommet, il faut prendre un guide.

Catania

365 000. FS Via Cimarosa 10 (095 73 06 211). lun.-sam., dim. (antiquités et brocante). www.apt.catania.it

Catane connut une importante reconstruction après un séisme en 1693 et elle recèle

Façade du Duomo de Catane

certains des édifices les plus créatifs du baroque sicilien.

L'emblème de la ville, un éléphant sculpté dans la lave, porte un obélisque au centre de la **piazza del Duomo** qui offre une perspective fabuleuse sur l'Etna. Dans les ruelles qui la séparent du port se tient le matin un marché aux poissons animé. C'est l'architecte Vaccarini qui donna à la **cathédrale** d'origine normande sa façade théâtrale et dessina le

Municipio achevé en 1741. Dans la via Vittorio Emanuele II, son style marque aussi **Sant'Agata** (1748) et le **collegio Cutelli.** Entre les deux, **San Placido** (v. 1768) est de Stefano Ittar. Antonio Amato réalisa au début du XVIIIe siècle le **palazzo Biscari** situé à quelques pas en direction du port ainsi que l'église **San Niccolò** (1730), dont la façade inachevée domine la piazza Dante, et le **couvent bénédictin** (1704).

Dans la via Vittorio Emanuele se trouvent le **Museo Belliniano** installé dans la maison natale du compositeur Vincenzo Bellini (1801-1835) et le **Teatro Romano** (21 av. J.-C.), construit en pierres de lave. La maison du romancier Giovanni Verga (1840-1922) donne sur la via Anna. La via Crociferi longe les églises baroques **San Francesco Borgia, San Benedetto** et **San Giuliano,** sanctuaire dont la décoration intérieure (1760) est le chef-d'œuvre de Vaccarini.

LA CUISINE SICILIENNE ET SES INFLUENCES

Le premier livre de cuisine a été écrit en Sicile, mais l'*Art de la cuisine* rédigé au Ve siècle av. J.-C. par le Syracusain Mithaèque ne nous est pas parvenu. Les vins produits ici avaient déjà une haute réputation à l'époque romaine, mais ce sont les Arabes qui introduisirent l'aubergine et les agrumes. Leur passion orientale pour les friandises se retrouve dans l'immense variété des confiseries et des pâtisseries siciliennes. Pâte d'amandes et fruits confits y jouent un grand rôle comme, par exemple, dans les glaces *cassata* et *granita*. Certains desserts ne se dégustent qu'à l'occasion de la fête d'un saint.

Un étal appétissant sur le marché de Palerme

Fruits en pâte d'amandes

La frugalité de ses paysans s'est alliée en Sicile au goût de l'apparat de sa noblesse pour créer des spécialités souvent très simples mais à la présentation élaborée. Les produits de la mer, notamment le thon et l'espadon, entrent dans la préparation de nombre d'entre elles, en particulier risottos et

plats de pâtes, l'île ayant donné à l'Italie, et au monde, les macaronis. À Trapani, le poisson accompagne même le couscous. Aubergines, poivrons, artichauts et épinards sont très utilisés.

Au dessert, offrez-vous un luxe d'empereur : un verre de mamertino, vin qui n'a pas changé depuis la Rome antique.

Le porto Piccolo de Syracuse, ville au prestigieux passé antique

Pantalica 🔞

Siracusa. 🚌 *de Syracuse à Sortino puis 5 km à pied jusqu'à l'entrée ou bus de Syracuse à Ferla puis 10 km à pied.* **Nécropole** 🚹 *Pro Loco, Ferla.* **Tél** *0931 87 01 36.*

Dans un lieu sauvage des monts Iblei, au-dessus de l'Anapo, la **nécropole** rocheuse de Pantalica compte quelque 5 000 tombes creusées dans le rocher entre le XIIIe et le VIIIe siècle av. J.-C. par des Sicules, l'un des peuples, avec les Sicanes et les Élymes, qui occupaient la Sicile avant l'arrivée des Grecs. Leur cité, qui reste à exhumer, aurait été fondée par des habitants de la ville côtière de **Thapsos** lassés des incursions de tribus belliqueuses de la péninsule.

Le site de Pantalica connut une nouvelle occupation à l'époque byzantine comme en témoignent des spectaculaires habitations troglodytiques et des chapelles aménagées dans d'anciennes sépultures.

La nécropole de Pantalica et ses tombes taillées dans le rocher

Le Museo Archeologico Regionale de Syracuse présente les divers objets découverts dans ce site rare.

Siracusa 🔞

🏛 *118 000.* FS 🚌 🛥 🚹 *Via Maestranza (0931 46 42 55).* 🛥 *mer.*

Dans le Duomo de Syracuse

Syracuse fut l'une des plus puissantes cités du monde grec entre les IIIe et Ve siècles, et celle que Cicéron estimait la plus belle. Sur l'île d'**Ortygie**, où s'implantèrent vers 730 av. J.-C. les premiers colons, s'étend la vieille ville, séparée par la Darsena des quartiers modernes qui ont recouvert les antiques **Achradine, Tyché** et **Neapoli**. Elle n'a conservé que quelques vestiges des majestueux édifices érigés par les puissants tyrans, tels Gélon ou Denys l'Ancien, qui gouvernèrent Syracuse (en dehors d'une période républicaine au Ve siècle

av. J.-C.) de 485 av. J.-C. jusqu'à sa conquête par les Romains, au terme d'un siège de trois ans, en 212 av. J.-C. C'est au cours de la mise à sac qui suivit sa chute qu'un soldat tua le célèbre mathématicien Archimède.

En venant de la terre ferme, le Ponte Nuovo débouche à Ortygie sur les ruines du **temple d'Apollon**, le plus vieux sanctuaire dorique de Sicile. Au cœur de la Città Vecchia, sur la piazza Duomo, s'élève la **cathédrale** aménagée au Moyen Âge dans le **temple d'Athéna** (Ve siècle). Elle possède une belle façade baroque (1754) par Andrea Palma à laquelle répondent celles du **palazzo Beneventano del Bosco** (1778-1788) et de l'église **Santa Lucia alla Badia** (1695-1703) bordant également la place. Le Municipio abrite la Galleria Numismatica et un petit musée consacré aux temples ioniques.

La via Picherale conduit à la fontaine d'Aréthuse qui marque l'endroit où, selon les poètes, cette gracieuse nymphe qui fuyait l'amour du fleuve Alphée réapparut sous forme de source après avoir plongé dans la mer. La via Capodieci mène ensuite à la **galleria regionale di palazzo Bellomo**, dont les collections de peintures et de sculptures comprennent *L'Enterrement de sainte Lucie* (1608) du Caravage et une *Annonciation* (1474) par Antonello da Messina. À la pointe de l'île, Frédéric II édifia le castello

Maniace en 1239.

Dans Achradine, et malgré les bombardements qui rasèrent en 1943 ce quartier au centre de la Syracuse moderne, **Santa Lucia**, bâtie à l'emplacement où sainte Lucie, la patronne de Syracuse, aurait subi le martyre en 304, a conservé son campanile et son portail normands.

Au nord, dans Tyché, le **Museo Archeologico Regionale Paolo Orsi** présente une importante collection d'objets illustrant l'histoire de la région depuis la préhistoire jusqu'à l'époque byzantine.

À Neapoli se visite le **parco archeologico** qui renferme l'autel d'Hérion II, un amphithéâtre romain et un spectaculaire théâtre grec taillé dans le rocher. Dans la **latomia del Paradiso**, ancienne carrière aménagée en jardin, périrent les 7 000 Athéniens faits prisonniers lors d'une terrible bataille pour le contrôle de Syracuse en 413 av. J.-C.

Aux environs :
À 8 km de Syracuse, à Epipolae, l'ancienne forteresse grecque du **château d'Euryale** (IVe siècle av. J.-C.) se révèle particulièrement intéressante par son réseau de galeries et le panorama qu'elle offre.

🏛 **Gallerie Regionale di Palazzo Bellomo**
Palazzo Bellomo, Via Capodieci 14. *Tél* 0931 695 11. ⬤ *Appeler pour infos.*

🏛 **Museo Archeologico Regionale Paolo Orsi**
Viale Teocrito 66. *Tél* 0931 46 40 22. ◯ *mar.-dim. 9h-19h. (14h dim.), dern. ent. 1h av. ferm.* 📷 ♿

Noto ⓴

Siracusa. 🏘 *24 000.* 🚈 🚌 ℹ
Piazza XVI Maggio (0931 83 67 44).
🗓 *lun. et les 1er et 3e mar. du mois.*
www.comune.noto.sr.it

Le séisme de 1693 rasa Noto Antica et la ville fut reconstruite en pleine période baroque dans un tuf auquel le soleil a donné cette couleur de miel. Noto est inscrite au patrimoine de l'humanité par l'Unesco, mais les

La façade du Duomo baroque de Noto est de Gagliardi

restaurations cachent quelque peu ses beautés derrière des échaffaudages.

Sur le corso Vittorio Emanuele s'élèvent plusieurs ouvrages attribués à Rosario Gagliardi, notamment, sur la piazza XVI Maggio, l'église **San Domenico** à la façade convexe, et sur la piazza Municipio, le **Duomo** achevé en 1770 ainsi que la façade du séminaire **San Salvatore**, et la **chiesa di Santa Chiara** (1730) au plan elliptique. En face de la cathédrale, le **Municipio**, ou palazzo Ducezio, possède un rez-de-chaussée conçu en 1746 par Sinatra, un autre grand architecte baroque. Derrière le Duomo, le **palazzo Trigona** et le **palazzo Astuto** se font face dans la via Cavour.

À quelques pas vers l'ouest, le **monastère de Montevergine** dresse une façade animée au terme de la via Nicolaci que domine le riche décor sculpté des balcons du **palazzo Villadorata**, siège de la bibliothèque. Au sommet de la ville, l'église du **Crocifisso** (1728), œuvre de Gagliardi, abrite la *Madonna delle Neve* sculptée en 1471 par Francesco Laurana.

Aux environs :
Le tremblement de terre de 1693 dévasta aussi la ville de **Modica**, à 30 km à l'ouest, et sa voisine **Raguse**. Parmi les beaux édifices baroques élevés lors de leurs reconstructions figurent des créations de Gagliardi : les églises **San Giorgio** et **San Giuseppe** de Raguse et l'église **San Giorgio** de Modica, l'un de ses chefs-d'œuvre.

Balcon du palazzo Villadorata, via Nicolaci, Noto

SARDAIGNE

L'auteur anglais D. H. Lawrence (1885-1930) a écrit de la Sardaigne qu'elle avait été laissée « hors du temps et de l'histoire ». Cela reste vrai à l'intérieur des terres où les Sardes ont toujours défendu leur identité face aux envahisseurs venus de la mer, mais tourisme et industrie se sont particulièrement développés sur le littoral.

À 12 km au sud de la Corse, la plus grande île de la Méditerranée après la Sicile présente comme elle un relief varié, et plusieurs massifs montagneux y rendent la circulation mal aisée. Ils culminent à 1 834 m au mont Gennargentu. Seule vaste plaine, le Campidano s'étend au sud entre Oristano et Cagliari.

Les peuples de la préhistoire ont laissé d'importants vestiges en Sardaigne, et notamment la civilisation originale qui s'y développa à partir du IIIᵉ millénaire av. J.-C. Quelque 7 000 constructions en pierres sèches appelées *nuraghi* attestent son dynamisme. Elles parsèment toute l'île, mais les concentrations les plus intéressantes se trouvent dans la valle dei Nuraghe, au sud de Sassari, et autour de Barumini, au nord de Cagliari, la capitale de la Sardaigne dont le Musée archéologique possède plus de 300 statuettes nouragiques.

Phéniciens, Romains, Génois, Espagnols, nombre d'envahisseurs se sont succédé dans l'île comme en témoignent les ruines de Tharros, près d'Oristano, ou les églises romano-pisanes de la région de Sassari. Il en subsiste un autre souvenir : la grande diversité des nombreuses fêtes célébrées par les Sardes. Aucun des envahisseurs n'a complètement réussi à asseoir son contrôle sur la région du Gennargentu et elle garde, comme la sauvage costa del Sud, un visage bien éloigné de celui qu'offre près d'Olbia la Costa Smeralda, paradis naturel devenu l'une des zones touristiques les plus huppées du monde.

Conversations dans la petite ville de Carloforte sur l'isola di San Pietro proche de Sant'Antioco

◁ La baie de Simius à l'est de Cagliari

À la découverte de la Sardaigne

Longtemps isolés, par la mer et les reliefs mouvementés de leur île, les Sardes ont gardé leur propre langue encore proche du latin. L'élevage demeure une activité importante et ce sont souvent des pacages qui disputent au maquis les terres arides des hauteurs.
Vignes, rizières et champs de blé s'étendent dans les anciens marécages entourant Oristano et dans la vallée du Campidano qui les prolongent jusqu'à Cagliari. Sur le littoral alternent côtes rocheuses creusées de criques, telle la prestigieuse Costa Smeralda, et belles plages de sable comme à Castelsardo dans le golfo dell'Asinara. Le golfo di Orosei est resté magnifiquement préservé.

Vestiges préhistoriques à
Su Nuraxi près de Barumini

LA RÉGION D'UN COUP D'ŒIL

Alghero ❸
Bosa ❹
Cagliari ❾
Cala Gonone ❻
Costa Smeralda ❶
Nuoro ❺
Oristano ❼
Sant'Antioco ❽
Sassari ❷

Aspect typique d'une rue à Alghero

VOIR AUSSI

- **Hébergement** p. 602-603
- **Restaurants** p. 652-653

Isola Asinara
la Reale
Fornelli
Stintino
Golfo dell' Asinara
Porto Torres
Palmadula
La Nurra
Sorso   Mari
Osilo
SASSARI ❷ ⚏
Ploaghe
Capo dell'
Argentiera
Olmedo
Mannu
Ittiri   Ardara
Grotta di
Nettuno
ALGHERO ❸ ⚏ ✈   S13
Torralba
Monteleone Rocca Doria
Valle di
Nurgi
Montresta   Bonorva
Capo Marargiu
BOSA ❹
Bosa Marina
Macomer
Cuglieri
Monte Ferru
1050 m   Ghilar
Capo Mannu
Riola Sardo   Fordongianus
Stagno di Cabras   Solarus
ORISTANO ❼ ⓘ   Simax
Santa Giusta
Arborea   Use
Capo della
Frasca   S131   Ales
Terralba   Uras
S126
Pardu Atzei   Sardara
Guspini   Campidan
Capo Pecora   Villacidro
Monte Linas
1236 m
Buggerru
Masua   S126   Vallermosa
Iglesias   S130   Siliqua
Gonnesa
Portoscuso   Narcao
Carbonia   Monte Caravius
1116 m
Isola di
San Pietro   Calasetta   Santa
SANT'ANTIOCO ❽   Porto Botte
Isola di
Sant'Antioco   Golfo
di
Palmas   Teulada
Capo Teulada

MAR DI SARDEGNA

0   50 km

La côte rocheuse de l'isola San Pietro
au nord-ouest de Sant'Antioco

LÉGENDE

Route principale	
Route en construction	
Route secondaire	
Petite route	
Parcours pittoresque	
Liaison ferrée principale	
Liaison ferrée secondaire	
△ Sommet	

Dans le sud du massif du Gennargentu

CIRCULER

Des ferries au départ de Toulon et Marseille
desservent Porto Torres où accostent également,
comme à Cagliari et Olbia, des bateaux italiens.
Cagliari, Olbia et Alghero possèdent un aéroport.
Principale voie de communication intérieure, la
S 131 traverse l'île de Porto Torres à Cagliari en
évitant le Gennargentu que ne sillonnent que des
routes étroites et sinueuses. Elle se divise au nord
d'Oristano pour rejoindre Olbia. Des bus express
circulent entre les villes principales, les villages ne
sont reliés que par de rares et lents transports
publics.

Un coin de paradis, la Costa Smeralda

Costa Smeralda ❶

Sassari. **FS** 🚢 *Olbia*. 🚌 *Porto Cervo*.
i *AAST La Maddalem, Cava Civetta
(0789 73 63 21) ; AAST Palau,
Via Nazionale 94 (0789 70 95 70).*
www.quicostasmeralda.it

Du golfo di Cugnana au golfo
di Arzachena, criques et
plages aux eaux cristallines
rendent cette côte granitique
particulièrement splendide, et
un consortium a entrepris son
aménagement dans les années
1960 pour en faire une des
régions touristiques les plus
luxueuses du monde.
Création d'un architecte
français, **Porto Cervo**, la
principale localité, s'étage
autour de son port fréquenté
par des milliardaires, des têtes
couronnées et des vedettes.

Aux environs : Au nord, **Baia
Sardinia** et **Cannigione** ont
gardé une atmosphère plus
rurale. Les îles de **La
Maddalena** et de **Caprera**, où
se trouve le **Museo Nazionale
Garibaldino**, s'atteignent
depuis **Palau**.

🏛 **Museo Nazionale
Garibaldino**
Frazione Caprera, Maddalena.
Tél *0789 72 71 62.* ◯ *mar.-dim.
9h-13h30.* ⬤ *1er janv., 1er mai,
25 déc.* 📷 ♿

Sassari ❷

🏚 *130 000.* ✈ **FS** 🚌 **i** *Viale
Caprera 36 (079 29 95 44; 079 29 94
15).* 🍴 *lun.*

Fondée par des marchands
génois et pisans, Sassari

attire chaque année à
l'Ascension de nombreux
visiteurs pour sa *Cavalcata
Sarda*. Autour du **Duomo**
fondé au XIᵉ siècle et
plusieurs fois remanié
se serre un dense
quartier médiéval.
Au nord se trouve la
fonte Rosello,
fontaine de la
Renaissance tardive
emblème de la ville.
Le **Museo
Archeologico
Nazionale
« GA Sanna »**
constitue un bon
point de départ
à la découverte
des cultures
préhistoriques
de la Sardaigne.

Façade de Santissima
Trinità di Saccargia

Aux environs :
À 16 km au sud-est se dresse
au bord de la S 131 l'église
romano-pisane **Santissima
Trinità di Saccargia** (1116)
décorée à l'abside de
fresques du
XIIIᵉ siècle.
Plus loin,
**San Michele
di Salvenero**
fut bâtie au
XIIᵉ siècle.
À **Ardara**, la
couleur de
sa pierre a
valu le
surnom de
« cathédrale
noire » à
**Santa Maria
del Regno**,
un autre
sanctuaire
roman.

🏛 **Museo Archeologico
Nazionale « GA Sanna »**
Via Roma 64. **Tél** *079 27 22 03.*
◯ *mar.-dim. 9h-19h30.*
📷 ✉ ♿

Alghero ❸

Sassari. 🏚 *4 000.* ✈ **FS** 🚌 🚢 **i**
Lungo Mare Dante 1 (079 97 59 96).
✉ *mer.* **www**.comune.alghero.ss.it

Après avoir pris aux Génois
en 1354 ce petit port fondé
sur une péninsule au début
du XIIᵉ siècle, les Aragonais le
vidèrent de ses habitants de
souche et le repeuplèrent
d'émigrants de Barcelone et
de Valence. La ville en garde
un aspect très hispanique et
entretient avec fierté ses
traditions catalanes.
Elle a conservé plusieurs
tours fortifiées. Faisant face au
jardin public, la massive **torre
di Porta Terra** porte aussi le
surnom de « Tour juive » en
mémoire de ceux qui
l'érigèrent au XVIᵉ siècle.
Sur le lungomare
Colombo se trouvent
la **torre dell'Espero
Reial** et la **torre San
Giacomo**, tandis
que la **torre della
Maddalena** domine
la piazza Porta
Terra. Les remparts
forment en bord
de mer une
promenade
très agréable.
Au terme de la via Umberto,
le **Duomo**, malgré des
remaniements postérieurs,
conserve de sa reconstruction
au XVIᵉ siècle un élégant

Une maison typique d'Alghero

Sur le port de Bosa

campanile de style gothique
catalan et des chapelles aux
voûtes ogivales. Son portail
est aragonais. Église du
XIVe siècle doté d'un joli
cloître et d'un clocher
octogonal, **San Francesco**
s'atteint par la via Carlo
Alberto que borde la façade
baroque de **San Michele**. La
casa Doria présente dans la
via Principe Umberto des
fenêtres gothiques et un
élégant portail Renaissance.

Aux environs :
La **grotta Verde** et, surtout, la
spectaculaire **grotta di
Nettuno** du capo Caccia
s'atteignent en voiture et,
mieux encore, en bateau.

Bosa ❹

Nuoro. 🏠 8 500. 🚆 🚌 🛈 Pro
Loco, Via Azuni 5 (0785 37 61 07).
🗓 mar.

Typique petite ville balnéaire,
Bosa s'est développée à
l'embouchure du seul
cours d'eau navigable de
Sardaigne, le Temo. Le
quartier historique, **Sa
Costa**, s'étage sur une colline
basse couronnée par le
castello di Serravalle bâti par
les Malaspina en 1112. Ses
ruelles ont peu changé depuis
le Moyen Âge. D'anciennes
tanneries, **Sas Conzas**, bordent
la rivière.
  Plus cosmopolite, le quartier
Sa Piatta renferme le **Duomo**
(XVe siècle), de style gothique
aragonais, et **San Pietro**, église
romane qui reçut une façade
cistercienne au XIIIe siècle.

LES NURAGHI DE SARDAIGNE

Les quelque 7 000 tours en grosses
pierres sèches appelées *nuraghi*
(tas de pierres) constituent un trait
distinctif de la Sardaigne. Si les
premières traces de ce mode de
construction apparurent au
IIIe millénaire av. J.-C., c'est entre
1500 et 400 av. J.-C. que l'île se
hérissa de ces forteresses, pour
certaines solitaires au sommet
d'une colline, pour d'autres
entourées d'un village. La culture
nouragique n'a pas laissé
d'inscriptions et, malgré les
statuettes et les objets retrouvés
dans les *nuraghi*, elle reste très
mystérieuse.

Des nuraghi *isolés,
parfois équipés de puits,
défendaient depuis les
sommets des collines le
territoire de la tribu.*

Su Nuraxi, près de Barumini *(ci-dessus),
Serra Orrios, près de Dorgali, et Santu
Antine à Torralba constituent les sites
nouragiques les plus importants. On a
même identifié un théâtre.*

Ce guerrier mythique
*fait partie des quelque
500 figurines
nouragiques en
bronze retrouvées. Le
musée de Cagliari en
possède la majorité.*

LÉGENDE

• Sites nouragiques

0	100 km

Née à Nuoro, Grazia Deledda obtint le prix Nobel en 1926

Nuoro ❺

🏠 38 000. 🚆 🚌 ℹ️ *Piazza d'Italia 19 (0784 300 83).* 🖱️ *ven. et sam.* 🎪 *29 août : Sagra del Redentore.* **www**.enteturismo.nuoro.it

Au cœur de la Sardaigne, le monte Ortobene et le Sopramonte donnent à Nuoro un cadre superbe. C'est dans cette région montagneuse du Gennargentu, où la circulation demeure difficile, que les bergers sardes ont le mieux préservé leur farouche indépendance et un mode de vie dont la description a valu à Grazia Deledda le prix Nobel de littérature en 1926. Sa ville natale reste la gardienne des traditions et le **Museo della Vita et delle Tradizioni Popolari Sarde** présente des costumes, des bijoux et des objets artisanaux. En août, la *Sagra del Redentore* est prétexte à un grand festival de folklore

réunissant chanteurs et danseurs de toute l'île.

Aux environs : La région du massif du **Gennargentu**, la Barbagia, doit son nom aux Romains qui ne purent jamais tout à fait soumettre les « Barbares » qui l'habitaient. Ce refus de toute autorité extérieure, qui s'exprime sur les peintures murales ornant les maisons d'**Orgosolo**, a nourri de terribles vendettas entre villages et donné le jour à une tradition de bandits d'honneur. Celle-ci a malheureusement dégénéré, entraînant la création de bandes maffieuses.

À **Mamoiada**, le carnaval donne lieu à une procession aux origines très anciennes mais au sens devenu mystérieux. Elle oppose des hommes masqués et vêtus de peaux de mouton noir, les *mamuthones*, aux *insokatores* habillés de couleurs vives.

🏛️ **Museo della Vita e delle Tradizioni Popolari Sarde**
Via Mereu 56. **Tél** 0784 24 29 00. ⏲️ *t.l.j. 9h-13h, 15h-19h.* 🎫

Cala Gonone ❻

Nuoro. 🏠 800. 🚌 ℹ️ *Pro Loco, via Lamormara 108, Dorgali (0784 962 43).* 🖱️ *t.l.j.* 🚤 *de Dorgali jusqu'aux grottes (avr.-mi-oct.).* **Tél** *0784 933 05.*

À l'est de Nuoro, de hautes montagnes dominent ce petit port de pêche devenu une station balnéaire animée. Des criques isolées, telles la

cala di Luna et la **cala Sisine,** creusent la côte splendide du golfo di Orosei. Profonde caverne naturelle, la **grotta del Bue Marino** renferme de magnifiques concrétions calcaires. De belles promenades s'offrent aux marcheurs autour de cala Gonone, notamment celle qui rejoint la cala Sisine. Depuis Dorgali, la route pour Baunei et Tortoli est spectaculaire.

Oristano ❼

Cagliari. 🏠 32 000. 🚆 🚌 ℹ️ *EPT, Piazza Eleonora 1 (0783 368 31) ; Pro Loco, Via Vittorio Emanuele 8 (0783 706 21).* 🖱️ *mar., ven.*

Ruines de Tharros près d'Oristano

La province d'Oristano correspond à peu près à l'ancien *giudicato* d'Arborea que dirigea Eleonora (*voir ci-contre*), patriote célébrée par une statue du XVIIIᵉ siècle sur la **piazza Eleonora** et une **casa di Eleonora** (XIVᵉ siècle) bordant le corso Vittorio Emanuele. À côté, l'**antiquarium Arborense** présente des vestiges archéologiques trouvés pour la plupart sur le site phénicien de Tharros. Fondé au XIIIᵉ siècle, le **Duomo** a connu une reconstruction baroque et les églises **Santa Chiara** (1343), dans la via Garibaldi, et **San Martino** (XIVᵉ siècle), dans la via Cagliari, se révèlent plus intéressantes.

Aus environs :
Bâtie au XIIᵉ siècle, la belle église romane de **Santa Giusta** a des colonnes antiques

Entrée de la grotta del Bue Marino, au sud de Cala Gonone

Pour les hôtels et les restaurants de la région, voir p. 602-603 et 642-643

Carloforte, seule ville de la petite isola di San Pietro

provenant de Tharros, cité punique dont les ruines sont situées à 20 km d'Oristano sur la péninsule de Sinis.

🏛 **Antiquarium Arborense**
Palazzo Parpaglia. **Tél** 0783 79 12 62.
⭕ mar. et jeu. (et dim. l'été).
📷 ✔ ♿

Sant'Antioco ❽

Cagliari. 🚆 🚌 ℹ Pro Loco Piazza Repubblica 31a (0781 84 05 92).

Une route rejoint cette île dont la ville principale, **Sant'Antioco**, s'étend à l'emplacement de la Sulcis punique. De ce passé carthaginois subsistent le **Tophet**, sanctuaire des dieux Baal et Tanit, les riches collections du **Museo Archeologico**, la **nécropole** et une sépulture souterraine transformée en **catacombes** chrétiennes au IIe siècle avant de devenir la crypte de la basilique **Sant'Antioco Martire** fondée en 1102. La petite **isola di San Pietro** s'atteint en ferry depuis Calasetta.

🔥 **Catacombes**
Piazza Parrocchia.
Tél 0781 830 44.
⭕ t.l.j. 📷 seul. 📷

🏛 **Museo Archeologico**
Via Regina Margherita 113. **Tél** 0781 84 10 89.
⭕ t.l.j. ⚫ 1er janv., Pâques, 8, 25-26 déc.
📷 📷 valable pour Tophet et la nécropole.

Cagliari ❾

🏨 250 000. ✈ 🚆 🚌 ⛴ ℹ Piazza Matteotti 9 (070 66 92 55).
📅 t.l.j. ; puces le dim. et antiquités le 2e dim. du mois. www.esit.net

Cité punique, comme en témoignent les vestiges de sa nécropole et les ruines de Nora, au sud-ouest de la ville, la capitale sarde devint romaine et ses nouveaux maîtres taillèrent dans le rocher un **amphithéâtre** bien conservé. Au XIVe siècle, les Pisans bâtirent l'enceinte fortifiée du vieux quartier, le **castello**.
Aménagée dans l'ancien arsenal royal, la **citadella dei Musei** abrite la collection de peintures de la **Pinacoteca** et le **Museo Nazionale Archeologico**.
Les petits bronzes nouragiques (p. 549) constituent le clou de son exposition, mais sculptures et objets de la vie quotidienne

San Saturnino à Cagliari, église du VIe siècle au plan en grecque

puniques permettent de découvrir une civilisation méconnue.
La via Martini conduit au **Duomo** d'origine romane mais très enlaidi par un remaniement au XXe siècle. Deux belles chaires sculptées en 1159 encadrent le portail. Elles proviennent de la cathédrale de Pise. Poursuivre vers le sud conduit au point de vue offert par la terrasse aménagée sur le **bastione San Remy** au-dessus de la piazza Costituzione. Du bastion, la via dell'Università mène à la **torre dell'Elefante** qui domine le quartier **Marina** s'étendant jusqu'au port. Depuis la piazza Costituzione, la via San Lucifero (première à droite dans la via Garibaldi) rejoint l'église byzantine **San Saturnino** (VIe siècle).

🔥 **Amphithéâtre**
Viale Sant'Ignazio. **Tél** 070 68 40 00. ⭕ mar.-dim.

🏛 **Cittadella dei Musei**
Piazza Arsenale. **Tél** 070 68 40 00.
Museo Nazionale Archeologico
⭕ mar.-dim. 9h-20h. ♿ 📷
Pinacoteca Tél 070 66 24 96.
⭕ mar.-dim. ⚫ 1er janv., 1er mai, 25 déc. ♿ 📷

ELEONORA D'ARBOREA

Les Espagnols reçurent la Sardaigne du pape Boniface VIII en 1297 mais n'en gérèrent la totalité qu'au XVe siècle. La résistance sarde avait deux principaux pôles : le massif du Gennargentu et le *giudicato* d'Arborea, l'une des quatre divisions administratives de l'île au Moyen Âge. Eleonora en fut la *giudessa* de 1383 à 1404 et devint le symbole de l'esprit d'indépendance sarde. Elle promulgua un code législatif qui instituait en 1395 la communauté de biens dans le mariage et le droit des femmes à demander justice d'un viol.

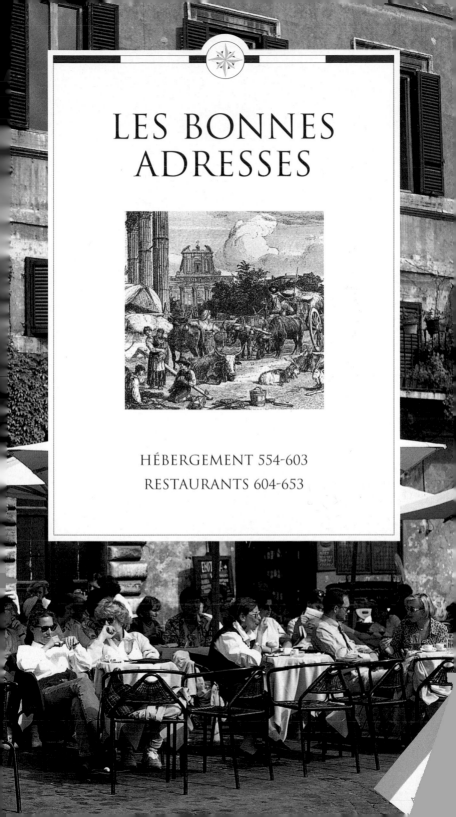

LES BONNES ADRESSES

HÉBERGEMENT

Des touristes du monde entier viennent visiter l'Italie, où la majorité des Italiens passent aussi leurs vacances. Les modes d'hébergement proposés sont donc extrêmement variés, depuis les hôtels splendides aménagés dans d'anciens palais jusqu'aux simples *pensioni* de famille et aux auberges de jeunesse. On peut également louer une magnifique villa isolée en Toscane ou un appartement dans une résidence au bord de la mer. On a souvent reproché aux hôtels italiens de pratiquer des prix élevés et d'offrir des prestations médiocres, mais il en existe d'excellents dans toutes les catégories. Nous avons sélectionné, dans chaque région, un certain nombre d'établissements (*p. 558-603*) qui représentent les meilleurs choix au niveau du charme, du prix, de l'accueil, du confort ou de la localisation.

L'enseigne d'un hôtel 3 étoiles

Le palazzo Gritti, un palais de Venise chargé d'histoire *(p. 91)*

CLASSEMENT DES HÔTELS

En Italie, le classement des hôtels va de 1 à 5 étoiles ; il dépend plus des services offerts que du cadre de l'établissement, et chaque région détermine ses propres critères d'attribution. Parfois, un hôtel est classé dans une catégorie inférieure à celle qu'il mérite, soit parce que l'office de tourisme ne l'a pas encore reclassé, soit parce que son propriétaire préfère éviter un surcroît de taxes.

ALBERGHI

En italien, *albergo* signifie hôtel, mais ce terme s'applique surtout aux établissements de catégorie supérieure. La dimension des chambres varie très sensiblement : au centre des villes, elles peuvent être très petites, même dans de grands hôtels renommés, alors qu'en dehors des villes, ce sont parfois de petites suites.

PENSIONI

Bien que le terme *pensione* ne soit plus officiellement en usage, on l'utilise toujours pour les petits hôtels à 1 ou 2 étoiles, à gestion familiale pour la plupart. Ces *pensioni*, en général d'une propreté irréprochable, offrent un accueil convivial et des chambres simples mais fonctionnelles. Elles sont cependant souvent situées dans des édifices anciens dont le charme apparent dissimule parfois des chambres sombres et bruyantes ou des tuyauteries capricieuses. Si vous comptez

Panneaux de rues indiquant la direction des hôtels

rentrer tard, assurez-vous qu'il vous sera possible de réintégrer votre *pensione*. Mais en général on vous fournira une clé de la porte d'entrée.

Si vous comptez séjourner dans une *pensione* en hiver, vérifiez qu'elle est équipée d'un chauffage central ; même dans le Sud, les températures peuvent être froides durant cette période.

Une *locanda* était autrefois une auberge qui procurait aux voyageurs un repas bon marché et un endroit où dormir. Le mot s'utilise encore, notamment en Italie centrale et du Nord, mais il sert maintenant à désigner une *pensione*, avec une pointe d'affectation à l'usage des touristes.

CHAÎNES D'HÔTELS

On trouve diverses chaînes d'hôtels haut de gamme. Les hôtels Ciga, du groupe **Sheraton**, affichent un luxe très « fin de siècle » ; les hôtels **Jolly** sont plus semblables à ceux des chaînes de luxe internationales tandis que **Notturno Italiano** offre des chambres standardisées. Enfin, la chaîne **Relais et Châteaux** a aménagé de charmants hôtels dans des châteaux, des villas anciennes et des monastères.

REPAS ET AUTRES SERVICES

D'ordinaire, les hôtels italiens offrent moins de services que ceux de beaucoup d'autres

Un café populaire, piazza Navona à Rome

Un hôtel romantique, la *Villa Pagoda* à Nervi *(p. 573)*

pays. Ainsi, en dépit de l'été très chaud, l'air conditionné n'existe pas toujours dans les hôtels tout comme le service en chambre 24 heures sur 24.

Certains hôtels imposent la pension complète ou la demi-pension en haute saison. Cependant, il vaut mieux l'éviter car vous trouverez certainement beaucoup d'autres endroits où manger à proximité. De nombreuses pensions (en particulier en haute saison) insistent pour que vous preniez le petit déjeuner – en général du café accompagné de biscuits ou de croissants avec du beurre et de la confiture. Ces petits déjeuners sont rarement inoubliables. Laissez-vous tenter par les charmes gastronomiques italiens.

Pour une chambre à deux, précisez si vous voulez des lits jumeaux (*letti singoli*) ou un grand lit (*matrimoniale*). En dehors des hôtels haut de gamme, on dispose plus souvent d'une douche que d'une baignoire.

ENFANTS

Les enfants sont partout bien accueillis, mais un petit établissement ou un hôtel très bon marché ne possédera pas de petits lits. Toutefois, pratiquement tous les hôtels sont toujours prêts à mettre un ou deux lits d'enfant dans une chambre double. Dans ce cas, il faut prévoir un supplément de 30 à 40 % sur le prix de la chambre. La plupart des grands hôtels proposent également un service de baby-sitting.

PRIX

En Italie, les prix sont relativement élevés, bien qu'ils varient en fonction des lieux et des saisons. Comprenant les taxes et le service, ils commencent autour de 50 euros pour une chambre double sans salle de bains et de 65 euros avec salle de bains, même dans un hôtel très simple.

Le prix d'une chambre pour une personne représente environ les deux tiers de celui d'une chambre pour deux. À partir de 100 euros, on trouve un hébergement confortable et agréable, sans rien de luxueux. Pour 210 euros et plus, on peut espérer un hôtel offrant une vaste gamme de services, situé dans un lieu plaisant ou central.

Le jardin de l'hôtel
Sant'Anselmo
à Rome *(p. 587)*

Dans les grandes villes et les endroits les plus touristiques, les prix sont d'ordinaire plus élevés. Dans les hôtels plus grands, il y a souvent une grande différence de qualité entre les chambres standard et les catégories supérieures et cela se répercute sur le prix. Ainsi vous paierez aussi plus cher pour une chambre avec vue ou avec terrasse. Et si vous préférez les nuits calmes aux nuits agitées, mieux vaut éviter les chambres donnant sur les rues animées du centre.

Les prix sont affichés dans toutes les chambres. La variation entre la haute et la basse saison peut atteindre 100 % et voire plus dans les stations les plus fréquentées.

Attention aux suppléments, qui sont parfois exorbitants pour le mini-bar, le parking, le blanchissage ou pour téléphoner à partir de la chambre.

RÉSERVATIONS

Il est préférable de réserver dès que possible, surtout si vous souhaitez une chambre ne donnant pas sur la rue ou avec salle de bains. Normalement, deux mois à l'avance sont suffisants, mais en haute saison, les hôtels les plus demandés affichent parfois complets six mois à l'avance. Il en est de même des villes, petites et grandes, en fonction de leur calendrier culturel *(p. 66-69)*. et des événements qui peuvent s'y dérouler.

On vous demandera de verser des arrhes à la réservation. En général, vous pouvez alors vous servir de votre carte bancaire (même dans les établissements qui ne l'acceptent pas pour régler la note).

L'hôtel doit vous fournir au moment du paiement un reçu *(ricevuta fiscale)* qu'il vous faudra conserver jusqu'à ce que vous ayez quitté l'Italie.

L'intérieur d'un hôtel traditionnel à Florence.

Le beau hall d'entrée Art nouveau d'un hôtel de Florence

HÔTELS MODE D'EMPLOI

À l'arrivée, on vous demandera votre passeport pour remplir les fiches d'enregistrement que l'hôtel doit remettre à la police. Vous récupérerez votre passeport au bout d'une heure ou deux.

Les départs s'effectuent en général avant midi, souvent plus tôt dans les petits hôtels. Dans la plupart des établissements, vous pourrez laisser vos bagages à la réception et les reprendre plus tard dans la journée.

L'*Albergo al Sole*, Venise (p. 561)

LOCATIONS ET AGRITURISMO

Si vous avez l'intention de rester dans une région, de nombreuses locations vous attendent, dans des endroits merveilleux.

À travers l'Italie rurale, plus de 2 000 fermes, villas et chalets de montagne offrent des locations à un prix raisonnable ou un hébergement hôtelier dans le cadre de l'**Agriturismo**. Les prestations vont de celles d'un hôtel de première classe dans des villas bien entretenues ou d'anciens châteaux à des chambres toutes simples chez l'habitant dans des fermes. Certains de ces endroits possèdent de très bons restaurants qui servent des produits locaux, d'autres proposent des activités de loisir comme l'équitation ou la pêche (*p. 658*). On impose parfois une durée de séjour minimale, surtout en haute saison. La brochure *Guida dell'Ospitalità Rurale* est disponible dans les offices de tourisme régionaux. Vous pouvez trouver des locations avant de partir, par le biais d'agences spécialisées comme **Interhome, Bellavista** et **Cuendet France**. Mais il vaut mieux réserver à l'avance.

Les listes d'hébergement de l'**ENIT** proposent des *residences*, à mi-chemin d'un hôtel et d'un appartement en location. Elles mettent souvent à votre disposition une cuisine et certains services de restauration.

Pour des séjours de plusieurs mois, vous pouvez chercher un logement en vous adressant à des agences. Vous les trouverez dans les *Pagine Gialle* (Pages jaunes), à la rubrique *Immobiliari*.

HÉBERGEMENT BON MARCHÉ

En dehors du cadre de l'Association internationale des auberges de jeunesse (**AIG** en Italie), les offices du tourisme des principales villes proposent des auberges à gestion privée. Leur prix d'environ 12 euros par personne et par nuit est infiniment plus bas que celui de la plus économique des *pensioni*, mais l'hébergement consiste en dortoirs non mixtes et les sanitaires ne sont pas toujours assez nombreux. L'autre solution économique est de louer une chambre chez des particuliers sous forme de *bed and breakfast* mais la qualité reste variable.

Le **Centro Turistico Studentesco** peut aider les étudiants à trouver un hébergement en résidence universitaire pour l'année ou l'été, même s'ils ne sont pas inscrits sur place.

Les amateurs de tranquillité peuvent résider dans l'un des nombreux couvents ou monastères qui accueillent des hôtes. En revanche, il faut souvent se plier à des règles strictes : ils ferment en général leur porte très tôt le soir et ils n'admettent pas toujours de représentants du sexe opposé, même s'il s'agit d'un conjoint. Ils figurent sur la liste proposée par l'**ENIT**.

Bateau transportant les bagages des touristes vers un hôtel de Venise

REFUGES DE MONTAGNE ET CAMPINGS

On peut profiter d'un hébergement rudimentaire dans des chalets et des refuges. La plupart de ces chalets appartiennent au **Club Alpino Italiano**, dont le siège se trouve à Milan.

Les terrains de camping abondent dans les montagnes et sur tout le littoral. Beaucoup offrent aussi bien un bungalow qu'un espace aménagé pour y installer une tente ou une caravane, avec

La villa San Michele, un ancien monastère, à Fiesole, Toscane (*p. 579*)

Le plus haut refuge de la Valsesia, dans les Alpes.

des branchements en eau et en électricité et des installations sanitaires. On y trouve en général un restaurant et, en particulier dans les campings situés au bord de la mer, des équipements sportifs.

Le **Touring Club Italiano** publie une bonne liste des campings précisant leurs équipements respectifs, ainsi que **Federcampeggio**.

PERSONNES HANDICAPÉES

En Italie, peu d'hôtels offrent des services réservés aux handicapés (*p. 558-603*). Mais dans la plupart des cas, les hôtels sans équipements

spéciaux feront tout ce qu'ils peuvent pour loger les personnes en fauteuil roulant en leur donnant des chambres situées au rez-de-chaussée (si elles sont disponibles) et en les laissant emprunter les ascenseurs.

INFORMATIONS COMPLÉMENTAIRES

L'**ENIT** dispose de listes d'hébergements pour chaque région. Elles ne sont pas toujours mises à jour et parfois les prix ont changé. On peut également réserver des chambres auprès de l'**APT** (Azienda Provinciale per il Turismo) locale.

ADRESSES

GÉNÉRAL

ENIT (Ente Nazionale Italiano per il Turismo)
Via Marghera 2-6, 00185 Rome.
Tél *06 497 11.*
Fax *06 446 33 79.*
www.enit.it

En France
23, rue de la Paix
75002 Paris.
Tél *01 42 66 66 68.*
www.enit-france.com

CHAÎNES D'HÔTELS

Sheraton
Tél *800 325 35353.*
www.sheraton.com

Jolly Hotels
Tél *800 017 703.*
www.jollyhotels.com

Notturno Italiano
Tél *0578 31 118.*
Fax *0578 31 595.*
www.nih.it

Relais & Châteaux
Tél *02 6269 0064.*
www.relaischateaux.com

AGENCES DE LOCATION

Agriturismo
Corso Vittorio
Emanuele II 101,
00186 Rome.
Tél *06 685 23 37.*
Fax *06 685 24 24.*
www.agriturist.it

Cuendet Cie & Spa
Strada di Strove, 17,
53035 Monteriggioni
Sienne.
Tél *0577 57 63 30.*
www.cuendet.fr

Bellavista
24, rue Ravignan,
75018 Paris.
Tél *01 42 55 41 92.*
www.bellavista-villas.
com

Interhome
15, av. Jean-Aicard,
75011 Paris.
Tél *0805 650 350.*
www.interhome.fr

REFUGES DE MONTAGNE ET CAMPINGS

Club Alpino Italiano
Via E Petrella 19, Milan.
Tél *02 205 72 31.*
www.cai.it

Federcampeggio
Via Vittorio Emanuele 11,
50041 Calenzano, Firenze.
Tél *055 88 23 91.*
www.federcampeggio.it

Touring Club Italiano
Corso Italia 10, 20122
Milano. ***Tél*** *02 852 61.*
www.touringclub.it

HÉBERGEMENT BON MARCHÉ

AIG (Associazione Italiana Alberghi per la Gioventù)
Via Cavour 44, 00184
Rome. ***Tél*** *06 487 11 52.*
Fax *06 488 04 92.*
www.ostellionline.org

Bed and Breakfast
www.bed-and-
breakfast-italie.com

Centro Turistico Studentesco
Via Solferino 6A,
00185 Rome.
Tél *06 462 04 31.*
Fax *06 4620 43 26.*
www.cts.it

Choisir un hôtel

Les établissements présentés ici ont été choisis dans un vaste éventail de prix pour la qualité de leurs prestations, leur emplacement, leur confort ou leur style. Les hôtels sont recensés par région, du nord au sud. Les indications de plan se réfèrent aux atlas des rues de Venise, Florence et Rome.

LES PRIX
correspondent à une nuit en chambre double, petit déjeuner et services compris

€ moins de 85 euros
€€ 85-150 euros
€€€ 150-250 euros
€€€€ 250-350 euros
€€€€€ plus de 350 euros

VENISE

CANNAREGIO : Al Gobbo €

Campo S. Geremia 312, 30121 **Tél** *041 71 50 01* **Fax** *041 71 47 65* **Chambres** *12*　　　**Plan** *2 D4*

Le *Gobbo* (ou « bossu ») est un hôtel modeste dont plusieurs chambres donnent sur la rue animée du Campo San Geremia, à quelques pas de la gare. L'intérieur est d'une grande propreté et confortable. Certaines chambres ont l'air conditionné. Petit déjeuner continental servi en chambres. *Fermé nov.-déc.* **www.albergoalgobbo.it**

CANNAREGIO : Al Saor €

Calle Zotti 3904/A, 30125 **Tél** *041 296 06 54* **Fax** *041 713 287* **Chambres** *3*　　　**Plan** *3 A4*

Agréable *bed and breakfast* flambant neuf, près de la Ca'D'Oro, dirigé par une famille de la région qui propose des cookies faits maison au petit déjeuner. Accès à la cuisine pour tous, un appartement est disponible pour ceux qui préfèrent être indépendants. Les propriétaires organisent des balades dans leur barque. **www.alsaor.com**

CANNAREGIO : Rossi €

Lista di Spagna 262, 30121 **Tél** *041 71 51 64* **Fax** *041 71 77 84* **Chambres** *14*　　　**Plan** *2 D4*

Réservez bien à l'avance votre séjour dans cet hôtel familial aux excellentes prestations. À 5 min à peine de la gare, il est placé au bout d'une ruelle calme tout près de la Lista di Spagna. Le service est professionnel et l'ambiance et l'accueil sont chaleureux. **www.hotelrossi.ve.it**

CANNAREGIO : Abbazia €€

Calle Priuli di Cavalletti, 66-68, 30121 **Tél** *041 71 73 33* **Fax** *041 71 79 49* **Chambres** *50*　　　**Plan** *1 C4*

Bien situé, près de la gare et un peu à l'écart de la bruyante Lista di Spagna et de ses magasins, l'*Abbazia* est une oasis de paix. L'été, vous pourrez prendre un verre dans son charmant jardin. Les chambres sont confortables, bien que pas très grandes, le bâtiment abritant à l'origine un monastère. **www.abbaziahotel.com**

CANNAREGIO : Continental €€€

Lista di Spagna 166, 30121 **Tél** *041 71 51 22* **Fax** *041 524 24 32* **Chambres** *93*　　　**Plan** *2 D4*

Ce grand hôtel moderne accueille surtout des groupes. Son restaurant et certaines de ses chambres offrent un beau panorama sur le Grand Canal, les autres donnent sur une place ombragée. Cet établissement est idéalement situé, dans l'un des principaux quartiers commerçants et touristiques. **www.hotelcontinentalvenice.com**

CANNAREGIO : Giorgione €€€

Calle dei Proverbi 4587, 30125 **Tél** *041 522 58 10* **Fax** *041 523 90 92* **Chambres** *76*　　　**Plan** *3 B5*

Cet hôtel vivement recommandé a été complètement remis à neuf. Il est particulièrement douillet et bien situé – à une dizaine de minutes à pied de la place Saint-Marc et à 5 minutes du marché animé du Rialto. Certaines suites possèdent une terrasse d'où l'on jouit de magnifiques vues sur les toits de la ville. **www.hotelgiorgione.com**

CASTELLO : Locanda La Corte €€

Calle Bressana 6317, 30121 **Tél** *041 241 13 00* **Fax** *041 241 59 82* **Chambres** *16*　　　**Plan** *3 C5*

Les chambres de ce palais du XVIe siècle, ancienne résidence d'un ambassadeur, sont meublées avec goût. L'été, les hôtes prennent leur petit déjeuner dans la charmante cour de l'hôtel. Les bateaux-taxis vous conduisent jusqu'à l'entrée ou vous pouvez emprunter les *vaporetti* sur les Fondamente Nuove. **www.locandalacorte.it**

CASTELLO : Pension Wildner €€

Riva degli Schiavoni 4161, 30122 **Tél** *041 522 74 63* **Fax** *041 241 46 40* **Chambres** *16*　　　**Plan** *8 D2*

Ce petit hôtel familial aux chambres très propres possède une belle terrasse panoramique où les hôtes peuvent déguster un petit déjeuner buffet dans le calme, en admirant la lagune devant Saint-Marc et l'île de San Giorgio. Le romancier Henry James y séjourna en 1881 lorsqu'il travaillait sur son *Portrait de femme*. **www.veneziahotels.com**

CASTELLO : Paganelli €€€

Riva degli Schiavoni 4182, 30122 **Tél** *041 522 43 24* **Fax** *041 523 92 67* **Chambres** *21*　　　**Plan** *8 D2*

Cet hôtel est idéalement placé sur la rive près de San Marco, à côté de l'embarcadère des ferries. Les chambres situées à l'avant, meublées dans un style ancien, sont agréables et offrent de superbes vues. Les chambres de l'annexe (*dipendenza*) sont plus calmes mais moins belles. Service de baby-sitting proposé aux hôtes. **www.hotelpaganelli.com**

Légende des symboles *voir le rabat arrière de couverture*

CASTELLO : Londra Palace

🔲 🍴 📄   €€€€

Riva degli Schiavoni 4171, 30122 **Tél** *041 520 05 33* **Fax** *041 522 50 32* **Chambres** *53*   **Plan** *8 D2*

Ce grand hôtel se distingue à la fois par son élégance, son excellent service et ses chambres spacieuses. Situé à proximité du monument érigé en l'honneur du roi Vittorio Emanuele, sur la rive animée à quelques pas de la piazza San Marco, il offre un beau panorama sur la lagune. Tchaïkovski y composa sa *Quatrième Symphonie*. **www.hotelondra.it**

DORSODURO : Agli Alboretti

🔲 🍴 📄   €€

Rio Terrà Foscarini 884, 30123 **Tél** *041 523 00 58* **Fax** *041 521 01 58* **Chambres** *23*   **Plan** *6 E4*

Situé au calme, à deux pas de l'Accademia et des Zattere pour prendre le *vaporetto*, cet hôtel bourgeois est apprécié des touristes. Bien qu'un peu petites, les chambres sont très belles. Le bâtiment est agrémenté d'un jardin pour l'été et d'un bon restaurant. *Fermé fin janvier.* **www.aglialboretti.com**

DORSODURO : Istituto Artigianelli

🔲 ♿ 🚻 📄   €€

Rio Terrà Foscarini 909/A, 30123 **Tél** *041 522 40 77* **Fax** *041 528 62 14* **Chambres** *62*   **Plan** *6 E4*

Cette institution religieuse est dotée de chambres rénovées, claires avec salle de bains. Elle se trouve à proximité du quai ensoleillé des Zattere et de la galerie d'art Accademia. L'hiver, les hôtes se partagent l'endroit avec des étudiants. Réservation fortement conseillée. **www.donorione-venezia.it**

DORSODURO : Locanda Ca'Zose

📄   €€

Calle del Bastion 193/B, 30123 **Tél** *041 522 66 35* **Fax** *041 522 66 24* **Chambres** *12*   **Plan** *6 F4*

Ce *bed and breakfast* est tenu par deux sœurs de la région et se trouve à l'angle du musée Guggenheim et de l'arrêt de *vaporetto* La Salute. Les chambres confortables et bien équipées sont meublées avec goût et certaines offrent de charmantes vues sur le canal. Cinq appartements sont également à votre disposition. **www.hotelcazose.com**

DORSODURO : Locanda San Barnaba

📄   €€

Calle del Traghetto 2785-2786, 30123 **Tél** *041 241 12 33* **Fax** *041 241 38 12* **Chambres** *13*   **Plan** *6 D3*

Un endroit que vous aurez plaisir à retrouver après avoir passé la journée à arpenter la ville. À quelques mètres de l'embarcadère de Ca'Rezzonico, cet ancien palais possède un vaste hall d'entrée et un joli jardin pour l'été. Les chambres impeccables portent le nom de pièces de Goldoni, né à Venise. **www.locanda-sanbarnaba.com**

DORSODURO : Montin

🍴 📄   €€

Fondamenta Eremite 1147, 30123 **Tél** *041 522 71 51* **Fax** *041 520 02 55* **Chambres** *11*   **Plan** *6 D3*

Un peu à l'écart, mais à quelques minutes de la belle promenade des Zattere, cette *locanda* est installée dans un appartement vénitien situé au-dessus d'un restaurant réputé, qui domine un canal typique et vous garantit un séjour agréable. Les chambres sont simples, et le petit déjeuner délicieux. **www.locandamontin.com**

DORSODURO : Pausania

📄   €€

Fondamenta Gherardini 2824, 30123 **Tél** *041 522 20 83* **Fax** *041 522 29 89* **Chambres** *24*   **Plan** *6 D3*

Les chambres de cet hôtel chic offrent un confort moderne et l'accès à Internet. Vous prendrez le petit déjeuner dans une véranda donnant sur un grand jardin. Situé sur le canal Rio San Barnaba, l'hôtel n'est pas loin de Campo Santa Margherita où vous pourrez profiter d'une vie nocturne animée. **www.hotelpausania.it**

DORSODURO : Pensione La Calcina

🍴 📄   €€

Zattere ai Gesuati 780, 30123 **Tél** *041 520 64 66* **Fax** *041 522 70 45* **Chambres** *27*   **Plan** *6 E4*

Réservez longtemps à l'avance votre séjour dans ce splendide *bed and breakfast*. Tout y est parfait, de la terrasse au bord de l'eau à la salle du petit déjeuner, en passant par les chambres coquettes et le service irréprochable. Vous n'êtes pas prêt d'oublier les couchers de soleil sur la Giudecca. **www.lacalcina.com**

DORSODURO : Ca'Pisani

🔲 🍴 📺 📄   €€€€

Rio Terrà Foscarini 979a, 30123 **Tél** *041 240 14 11* **Fax** *041 277 10 61* **Chambres** *29*   **Plan** *6 E4*

Ce palais du xve siècle reconverti en hôtel chic est situé à proximité de la galerie d'art Accademia et du musée Guggenheim. L'atmosphère y est raffinée, le mobilier moderne. Les chambres offrent des terrasse et des bains bouillonnants. **www.hotelamerican.com**

LIDO DI VENEZIA : Villa Mabapa

🅿 🍴 🔲 📄   €€€

Riviera San Nicolò 16, 30126 **Tél** *041 526 05 90* **Fax** *041 526 94 41* **Chambres** *67*

Cette villa des années 1930 est une ancienne résidence privée transformée en douillet *bed and breakfast*. Un charmant jardin ombragé accueille les visiteurs après leur journée dans la Sérénissime. Situé près du débarcadère des *vaporetti*, l'hôtel donne sur la lagune. **www.villamabapa.com**

LIDO DI VENEZIA : Excelsior Palace

🔲 🅿 🍴 🏊 ♿ 📺 📄   €€€€

Lungomare Marconi 41, 30126 **Tél** *041 526 02 01* **Fax** *041 526 72 76* **Chambres** *197*

Luxe et flamboyance se mêlent dans ce superbe bâtiment historique du front de mer, où les cabines de plage ressemblent à des tentes arabes. Service et équipement impeccables. Durant le festival du film de Venise, à la fin de l'été, l'hôtel est envahi par les personnalités et les paparazzi. *Fermé nov.-mi-mars.* **www.ho10.net**

LIDO DI VENEZIA : Hotel des Bains

🔲 🅿 🍴 🏊 📺 📄   €€€€

Lungomare Marconi 17, 30126 **Tél** *041 526 59 21* **Fax** *041 526 01 13* **Chambres** *192*

Son intérieur Art déco est splendide, ses salons agréables et son service irréprochable. L'*Hotel des Bains* est célèbre car Thomas Mann y écrivit son fameux roman *Mort à Venise*. Les chambres sont superbes. Il est situé de l'autre côté de la route qui mène à la plage. *Ouvert mi-mars-nov.* **www.ho10.net**

SAN MARCO : Al Gambèro 📋 €€€
Calle dei Fabbri 4687, 30124 **Tél** *041 522 43 84* **Fax** *041 520 04 31* **Chambres** *27* **Plan** *7 B2*

Les gondoles longent les baies de ce *bed and breakfast* récemment rénové, bien situé à mi-chemin entre le Rialto et la place Saint-Marc. Les chambres au mobilier ancien offrent toutes les commodités. Les bons restaurants et magasins abondent dans les rues environnantes. **www.locandaalgambero.com**

SAN MARCO : Antico Panada 📋📋 €€€
Calle Specchieri 646, 30124 **Tél** *041 520 90 88* **Fax** *041 520 96 19* **Chambres** *48* **Plan** *7 A2*

Cet hôtel occupe un manoir du XVIIᵉ siècle dans une rue calme, à proximité des principales curiosités touristiques. Son bar intime est décoré de miroirs anciens, sans doute réalisés par les artisans qui possédaient jadis un atelier dans le quartier. Au petit déjeuner, vous dégusterez de délicieuses pâtisseries. **www.hotelpanada.com**

SAN MARCO : Flora 📋📋 €€€
Via XXII Marzo 2283a, 30124 **Tél** *041 520 58 44* **Fax** *041 522 82 17* **Chambres** *44* **Plan** *7 A3*

Ce minuscule hôtel s'est établi dans une ruelle étroite, non loin d'une rue commerçante très à la mode, près de la place Saint-Marc et du débarcadère des *vaporetti*. Les chambres sont un peu petites mais bien équipées. Un charmant jardinet accueille les visiteurs lorsque le temps s'y prête. Réservation recommandée. **www.hotelflora.it**

SAN MARCO : La Fenice et les Artistes 📋📋 €€€
Campiello Fenice 1936, 30124 **Tél** *041 523 23 33* **Fax** *041 520 37 21* **Chambres** *70* **Plan** *7 A2*

Situé sur une place tranquille près de l'opéra réputé de La Fenice, ce coquet hôtel est doté d'antiquités et de mobilier d'époque. Le personnel est très serviable. L'établissement est formé de deux bâtiments réunis par un patio. Profitez donc d'un apéritif relaxant qui vous est proposé par le bar en fin de journée. **www.fenicehotels.com**

SAN MARCO : Concordia 📋📋📋 €€€€
Calle Larga San Marco 367, 30124 **Tél** *041 520 68 66* **Fax** *041 520 67 75* **Chambres** *56* **Plan** *7 B2*

Blotti entre les boutiques de souvenirs et proche de la Piazza, cet excellent hôtel tenu par une famille possède plusieurs chambres avec une belle vue et du mobilier d'époque. Le restaurant est spécialisé dans les produits saisonniers. Réservez longtemps à l'avance. **www.hotelconcordia.it**

SAN MARCO : Europa & Regina 📋📋📋📋 €€€€
Calle Larga XXII Marzo 2159, 30124 **Tél** *041 520 04 77* **Fax** *041 24 00 001* **Chambres** *185* **Plan** *7 A3*

Cet établissement hébergea l'artiste Tiepolo au XVIIIᵉ siècle. Donnant sur le Grand Canal, non loin de la place Saint-Marc, il possède des chambres spacieuses joliment décorées et de somptueuses salles communes. Nous vous conseillons également son restaurant à ciel ouvert installé au bord de l'eau. **www.westin.com/europaregina**

SAN MARCO : Luna Hotel Baglioni 📋📋📋 €€€€
Calle Larga dell'Ascension 1243, 30124 **Tél** *041 528 98 40* **Fax** *041 528 71 60* **Chambres** *104* **Plan** *7 B3*

En bordure de la place Saint-Marc, cet endroit chic et très spacieux hébergeait les chevaliers en route vers la Terre Sainte au XIIᵉ siècle. Des chandeliers étincelants et des fresques réalisées par des élèves de Tiepolo servent de décor aux hôtes pendant leur petit déjeuner. Cet hôtel a récemment rejoint le groupe des hôtels de luxe. **www.baglionihotels.com**

SAN MARCO : Rialto 📋📋📋 €€€€
Riva di Ferro 5149, 30124 **Tél** *041 520 91 66* **Fax** *041 523 89 58* **Chambres** *79* **Plan** *7 A1*

Cet hôtel possède de belles chambres familiales, est bien équipé et offre un restaurant au bord du canal très agréable l'été. Idéalement situé au pied du pont du Rialto, il offre des vues magnifiques depuis nombre de ses chambres. Les stations de *vaporetti* sont à deux pas. **www.rialtohotel.com**

SAN MARCO : San Clemente 📋📋📋📋 €€€€
Isola di San Clemente 1, 30124 **Tél** *041 244 50 01* **Fax** *041 244 58 00* **Chambres** *200*

Véritable havre de paix, loin de l'agitation de Venise, le luxueux *San Clemente* possède sa propre île, agrémentée de vastes jardins, piscine, salle de conférence, courts de tennis et centre de remise en forme. Les chambres sont claires et très spacieuses. Un service privé de bateaux fait l'aller-retour jusqu'à Saint-Marc. **www.sanclemente.thi.it**

SAN MARCO : Santo Stefano 📋📋 €€€
Campo Santo Stefano 2957, 30124 **Tél** *041 520 01 66* **Fax** *041 522 44 60* **Chambres** *11* **Plan** *6 F3*

Un établissement charmant qui occupe un grand bâtiment dominant le grand Campo Santo Stefano – apprécié des enfants l'après-midi. Les chambres ont été rénovées et sont tout équipées, mais certaines sont très petites. À 10 min à peine de la place Saint-Marc ou du quartier du Rialto. **www.hotelsantostefanovenezia.com**

SAN MARCO : Bauer 📋📋📋📋 €€€€€
Campo San Moisè 1459, 30124 **Tél** *041 520 70 22* **Fax** *041 520 75 57* **Chambres** *109* **Plan** *7 A3*

Ce luxueux hôtel se trouve au cœur de Venise, à côté des boutiques de luxe, et vous pouvez louer une gondole juste devant la porte d'entrée. Nombre de ses chambres donnent sur le Grand Canal et l'église de la Salute. Le restaurant sur le Grand Canal propose un buffet gastronomique. **www.bauerhotels.com**

SAN MARCO : Gritti Palace 📋📋📋 €€€€€
Santa Maria del Giglio 2467, 30124 **Tél** *041 79 46 11* **Fax** *041 520 09 42* **Chambres** *91* **Plan** *7 A3*

Ernest Hemingway le décrivait comme « le meilleur hôtel parmi les grands hôtels ». Particulièrement luxueux, il est très bien placé sur le Grand Canal et occupe un somptueux palais du XVᵉ siècle. Service irréprochable. Ne manquez pas de déjeuner dans son restaurant aménagé au bord de l'eau. **www.luxurycollection.com/grittipalace**

Légende des prix *voir p. 558* **Légende des symboles** *voir le rabat arrière de couverture*

SAN MARCO : Monaco et Grand Canal

Calle Vallaresso 1332, 30124 **Tél** *041 520 02 11* **Fax** *041 520 05 01* **Chambres** *99* **Plan** *7 B3*

Cet hôtel chic abrite le théâtre Ridotto, soigneusement restauré, ainsi qu'un restaurant renommé sur le Grand Canal. Les chambres, un peu petites, ne donnent pas toutes sur le canal, mais elles sont bien meublées et bien équipées. Vous profiterez de chambres plus vastes dans l'annexe moderne toute proche. **www.hotelmonaco.it**

SAN MARCO : Saturnia et International

Via XXII Marzo 2398, 30124 **Tél** *041 520 83 77* **Fax** *041 520 71 31* **Chambres** *91* **Plan** *7 A3*

Luxueux hôtel, accueillant pour les familles, le *Saturnia* est installé dans l'une des principales artères commerçantes, à quelques minutes de la place Saint-Marc. Ce palais du XIVe siècle est entièrement meublé de mobilier ancien. Au rez-de-chaussée se trouvent l'un des meilleurs restaurants de la ville, ainsi qu'une coquette cour. **www.hotelsaturnia.it**

SAN POLO : Al Campaniel

Calle del Campaniel 2889, 30125 **Tél** *041 275 07 49* **Fax** *041 275 07 49* **Chambres** *4* **Plan** *6 E2*

À côté de l'arrêt de *vaporetto* San Tomà, ce *bed and breakfast* impeccable situé dans une rue calme est tenu par un couple hispano-vénitien. Les hôtes peuvent préparer leur thé et leur café dans leur chambre. Un appartement est disponible pour les familles qui préfèrent être indépendantes. *Fermé août.* **www.alcampaniel.com**

SAN POLO : Alex

Rio Terrà Frari 2606, 30125 **Tél** *041 523 13 41* **Fax** *041 523 13 41* **Chambres** *11* **Plan** *6 E1*

Toutes les chambres ne sont pas équipées d'une salle de bains et l'hôtel n'est pas climatisé mais c'est un établissement familial d'un bon rapport qualité/prix. Situé dans les environs de l'église des Frari, il est à deux pas des marchés du Rialto. Arrêt de *vaporetto* Piazzale Roma ou San Tomà. **www.hotelalexinvenice.com**

SAN POLO : Hotel Marconi

Riva del Vin 729, 30125 **Tél** *041 522 20 68* **Fax** *041 522 97 00* **Chambres** *26* **Plan** *7 A1*

Le *Marconi* possède un superbe café donnant sur le Grand Canal, près du pont du Rialto. Il occupe un palais du XVIe siècle doté d'une réception opulente, avec des chambres toutefois un peu exiguës et décevantes. Il est nécessaire de réserver à l'avance. **www.hotelmarconi.it**

SANTA CROCE : Hotel Falier

Salizzada San Pantalon 130, 30135 **Tél** *041 71 08 82* **Fax** *041 520 65 54* **Chambres** *19* **Plan** *5 C1*

En été, les visiteurs sont accueillis dans le jardin orné de glycines de cet hôtel. Les chambres sont bien équipées. Situé près de San Rocco, à quelques minutes à pied de la piazzale Roma et de ses divers transports en commun. Le personnel est particulièrement aimable et serviable. Petit déjeuner inclus. **www.hotelfalier.com**

SANTA CROCE : Al Sole

Fondamenta Minotto 136, 30135 **Tél** *041 244 03 28* **Fax** *041 72 22 87* **Chambres** *51* **Plan** *5 C1*

Réservez très à l'avance votre séjour dans ce charmant palais du XVe siècle, avec sa réception au sol dallé de marbre et sa façade superbe. L'été, sa cour est une explosion de fleurs parfumées. Près de la piazzale Roma, des arrêts de bus et de *vaporetti*. Les chambres coquettes donnent sur le canal ou un jardin privé. **www.alsolehotels.com**

TORCELLO : Locanda Cipriani

Piazza Santa Fosca 29, 30012 **Tél** *041 73 01 50* **Fax** *041 73 54 33* **Chambres** *6*

Parmi les hôtes illustres de cette confortable *locanda* de style ancien installée sur l'île de Torcello, on peut citer Hemingway et la famille royale britannique. Les chambres sont confortables et vous pouvez y trouver de la lecture. Il est conseillé de réserver bien à l'avance. *Fermé janv.* **www.locandacipriani.com**

VÉNÉTIE ET FRIOUL

ASOLO : Hotel Duse

Via R. Browning 190, 31011 **Tél** *0423 552 41* **Fax** *0423 95 04 04* **Chambres** *14*

Situé en plein centre d'Asolo, ce petit hôtel de charme offre un bon rapport qualité/prix. Les chambres sont joliment décorées, bien que certaines soient un peu petites, tout comme le hall d'entrée. La plupart donnent sur la place principale ou sur les toits. Personnel accueillant et serviable. **www.hotelduse.com**

ASOLO : Hotel Al Sole

Via Collegio 33, 31011 **Tél** *0423 95 13 32* **Fax** *0423 95 10 07* **Chambres** *23*

Plusieurs chambres de l'hôtel dominent la place principale et les vieux remparts de la ville. Les salles sont impersonnelles mais les chambres et les suites sont spacieuses et dotées d'un beau mobilier. L'établissement possède une charmante terrasse où prendre un verre avant d'aller dîner. *Fermé deux sem. pour Noël et 1er janv.* **www.albergoalsole.com**

ASOLO : Villa Cipriani

Via Canova 298, 31011 **Tél** *0423 52 34 11* **Fax** *0423 95 20 95* **Chambres** *31*

Cet hôtel tout confort est aménagé dans une villa du XVe siècle où vivait autrefois Robert Browning. Son joli jardin avec vue sur la campagne est très agréable. Il jouit d'un restaurant raffiné servant des spécialités vénitiennes accompagnées de bons vins. Une excellente base pour découvrir la région. **www.villaciprianiasolo.com**

BASSANO DEL GRAPPA : Victoria

Viale Diaz 33, 36061 **Tél** *0424 50 36 20* **Fax** *0424 50 31 30* **Chambres** *21*

Juste à l'extérieur des remparts de la ville, cet hôtel agréable offre des chambres confortables au mobilier simple. Très fréquenté, il peut parfois être bruyant. C'est toutefois le lieu idéal pour commencer vos visites, à quelques pas du pont de Palladio et du centre historique de la ville. **www.hotelvictoria-bassano.com**

BASSANO DEL GRAPPA : Bonotto Hotel Belvedere

Piazzale G. Giardino 14, 36061 **Tél** *0424 52 98 45* **Fax** *0424 52 98 49* **Chambres** *83*

Situé sur l'une des principales places de Bassano, cet hôtel fréquenté est le mieux équipé de la ville et est particulièrement bien placé pour la découvrir. Il possède un restaurant moderne, une spacieuse réception et un bar. Service excellent. **www.bonotto.it**

BASSANO DEL GRAPPA : Ca' Sette

Via Cunizza da Romano 4, 36061 **Tél** *0424 38 33 50* **Fax** *0424 39 32 87* **Chambres** *19*

Cette villa vénitienne joliment transformée en hôtel de style est située à la périphérie de la ville. Il occupe un jardin entouré d'oliveraies. Toutes les chambres sont décorées différemment et certaines ornées de fresques originales. Dans le restaurant, on sert une cuisine créative, incluant un menu végétarien. **www.ca-sette.it**

BELLUNO : Albergho Cappello e Cadore

Via Ricci 8, 32100 **Tél** *0437 940 246* **Fax** *0437 29 23 19* **Chambres** *31*

Apprécié des skieurs en hiver et des randonneurs en été, *Cappello e Cadore* jouit d'une situation centrale. Les chambres douillettes disposent de l'air conditionné et du chauffage individuel. Si la plupart donne sur la place, certaines offrent une vue panoramique sur les montagnes. **www.astorhotelbelluno.com**

CHIOGGIA : Grande Italia

Rione S. Andrea 597, 30015 **Tél** *041 40 05 15* **Fax** *041 40 01 85* **Chambres** *56*

Cet hôtel vieillot et sans prétention, au début de la rue principale, possède une façade de style Liberty mais a récemment été rénové. Ses chambres sont élégantes et confortables et vous pouvez également profiter d'un centre de bien-être moderne. Il est bien placé, près de l'arrêt des bateaux pour Venise. **www.hotelgrandeitalia.com**

CIVIDALE DEL FRIULI : Locanda Al Pomodoro

Piazzetta San Giovanni 20, 33043 **Tél** *0432 73 14 89* **Fax** *0432 70 12 57* **Chambres** *17*

Caché à l'angle d'une place tranquille du centre historique, à quelques pas du Duomo, cet hôtel romantique, joliment peint en rose, est aménagé dans une auberge du XIIe siècle. Ses 17 chambres, rénovées en 2003, diffèrent par leur taille mais sont toutes bien équipées. **www.alpomodoro.com**

CIVIDALE DEL FRIULI : Locanda al Castello

Via del Castello 12, 33043 **Tél** *0432 73 32 42* **Fax** *0432 70 09 01* **Chambres** *27*

Cet hôtel occupe un bel édifice du XIXe siècle qui hébergeait autrefois des jésuites l'été, non loin de Cividale. Les chambres ont toutes un décor personnalisé et offrent des vues sur la belle campagne du Frioul. Un centre de remise en forme et de cure avec sauna a été ajouté à l'établissement en 2004. **www.alcastello.net**

CONEGLIANO : Il Faè

Via Faè1, San Pietro di Feletto, 31020 **Tél** *0438 78 71 17* **Fax** *0438 78 71 17* **Chambres** *8*

Confortable *bed and breakfast* installé dans une ancienne ferme, au milieu des collines et des vignes. Beau panorama sur les Alpes. Dix minutes de voiture suffisent pour gagner Conegliano. Les propriétaires proposent des activités à leurs hôtes, dont des cours de cuisine. **www.ilfae.com**

CORNO DI ROSAZZO : Villa Butussi

Via San Martino 29, Visinale dello Judrio, 33040 **Tél** *0432 75 99 22* **Fax** *0432 75 31 12* **Chambres** *6*

Cette villa du XVIIe siècle a été aménagée avec goût en un *bed and breakfast* de six chambres spacieuses et très agréables et deux appartements, avec vue sur les vignes alentour. Vous pouvez aussi vous détendre dans l'agréable jardin. Il offre un bon rapport qualité/prix. **www.butussi.it**

CORTINA D'AMPEZZO : Montana

Corso Italia 94, 32043 **Tél** *0436 86 04 98* **Fax** *0436 86 82 11* **Chambres** *31*

Hôtel bien situé dans le centre-ville, à proximité des principaux commerces, mais au calme, dans une zone piétonnière. Certaines chambres sont un peu petites mais elles sont toutes joliment décorées. Un petit déjeuner sans calorie est proposé aux clients. Bon rapport qualité/prix. **www.cortina-hotel.com**

CORTINA D'AMPEZZO : Menardi

Via Majon 110, 32043 **Tél** *0436 24 00* **Fax** *0436 86 21 83* **Chambres** *50*

Cet hôtel plutôt vieillot, non loin de Cortina, est géré par la famille Menardi depuis 1900. C'est un établissement accueillant au beau mobilier ancien. Le service est irréprochable. Il est également doté d'une annexe confortable, récemment rénovée et située derrière le bâtiment principal. *Fermé 3 sem. en juin, nov.* **www.hotelmenardi.it**

FOLLINA : Villa Abbazia

Via Martiri della Liberta, 31051 **Tél** *0438 971277* **Fax** *0438 970001* **Chambres** *18*

Cette villa du XVIIe siècle a été magnifiquement restaurée par la famille Zanon. Les chambres spacieuses ont une décoration unique dans le style campagnard anglais. Le petit jardin et son jacuzzi invitent au repos ou à prendre un verre. Point de départ idéal pour explorer la région. *Fermé janv.-début fév.* **www.villaabbazia.it**

Légende des prix *voir p. 558* **Légende des symboles** *voir le rabat arrière de couverture*

GARDA : Locanda San Vigilio

`P` `▯▮` `⊼` `▤` `≋` €€€€

San Vigilio, 37016 **Tél** *045 725 66 88* **Fax** *045 627 81 82* **Chambres** *7*

L'un des hôtels les plus beaux et les plus chic du lac de Garde, exaltant le charme du Vieux Monde. Installé au calme, il est doté d'une petite église dédiée à saint Vigilio. Le confort et le service comblent toutes les espérances. L'hôtel possède une plage privée et un mouillage gratuit. *Fermé déc.-fév.* **www.punta-sanvigilio.it**

MALCESINE : Sailing Center Hotel

`P` `▯▮` `⊼` `✛` `▾` `▤` €€

Via Gardesana 183, 37018 **Tél** *045 740 00 55* **Fax** *045 740 03 92* **Chambres** *32*

Un hôtel moderne juste à la sortie de la ville, à l'écart de la foule. Les chambres sont agréables et impeccables. L'hôtel offre aussi un court de tennis et une plage privée. Sa situation en bordure d'un lac en fait un endroit idéal pour les amateurs de sports nautiques. *Fermé mi-oct.-mars.* **www.hotelsailing.com**

PADOVA (PADOUE) : Augustus Terme

`▦` `P` `▯▮` `≋` `✛` `▾` `▤` €€

Viale Stazione 150, Montegrotto Terme, 35036 **Tél** *049 79 32 00* **Fax** *049 79 35 18* **Chambres** *120*

Un grand hôtel confortable doté de chambres chic et d'un vaste restaurant. Ses salles sont spacieuses et accueillantes et il possède des courts de tennis. Son centre de bien-être et de beauté et ses sources thermales d'eau chaude constituent les points forts de ce beau complexe hôtelier. **www.hotelaugustus.com**

PADOVA (PADOUE) : Donatello

`▦` `P` `▤` €€€

Via del Santo 104, 35123 **Tél** *049 875 06 34* **Fax** *049 875 08 29* **Chambres** *44*

Hôtel moderne installé dans un bâtiment ancien offrant des chambres ensoleillées et meublées avec goût. Cet établissement porte le nom du sculpteur de la statue équestre de Gattamelata érigée sur la place. Sa situation centrale permet d'aller à pied aux principaux monuments de la ville. *Fermé 8 déc.-7 janv.* **www.hoteldonatello.net**

PADOVA (PADOUE) : Grand'Italia

`▦` `P` `✛` `▤` `⎷` €€€

Corso del Popolo 81, 35131 **Tél** *049 876 11 11* **Fax** *049 875 08 50* **Chambres** *61*

Proche des principaux monuments de la ville, cet hôtel présente un très bon rapport qualité/prix. Les chambres sont propres et modernes, contrastant avec le restaurant et le hall principal, dorés et ornés de stuc. Toutes les chambres sont climatisées et proposent un accès Internet Wi-Fi. **www.hotelgranditalia.it**

PADOVA (PADOUE) : Plaza

`P` `▯▮` `▾` `▤` €€€

Corso Milano 40, 35139 **Tél** *049 65 68 22* **Fax** *049 66 11 17* **Chambres** *139*

Hôtel bien géré qui mérite son excellente réputation. Bien que son extérieur de style années 1970 ne soit pas très attirant, son intérieur est tout confort et il dispose d'équipements modernes. Grand nombre de services offerts et accueil particulièrement chaleureux. **www.plazapadova.it**

PESCHIERA DEL GARDA : Peschiera

`▦` `P` `▯▮` `≋` `✛` €€

Via Parini 4, 37010 **Tél** *045 755 05 26* **Fax** *045 755 04 44* **Chambres** *26*

Cet hôtel est entouré de verdure et possède de très belles chambres fraîches. Belles vues sur le lac ou les collines. Terrasse ensoleillée et piscine privée. Possibilité de balades à cheval dans les collines ou pratique du golf sur le nouveau terrain tout proche. **www.hotel-peschiera.com**

PIEVE D'ALPAGO : Albergo Dolada

`P` `▯▮` `✛` €€

Via Dolada 21, 32010 **Tél** *0437 479 141* **Fax** *0437 478 068* **Chambres** *7*

Petit hôtel chic à l'excellent restaurant très prisé par les Vénitiens. Ses chambres sont modernes et claires, chacune arborant une couleur de l'arc-en-ciel. La plupart offrent un joli panorama sur la campagne environnante. Les plats inventifs varient selon les saisons. **www.dolada.it**

PORDENONE : Hotel Moderno

`▦` `P` `▯▮` `✛` `▾` `▤` €€

Viale Martelli 1, 33170 **Tél** *0434 282 15* **Fax** *0434 52 03 15* **Chambres** *96*

Cet hôtel traditionnel est situé près de la gare. Récemment rénové, il offre tout le confort dans des chambres bien aménagées et équipées. Le restaurant, géré par une autre direction, s'est spécialisé dans la cuisine du terroir, notamment dans les plats de poisson. **www.palacehotelmoderno.it**

POVOLETTO : La Faula

`P` `▯▮` `✛` `≋` €

Via Faula 5, 33040 **Tél** *334399 67 34* **Chambres** *9*

Ferme traditionnelle du Frioul restaurée avec goût. L'établissement est entouré de vignes et de terres cultivées. Les chambres sont spacieuses, joliment meublées et les salles de bains modernes. Le restaurant de style bistrot utilise des produits et des vins de la ferme. *Ouvert oct.-mars.* **www.faula.com**

SAN FLORIANO DEL COLLIO : Golf Hotel Castello Formentini

`P` `≋` €€€

Via Oslavia 2, 34070 **Tél** *0481 88 40 51* **Fax** *0481 88 40 52* **Chambres** *14*

Bâtiment du XVIIIe siècle aménagé avec un mobilier ancien et installé dans un jardin bien entretenu, avec un golf à 9 trous et des courts de tennis. Un très bon restaurant se trouve en face de l'hôtel. Le musée du Vin à côté de l'hôtel mérite une visite. Bon point de départ pour découvrir les vignes environnantes. **www.golfhotelformentini.com**

SAPPADA : Haus Michaela

`▦` `P` `▯▮` `≋` `✛` `▾` €

Borgata Fontana 40, 32047 **Tél** *0435 46 93 77* **Fax** *0435 66131* **Chambres** *18*

Situé sur les contreforts des Dolomites, les chambres ont une décoration simple mais sont grandes. Un endroit pour passer des vacances en famille. Il dispose entre autre d'une piscine, d'un centre de remise en forme et d'un sauna. Le restaurant sert de copieux plats montagnards. *Fermé 15 avr.-15 mai, oct.-nov.* **www.hotelmichaela.com**

SARCEDO : Casa Belmonte

Via Belmonte 2, 36030 **Tél** *0445 88 48 33* **Fax** *0445 88 41 34* **Chambres** *6*

Ce petit hôtel occupe le sommet d'une colline entourée de vignes et d'oliveraies. Les chambres sont luxueusement décorées de mobilier ancien et d'élégants rideaux. L'été, le petit déjeuner est servi dehors ou dans la serre. Une vaste piscine est ouverte aux hôtes. Idéal pour découvrir des villas palladiennes. **www.casabelmonte.com**

TORRI DEL BENACO : Hotel Gardesana

Piazza Calderini 20, 37010 **Tél** *045 722 54 11* **Fax** *045 722 57 71* **Chambres** *34*

La capitainerie du port du XVe siècle, dominant le lac de Garde, est devenue un hôtel accueillant et confortable. Sa situation exceptionnelle offre des vues sur le château depuis la terrasse du restaurant, tandis que les chambres du troisième étage donnent sur le lac. *Fermé nov.-fév.* **www.hotel-gardesana.com**

TREVISO (TRÉVISE) : Ca' del Galletto

Via Santa Bona Vecchia 30, 31100 **Tél** *0422 43 25 50* **Fax** *0422 43 25 10* **Chambres** *67*

Cet hôtel est situé à dix minutes à peine de marche des remparts de la ville. Les chambres sont spacieuses et modernes, même si le charme leur fait défaut. Toutefois, le personnel aimable et les équipements sportifs, ainsi que son environnement paisible vous assurent un séjour agréable. **www.hotelcadelgalletto.it**

TREVISO (TRÉVISE) : Il Folocare

Piazza Ancillotto 4, 31100 **Tél** *0422 566 01* **Fax** *0422 566 01* **Chambres** *14*

Un des hôtels les moins chers de Trévise, au cœur du centre historique, *Il Folocare* est propre et accueillant. Ses chambres et salles de bains sont plutôt petites, mais sa situation idéale mérite d'y séjourner. Excellent restaurant en face de l'hôtel, où vous pourrez déguster des plats du terroir. **www.albergoilfolocare.it**

TRIESTE : NH

Corso Cavour 7, 34132 **Tél** *040 760 00 55* **Fax** *040 36 26 99* **Chambres** *174*

Grand hôtel moderne qui se prête aussi bien aux voyages d'affaires qu'aux vacances. Les chambres bien équipées sont assez grandes, bien que plutôt impersonnelles. Manquant un peu de caractère, l'établissement est toutefois central et très proche du fameux front de mer de la ville. **www.nh-hotels.com**

TRIESTE : Grand Hotel Duchi d'Aosta

Piazza Unità d'Italia 2, 34121 **Tél** *040 760 00 11* **Fax** *040 36 60 92* **Chambres** *55*

Ancien palais, cet hôtel possède de vastes chambres dotées de tout le confort moderne, ainsi qu'une piscine. Situé dans la vieille ville, il offre de magnifiques vues sur la place depuis la terrasse de son restaurant. L'été, les hôtes peuvent profiter de la plage privée de l'hôtel. **www.duchi.eu**

UDINE : Quo Vadis

Piazzale Cella 28, 33100 **Tél** *0432 210 91* **Fax** *0432 210 92* **Chambres** *38*

Cet hôtel confortable, proche du centre-ville, occupe une rue tranquille bordée d'arbres. Son extérieur est élégant, tandis que sa décoration intérieure est plutôt hétéroclite, dominée par les plantes. Malgré leur mobilier simple, les chambres sont impeccables et plusieurs donnent sur une cour privée. *Fermé à Noël.* **www.hotelquovadis.it**

VERONA (VÉRONE) : Giulietta e Romeo

Vicolo Tre Marchetti 3, 37121 **Tél** *045 800 35 54* **Fax** *045 801 08 62* **Chambres** *31*

Cet hôtel au joli nom occupe une rue calme juste derrière les arènes situées à cinq minutes à peine de marche. Les principales curiosités de la ville sont également toutes proches. Les chambres rénovées, claires et confortables, sont garnies de meubles modernes. **www.giuliettaeromeo.com**

VERONA (VÉRONE) : Il Torcolo

Vicolo Listone 3, 37121 **Tél** *045 800 75 12* **Fax** *045 800 40 58* **Chambres** *19*

La situation de ce petit hôtel familial, à deux pas des arènes, en fait un endroit apprécié durant la saison d'opéra. Bien que certaines des salles de réception soient plutôt exiguës, les chambres sont coquettes et traditionnelles. Le petit déjeuner est servi en terrasse. **www.hoteltorcolo.it**

VERONA (VÉRONE) : Due Torri Hotel Baglioni

Piazza Sant'Anastasia 4, 37121 **Tél** *045 59 50 44* **Fax** *045 800 41 30* **Chambres** *90*

À côté d'une splendide église, au cœur de la Vérone médiévale, ce somptueux bâtiment du XIVe siècle abrite l'un des hôtels les plus originaux d'Italie. Toutes les chambres sont décorées et meublées dans un style différent. Les salles communes sont elles aussi très élégantes. L'hôtel propose aussi de louer des vélos. **www.baglionihotels.com**

VICENZA (VICENCE) : Casa San Raffaele

Viale X Giugno 10, 36100 **Tél** *0444 54 57 67* **Fax** *0444 54 22 59* **Chambres** *29*

Un hôtel tranquille, simple et central, dans un environnement de charme, offrant de superbes vues sur les pentes du monte Berico. Les chambres sont tout confort et le personnel aimable. L'un des meilleurs rapports qualité/prix de la région.

VICENZA (VICENCE) : Campo Marzio

Viale Roma 27, 36100 **Tél** *0444 54 57 00* **Fax** *0444 32 04 95* **Chambres** *35*

Un hôtel-boutique tout confort et calme, à quelques pas du centre-ville et des principaux sites palladiens. Les chambres sont vastes et bien meublées – chacune a un décor personnalisé et une connexion Wi-Fi. Il est situé dans un environnement tranquille. **www.hotelcampomarzio.com**

Légende des prix *voir p. 558* **Légende des symboles** *voir le rabat arrière de couverture*

TRENTIN-HAUT-ADIGE

ANTERSELVA DI SOTTO (ANTHOLZ NIEDERTAL) : Bagni di Salomone 🅿️ 🏊 🍴 📺 ♿ €€

Anterselva di Sotto, 39030 **Tél** *0471 49 21 99* **Fax** *0471 49 23 78* **Chambres** *33*

Niché dans la vallée, cet hôtel charmant et convivial jouit d'un cadre somptueux, près d'un parc naturel. Les clients apprécieront son spa qui date de 1559 et les bienfaits de son eau minérale. L'été, on pourra emprunter un VTT ou préférer une partie de pêche. L'hiver, on profitera des pistes de ski à proximité. **www.badsalomonsbrunn.com**

BOLZANO (BOZEN) : Engel 🅿️ 🍴 🏊 🏋️ 📺 🍴 ♿ €

Via San Valentino 3, Nova Levante, 39056 **Tél** *0471 61 31 31* **Fax** *0471 61 34 04* **Chambres** *70*

Cet hôtel installé dans une petite ville, près de Bolzano, est parfait pour les familles et les amateurs de randonnée et de ski. Il a un centre de remise en forme, un institut de beauté, ainsi qu'un club pour enfants avec des équipements extérieurs. Parmi les activités estivales, on peut pratiquer le golf et l'équitation. *Fermé avr.* **www.hotel-engel.com**

BOLZANO (BOZEN) : Cappello di Ferro 🅿️ 🍴 🏋️ €€

Viia Bottai 21, 39100 **Tél** *0471 978 397* **Fax** *0471 312 0706* **Chambres** *50*

Situé dans le centre historique de Bolzano, voici un charmant hôtel bien restauré. Outre le ski en hiver, l'hôtel propose des promenades en raquettes avec un guide et la visite des marchés de Noël de la région. En été, on peut louer un VTT ou partir en randonnée avec un guide. Le restaurant est excellent. **www.cappellodiferro.com**

BOLZANO (BOZEN) : Luna-Mondschein 🅿️ 🍴 ♿ €€€

Via Piave 15, 39100 **Tél** *0471 97 56 42* **Fax** *0471 97 55 77* **Chambres** *77*

Le bâtiment principal du *Luna Monschein* date de 1798, et d'autres ont été ajoutés depuis. Un agréable jardin accueille les visiteurs pour dîner en été. C'est l'un des plus anciens hôtels du centre historique de Bolzano, reconstruit après la guerre en 1946 et récemment rénové. Quelques chambres ont l'air conditionné. **www.hotel-luna.it**

BRESSANONE (BRIXEN) : Dominik 🅿️ 🏊 📺 €€

Via Terzo di Sotto 13, 39042 **Tél** *0472 83 01 44* **Fax** *0472 83 65 54* **Chambres** *35*

Le *Dominik* est doté d'un mobilier ancien, bien que les bâtiments mêmes de l'hôtel ne datent que des années 1970. Il est situé près des jardins Rapp, dans le plus vieux quartier de Bressanone, près de la place principale. Depuis la rivière, vues sur la ville et la campagne environnante. *Fermé nov., 2 sem. janv.* **www.hoteldominik.com**

BRESSANONE (BRIXEN) : Elephant 🅿️ 🍴 🏊 📺 ♿ €€€

Via Rio Bianco 4, 39042 **Tél** *0472 83 27 50.* **Fax** *0472 83 65 79* **Chambres** *44*

Le nom de cet élégant hôtel fait référence à un éléphant envoyé de Goa (Inde) à Gênes qui demeura à l'intérieur du bâtiment au XVIᵉ siècle. Il offre tout le confort moderne et a su conserver son cachet traditionnel. Des jardins paysagers, d'où l'on jouit d'un magnifique panorama, l'entourent. *Fermé janv.-22 mars.* **www.hotelelephant.com**

BRUNICO (BRUNECK) : Andreas Hofer 🅿️ 🍴 🏊 🏋️ 📺 €€

Via Campo Tures 1, 39031 **Tél** *0474 55 14 69* **Fax** *0474 55 12 83* **Chambres** *48*

Chalet tenu par une famille, près du centre de Brunico, doté d'un mobilier en bois de style alpin. L'hôtel occupe un jardin et certaines de ses chambres possèdent un balcon. Dans le restaurant, on vous servira des spécialités tyroliennes que vous pourrez aussi déguster en terrasse l'été. *Fermé mi-avr.-mi-mai.* **www.andreashofer.it**

CALDARO (KALTERN) : Leuchtenburg 🅿️ 🍴 📺 🍴 €€

Campi al Lago 100, 39052 **Tél** *0471 96 00 93* **Fax** *0471 96 01 55* **Chambres** *11*

Hôtel aménagé dans une magnifique ferme du XVIᵉ siècle entourée de vignobles. Les chambres, simples, sont équipées de meubles peints typiques. Non loin de là, vous pouvez vous rafraîchir dans un lac et profiter des paysages alpins sur une terrasse ombragée. Demi-pension seulement. *Fermé nov.-mi-mars.* **www.leuchtenburg.it**

CANAZEI : Dolomites Inn 🅿️ 🍴 📺 €

Via Anersies 3, Penia, 38032 **Tél** *0462 60 22 12* **Fax** *0462 60 24 74* **Chambres** *27*

Les gérants Bob et Lucia offrent un service chaleureux de grande qualité. Chaque chambre a son propre balcon offrant un panorama à couper le souffle sur les Dolomites. Excellent pour des excursions en montagne, l'hôtel possède aussi courts de squash, jacuzzi et sauna. *Fermé après Pâques-mai, oct.-nov.* **www.dolomitesinn.com**

CASTELROTTO (KASTELRUTH) : Cavallino d'Oro 🅿️ 🍴 🏊 ♿ €€

Piazza Kraus 1, 39040 **Tél** *0471 70 63 37* **Fax** *0471 70 71 72* **Chambres** *23*

Ce charmant hôtel est situé dans un joli village, à 26 km de Bolzano, où l'on porte encore le costume traditionnel. L'ambiance est douillette et intime, les chambres garnies de bois et de meubles de style tyrolien. Le bar offre un large choix de vins de la région. Quelques chambres ont l'air conditionné. **www.cavallino.it**

COLFOSCO : Cappella Romantik Hotel 🅿️ 🍴 🏊 🍴 ♿ €€€

Strada Pecei 17, 39030 **Tél** *0471 83 61 83* **Fax** *0471 83 65 61* **Chambres** *46*

Ce chalet des Dolomites a été ouvert par le grand-père de l'actuel propriétaire. L'hôtel possède une galerie d'art et une aire de jeux pour les enfants. Depuis l'extérieur, panoramas époustouflants sur les Dolomites. Grand choix de styles pour les chambres. *Fermé avr.-mai, oct.-nov.* **www.hotelcappella.com**

FIE ALLO SCILIAR : Romantik Hotel Turm

Piazza della Chiesa 9, 39050 **Tél** *0471 72 50 14* **Fax** *0471 72 54 74* **Chambres** *40*

L'Hotel Turm possède trois bâtiments et deux tours, dont l'une date du XIIIe siècle. Il abrite aussi une impressionnante collection d'art qui inclut des œuvres de Beuys et Kokoschka. L'art et le restaurant (l'un des meilleurs d'Italie) sont les points forts de cet hôtel accueillant. *Fermé 3 sem. avr., nov.-25 déc.* **www.hotelturm.it**

LA VILLA : Hotel La Villa

Strada Boscdaplan 176, 39030 **Tél** *0471 84 70 35* **Fax** *0471 84 73 93* **Chambres** *31*

Au milieu du splendide paysage du Val Badia, cet hôtel élégant se distingue par son hospitalité. Il est joliment décoré de bois sculpté et de riches étoffes. Plusieurs chambres possèdent un balcon, mais certaines sont un peu petites. Copieux buffet au petit déjeuner. *Fermé 1er avr.-20 juin, 20 sept.-1er déc.* **www.hotel-lavilla.it**

MADONNA DI CAMPIGLIO : Albergo Dello Sportivo

Via Pradalago 29, 38084 **Tél** *0465 44 11 01* **Fax** *0465 44 08 00* **Chambres** *11*

Petit *bed and breakfast* tenu par une famille accueillante au cœur du village. Les chambres sont confortables et décorées simplement. Certaines ont un balcon, mais les chambres simples sont assez exiguës. Bon buffet au petit déjeuner et bon rapport qualité/prix. *Fermé mai, 3 sem. juin, oct.-nov.* **www.dellosportivo.com**

MADONNA DI CAMPIGLIO : Chalet Hermitage

Via Casteletto 65, 38084 **Tél** *0465 44 15 58* **Fax** *0465 44 16 18* **Chambres** *25*

Un hôtel écologique dont le bâtiment et l'intérieur respectent l'environnement et tirent le meilleur parti du paysage. Tout confort, les chambres sont spacieuses et bien conçues. Excellent restaurant où vous dégusterez des produits bio. Nombreux équipements. *Fermé après Pâques-juin, oct.-nov.* **www.biohotelhermitage.it**

MADONNA DI CAMPIGLIO : Grifone

Via Vallesinella 7, 38084 **Tél** *0465 44 20 02* **Fax** *0465 44 05 40* **Chambres** *40*

Cet grand hôtel de style alpin dispose d'équipements variés pour pratiquer le sport. Certaines chambres ont un balcon. Il dispose de plusieurs salles, dont une avec un piano bar, un salon de lecture et une salle de jeu pour les enfants. Demi-pension uniquement. *Fermé 10 sept.-début déc., après Pâques-juin.* **www.hotelgrifone.it**

MALLES VENOSTA (MALS IM VINSCHGAU) : Garberhof

Via Nazionale 25, 39024 **Tél** *0473 83 13 99* **Fax** *0473 83 19 50* **Chambres** *40*

Situé dans la vallée de Vinschgau, cet hôtel-chalet moderne aux vastes terrasses panoramiques offre un grand choix d'équipements sportifs et de loisirs. Le restaurant sert une cuisine du Sud Tyrol quelque peu internationalisée. Petit déjeuner buffet avec bar à jus de fruits. Demi-pension possible. *Fermé nov.-20 déc.* **www.garberhof.com**

MERANO (MERAN) : Castello Labers

Via Labers 25, 39012 **Tél** *0473 23 44 84* **Fax** *0473 23 41 46* **Chambres** *35*

Le *Castello Labers* est un hôtel campagnard de grande classe qui date du XIe siècle. Les hôtes peuvent goûter au vin produit par le domaine. Les pâtes faites maison, les desserts et la confiture sont des spécialités du restaurant. Panorama sur les vignes et bois environnants. *Fermé mi-nov.-mi-avr.* **www.castellolabers.it**

MERANO (MERAN) : Der Pünthof

Via Steinach 25, Lagundo, 39022 **Tél** *0473 44 85 53* **Fax** *0473 44 99 19* **Chambres** *12*

Entouré de paisibles jardins, cet hôtel est installé dans une ferme du Moyen Âge. Une fresque du XIIIe siècle y a récemment été découverte. Les parquets et plafonds de bois se marient avec le mobilier alpin. Bien qu'il semble à l'écart, cet hôtel n'est pourtant qu'à cinq minutes du centre-ville. *Fermé nov.-mars.* **www.puenthof.com**

MERANO (MERAN) : Castel Rundegg

Via Scena 2, 39012 **Tél** *0473 23 41 00* **Fax** *0473 23 72 00* **Chambres** *30*

Certaines parties de ce château de conte de fées datent du XIIe siècle. Les vastes terres qui l'entourent offrent de jolies vues sur Merano. À l'intérieur, le mobilier en bois, les poutres apparentes et les parquets soulignent l'atmosphère traditionnelle. L'été, il est possible de dîner dehors. **www.rundegg.com**

MERANO (MERAN) : Hotel Castel Fragsburg

Via Fragsburger Strasse 3, 39012 **Tél** *0473 24 40 71* **Fax** *0473 24 44 93* **Chambres** *16*

Cet hôtel magnifiquement situé offre une vue exceptionnelle sur les montagnes et Merano. Les pièces communes sont décorées avec goût. Les chambres sont grandes et toutes différentes. Les jardins, parfaitement entretenus, sont propices au repos. *Fermé mi-nov.-mars.* **www.fragsburg.com**

ORTISEI (SANKT ULRICH) : Hell

Via Promeneda 3, 39046 **Tél** *0471 79 67 85* **Fax** *0471 79 81 96* **Chambres** *25*

En dépit de son nom qui signifie enfer, le *Hell* est un agréable hôtel situé au centre du circuit Dolomites Superski près des pistes. Placé dans un quartier tranquille de la ville, entouré de luxuriants jardins, il possède une terrasse et une aire de jeux, ainsi qu'un sauna et un gymnase. *Fermé avr.-juin, mi-oct.-mi-déc.* **www.hotelhell.it**

PERGINE VALSUGANA : Castel Pergine

Via al Castello 10, 38057 **Tél** *0461 53 11 58* **Fax** *0461 53 13 29* **Chambres** *21*

Le *Castel Pergine* est un hôtel depuis le début du XXe siècle, aménagé dans un château du XIIIe siècle dominant la campagne. La décoration est simple et le mobilier traditionnel en bois. L'hôtel présente également des expositions d'art contemporain dans ses jardins et sa cour intérieure. *Fermé nov.-mars.* **www.castelpergine.it**

Légende des prix *voir p. 558* **Légende des symboles** *voir le rabat arrière de couverture*

RENON : Ploerr

Oberinn 45, 39050 **Tél** *0471 602 118* **Chambres** *11*

Bed and breakfast installé dans une ferme laitière en activité, au milieu d'un paysage de montagnes idyllique, c'est un endroit idéal pour des vacances en famille. Les chambres sont simples mais très confortables, avec un plafond en pin et un balcon pour la plupart. Accueil chaleureux et petit déjeuner copieux. *Fermé janv.* **www.ploerr.com**

RIVA DEL GARDA : Europa

Piazza Catena 9, 38066 **Tél** *0464 55 54 33* **Fax** *0464 52 17 77* **Chambres** *63*

Situé entre l'ancien port et le monte Oro, non loin du centre-ville animé, cet hôtel traditionnel est aménagé dans un édifice aux tons pastel et domine la place principale. Nombre des chambres confortables au mobilier simple donnent sur le lac. Le restaurant est pourvu d'une terrasse près de l'eau. *Fermé nov.-fév.* **www.hoteleuropariva.it**

RIVA DEL GARDA : Hotel Centrale

Piazza 3 Novembre 27, 38066 **Tél** *0464 55 23 44* **Fax** *0464 55 21 38* **Chambres** *70*

L'*Hotel Centrale* occupe un bâtiment datant de 1375. Il est situé au cœur de la vieille ville de Riva del Garda, sur la rive du lac de Garde, d'où l'on jouit de belles vues sur le plan d'eau et la campagne environnante. Salles et restaurant agréables. **www.welcometogardalake.com**

SAN CASSIANO : Rosa Alpina

Str Micura de Ru 20, 39030 **Tel** *041 84 95 00* **Fax** *0471 84 93 77* **Chambres** *54*

Cet hôtel est une oasis de luxe et de confort, idéal pour découvrir les Dolomites. Il est pourvu de tous les équipements dont on puisse rêver, notamment quatre excellents restaurants, des jardins somptueux, un sauna, une piscine et un institut de beauté. Terrasse au bord de l'eau. *Fermé avr.-juin, oct.-nov.* **www.rosalpina.it**

SAN PAOLO : Schloss Korb

Via Castel d'Appiano 5, Missiano, 39050 **Tél** *0471 63 60 00* **Fax** *0471 63 60 33* **Chambres** *50*

Cet hôtel joliment meublé est installé dans un château du XIIIe siècle et dans une annexe moderne. Courts de tennis, deux piscines, couverte et extérieure, un terrain de golf et une aire de jeux pour les enfants. Les hôtes peuvent se détendre sur la terrasse qui domine le verger de l'hôtel. *Fermé nov.-mars.* **www.schloss-hotel-korb.com**

SAN VIGILIO : Hotel Monte Sella

Via Catarina Lanz 7, 39030 **Tél** *0474 50 10 34* **Fax** *0 47450 17 14* **Chambres** *35*

Ce charmant hôtel Art déco fut édifié en 1901 par la famille Cristofolini. Il a été agrandi, en conservant beaucoup de ses caractéristiques d'origine. Les salles sont conçues pour tirer le meilleur parti du panorama. Le propriétaire du lieu vous accueille très chaleureusement. *Fermé Pâques-mai, oct.-nov.* **www.monte-sella.com**

SIUSI ALLO SCILIAR : Albergo Tschoetscherhof

San Osvaldo 19, 39040 **Tél** *0471 70 60 13* **Fax** *0471 70 48 01* **Chambres** *8*

Cet hôtel de montagne est installé au milieu des verts pâturages. *Bed and breakfast* plutôt simple, quelque peu austère, avec ses plafonds bas, ses sols en bois et ses murs blancs de chaux. Les chambres sont impeccables et très confortables. La tranquillité règne ici en maître. *Fermé déc.-fév.* **www.tschoetscherhof.com**

TIRES (TIERS) : Stefaner

San Cipriano 65, 39050 **Tél** *0471 64 21 75* **Fax** *0471 64 23 02* **Chambres** *20*

Un chalet accueillant à la lisière occidentale des Dolomites offrant d'impressionnants panoramas sur la vallée de Tiers. Les chambres sont spacieuses avec des balcons fleuris. En hiver, tout le monde se retrouve autour du grand poêle traditionnel. Demi-pension uniquement. *Fermé nov.-mi-déc.* **www.stefaner.com**

TRENTO (TRENTE) : Accademia

Vicolo Colico 4-6, 38100 **Tél** *0461 23 36 00* **Fax** *0461 23 01 74* **Chambres** *42*

Installé dans un bâtiment médiéval restauré dans le centre historique de Trente, près de Santa Maria Maggiore et de la piazza Duomo, l'intérieur de cet hôtel reposant et moderne a conservé beaucoup d'éléments d'origine, tels que sa cour intérieure et ses anciennes voûtes. Excellent restaurant. *Fermé 26 déc.-6 janv.* **www.accademiahotel.it**

VIPITENO : Hotel Schwarzer Adler

Piazza Città 1, 39049 **Tél** *0472 76 40 64* **Fax** *0472 76 65 22* **Chambres** *35*

Hôtel familial traditionnel confortable, idéal pour les sports d'hiver ou les randonnées d'été. Sauna, piscine privée, gymnase et bon restaurant. La décoration des chambres est plutôt vieillotte mais la situation de l'établissement, sur la place centrale de la ville, est parfaite pour les visiteurs. *Fermé mai-nov.* **www.schwarzeradler.it**

LOMBARDIE

BELLAGIO : La Pergola

Piazza del Porto 4, 22021 **Tél** *031 95 02 63* **Fax** *031 95 02 53* **Chambres** *11*

Situé sur les bords d'un lac, cet hôtel élégant est installé dans un couvent du XVe siècle : plafonds voûtés, fresques et mobilier ancien. Profitez de vues sur le lac depuis la charmante terrasse du restaurant, où vous dégusterez une cuisine régionale typique. *Fermé déc.-mi-mars.* **www.lapergolabellagio.it**

BELLAGIO : Hotel Florence

€€€

Piazza Mazzini 46, 22021 **Tél** *031 95 03 42* **Fax** *031 95 17 22* **Chambres** *30*

Très bien situé sur les rives du lac de Côme, cet hôtel chic et moderne possède des lits à baldaquin, ainsi qu'un bar et un restaurant gastronomique. Depuis la terrasse ombragée, splendide panorama sur le lac. Vous pourrez, en outre, bénéficier d'un sauna, d'un bain turc, d'un jacuzzi et de massages. **www.hotelflorencebellagio.it**

BORMIO : Palace

€€

Via Milano 54, 23032 **Tél** *0342 90 31 31* **Fax** *0342 90 33 66* **Chambres** *80*

Hôtel entouré de jardins privés et situé près du centre de Bormio, célèbre pour ses sources thermales. Toutes les chambres ont une salle de bains. Dans le restaurant on vous proposera des spécialités locales et un grand choix de vins. Piscine intérieure et centre de remise en forme. *Fermé oct.-nov., mi-avr.-fin juin.* **www.palacebormio.it**

BRATTO (BERGAMO) : Hotel Milano

€€€€

Via Silvio Pellico 3, Castione della Presolana 24020 **Tél** *0346 312 11* **Fax** *0346 362 36* **Chambres** *67*

Grand hôtel tout confort situé au pied des Alpes où vous pourrez faire une cure. Il constitue une bonne base pour découvrir les montagnes de la région, pratiquer les sports nautiques et le golf. Restaurant, *lounge bar* et cave à vins vous assurent des soirées décontractées et une cuisine régionale raffinée. **www.hotelmilano.com**

BRESCIA : Park Hotel Cà Noa

€€

Via Triumplina 66, 25123 **Tél** *030 39 87 62* **Fax** *030 39 87 64* **Chambres** *79*

L'hôtel occupe un parc tranquille, au nord-est de la ville. L'extérieur fonctionnel et moderniste contraste avec l'intérieur élégant. Les chambres sont dotées d'un mobilier en bois sombre, de murs couleur crème et de peintures anciennes. Beau panorama et piscine extérieure. *Fermé 25 déc., 1ᵉʳ janv., 2 sem. en août.* **www.hotelcanoa.it**

CERNOBBIO : Villa d'Este

€€€€€

Villa Regina 40, 22012 **Tél** *031 34 81* **Fax** *031 34 88 44* **Chambres** *152*

Somptueux hôtel dans un grand parc où tout vous rappelle le lustre d'autrefois : mobilier, peintures, chandeliers et soierie de Côme. Le service est excellent et vous disposerez de tous les équipements modernes. Deux villas sont également disponibles pour des locations à la semaine. *Fermé mi-nov.-fév.* **www.villadeste.it**

CERVESINA : Hotel Castello di San Gaudenzio

€€

Via Mulino 1, Località San Gaudenzio, 27050 **Tél** *0383 33 31* **Fax** *0383 33 34 09* **Chambres** *45*

Cet établissement est aménagé dans un château du XVᵉ siècle, entouré d'un magnifique parc. Chambres romantiques et excellent restaurant. Admirez ses fontaines, son arboretum et ses cours pavées, ainsi que son intérieur orné de fresques, vieilles estampes et meubles anciens. L'appartement de la tour est un véritable rêve. **www.castellosangaudenzio.com**

COLOGNE/FRANCIACORTA : Cappuccini

€€€

Via Cappuccini 54, 25033 **Tél** *030 715 72 54* **Fax** *030 715 72 57* **Chambres** *14*

Cet ancien monastère fut édifié en 1569 et ses chambres blanches et ses longs couloirs rappellent la vie monastique. La campagne environnante est belle et paisible. Vous pourrez vous reposer sur la terrasse et dans les jardins, ou profiter du centre de remise en forme. Dans le restaurant vous dégusterez des plats locaux. **www.cappuccini.it**

COMO (CÔME) : In Riva al Lago

€

Via Crespi 4, 22100 **Tél** *031 30 23 33* **Fax** *031 30 01 61* **Chambres** *10*

Un hôtel simple mais très bien situé près du lac. Les gares routière et ferroviaire ne sont pas loin, d'où des chambres plus bruyantes côté rue. Ambiance agréable avec un bistrot où vous trouverez bières et en-cas. Toutes les chambres ne sont pas climatisées ni équipées d'une salle de bains. *Fermé 2 sem. entre janv. et mars.* **www.inrivaallago.com**

COMO (CÔME) : Hotel Firenze

€€

Piazza Volta 16, 22100 **Tél** *031 30 03 33* **Fax** *031 30 01 01* **Chambres** *44*

Cet hôtel néoclassique occupe une place piétonnière du centre-ville, à quelques pas du lac. Les chambres possèdent toutes une salle de bains et sont décorées dans le style contemporain. Certaines se distinguent par leurs poutres ou leur parquet. Celles donnant sur la cour intérieure sont plus calmes. *Fermé 25 déc.* **www.albergofirenze.it**

COMO (CÔME) : Hotel Metropole Suisse

€€€

Piazza Cavour 19, 22100 **Tél** *031 26 94 44* **Fax** *031 30 08 08* **Chambres** *71*

Situé dans le centre de Côme, cet hôtel domine le lac. La façade, réalisée par le célèbre architecte Giuseppe Terragni, date de 1892, avec des balcons en fer forgé pour la plupart des chambres. Des promenades en bateau partent de la jetée devant l'hôtel. *Fermé 3 sem. déc.-janv.* **www.hotelmetropolesuisse.it**

CREMONA (CRÉMONE) : Continental

€€

Piazza della Libertà 26, 26100 **Tél** *0372 43 41 41* **Fax** *0372 45 48 73* **Chambres** *62*

Hôtel tout confort à l'ambiance accueillante. Chambres lumineuses, fraîches et impeccables à la décoration moderne. L'entrée est meublée avec des canapés en cuir couleur crème. L'hôtel est fier de son restaurant très apprécié qui sert une cuisine italienne traditionnelle. **www.hotelcontinentalcremona.it**

CREMONA (CRÉMONE) : Dellearti Design Hotel

€€

Via Bonomelli 8, 26100 **Tél** *0372 231 31* **Fax** *0372 216 54* **Chambres** *33*

Le *Dellearti* est un hôtel de charme moderne qui se trouve près de la cathédrale, du clocher médiéval et des boutiques. Des touches d'or poli et des couleurs vives réchauffent la décoration principalement industrielle. Parking couvert devant l'hôtel, service de chambre rapide et efficace. **www.dellearti.com**

Légende des prix *voir p. 558* **Légende des symboles** *voir le rabat arrière de couverture*

DESENZANO DEL GARDA : Piroscafo 🔲 🅿️ 🍴 ▤ €€

Via Porto Vecchio 11, 25015 **Tél** *030 914 11 28* **Fax** *030 991 25 86* **Chambres** *32*

Hôtel aménagé dans un édifice historique, sur les anciens docks de la ville. Choisissez une chambre donnant sur les docks ou observez les bateaux depuis la terrasse du restaurant. Les chambres sont simplement décorées mais très confortables. Parking à proximité. *Fermé fév.-mars.* **www.hotelpiroscafo.it**

GARDONE RIVIERA : Hotel du Lac 🔲 🍴 ▤ €€

Via Lungolago 62, 25083 **Tél** *0365 215 58* **Fax** *0365 219 66* **Chambres** *39*

Situé au bord de l'eau, en face du débarcadère des ferries, cet hôtel possède une terrasse extérieure, un snack-bar, un bar et un restaurant. Les chambres sont simples mais joliment décorées, la moitié d'entre elles offrant une vue sur le lac. Promenades sur le lac, golf et transferts jusqu'au parc de loisirs de Gardaland. **www.hotel-dulac.net**

GARDONE RIVIERA : Villa del Sogno 🔲 🅿️ 🍴 ≋ 🔲 ▤ €€

Corso Zanadelli 107, 25083 **Tél** *0365 29 01 81* **Fax** *0365 29 02 30* **Chambres** *33*

L'hôtel est installé dans une villa néoclassique entourée d'un vaste parc paisible, proche du centre-ville. Il est idéalement placé pour découvrir la campagne et les villes environnantes. Il offre, entre autres, des courts de tennis et une belle piscine. Son restaurant propose une cuisine italienne créative. **www.villadelsogno.it**

GARDONE RIVIERA : Dimora Bolsone Bed & Breakfast 🅿️ 🔲 €€€

Via Panoramica 23, 25083 **Tél** *0365 210 22* **Fax** *0365 29 30 42* **Chambres** *3*

Du haut de sa colline, cette demeure surplombe la Gardone Riviera. Toutes ses chambres ont un mobilier d'époque. Il occupe un manoir de pierre, *Il Vittoriale*, la maison du poète Gabriele d'Annunzio. Les enfants de moins de 12 ans ne sont pas acceptés. Séjour de deux nuits minimum. *Fermé déc.-fév.* **www.dimorabolsone.it**

GARDONE RIVIERA : Villa Fiordaliso 🅿️ 🍴 ▤ €€€€

Corso Zanadellli 132, 25083 **Tél** *0365 201 58* **Fax** *0365 29 00 11* **Chambres** *5*

Cette villa à trois étages se trouve à dix minutes du centre de Gardone, domine le lac de Garde et possède un charmant jardin. La décoration éclectique est à l'image de son nom et les fleurs règnent ici en maître. Goûtez donc aux spécialités vénitiennes et lombardes du restaurant. *Fermé nov.-fév.* **www.villafiordaliso.it**

LIMONE DI GARDA : Capo Reamol 🔲 🅿️ 🍴 ≋ 🔲 🔲 ▤ €€€

Via IV Novembre 92, 25010 **Tél** *0365 95 40 40* **Fax** *0365 95 42 62* **Chambres** *58*

Situé en bordure de lac, cet hôtel est à 3 km de Limone (bus ou vélos à l'hôtel). Il jouit d'une plage privée et d'une piscine et est idéal pour les familles sportives. Toutes ses chambres ont un balcon ou une terrasse donnant sur le lac. Excellente école de surf. Séjour de 3 nuits minimum. *Fermé mi-oct.-mi-avr.* **www.hotelcaporeamol.it**

LIVIGNO : Hotel Capriolo 🅿️ 🍴 €

Via Borch 96, 23030 **Tél** *0342 99 67 23* **Fax** *0342 99 69 98* **Chambres** *12*

Cet hôtel agréable au charme rustique, tenue par une famille, est proche des magasins, des remontées mécaniques, de l'école de ski, des promenades d'été et des restaurants. Un *bar-stube* (avec coin repas) typique vous propose de la cuisine locale. Solarium et parking couvert. *Fermé mai, oct.-fin nov.* **www.capriololivigno.com**

LIVIGNO : Hotel Intermonti 🔲 🅿️ 🍴 ≋ 🔲 🔲 €€€

Via Gerus 310, 23030 **Tél** *0342 97 21 00* **Fax** *0342 97 22 00* **Chambres** *160*

Ce grand hôtel alpin est bien équipé (dépôt pour les skis, sauna, solarium et piscine). La navette gratuite vous emmène jusqu'aux remontées mécaniques et au centre de Livigno. La plupart des chambres donnent sur la vallée et certaines ont un balcon. Séjour de 3 nuits minimum. Fermé mi-avr.-mi-juin, sept.-nov. **www.hotelintermonti.it**

MANTOVA (MANTOUE) : Antica Locanda Matilda B&B 🅿️ ≋ ▤ €

Via Rismondo 2, Castelletto Borgo 46100 **Tél** *335 639 06 24 (portable)* **Fax** *0376 30 24 18* **Chambres** *3*

Superbe *bed and breakfast* au jardin coquet, aménagé dans un ancien manoir à la lisière de Mantoue. Les trois chambres sont dotées de mobilier ancien mais l'atmosphère est moderne et accueillante. Deux chambres partagent une salle de bains. Équipements de base à un prix abordable et parking privé. **www.locandamatilda.it**

MANTOVA (MANTOUE) : Rechigi 🔲 🅿️ ▤ €€€

Via Pier Fortunato Calvi 30, 46100 **Tél** *0376 32 07 81* **Fax** *0376 22 02 91* **Chambres** *56*

Hôtel moderne situé dans le centre historique de Mantoue possédant un vaste hall d'entrée en marbre blanc. Au rez-de-chaussée, vous pouvez admirer de nombreuses œuvres d'art intéressantes. Joli jardinet intérieur. Proche des principaux monuments et restaurants de la ville. **www.rechigi.com**

MILANO (MILAN) : Alle Meraviglie 🔲 ▤ €€€

Via San Tomaso 8, 20121 **Tél** *02 805 10 23* **Fax** *02 805 40 90* **Chambres** *15*

Un des secrets les mieux gardés de Milan, installé dans un monument classé du XVIIIᵉ siècle. Dissimulé dans une petite rue, entre le Duomo et le château, près des magasins, musées et restaurants. Discret et chic, il a des allures d'appartement privé. Ses chambres sont toutes différentes. Suite familiale possible. **www.allemeraviglie.it**

MILANO (MILAN) : Antica Locanda Leonardo 🔲 🅿️ ▤ €€€

Corso Magenta 78, 20123 **Tél** *02 46 33 17* **Fax** *02 48 01 90 12* **Chambres** *14*

Bed and breakfast chic avec un bar et une salle pour le dîner, ainsi qu'une terrasse sur jardin. Ce palais du XIXᵉ siècle est doté de mobilier ancien et d'une décoration plus contemporaine. Il est proche du musée où se trouve *La Cène* de Léonard de Vinci. Accès Internet Wi-Fi. *Fermé 3 sem. août, 1ᵉʳ-6 janv.* **www.anticalocandaleonardo.com**

MILANO (MILAN) : Antica Locanda dei Mercanti

Via San Tomaso 6, 20121 **Tél** *02 805 40 80* **Fax** *02 805 40 90* **Chambres** *14*

Lieu de séjour calme et agréable, situé dans une zone piétonnière, près de la Scala, de la place de la cathédrale, du château de Sforzesco et des magasins. Quatre chambres possèdent une terrasse et une décoration de style méditerranéen. Certaines sont plutôt petites, mais il y a des suites familiales. Accès Internet et Wi-Fi. **www.locanda.it**

MILANO (MILAN) : Gran Duca di York

Via Moneta 1a, 20123 **Tél** *02 87 48 63* **Fax** *02 869 03 44* **Chambres** *33*

Hôtel très central, à proximité du Duomo et des boutiques des créateurs. Il est aménagé dans un palais du XVIIIe siècle récemment rénové et doté d'un beau jardin. Quatre chambres ont des terrasses, les autres sont petites, et l'entrée est spacieuse. Parking possible dans un garage proche. **www.ducadiyork.com**

MILANO (MILAN) : Antica Locanda Solferino

Via Castelfidardo 2, 20121 **Tél** *02 657 01 29* **Fax** *02 657 13 61* **Chambres** *11*

Élégant et abordable, cette *locanda* au charme éclectique est située dans le charmant quartier de Brera. Minuscules balcons en fer forgé, lattes de plancher qui craquent et étroits couloirs. La plupart des chambres donnent sur la rue et sont bruyantes. *Fermé 5-20 août.* **www.anticalocandasolferino.it**

MILANO (MILAN) : Straf

Via San Raffaele 3, 20121 **Tél** *02 80 50 81* **Fax** *02 89 09 52 94* **Chambres** *64*

La façade néoclassique de 1883 cache un intérieur ultramoderne aménagé en 2004. La décoration est soulignée par de luxueux matériaux naturels bruts. Cinq salles uniques de chromothérapie et d'aromathérapie sont disponibles. À côté se trouve un agréable bar très populaire. *Fermé 3 dernières sem. août.* **www.straf.it**

MILANO (MILAN) : Townhouse 31

Via Carlo Goldoni 31, 20129 **Tél** *02 701 56 001* **Fax** *02 71 31 67* **Chambres** *19*

Cet hôtel de luxe est situé dans un quartier calme, à 10 min à pied des magasins, et proche d'excellents restaurants. C'est un havre de paix au beau milieu d'une ville frénétique, avec des touches exotiques venues de contrées lointaines – africaines, marocaines. Il possède aussi un charmant bar dans le jardin l'été. **www.designhotels.it**

MILANO (MILAN) : Park Hyatt Milano

Via Tommaso Grossi 1, 20121 **Tél** *02 88 21 12 34* **Fax** *02 88 21 12 35* **Chambres** *117*

Aménagé dans une ancienne banque, ce magnifique hôtel moderne est très central ; la coupole de la Galleria, principale galerie commerçante de Milan, est à ses pieds. Il dispose des meilleurs équipements et services, notamment spa, massage, etc., et d'un excellent restaurant. Service d'exception. **www.milan.park.hyatt.com**

PAVIA (PAVIE) : Moderno

Viale Vittorio Emanuele 41, 27100 **Tél** *0382 30 34 01* **Fax** *0382 252 25* **Chambres** *53*

Hôtel du centre-ville offrant des équipements modernes et des chambres confortables. Le restaurant *Liberty* propose une cuisine raffinée. L'hôtel possède également un centre de remise en forme avec bains de vapeur et jacuzzi, ainsi qu'un service de location de vélos. *Fermé 2 dern. sem. août, Noël.* **www.hotelmoderno.it**

RANCO : Il Sole di Ranco

Piazza Venezia 5, 20120 **Tél** *0331 97 65 07* **Fax** *0331 97 66 20* **Chambres** *14*

Situé dans le village de Ranco, son jardin privé domine le lac Majeur. Il jouit de vues panoramiques depuis la pergola du restaurant en été. Parking gardé et zone d'atterrissage d'hélicoptère à proximité. Parmi les équipements récents, citons la piscine, le sauna et le hammam. *Fermé mi-déc.-janv.* **www.ilsolediranco.it**

RIVA DI SOLTO : Albergo Ristorante Miranda

Via Cornello 8, 24060 **Tél** *035 98 60 21* **Fax** *035 98 00 55* **Chambres** *25*

Cet hôtel est placé sur une colline dominant le lac d'Iseo. Cette pension simple tenue par une famille est dotée de chambres confortables avec balcon, dont deux réservées aux personnes handicapées. Piscine extérieure et aire de jeux pour les enfants. Plats de poisson frais servis à la terrasse du restaurant. **www.albergomiranda.it**

RODIGO : Hotel Villa dei Tigli

Via Cantarana 20, 46040 **Tél** *0376 65 06 91* **Fax** *0376 65 06 49* **Chambres** *30*

Ancienne villa aristocratique édifiée au début du XXe siècle, à environ 15 km de Mantoue, dans la paisible campagne de Rodigo, au cœur d'un parc de plusieurs hectares. L'excellent restaurant sert des plats typiques de Mantoue avec des produits bio. Institut de beauté et centre de remise en forme. **www.hotelvilladeitigli.it**

SABBIONETA : Al Duca

Via della Stamperia 18, 46018 **Tél** *0375 524 74* **Fax** *0375 22 00 21* **Chambres** *10*

Cet édifice Renaissance dissimulé dans une rue près de la Porta Imperiale, dans le centre-ville historique, est calme et sans prétention. Le hall est orné de colonnes et de marbre rose ; les chambres sont plutôt simples. Le restaurant est d'un bon rapport qualité/prix et sert de la cuisine de Mantoue. *Fermé janv.-10 fév.* **www.italiaabc.it/az/alduca**

SALÒ : Romantik Hotel Laurin

Viale Landi 9, 25087 **Tél** *0365 220 22* **Fax** *0365 223 82* **Chambres** *30*

Villa romantique située sur une colline dominant le lac de Garde, offrant de vastes jardins, des chambres spacieuses, une plage, des courts de tennis et une piscine extérieure. Vous dînerez dans l'élégant restaurant-thé dansant en admirant des fresques ou sur la terrasse, sous les étoiles. *Fermé 25 déc.-1er janv.* **www.laurinsalo.com**

SIRMIONE SUL GARDA : Villa Cortine Palace ⬚ P ⬚ ≋ ⬚ €€€€€
Via Grotte 6, 25019 **Tél** *030 990 58 90* **Fax** *030 91 63 90* **Chambres** *54*

Somptueuse villa néoclassique située au cœur de beaux jardins. Des sentiers permettent de parcourir les bois alentour et de découvrir des étangs, des fontaines, des cyprès, des statues et une jetée habillée de chaises longues. L'été, vous pourrez déjeuner sur la terrasse donnant sur le lac. *Fermé mi-oct.-Pâques.* **www.hotelvillacortine.com**

TREMEZZO : Hotel La Darsena P ⬚ ⬚ ⬚ €€€
Via Regina 3, Lenno, 22016 **Tél** *0344 431 66* **Fax** *0344 431 66* **Chambres** *13*

Situé sur la côte ouest du lac de Côme, cet hôtel possède des chambres avec balcon offrant des superbes vues sur le plan d'eau, sur le promontoire du Bellagio ou sur les montagnes Grigne. Petit déjeuner buffet et restaurant particulièrement recommandé, notamment le menu à prix fixe. Mouillage pour bateaux.

TREMEZZO : Tremezzo Palace Hotel ⬚ P ⬚ ≋ ⬚ ⬚ €€€€€
Via Regina 8, 22019 **Tél** *0344 424 91* **Fax** *0344 402 01* **Chambres** *94*

Ce prestigieux hôtel fut édifié dans le style Liberty en 1910. Il est entouré de jardins et de terrasses donnant sur le lac. Les dorures et le mobilier ancien lui confèrent un charme particulier. Il possède, en outre, un sauna, une salle de gym, des courts de tennis et un golf tout proche. *Fermé déc.-fév.* **www.tremezzopalace.com**

VALSOLDA : Stella d'Italia ⬚ P ⬚ ⬚ €€€
Piazza Roma 1, 22010 **Tél** *0344 681 39* **Fax** *0344 687 29* **Chambres** *34*

Cet hôtel est installé au cœur d'un coquet jardin, en bordure du lac de Lugano. Il offre une terrasse abritée sous une pergola rose. Les hôtes ont accès à la plage privée du complexe balnéaire. Une partie de l'hôtel occupe une villa rénovée du XVIIIe siècle. Le restaurant sert une cuisine méditerranéenne. *Fermé mi-oct.-avr.* **www.stelladitalia.com**

VARENNA : Hotel du Lac ⬚ P ⬚ ⬚ €€
Via del Prestino 4, 23829 **Tél** *0341 83 02 38* **Fax** *0341 83 10 81* **Chambres** *16*

Hôtel paisible situé au bord de l'eau. Certaines chambres ont vue sur le lac. Profitez de la terrasse du restaurant donnant sur l'eau. Des colonnes de marbre, des balustrades en fer forgé et des noms de fleur pour chaque chambre caractérisent cet endroit. *Fermé mi-nov.-fin fév.* **www.albergodulac.com**

VAL D'AOSTE ET PIÉMONT

ACQUI TERME : Royal Hotel ⬚ P ⬚ €€
Via Biorci 1, 15011 **Tél** *0144 32 11 44* **Fax** *0144 32 11 65* **Chambres** *14*

Situé dans le centre d'Acqui Terme, près de la gare, à quelques minutes à pied des thermes, de la vieille ville et des vestiges du château, l'hôtel *Royal* est dirigé par la famille Bianchini. Vous y trouverez une pizzeria, un restaurant et des appartements meublés à la location. **www.albergo-royal.it**

ALESSANDRIA (ALEXANDRIE) : Mercure Alessandria Alli Due Buoi Rossi ⬚ P ⬚ ⬚ €€
Via Cavour 32, 15100 **Tél** *0131 51 71 71* **Fax** *0131 51 71 72* **Chambres** *46*

Hôtel de chaîne très accueillant, qui, outre un accès Internet gratuit et un garage, possède 4 chambres accessibles aux personnes à mobilité réduite. La décoration est simple et traditionnelle. Depuis 1920, sa *trattoria* est une véritable institution à Alessandria. Orson Welles se régala ici autrefois d'un festin légendaire. **www.mercure.com**

AOSTA (AOSTE) : Albergo Mancuso ⬚ P ⬚ €
Via Voivon 31, 11100 **Tél** *0165 345 26* **Fax** *0165 23 66 39* **Chambres** *12*

Dirigée par une famille, cette résidence est située près du centre-ville et du téléphérique qui conduit aux pistes. Simples, mais impeccables et financièrement très abordables, toutes les chambres sont équipées de lits jumeaux et de salles de bains. Possibilité de parking. **www.albergomancuso.com**

AOSTA (AOSTE) : Hotel Milleluci ⬚ P ≋ ⬚ ⬚ €€
Località Porossan-Roppoz 15, 11100 **Tél** *0165 23 52 78* **Fax** *0165 23 52 84* **Chambres** *31*

Situés dans un quartier calme dominant les lumières d'Aoste, d'où son nom « mille lumières », les bâtiments de ferme qui abritent cet hôtel lui donnent un charme rustique : mobilier d'époque et poutres apparentes. Il possède une piscine, un jardin, un parking et une terrasse. **www.hotelmilleluci.com**

ARONA : Giardino ⬚ ⬚ ⬚ €€€
Corso Repubblica 1, 28041 **Tél** *0322 459 94* **Fax** *0322 24 94 01* **Chambres** *56*

L'hôtel *Giardino* se trouve en centre-ville, face au lac Majeur et proche des embarcadères pour les excursions en bateau. Il est confortable et clair mais peu décoré ; certaines chambres ont un jacuzzi. Un vaste jardin et une large terrasse donnent sur le plan d'eau. **www.giardinoarona.com**

TORINO (TURIN) : Albergo Serenelle ⬚ ⬚ ⬚ €
Via Tarino 4, 10124 **Tél** *011 83 70 31* **Fax** *011 83 70 31* **Chambres** *7*

Ce petit hôtel accueillant aux prix imbattables pour le centre-ville est situé dans une rue derrière le palazzo Reale et le parc, près de la Mole Antonelliana. Dans son restaurant intime, vous dégusterez une cuisine maison originale. Les chambres sont simples et impeccables. Proche des magasins et des musées. **www.albergoserenella.com**

TORINO (TURIN) : Hotel Aston

⬜ P 🍴 ▤   €€

Strada Traforo del Pino 23, 10025 **Tél** *011 899 87 33* **Fax** *011 898 94 72* **Chambres** *40*

Installé dans un parc tranquille, sur les collines surplombant Turin dominées par la basilique de Juvarra, cet hôtel est à quelques minutes du centre-ville. La décoration contemporaine minimale inclut un hall d'entrée et des couloirs en marbre et des chambres marron et crème. *Fermé 2 sem. août.* **www.astonhotel.it**

TORINO (TURIN) : Hotel Conte Biancamano

⬜ P   €€

Corso Vittorio Emanuele 73, 10128 **Tél** *011 562 32 81* **Fax** *011 562 37 89* **Chambres** *24*

Hôtel intime aménagé au troisième étage d'un manoir, au cœur de la ville. Ce palais a été rénové, mais les chambres ont conservé un charme désuet avec leurs stucs et leurs chandeliers en cristal. Elle est située juste à côté de la Porta Nuova et de la piazza Carlo Felice. *Fermé août, 25 déc.-1er janv.* **www.hotelcontebiancamano.it**

TORINO (TURIN) : Grand Hotel Sitea

⬜ P 🍴 📺 ▤   €€€

Via Carlo Alberto 35, 10123 **Tél** *011 517 01 71* **Fax** *011 54 80 90* **Chambres** *120*

Proche du quartier commerçant de via Roma, le *Grand Hotel Sitea* occupe un palais néoclassique dans le centre historique de Turin. L'hôtel est réputé pour son service et son restaurant le *Carignanó*. Le nec plus ultra pour ceux qui aiment la tradition, le style Empire et les suites élégantes. **www.sitea.thi.it**

TORINO (TURIN) : Hotel Victoria

⬜ P 🏊 📺 ▤   €€€

Via Nino Costa 4, 10123 **Tél** *011 561 19 09* **Fax** *011 561 18 06* **Chambres** *106*

Le *Victoria* est situé dans une rue calme donnant sur un jardin, dans le quartier commerçant de Turin, près des théâtres et musées. Centre de remise en forme très complet, piscine intérieure et café sur cour. Vues sur les montagnes depuis les chambres avec terrasse du dernier étage. **www.hotelvictoria-torino.com**

TORINO (TURIN) : Villa Sassi

⬜ P 🍴 🏋 ▤   €€€

Strada al Traforo di Pino 47, 10132 **Tél** *011 898 05 56* **Fax** *011 898 00 95* **Chambres** *15*

Cette luxueuse villa patricienne du XVIIe siècle de couleur pêche a conservé plusieurs éléments d'origine, comme ses cheminées en marbre et ses chandeliers. Les chambres sont élégantes et le restaurant raffiné offre une cuisine gastronomique. Profitez de la terrasse et des jardins environnants. *Fermé août, 25 déc.-31 janv.* **www.villasassi.com**

TORINO (TURIN) : Turin Palace

⬜ P 🍴 🏋 ▤   €€€€

Via Sachi 8, 10128 **Tél** *011 562 55 11* **Fax** *011 561 71 91* **Chambres** *122*

Un service impeccable et le luxe traditionnel caractérisent ce palais de 1872. On est à la fois séduit par l'atmosphère raffinée et les équipements modernes. Le restaurant *Vigna Reale* sert des plats régionaux et une cuisine à l'ancienne. Situation centrale pour le shopping, les musées et les visites touristiques. **www.turinpalace.thi.it**

VARALLO SESIA : Albergo Sacro Monte

P 🍴   €€

Località Sacro Monte 14, 13019 **Tél** *0163 542 54* **Fax** *0163 511 89* **Chambres** *24*

L'hôtel est aménagé dans un bâtiment du XVIe siècle, à l'entrée du célèbre Sacro Monte. Restauré, cet hôtel confortable jouit d'un jardin privé et d'une terrasse tranquille. Les chambres sont simples et jolies et le restaurant voûté propose des spécialités de la Valsesia. *Fermé déc.-2 sem. av. Pâques.* **www.sacromontealbergo.it**

LIGURIE

CAMOGLI : Cenobio dei Dogi

⬜ P 🍴 🏊 ▤   €€€

Via Cuneo 34, 16032 **Tél** *0185 72 41* **Fax** *0185 77 27 96* **Chambres** *103*

Sur les rivages de ce village de pêcheurs, la villa *dei Dogi*, fréquentée par des prêtres et des cardinaux au XVIIe siècle, est devenue un luxueux hôtel. Il possède de superbes terrasses ensoleillées donnant sur la ville et la mer, une piscine entourée de palmiers et de pins, et de confortables chambres raffinées de différents styles. **www.cenobio.it**

CAMOGLI : Hotel Portofino Kulm

⬜ P 🍴 🏊 📺 ▤   €€€€

Viale Bernardo Gaggini 23, 16030 **Tél** *0185 73 61* **Fax** *0185 77 66 22* **Chambres** *77*

Ce joyau de l'Art nouveau est niché dans un parc, sur le Mont Portofino, entre Camogli et Santa Margherita. L'élégante salle de restaurant a une terrasse d'où l'on peut admirer le coucher du soleil sur la baie. Les équipements comprennent une piscine intérieure, un jacuzzi et un tennis. **www.portofinokulm.it**

FINALE LIGURE : Punta Est

⬜ P 🍴 🏊 ▤   €€€

Via Aurelia 1, 17024 **Tél** *019 60 06 11* **Fax** *019 60 06 11* **Chambres** *40*

Une villa du XVIIIe siècle abrite cet hôtel dont le mobilier et les poutres apparentes témoignent du charme d'antan. Entouré de palmiers, de pins et d'oliviers, il offre des vues majestueuses sur la baie ligure et sur la piscine. Sentiers, marches et terrasses ombragées mènent à la mer. *Fermé mi-oct.-mi-avr.* **www.puntaest.com**

GARLENDA : La Meridiana

⬜ P 🍴 🏊 🏋 📺 ▤   €€€

Via ai Castelli, 17033 **Tél** *0182 58 02 71* **Fax** *0182 58 01 50* **Chambres** *28*

Cet hôtel occupe une villa de style maison de campagne, paisible et entourée de jardins, au cœur de la campagne ligure et à 4 km de la mer. Idéal pour des vacances consacrées aux activités extérieures. Les chambres et le restaurant sont élégants, le service et les équipements excellents. *Fermé fin oct.-fin mars.* **www.lameridianaresort.com**

Légende des prix *voir p. 558* **Légende des symboles** *voir le rabat arrière de couverture*

GENOVA (GÊNES) : Best Western Metropoli
Piazza Fontane Marose, 16123 **Tél** *010 246 88 88* **Fax** *010 246 86 86* **Chambres** *48*

Situé en plein centre, sur l'une des plus belles places de Gênes, cet hôtel est proche des musées, du Palazzo Ducale, de l'opéra, du théâtre et de l'aquarium. Arrêts de bus et de métro à proximité. Les chambres, confortables et bien équipées, ont une décoration moderne. **www.bestwestern.it/metropoli_ge**

GENOVA (GÊNES) : Torre Cambiaso
Via Scarpanto 49, 16157 **Tél** *010 698 06 36* **Fax** *010 697 30 22* **Chambres** *45*

Cet hôtel occupe un château du XIIIe siècle flanqué d'une tour entourée de jardins, avec une avenue bordée d'arbres conduisant à l'entrée. Les chambres dotées de mobilier d'époque ont été aménagées dans la villa ou les écuries. Piscine extérieure chauffée et restaurant servant de la cuisine ligure. **www.antichedimore.com**

ISOLA PALMARIA : Locanda Lorena
Via Cavour 4, 19025 **Tél** *0187 79 23 70* **Fax** *0187 76 60 77* **Chambres** *7*

Ce petit hôtel de plage est installé sur Palmaria, île située face à Portovenere. De beaux bateaux à moteur vénitiens transportent les hôtes jusqu'à l'hôtel. Les chambres, décorées dans un style simple et dominées par les couleurs vives. Poissons du jour au déjeuner. *Fermé nov.-mi-fév.* **www.locandalorena.com**

MONTEROSSO AL MARE : Porto Roca
Via Corone 1, 19016 **Tél** *0187 81 75 02* **Fax** *0187 81 76 92* **Chambres** *43*

En pleine nature, à la sortie d'un village de pêcheurs des Cinque Terre, cet hôtel est perché en haut d'une falaise offrant de magnifiques vues. Havre de paix, il possède une jolie terrasse sur jardin, sa propre plage ombragée avec des chaises longues durant les mois d'été, et un restaurant. *Fermé nov.-mi-mars.* **www.portoroca.it**

NERVI : La Pagoda
Via Capolungo 15, 16167 **Tél** *010 372 61 61* **Fax** *010 32 12 18* **Chambres** *17*

Cet hôtel très romantique est logé dans la villa d'un marchand du XVIIIe siècle qui opta pour le style oriental après être tombé amoureux d'une Chinoise. Il est ainsi agrémenté de sols dallés de marbre, de chandeliers, de paravents anciens, de palmiers et de terrasses à différents niveaux. *Fermé déc.-fin janv.* **www.villapagoda.it**

PORTOFINO : Splendido
Salita Baratta 16, 16034 **Tél** *0185 26 78 01* **Fax** *0185 26 78 06* **Chambres** *64*

Ce magnifique lieu de séjour a plusieurs terrasses. Il est logé dans un ancien monastère dominant le port de pêche et la station balnéaire huppée de Portofino. Service impeccable et vues inoubliables depuis les chambres. *Fermé mi-nov.-fin mars.* **www.hotelsplendido.com**

PORTOFINO : Splendido Mare
Via Roma 2, 16034 **Tél** *0185 26 78 02* **Fax** *0185 26 78 07* **Chambres** *16*

Cet hôtel douillet, situé en plein cœur du port de Portofino, offre des chambres luxueuses, notamment la suite Ava Gardner au dernier étage avec sa terrasse privée. Son restaurant est superbe avec sa terrasse sur jardin, mais les hôtes peuvent aussi dîner au *Splendido* et utiliser ses équipements. *Fermé mi-oct.-fin mars.* **www.hotelsplendido.com**

PORTOVENERE : Genio
Piazza Bastreri 8, 19025 **Tél** *0187 79 06 11* **Fax** *0187 79 06 11* **Chambres** *7*

Tenu par une famille, l'hôtel douillet, simple mais pittoresque réside depuis 1813 dans les murs d'un ancien château habillé de lierre. Il occupe plusieurs étages offrant de petites terrasses et des vues sur mer. Son charme et sa situation en font un lieu agréable. *Fermé mi-janv.-mi-fév.* **www.hotelgenioportovenere.com**

RAPALLO : Hotel Stella
Via Aurelia Ponente 6, 16035 **Tél** *0185 503 67* **Fax** *0185 27 28 37* **Chambres** *28*

Ce petit hôtel de couleur rose se trouve en plein centre de Rapallo, à proximité de la plage. Il occupe un bâtiment du début du XXe siècle dans le pur style génois. Les petites chambres sont claires et pittoresques. L'hôtel possède aussi une terrasse ensoleillée, un petit bar et un garage. *Fermé mi-janv.-fin fév.* **www.hotelstella-riviera.com**

RAPALLO : Hotel Italia e Lido
Lungomare Castello 1, 16035 **Tél** *0185 504 92* **Fax** *0185 504 94* **Chambres** *50*

Idéalement situé entre Portofino et les Cinque Terre, cet hôtel domine la promenade, l'ancien château médiéval et le golfe du Tigullio. Dorez-vous au soleil sur la terrasse au bord de l'eau. Les chambres sont petites et lumineuses, réservez de préférence une vue sur la mer. *Fermé nov.-Noël.* **www.italiaelido.com**

SAN REMO : Nyala Suite
Via Solaro 134, 18038 **Tél** *0184 66 76 68* **Fax** *0184 66 60 59* **Chambres** *81*

Ce vaste hôtel, entouré d'un jardin tropical, est parfait pour les familles avec son bar et sa terrasse, son aire de jeux, plusieurs piscines, un club pour enfants et un bon restaurant. Il offre également des services particuliers aux cyclistes, des chambres non fumeur et des chambres réservées aux personnes handicapées. **www.nyalahotel.com**

SAN REMO : Royal Hotel
Corso Imperatrice 80, 18038 **Tél** *0184 53 91* **Fax** *0184 66 14 45* **Chambres** *126*

Ce luxueux hôtel du front de mer, au cœur du San Remo ensoleillé et fleuri, est renommé pour ses jardins et son restaurant. Service impeccable et équipements nombreux, avec, entre autres, accès Internet, piscine extérieure, chaises longues, tennis, coiffeur, etc. **www.royalhotelsanremo.com**

SESTRI LEVANTE : Grand Hotel dei Castelli   €€€€
Via Penisola di Levante 26, 16039 **Tél** *0185 48 70 20* **Fax** *0185 447 67* **Chambres** *48*

Cet ancien château a été joliment transformé en hôtel dominant la baie et la péninsule, avec une plage privée et une terrasse ensoleillée sur le toit. Les chambres de style ancien ont une décoration et un mobilier modernes, des mosaïques mauresques, du marbre et des colonnes. *Fermé mi-oct.-mars.* **www.hoteldeicastelli.com**

VENTIMIGLIA (VINTIMILLE) : La Riserva   €€€
Località Peidaigo 71, Località Castel d'Appiano, 18039 **Tél** *0184 22 95 33* **Fax** *0184 22 97 12* **Chambres** *19*

Niché dans un village au-dessus de Vintimille, à 5 km de la frontière française, cet hôtel propose des chambres et des suites donnant sur la Riviera italienne et la côte d'Azur, une piscine, un petit centre de remise en forme, l'accès Wi-Fi dans l'ensemble de l'établissement, et une navette pour Vintimille. *Fermé oct.-Pâques.* **www.lariserva.it**

ÉMILIE-ROMAGNE

BOLOGNA (BOLOGNE) : Centrale   €€
Via della Zecca 2, 40121 **Tél** *051 225 114* **Fax** *051 235 162* **Chambres** *25*

Aménagé au 3e étage d'un beau palais, près de la place principale, ce petit hôtel-pension est apprécié pour ses chambres impeccables ; certaines offrent des vues charmantes. Toutes ne possèdent pas de salle de bains et de climatisation. Téléphone et télévision par satellite dans chacune. **www.albergocentralebologna.it**

BOLOGNA (BOLOGNE) : De Commercianti   €€€
Via De'Pignattari 11, 40124 **Tél** *051 745 75 11* **Fax** *051 745 75 22* **Chambres** *36*

Au cœur de la ville, juste à côté de la piazza Maggiore, ce bâtiment datant du XIIe siècle dispose de chambres et suites ravissantes, certaines avec des poutres ou des fresques, d'autres avec terrasse dominant l'église de San Petronio. Les prix montent pendant les foires commerciales. Vélos et accès Internet. **www.bolognarthotels.it**

BOLOGNA (BOLOGNE) : Touring   €€€€
Via De Mattuiani 1-2, 40124 **Tél** *051 584 305* **Fax** *051 334 763* **Chambres** *38*

Cet hôtel occupe un quartier calme et pittoresque de la ville. Les salles sont gaies et accueillantes, les chambres petites mais chic, certaines offrant une belle vue. En été, le petit déjeuner est servi sur la terrasse. Petit Jacuzzi entouré de pots de fleurs, accès pour les personnes à mobilité réduite et vélos disponibles. **www.hoteltouring.it**

COMACCIO : Hotel Gallia   €
Viale Leonardo da Vinci 45, Lido di Spina, 44024 **Tél** *0533 33 35 00* **Chambres** *48*

Situé dans une charmante forêt de pins, à quelques pas de la plage, cet hôtel moderne est l'endroit idéal pour être tranquille et passer des vacances en famille : il dispose d'une salle de loisirs et d'un terrain de jeux pour les enfants. Les cartes Diners et American Express ne sont pas acceptées. **www.hotelgallia.it**

FAENZA : Hotel Vittoria   €€€
Corso G. Garibaldi 23, 48018 **Tél** *0546 215 08* **Fax** *0546 291 36* **Chambres** *50*

Situé dans le centre de Faenza, ville réputée pour ses céramiques et ses faïences, le *Vittoria* date de 1861. De style Liberty, il possède d'élégantes salles, des plafonds ornés de fresques, et du mobilier ancien. Les chambres et les suites mêlent l'ancien et le moderne. Jardin et bon restaurant. **www.hotel-vittoria.com**

FERRARA (FERRARE) : Europa   €€
Corso Giovecca 49, 44100 **Tél** *0532 20 54 56* **Fax** *0532 21 21 20* **Chambres** *43*

Bien situé près du Castello Estense, cet hôtel charmant a accueilli Giuseppe Verdi comme client. Certaines chambres sont décorées de fresques et de meubles anciens ; d'autres sont plus sobres. Vous pourrez profiter du joli patio. Chambres accessibles aux personnes handicapées et vélos. **www.hoteleuropaferrara.com**

FERRARA (FERRARE) : Duchessa Isabella   €€€€
Via Palestro 70, 44100 **Tél** *0532 20 21 21* **Fax** *0532 20 26 38* **Chambres** *27*

Un Relais et Châteaux aménagé dans un palais du XVIe siècle. Les chambres portent des noms de fleur et sont équipées d'écrans plasma et de superbes salles de bains. L'hôtel offre cheval et attelage pour de belles balades à travers Ferrare. Il dispose de salles de détente, d'un excellent restaurant et loue des vélos. **www.duchessaisabella.it**

MODENA (MODÈNE) : Hotel Cervetta 5   €€
Via Cervetta 5, 41100 **Tél** *059 23 84 47* **Fax** *059 23 72 09* **Chambres** *22*

Dans le centre, à quelques pas de la cathédrale, le *Cerveta 5* a été entièrement rénové en 2005. Le parti pris du blanc pour le décor lui confère un aspect moderne, propre et spacieux. Il ne possède pas de garage attitré, mais l'on vous fournira une carte pour le parking voisin. Accès Wi-Fi. **www.hotelcervetta5.com**

MODENA (MODÈNE) : Canalgrande   €€€
Corso Canalgrande 6, 41100 **Tél** *059 21 71 60* **Fax** *059 22 16 74* **Chambres** *69*

À quelques pas du centre-ville, une villa patricienne du XVIe siècle entourée d'un parc abrite cet hôtel. Les salles ont de belles fresques et sont décorées dans le style néoclassique. Les chambres sont spacieuses et élégantes. Les jardins sont agréables pour se dorer au soleil ou se reposer. Restaurant très réputé. **www.canalgrandehotel.it**

Légende des prix *voir p. 558* **Légende des symboles** *voir le rabat arrière de couverture*

PARMA (PARME) : Brenta €

Via GB Borghesi 12, 43100 **Tél** *0521 20 80 93* **Fax** *0521 20 80 94* **Chambres** *15*

Les propriétaires de ce petit hôtel familial sont accueillants. Les chambres confortables possèdent une salle de bains, mais elles ne sont pas climatisées. Les chambres doubles donnent sur une cour intérieure, les chambres simples sur une rue étroite. Service de guide touristique et vélos disponibles. **www.hotelbrenta.it**

PARMA (PARME) : Albergo Park Hotel Stendhal €€€

Via GB Bodoni 3, 43100 **Tél** *0521 20 80 57* **Fax** *0521 28 56 55* **Chambres** *67*

Situation très centrale, à quelques pas de la piazza della Pilotta, pour cet hôtel qui fait maintenant partie de la chaîne italienne Jolly. Récemment restaurées, ses salles et ses chambres sont très élégantes, mêlant ancien et moderne, avec des parquets en bois. Il est très apprécié des voyageurs d'affaires. **www.hotelstendhal.it**

PIACENZA (PLAISANCE) : Ostello di Don Zermani €

Via Zoni 38, 29100 **Tél** *0523 71 23 19* **Fax** *0523 71 23 19* **Chambres** *16*

Cet hôtel très agréable offre plusieurs catégories de chambre, certaines avec salle de bains, et même un dortoir. Installé à l'ouest de la ville, dans une oasis de verdure, il est apprécié des familles. Le petit déjeuner et le dîner sont servis dans la salle à manger. Excellent rapport qualité/prix. **www.ostellodipiacenza.it**

PIACENZA (PLAISANCE) : Grande Albergo Roma €€€

Via Cittadella 14, 29100 **Tél** *0523 32 32 01* **Fax** *0523 33 05 48* **Chambres** *76*

Situé au cœur du vieux Plaisance, en face de l'impressionnante piazza Cavelli, c'est le plus grand hôtel de la ville. Les salles et les chambres sont spacieuses et luxueusement décorées dans le style Belle époque. Quatre appartements sont aussi disponibles. Terrasse avec bar pour le petit déjeuner, et bon restaurant. **www.grandealbergoroma.it**

PORTICO DI ROMAGNA : Al Vecchio Convento €

Via Roma 7, 47010 **Tél** *054 396 70 53* **Fax** *054 396 71 57* **Chambres** *15*

À la frontière de la Toscane et de l'Émilie-Romagne, cet hôtel, tenu par une famille et aménagé dans un ancien couvent du XIXe siècle, possède un excellent restaurant. Les chambres sont dotées de meubles en cerisier ou noisetier et de lits en fer forgé. En été, les hôtes peuvent savourer leur petit déjeuner dans le jardin. **www.vecchioconvento.it**

RAVENNA (RAVENNE) : Centrale Byron €€

Via IV Novembre 14, 48100 **Tél** *0544 21 22 25* **Fax** *0544 341 14* **Chambres** *54*

Cet hôtel est particulièrement apprécié des familles pour ses chambres doubles ou quadruples. Qu'elles soient économiques ou classiques, les chambres sont toutes confortables, même si les secondes sont plus grandes et dotées d'une décoration plus soignée. **www.hotelbyron.com**

RAVENNA (RAVENNE) : Hotel Diana €€

Via Girolamo Rossi 47, 48100 **Tél** *0544 391 64* **Fax** *0544 300 01* **Chambres** *33*

Une villa du XVIIIe siècle jaune abrite cet hôtel. Il jouit d'une excellente situation au calme, près de la tombe de Galla Placidia. Chambres standard, supérieures ou grand standing, les dernières disposant d'un accès Internet et d'un minibar. Le hall d'entrée est simple et accueillant. Parking à proximité. Vélos disponibles. **www.hoteldiana.ra.it**

RAVENNA (RAVENNE) : Albergo Cappello €€€

Via IV Novembre 41, 48100 **Tél** *0544 21 98 13* **Fax** *0544 21 98 14* **Chambres** *7*

Très central, dans une rue piétonnière, cet hôtel est le plus coquet de Ravenne, bien que ses chambres soient vraiment petites. Chacune a son propre style et est dotée d'un mobilier ancien, certaines sont non fumeur. Le restaurant et le bar à vins sont réputés. Accès pour les personnes à mobilité réduite. **www.albergocappello.it**

REGGIO EMILIA : Hotel Posta €€€

Piazza del Monte 2, 42100 **Tél** *0522 43 29 44* **Fax** *0522 45 26 02* **Chambres** *38*

Au cœur du vieux Reggio Emilia, l'ancien palazzo del Capitano del Popolo héberge cet hôtel depuis plus de 500 ans. Il dispose de chambres doubles standard ou supérieures et d'une suite et le service est professionnel. L'annexe, l'*Albergo Reggio*, propose des chambres meilleur marché équipées d'une kitchenette. Vélos disponibles. **www.hotelposta.re.it**

RIMINI : Esedra Hotel €

Viale Caio Duilio 3, 47900 **Tél** *0541 234 21* **Fax** *0541 244 24* **Chambres** *47*

Une charmante villa de style Liberty entouré d'un coquet jardin abrite cet hôtel de Marina Centro, non loin du front de mer animé de Rimini. Les chambres sont simples mais offrent tout le confort moderne. Appartements pouvant convenir pour quatre personnes également disponibles. Plage privée et petite piscine avec Jacuzzi. **www.esedrahotel.com**

RIMINI : Hotel Card €€

Via Dante Alighieri 50, 47900 **Tél** *0541 264 12* **Fax** *0541 543 74* **Chambres** *54*

Petit hôtel agréable géré par une famille, très bien placé par rapport à la gare ferroviaire et pour découvrir le vieux Rimini. Les chambres, dont quelques-unes familiales, sont impeccables mais non climatisées (ventilateurs disponibles sur demande) et ne possèdent pas toujours de salle de bains. Bon rapport qualité/prix. **www.hotelcard.it**

RIMINI : Le Meridien Rimini €€€

Viale Lungomare Murri 13, 47900 **Tél** *0541 39 66 00* **Fax** *0541 39 66 01* **Chambres** *111*

Complexe hôtelier récent conçu par l'architecte italien Paolo Portoghesi. Ce bâtiment de style donne sur la plage et est doté de vastes chambres claires bien aménagées – dont certaines sont communicantes. Les chambres supérieures ou de standing ont vue sur la mer et possèdent une terrasse. Bar et restaurant. **www.lemeridien.com/rimini**

SANTARCANGELO DI ROMAGNA : Hotel della Porta ⚗🚻 P 🗒 €€
Via Andrea Costa 85, 47822 **Tél** *0541 62 21 52* **Fax** *0541 62 21 68* **Chambres** *22*

Situé dans un village médiéval à l'intérieur de Rimini, cet hôtel possède une petite cour et un jardin avec terrasse. Les salles et les chambres sont charmantes, certaines ornées de fresques et de meubles anciens, d'autres sont non fumeur. Accès pour les handicapés. L'annexe a des chambres plus modernes. **www.hoteldellaporta.com**

SORAGNA : Locanda del Lupo ⚗ P 🅿 🗒 €€€
Via Garibaldi 64, 43019 **Tél** *0524 59 71 00* **Fax** *0524 59 70 66* **Chambres** *45*

Situé au calme, à 30 km de Parme, ce petit établissement possède un restaurant renommé avec des tables dehors pour l'été. Les salles sont dotées de mobilier ancien, de cheminées du XVIIIe siècle et de poutres en bois. Les chambres sont tout aussi charmantes. Terrasse ensoleillée propice à la détente. **www.locandadellupo.com**

FLORENCE

Boboli 🗒 €
Via Romana, 63 (angle Via del Ronco), 50125 **Tél** *055 229 86 45* **Fax** *055 233 71 69* **Chambres** *22* **Plan** *3 A3*

La moitié des chambres donne sur la cour intérieure. Depuis les chambres du deuxième étage, on a vue sur les jardins de Boboli. Les autres, équipées de double vitrage, dominent la bruyante via Romana. Petit déjeuner servi dans l'arrière-cour l'été. Bon rapport qualité/prix. **www.hotelboboli.com**

Il Bargellino 🗒 €
Via Guelfa, 87, 50129 **Tél** *055 238 26 58* **Fax** *055 21 21 90* **Chambres** *10* **Plan** *1 C4*

Cet hôtel possède une vaste terrasse remplie de plantes au premier étage, où les hôtes peuvent prendre leur petit déjeuner en été. À cinq minutes à peine de la gare, mais à des années lumière de l'agitation de la ville. Réservez longtemps à l'avance si vous souhaitez l'une des 4 chambres donnant sur la terrasse. **www.ilbargellino.com**

Istituto Gould 🖳 €
Via dei Serragli, 49, 50100 **Tél** *Tel: 055 21 25 76* **Fax** *055 28 02 74* **Chambres** *41* **Plan** *3 B2*

Les prix incroyablement bas et la contribution à une bonne cause (les enfants défavorisés) permettent d'apprécier à sa juste valeur cet établissement sobrement meublé. Les chambres sont impeccables et l'on jouit d'une belle vue depuis le jardin. Idéal pour ceux qui recherchent la sécurité et le confort à peu de frais. **www.istitutogould.it**

Cestelli €€
Borgo Santi Apostoli, 25, 50123 **Tél** *055 21 42 13* **Fax** *055 21 42 13* **Chambres** *8* **Plan** *3 C1*

Cet hôtel occupe un bâtiment du XVe siècle, à l'angle de la piazza Santa Trinità. Il a été restauré, mais a toutefois conservé des parquets du XVIIe siècle dans 3 chambres pourvues d'une salle de bains privée. Pas de petit déjeuner, mais les propriétaires vous fournissent une liste de leurs bars et cafés préférés. **www.hotelcestelli.com**

Dei Mori Bed & Breakfast 🗒 €€
Via D. Alighieri 12, 50122 **Tél** *055 21 14 38* **Fax** *055 238 22 16* **Chambres** *5* **Plan** *4 D1*

Ce *bed and breakfast* bien aménagé a ouvert ses portes en 1996 et fut alors le premier *bed and breakfast* de la ville. Un escalier mal éclairé conduit à de vastes pièces bien décorées ; tous les équipements des (petites) salles de bains sont neufs. Les chambres donnent sur une paisible cour. **www.bnb.it/deimori**

Emma €€
Via A. Pacinotti, 20, 50131 **Tél** *055 57 59 01* **Fax** *055 504 89 14* **Chambres** *9*

On se sent chez soi dans cet hôtel dirigé par une femme norvégienne et son mari italien. À dix minutes de bus de la place Saint-Marc. Deux chambres donnent sur la rue, tandis que les autres sont sur cour. Petite terrasse où prendre le petit déjeuner en été. **www.hotelemma.net**

Firenze ⚗🖳🗒 €€
Piazza dei Donati, 4 (Via del Corso), 50133 **Tél** *055 21 42 03* **Fax** *055 21 23 70* **Chambres** *57* **Plan** *2 D5*

Cet hôtel est une excellente option pour les petits budgets. La décoration y est sobre mais l'hôtel possède toutes les commodités essentielles. Plusieurs chambres spacieuses peuvent héberger jusqu'à quatre personnes. Endroit calme dans une minuscule rue transversale, près de la via del Corso piétonnière. **www.hotelfirenze-fi.it**

Hôtel Botticelli ⚗ P 🏃 🗒 €€
Via Toddea 8, 50123 **Tél** *055 29 09 05* **Fax** *055 29 43 22* **Chambres** *34* **Plan** *1 C4*

Situé dans un bâtiment du XVe siècle récemment rénové, cet hôtel s'enorgueillit de ses plafonds ornés de fresques et de son portique offrant une vue spectaculaire sur le Duomo et San Lorenzo. Proche du marché de San Lorenzo et du centre historique. **www.hotelbotticelli.it**

Hotel Casci ⚗ 🗒 €€
Via Cavour, 13, 50129 **Tél** *055 21 16 86* **Fax** *055 239 64 61* **Chambres** *29* **Plan** *2 D4*

Aménagé au deuxième étage d'un bâtiment du XVe siècle, dans la via Cavour très animée, entre le Duomo et San Lorenzo, cet hôtel offre de vastes chambres calmes et impeccables. Le compositeur Gioacchino Rossini y vécut au milieu des années 1850. Cinq chambres non fumeur. Accès Internet gratuit. **www.hotelcasci.com**

Légende des prix *voir p. 558* **Légende des symboles** *voir le rabat arrière de couverture*

Alessandra

Borgo Santi Apostoli, 17, 50123 **Tél** *055 28 34 38* **Fax** *055 21 06 19* **Chambres** *27* **Plan** *5 C3*

L'Alessandra est situé aux deuxième et troisième étages d'un édifice du XVIᵉ siècle. Les chambres donnant sur l'Arno sont plus spacieuses et plus chères : la suite, avec balcon, présente un bon rapport qualité/prix. Les autres chambres donnent sur la piazzetta del Limbo et l'église des Santi Apostoli. **www.hotelalessandra.com**

Della Robbia

Via dei Della Robbia 7/9, 50132 **Tél** *055 263 85 70* **Fax** *055 246 63 71* **Chambres** *24*

De l'autre côté du viale qui délimite la vieille ville, cet hôtel occupe un édifice de la fin du XIXᵉ siècle récemment rénové. Les chambres sont décorées dans le style Art nouveau italien, ou Liberty (rare à Florence). L'hôtel a plusieurs suites et une annexe. Descendez Borgo Pinti et vous êtes à Santa Croce. **www.hoteldellarobbia.it**

Grand Hotel Minerva

Piazza Santa Maria Novella, 16, 50123 **Tél** *055 272 30* **Fax** *055 26 82 81* **Chambres** *102* **Plan** *1 B5*

Le seul hôtel de Florence à posséder une piscine sur son toit. Ne manquez pas d'admirer le coucher du soleil depuis le toit ou le bar adjacent. Récemment rénové, cet hôtel a reçu de nombreux hôtes célèbres, dont Henry James. Les suites familiales comptent deux salles de bains. **www.grandhotelminerva.com**

Hermitage

Vicolo Marzio, 1, 50122 **Tél** *055 28 72 16* **Fax** *055 21 22 08* **Chambres** *28* **Plan** *6 D1*

Cet hôtel occupe quatre étages dans une tour médiévale : la réception et les salles communes se trouvent au cinquième étage ; depuis le jardin du toit, au sixième étage, on jouit d'une vue panoramique sur le Corridor de Vasari, le Ponte Vecchio et l'Arno. Les chambres donnant sur le Duomo sont plus calmes. **www.hermitagehotel.com**

Hotel Villa Belvedere

Via Bernardo Castelli, 3, 50124 **Tél** *055 22 25 01* **Fax** *055 22 31 63* **Chambres** *26* **Plan** *3 A5*

À Poggio Imperiale, juchée sur la première colline à l'extérieur de la Porta Romana, au sud de la ville, cette spacieuse villa des années 1930, agrandie dans les années 1950, est entourée de jardins paysagers. Les vues sur les collines et la ville sont particulièrement belles depuis les terrasses du premier étage. **www.villa-belvedere.com**

Loggiato dei Serviti

Via dei Servi, 49 (Piazza Santissima Annunziata 3), 50122 **Tél** *055 28 95 92* **Fax** *055 28 95 95* **Chambres** *39* **Plan** *2 D4*

À proximité immédiate du Spedale degli Innocenti de Brunelleschi, ce loggiato édifié au XVIᵉ siècle par l'ordre des Padri Serviti, hébergeait les prélats voyageurs. Toutes les chambres sont différentes et donnent, soit sur la place, soit sur le jardin de l'Académie des Beaux-arts. Réservation indispensable. **www.loggiatodeiservitihotel.it**

Morandi alla Crocetta

Via Laura 50, 50121 **Tél** *055 234 47 47* **Fax** *055 248 09 54* **Chambres** *10* **Plan** *2 E4*

Dix chambres seulement et une réputation bien établie vous obligent à réserver bien à l'avance votre séjour dans cet hôtel. Trois chambres sont sur cour, les autres sur rue ; elles ont toutes un style différent de mobilier. Pas de portier de nuit ; si vous sortez, pensez à prendre vos clés avec vous. **www.hotelmorandi.it**

Orto dei Medici

Via San Gallo, 30, 50129 **Tél** *055 48 34 27* **Fax** *055 46 12 76* **Chambres** *31* **Plan** *2 D4*

À 10 min à pied du Duomo et 5 min de la place Saint-Marc et de l'Accademia, cet édifice de 1850 possède de vastes salles communes ornées de fresques et une ravissante terrasse. Toutes les chambres sont non fumeur, 4 d'entre elles au quatrième étage offrent des vues sur le Duomo et San Lorenzo. **www.hotelmorandi.it**www.ortodeimedici.it

Palazzo Benci

Piazza Madonna Aldobrandini 3, Via Faenza 6/r, 50123 **Tél** *055 21 38 48* **Fax** *055 28 83 08* **Chambres** *35* **Plan** *1 C5*

Ce palais du XVIᵉ siècle, avec son joli jardin sur cour, appartient à la famille Benci. Les meubles contemporains rehaussent les éléments d'origine, soigneusement restaurés en 1989. Toutes les chambres sont équipées de double vitrage et celles de l'arrière dominent les chapelles Medici. Petit déjeuner inclus. **www.palazzobenci.com**

Pitti Palace

Borgo San Jacopo 3, 50125 **Tél** *055 239 87 11* **Fax** *055 239 88 67* **Chambres** *72* **Plan** *3 C1*

On ne peut rêver plus près du Ponte Vecchio. Cet hôtel moderne possède deux terrasses (au sixième étage) d'où l'on jouit de vues splendides sur la ville et sur les jardins de Boboli. Il présente un bon rapport qualité/prix pour une situation aussi idéale. La plupart des chambres sont réparties du premier au cinquième étage. **www.vivahotels.com**

Silla

Via dè Renai, 5, 50126 **Tél** *055 234 28 88* **Fax** *055 234 14 37* **Chambres** *35* **Plan** *6 F5*

On accède par une jolie cour à cet hôtel à la direction familiale, installé dans un édifice du XVIᵉ siècle situé sur la rive Oltrarno du fleuve. Un grand escalier conduit à l'entrée (ascenseur également disponible). L'été, le petit déjeuner est servi sur la terrasse dominant le fleuve et la ville. **www.hotelsilla.it**

Balestri

Piazza Mentana, 7, 50122 **Tél** *055 21 47 43* **Fax** *055 239 80 42* **Chambres** *46* **Plan** *4 D1*

Situé sur une petite place, en bordure de l'Arno, à mi-chemin entre le Ponte Vecchio et Santa Croce, cet hôtel existe depuis 1888. Bien rénovées, les chambres sont toutes équipées d'un minibar. 30 chambres offrent une vue sur l'Arno, les autres sur une cour calme. Proche du musée d'Histoire des Sciences. **www.hotel-balestri.it**

Excelsior

🖼 🍴 📺 📋   €€€€

Piazza Ognissanti 3, 50123 **Tél** *055 271 51* **Fax** *055 21 02 78* **Chambres** *171*   **Plan** *5 A2*

Dallages et colonnes de marbre, grands escaliers, vitraux, statues et peintures d'époque contribuent au charme de cet hôtel exceptionnel. Les chambres sont tout aussi belles et le service impeccable. Le restaurant *Il Cestello* sert de la cuisine toscane et internationale ; la terrasse offre un beau panorama. **www.westin.com/excelsiorflorence**

Palazzo Niccolini al Duomo

🖼 🍴 📋   €€€€

Via dei Servi 2, 50122 **Tél** *055 28 24 12* **Fax** *055 29 09 79* **Chambres** *10*   **Plan** *2 D5*

Idéalement situé, face au Duomo, ce palais est du XVIe siècle. La réception et les salles occupent le deuxième étage et sont parées de peintures et de mobilier ancien. Salles de bains en marbre dans les chambres. Le salon de la suite offre une vue unique sur le dôme de Brunelleschi. **www.niccolinidomepalace.com**

Roma

🖼 📋   €€€€

Piazza Santa Maria Novella, 8, 50123 **Tél** *055 21 03 66* **Fax** *055 21 53 06* **Chambres** *57*   **Plan** *1 B5*

Restauré en 1988, cet élégant hôtel charme par ses sols dallés de marbre, ses boiseries et ses étonnantes verrières réalisées par Galileo et Tito Chini en 1920. Les chambres sont réparties sur cinq étages. Quatre chambres de chaque étage donnent sur la place, elles sont spacieuses, mais bruyantes. **www.hotelromaflorence.com**

Serristori Palace Residence

🖼 🅿 ⛲ 📋   €€€€

Lungarno Serristori 13, 50125 **Tél** *055 200 16 23* **Fax** *055 234 78 28* **Chambres** *12*   **Plan** *6 F5*

Voici l'adresse idéale pour un séjour dans un appartement tranquille meublé avec élégance, à quelques minutes du centre-ville. Située sur une rue animée, cette résidence propose plusieurs appartements donnant sur le Dôme, au-delà du fleuve. Sa cave abrite une salle de détente avec un bar et la télévision. **www.serristoripalace.com**

Torre di Bellosguardo

🖼 ⛲ 📺   €€€€

2,5 km sud-ouest de Florence. Via Roti Michelozzi 2, 50124 **Tél** *055 229 81 45* **Fax** *055 22 90 08* **Chambres** *16*

Depuis les jardins de cette villa du XIVe siècle et de sa tour du XVIe siècle, on jouit d'une vue incomparable sur la ville. L'intérieur est époustouflant, avec ses immenses salles, son mobilier ancien et ses tapis persans. Piscine paysagée et centre de remise en forme. **www.torrebellosguardo.com**

Grand Hotel Villa Medici

🖼 🍴 ⛲ 📺 📋   €€€€€

Via Il Prato, 42, 50123 **Tél** *055 238 13 31* **Fax** *055 238 13 36* **Chambres** *100*   **Plan** *1 A4*

Cette villa du XVIIIe siècle abrite le seul hôtel de la ville qui possède une piscine extérieure dans ses propres jardins. Chambres dotées de meubles anciens. Club de remise en forme avec sauna et bain turc. Situé près de la Porta al Prato, il n'est pas loin du centre-ville. **www.villamedicihotel.com**

Savoy

🖼 🍴 📺 📋   €€€€€

Piazza della Repubblica, 7, 50123 **Tél** *055 273 51/28 33 13* **Fax** *055 273 58 88* **Chambres** *102*   **Plan** *6 D3*

Cet hôtel a une architecture magnifique, un intérieur somptueux et des chambres bien aménagées, avec 14 suites (dont 2 équipées d'un hammam). La salle de gym du sixième étage offre des vues spectaculaires sur le Duomo et le campanile de Giotto. Le bar *L'Incontro*, sur la piazza, est le lieu de rendez-vous des Florentins. **www.hotelsavoy.it**

TOSCANE

AREZZO : B&B Casa Volpi

🍴 📋   €€

Via Simone Martini 29, 52100 **Tél** *0575 35 43 64* **Fax** *0575 35 59 71* **Chambres** *15*

Installé dans une maison de campagne du XIXe siècle entourée d'un parc, dans les collines surplombant Arezzo, ce *bed and breakfast* possède de vastes chambres aux plafonds hauts et aux meubles en fer forgé. Petit déjeuner en terrasse avec vue sur la vallée de Chiana. Vous pouvez également profiter d'un grand jardin. **www.casavolpi.it**

AREZZO : Hotel Il Patio

📋   €€€

Via Cavour 23, 52100 **Tél** *0575 40 19 62* **Fax** *0575 274 18* **Chambres** *10*

Hôtel aménagé dans un palais du XVIIIe siècle, dans l'ancienne via Cavour d'Arezzo bordée de magasins, à quelques mètres à peine de la Chiesa di San Francesco. Chaque chambre a une décoration qui reflète les voyages de l'auteur Bruce Chatwin (Chine, Australie, Maroc, etc.). **www.hotelpatio.it**

ARTIMINO : Hotel Paggeria Medicea

🍴 ⛲ 📋   €€€

Via Papa Giovanni XXIII, 1, 59015 **Tél** *0558 751 41* **Fax** *0558 75 14 70* **Chambres** *37*

Cet hôtel 4 étoiles occupe les anciens quartiers des serviteurs de la célèbre villa médicéenne d'Artimino, « La Ferdinanda ». Il est décoré avec du mobilier d'origine, des poutres apparentes, des tommettes et des fresques. Centre équestre, restaurant renommé et boutique de produits de la ferme. **www.artimino.com**

CASTELLINA IN CHIANTI : Colle Etrusco Salivolpi

⛲ 📋   €€

Via Fiorentina 89, 53011 **Tél** *0577 74 04 84* **Fax** *0577 74 09 98* **Chambres** *19*

Élégant hôtel de style maison de campagne entouré de vignes, d'oliveraies et de cyprès, non loin de Castellina in Chianti. Les chambres ont une décoration chaude avec d'authentiques meubles toscans, comme les lits en fer forgé, un dallage de tommettes et des poutres de bois. Vastes salon et jardin. **www.hotelsalivolpi.com**

Légende des prix *voir p. 558* **Légende des symboles** *voir le rabat arrière de couverture*

CASTELLINA IN CHIANTI : Tenuta di Ricavo

Loc. Scotoni, 53011 **Tél** *0577 74 02 21* **Fax** *0577 74 10 14* **Chambres** *22*

Charmant hôtel balnéaire installé dans un hameau médiéval restauré, au cœur d'un parc naturel, le *Tenuta di Ricavo* associe de manière unique histoire et nature. Les chambres ont conservé en partie leurs meubles d'origine ainsi que de la pierre, des tommettes et des poutres en bois. Restaurant gastronomique la *Percora Nera*. **www.ricavo.com**

CORTONA (CORTONE) : Hotel Italia

Via Ghibellina 5/7, 52044 **Tél** *0575 63 02 54* **Fax** *0575 60 57 63* **Chambres** *26*

À quelques pas de la principale place du Cortone médiéval, cet hôtel est aménagé dans un palais du XVIIe siècle. Bien que l'établissement ne soit plus dirigé par une famille, le service est extrêmement personnalisé et aimable. La vaste terrasse offre des vues panoramiques sur la vallée de Chiana et le lac Trasimène. **www.planhotel.com**

CORTONA (CORTONE) : Hotel Oasi

Via delle Contesse 1, 52044 **Tél** *0575 63 03 54* **Fax** *0575 630 477* **Chambres** *63*

Cet étonnant hôtel 3 étoiles occupe un ancien monastère, à l'extérieur des remparts étrusques de Cortone. Les chambres sont simples mais confortables. Le jardin et la chapelle du monastère, qui date de 1235, sont les principales attractions de l'endroit. Le restaurant sert une saine cuisine toscane Renaissance. **www.hoteloasi.org**

CORTONA (CORTONE) : RELAIS SAN PIETRO IN POLVANO

Loc. Polvano 3, 52043, Castiglion Fiorentino **Tél** *0575 65 01 00* **Fax** *0575 65 02 55* **Chambres** *10*

Surplombant une vallée, cette délicieuse ferme du XVIIIe possède un point de vue idyllique et chaque détail est parfaitement pensé. C'est l'endroit idéal pour la détente et la tranquillité. L'été, le dîner est servi sur la terrasse. Les petits déjeuners de fruits frais, de fromages et de pâtisseries sont excellents. **www.polvano.com**

ELBA (ÎLE D'ELBE) : Hotel Ilio

Via Sant'Andrea 5, Loc. S. Andrea, Marciana, 57030 **Tél** *0565 90 80 18* **Fax** *0565 90 80 87* **Chambres** *19*

Cet hôtel est situé à la lisière d'un parc naturel. Les noms des chambres rappellent la flore de la région, tels que le laurier-rose, le géranium et le grenadier. La plage se trouve à quelques pas. Les propriétaires organisent des marches dans la nature autour du parc. Le restaurant sert des plats d'Elbe, à base de poisson et de légumes locaux. **www.ilio.it**

ELBA (ÎLE D'ELBE) : Hotel Montecristo

Lungomare Nomelli 11, Campo nell'Elba, 57034 **Tél** *0565 97 68 61* **Fax** *0565 97 65 97* **Chambres** *43*

Hôtel 4 étoiles au mobilier simple et à l'étonnante terrasse côté piscine, offrant des vues sur la baie de Marina di Campo. Les marches de l'hôtel vous conduisent à la plage de sable et à la forêt de pins toute proche. Certaines chambres donnent sur la mer. Restaurant côté piscine, centre de cure et de bien-être. **www.hotelmontecristo.it**

ELBA (ÎLE D'ELBE) : Hotel Hermitage

Loc. La Biodola, Portoferraio, 57037 **Tél** *0565 97 40* **Fax** *0565 96 99 84* **Chambres** *130*

Cet hôtel, le plus luxueux d'Elbe, est logé dans la plus belle baie de l'île. L'*Hermitage* possède sa propre plage de sable doré, trois piscines, un piano-bar, un golf à 6 trous et 9 courts de tennis. Les chambres sont réparties entre le bâtiment principal de l'hôtel et des petites villas. Séjour de trois jours minimum. **www.hotelhermitage.it**

FIESOLE : Pensione Bencista'

Via Benedetto da Maiano, 4, Fiesole, 50014 **Tél/Fax** *055 591 63* **Chambres** *40*

Cette villa du XIVe siècle rénovée possède un ascenseur et des chambres spacieuses. Bien que la demi-pension soit optionnelle, l'endroit est tellement accueillant et les vues si belles que les hôtes apprécient généralement de manger sur place. Réservation recommandée longtemps à l'avance. **www.bencista.com**

FIESOLE : Villa San Michele

Via Doccia, 4, Fiesole, 50014 **Tél** *055 567 82 00* **Fax** *055 567 82 50* **Chambres** *45*

Au milieu d'un vaste terrain, cette villa offre des vues spectaculaires, surtout depuis sa loggia, où le dîner est servi en été. Demandez une chambre donnant sur la ville. La terrasse de la suite est idéale pour un dîner aux chandelles. La suite du bas jouit d'un jardin. *Fermé fin nov.-mi-mars.* **www.villasanmichele.orient-express.com**

GAIOLE IN CHIANTI : Residence San Sano

Loc. San Sano 21, 53100 **Tél** *0577 74 61 30* **Fax** *0577 746 891* **Chambres** *16*

Cet hôtel-restaurant occupe une cabane de guetteur du XIIIe siècle rénovée. L'ancien escalier mène aux chambres aux murs blanchis à la chaux et aux plafonds garnis de poutres. Un menu à trois plats de spécialités toscanes est servi sous les arches de pierre du restaurant, ou sur la terrasse côté jardin en été. **www.sansanohotel.it**

GAIOLE IN CHIANTI : Castello di Spaltenna

Loc. Spaltenna, 53013 **Tél** *0577 74 94 83* **Fax** *0577 74 92 69* **Chambres** *30 chambres et 8 suites*

Situé dans un hameau aux splendides église et clocher médiévaux, cet ancien monastère transformé en hôtel offre un beau panorama sur la vallée couverte de vignes. Les chambres sont luxueuses, meublées de lits à baldaquin, de spacieux salons et de Jacuzzi. Restaurant gastronomique et balades à cheval sur demande. **www.spaltenna.it**

LUCCA (LUCQUES) : Piccolo Hotel Puccini

Via di Poggio 9, 55100 **Tél** *0583 554 21* **Fax** *0583 534 87* **Chambres** *14*

Ce petit hôtel accueillant occupe un beau bâtiment au cœur de Lucques, juste au-dessus de la route qui part de la maison où naquit Giacomo Puccini (transformée en musée) et de la place centrale de San Michele. Les chambres sont petites mais d'un bon rapport qualité/prix. Navette gratuite jusqu'à l'aéroport et la gare. **www.hotelpuccini.com**

LUCCA (LUCQUES) : Albergo San Martino

Via della Dogana 9, 55100 **Tél** *0583 46 91 81* **Fax** *0583 99 19 40* **Chambres** *9*

Très bien situé dans le centre historique de Lucques, à quelques pas de la cathédrale, ce petit hôtel 3 étoiles possède des chambres spacieuses à un prix raisonnable. Service excellent et attentionné. Possibilité de louer des vélos sur place. **www.albergosanmartino.it**

LUCCA (LUCQUES) : B&B La Romea

Via Sant'Andrea 2, 55100 **Tél** *0583 46 41 75* **Fax** *0583 47 12 80* **Chambres** *5*

Petit *bed and breakfast* aménagé au second étage d'un palais de la fin du XIVe siècle, près de la Torre Guinigi. Les vastes chambres de *La Romea* sont munies de fenêtres cintrées et de plafonds ornés de poutres en bois. Chaque chambre a sa propre couleur (la bleue est la plus luxueuse). Salon réservé aux hôtes. **www.laromea.com**

LUCCA (LUCQUES) : Villa Romantica

Via Barbaranti 246, 55100 **Tél** *0583 49 68 72* **Fax** *0583 95 76 00* **Chambres** *6*

Une villa du XIXe siècle, aux portes de Lucques, abrite ce petit hôtel. Il ne compte que quatre chambres doubles, une suite et une suite junior. Toutes les chambres sont dotées d'un mobilier moderne, en harmonie avec le style Liberty du bâtiment. Grand jardin planté de vieux arbres et courts de tennis. **www.villaromantica.it**

LUCCA (LUCQUES) : Locanda L'Elisa

Via Nuova per Pisa 1952, Massa Pisana, 55050 **Tél** *0583 37 97 37* **Fax** *0583 37 90 19* **Chambres** *10*

Hôtel 5 étoiles aménagé dans un château du XVIIIe siècle, cet élégant Relais & Châteaux se trouve au pied d'une série de collines, près de Lucques. Les luxueuses chambres sont spacieuses et leur salon garni de meubles, peintures et tentures anciens. Idéal pour une pause romantique. **www.locandalelisa.it**

PISA (PISE) : Hotel Francesco

Via Santa Maria 129, 56126 **Tél** *050 55 54 53* **Fax** *050 55 61 45* **Chambres** *13*

Petit hôtel 3 étoiles accueillant situé à quelques pas de la tour penchée de Pise. Depuis sa terrasse, beau panorama de la ville. Récemment rénovées, les chambres sont propres, claires et sobrement meublées. Chambres non fumeur disponibles sur demande. **www.hotelfrancesco.com**

PISA (PISE) : Hotel Roseto

Via Mascagni 24, 56100 **Tél** *050 425 96* **Fax** *050 420 87* **Chambres** *16*

Petit hôtel 2 étoiles, parfait pour les petits budgets. Le *Roseto* constitue une base calme et confortable dans le quartier commerçant de Pise. Les chambres sont claires et pourvues de grandes fenêtres, de carrelages et de hauts plafonds. On peut prendre le petit déjeuner ou un verre dans le petit patio. **www.hotelroseto.it**

PISA (PISE) : Hotel Villa Kinzica

Piazza Arcivescovado 2, 56126 **Tél** *050 56 04 19* **Fax** *050 55 12 04* **Chambres** *30*

Aménagé dans une imposante villa des années 1750, l'*Hotel Kinzica* offre des chambres confortables au mobilier moderne, à un prix raisonnable pour sa situation centrale. Les plus belles ont conservé leurs éléments d'origine (cheminées en pierre et plafonds ornés de fresques). **www.hotelvillakinzica.it**

PISA (PISE) : Royal Victoria Hotel

Lungarno Pacinotti 12, 56126 **Tél** *050 94 01 11* **Fax** *050 94 01 80* **Chambres** *48*

Cet hôtel occupe l'un des plus anciens bâtiments de Pise, une tour du Xe siècle édifiée pour héberger la guilde des sommeliers. Il devint le principal hôtel de Pise en 1837, avec plusieurs tours médiévales. Les chambres ont une bonne taille et une belle décoration. Location de vélos et garage privé. **www.royalvictoria.it**

PISA (PISE) : Hotel Relais dell'Orologio

Via della Faggiola 12/14, 56126 **Tél** *050 83 03 61* **Fax** *050 55 18 69* **Chambres** *21*

Hôtel 5 étoiles installé dans un manoir rénové et sa tour du XIVe siècle. Les chambres sont parées de plaids et de rideaux écossais, et disposent de cheminées d'origine. Certaines possèdent même un Jacuzzi. Le petit déjeuner est servi dans le jardin du manoir. Le restaurant est recommandé. **www.hotelrelaisorologio.com**

PISTOIA : Hotel Piccolo Ritz

Via A. Vannucci 67, 51100 **Tél** *0573 267 75* **Fax** *0573 277 98* **Chambres** *21*

Hôtel 3 étoiles peu cher, près de la gare de Pistoia et des remparts de la ville, offrant de petites chambres luxueuses. Joli café au plafond orné de fresques. Proche d'une route passante, il est parfois bruyant la nuit mais il demeure d'un bon rapport qualité/prix étant situé près des principales curiosités touristiques de la ville. **www.booking.com**.

PISTOIA : Il Convento

Via San Quirino 33, 51030 **Tél** *0573 45 26 51/52* **Fax** *0573 45 35 78* **Chambres** *32*

Monastère franciscain du XIXe siècle transformé en hôtel, avec des chambres aménagées dans les anciennes cellules des moines, donnant sur une cour intérieure pittoresque et un petit cloître. Le restaurant est dans l'ancien réfectoire. Depuis le jardin franciscain, on aperçoit la cathédrale de Florence. **www.ilconventohotel.com**

PRATO : Hotel Hermitage

Via Ginepraia 112, Loc. Poggio a Caiano, 59016 **Tél** *0558 772 44* **Fax** *0558 79 70 57* **Chambres** *59*

Installé dans une zone résidentielle près de la villa médicéenne Ambra du XVe siècle, cet hôtel 3 étoiles se trouve au sommet d'une colline. Les chambres sont simples mais confortables, certaines offrant de belles vues. Le restaurant sert des spécialités toscanes. Idéal pour partir à la découverte des vignes environnantes. **www.hotelhermitageprato.it**

Légende des prix *voir p. 558* **Légende des symboles** *voir le rabat arrière de couverture*

RADDA IN CHIANTI : La Locanda

Loc. Montanino, 53017 **Tél** *0577 73 88 32/33* **Fax** *0577 73 92 63* **Chambres** *6 et 1 suite*

Ce petit hôtel tenu par une famille occupe une ancienne ferme du XVIe siècle. Panorama époustouflant sur la campagne du Chianti. Un bâtiment en pierre tout proche accueille un salon avec bar et salle à manger. Vaste terrasse près de la piscine et grand jardin. Séjour de deux nuits minimum. **www.lalocanda.it**

REGELLO : I Bonsi

Via I Bonsi 47, Località Sant'Agata, 50066 **Tél** *0577 287 342* **Fax** *0577 287 342* **Appartements** *6*

Une avenue bordée d'arbres mène à cette superbe villa à tourelles construite en 1400, au cœur d'un bois donnant sur la vallée d'Arno. Au XVIIIe siècle, elle a été transformée en couvent mais c'est désormais une maison de campagne avec six appartements admirablement meublés. Belles promenades dans les environs. **www.agriturismoibonsi.it**

SAN GIMIGNANO : Albergo Leon Bianco

Piazza della Cisterna 13, 53037 **Tél** *0577 94 12 94* **Fax** *0577 94 21 23* **Chambres** *25*

Donnant sur la piazza della Cisterna, au cœur de San Gimignano, cet hôtel est l'un des mieux situés de la ville. Il occupe également l'un des bâtiments les plus intéressants, un palais du XIe siècle aux briques apparentes et aux plafonds parés de poutres en bois dans les chambres. **www.leonbianco.com**

SAN GIMIGNANO : La Cisterna

Piazza della Cisterna 23, 53037 **Tél** *0577 94 03 28* **Fax** *0577 94 20 80* **Chambres** *50*

Installé dans un palais du XIVe siècle, en plein centre-ville, *La Cisterna* offre de belles vues sur la place principale et la campagne. Les chambres sont meublées dans le style florentin traditionnel. Le restaurant (ouvert depuis 1918) est divisé en 2 parties, dont l'une, la *Loggia Rustica*, possède de beaux plafonds hauts en bois. **www.hotelcisterna.it**

SIENA (SIENNE) : Antica Torre

Via di Fiera Vecchia 7, 53100 **Tél** *0577 22 22 55* **Fax** *0577 22 22 55* **Chambres** *8*

Ce petit hôtel est aménagé dans une étonnante tour du XVIe siècle, au sud-ouest de Sienne, le long des remparts. Les chambres, calmes et romantiques, ont beaucoup de caractère avec leurs poutres en bois, leurs arches en pierre et leurs voûtes en brique. La salle du petit déjeuner occupe la boutique d'un potier. **www.anticatorresiena.it**

SIENA (SIENNE) : Hotel Arcobaleno

Via Fiorentina 32/40, 53100 **Tél** *0577 27 10 92* **Fax** *0577 27 14 23* **Chambres** *19*

Une paisible maison de campagne de 1850 accueille aujourd'hui cet hôtel agréable aux chambres intimes. Situé aux portes de la ville, il est à dix minutes de marche du centre historique de Sienne. Il possède une terrasse et un restaurant idéal pour les dîners romantiques. Service de baby-sitting. **www.hotelarcobaleno.com**

SIENA (SIENNE) : Hotel Chiusarelli

Viale Curtatone 15, 53100 **Tél** *0577 28 05 62* **Fax** *0577 27 11 77* **Chambres** *48*

À côté de la piazza del Campo, cette villa héberge l'un des plus anciens hôtels de la ville. Construit en 1870 par la famille Chiusarelli, il possède des chambres meublées dans le style néoclassique et donne sur l'église San Domenico. Demandez une chambre avec balcon. Copieux buffet au petit déjeuner, servi dans la véranda. **www.chiusarelli.com**

SIENA (SIENNE) : Hotel Athena

Via P. Mascagni 55, 53100 **Tél** *0577 28 63 13* **Fax** *0577 481 53* **Chambres** *100*

Hôtel moderne 4 étoiles à quelques pas du Duomo de Sienne, dans une zone calme et résidentielle, non loin de la Porta San Marco. Il possède un bar et une terrasse avec des vues sur Sienne et au-delà. Les chambres spacieuses ont une décoration contemporaine ou classique. Un restaurant raffiné propose de la cuisine locale. **www.hotelathena.com**

SIENA (SIENNE) : Pensione Palazzo Ravizza

Pian dei Mantellini 34, 53100 **Tél** *0577 28 04 62* **Fax** *0577 22 15 97* **Chambres** *30*

Pension installée dans un palais Renaissance calme, dans le centre historique de Sienne. Les chambres ont conservé leurs tommettes, leurs fresques, leurs portes sculptées et leur mobilier ancien. Les suites sont pourvues d'un salon. Restaurant gastronomique le soir et terrasse sur jardin surplombant les collines toscanes. **www.palazzoravizza.it**

SIENA (SIENNE) : Hotel Certosa di Maggiano

Strada di Certosa 82, 53100 **Tél** *0577 28 81 80* **Fax** *0577 28 81 89* **Chambres** *17*

Cet hôtel compte parmi les luxueux Relais & Châteaux. Il occupe un monastère de 1314 restauré dans la campagne siennoise. Il est mondialement connu pour ses peintures anciennes et ses soies délicates. Le vaste domaine qui l'entoure inclut oliveraies, vignes et une piste d'atterrissage pour hélicoptère. **www.certosadimaggiano.it**

SINALUNGA : Locanda dell'Amorosa

Loc. L'Amorosa, 53048 **Tél** *0577 67 72 11* **Fax** *0577 63 20 01* **Chambres** *20*

Villa du XIVe siècle superbement transformée en hôtel, sur les collines de Sienne. Chaque chambre est décorée dans le style rustique toscan, avec d'anciens meubles, estampes et peintures. Les visiteurs peuvent profiter de l'élégant restaurant qui occupe les anciennes écuries, du parc, de la ferme et des vignes alentour. **www.amorosa.it**

VIAREGGIO : Hotel Liberty

Viale Manin 18, 55049 **Tél** *0584 462 47* **Fax** *0584 462 49* **Chambres** *50*

Hôtel 3 étoiles dans le centre de la ville, près du front de mer. Les chambres au mobilier simple donnent sur la mer et/ou les carrières de marbre de Carrare. Il possède un hall d'entrée moderne et une terrasse ensoleillée réservée aux hôtes en été. Le personnel vous aidera à profiter au mieux du restaurant. **www.hotelliberty.viareggio.it**

VIAREGGIO : Hotel President
€€€

Viale Carducci 5, 55049 **Tél** *0584 96 27 12* **Fax** *0584 96 36 58* **Chambres** *39*

Hôtel réputé du front de mer, construit en 1949 dans le style Liberty typique de Viareggio. Chambres confortables et modernes. Le restaurant *Gaudi* propose un généreux buffet au petit déjeuner et un menu du soir, où la cuisine toscane et internationale sont proposées. Aire de jeux pour les enfants et location de vélos. **www.hotelpresident.it**

VOLTERRA : Albergo Villa Nencini
€

Borgo Santo Stefano 55, 56048 **Tél** *0588 863 86* **Fax** *0588 806 01* **Chambres** *35*

L'hôtel est situé juste à l'extérieur de la ville, dans une maison de campagne. La vue porte jusqu'à l'archipel toscan. Chambres claires et sobrement meublées. L'hôtel *enoteca*, installé dans les anciennes écuries, offre un grand choix de vins locaux. Piscine au milieu d'un luxuriant jardin planté de chênes. **www.villanencini.it**

VOLTERRA : Hotel San Lino
€€

Via S. Lino 26, 56048 **Tél** *0588 852 50* **Fax** *0588 806 20* **Chambres** *43*

Un ancien couvent, à l'intérieur des remparts médiévaux de Volterra (xvᵉ siècle), héberge cet hôtel 4 étoiles depuis 1982. Les chambres sont modernes sans trahir le passé du bâtiment. Les fenêtres donnent sur les rues pavées de la ville ou le jardinet de l'hôtel. Restaurant apprécié pouvant accueillir jusqu'à 20 couverts. **www.hotelsanlino.com**

OMBRIE

ASSISI (ASSISE) : Hotel Berti
€

Piazza San Pietro, 06081 **Tél** *075 81 34 66* **Fax** *075 816 870* **Chambres** *10*

Hôtel à la situation centrale, au pied d'une colline du vieux Assise, non loin de l'arrêt de bus reliant la ville à la gare. Endroit douillet au charme désuet, dont on remarque les meubles anciens, les parquets et le restaurant à la terrasse ensoleillée. Les chambres sont de bonne taille et joliment décorées. Délicieux petits déjeuners. **www.hotelberti.it**

ASSISI (ASSISE) : Fontebella
€€

Via Fontebella 25, 06081 **Tél** *075 81 28 83* **Fax** *075 81 29 41* **Chambres** *46*

Cet hôtel occupe un édifice en pierre entouré de paisibles jardins, qui abritait autrefois un moulin à huile. Réparties sur 7 étages, les chambres sont vastes et équipées de salles de bains modernes. Belles chambres familiales ; certaines ont un balcon d'où l'on jouit d'un beau panorama. Élégant salon avec cheminée et fresques. **www.fontebella.com**

ASSISI (ASSISE) : Hotel Alexander
€€

Piazza Chiesa Nuova 6, 06081 **Tél** *075 81 61 90* **Fax** *075 81 61 90* **Chambres** *8*

Ce petit hôtel rénové se trouve en plein cœur du vieux Assise. Il se distingue par ses poutres en bois, ses meubles anciens et ses hauts plafonds. Les chambres sont spacieuses et peuvent héberger des lits supplémentaires, une solution idéale pour les familles. Terrasse panoramique sur le toit. **www.assisi-hotel.com**

ASSISI (ASSISE) : Hotel Umbra
€€

Via degli Archi 6 (Piazza del Comune), 06081 **Tél** *075 81 22 40* **Fax** *075 81 36 53* **Chambres** *25*

Niché dans une ruelle, non loin de la mairie de la ville, ce petit hôtel très populaire possède un restaurant avec un jardin sur cour où vous pouvez dîner en été. Calme et géré par une famille, tout l'endroit est paré de carrelages et d'antiquités. Les chambres sont claires et élégamment décorées. **www.hotelumbra.it**

ASSISI (ASSISE) : Hotel Le Silve
€€€

Loc. Armenzano 82, 06081 **Tél** *075 801 90 00* **Fax** *075 801 90 05* **Chambres** *20*

Dans le parc national de Subasio, à 10 km d'Assise, cette ferme du xᵉ siècle constitue une paisible cachette. Elle offre terrasses ensoleillées, piscine et centre équestre. Les chambres aux belles vues ont des murs en pierre, des tommettes, des poutres en bois, des cheminées et du mobilier ancien. *Fermé nov.-mars.* **www.lesilve.it**

CAMPELLO SUL CLITUNNO : Il Vecchio Molino
€€

Via del Tempio 34, Località Pissignano, 06042 **Tél** *0743 52 11 22* **Fax** *0743 27 50 97* **Chambres** *13*

Moulin du xvᵉ siècle et ancienne hôtellerie. Le moulin, qui produisait de la farine et de l'huile d'olive, et était alimenté par les anciennes eaux des Fonti del Clitunno, a arrêté son activité récemment. Ce bel endroit abrite aujourd'hui un *bed and breakfast*. Les chambres sont simples, rustiques et confortables. *Fermé nov.-mars.* **www.vecchio-molino.it**

CITTÀ DELLA PIEVE : Agriturismo Antica Frateria
€€€

Località Poggio al Piano 44, 06062 **Tél** *0578 29 88 05* **Fax** *0578 29 90 68* **Appartements** *7*

Cet *agriturismo* est spécialisé dans le safran et tenu par une famille. Au milieu des oliveraies et des vergers, il offre des vues sur la ville et jusqu'au lac Trasimène. Il propose également des appartements (dans une annexe) à la décoration rustique et au mobilier ancien. **www.anticafrateria.net**

CITTÀ DI CASTELLO : Hotel Tiferno
€€€

Piazza R. Sanzio 13, 06012 **Tél** *075 855 03 31* **Fax** *075 852 11 96* **Chambres** *47*

Installé dans un ancien couvent du xIᵉ siècle, cet hôtel ouvert depuis 1895 est l'un des plus vieux d'Ombrie. Situé sur une petite place du centre historique, il possède des salles élégantes dotées de cheminées, de voûtes et d'une collection de peintures d'Alberto Burri. Bon restaurant. **www.hoteltiferno.it**

Légende des prix *voir p. 558* **Légende des symboles** *voir le rabat arrière de couverture*

DERUTA : Antica Fattoria del Colle

Str. Colle delle Forche 6, 06053 **Tél/Fax** *075 972 201* **Chambres** *7*

À l'extérieur de Deruta, sur une colline entourée d'oliveraies et de vignes, cet *agriturismo* appartient à un charmant couple de Rome. Il est formé de 2 fermes de brique et de pierre aux meubles anciens, avec tommettes, poutres de bois et terrasses ensoleillées. Excellente cuisine et pâtisseries maison, délicieux vin. **www.anticafattoriadelcolle.it**

FONTIGNANA : Villa Monte Solare

Via Montali 7, Colle San Paolo, Panicale, 06064 **Tél** *075 83 23 76* **Fax** *075 835 54 62* **Chambres** *25*

Villa patricienne située dans une oasis panoramique, près du lac Trasimène. Le restaurant sert de savoureux produits locaux. Les salles sont dotées de corniches, frises, tommettes, mobilier ancien et d'une cheminée. Chambres et salle à manger élégantes et bar belvédère sur le toit. Il y a aussi un court de tennis. **www.villamontesolare.com**

GUBBIO : Grotta dell'Angelo

Via Gioia 47, 06024 **Tél** *075 927 17 47* **Fax** *075 927 34 38* **Chambres** *18*

Dans le cœur du vieux Gubbio, cet hôtel familial paisible offre des chambres simples et propres dans une petite maison médiévale aux murs de pierre blanchis à la chaux, et un bon feu de bois l'hiver. Les chambres, toutes avec salle de bains, sont impeccables et gaies. Jardin et délicieux restaurant sous une pergola pour l'été. **www.grottadellangelo.it**

GUBBIO : Relais Ducale

Via Galeotti 19, 06024 **Tél** *075 922 01 57* **Fax** *075 922 01 59* **Chambres** *30*

Cet imposant bâtiment se trouve sur la principale place de Gubbio, la piazza della Signoria. Pourvu de mobilier ancien, il offre de belles vues sur la ville et les collines environnantes. Petit déjeuner servi sur la terrasse. Les chambres diffèrent par leur taille et leur décoration mais sont toutes élégantes, certaines possédant un balcon. **www.mencarelligroup.com**

GUBBIO : Villa Montegranelli

Località Monteluiano, 06024 **Tél** *075 922 01 85* **Fax** *075 927 33 72* **Chambres** *21*

Cette villa médiévale du XVIIIe siècle, à 4 km de Gubbio, appartenait autrefois aux comtes Guidi di Romena e Montegranelli. Au beau milieu d'une allée de cyprès, le bâtiment regorge de stucs, fresques et mobilier ancien. Les chambres sont luxueuses et donnent sur la vallée. Bon restaurant. **www.hotelvillamontegranelli.it**

LAGO TRASIMENO, CASTIGLIONE DEL LAGO : Miralago

Piazza Mazzini 6, 06061 **Tél** *075 951 157* **Fax** *075 51924* **Chambres** *19*

Ce bâtiment rouge occupe une position centrale, sur une place de Castiglione del Lago. Ses chambres confortables reflètent le charme d'antan et chacune a sa propre décoration avec vue sur le lac ou la place. Le jardin de l'hôtel, où vous pouvez dîner en été, donne sur le lac Trasimène. **www.hotelmiralago.com**

LAGO TRASIMENO, ISOLA MAGGIORE : Da Sauro

Via Guglielmini 1, 06060 **Tél** *075 826 168* **Fax** *075 825 130* **Chambres** *12*

Au nord du petit village de pêcheurs, sur Isola Maggiore, ce coquet hôtel tenu par une famille est installé dans un ancien bâtiment en pierre. Il possède un excellent restaurant de poisson et une véranda donnant sur le lac. Chambres confortables avec salle de bains. *Bed and breakfast,* demi-pension ou pension complète. **www.lagotrasimeno.net**

LAGO TRASIMENO, PASSIGNANO SUL TRASIMENO : Hotel Kursaal

Via Europa 24, 06065 **Tél** *075 82 80 85* **Fax** *075 82 71 82* **Chambres** *16*

Cet hôtel occupe une villa dotée d'un vaste jardin, sur les rives du lac. En été, de délicieux petits déjeuners vous sont servis sur la terrasse ensoleillée près de la piscine. Le restaurant de fruits de mer attire des visiteurs toute l'année. Les chambres sont confortables et possèdent un balcon privé. **www.kursaalhotel.net**

MONTEFALCO : Albergo Ristorante Ringhiera Umbra

Corso Mameli 20, 06036 **Tél** *0742 37 91 66* **Fax** *0742 37 91 66* **Chambres** *13*

Locanda familiale tenue par la même famille depuis son ouverture en 1938, elle offre le gîte et de bons plats au cœur de Montefalco. Les chambres sont simples, doubles ou triples (avec salle de bains pour les dernières) et toutes confortablement meublées. Restaurant très apprécié. **www.ringhieraumbra.com**

MONTEFALCO : Villa Pambuffetti

Viale della Vittoria 20, 06036 **Tél** *0742 37 94 17* **Fax** *0742 37 92 45* **Chambres** *15*

Ravissante villa entourée d'un parc privé dans laquelle le charismatique Gabriele d'Annunzio avait l'habitude de séjourner. Les antiquités sont nombreuses. Les chambres donnent sur les jardins paysagers et celles de l'étage supérieur offrent des vues panoramiques. Bon restaurant de plats régionaux. **www.villapambuffetti.com**

NORCIA : Grotta Azzurra

Via Alfieri 12, 06046 **Tél** *0743 81 65 13* **Fax** *0743 81 73 42* **Chambres** *45*

Proche de la place principale, cet hôtel qui date de 1850 possède un charmant restaurant et offre un large choix de chambres. Les plus basiques sont petites et sur rue, munies de balconnets ; les chambres de luxe sont plus spacieuses et équipées de baignoires à remous (deux sont décorées de fresques). **www.bianconi.com**

NORCIA : Il Casale nel Parco

Località Fontevena 8, 06046 **Tél** *0743 81 64 81* **Fax** *0743 81 64 81* **Chambres** *12*

Agriturismo situé à l'extérieur de Norcia, au pied des monts Sibillini. Aménagées à l'intérieur d'une ferme en pierre et de bâtiments restaurés, ses chambres sont confortables et agréables, avec leurs poutres en bois, leurs lits en fer forgé et leurs belles vues sur jardin. Excellents pique-niques et dîners sur demande. **www.casalenelparco.com**

ORVIETO : Agriturismo Titignano

P ¶¶ ≋ €

Località Titignano, 05010 **Tél** *0763 30 80 00* **Fax** *0763 30 80 02* **Chambres** *6*

Au beau milieu d'un vaste parc surplombant le lac Corbara, cet *agriturismo* abrite 6 appartements dans le château d'un hameau médiéval. La voiture est indispensable pour accéder à cet endroit. Les chambres sont simples, certaines équipées d'un coin cuisine. Nourriture excellente, servie dans une salle à manger spacieuse avec cheminée. **www.titignano.com**

ORVIETO : Hotel Duomo

P ≡ €€

Vicolo di Maurizio 7, 05018 **Tél** *0763 34 18 87* **Fax** *0763 39 49 73* **Chambres** *18*

Le *Duomo* occupe une position centrale, sur une petite route près de la cathédrale, et offre des chambres modernes équipées de grandes salles de bains. Le personnel est aimable et certaines des chambres avec balcon dominent la cathédrale. L'hôtel est idéal pour un séjour de courte durée. **www.orvietohotelduomo.com**

ORVIETO : Palazzo Piccolomini

P ¶¶ ≡ €€€

Piazza Ranieri 36, 05018 **Tél** *0763 34 17 43* **Fax** *0763 39 10 46* **Chambres** *33*

Cet hôtel est logé dans un palais du XVIe siècle, dans un quartier calme de la ville. Récemment aménagé, c'est le plus bel hôtel d'Orvieto. Les salles et les chambres sont élégantes, avec leurs plafonds voûtés, leurs murs blanchis à la chaux et leurs candélabres en fer forgé. Les chambres des étages supérieurs offrent un joli panorama. **www.hotelpiccolomini.it**

PERUGIA (PÉROUSE) : Hotel Sant'Ercolano

€

Via del Bovaro 9, 06122 **Tél/Fax** *075 572 46 50* **Chambres** *15*

À côté de l'église de Sant'Ercolano, dans le centre historique, cet hôtel bon marché est installé dans un bâtiment du XVIIIe siècle. À 2 min de la gare routière, il permet d'explorer la région. Les chambres sont simples mais confortables, toutes avec salle de bains. Ventilateurs disponibles en été. Délicieux petit déjeuner. **www.santercolano.com**

PERUGIA (PÉROUSE) : Albergo Lo Spedalicchio

P ¶¶ ≡ €€

Piazza Bruno Buozzi 3, 06080 **Tél** *075 801 03 23* **Fax** *075 801 03 23* **Chambres** *25*

Hôtel moderne installé à l'intérieur d'une forteresse médiévale dans un minuscule hameau. Il est fréquenté par les voyageurs et les pèlerins qui recherchent le calme. Chambres spacieuses avec salle de bains, poutres en bois et mobilier ancien. Très bon petit déjeuner. Le restaurant sert des plats régionaux raffinés. **www.lospedalicchio.it**

PERUGIA (PÉROUSE) : Hotel La Fortuna

≡ €€

Via Luigi Bonazzi 19, 06123 **Tél** *075 572 28 45* **Fax** *075 573 50 40* **Chambres** *52*

Palais restauré avec une jolie terrasse sur son toit, des équipements modernes et un personnel aimable. Fresques dans le restaurant et certaines des chambres luxueuses sont parfois dotées d'un salon et d'une terrasse. Les chambres bon marché sont basiques ; les chambres standard sont plus spacieuses et climatisées. **www.umbriahotels.com**

PERUGIA (PÉROUSE) : Albergo Brufani Palace

P ¶¶ ≋ ⊞ ≡ €€€€€

Piazza Italia 12, 06100 **Tél** *075 573 25 41* **Fax** *075 572 02 10* **Chambres** *94*

Hôtel luxueux sur une colline en plein centre de Pérouse. Plafonds hauts ornés de fresques, parquets, cheminées en pierre, chandeliers et antiquités abondent ; les chambres sont particulièrement somptueuses. Piscine équipée d'un sol en verre qui permet d'admirer les ruines étrusques situées juste en dessous. Restaurant raffiné. **www.brufanipalace.com**

SPELLO : La Bastiglia

P ¶¶ ≋ ≡ €€

Piazza Vallegloria 7, 06038 **Tél** *0742 65 12 77* **Fax** *0742 30 11 59* **Chambres** *33*

Hôtel installé sur les flancs du Monte Subasio, dans un moulin, dont le restaurant a une étoile au guide Michelin. Les suites junior ont une terrasse privée et des bains à remous ; les chambres de luxe leur propre jardin ; les chambres supérieures un balcon ; les chambres standard de belles vues. Piscine chauffée. **www.labastiglia.com**

SPELLO : Palazzo Bocci

P ≡ €€€

Via Cavour 17, 06038 **Tél** *0742 30 10 21* **Fax** *0742 30 14 64* **Chambres** *23*

Hôtel magnifiquement restauré à l'intérieur d'un palais du XVIIe siècle, dans le quartier historique de la ville. Les salles sont nombreuses, avec tommettes, fresques, cheminée et poutres en bois. À l'extérieur, on trouve une fontaine, un jardin suspendu, des palmiers et des terrasses ensoleillées. **www.palazzobocci.com**

SPOLETO (SPOLÈTE) : Hotel Aurora

P ≡ €€

Via Apollinaire 3, 06049 **Tél** *0743 22 03 15* **Fax** *0743 22 18 85* **Chambres** *23*

Petit hôtel dirigé par une famille à la situation très centrale, près de l'arrêt du bus qui relie le vieux Spolète à la gare. Situées à l'arrière de la route, les chambres sont propres et confortables et donnent sur les toits de la ville. Les hôtes bénéficient de prix réduits au restaurant tout proche, l'*Apollinaire*. **www.hotelauroraspoleto.it**

SPOLETO (SPOLÈTE) : Palazzo Dragoni

P ¶¶ ≡ €€

Via del Duomo 13, 06049 **Tél** *0743 22 22 20* **Fax** *0743 22 22 25* **Chambres** *15*

Proche de la cathédrale, cet édifice du XIVe siècle possède des chambres spacieuses, des lits en fer forgé, des plafonds voûtés et des meubles anciens. Certaines chambres sont munies de fenêtres à la française, donnant sur les toits et la vallée ; d'autres sont dotées de lits à baldaquin. Élégante salle à manger et petit jardin. **www.palazzodragoni.it**

SPOLETO (SPOLÈTE) : Hotel Gattapone

P ⚐ ≡ €€€

Via del Ponte 6, 06049 **Tél** *0743 22 34 47* **Fax** *0743 22 34 48* **Chambres** *15*

Situation romantique sous la Rocca Albornoziana, en face du célèbre Ponte delle Torri. Cette ancienne villa porte le nom de l'architecte qui a réalisé le pont, elle possède essentiellement des chambres standard, tandis qu'une annexe moderne offre un logement avec salle de bains privée. Jardin et terrasse donnant sur la vallée. **www.hotelgattapone.it**

Légende des prix *voir p. 558* **Légende des symboles** *voir le rabat arrière de couverture*

SPOLETO (SPOLÈTE) : Hotel San Luca   🔲🅿️🔢🎿📋   €€€

Via Interna delle Mura 21, 06049 **Tél** *0743 22 33 99* **Fax** *0743 22 38 00* **Chambres** *35*

Hôtel tenu par une famille et installé dans une ancienne tannerie du XVIIIe siècle, avec des jardins et une cour ensoleillée, où le petit déjeuner vous sera servi en été. Chambres spacieuses et insonorisées, équipées de superbes salles de bains. Quelques-unes ont des murs décorés de fresques ou un balcon privé. **www.hotelsanluca.com**

TODI : San Lorenzo Tre   €€

Via San Lorenzo 3, 06059 **Tél** *075 894 45 55* **Fax** *075 894 45 55* **Chambres** *6*

En séjournant dans ce petit hôtel, vous effectuerez un véritable voyage dans le passé. L'endroit offre peu d'équipements modernes. Le mobilier est ancien avec des peintures et une bibliothèque très complète. Les chambres – dont trois avec salle de bains – donnent sur les toits et les collines, au nord de Todi. **www.todi.net/lorenzo**

TODI : Fontecesia   🔲🅿️🔢📋   €€€

Via Lorenzo Leonj 3, 06059 **Tél** *075 894 37 37* **Fax** *075 894 46 77* **Chambres** *37*

Dans le centre de Todi, ce palais du XVIIIe siècle rénové, derrière l'ancienne église de San Benedetto, offre des chambres standard spacieuses et confortables, tandis que les cinq suites, toutes différentes, sont vraiment somptueuses. Certaines chambres dominent la vieille ville, d'autres la campagne. **www.fontecesia.it**

TODI : Hotel Bramante   📺🔲🅿️🔢♨️📋   €€€

Via Orvietana 48, 06059 **Tél** *075 894 83 81* **Fax** *075 894 80 74* **Chambres** *57*

Situé près de l'église de Bramante (Santa Maria della Consolazione), à l'extérieur des remparts de la ville, cet hôtel occupe un ancien couvent du XIIIe siècle et offre de belles vues sur la campagne environnante. Les chambres sont spacieuses, dotées de parquet et peintes dans des couleurs chaudes. **www.hotelbramante.it**

TORGIANO : Le Tre Vaselle   🔲🅿️🔢♨️📺📋   €€€€

Via Garibaldi 48, 06089 **Tél** *0759 88 04 47* **Fax** *0759 88 02 14* **Chambres** *60*

Hôtel aménagé dans une belle maison du XVIIe siècle entourée de vignes, avec terrasses et jardins, un centre de cure, deux piscines et un excellent restaurant. Les chambres sont élégantes, parées d'étoffes tissées à la main et de tommettes, les suites possèdent une cheminée. Appartements à louer. Service de navette pour Pérouse et Assise. **www.3vaselle.it**

TREVI : Casa Giulia   🅿️♨️📋   €€

Via Corciano 1, Bovara, 06039 **Tél** *0742 782 57* **Fax** *0742 38 16 32* **Chambres** *9*

Près des sources de Clitunno, cette maison du XVIIe siècle appartient à la même famille depuis des générations. Les chambres sont pourvues de mobilier ancien et de poutres en bois, de murs blancs et de lits en fer forgé. Certaines sont ornées de fresques d'origine. Piscine au beau milieu de lauriers-roses. **www.casagiulia.com**

MARCHES

ACQUAVIVA PICENA : Hotel O'Viv   🅿️🔢   €€

Via Marziale 43, 63030 **Tél** *0735 76 46 49* **Fax** *0735 76 50 54* **Chambres** *9*

Perchée sur une colline de la ville, offrant des vues uniques sur les plages, à 6 km de San Benedetto del Tronto et des monts Sibillini, cette maison restaurée avec goût possède un jardin propice à la détente et un restaurant. Les chambres sont fraîches et spacieuses, remplies de meubles anciens et ornées de fresques. Plage privée. **www.oviv.it**

AMANDOLA : Affittacamere Il Palazzo   🅿️   €

Via Indipendenza 61, 63021 **Tél** *0736 84 70 82* **Fax** *0736 84 70 82* **Chambres** *8*

Cet hôtel est situé dans un charmant village médiéval, près de l'une des entrées du parc des monts Sibillini. Belle balade à proximité. Ce palais du XVe siècle au dallage de tommettes et à la ravissante cheminée dans le salon est frais en été et chaud en hiver. Les chambres ont toutes une salle de bains. **www.palazzopecci.com**

ANCONA (ANCÔNE) : Hotel Fortuna   🔲📋♿   €€

Piazza Fratelli Rosselli 15, 60126 **Tél** *071 426 63* **Fax** *071 426 62* **Chambres** *56*

Le *Fortuna* présente un bon rapport qualité/prix. Juste en face de la gare, cet hôtel accueillant possède des chambres simples, propres et confortables. Pas très loin du centre-ville et de l'aéroport, et bien situé pour découvrir le centre historique d'Ancône. Deux chambres sont adaptées aux personnes à mobilité réduite. **www.hotelfortuna.it**

ANCONA (ANCÔNE) : Grand Hotel Palace   🔲🅿️📋   €€€

Lungomare Vanvitelli, 60210 **Tél** *071 20 18 13* **Fax** *071 20 748 32* **Chambres** *40*

Le *Palace* est le plus bel hôtel d'Ancône, installé dans un ancien palais avec une superbe terrasse panoramique. Très central, il est à quelques pas de toutes les curiosités touristiques. Les chambres sont élégantes et très confortables. Des petits appartements avec vue sur la mer sont disponibles à la location à la semaine. **www.hotelancona.it**

ASCOLI PICENO : Palazzo Guiderocchi   🔲🅿️🔢📋   €€

Via Cesare Battisti 3, 63100 **Tél** *0736 24 40 11* **Fax** *0736 24 34 41* **Chambres** *32*

Au cœur du vieux Ascoli, près du palazzo del Popolo, ce bâtiment historique restauré hébergeait autrefois un célèbre tyran dont il porte le nom. Superbes chambres romantiques, autour de deux cours intérieures. Les chambres de luxe et les suites ont des lits à baldaquin et des fresques. Excellent restaurant. **www.palazzoguiderocchi.com**

FABRIANO : Hotel Relais Le Marchese del Grillo

Via Rochetta 73, 60044 **Tél** *0732 62 56 90* **Fax** *0732 62 79 58* **Chambres** *20*

Hôtel-restaurant romantique aménagé dans une villa de couleur rose, dans la luxuriante campagne, à 5 km de Fabriano, non loin des célèbres grottes de Frasassi. Les chambres du bâtiment principal sont vastes et pourvues de mobilier ancien ; la coquette annexe offre des chambres plus rustiques. **www.marchesedelgrillo.com**

FANO : Hotel Augustus

Via Puccini 2, 61032 **Tél** *0721 80 97 81* **Fax** *0721 82 55 17* **Chambres** *22*

Hôtel balnéaire situé en dehors des remparts, proche de la ville médiévale et du front de mer. Son extérieur moderne contraste avec un intérieur un peu vieillot. Oasis de calme, l'endroit comprend de belles salles au mobilier ancien. Les chambres sont spacieuses et lumineuses, décorées dans les tons chauds. **www.hotelaugustus.it**

JESI : Albergo Mariani

Via dell'Orfanatrofio 10, 60035 **Tél** *0731 20 72 86* **Fax** *0731 20 00 11* **Chambres** *33*

Cet hôtel central a ouvert ses portes en 1951. Il compte des chambres confortables insonorisées et bien décorées dont cinq petites suites (trois avec bains à remous) ; certaines chambres sont accessibles aux personnes handicapées. Restaurant, accès Internet et service de chambre disponible 24h/24. **www.hotelmariani.com**

LORETO (LORETTE) : Hotel Villa Tetlameya

Via Villa Costantina 187, 60025 **Tél** *071 97 88 63* **Fax** *071 97 66 39* **Chambres** *8*

Aux portes de la vieille ville, cette villa aristocratique de 1873 est entourée d'un coquet jardin. Les chambres au mobilier ancien donnent sur le Monte Conero et deux donnent sur la mer. En bas, on trouve l'excellent restaurant *Zi Nene*, qui sert des repas dans la salle à manger ou dans les jardins. **www.loretoitaly.com/italia/hotel.htm**

MACERATA : Hotel Lauri

Via Tommaso Lauri 6, 62100 **Tél/Fax** *0733 232 376* **Chambres** *28*

En plein centre-ville, près de l'université, l'hôtel *Lauri* occupe un bâtiment du XIXe siècle. Il offre des chambres doubles, ainsi que des mini-appartements avec cuisine et salon. Les chambres sont de tailles différentes mais toutes confortablement meublées dans un style ancien et carrelées. **www.albergolauri.it**

MONTEMAGGIORE AL METAURO : 2 Campanili Relais

Via Panoramica 4, 61030 **Tél** *0721 89 23 01* **Fax** *0721 87 84 29* **Chambres** *35*

Situées légèrement dans les terres, près de Fano, les 35 chambres au décor personnalisé de l'hôtel sont réparties dans les petites maisons de brique de ce village du XVe siècle. Les clients profitent ainsi du luxe d'un hôtel et du contact direct avec les habitants. Son spa reposant est entouré de pins. **www.duecampanili.it**

PESARO : Albergo Ristorante Villa Serena

Via San Nicola 6/3, 61100 **Tél** *0721 552 11* **Fax** *0721 559 27* **Chambres** *8*

Palais niché dans la campagne, entre Pesaro et Fano, aux chambres élégantes et au prestigieux restaurant. Le chef Renato Pinto et son fils Stefano assurent une cuisine excellente et créative. Dîner romantique aux chandelles, antiquités, jardin ensoleillé et suites somptueuses. **www.villa-serena.it**

PESARO : Hotel Vittoria

Piazzale della Libertà 2, 61100 **Tél** *0721 343 43* **Fax** *0721 652 04* **Chambres** *27*

Cet hôtel existe depuis 1908 et accueille des hôtes distingués. Situation très centrale, avec une terrasse sur mer et une petite piscine. Les chambres sont meublées avec goût et équipées de salles de bains en marbre – beaucoup ont des balcons avec vue sur la mer et des baignoires à remous. Personnel professionnel et aimable. **www.viphotels.it**

PORTONOVO (CONERO PENINSULA) : Hotel Emilia

Poggio di Portonovo, 60020 **Tél** *071 80 11 17* **Fax** *071 80 13 30* **Chambres** *30*

Au beau milieu des chênes verts, des champs de genêts et de lavande, en haut d'une falaise surplombant la mer, l'*Emilia*, dirigé par une famille, mêle antiquités et art contemporain. Une navette conduit les hôtes jusqu'à la plage privée située en contrebas. Les jardins accueillent un festival de jazz en été. **www.hotelemilia.com**

PORTONOVO (CONERO PENINSULA) : Fortino Napoleonico

Via Poggio 166, 60020 **Tél** *071 80 14 50* **Fax** *071 80 14 54* **Chambres** *32*

Cet hôtel occupe un ancien fort napoléonien construit pour empêcher les incursions anglaises dans la baie. Situation exceptionnelle avec une plage privée dans une crique, au cœur de la péninsule du Conero. Charmants jardins et terrasses, excellents restaurant et cave à vins. **www.hotelfortino.it**

SAN LEO : Locanda San Leone

Strada S. Antimo 102, Alta Valmarecchia, 61018 **Tél** *0541 91 21 94* **Fax** *0541 912 348* **Chambres** *6*

Aménagée à l'intérieur d'un ancien moulin, cette petite *locanda* n'a que 6 chambres, une piscine, un jardin et un restaurant. Le mobilier ancien abonde dans les chambres accueillantes et peintes de couleurs chaudes. Juste de l'autre côté de la Rocca di San Leo, agréable balade en vélo ou en voiture jusqu'à la ville. **www.locandasanleone.it**

SAN MARINO : Hotel Ristorante Titano

Contrada del Collegio 31, 47890 **Tél** *0549 99 10 06* **Fax** *0549 99 13 75* **Chambres** *48*

Cet hôtel-restaurant date de 1894 et se trouve dans un endroit calme, au centre du principal *borgo* de Città di San Marino. La terrasse des chambres et de la salle à manger domine les plaines du Montefeltro et, plus loin, les Apennins. Options demi-pension ou pension complète. **www.hoteltitano.com**

Légende des prix *voir p. 558* **Légende des symboles** *voir le rabat arrière de couverture*

URBINO : Albergo Italiai
🏃 🗏 ♿ 🛅   €€

Corso Garibaldi 32, 61029 **Tél** *0722 27 01* **Fax** *0722 32 26 64* **Chambres** *43*

Cet hôtel confortable et bien équipé est situé dans le centre historique d'Urbino. Quelques chambres ont vue sur la cathédrale et le palais ducal, et l'on peut voir la forteresse d'Albernoz depuis la terrasse où le petit déjeuner est servi en été. **www.albergo-urbino-italia.it.**

URBINO : Albergo Raffaello
🛅 🗏   €€

Vicolino S. Margherita 40, 61029 **Tél** *0722 47 84* **Fax** *0722 32 85 40* **Chambres** *14*

Au cœur du quartier historique, à quelques pas de la maison où naquit le peintre Raphaël, cet hôtel géré par une famille accueillante, abritait jadis un séminaire. Chambres simples, confortables, certaines avec des fenêtres à la française et de minuscules balcons donnant sur les toits de la vieille ville et les collines. **www.albergoraffaello.com**

URBINO : Hotel Bonconte
🛅 🏃 🗏   €€€

Via delle Mura 28, 61029 **Tél** *0722 24 63* **Fax** *0722 47 82* **Chambres** *23*

À quelques minutes à pied du centre, à l'intérieur des remparts de la ville, cet hôtel offre un beau panorama sur la campagne autour d'Urbino. Élégante villa ancienne, elle contient des meubles de style et est agrémentée d'un jardin, où le petit déjeuner est servi en été (non compris dans le prix). Bon restaurant. **www.viphotels.it**

ROME

AVENTIN : Domus Aventina
🛅 🗏   €€€   Plan 6 E2

Via di Santa Prisca 11b, 00153 **Tél** *06 574 61 35* **Fax** *06 57 30 00 44* **Chambres** *26*

Le *Domus Aventina* est un hôtel impeccable qui occupe un ancien couvent du XIVᵉ siècle, au pied de la colline de l'Aventin. Les chambres sont spacieuses et simplement décorées dans les tons pastel. Magnifiques vues sur le mont Caelius depuis plusieurs chambres et l'immense terrasse. **www.hoteldomusaventina.com**

AVENTIN : FortySeven
🛅 🍽 ⛲ 🏃 📺 🗏   €€€

Via Petroselli 47, 00186 **Tél** *06 678 78 16* **Fax** *06 69 19 07 26* **Chambres** *61*   **Plan** *6 E1*

Le *FortySeven* domine le temple d'Hercule et l'église Santa Maria de Cosmedin. Il est moderne et stylé avec une merveilleuse terrasse sur le toit et son bar. Les chambres sont spacieuses avec des touches de luxe. Le personnel est très aimable. **www.fortysevenhotel.com**

AVENTIN : Kolbe Hotel
🛅 🗏 🍽   €€€

Via di San Teodoro 44, 00186 **Tél** *6992 4250* **Fax** *06 679 4975* **Chambres** *72*   **Plan** *6 E1*

Idéalement situé pour la visite du Palatin et du Forum, cet ancien monastère franciscain a été somptueusement rénové et meublé avec élégance dans un style net et minimaliste. Quelques chambres ont vue sur le Palatin. Celles qui donnent sur le charmant jardin intérieur et les cloîtres sont plus calmes. **www.kolbehotelrome.com**

AVENTIN : Sant'Anselmo
🛅 🗏   €€€€   Plan 6 E3

Piazza di Sant'Anselmo 2, 00153 **Tél** *06 570 057* **Fax** *06 578 36 04* **Chambres** *34*

Situé sur une place paisible de la colline de l'Aventin, cet hôtel qui occupe une jolie villa offre depuis sa restauration d'élégantes chambres à thème dont plusieurs avec terrasse. Le salon donne sur le jardin de l'hôtel. Le service est accueillant. **www.aventinohotels.com**

CAMPO DE' FIORI : Arenula
🏃 🗏   €€   Plan 10 D5

Via S. Maria de' Calderari 47, 00186 **Tél** *06 687 94 54* **Fax** *06 689 61 88* **Chambres** *50*

Situation idéale, près des ruines de Largo Argentina, entre le Campo de' Fiori et la piazza Venezia et non loin du Trastevere, pour cet hôtel modeste au très bon rapport qualité/prix. Les chambres sont spacieuses et la décoration de qualité. Toutes les chambres ont une salle de bains et sont climatisées. **www.hotelarenula.com**

CAMPO DE' FIORI : Smeraldo
🛅 🗏   €€   Plan 10 D4

Vicolo dei Chiodaroli 9, 00186 **Tél** *06 687 59 29* **Fax** *06 68 80 54 95* **Chambres** *50*

Le *Smeraldo* occupe un bel endroit, à mi-chemin entre le Campo et Largo Argentina. Les chambres rénovées sont petites mais charmantes ; l'une d'elles est réservée aux personnes handicapées. La terrasse du toit bien que bruyante est agréable pour boire un verre. Petits déjeuners copieux et personnel agréable. **www.smeraldoroma.com**

CAMPO DE' FIORI : Suore di Santa Brigida
🛅 🍽 🗏   €€€

Piazza Farnese 96, 00186 **Tél** *06 68 89 25 96* **Fax** *06 68 89 15 73* **Chambres** *20*   **Plan** *2 E5, 9 C4*

Les sœurs qui dirigent cet hôtel au charme discret, situé sur la prestigieuse piazza Farnese, offrent des chambres doubles avec le petit déjeuner ou la demi-pension. Vous pourrez utiliser la bibliothèque, la chapelle et même Internet. Contrairement à d'autres institutions religieuses, il n'y a pas de couvre-feu. **www.brigidine.org**

CAMPO DE' FIORI : Teatro di Pompeo
🛅 🗏   €€€   Plan 9 C4

Largo del Pallaro 8, 00186 **Tél** *06 687 28 12* **Fax** *06 68 80 55 31* **Chambres** *12*

Petit hôtel construit sur les ruines de l'ancien théâtre du même nom, où l'on raconte que Jules César a rencontré son destin. Les chambres sont spacieuses et confortables, avec leurs poutres et leurs meubles en bois sombre. Le petit déjeuner est servi dans une salle voûtée de l'époque romaine. **www.hotelteatrodipompeo.it**

CAMPO DE' FIORI : Ponte Sisto   🖼️♿🅿️🍴📋   €€€€

Via dei Pettinari 64, 00186 **Tél** *06 68 63 100* **Fax** *06 68 30 17 12* **Chambres** *103*   **Plan** *2 E5, 9 C5*

Situé près du Campo de' Fiori et du Trastevere, le *Ponte Sisto* est accessible aux personnes en fauteuil roulant. Ce complexe monastique a été reconverti en un hôtel moderne avec de nombreuses terrasses et un joli cloître avec restaurant et bar. Réservation conseillée pour la suite Belvédère de l'étage supérieur. **www.hotelpontesisto.it**

FORUM : Paba   🖼️📋   €€

Via Cavour 266, 2ᵉ étage, 00184 **Tél** *06 47 82 49 02* **Fax** *06 47 88 12 25* **Chambres** *7*   **Plan** *3 B5*

Dirigée par une charmante dame, cette minuscule pension occupe le deuxième étage d'un élégant édifice, à quelques pas de la piazza Venezia et du Forum. Les chambres spacieuses, insonorisées et joliment meublées sont pourvues de parquets, réfrigérateurs, bouilloires, et ont un accès Internet. **www.hotelpaba.com**

FORUM : Hotel Celio   🖼️🅿️📺📋   €€€

Via SS Quattro 35C, 00184 **Tél** *06 70 49 53 33* **Fax** *06 709 63 77* **Chambres** *20*   **Plan** *7 A1*

L'*Hotel Celio* est très bien situé et son personnel cordial. Les chambres, meublées avec goût, sont ornées de fresques dans le style des peintres de la Renaissance, tels que Titien et Cellini. Les chambres de l'étage supérieur possèdent un Jacuzzi et la suite, une terrasse privée panoramique. Jardin sur le toit. **www.hotelcelio.com**

FORUM : Lancelot   🖼️🅿️🍴📋   €€€

Via Capo d'Africa 47, 00184 **Tél** *06 70 45 06 15* **Fax** *06 70 45 06 40* **Chambres** *60*   **Plan** *7 A1*

À proximité du Colysée, le personnel du *Lancelot* est très serviable. Les chambres sont spacieuses et charmantes. Certaines jouissent d'une terrasse avec vue et deux sont adaptées aux personnes à mobilité réduite. Un copieux petit déjeuner est servi dans le jardin patio. Possiblité de demi-pension. **www.lancelothotel.com**

PIAZZA DELLA ROTONDA : Mimosa   📺📋   €€

Via di Santa Chiara 61, 00186 **Tél** *06 68 80 17 53* **Fax** *06 683 35 57* **Chambres** *11*   **Plan** *2 F4, 10 D3*

Cet hôtel agréable possède des chambres simples et spacieuses, dont cinq avec salle de bains et climatisation. Les chambres moins chères ont des salles de bains communes. Apprécié des petits budgets, l'endroit est également idéal pour visiter le quartier. Petits déjeuners plutôt copieux. **www.hotelmimosa.net**

PIAZZA DELLA ROTONDA : Cesari   🖼️📋   €€€

Via di Pietra 89a, 00186 **Tél** *06 674 97 01* **Fax** *06 67 49 70 30* **Chambres** *47*   **Plan** *10 E2*

Le *Cesari* est aménagé sur une place romantique, non loin du Panthéon, derrière le temple d'Hadrien. Datant de 1787, il est géré par la même famille depuis 1899. Il fut l'un des endroits favoris de Stendhal. Ses chambres sont spacieuses et élégantes. Étages non fumeur, terrasse sur le toit et accès Internet gratuit. **www.albergocesari.it**

PIAZZA DELLA ROTONDA : Rinascimento   🖼️📋   €€€

Via del Pellegrino 112, 00186 **Tél** *06 687 48 13* **Fax** *06 683 35 18* **Chambres** *19*   **Plan** *2 E4, 9 B3*

Bien situé, ce petit hôtel géré par une famille a été rénové. Il offre un confort d'autrefois. Les chambres diffèrent par leur aspect, leur taille et leur prix – certaines sont un peu trop sombres et petites. Une petite chambre double possède une jolie terrasse et l'une des chambres supérieures un salon. **www.hotelrinascimento.com**

PIAZZA DELLA ROTONDA : Albergo del Senato   🖼️♿📋   €€€€

Piazza della Rotonda 73, 00186 **Tél** *06 678 43 43* **Fax** *06 69 94 02 97* **Chambres** *56*   **Plan** *2 F4, 10 D3*

Cet ancien hôtel plutôt chic offre une vue de côté sur le Panthéon et la place. Les chambres sont élégantes, insonorisées ; certaines sont munies d'une baignoire ou d'une terrasse privée, et la suite a un plafond décoré de fresques. Le service est courtois et il y a un charmant jardin sur le toit. **www.albergodelsenato.it**

PIAZZA DELLA ROTONDA : Grand Hotel de la Minerve   🖼️🅿️🍴📺📋   €€€€€

Piazza della Minerva 69, 00186 **Tél** *06 69 52 01* **Fax** *06 679 41 65* **Chambres** *135*   **Plan** *2 F4, 10 D3*

Très apprécié depuis des générations, le *Minerve* mêle l'élégance du Vieux Monde et le style contemporain. L'établissement regorge de marbre, de chandeliers, de fresques et de mobilier design. Excellents bar et restaurant sur le toit. **www.grandhoteldelaminerve.com**

PIAZZA DI SPAGNA : Erdarelli   🖼️📋   €

Via Due Macelli 28, 00187 **Tél** *06 679 12 65* **Fax** *06 679 07 05* **Chambres** *28*   **Plan** *3 A3, 10 F1*

L'*Erdarelli* est un petit hôtel, à mi-chemin entre la fontaine de Trévi et la piazza di Spagna. C'est l'idéal pour les petits budgets à la recherche d'un endroit central, loin de la gare. Les chambres sont basiques mais impeccables. Climatisation sur demande avec supplément, et chambres avec balcon. **www.erdarelliromehotel.com**

PIAZZA DI SPAGNA : Panda   📋   €€

Via della Croce 35, 00187 **Tél** *06 678 01 79* **Fax** *06 69 94 21 51* **Chambres** *28*   **Plan** *3 A2*

Petit hôtel attachant à la clientèle fidèle, offrant des chambres bon marché dans l'un des quartiers les plus chers de Rome. Chambres bien propres avec ou sans salle de bains, mais climatisées et équipées de téléphone et accès Internet. Certaines sont ornées de fresques du XIXᵉ siècle. **www.hotelpanda.it**

PIAZZA DI SPAGNA : Casa Howard   📋   €€€

Via Capo le Case 18, 00187 **Tél** *06 69 92 45 55* **Fax** *06 679 46 44* **Chambres** *5*   **Plan** *3 A3, 10 F1*

Proche de la place, cet hôtel très moderne conçu par Tommaso Ziffer appartient à des Anglais. Les chambres sont particulièrement bien décorées, même si elles sont plutôt petites et n'ont pas toutes une salle de bain. Petits plus : le personnel très professionnel, le sauna et le hammam. **www.casahoward.com**

Légende des prix *voir p. 558* **Légende des symboles** *voir le rabat arrière de couverture*

PIAZZA DI SPAGNA : Parlamento €€€

Via delle Convertite 5, 00187 **Tél/Fax** *06 69 92 10 00* **Chambres** *23* **Plan** *10 E1*

Ce charmant hôtel est installé aux derniers étages d'un bâtiment situé juste à la sortie de l'animé Corso. Les chambres spacieuses ont le charme d'antan avec leurs lourds meubles en bois et de belles salles de bains. Climatisation sur demande. Agréable terrasse sur le toit. **www.hotelparlamento.it**

PIAZZA DI SPAGNA : San Carlo €€€

Via delle Carozze 93, 00187 **Tél** *06 678 45 48* **Fax** *06 69 94 11 97* **Chambres** *50* **Plan** *3 A2*

Dans une jolie rue, à l'écart du Corso et à quelques pas de la piazza di Spagna, le *San Carlo* présente un bon rapport qualité/prix pour sa situation. Certains le trouveront peut-être un peu bruyant. Les chambres des étages supérieurs – dont certaines avec terrasse – sont plus luxueuses. **www.hotelsancarloroma.com**

PIAZZA DI SPAGNA : Hotel Piranesi €€€€

Via del Babuino 196, 00187 **Tél** *06 32 80 41* **Fax** *06 361 05 97* **Chambres** *32* **Plan** *2 F1*

Juste derrière la piazza del Popolo, dans un ancien bâtiment construit par Valadier et restauré pour retrouver son lustre d'antan, le *Piranesi* est un hôtel moderne avec une jolie terrasse panoramique, une salle de gymnastique et un sauna. Les vastes chambres sont décorées de bois sombre et d'étoffes teintées d'or. **www.hotelpiranesi.com**

PIAZZA DI SPAGNA : Locarno €€€€

Via della Penna 22, 00186 **Tél** *06 361 08 41* **Fax** *06 321 52 49* **Chambres** *66* **Plan** *2 F1*

Merveilleux hôtel Art déco aux nombreux équipements dans ses salles communes et ses chambres. Non loin de la piazza del Popolo, il possède en outre un agréable salon avec cheminée, un patio ensoleillé agrémenté de fleurs et un jardin sur le toit. Vélos disponibles pour les hôtes. **www.hotellocarno.com**

PIAZZA DI SPAGNA : Manfredi €€€€

Via Margutta 61, 00187 **Tél** *06 320 76 76* **Fax** *06 320 77 36* **Chambres** *18* **Plan** *3 A2*

Hôtel installé au troisième étage d'un bâtiment, le *Manfredi* possède des chambres de différentes tailles, mais toutes pourvues de somptueux tapis et tentures murales. Salles de bains en marbre avec baignoire ou douche. Belle petite salle pour le petit déjeuner et bar sur le balcon. **www.hotelmanfredi.it**

PIAZZA DI SPAGNA : Hassler €€€€€

Piazza Trinità dei Monti 6, 00187 **Tél** *06 69 93 40* **Fax** *06 678 99 91* **Chambres** *95* **Plan** *3 A2*

Situé en haut des escaliers de la place, le *Hassler* est le plus bel hôtel de Rome. Service impeccable et luxueux espaces communs garnis de marbre, chandeliers et boiseries. Les chambres et les suites – souvent avec vue – sont magnifiques et leur décoration personnalisée. Restaurant légendaire sur le toit. **www.hotelhasslerroma.com**

PIAZZA NAVONA : Due Torri €€€

Vicolo del Leonetto 23, 00186 **Tél** *06 687 69 83* **Fax** *06 686 54 42* **Chambres** *26* **Plan** *2 E3, 9 C1*

Caché dans une rue pavée calme qui conduit au fleuve, le *Due Torri* est paré de velours rouge et de brocart, de marbre et de parquet. Ancienne demeure de cardinaux, l'endroit est confortable et agréable, avec des chambres plutôt petites, dont certaines jouissent d'une terrasse et d'autres de balcons avec vue. **www.hotelduetorriroma.com**

PIAZZA NAVONA : Teatropace33 €€€

Via del Teatro Pace 33, 00186 **Tél** *06 687 90 75* **Fax** *06 68 19 23 64* **Chambres** *23* **Plan** *9 C3*

Le *Teatropace33* a ouvert en 2004 juste à l'angle de la place. Ce palais couleur ocre, restauré avec goût, a conservé son style initial (poutres en bois, stucs et escalier de pierre en spirale). Les chambres sont spacieuses et très jolies. La suite offre une petite terrasse. Service de qualité. **www.hotelteatropace.com**

PIAZZA NAVONA : Raphael €€€€

Largo Febo 2, 00186 **Tél** *06 68 28 31* **Fax** *06 687 89 93* **Chambres** *59* **Plan** *9 C2*

Cet palais romantique terre de sienne se trouve à côté de la place. Le panorama est époustouflant depuis la terrasse du toit où les repas sont servis en été. Les chambres, quoique un peu petites, sont bien aménagées. Le hall d'entrée est orné d'œuvres d'art, dont une collection de porcelaine de Picasso. **www.raphaelhotelrome.com**

QUIRINAL : Giardino €€€

Via XXIV Maggio 51, 00187 **Tél** *06 679 45 84* **Fax** *06 679 51 55* **Chambres** *11* **Plan** *3 B4*

Le *Giardino* n'est pas loin de la fontaine de Trévi et du Forum et dans la même rue que le palais du Quirinal, résidence du président de la République. Les chambres sont spacieuses et bien meublées. Le petit déjeuner est servi dans une coquette salle donnant sur un petit patio. **www.hotel-giardino-roma.com**

QUIRINAL : Julia €€€

Via Rasella 29, 00187 **Tél** *06 488 16 37* **Fax** *06 481 70 44* **Chambres** *33* **Plan** *3 B3*

Agréable petit hôtel bien situé dans une rue calme, le *Julia* est à quelques pas de la fontaine de Trévi. Les chambres sont gaies, pourvues de parquet, de murs jaunes et de fresques modernes. Deux appartements avec des chambres de qualité supérieure sont disponibles dans le Domus Julia. **www.hoteljulia.it**

QUIRINAL : Tritone €€€

Via del Tritone 210, 00187 **Tél** *06 69 92 25 75* **Fax** *06 678 26 24* **Chambres** *43* **Plan** *3 A3, 10 F1*

Près de la piazza Barberini et de la fontaine de Trévi, le *Tritone* possède des chambres confortables et une décoration raffinée. Les chambres supérieures ont des murs avec bois vernis, une télévision à écran plat et un lecteur MP3, ainsi qu'une salle de bains équipée de douches à jets puissants. Petit déjeuner sur la terrasse en été. **www.tritonehotel.com**

QUIRINAL : Fontana di Trevi   🖼️▤   €€€€
Piazza di Trevi 96, 00187 **Tél** *06 678 61 13* **Fax** *06 679 00 24* **Chambres** *25*   **Plan** 10 F2

Le *Fontana* fait face à la fontaine de Trévi. Avant d'héberger un hôtel au XVIIIe siècle, le bâtiment accueillait un monastère et les chambres en témoignent encore : toutes ne sont pas climatisées. Charme vieillot et service impeccable, jolie terrasse sur toit. Un peu bruyant côté rue, mais le panorama est splendide. **www.hotelfontana-trevi.com**

TERMINI : Italy B&B   🖼️▤   €€
Via Palestro 49, 00185 **Tél** *06 445 26 29* **Fax** *06 445 74 16* **Chambres** *3*   **Plan** 4 E2

Très appréciée par ses anciens hôtes, la famille sicilienne des Restivo a déménagé et ouvert ce petit *bed and breakfast* juste à l'angle de leur ancienne pension. La qualité demeure excellente, les chambres impeccables ont pour certaines une salle de bains privée. **www.italybnb.it**

TERMINI : Canada   🖼️▤   €€€
Via Vicenza 58, 00185 **Tél** *06 445 77 70* **Fax** *06 445 07 49* **Chambres** *70*   **Plan** 4 E2

Maintenant intégré à la chaîne Best Western, le *Canada* hébergeait autrefois les officiers des casernes. Il offre un excellent service et de belles chambres de tailles différentes, avec carrelages et meubles anciens. Certaines sont ornées de fresques, les plus luxueuses sont romantiques. **www.hotelcanadaroma.com**

TERMINI : Fiori   🖼️▤   €€€
Via Nazionale 163, 00184 **Tél** *06 679 72 12* **Fax** *06 679 54 33* **Chambres** *19*   **Plan** 3 B4

Situé dans une rue passante, pas très loin du Forum et d'autres curiosités touristiques, le *Fiori* est petit et agréable avec une décoration ancienne. La salle du petit déjeuner donne sur les jardins tout proches de la Villa Aldobrandini. Les chambres sont insonorisées, spacieuses et très propres. Climatisation sur demande. **www.hotelfiori.com**

TERMINI : Hotel Columbia   🖼️▤   €€€
Via del Viminale 15, 00184 **Tél** *06 488 35 09* **Fax** *06 474 02 09* **Chambres** *43*   **Plan** 3 C3

L'hôtel est un vrai havre de tranquillité dans un quartier animé de Rome. Le contraste du bois foncé et des tissus pastel donnent aux chambres une atmosphère méditerranéenne (certaines ont des balcons). Le buffet du petit déjeuner peut être servi sur une jolie terrasse située sur le toit. **www.hotelcolumbia.com**

TERMINI : Oceania   🖼️ P ▤   €€€
Via Firenze 38, 00184 **Tél** *06 482 46 96* **Fax** *06-488 5586* **Chambres** *9*   **Plan** 3 C3

L'*Oceania* est petit et très prisé puisqu'il est en face de l'opéra de Rome. De vastes chambres immaculées et décorées de couleurs vives accueillent les visiteurs. Toutes possèdent leur propre salle de bains, chauffage et climatisation. Un garage est également disponible pour les hôtes. Personnel très attentif. **www.hoteloceania.it**

TERMINI : Palladium Palace   🖼️▤   €€€
Via Gioberti 36, 00185 **Tél** *06 446 69 17* **Fax** *06 446 69 37* **Chambres** *81*   **Plan** 4 D4

Bien placé par rapport à Termini et aux transports en commun, le *Palladium* se trouve à quelques pas de Santa Maria Maggiore et de la colline de l'Esquilin. Les chambres sont spacieuses et décorées avec goût, les chambres supérieures sont équipées d'un Jacuzzi. Terrasse sur le toit. Service excellent. **www.hotelpalladiumpalace.it**

TERMINI : Residenza Cellini   🖼️▤   €€€
Via Modena 5, 00185 **Tél** *06 47 82 52 04* **Fax** *06 47 88 18 06* **Chambres** *6*   **Plan** 3 C3

Proche de la piazza della Repubblica, le *Cellini* mérite vraiment une visite, bien que son extérieur ne soit pas très attrayant. Cette pension romantique offre 6 chambres, chacune décorée avec beaucoup de soin : meubles anciens, fleurs fraîches et tout ce dont vous pourriez avoir besoin. Personnel très serviable. **www.residenzacellini.it**

TERMINI : Radisson SAS   🖼️ P 🍴 ♨ 🍽️▤   €€€€
Via Filippo Turati 171, 00185 **Tél** *06 44 48 41* **Fax** *06 44 34 13 96* **Chambres** *232*   **Plan** 4 E4

Le *Radisson* est un hôtel récent, resplendissant de verre, bois et acier, avec des lumières multicolores la nuit. Avec son bar-restaurant branché situé sur son toit et sa piscine extérieure (avec salle de gymnastique et centre de cure), il a des allures de paquebot. Situé près de la gare de Termini. **www.radissonsas.com**

TERMINI : St Regis Grand Hotel   🖼️ P 🍴 🍽️▤   €€€€€
Via Vittorio Emanuele Orlando 3, 00185 **Tél** *06 470 91* **Fax** *06 474 73 07* **Chambres** *161*   **Plan** 3 C3

Cet hôtel de 1894 fut le premier hôtel de luxe de Rome et l'un des plus beaux du monde. Il accueille aussi bien des chefs d'État, des célébrités, que des capitaines de l'industrie. Son restaurant, le *Vivendo*, compte parmi les plus raffinés de Rome. Chambres somptueuses et service impeccable. **www.starwoodhotels.com/stregis**

TRASTEVERE : Domus Tiberina   P ▤   €€
Via in Piscinula 37, 00153 **Tél/Fax** *06 580 30 33* **Chambres** *10*   **Plan** 6 D1

Proche du fleuve et de l'Isola Tiberina, le *Domus Tiberina* propose 12 appartements climatisés et équipés de salles de bains, ainsi qu'un service de réception 24h/24. Les chambres sont confortables et richement décorées, avec des couvre-lits de brocart doré, des murs aux tons chauds et un plafond avec solives de bois. **www.domustiberina.it**

TRASTEVERE : San Francesco   🖼️▤   €€€
Via Jacopa de' Settesoli 7, 00153 **Tél** *06 58 30 00 51* **Fax** *06 58 33 34 13* **Chambres** *24*   **Plan** 5 C2

Les chambres de cet ancien couvent franciscain, à l'écart de la foule, sont modernes et élégantes ; il a aussi une terrasse sur son toit. Une minuscule navette vous emmène jusqu'au cœur du Trastevere et un tram vous conduit de l'autre côté du fleuve jusqu'au centre. Personnel professionnel et aimable. **www.hotelsanfrancesco.net**

Légende des prix *voir p. 558* **Légende des symboles** *voir le rabat arrière de couverture*

TRASTEVERE : Villa della Fonte

Via della Fonte dell'Olio 8, 00153 **Tél** *06 580 37 97* **Fax** *06 580 37 96* **Chambres** *5* **Plan** *5 C1*

Ravissant *bed and breakfast* supervisé par un charmant propriétaire, la *Villa della Fonte* est à une minute de Santa Maria di Trastevere. Les chambres sont coquettes, dotées de salles de bains et climatisées. Le petit déjeuner est servi dans un patio parsemé de fleurs où les hôtes peuvent se reposer durant la journée. **www.villafonte.com**

VATICAN : Florida

Via Cola di Rienzo 243, 00192 **Tél** *06 324 18 72* **Fax** *06 324 18 57* **Chambres** *18* **Plan** *1 C2*

Le *Florida* est installé au deuxième étage d'un bâtiment résidentiel et calme, tout proche de Saint-Pierre. Ses prix sont raisonnables, surtout hors saison, mais le petit déjeuner n'est pas compris. Les chambres avec salle de bains sont climatisées. **www.hotelfloridaroma.it**

VATICAN : Pensione Paradise

Viale G Cesare 47, 00192 **Tél** *06 36 00 43 31* **Fax** *06 36 09 25 63* **Chambres** *10* **Plan** *2 D1*

Dirigé par la même équipe que la pension *Panda*, près de piazza di Spagna, ce petit hôtel est proche de la station de métro Lepanto. Les chambres sont très propres, avec radio et télévision, certaines avec salle de bains, d'autres avec sanitaires à partager. Bon rapport qualité/prix. **www.pensioneparadise.com**

VATICAN : Bramante

Vicolo delle Palline 24, 00192 **Tél** *06 68 80 64 26* **Fax** *06 68 13 33 39* **Chambres** *16* **Plan** *1 C3*

Très pratique pour visiter Saint-Pierre et les musées du Vatican, le *Bramante* fut le premier hôtel à ouvrir ses portes dans le quartier à la fin des années 1870. Hébergées dans un bâtiment du xvie siècle et restaurées en 1999, ses chambres sont élégantes et très confortables. **www.hotelbramante.com**

VATICAN : Farnese

Via A. Farnese 30, 00192 **Tél** *06 321 25 53* **Fax** *06 321 51 29* **Chambres** *23* **Plan** *2 D1*

Bien placé près de la station de métro Lepanto et à quelques pas du Vatican, le *Farnese* est un petit hôtel aux parquets en bois, aux meubles en noyer et aux salles de bains particulièrement belles. Depuis la terrasse du toit, le panorama est incomparable sur le dôme de Saint-Pierre. **www.hotelfarnese.com**

VATICAN : Palazzo Cardinal Cesi

Via della Conciliazione 51, 00193 **Tél** *06 68 193 222* **Fax** *06 68 13 62 44* **Chambres** *30* **Plan** *1 C3*

Récemment restauré, cet ancien palais de cardinal appartient à une association qui organise des manifestations culturelles et offre des logements près de la basilique. Ce véritable joyau est décoré dans les tons cramoisi et ocre brun. Les chambres sont dotées d'équipements modernes. **www.palazzocesi.it**

VATICAN : Sant'Anna

Borgo Pio 133, 00193 **Tél** *06 68 80 16 02* **Fax** *06 68 30 87 17* **Chambres** *20* **Plan** *1 C3*

Un bâtiment du xie siècle orange foncé abrite cet hôtel familial. Les chambres sont romantiques et joliment décorées, avec un trompe-l'œil dans les tons pastel et des salles de bains en marbre. Les chambres supérieures possèdent une terrasse. Le petit déjeuner est servi dans la cave aux murs peints ou dans le patio ensoleillé. **www.hotelsantanna.com**

VATICAN : Spring House

Via Mocenigo 7, 00192 **Tél** *06-3972 0948* **Fax** *06-3972 1047* **Chambres** *51* **Plan** *1 A1*

Le très moderne *Spring House* se trouve à quelques pas des musées du Vatican. Ses salles sont lumineuses et gaies et ses chambres arborent une décoration simple et colorée. Certaines sont accessibles aux personnes à mobilité réduite. L'hôtel est bien desservi par les transports en commun. **www.springhousehotelrome.it**

VATICAN : Rome Cavalieri

Via Cadlolo 101, 00136 **Tél** *06 35 09 20 31* **Fax** *06 35 09 22 41* **Chambres** *370*

Bien qu'à 15 min en voiture du centre de Rome, le *Cavalieri* est l'un des meilleurs hôtels de la capitale, avec son restaurant *La Pergola*, des plus raffinés. Vastes jardins luxuriants, immense piscine et somptueux centre de cure. Certaines chambres jouissent d'une vue splendide sur Rome. Les suppléments coûtent cher. **www.romecavalieri.it**

VIA VENETO : Lilium

Via XX Settembre 58a, 00187 **Tél** *06 474 11 33* **Fax** *06 23 32 83 87* **Chambres** *14* **Plan** *4 D2*

Au troisième étage d'un bâtiment résidentiel, situé entre Termini et via Veneto, le *Lilium* est un coquet petit hôtel. Chacune de ses chambres joliment décorées porte le nom d'une fleur. La salle du petit déjeuner et le salon séduisent avec leurs fleurs fraîches et leurs oiseaux chanteurs australiens colorés. Excellent personnel. **www.liliumhotel.it**

VIA VENETO : Oxford

Via Boncompagni 89, 00187 **Tél** *06 420 36 01* **Fax** *06 42 81 53 49* **Chambres** *58* **Plan** *3 C1*

L'*Oxford* est situé dans une rue calme et résidentielle, non loin de la piazza Fiume, à quelques pas de la via Veneto. Récemment restauré, il propose aussi deux appartements pour des séjours courts ou longs. Les chambres sont confortables et les salles propices à la relaxation. Bon restaurant et bar agréable. **www.hoteloxford.it**

VIA VENETO : Boscolo Aleph

Via di San Basilio 15, 00187 **Tél** *06 42 29 01* **Fax** *06 42 29 00 00* **Chambres** *96* **Plan** *3 B2*

Cet hôtel très à la mode, près de la piazza Barberini, a un thème fascinant : le paradis et l'enfer. Avec son entrée éclairée en rouge, il cherche à attirer les hôtes avec les plaisirs de la vie. Son centre de cure est très prisé. Sans être au goût de tout le monde, il est cependant incontournable. **www.boscolohotels.com**

VIA VENETO : Hotel Eden

Via Ludovisi 49, 00187 **Tél** *06 47 81 21* **Fax** *06 482 15 84* **Chambres** *121*   **Plan** *3 B2*

L'*Eden*, l'un des hôtels historiques de Rome à l'illustre clientèle, est superbe et son service impeccable. Ses salles et ses suites sont étincelantes. Le jardin du toit offre une merveilleuse vue et le restaurant est étoilé dans le guide Michelin. Bien sûr tout cela a un prix ! **www.hotel-eden.it**

VIA VENETO : Westin Excelsior

Via Veneto 125, 00187 **Tél** *06 470 81* **Fax** *06 482 62 05* **Chambres** *319*   **Plan** *3 B2*

Des balcons aux sculptures ornés de cariatides annoncent la présence de cet hôtel extravagant sur la via Veneto. À l'intérieur se trouve boutiques, centre de cure moderne avec piscine, d'excellents restaurants et bar panoramiques, et même un club pour enfants. Toutes les salles sont classiques et somptueuses. **excelsior.hotelinroma.com**

VILLA BORGHESE : Buenos Aires

Via Clitunno 9, 00198 **Tél** *06 855 48 54* **Fax** *06 841 52 72* **Chambres** *50*

Petit hôtel récent au cœur du quartier résidentiel de Parioli, le *Buenos Aires* est situé à dix minutes de marche un peu au nord de la Villa Borghese. Les chambres sont très élégantes et tout confort. Il est bien desservi par les transports et a un parking également disponible. **www.hotelbuenosaires.it**

VILLA BORGHESE : Villa Mangili

Via G. Mangili 31, 00197 **Tél** *06 321 71 30* **Fax** *06 322 43 13* **Chambres** *12*

Dans le quartier de Parioli, la *Villa Mangili* est proche du parc de la Villa Borghese et à deux pas du nouvel auditorium et de la Villa Giulia. Il possède des chambres spacieuses et bien aménagées. Le petit déjeuner est servi dans un coquet jardin. L'hôtel expose et vend les œuvres d'artistes contemporains. **www.hotelvillamangili.it**

VILLA BORGHESE : Aldrovandi Palace

Via Aldrovandi 15, 00197 **Tél** *06 322 39 93* **Fax** *06 322 14 35* **Chambres** *121*

Pour ceux qui préfèrent rester à l'écart de la frénésie du centre de Rome, cet hôtel luxueux et reposant est idéalement situé, à côté des jardins de la Villa Borghese. Les chambres sont élégamment décorées dans des tons doux. Il offre également une superbe piscine et un excellent restaurant, le *Baby*. **www.aldrovandi.com**

LATIUM

ANAGNI : Villa La Floridiana

Via Casilina, 63,7 km, 03012 **Tél** *0775 769 592* **Fax** *0775 77 9306* **Chambres** *13*

Cette villa du XIXe siècle – à la façade rose délavé et aux volets verts – offre de vastes chambres confortables qui regorgent de meubles rustiques du XIXe siècle. L'hôtel occupe un petit parc, à 5 km d'un village médiéval. Des plats régionaux sont servis sous les plafonds ornés de fresques du restaurant. **www.villalafloridiana.com**

GROTTAFERRATA : Villa Fiorio

Viale Dusmet 25, 00046 **Tél** *06 94 54 80 07* **Fax** *06 94 54 80 09* **Chambres** *24*

Construite pour accueillir une résidence d'été au début du XXe siècle, cette coquette villa au cœur des villages Castelli Romani, au sud de Rome, recèle des fresques originales. Les chambres sont spacieuses, fraîches et calmes, avec une décoration de style maison de campagne. Dans le jardin, la piscine est entourée d'oliviers. **www.villafiorio.it**

ISOLA DI PONZA : Grand Hotel Santa Domitilla

Via Panoramica, 04027 **Tél** *0771 80 99 51* **Fax** *0771 80 99 55* **Chambres** *55*

Cet hôtel 4 étoiles, moderne mais élégant, est très bien situé. Ses salles sont contemporaines et lumineuses. Les meubles en osier et les fauteuils à bascule lui confèrent une atmosphère agréable ! Une partie de la piscine s'étend sous l'hôtel, dans une série très fraîche d'anciens tunnels romains. Jardin luxuriant. **www.santadomitilla.com**

LADISPOLI : La Posta Vecchia

Località Palo Laziale, 00055 **Tél** *06 994 95 01* **Fax** *06 994 95 07* **Chambres** *19*

Cette villa du XVIIe siècle proche de la mer, qui fut habitée par John Paul Getty, héberge l'un des hôtels les plus luxueux d'Italie. Les chambres sont décorées de meubles de style Renaissance dorée et de tapis flamands, et dotées de salles de bains en marbre. Centre de cure et musée de la Rome antique sur place. **www.lapostavecchia.com**

PALESTRINA : Stella

Piazzale della Liberazione 3, 00036 **Tél** *06 953 81 72* **Fax** *06 957 33 60* **Chambres** *30*

Hôtel calme et agréable installé dans un bâtiment moderne dans le centre historique de Palestrina, près des curiosités touristiques de la ville, avec un excellent restaurant dominant les arbres et les sentiers du parc Barberini tout proche. Les chambres sont pourvues de tout l'équipement moderne. **www.hotelstella.it**

SABAUDIA : Oasi di Kufra

Lungomare di Sabaudia, 29,8 km, 04016 **Tél** *0773 51 91* **Fax** *0773 519 88* **Chambres** *120*

Outre une plage privée, un établissement de cure et un centre de remise en forme, cet hôtel lumineux offre des balcons dans la plupart de ses chambres simples et fraîches. Les suites donnent sur la mer et plusieurs appartements ont une kitchenette. De mi-juin à fin août, séjour minimum de une à deux sem. **www.oasidikufra.it**

Légende des prix *voir p. 558* **Légende des symboles** *voir le rabat arrière de couverture*

SAN FELICE CIRCEO : Punta Rossa ☐🅿️🍴♨️🎪🗒️ €€€€
*Via delle Batterie 37, 04017 **Tél** 0773 54 80 85 **Fax** 0773 54 80 75 **Chambres** 33*

Hôtel équipé d'un centre de cure et entouré d'un jardin qui mène à la mer. Les chambres – toutes avec terrasse et vue sur la mer et sur les îles Pontine – sont réparties dans plusieurs bâtiments disséminés dans un domaine verdoyant. Des appartements privés sont également disponibles dans un vieux village de pêcheurs. **www.puntarossa.it**

SUBIACO : Foresteria Santa Scolastica 🗒️🅿️🍴♿ €
*Monastero Santa Scolastica, 00028 **Tél** 0774 824 21 **Fax** 0774 82 28 62 **Chambres** 50*

Fondé par sainte Bénédicte au VIe siècle, le monastère de *Santa Scolastica* est rénové et propose jusqu'à 100 lits aux voyageurs. Les chambres possèdent le confort de base dont certaines avec de belles vues de la ville. Rester parmi les moines en demi-pension ou en pension complète est recommandé aux petits budgets. **www.benedettini-subiaco.it**

TARQUINIA : Hotel Tarconte 🗒️🅿️🍴🗒️ €€
*Via della Tuscia 19, 01016 **Tél** 0766 85 61 41 **Fax** 0766 85 65 85 **Chambres** 53*

Hôtel moderne aux vues panoramiques sur la côte. Les chambres sont décorées dans un style fonctionnel et les espaces publics sont d'un style vieillot, mais l'endroit n'est qu'à 5 min du Musée national étrusque et on peut admirer une ancienne tombe au rez-de-chaussée. Restaurant spécialisé dans le gibier. **www.hoteltarconte.it**

TARQUINIA LIDO : La Torraccia 🅿️🗒️ €€
*Viale Mediterraneo 45, 01016 **Tél** 0766 86 43 75 **Fax** 0766 86 42 96 **Chambres** 18*

Hôtel moderne et confortable entouré de pinèdes, à 200 m de la mer. Les chambres avec terrasse sont décorées de vives couleurs primaires (surtout rouge et jaune), avec des murs blanchis à la chaux. Terrasse sur jardin pour prendre le petit déjeuner, et plage privée à quelques minutes. **www.torraccia.it**

TIVOLI : Palazzo Maggiore 🗒️ €
*Via Domenico Giuliani 89, 00019 **Tél** 393 104 49 37 **Chambres** 3*

Dans le centre de Tivoli, ce bâtiment qui date du XVIe siècle propose des chambres meublées avec goût pour un prix modéré, ainsi qu'un appartement de 2 pièces pour 6 personnes. Le petit déjeuner est servi dans les chambres, sur la petite terrasse ou dans la cuisine du propriétaire. Rome n'est qu'à 1 heure de train. **www.palazzomaggiore.com**

TIVOLI : Adriano 🅿️🍴🗒️ €€
*Largo Yourcenar 2, 00010 **Tél** 0774 53 50 28 **Fax** 0774 53 51 22 **Chambres** 10*

L'*Adriano* a reçu des hôtes illustres. Il est extrêmement confortable et possède un restaurant raffiné derrière la Villa d'Hadrien. L'une des suites offre des vues romantiques sur le complexe romain. Le petit déjeuner est servi à l'intérieur, dans une jolie salle, ou à l'extérieur, dans le patio, et inclut des confitures maison. **www.hoteladriano.it**

TIVOLI TERME : Grand Hotel Duca d'Este 🗒️🅿️🍴♨️🎪🗒️ €€
*Via Tiburtina Valeria 330, 00011 **Tél** 0774 38 83 **Fax** 0774 38 81 01 **Chambres** 184*

Hôtel moderne près de Tivoli et de la Villa Adriana, facilement accessible depuis Rome par la route ou le chemin de fer. Les chambres sont spacieuses et équipées d'éléments fonctionnels. Les suites sont pourvues de Jacuzzi. Centre de cure avec sauna et piscine couverte, et jardins tropicaux cachant des courts de tennis et une piscine. **www.ducadeste.com**

TUSCANIA : Al Gallo 🗒️🅿️🍴🗒️ €€
*Via del Gallo 22, 01017 **Tél** 0761 44 33 88 **Fax** 0761 44 36 28 **Chambres** 13*

Vieille maison dans le centre historique de la ville. Le mobilier ancien, les motifs très recherchés du papier peint, les épais tapis, les bois sombres et les lourds rideaux donnent aux chambres bien tenues un aspect somptueux. Le confortable piano-bar propose des concerts le week-end. **www.algallo.it**

VITERBO (VITERBE) : Roma 🅿️🍴 €
*Via della Cava 26, 01100 **Tél** 0761 22 64 74 **Fax** 0761 30 55 07 **Chambres** 28*

Hôtel très simple et bon marché en plein centre-ville, à mi-chemin entre la gare de chemin de fer et la forteresse La Rocca. L'extérieur de ce palais médiéval est fabuleux, tandis que les chambres arborent un style moderne et fonctionnel. Le restaurant sert des plats régionaux.

VITERBO (VITERBE) : Balletti Park 🗒️🅿️🍴♨️🎪🗒️ €€€
*Via Umbria 2, 01030 **Tél** 0761 37 71 **Fax** 0761 37 94 96 **Chambres** 134*

Situé aux abords de Viterbe, hôtel moderne aux vues panoramiques sur la vallée, installé dans d'immenses jardins avec des étangs ouverts à la pêche et une piscine avec des toboggans. Équipements sportifs – tennis, football, pêche et équitation –, centre médico-social et appartements séparés. **www.balletti.com**

NAPLES ET CAMPANIE

AMALFI : Albergo Lidomare 🗒️ €€
*Largo Piccolomini 9, 84011 **Tél** 089 87 13 32 **Fax** 089 87 13 94 **Chambres** 15*

Pension au charme d'antan tenue par une famille, au cœur d'Amalfi. Les chambres sont spacieuses et calmes, avec leurs carreaux de majolique, leurs meubles anciens et leurs salles de bains modernes. Certaines sont pourvues de balcons avec vue sur la mer. Salle agréable pour le petit déjeuner. **www.lidomare.it**

AMALFI : Hotel Amalfi 🔲 P 🔢 📧 €€

Via dei Pastai 3, 84011 **Tél** *089 87 24 40* **Fax** *089 87 22 50* **Chambres** *40*

Cet hôtel tenu par une famille offre une belle terrasse, un patio et un restaurant dans un quartier calme du vieux Amalfi. Vues sur le Duomo depuis les toits, coquets balcons ornés de géraniums et sensation de paix. Les chambres sont vastes et confortables, la plupart climatisées. Excellent rapport qualité/prix. **www.hamalfi.it**

AMALFI : Hotel Santa Caterina 🔲 P 🔢 ⛱ 🏋 📧 €€€€€

SS Amalfitana 9, 84011 **Tél** *089 87 10 12* **Fax** *089 87 13 51* **Chambres** *66*

Dirigé par la même famille depuis 1880, ce luxueux hôtel est l'un des plus raffinés de la côte d'Amalfi. Perché au-dessus de la mer, ses vastes jardins mènent à une plage privée. Chambres et suites sont superbes avec mobilier ancien, sols en majolique et balcons ou terrasses. Centre de cure et restaurant exquis. **www.hotelsantacaterina.it**

BENEVENTO (BÉNÉVENT) : Hotel Villa Traiano 🔲 P 📧 €€

Viale Dei Rettori 9, 82100 **Tél** *0824 32 62 41* **Fax** *0824 32 61 96* **Chambres** *19*

Une villa privée édifiée dans le style Liberty, récemment restaurée, accueille ce petit hôtel au cœur de Benevento, près de l'Arco Traino, de la gare de chemin de fer, des magasins et des restaurants. Les salles et les chambres sont très élégantes. La terrasse du toit et la cour ensoleillées offrent un endroit propice à la détente. **www.hotelvillatraiano.it**

CAPRI : Hotel Weber Ambassador P 📧 €€

Via Marina Piccola 118, Capri, 80073 **Tél** *081 837 01 41/ 800 84 26 23 (appel gratuit)* **Chambres** *158*

Cet hôtel surplombe la Marina Piccola, la plus belle plage de Capri, et offre des vues splendides sur les célèbres îles Faraglioni. Bâtiment jaune avec des stores bleus et des géraniums. Sur sa terrasse, on peut savourer un copieux petit déjeuner. Jardin sur le toit. Les chambres et suites sur mer sont beaucoup plus chères. **www.hotelweber.com**

CAPRI : Pensione Villa La Tosca 📧 €€

Via D. Birago 5, 80073 **Tél** *081 837 09 89* **Fax** *081 837 09 89* **Chambres** *11*

Pension au charme d'antan dans la ville de Capri, avec des murs blancs et des sols en céramique. Ses terrasses dominent la mer, les Farigloni et la Certosa di San Giacomo. Les chambres, dont certaines donnent sur la mer, sont gaies et dotées de salle de bains avec climatisation et téléphone. *Fermé nov.-mars.* **www.latoscahotel.com**

CAPRI : Hotel La Minerva 🔲 ⛱ 📧 €€€

Via Occhio Marina, 80073 **Tél** *081 837 03 74* **Fax** *081 837 52 21* **Chambres** *18*

Cet hôtel aux terrasses fleuries se trouve dans un endroit pittoresque non loin du centre de Capri. Les chambres supérieures ont une terrasse, les chambres de luxe, des baignoires à remous et des terrasses sur mer ; les chambres standard sont nettement moins chères. Les sols sont en majolique. **www.laminervacapri.com**

CAPRI (ANACAPRI) : Capri Palace Hotel & Spa 🔲 🔢 ⛱ 🏋 📧 €€€€€

Via Capodimonte 2b, Anacapri, 80071 **Tél** *081 978 01 11* **Fax** *081 837 31 91* **Chambres** *81*

Cet hôtel, l'un des plus beaux hôtels de Capri, jouit d'une piscine, d'un centre de cure, d'un bon bar à vins et surtout d'un restaurant étoilé par le guide Michelin. Ses chambres sont très agréables ; les suites ont une terrasse privée, une piscine et un jardin. Collection d'art, yacht et bateau à moteur à l'hôtel. *Fermé nov.-mars.* **www.capripalace.com**

CASERTA (CASERTE) : Hotel Europa 🔲 P 📧 €€€

Via Roma 19, 81100 **Tél** *0823 32 54 00* **Fax** *0823 32 54 00* **Chambres** *60*

Très proche de la gare et à quelques pas du beau palais de Caserta et du centre-ville, cet hôtel accueille surtout des hommes d'affaires. Ses chambres sont impeccables – les doubles de luxe et les suites sont pourvues d'un salon. Les hôtes peuvent utiliser la salle de gymnastique et le centre de cure à un prix réduit. **www.hoteleuropacaserta.it**

ISCHIA : Il Monastero 🔢 🏋 €€

Castello Aragonese, Ischia Ponte, 80070 **Tél** *081 99 24 35* **Fax** *081 991 849* **Chambres** *22*

Adresse romantique à l'intérieur du château d'Ischia Ponte, un ancien couvent des sœurs Clarisse. Les chambres spacieuses sont aménagées dans d'anciennes cellules et équipées de salles de bains modernes. La plupart offrent un panorama sur la mer. Les hôtes peuvent profiter du château. Fermé nov.-avr. **www.castelloaragonese.it**

ISCHIA : Mezza Torre Resort & Spa 🔲 P 🔢 ⛱ 🏋 📧 €€€€€

Via Mezzatorre 23, Forìo d'Ischia, 80075 **Tél** *081 98 61 11* **Fax** *081 98 60 15* **Chambres** *58*

Luxueux hôtel de cure situé sur un promontoire dominant la mer, dans une pinède à l'extérieur de Forìo. Les chambres standard possèdent des balcons sur le parc, les chambres confort, des balcons avec vue sur la mer ; les chambres supérieures et les suites sont somptueuses. Restaurants, piscine et plage privée. **www.mezzatorre.it**

NAPOLI (NAPLES) : Cappella Vecchia 🔲 P 📧 €€

Vico Santa Maria a Cappella Vecchia 11, 81021 **Tél** *081 240 51 17* **Fax** *081 2455 338* **Chambres** *6*

Petit *bed and breakfast* situé dans une minuscule rue d'un beau quartier, à l'écart de la piazza dei Martiri à Chiaia. Très pratique pour découvrir Naples, un terminus de bus et la station de métro Piazza Amedeo sont proches. Ses chambres sont gaies et modernes, avec salle de bains et climatisation. **www.cappellavecchia11.it**

NAPOLI (NAPLES) : Hotel Chiaja de Charme 📧 P €€

Via Chiaia 216, 81021 **Tél** *081 41 55 55* **Fax** *081 42 23 44* **Chambres** *27*

Cet hôtel intime se trouve dans une rue piétonne à 2 min de la piazza Plebescito. La réception est installée au premier étage d'un noble palais ; toutes les chambres sont insonorisées et dotées de meubles anciens. Certaines salles de bains sont équipées de baignoires à remous. Personnel charmant et professionnel. **www.hotelchiaia.it**

Légende des prix *voir p. 558* **Légende des symboles** *voir le rabat arrière de couverture*

NAPOLI (NAPLES): Hotel Neapolis

Via Francesco del Guidice 13, 3e étage, 80138 **Tél** *081 442 08 15* **Fax** *081 442 08 19* **Chambres** *19*

Hôtel situé près de l'église de Pietrasanta, sur l'ancien Decumano Maggiore, dans le centre historique, non loin des principaux sites touristiques, et bien desservi par les transports. Ses chambres sont climatisées et pourvues d'un ordinateur avec accès Internet. En-dessous se trouve un restaurant. Personnel charmant. **www.hotelneapolis.com**

NAPOLI (NAPLES): Costantinopoli 104

Via Santa Maria di Costantinopoli 104, 80138 **Tél** *081 557 10 35* **Fax** *081 557 10 51* **Chambres** *13*

Situé dans le centre historique, à cinq minutes du Musée archéologique, cette villa de style Liberty est installée dans une cour ensoleillée et un jardin avec palmiers. L'hôtel possède aussi une terrasse et une petite piscine. Les chambres et les suites sont d'une élégance discrète. **www.costantinopoli104.it**

NAPOLI (NAPLES): Hotel San Francesco al Monte

Corso Vittorio Emanuele 328, 80135 **Tél** *081 423 91 11* **Fax** *081 251 24 85* **Chambres** *45*

Hôtel aménagé dans un ancien couvent avec terrasse, piscine et restaurant donnant sur le Vésuve, la baie de Naples et la villa. Les chambres sont élégantes et les salles de bains luxueuses. Les chambres supérieures et les suites sont spacieuses. Transports pour aller dans le centre-ville et prix intéressants sur Internet. **www.hotelsanfrancesco.it**

NAPOLI (NAPLES): Hotel Vesuvio

Via Partenope 45, 81021 **Tél** *081 764 00 44* **Fax** *081 764 44 83* **Chambres** *143*

À Santa Lucia, le *Vesuvio* est l'hôtel le plus luxueux de Naples, avec un appartement grand standing. Toutes les chambres et les suites sont pourvues de mobilier ancien et d'une terrasse ou d'un balcon sur mer ou sur rue. Centre de cure, salle de gymnastique, restaurant avec terrasse, garderie pour les petits et bateau sur place. **www.vesuvio.it**

PAESTUM : Agriturismo Seliano

Via Seliano, Capaccio, 84063 **Tél** *0828 72 45 44* **Fax** *0828 72 45 44* **Chambres** *14*

Cette ferme et l'*agriturismo* appartiennent à une famille d'aristocrates. Les chambres sont réparties dans des cottages ou dans le bâtiment principal. Séjour possible dans la ferme, où vous pouvez observer la fabrication de la mozzarella de bufflonne. Coquets jardins avec piscine. La nourriture et le vin sont excellents. **www.agriturismoseliano.it**

POMPÉI : Hotel Amleto

Via Bartolo Longo 10, 80045 **Tél** *081 863 10 04* **Fax** *081 863 55 85* **Chambres** *26*

Hôtel moderne, élégant et très confortable dans le centre de Pompéi, bien situé par rapport au site et au train Circumvesuviana qui relie Naples à Sorrento. Dirigé par une famille, ses chambres sont grandes et bien meublées. La terrasse du toit est un endroit agréable pour se reposer et admirer le panorama. **www.hotelamleto.it**

POSITANO : Palazzo Murat

Via dei Mulini 23, 84017 **Tél** *089 87 51 77* **Fax** *089 81 14 19* **Chambres** *30*

Installé dans une cour avec un excellent restaurant, le *Palazzo Murat* était autrefois la résidence d'été de Murat, beau-frère de Napoléon. Les chambres, aménagées dans l'ancienne aile du XVIIIe siècle ou dans l'annexe moderne, sont parées de stuc, poutres et fresques. Des concerts classiques ont lieu dans le patio. **www.palazzomurat.it**

PRAIANO (CÔTE AMALFITAINE) : Hotel Onda Verde

Via Terramare 3, 84010 **Tél** *089 87 41 43* **Fax** *089 81 31 049* **Chambres** *20*

Situé dans une ville calme à mi-chemin entre Amalfi et Positano, cet hôtel donne sur la mer et possède une terrasse avec restaurant. Les chambres, réparties dans cinq petites villas, ont une baignoire ou une douche, et plusieurs un balcon privé. Complexe balnéaire privé à côté d'une petite plage de sable publique. **www.ondaverde.it**

PROCIDA : La Casa sul Mare

Via Salita Castello 13, Terra Murata Corricella, 80079 **Tél** *081 896 87 99* **Fax** *081 896 72 55* **Chambres** *10*

Petit hôtel surplombant le port de pêche de Corricella, à côté de la Terra Murata (fort abandonné qui fut transformé en prison). Le petit déjeuner est servi dans le charmant jardin donnant sur la mer. Les salles et les chambres, toutes avec vue sur mer et terrasse, sont élégantes. L'été, service de bateau jusqu'à la plage de La Chiaia. **www.lacasasulmare.it**

RAVELLO : Hotel Toro

Via Roma 16, 84100 **Tél** *089 85 72 11* **Fax** *089 85 85 92* **Chambres** *9*

Petit hôtel du centre de Ravello, récemment restauré, avec un ravissant jardinet et une vue de côté sur la cathédrale. Les chambres sont confortables et lumineuses, dotées de meubles anciens ou modernes. Le petit déjeuner et une bonne cuisine maison vous sont proposés dans le jardin en été. **www.hoteltoro.it**

RAVELLO : Villa Cimbrone

Via Santa Chiara 26, 84010 **Tél** *089 85 74 59* **Fax** *089 85 77 77* **Chambres** *19*

Cette villa du XIIe siècle possède des jardins mondialement célèbres plantés de citronniers. La villa était autrefois fréquentée par le groupe de Bloomsbury. Les chambres possèdent de spectaculaires voûtes, fresques, majoliques, cheminées et meubles anciens, et sont aussi équipées de tout le confort moderne. **www.villacimbrone.com**

SALERNO (SALERNE) : Hotel Plaza

Piazza Vittorio Veneto 42 (Piazza Ferrovia), 84123 **Tél** *089 22 44 77* **Fax** *089 23 73 11* **Chambres** *42*

Hôtel très central, situé en face de la gare de chemin de fer et à quelques pas du port, de la vieille ville et des bus pour la côte amalfitaine. Les chambres sont grandes, modernes et confortables, avec au choix baignoire ou douche. Bar et salle de petit déjeuner. Parking disponible à proximité. **www.plazasalerno.it**

SANNIO (SANT'AGATA DEI GOTI) : Agriturismo Mustilli　🅿 🍽　€€

Via dei Fiori 20, 82019 **Tél** *0823 71 81 42* **Fax** *0823 71 76 19* **Chambres** *6*

Agriturismo situé dans le quartier historique de la ville médiévale de Sant'Agata dei Goti, dans la riche région de Sannio. Ce palais qui appartient à la même famille depuis le XVIᵉ siècle, offre des terrasses et des jardins ensoleillés, ainsi que de belles salles de réception. Les chambres sont charmantes. Nourriture et vin excellents. **www.mustilli.com**

SANTA MARIA DI CASTELLABATE : Villa Sirio　🌙🅿🍽👥🖥　€€€

Via Lungomare de Simone 15, Castellabate, 84072 **Tél** *0974 96 10 99* **Fax** *0974 96 05 07* **Chambres** *15*

Ville de pêcheurs située en bord de mer, au cœur du Cilento. Ce bâtiment peint en jaune, aux volets et portes vert foncé, date de 1904. Les chambres – dont certaines possèdent un balcon – donnent sur la mer ou la vieille ville. Le petit déjeuner et le dîner sont servis sur la terrasse en été. *Fermé nov.-mars.* **www.villasirio.it**

SAPRI : Hotel Mediterraneo　🅿🍽👥🖥　€

Via Verdi, 84073 **Tél** *0973 39 17 74* **Fax** *0973 39 20 33* **Chambres** *20*

Cet hôtel jouit d'une situation idéale sur le golfe de Policastro près du parc national du Cilento. Il a un petit jardin, une terrasse ensoleillée, une aire de jeux pour les enfants, un restaurant et une plage privée. Les chambres avec vue sur mer ont leur propre balcon. Demi-pension en juil.-août seulement. **www.hotelmed.it**

SORRENTO (SORRENTE) : Hotel Mignon Meublé　🅿🖥　€€

Via A. Sersale 9, 80067 **Tél** *081 807 38 24* **Fax** *081 877 43 48* **Chambres** *24*

Dans le centre historique, près de la cathédrale et des anciens remparts, cette pension offre des chambres spacieuses avec mobilier ancien, sols carrelés et élégantes salles de bains. Le petit déjeuner est servi dans les chambres ; certaines ont des fenêtres à la française et des balconnets. Parking. **www.sorrentohotelmignon.com**

SORRENTO (SORRENTE) : La Tonnarella　🅿🍽🖥　€€€

Via Capo 31, 80067 **Tél** *081 878 11 53* **Fax** *081 878 21 69* **Chambres** *16*

Perché sur une falaise en dehors de Sorrente, cet hôtel est l'ancienne résidence d'été d'une noble famille. Jolis sols de majolique, nombreuses voûtes et antiquités, vues magnifiques sur la baie. Les chambres avec vue sur mer, balcon ou terrasse sont bien sûr plus chères. Restaurant et accès à une plage privée. *Fermé nov.-mars.* **www.latonnarella.it**

SORRENTO (SORRENTE) : Grand Hotel Cocumella　🌙🅿🍽🏊🎿📺🖥　€€€€€

Via Cocumella 7, Sant'Agnello, 80065 **Tél** *081 878 29 33* **Fax** *081 878 37 12* **Chambres** *53*

Situé dans les environs de Sorrente, cet ancien monastère jésuite est entouré de luxuriants jardins paysagers. Les suites offrent des vues splendides sur la baie de Naples. Restaurant romantique, concerts en été, court de tennis et bateau pour Capri ou Positano. Certains équipements sont fermés en basse saison. **www.cocumella.com**

ABRUZZES, MOLISE ET POUILLES

ALBEROBELLO : Hôtel Ramapendula　🌙🅿🍽🏊🎿🖥　€€

Contrada Popoleto, Via Locorotondo, 70011 **Tél/Fax** *080 432 60 69* **Chambres** *41*

Entouré d'oliviers et particulièrement adapté aux familles avec des petits enfants, cet hôtel récent a aménagé sa réception dans le style *trulli*. Il a un jardin confortable avec une aire de jeux. On peut visiter les véritables *trulli* qui sont à dix minutes à peine dans la zone archéologique. **www.hotelramapendula.it**

ALBEROBELLO : Trulli Dea　🍽　€€

Via Monte San Gabriele 1, 70011 **Tél** *080 432 38 60* **Chambres** *25*

Dans ce petit village de *trulli*, on peut louer une de ces maisonnettes (2 à 6 personnes). Les plus belles ont une cheminée ou un jardinet privé ; d'autres donnent sur la rue piétonne animée. La plupart sont très centrales, certaines juste à la sortie de la ville. Les animaux domestiques sont acceptés. Accueil entre 11h et 20h. **www.trullidea.it**

BARI : Hotel Adria　🌙🅿🍽📺🖥　€€

Via Zuppetta 10, 70121 **Tél** *080 524 66 99* **Fax** *080 521 32 07* **Chambres** *38*

Idéalement situé en face de la gare, ce bel hôtel est d'un bon rapport qualité/prix. Les chambres sont grandes et très confortables, avec accès Internet et le choix entre baignoire et douche, les lits d'une place et demie ou deux places. Agréable jardin sur le toit avec un bar. Animaux domestiques bienvenus. **www.adriahotelbari.com**

BARI : Palace Hotel Bari　🌙🅿🍽👥🖥♿　€€€

Via Lombardi 13, 70122 **Tél** *080 521 65 51* **Fax** *080 521 14 99* **Chambres** *197*

Hôtel très élégant proche du centre historique et des curiosités du vieux Bari. Les chambres sont dotées de mobilier ancien et unique, avec des chambres spéciales pour les femmes, les amateurs de musique, les enfants et les animaux domestiques. Petits déjeuners primés et excellent dîner servi sur la terrasse du toit. **www.palacehotelbari.it**

ISOLE TREMITI : Hotel Gabbiano　🍽🖥　€€

Piazza Belvedere, Isola di San Domenico, 71040 **Tél** *0882 46 34 10* **Fax** *0882 46 34 28* **Chambres** *40*

Hôtel moderne avec un excellent restaurant de poisson, idéalement placé pour explorer les criques et admirer le coucher du soleil. Les chambres ont un balcon avec vue ; certaines sont installées dans des petites villas, réparties autour d'un jardin avec terrasse propice à la détente. Les chambres avec vue sur mer sont plus coûteuses. **www.hotel-gabbiano.com**

Légende des prix *voir p. 558* **Légende des symboles** *voir le rabat arrière de couverture*

L'AQUILA : Hotel Duomo

Via Dragonetti, 67100 **Tél** *0862 41 08 93* **Fax** *0862 41 30 58* **Chambres** *30*

Au cœur du vieux L'Aquila, ce petit hôtel est aménagé dans un palais du XVIII siècle situé dans une petite rue offrant de belles vues sur la place principale. Récemment rénovées, toutes les chambres sont jolies et propres, avec des lits en fer forgé, parées de couleurs chaudes et d'étoffes gaies. Copieux petits déjeuners. **www.hotel-duomo.it**

L'AQUILA/GRAN SASSO D'ITALIA : Hotel Nido dell'Aquila

Località Fonte Cerreto, Assergi, 67010 **Tél** *0862 60 68 40* **Fax** *0862 60 88 11* **Chambres** *23*

Situé à 20 km de L'Aquila, à la porte du noble Gran Sasso, près de la ville médiévale d'Assergi. Ce chalet de montagne au mobilier rustique possède jardin, terrasse ensoleillée et aire de jeux pour les enfants. La cuisine maison et les vins des Abruzzes vous raviront. Proche des pistes de ski du Campo Imperatore. **www.nidodellaquila.it**

LECCE : B&B Prestige

Via S. Maria del Paradiso 4, 73100 **Tél** *0832 24 33 53* **Fax** *178 221 50 06* **Chambres** *3*

Coquet *bed and breakfast* situé dans une rue piétonnière dominant la basilique de San Giambattista, à l'intérieur du vieux Lecce. Chaque chambre a un balconnet avec vue sur la rue et un accès Internet. En été, le petit déjeuner est servi sur la terrasse ensoleillée. Salles de bains privées – pas toutes attenantes. **www.bbprestige-lecce.it**

LECCE : Hotel Tiziano

Viale Porta d'Europa, 73100 **Tél** *0832 27 21 11* **Fax** *0832 27 28 41* **Chambres** *273*

Ce grand hôtel moderne se trouve de l'autre côté du centre historique, qui est toutefois facilement accessible. Ses chambres et ses suites confortables sont très bien équipées ; une terrasse sur le toit comprend piscine, bar et restaurant. Un autre restaurant est aménagé dans la cave voûtée. **www.grandhoteltiziano.it**

LORETO APRUTINO (PRÈS D'ATRI) : Castello Chiola

Via degli Aquino 12, 65014 **Tél** *085 829 06 90* **Fax** *085 829 06 77* **Chambres** *49*

Dans la ville médiévale de Loreto Aprutino, cet hôtel très confortable est installé à l'intérieur d'un vieux château datant de 864. Au milieu de superbes jardins, il jouit de terrasses ensoleillées et d'une piscine. Le restaurant sert une cuisine et des vins raffinés. Équipements modernes et splendide panorama. **www.castellochiolahotel.com**

MONOPOLI : Melograno

Contrada Torricella 345, 70043 **Tél** *080 690 90 30* **Fax** *080 74 79 08* **Chambres** *31*

Ce Relais & Châteaux est aménagé dans une *masseria*, une ferme fortifiée du XVIII siècle, au milieu d'oliviers. Les chambres sont somptueuses, certaines disposent d'un patio privé ou d'une baignoire à remous. Navette gratuite jusqu'à la plage privée et accès à deux bateaux à voile. **www.melograno.com**

MONTE SANT'ANGELO : Albergo Hotel Michael

Via Reale Basilica 86, 71037 **Tél** *0884 56 55 19* **Fax** *0884 56 30 79* **Chambres** *10*

En face du sanctuaire de Saint-Michel, ce petit hôtel offre des chambres confortables. Son convivial propriétaire est aussi le chef du restaurant *Il Grottino*. Les chambres sont pourvues de salle de bains. Le petit déjeuner est servi sur une terrasse couverte d'un toit en verre donnant sur la vieille ville et Manfredonia. **www.hotelmichael.com**

OTRANTO (OTRANTE) : Hotel Rosa Antico

SS116, 42 km, 73028 **Tél** *0836 80 15 63* **Fax** *0836 80 15 63* **Chambres** *28*

Situé à 800 m à peine de l'ancienne ville d'Otrante, dans un endroit paisible, de l'autre côté de la baie, ce palais du XVIe siècle a été restauré et doté d'une extension moderne, tous deux peints dans un joli vieux rose et entouré d'un très beau jardin. Chambres claires et gaies ; bar voûté et frais pour le petit déjeuner. **www.hotelrosaantico.it**

PROMONTOIRE DU GARGANO-VIESTE : Hotel Svevo

Via Frateli Bandiera, 71019 **Tél** *0884 70 88 30* **Chambres** *30*

Cet hôtel perché sur une colline, doté d'une vue superbe, est un lieu sympathique et sans prétention : une valeur sûre, même en pleine saison. Chaque chambre a sa terrasse privée. Parmi les autres équipements, l'hôtel jouit d'un piscine surplombant la plage. **www.hotelsvevo.com**

PROMONTOIRE DU GARGANO-VIESTE : Hotel degli Aranci

Piazza S. Maria delle Grazie 10, 71019 **Tél** *0884 70 85 57* **Fax** *0884 70 88 30* **Chambres** *121*

Ce complexe balnéaire moderne se trouve à la sortie de Vieste. Le service est excellent, les chambres confortables – la plupart ont un balcon et une baignoire ou une douche. Idéal pour les familles, il y a un club réservé aux enfants et des menus spéciaux. Piscine sur place et plage privée à proximité. Liaison de bus jusqu'à la ville. **www.hotelaranci.com**

RUVO DI PUGLIA : Hotel Talos

Via R. Morandi 12, 70037 **Tél** *0803 61 16 45* **Fax** *0803 60 26 40* **Chambres** *20*

Hôtel moderne situé au centre de la vieille ville de Ruvo di Puglia. Le service est aimable et le restaurant sert de la cuisine régionale sur une terrasse extérieure. Les chambres, toutes climatisées, sont confortables et spacieuses. Des visites de la ville sont organisées. **www.hoteltalos.it**

SCANNO : Albergo Mille Pini

Via Pescara 2, 67038 **Tél** *0864 743 87* **Fax** *0864 74 98 18* **Chambres** *25*

Situé près du télésiège de Scanno, point de départ pour faire des randonnées et skier sur le Monte Retondo, cet hôtel rustique est installé près du lac. Les chambres sont chaudes et accueillantes avec tapis et mobilier en pin. Le salon a une cheminée agréable en hiver. Bonne cuisine maison. *Fermé oct.-nov.* **www.millepiniscanno.it**

SULMONA : Hotel Italia

Piazza Tommaso 3, 67039 **Tél** *0864 523 08* **Fax** *0864 20 76 14* **Chambres** *25*

Ce charmant hôtel à l'atmosphère surannée est situé au cœur du vieux Sulmona et dirigé par un couple accueillant. Les chambres spacieuses et bien décorées sont dotées d'un mobilier ancien, et certaines possèdent une salle de bains. Salle de télévision et bar. **granlucadicamillo@libero.it**

TARANTO (TARENTE) : Hotel Europa

Via Roma 2, 74100 **Tél/Fax** *099 452 59 94* **Chambres** *43*

Ce palais du xixe siècle a été reconverti en hôtel. Par sa situation centrale dans la moderne Tarante, il domine les deux mers de la ville, son vieux port de pêche et son célèbre pont. Les chambres et les suites sont neuves et meublées avec goût ; certaines possèdent une cuisine et un balcon sur la mer. **www.hoteleuropaonline.it**

TERMOLI : Hotel Mistral

Lungomare C. Colombo 50, 86039 **Tél** *0875 70 52 46* **Fax** *0875 70 52 20* **Chambres** *64*

Station balnéaire du Molise du Sud, Termoli possède un joli port médiéval et des ferries assurent la liaison vers les îles Tremiti. Sur la plage, cet hôtel offre un beau panorama sur la côte et le vieux quartier. Les chambres spacieuses donnent pour la plupart sur la mer. Restaurant-bar animé en terrasse et plage privée. **www.hotelmistral.net**

TRANI : Hotel Regia

Piazza Monsignor R. M. Addazi 2, 70059 **Tél/Fax** *0883 58 44 44* **Chambres** *10*

Juste derrière le port et en face de la cathédrale romane de Trani, ce vieux palais offre des chambres élégantes et claires et un très beau restaurant avec une terrasse en été. Les chambres ont de belles vues, sont dotées de parquets et meublées dans les tons blanc et crème. Direction aimable. **hotelregia@tiscali.it**

BASILICATE ET CALABRE

COSENZA : Hotel Royal

Via Molinella 24, 87100 **Tél** *0984 41 21 65* **Fax** *0984 41 24 61* **Chambres** *50*

Au cœur du Cosenza moderne, cet endroit est apprécié des hommes d'affaires et des touristes. Bien que sa décoration soit un peu vieillotte, avec ses parquets et son mobilier d'autrefois, il est confortable et pratique. Les chambres sont bien équipées. Il y a un bon restaurant *La Caprice*. **www.hotelroyalsas.it**

CÔTE DE MARATEA – CETRARO : Grand Hotel Villa San Michele

Località Bosco 8/9, 87022 **Tél** *0982 910 12* **Fax** *0982 914 30* **Chambres** *59*

Hôtel perché sur une falaise, dans un jardin rempli de fleurs. La vue embrasse les îles Éoliennes et l'Etna. Des terrasses ensoleillées parfumées de mimosa, genêts et jasmin conduisent à la plage privée. Luxe discret dans une ferme bio pourvue d'un golf à 9 trous. Une villa est également en location. **www.sanmichele.it**

GERACE : La Casa di Gianna

Via Paolo Frascà 4, 89040 **Tél** *0964 35 50 24* **Fax** *0964 35 50 81* **Chambres** *10*

Dans une ruelle médiévale de Gerace, une vieille maison abrite cet hôtel dont les pièces sont aménagées autour d'un atrium ensoleillé. Charmant restaurant, salle avec piano, bar et terrasse ensoleillée l'été. Les chambres sont décorées à l'ancienne et très confortables. La suite a un lit à baldaquin et une baignoire à remous. **www.lacasadigianna.it**

MATERA : Albergo Italia

Via Ridola 5, 75100 **Tél** *0835 33 35 61* **Fax** *0835 33 00 87* **Chambres** *46*

Au cœur du centre-ville, cet édifice historique à la superbe terrasse, domine l'ancien quartier des *sassi*. Les chambres et les salles regorgent d'antiquités, tout en offrant des équipements modernes. Plusieurs types de chambre sont proposés. Le restaurant de l'hôtel, *Basilico*, est excellent. **www.albergoitalia.com**

MATERA : Hotel Sassi

Via San Giovanni Vecchio 89, Sasso Barisano, 75100 **Tél** *0835 33 10 09* **Fax** *0835 33 37 33* **Chambres** *20*

Cet hôtel occupe un bâtiment du xviiie siècle dans un endroit calme, au cœur des *Sassi*. Certaines des chambres ont été aménagées dans des caves. Elles sont toutes différentes et confortables : chambres supérieures et suites avec terrasse ou balcon ; certaines chambres sont un peu petites. Vues splendides. **www.hotelsassi.it**

METAPONTO (PISTICCI) : Agriturismo San Teodoro

Contrada San Teodoro, Marconia, 75020 **Tél/Fax** *0835 47 00 42* **Portable** *338 569 81 16* **Chambres** *10*

Cet *agriturismo* est installé dans une vieille ferme romantique à 5 km à peine de la mer, au milieu des citronneraies, des oliveraies et des vignes. Les propriétaires font une excellente cuisine et proposent même des cours. Vélo, golf, tennis et équitation possibles sur place et centre de cure à proximité. **www.santeodoronuovo.com**

REGGIO CALABRIA : Hotel Palace Masoanri's

Via Vittorio Veneto 95, 89121 **Tél** *0965 264 33* **Fax** *0965 264 36* **Chambres** *65*

Hôtel moderne bien situé, proche de la gare ferroviaire, de la vieille ville et du Musée archéologique. Les chambres sont vastes et confortables, équipées d'un accès Internet, de la climatisation et de la télévision par satellite. Nombre d'entre elles ont un balcon avec vue sur le détroit de Messine. **www.montesanohotels.it**

Légende des prix *voir p. 558* **Légende des symboles** *voir le rabat arrière de couverture*

ROCCELLA JONICA : Le Giare
SS106, 111 km, 89047 **Tél** *0964 851 70* **Fax** *0964 86 63 34* **Chambres** *10*

Sur la Riviera du jasmin, à 4 km de Gioiosa Jonica et 8 km de Locri, cet *agriturismo* est entouré de citronneraies et fait face à une plage privée. Les appartements sont simples mais gais et la nourriture, à base de produits de la ferme, est délicieuse. Nombreuses activités pour les enfants. **www.agriclublegiare.it**

ROSSANO : Giardino d'Iti
Contrada Amica, 87068 **Tél/Fax** *0983 645 08* **Chambres** *11*

Ce petit *agriturismo* dirigé par la baronne Cherubini est installé au milieu d'orangers et d'oliviers, à 3 km de la mer Ionienne tout en étant proche des montagnes. Les chambres sont confortables et rustiques, la nourriture délicieuse. Plusieurs cours sont proposés, parmi lesquels cuisine, tissage et thérapie par les plantes. **www.giardinoiti.it**

STILO : Casale Ceramida
Contrada Cucudu, Stilo-Monasterace Marina, 89049 **Tél** *338 399 96 47* **Chambres** *3*

Situé dans un lieu ravissant et calme à l'extérieur de la ville de Stilo, ce *bed and breakfast* possède deux chambres doubles, une chambre avec des lits jumeaux et deux salles de bains communes. Le tout est charmant et très joliment décoré. L'atmosphère de cette maison est à la fois confortable et accueillante. **www.casaleceramida.it**

TROPEA AREA – CAPO VATICANA : Hostel Costa Azzurra
Viale Giuseppe Berto, Ricadi ; Contrada Capo Vaticana, 89865 **Tél** *0963 66 31 09* **Fax** *0963 66 39 56* **Chambres** *30*

Près de la gare ferroviaire de Ricadi, à 9 km de Tropea sur la Costal degli Dei. De vastes jardins entourent les chambres propres et lumineuses. Des appartements sont aussi disponibles. Vous pourrez goûter la cuisine calabraise dans le restaurant. Jeux pour les enfants et canots à rames sur la plage privée. **www.hotelcostazzurra.com**

TROPEA AREA – ZAMBRONE : Casa Isabella
SS522, 24 km, Contrada Conturella, 89868 **Tél** *0963 39 28 91* **Chambres** *4*

Cette *pensione*, tenue par une Allemande qui a vécu à Tropea plus de 30 ans, occupe une villa avec jardins dans la fraîcheur des collines qui dominent la côte de Tropea. De copieux petits déjeuners sont servis dans le patio. Les chambres, récemment modernisées, sont claires et fraîches, la plupart avec salle de bains. **www.villaisabella.info**

VENOSA : Hotel Orazio
Corso Vittorio Emanuele 142, 85029 **Tél** *0972 311 35* **Fax** *0972 350 81* **Chambres** *14*

Ce bâtiment situé au cœur du quartier historique, porte le nom du poète romain Horace qui naquit dans la ville. Magnifiquement restauré, l'hôtel offre tout le confort moderne à un prix raisonnable. Sa terrasse surplombe la vallée. Les chambres sont climatisées et pourvues de télévision et téléphone.

VILLA SAN GIOVANNI : Altafiumara
Località Santa Trada di Cannitello, 89010 **Tél** *0965 75 98 04* **Fax** *0965 75 95 66* **Chambres** *128*

Ce luxueux hôtel occupe une forteresse restaurée sur la Costa Viola, en face des mythiques Charybde et Scylla. Perché sur une falaise, entouré de jardins paysagers, l'établissement domine une plage privée. Suites somptueuses dans la forteresse ou dans des villas modernes. Jardin de sculptures et académie des vins. **www.altafiumarahotel.it**

SICILE

AGRIGENTO (AGRIGENTE) : Fattoria Mosè
Via M. Pascal 4, Villaggio Mosè, 92100 **Tél** *0922 60 61 15* **Fax** *0922 60 61 15* **Chambres** *10*

Ce ravissant *agriturismo* est à 4 km de la vallée des Temples et à 3 km de la mer. Au milieu des oliviers, citronniers, pistachiers et amandiers, cet ancien pavillon de chasse et ferme familiale possède quatre chambres et six petits appartements. Séjour de deux nuits minimum. *Fermé nov.-mars.* **www.fattoriamose.com**

AGRIGENTO (AGRIGENTE) : Hotel Colleverde
Valle dei Templi, 92100 **Tél** *0922 295 55* **Fax** *0922 290 12* **Chambres** *53*

Proche du centre d'Agrigente et de la gare ferroviaire, l'hôtel a une belle vue sur la vallée des Temples depuis ses jardins. Les chambres sont joliment meublées, celles de luxe offrent de beaux panoramas et parfois un Jacuzzi. Le restaurant jouit d'une terrasse. Deux chambres adaptées aux handicapés. Réseau Wi-Fi. **www.colleverde-hotel.it**

CALTAGIRONE : B&B La Pilozza Infiorata
Via SS Salvatore 95-97, 95041 **Tél** *0933 221 62* **Fax** *mobile 328 702 95 43* **Chambres** *12*

À 2 min du célèbre escalier de Santa Maria del Monte, ce bâtiment de la fin du XIXe siècle se trouve dans le centre historique de Caltagirone, célèbre pour ses céramiques. Il offre des chambres (pas toutes équipées de salles de bains, ni climatisées) et des appartements, et possèdent deux terrasses sur la vieille ville. **www.lapilozzainfiorata.com**

CASTÉL DI TUSA : Hotel Atelier sul Mare
Via Cesare Battisti 4, 98070 **Tél** *0921 33 42 95* **Fax** *0921 33 42 83* **Chambres** *40*

Un édifice blanc entouré d'un jardin avec plage privée abrite cet hôtel situé dans un village de pêcheurs, à 20 km à l'est de Cefalù. La plupart des chambres sont des doubles classiques mais 14 ont été conçues par des artistes et sont plus coûteuses. Certaines dominent la mer. Terrasse ensoleillée et restaurant. **www.ateliersulmare.it**

CATANIA (CATANE) : Residence La Ville

Via Monteverdi 15, 95131 **Tél** *095 746 52 30* **Fax** *095 746 51 89* **Chambres** *14*

Près de la via Etnea et du délicieux marché, cet hôtel récemment rénové occupe un bâtiment jaune ensoleillé. Parfait pour les familles, il compte des chambres doubles, triples et quadruples, ainsi qu'une suite, toutes joliment meublées. De petits appartements sont également disponibles. Personnel particulièrement serviable. **www.rhlaville.it**

CATANIA (CATANE) : Hotel Katane Palace

Via Finocchiaro April 110, 95129 **Tél** *095 747 07 02* **Fax** *095 747 01 72* **Chambres** *58*

Situation centrale, près du port, de la gare de chemin de fer et du vieux quartier de la ville. Les chambres sont spacieuses, meublées avec goût et insonorisées ; les salles de bains très chic. *Cuciniere*, le restaurant de l'hôtel, est renommé, et des concerts s'y tiennent tous les ans. Accès Internet et Wi-Fi. **www.katanepalace.it**

CEFALÙ : Hotel La Giara

Via Veterani 40, 90015 **Tél** *0921 42 15 62* **Fax** *0921 42 25 18* **Chambres** *24*

Dans le vieux Cefalù, ce petit hôtel sans prétention a rénové ses chambres et les a dotées de salles de bains. Bien que différentes, toutes sont très confortables, climatisées et équipées de téléphone et télévision. Terrasse sur le toit surplombant le centre historique et la mer. Bon restaurant. **www.hotel-lagiara.it**

CEFALÙ : Hotel Kalura

Via Vincenzo Cavallaro 13, 90015 **Tél** *0921 42 13 54* **Fax** *0921 42 31 22* **Chambres** *72*

Situé dans la baie de Caldura, à l'est de Cefalù, cet hôtel est parfait pour les amateurs de sports nautiques (plage privée et centre de plongée). Les chambres modernes ont pour la plupart un balcon et vue sur mer. Nombreuses activités organisées, piano-bar, aquagym dans la piscine et massages. *Fermé nov.-fév.* **www.hotel-kalura.com**

ENNA : Hotel Sicilia

Piazza N. Colajanni 7, 94100 **Tél** *0935 50 08 50* **Fax** *0935 50 04 88* **Chambres** *60*

Au cœur d'Enna, au centre de la Sicile, cet hôtel moderne est bien placé pour visiter nombre des sites touristiques de l'île. Les chambres sont petites mais il y a une terrasse et un bar sur le toit. Certaines donnent sur la campagne environnante. Les salles communes sont élégantes et meublées d'antiquités. **www.hotelsiciliaenna.it**

ERICE : Hotel Moderno

Via Vittoria Emanuele 67, 91016 **Tél** *0923 86 93 00* **Fax** *0923 86 91 39* **Chambres** *40*

Petit hôtel situé dans le vieux quartier d'Erice, avec une terrasse donnant sur les toits où le petit déjeuner et l'apéritif peuvent vous être servis. Les chambres au mobilier rustique sont grandes et confortables. Certaines possèdent un petit balcon. Excellent restaurant. Animaux domestiques bienvenus. **www.hotelmodernoerice.it**

ERICE : Baglio Santcroce

SS187 Valderice, 91019 **Tél** *0923 89 11 11* **Fax** *0923 89 11 92* **Chambres** *67*

Une ferme construite en 1637 sur les pentes du mont Erice, entre Trapani et Erice, héberge cet hôtel. Jardins en terrasse et bon restaurant de fruits de mer. Les salles et les chambres exhalent un certain charme avec leurs murs en pierre, leurs poutres en bois, leurs sols carrelés et leurs lits en fer forgé. Piscine et terrasse ensoleillée. **www.bagliosantacroce.it**

GIARDINI-NAXOS : Hotel Arathena Rocks

Via Calcide Eubea 55, 98039 **Tél** *0942 513 49* **Fax** *0942 516 90* **Chambres** *49*

Hôtel agréable situé dans un quartier calme de Giardini-Naxos, avec piscine et terrasse ensoleillée donnant sur la mer, au-dessus des roches volcaniques. L'intérieur a le charme d'antan. La plupart des chambres ont un patio privé et vue sur la mer. Bon restaurant. Animaux domestiques bienvenus. Navette jusqu'à Taormine. **www.hotelarathena.com**

ÎLES ÉGATES – FAVIGNANA : Albergo Ristorante Egadi

Via Cristoforo Colombo 17, 91023 **Tél** *0923 92 12 32* **Fax** *0923 92 16 36* **Chambres** *12*

Cette villa jaune ensoleillé est situé dans le centre-ville, près du front de mer et du port. Ses chambres sont pourvues de mobilier ancien. Deux chambres de l'étage partagent une terrasse – l'une est équipée d'une baignoire à remous, l'autre d'une douche à jets puissants. Suite familiale et villa pour quatre personnes aussi. **www.albergoegadi.it**

ÎLES ÉOLIENNES – LIPARI : Villa Diana

Via Tufo 1, 98055 **Tél** *090 981 14 03* **Fax** *090 981 14 03* **Chambres** *12*

Résidence du peintre suisse Edwin Hunziker à Lipari, qui est entourée de citronniers et d'oliviers. La terrasse ensoleillée offre des vues sur la ville de Lipari et la mer. Toutes les chambres donnent sur le jardin reposant, et sont meublées d'antiquités et d'œuvres d'art. Court de tennis et un terrain de boules. *Fermé nov.-mars.* **www.villadiana.com**

ÎLES ÉOLIENNES – PANAREA : Hotel Raya

Via S. Pietro, 98050 **Tél** *090 98 30 13* **Fax** *090 98 31 03* **Chambres** *30*

Série d'appartements aménagés sur un versant d'une falaise couvert d'hibiscus, de bougainvillées et d'oliviers. Répartis dans deux petits villages, à 5 min l'un de l'autre, avec vue sur le Stromboli et la mer. Bar et restaurant romantiques avec des lampes à huile pour le soir. La plupart des chambres donnent sur la mer. **www.hotelraya.it**

ÎLES ÉOLIENNES – STROMBOLI : La Locanda del Barbablu

Via Vittorio Emanuele 17-19, 98050 **Tél** *090 98 61 18* **Fax** *090 98 63 23* **Chambres** *6*

Habitations de pêcheurs remplies d'antiquités et d'objets d'art. Les chambres petites mais charmantes ont une salle de bains. L'excellent restaurant propose une cuisine créative dans une oasis de verdure et sur une terrasse ensoleillée, avec un beau panorama sur le Stromboli. Proche de la plage de Fico Grande. *Fermé nov.-fév.* **www.barbablu.it**

Légende des prix *voir p. 558* **Légende des symboles** *voir le rabat arrière de couverture*

MARSALA : Baglio Oneto

Contrada Baronazzo Amafi 55, 91025 **Tél** *0923 74 62 22* **Fax** *0923 99 69 63* **Chambres** *48*

L'hôtel occupe une maison fortifiée, au beau milieu des vignes, dans les collines qui entourent Marsala. Il jouit d'une piscine et d'une terrasse avec vue sur les îles Egadi. Belles chambres avec balcon ou terrasse. Dans le restaurant, on peut déguster d'excellents plats régionaux. Bon bar à vins. *Fermé 21 oct.-18 avr.* **www.framonhotels.com**

MESSINA (MESSINE) : Hotel Sant'Elia

Via I Settembre 67, 98122 **Tél** *090 601 00 82* **Fax** *090 678 37 50* **Chambres** *15*

Petit hôtel agréable situé au cœur de Messine, dans un bâtiment du XIXe siècle à l'angle de la piazza Palazzo Reale, à côté d'une église du XIIIe siècle, proche des sites touristiques et non loin du port et de la gare. Les chambres sont spacieuses et insonorisées. Restaurant de type snack-bar. **www.hotelsantelia.com**

MILAZZO : Petit Hotel

Via Dei Mille 37, 98057 **Tél** *0909 28 67 84* **Chambres** *9*

Petit hôtel jaune qui fait face au port, très bien placé pour rejoindre les îles Éoliennes. Les chambres sont insonorisées et équipées de meubles anti-allergiques, déionisours, chauffage et climatisation favorables à l'environnement. Sur le toit, la belle terrasse est recouverte de carreaux de majolique. Service aimable. **www.petithotel.it**

MODICA : Hotel Relais

Via Tommaso Campailla 99, 97015 **Tél** *0932 75 44 51* **Fax** *0932 75 44 51* **Chambres** *10*

Au cœur de Modica Alta, près du Teatro Garibaldi, cet édifice médiéval, ancienne demeure d'un comte sicilien, offre de splendides vues sur la ville baroque depuis sa terrasse. Les chambres sont toutes différentes, certaines ont un balcon et des poutres en bois. Chambres familiales disponibles. **www.hotelrelaismodica.it**

NOTO : Masseria degli Ulivi

Contrada Porcari, SS287, près de Madonna della Scala, 96017 **Tél** *0931 81 30 19* **Fax** *0931 81 30 48* **Chambres** *16*

À 8 km du vieux Noto, entourée de caroubiers et d'oliveraies, cette coquette villa rose date de la fin du XIXe siècle. Les chambres arborent tommettes, meubles en bois sombre, plafonds avec solives, volets et linge de lit bien frais. Excellents restaurant et *enoteca*, et repas servi en terrasse l'été. *Fermé mi-nov.-fin mars.* **www.masseriadegliulivi.com**

PALERMO (PALERME) : Giorgio's House

Via A. Mongitore, 90100 **Tél** *091 52 50 57* **Portable** *347 221 48 23* **Chambres** *3*

Agréable *bed and breakfast* dont le propriétaire Giorgio est particulièrement accueillant. Situé entre la gare et le palazzo Reale, il est aussi proche de la cathédrale. Trois chambres se partagent les deux salles de bains. Un salon est également mis à disposition des hôtes. Excursions organisées. **www.giorgioshouse.com**

PALERMO (PALERME) : Hotel Ambasciatori

Via Roma 111, 90133 **Tél** *091 616 68 81* **Fax** *091 610 01 05* **Chambres** *18*

L'entrée de l'hôtel se trouve au cinquième étage d'un bâtiment du XIXe siècle, dans l'une des rues les plus animées de Palerme. Les chambres sont vastes, calmes et confortables, certaines donnant sur la ville ; leur décoration et leurs meubles sont jolis. Le petit déjeuner est servi sur la terrasse du toit. **www.ambasciatorihotelpalermo.com**

PALERMO (PALERME) : Massimo Plaza Hotel

Via Maqueda 437, 90133 **Tél** *091 32 56 57* **Fax** *091 32 57 11* **Chambres** *15*

Ce palais joliment restauré occupe une situation particulièrement centrale en face du Teatro Messino. Les chambres sont grandes et insonorisées, quelques-unes donnant sur la belle place. Le bar et le salon offrent des espaces accueillants, et le service est excellent. **www.massimoplazahotel.com**

PALERMO (PALERME) : Grand Hotel Villa Igeia

Salita Belmonte 43, 90142 **Tél** *091 631 21 11* **Fax** *09154 76 54* **Chambres** *110*

Cet hôtel romantique du groupe Hilton se trouve en dehors de Palerme. Ses jardins parfumés de jasmin dominent la mer. Construit en 1908 par Ernesto Basile, adepte du style Art nouveau italien, les salles communes sont ornées de fresques et de meubles originaux. Chambres élégantes avec vue sur jardin ou terrasse sur mer. **www.gigliotto.com**

PIAZZA ARMERINA : Agriturismo Gigliotto

Contrada Gigliotto, 95040 **Tél** *0933 97 08 98* **Portable** *335 838 03 24* **Chambres** *14*

Au milieu d'un vaste domaine, perchée sur une colline surplombant l'est de la Sicile, cette ancienne métairie date de 1296. Les chambres voûtées ont des murs de pierre, des tommettes, des poutres ; elles sont dotées de mobilier ancien et possèdent une salle de bains. Nourriture excellente, trekking et équitation possible. **www.gigliotto.com**

RAGUSA (RAGUSE) : Eremo della Giubiliana

Contrada Giubiliana, 97100 **Tél** *0932 66 91 19* **Fax** *0932 66 91 29* **Chambres** *16*

L'*Eremo* possède l'unique piste d'atterrissage privée de Sicile et propose des excursions en avion. Cette métairie féodale fortifiée de plus de 1 000 ans possède un magnifique panorama sur la mer et une plage privée. Les chambres et les suites sont élégantes. Nourriture délicieuse. Chiens bienvenus. **www.eremodellagiubiliana.it**

SCIACCA : Grand Hotel delle Terme

Viale Nuove Terme 1, 92019 **Tél** *0925 231 33* **Fax** *0925 870 02* **Chambres** *77*

Hôtel moderne entouré d'un vaste jardin et pourvu d'une terrasse ensoleillée, d'une piscine, d'un centre de remise en forme, d'un spa, et où une grande variété de soins spécifiques sont proposés. Presque toutes les chambres ont un balcon sur la mer. Les sources thermales sont proches. Navettes jusqu'à la plage. **www.grandhoteldelleterme.com**

SIRACUSA (SYRACUSE) : Hotel Gutkowski

P &. 目 €€€

Lungomare Vittorini 26, 96100 **Tél** *0931 46 58 61* **Fax** *0931 48 05 05* **Chambres** *25*

Un bâtiment bleu pastel, en plein cœur d'Ortigia, abrite des chambres lumineuses. Certaines offrent une petite terrasse et cinq d'entre elles une vue sur mer ; choix entre douche et baignoire. Le petit déjeuner est servi sur une terrasse, et en hiver, un feu agrémente le bar. Les salles annexes sont plus basiques et sans vue. **www.guthotel.it**

SIRACUSA (SYRACUSE) : Albergo Domus Mariae

P 🍽 目 €€

Via Vittorio Veneto 76, 96100 **Tél** *0931 248 58* **Fax** *0931 248 54* **Chambres** *16*

Dirigé par des sœurs ursulines, ce couvent se trouve au cœur d'Ortigia. Mélange d'ancien et de moderne, ses équipements sont basiques, mais ses chambres sont grandes et propres. Six d'entre elles donnent sur la mer, les autres ont un balcon sur la rue. Petite terrasse ensoleillée et chapelle et personnel agréable.

SIRACUSA (SYRACUSE) : Grand Hotel Ortigia

🔧 P 🍽 &. 目 €€€

Viale Mazzini 12, 96100 **Tél** *0931 46 46 00* **Fax** *0931 46 46 11* **Chambres** *58*

Bien situé dans Ortigia, juste de l'autre côté du pont reliant l'ancien et le nouveau Syracuse, ce splendide hôtel a récemment rouvert ses portes après une légère restauration. La grandeur d'autrefois se mêle partout au style high-tech. Belle terrasse sur le toit avec vue sur mer. En été, vous pouvez même dîner dehors. Plage privée. **www.grandhotelsr.it**

TAORMINA (TAORMINE) : Hotel Condor

🔧 P 目 €€

Via Dietro Cappuccini 25, 98039 **Tél** *0942 231 24* **Fax** *0942 62 57 26* **Chambres** *12*

À 5 min du centre-ville, cette jolie villa couverte de bougainvillées exhale un charme d'antan. Les terrasses sur le toit disposent d'un solarium et d'un bar où le petit déjeuner est servi en été. Les chambres standard, parfois avec balcon, sont accueillantes. Les chambres économiques ont un balcon ou une vue sur la mer. **www.condorhotel.com**

TAORMINA (TAORMINE) : Villa Belvedere

🔧 P 🍽 ≋ 目 €€

Via Bagnoli Croce 79, 98039 **Tél** *0942 237 91* **Fax** *0942 62 58 30* **Chambres** *47*

Entourée d'un jardin d'orangers et de citronniers, cette villa jaune dans le style Liberty est à cinq minutes du vieux quartier et du funiculaire qui conduit à la plage. L'hôtel a une piscine face à la mer, des salles fraîches et les chambres, généralement claires, ont pour la plupart un balcon ou une terrasse. **www.villabelvedere.it**

TAORMINA (TAORMINE) : Villa Ducale

P 🍽 目 €€€

Via Leonardo da Vinci 60, 98039 **Tél** *0942 281 53* **Fax** *0942 287 10* **Chambres** *13*

L'un des hôtels les plus romantiques de Taormine est un ancien relais poste. Il possède de beaux jardin avec Jacuzzi et terrasses, un spa thermal et une navette vous conduira à la plage. Chaque chambre a un balcon ou une véranda, un sol en tommettes, des lits en fer forgé, des murs ornés de fresques. **www.villaducale.com**

TAORMINA (TAORMINE) : Mazzaro Sea Palace Hotel

🔧 P 🍽 ≋ 🎿 🚗 🅿 目 €€€€€

Via Nazionale 147, 98030 **Tél** *0942 61 21 11* **Fax** *0942 62 62 37* **Chambres** *88*

Hôtel de luxe près du téléphérique qui conduit au vieux Taormine et sur la plage principale de Taormine. Les chambres et les suites sont splendides, la plupart munies d'un balcon où les hôtes peuvent dîner aux chandelles. Plage privée, piano-bar et suites avec piscines privées. **www.mazzaroseapalace.it**

TRAPANI : Tavernetta Ai Lumi

🍽 目 €

Corso Vittorio Emanuele 75, 91100 **Tél** *0923 54 09 22* **Chambres** *14*

Installé au-dessus d'une taverne, dans le centre de Trapani, ce *bed and breakfast* occupe un palais dont les écuries ont été reconverties en salles à manger. Les chambres sont meublées à l'ancienne, elles possèdent une salle de bains, mais ne sont pas toutes climatisées. Des appartements sont également disponibles. **www.ailumi.it**

ZAFFARANA-ETNEA : Hotel Airone

🔧 P 🍽 ≋ 目 €€

Via Cassone 67, 95019 **Tél** *095 708 18 19* **Fax** *095 708 21 42* **Chambres** *62*

La ville médiévale de Zaffarana-Etnea se trouve sur les pentes de l'Etna, dans une région célèbre pour son miel. Cet hôtel propose de ravissantes chambres, un jardin avec piscine, un restaurant et un centre de cure renommé. Vue inoubliable sur la mer Ionienne et les dernières coulées de lave. Visites guidées. **www.hotel-airone.it**

SARDAIGNE

ALGHERO : Hotel Angedras

🔧 P & 🚗 目 €€

Via Frank 2, 07041 **Tél** *079 973 50 34* **Fax** *079 973 50 34* **Chambres** *24*

Cet hôtel chic à 10 min de la vieille ville d'Alghero est situé dans une rue calme. La décoration associe le style sarde et l'élégance moderne. Le petit déjeuner se compose d'une sélection de pâtisseries typiques préparées dans la boulangerie familiale. Service chaleureux et aimable. Plage privée. Deux chambres adaptées aux handicapés. **www.angedras.it**

ALGHERO : Villa Las Tronas

🔧 P 🍽 ≋ 🚗 🅿 目 €€€

Lungomare Valencia 1, 07041 **Tél** *079 98 18 18* **Fax** *079 98 10 44* **Chambres** *25*

Cette villa du XIXe siècle, couleur moutarde, occupe un promontoire surplombant Capo Caccia. L'hôtel confortable est décoré avec goût. Les salles regorgent de dorures et de meubles raffinés, tandis que les chambres sont plus simples mais jolies. Un jardin et des terrasses dominent la mer. **www.hotelvillalastronas.it**

Légende des prix *voir p. 558* **Légende des symboles** *voir le rabat arrière de couverture*

BOSA : Hotel al Gabbiano
Viale Mediterraneo 5, 08013 **Tél** *0785 37 41 23* **Fax** *0785 37 41 09* **Chambres** *32*

Idéalement placé, cet hôtel offre un panorama sur la baie. Il possède une plage privée et le personnel organise diverses excursions : vélo, plongée, etc. Les chambres sont claires, le restaurant spécialisé dans les plats locaux. L'hôtel loue aussi des villas en bord de mer ou à la campagne. Demi-pension en août. **www.bosa.it/gabbianohotel**

CAGLIARI : Hotel 4 Mori
Via GM Angioj 27, 09124 **Tél** *070 66 85 35* **Fax** *070 66 60 87* **Chambres** *42*

Au cœur de la ville, ce petit hôtel accueillant a été rénové en 2004. Les chambres sont simples et propres, avec des murs blanchis à la chaux et des meubles en bois. L'hôtel présente un bon rapport qualité/prix vu son emplacement, près de la via Roma et du largo Carlo Felice : parfait pour découvrir la ville et faire du shopping. **www.hotel4mori.it**

CAGLIARI : Hotel Aurora
Piazza Yenne, Salita Santa Chiara 19, 09124 **Tél** *070 65 86 25* **Fax** *070 64 05 050* **Chambres** *8*

Petit hôtel central installé dans un bâtiment du XIXe siècle, un peu à l'écart de l'agitation de la piazza Yenne. Certaines chambres sont décorées de peintures murales. Les chambres à l'avant sont plus bruyantes, car il y a un marché en face le matin. L'hôtel est peu onéreux si l'on considère sa situation. **www.hotelcagliariaurora.it**

CAGLIARI : Caesar's Hotel
Via Darwin 2/4, 09126 **Tél** *070 34 07 50* **Fax** *070 34 07 55* **Chambres** *48*

Moins central que les autres, cet hôtel placé dans une zone résidentielle est cependant le plus attrayant. Son entrée atrium fut la première du genre en Sardaigne. Les chambres confortables sont équipées pour certaines de salles de bains avec Jacuzzi. Le restaurant familial propose une cuisine traditionnelle de grande qualité. **www.caesarshotel.it**

ISOLA DI SAN PIETRO : Hotel Hieracon
Corso Cavour 62, 09014 **Tél** *0781 85 40 28* **Fax** *0781 85 48 93* **Chambres** *24*

Cette villa fut construite dans le style Art nouveau à la fin du XIXe siècle et possède de nombreuses chambres d'époque. Celles donnant sur l'arrière sont plus calmes. Les appartements occupent le coquet jardin méditerranéen, où le petit déjeuner peut être servi. L'hôtel n'est pas très loin du terminus des ferries. **www. hotelhieraclon.com**

ISOLA DI SAN PIETRO : Hotel Paola e Primo Maggio
Località Tacca Rossa, 09014 **Tél** *0781 85 00 98* **Fax** *0781 85 01 04* **Chambres** *20*

Cette pension calme et moderne tenue par une famille est entourée de verdure et surplombe la mer. Sa terrasse ombragée est idéale pour dîner au restaurant fier de sa gastronomie de Carloforte. Les chambres sont simples mais on s'y sent chez soi, la salle principale confortable et rustique. *Fermé nov.-mars.* **www. hotelpaola carloforte.it**

NUORO : Hotel Grillo
Via Mons Melas 14, 08100 **Tél** *0784 386 78* **Fax** *0784 320 05* **Chambres** *45*

Cet hôtel moderne récemment rénové est situé dans un lieu calme, à quelques pas du centre historique. Les chambres sont spacieuses et élégamment meublées, certaines équipées d'un Jacuzzi. Le restaurant sert une très bonne cuisine régionale et est apprécié par la population locale. **www.grillohotel.it**

OLIENA : Su Gologone
Località Su Gologone, 08025 **Tél** *0784 28 75 12* **Fax** *0784 28 76 68* **Chambres** *68*

Villa du Sopramonte, région montagneuse de la Barbagia. L'endroit est paisible, caractéristique de la chaude hospitalité sarde. Les édifices en pierre occupent un parc ombragé par des oliviers. L'hôtel jouit d'un excellent restaurant. Grand choix de sports, activités et excursions. Demi-pension seulement. **www.sugologone.it**

PORTO CERVO : Balocco
Località Liscia di Vacca, 07021 **Tél** *0789 915 55* **Fax** *0789 915 10* **Chambres** *42*

Hôtel attrayant dans le style méditerranéen avec des murs blanchis à la chaux et de la terre cuite, entouré de palmiers. Chaque chambre a une terrasse. Il est proche de tous les équipements locaux et offre comparativement un bon rapport qualité/prix pour la très chic Costa Smeralda. Navette gratuite pour la plage. **www.hotelbalocco.it**

PORTO CERVO : Capriccioli
Località Capriccioli, 07020 **Tél** *0789 960 04* **Fax** *0789 964 22* **Chambres** *45*

L'un des meilleurs rapports qualité/prix de la très chère Costa Smeralda. Cet hôtel, proche de la plage, occupe un jardin méditerranéen et possède un excellent restaurant. Les chambres blanchies à la chaux sont dotées de meubles traditionnels en bois. Nombreuses excursions et activités proposées. *Fermé oct.-avr.* **www.hotelcapriccioli.it**

PORTO ROTONDO : Sporting
Via Clelia Donadalle Rose 16, Porto Rotondo, 07020 **Tél** *0789 340 05* **Fax** *0789 343 83* **Chambres** *47*

Une oasis de confort sur la Costa Smeralda. Vaste complexe hôtelier avec sa propre plage et de nombreuses activités. L'architecture du bâtiment et le jardin sont typiquement méditerranéens. Les chambres sont claires, confortablement meublées, et possèdent une terrasse privée fleurie ouverte sur la mer. Piano-bar. **www.sportingportorotondo.it**

SASSARI : Hotel Leonardo da Vinci
Via Roma 79, 07100 **Tél** *079 28 07 44* **Fax** *079 285 72 33* **Chambres** *118*

Grand hôtel moderne et confortable, à quelques minutes à pied de la piazza Italia et du centre-ville. Les chambres et le mobilier sont fonctionnels, mais créent une agréable sensation d'espace et de paix. Le hall principal et le bar sont pavés de marbre coloré et agrémentés de canapés. **www.leonardodavincihotel.it**

RESTAURANTS

Pour les Italiens, fiers à juste titre de leur excellente cuisine et de leurs vins, les repas sont une chose sérieuse et ils passent des heures à table. Au cours d'un voyage en Italie, on découvre avec plaisir d'infinies variations régionales sur les pâtes, les pains et les fromages. Les restaurants servent des *tortelloni* fourrés aux épinards dans le Nord et des poivrons rouges farcis dans le Sud, et ils ne proposent rien d'autre que des plats italiens. Inutile de ne fréquenter que des endroits luxueux pour bien manger : une simple *trattoria*, adaptée aux goûts de la clientèle locale, est souvent meilleure qu'un restaurant international. Les indications pratiques qui suivent sur les divers restaurants et leur fonctionnement vous aideront à découvrir et apprécier la gastronomie italienne.

Serveur portant une spécialité régionale

DIFFÉRENTS TYPES DE RESTAURANTS

Autrefois, les *trattorie* et les *osterie*, populaires et bon marché, s'opposaient aux restaurants, plus chic. Les termes sont devenus interchangeables et un prix élevé ne présage pas nécessairement un repas inoubliable.

Une *pizzeria* est d'ordinaire un lieu économique où l'on peut manger et boire une bière pour la modique somme de 12 €. Elles ne sont souvent ouvertes que le soir, surtout si elles possèdent un four à bois (*forno a legna*).

Une *birreria*, bon marché également, propose des en-cas rapides. Une *enoteca*, ou *vineria*, est par définition un endroit où l'on peut boire du vin. Les Italiens boivent rarement sans manger. Les prix, variables, ont tendance à être disproportionnés par rapport aux portions servies.

À l'heure du déjeuner et en

Le restaurant *El Gato*, à Chioggia, réputé pour son poisson *(p. 609)*

début de soirée, les *rosticcerie* vendent des poulets rôtis, des portions de pizza (*pizza al taglio*) et d'autres plats à emporter. On peut aussi acheter des pizzas chez les boulangers. Les bars proposent des sandwiches (*panini*), des toasts (*tramezzini*) et des *pizzette*. Quant à la *tavola calda*, elle sert des plats chauds pour moins de 6 €.

Les *gelaterie* offrent un choix de parfums de glaces incroyablement étendu. Les *pasticcerie* vendent une grande variété de gâteaux et de biscuits délicieux.

HEURE DES REPAS

On déjeune généralement entre 13 h et 14 h 30 et, notamment dans le Sud, toute activité est alors suspendue. Le dîner débute vers 20 h et peut se poursuivre jusqu'à plus de 23 h. Il n'est pas rare de trouver des tables encore occupées à 16 h et des dîneurs sirotant des *digestivi* bien après minuit.

RÉSERVER UNE TABLE

Les bons restaurants sont souvent bondés ; il est donc prudent de réserver quand on peut. Sinon, allez-y assez tôt pour éviter de devoir attendre. Beaucoup de restaurants ferment en hiver ou durant les vacances d'été.

MENU

Un repas italien comporte 3 ou 4 plats. Au restaurant, il est d'usage d'en prendre au moins deux. L'*antipasto* (entrée) est suivi par le *primo*, une assiette de pâtes, risotto ou de soupe. Le *secondo* est un plat de viande ou de poisson accompagné de légumes ou de salade (les *contorni*), avant le fromage, les fruits ou le dessert. Après le café, on prend un *digestivo* : une *grappa* ou un *amaro*.

Les menus alternent en général en fonction des arrivages de produits frais de saison. Si vous ne comprenez

Villa Crespi, au Piémont, inspiré des Mille et une nuits *(p. 621)*

pas ce que le serveur vous propose, renseignez-vous sur les spécialités culinaires, décrites au début de chaque section du guide (*p. 720*).

CUISINE VÉGÉTARIENNE

Les restaurants végétariens sont quasi inexistants, mais vous n'aurez pas beaucoup de problèmes en puisant dans les menus italiens. En effet, beaucoup de plats de pâtes et d'*antipasti* ne comportent pas de viande, et on peut obtenir un bon plat de légumes en commandant un assortiment de *contorni*.

VINS ET BOISSONS

Beaucoup de régions possèdent leur propre *aperitivo* pour commencer le repas et leur *digestivo* pour le conclure. On peut prendre partout un verre de *prosecco* (vin blanc sec mousseux) ou un *analcolico* (apéritif sans alcool) en apéritif et une *grappa* comme pousse-café. Le vin de la maison (rouge ou blanc) est un vin de pays souvent servi en carafe plutôt bon. Les restaurants offrent souvent une sélection de vins de la région choisis pour accompagner les mets proposés sur la carte. Pour cette raison, les vins étrangers sont d'ordinaire assez rares.

L'eau du robinet (*acqua del rubinetto*) est buvable et très bonne, mais l'Italie possède un vaste choix d'eaux minérales. L'eau *frizzante* peut contenir du gaz carbonique. Le terme « *naturale* » désigne une eau

Terrasse de restaurant dans le Chianti, en Toscane

plate ou naturellement gazeuse. La *Ferrarelle*, très appréciée, se situe quelque part entre les deux. Si vous voulez de l'eau plate, demandez-la *non gassata*.

PRIX

Le service est inclus dans le prix du menu, mais l'usage est de laisser un pourboire (de 2 € à 5 €). Le couvert (*coperto*), qui comprend le pain, que vous en mangiez ou non, est un supplément obligatoire.

Les cartes bancaires ne sont pas toujours acceptées en Italie, en particulier dans les petites villes, et il est prudent de s'informer avant de s'installer.

COMMENT S'HABILLER

Les Italiens aiment s'habiller pour aller manger, toutefois la plupart des restaurants n'exige pas une tenue spécialement élégante. Un habillement très débraillé ou très sale vous attire rarement un service courtois.

ENFANTS

En dehors des restaurants les plus chic, les enfants sont toujours les bienvenus. Dans toute l'Italie, on voit souvent des familles au grand complet en train de déjeuner le dimanche midi. Presque tous les restaurants servent des portions réduites et prêtent des coussins.

La trattoria romaine *Sora Lella*, dans l'île du Tibre (*p. 637*)

FUMEURS, NON-FUMEURS

Les Italiens fument toujours beaucoup. Cependant les lois anti-tabac ont fait de tous les restaurants des lieux non-fumeurs. Alors si vous souhaitez fumer, préparez-vous à le faire à l'extérieur, à moins qu'il existe une salle fumeurs.

ACCÈS FAUTEUIL ROULANT

Peu de restaurants sont équipés pour accueillir les personnes en fauteuil roulant, mais si vous prévenez à l'avance, on vous réservera une table d'accès facile et le personnel vous accueillera.

Le restaurant *La Marinella*, qui domine la côte amalfitaine (*p. 643*)

Choisir un restaurant

Les restaurants présentés ont été choisis dans toutes les catégories, pour leur bon rapport qualité/prix, la qualité de leur cuisine ou l'attrait de leur situation. Ils sont recensés par région, du nord au sud. Les indications de plan se réfèrent aux atlas des rues de Venise, Florence et Rome. *Buon appetito !*

CATÉGORIE DE PRIX
pour un repas avec entrée et dessert, une demi-bouteille de vin de la maison, couverts, taxes et service compris :

€ moins de 25 euros
€€ 25-35 euros
€€€ 35-45 euros
€€€€ 45-55 euros
€€€€€ plus de 55 euros

VENISE

BURANO : Da Romano
€€

Piazza Galuppi 221, 30012 **Tél** *041 73 00 30*

Il est conseillé de réserver votre table à l'avance dans ce restaurant, le meilleur de l'île de Burano. De nombreux plats de poissons vous sont servis à la mode vénitienne traditionnelle, sous l'œil vigilant d'un descendant du propriétaire d'origine qui ouvrit ce restaurant au XIXᵉ siècle. *Fermé dim. soir, mar., 15 déc.-janv.*

BURANO : Ai Pescatori
€€€

Via Galuppi 371, 30012 **Tél** *041 73 06 50*

Au menu de cet établissement accueillant : des fruits de mer frais, comme les langoustines ou la seiche agrémentés d'une sauce noire et accompagnés de *tagliolini* (pâtes plates) et de minuscules petits artichauts locaux très goûteux. En hiver, on vous proposera également du gibier au dîner. Carte des vins très étoffée. *Fermé mar., 2 sem. janv.*

CANNAREGIO : Brek
€

Lista di Spagna 124, 30121 **Tél** *041 244 01 58*   **Plan** *2 D4*

Ce restaurant self-service animé, proche de la gare de chemin de fer, sert des plats fraîchement préparés. Pratique pour avaler rapidement un sandwich ou une pâtisserie, prendre un café ou savourer un repas plus long assis. Prix raisonnables. De délicieux plats de pâtes et de viande sont préparés tandis que vous patientez.

CANNAREGIO : La Cantina
€€

Strada Nuova 3689, 30121 **Tél** *041 522 82 58*   **Plan** *2 F4*

Ce joyeux bar à vins donne sur la bruyante Strada Nuova. Ses casse-croûtes mettent l'eau à la bouche. De copieux plats à base de fruits de mer frais, de viandes grillées et de fromages sont également préparés sur place pour accompagner l'excellent choix de vins. *Fermé dim., lun., 2 sem. août.*

CANNAREGIO : Trattoria da Gigio
€€

Rio Terrà San Leonardo 1594, 30121 **Tél** *041 71 75 74*   **Plan** *2 D3*

Pendant la semaine, cette trattoria animée est remplie de commerçants du marché voisin, et son atmosphère est très vivante. Au menu vous trouverez plats de poissons frais et viande grillée en quantité généreuse. Le service est convivial, un plus non négligeable. *Fermé lun. soir, dim.*

CANNAREGIO : Osteria Giorgione
€€€

Calle Larga di Proverbi 4582A, 30121 **Tél** *041 522 17 25*   **Plan** *3 B4*

Restaurant chaleureux, doté d'une bonne carte des vins. Il sert des spécialités de poisson comme le carpaccio de thon, et des plats de viande comme le *fegato alla veneziana* (foie cuisiné aux oignons). Gardez une petite place pour les délicieux desserts comme le flan de chocolat chaud servi avec de la glace. *Fermé lun.*

CANNAREGIO : Fiaschetteria Toscana
€€€€

Salizzada San Giovanni Grisostomo 5719, 30131 **Tél** *041 528 52 81* **Fax** *041 528 55 21*   **Plan** *3 B5*

Outre un vaste choix de vins, la famille Busatto offre des fruits de mer frais, comme une délicieuse salade chaude de poulpe, suivie d'un turbot dans sa sauce aux câpres. Réservez à l'avance car il s'agit de l'un des meilleurs restaurants de Venise. *Fermé mar., mer. midi, fin juil.-août.*

CANNAREGIO : Vini Da Gigio
€€€€

Fondamenta San Felice 3628A, 30121 **Tél** *041 528 51 40*   **Plan** *3 A4*

Atmosphère élégante et plats raffinés à base de produits de saison. Le risotto aux crevettes ou la seiche grillée comptent parmi les spécialités, de même que le délicieux canard et les artichauts locaux. Grand choix de vins. Réservation recommandée. *Fermé lun., mar., mi-janv.-5 fév., 3 sem. août.*

CASTELLO : Aciugheta
€

Campo SS Filippo e Giacomo 4357, 30122 **Tél** *041 522 42 92* **Fax** *041 520 82 22*   **Plan** *7 C2*

Apprécié des jeunes pour ses apéritifs, cet endroit est fréquenté jusque tard dans la nuit. Soigné et moderne, il propose des salades et des casse-croûtes légers pour le déjeuner, ainsi que d'excellents plats de pâtes. Prenez place à l'extérieur pour observer l'animation de la ville. À quelques minutes de la place Saint-Marc. *Fermé mer., nov.-janv.*

Légende des symboles *voir le rabat arrière de couverture*

CASTELLO : Trattoria Giorgione
🗐 🎵 🖳 ⓔ

Via Garibaldi 1533, 30122 **Tél** *041 522 87 27*

Excellente trattoria locale servant de savoureux plats de poisson traditionnels (tels que les lasagnes de poisson) et un succulent risotto. Le joyeux propriétaire agrémente les dîners de chansons populaires vénitiennes et de morceaux de guitare. Située sur une avenue animée de l'autre côté de l'Arsenale. *Fermé mer., 2 sem. nov.*

CASTELLO : Da Remigio
🗐 ⓔⓔⓔⓔ

Salizzada dei Greci 3416, 30122 **Tél** *041 523 00 89* **Plan 8 D2**

Réservez votre table dans ce restaurant comptant un nombre limité de places assises. Vous y dégusterez un repas de fruits de mer mémorable, et un crémeux *risotto ai frutti di mare* (risotto de fruits de mer). Finissez votre repas par un *sgroppino*, sorbet au citron ou un délicieux *prosecco*. *Fermé lun. soir, mar., 25 déc.-20 janv., 2 sem. juil.-août.*

CASTELLO : Al Coro
🖳 ⓔⓔⓔⓔⓔ

Campiello della pescaria 3968, 30122 **Tél** *041 522 38 12* **Plan 8 E2**

Ce petit bijou caché derrière les bateaux qui longent l'Arsenal est tenu par le couple Benelli. Vous vous régalerez des merveilleuses recettes de poisson de Cesare, mais gardez de la place pour les desserts de Diane. *Fermé mer., mar., 2 sem. janv., 1 sem. août.*

DORSODURO : Pizzeria Ae Oche
🗐 ♿ 🖳 ⓔⓔ

Fondamenta Zattere 1414, 30123 **Tél** *041 520 66 01* **Plan 6 E4**

Cette pizzeria très fréquentée attire une clientèle locale de tous âges tout autant que les touristes avec sa superbe sélection de pizzas. Elle propose également un menu de qualité servi sur une terrasse donnant sur le canal Giudecca. *Fermé à Noël.*

DORSODURO : Taverna San Trovaso
🗐 ⓔⓔ

Fondamenta Priuli 1016, 30123 **Tél** *041 520 37 03* **Fax** *041 523 45 83* **Plan 6 E3**

Ce restaurant animé, situé juste à l'angle de l'Accademia, est très apprécié des touristes anglophones. Réservez votre table à l'avance ou préparez-vous à faire la queue. On vous servira des pizzas, ainsi que des pâtes, des plats de viande et de poisson simples mais savoureux. Desserts très variés. *Fermé lun.*

DORSODURO : La Rivista
🗐 ♿ 🖳 ⓔⓔ

Rio Terrà Foscarini 979/A, 30123 **Tél** *041 240 14 25* **Fax** *041 277 10 61* **Plan 6 E4**

Restaurant moderne et accueillant, proche de l'Accademia, *La Rivista* prépare également des salades légères et des plats froids pour le déjeuner. Des plats de viande, pâtes et légumes inventifs sont en outre proposés, sans oublier les divins desserts, comme la crème aux baies sauvages. La carte change tous les mois. *Fermé lun.*

DORSODURO : Ai Gondolieri
🗐 ⓔⓔⓔⓔ

San Vio 366, 30123 **Tél** *041 528 63 96* **Fax** *041 521 00 75* **Plan 6 F4**

Proche de la collection Guggenheim, ce restaurant est installé dans des locaux élégamment lambrissés. Vous y mangerez des spécialités régionales de viande et de légumes. Ne manquez pas le ragoût de poulet et sa polenta aux truffes blanches du Piémont. Réservez à l'avance. *Fermé mar., midi juil.-août.*

DORSODURO : L'Avogaria
🗐 ♿ 🖳 ⓔⓔⓔⓔ

Calle dell'Avogaria 1629, 30123 **Tél** *041 296 04 91* **Fax** *041 296 04 91* **Plan 5 C3**

Ce restaurant moderne et élégant, proche des Zattere, est dirigé par une équipe créative. Il s'est spécialisé dans les plats des Pouilles, comme les *calmari* farcis et la *tiedda*, plat estival goûteux à base de riz, moules et pommes de terre. Grand choix de crus de toute l'Italie. Il y a aussi 3 chambres à louer. *Fermé mar., 1 sem. janv., 2 sem. juil.- août.*

GIUDECCA : Cipriani
🗐 🎵 🖳 🍴 ⓔⓔⓔⓔⓔ

Giudecca 10, 30122 **Tél** *041 520 77 44* **Fax** *041 529 39 30*

Une vedette vous conduira du front de mer de San Marco jusqu'à cet hôtel de luxe pour un moment inoubliable. La vue est somptueuse, la carte et le service irréprochables dans les deux restaurants de l'hôtel : l'un haut de gamme, l'autre moins formel. Tenue de ville exigée et l'on vient sans enfants en dessous de 8 ans. *Fermé nov.-mars.*

GIUDECCA : Harry's Dolci
🗐 🖳 ⓔⓔⓔⓔⓔ

Fondamenta San Biagio 773, 30133 **Tél** *041 522 48 44* **Fax** *041 522 23 22*

Divine véranda sur le quai de la Giudecca, loin de l'agitation de Saint-Marc. On dîne avec vue sur les petits bateaux voguant sur le canal. Célèbre pour ses pâtisseries et ses *gelati* (glaces), ce restaurant élégant propose aussi de délicieux repas. Réservation recommandée. *Fermé lun. soir, mar., nov.-avr.*

MAZZORBO : Ai Cacciatori
🖳 ⓔⓔ

Mazzorbo 23, 30012 **Tél** *041 73 01 18*

Cette trattoria traditionnelle, située sur l'île voisine de Burano, sert de succulents plats à base de poisson frais, comme les gnocchis au crabe, à des prix raisonnables. En automne, le canard et le gibier sont également à la carte. À quelques minutes seulement de l'arrêt de ferry de Mazzorbo. *Fermé lun., déc.-15 fév.*

SAN MARCO : Moscacieka
🗐 ♿ ⓔ

Calle dei Fabbri 4717, 30124 **Tél** *041 520 80 85* **Plan 7 B2**

À mi-chemin entre le Rialto et la place Saint-Marc, cette adresse sympathique propose au déjeuner des lasagnes, paninis et salades à un prix raisonnable. Le personnel jeune et dynamique vous concoctera un *Spritz* (un apéritif à base de campari et de vin blanc ou *prosecco*) à tomber par terre. *Fermé jours fériés.*

SAN MARCO : Cavatappi
€€

Campo della Guerra 525/526, 30124 **Tél** *041 296 02 52* **Plan** *7 B1*

Bar à vins moderne et attrayant où vous dégusterez, dans d'élégants plats, des montagnes de pâtes qui mettent l'eau à la bouche. Vous y trouverez aussi de la ricotta fumée et des artichauts, ainsi que de tendres rôtis et des fromages régionaux. Gardez absolument une place pour le dessert. *Fermé mar.-dim. 21h, lun., 1 mois en hiver.*

SAN MARCO : Antico Martini
€€€€€

Campo San Fantin 1983, 30124 **Tél** *041 522 41 21* **Fax** *041 528 98 57* **Plan** *7 A2*

Proche du théâtre de la Fenice, ce restaurant est l'endroit idéal pour dîner. Vous y dégusterez une cuisine de grande qualité, accompagnée d'un large éventail de vins. Service impeccable. Nous vous recommandons, entre autres, l'agneau dans sa sauce balsamique.

SAN MARCO : Da Raffaelle
€€€€€

Ponte delle Ostreghe 2347, 30124 **Tél** *041 523 23 17* **Fax** *041 241 65 46* **Plan** *7 A3*

Ce restaurant animé et bien établi offre un vaste choix de spécialités régionales dans un endroit particulièrement romantique. Parmi les plats à essayer, nous vous conseillons la *granseola* (araignée de mer) en hors-d'œuvre et le risotto aux *scampi* (langoustines) et turbot en plat principal. *Fermé jeu., déc.-fin janv.*

SAN MARCO : Harry's Bar
€€€€€

Calle Vallaresso 1323, 30124 **Tél** *041 528 57 77* **Fax** *041 520 88 22* **Plan** *7 B3*

Connu dans le monde entier pour être le bar favori d'Ernest Hemingway à Venise, le *Harry's Bar* est une institution sacrée et un café douillet. Optez pour un café et des sandwiches toastés, ou un cocktail Bellini. Parmi les plats à la carte, notons le *carpaccio* (bœuf émincé cru mariné), plat inventé par le propriétaire.

SAN MARCO : La Caravella
€€€€€

Calle Larga XXII Marzo 2397, 30124 **Tél** *041 520 89 01* **Fax** *041 520 71 31* **Plan** *7 A3*

Remarquable restaurant de l'hôtel *Saturnia*, situé près de la place Saint-Marc, qui se distingue par l'excellence de son service. L'intérieur de *La Caravella* imite la décoration d'une galère vénitienne du XVIe siècle. La soupe de poisson et le loup de mer aux pignons grillés, poireaux et basilic sont deux des spécialités à déguster ici. Très bonne carte des vins.

SAN POLO : Osteria alla Patatina
€

Ponte San Polo 2741A, 30125 **Tél** *041 523 72 38* **Plan** *6 E1*

De savoureux légumes frits, de la *baccalà* (morue salée) crémeuse et du poulpe bien tendre vous sont proposés au comptoir de cette *osteria* vénitienne typique. Les Italiens passent y prendre un verre de vin accompagné de frites chaudes (*patatine*, d'où le nom de l'endroit), mais on peut aussi y prendre un repas. *Fermé dim., 1 sem. mi-août.*

SAN POLO : Trattoria alla Madonna
€€

Calle della Madonna 594, 30125 **Tél** *041 522 38 24* **Fax** *041 521 01 67* **Plan** *7 A1*

Dans ce restaurant de poisson renommé du quartier du Rialto, les serveurs défilent avec des plats de fruits de mer traditionnels, tels que la *granceola* (araignée de mer) et les *seppie in nero* (calmars à l'encre de seiche). Arrivez tôt si vous n'aimez pas attendre. *Fermé mer., fin déc.-fin janv., 5-20 août.*

SAN POLO : Poste Vecie
€€€

Rialto Pescheria 1608, 30125 **Tél** *041 72 18 22* **Fax** *041 72 10 37* **Plan** *3 A5*

On entre dans ce restaurant par le marché au poisson du Rialto. Le *Poste Vecie* se proclame restaurant le plus ancien de la ville, son histoire remontant au XVIe siècle. Ses poissons, comme le turbot au four, et ses raviolis et *tagliolini* (pâtes plates) maison, sont excellents. La carte des vins et le chariot des desserts sont impressionnants. *Fermé mar.*

SAN POLO : Da Fiore
€€€€€

Calle del Scaleter 2202, 30125 **Tél** *041 72 13 08* **Fax** *041 72 13 43* **Plan** *6 D1*

Établissement chic caché derrière le Campo San Polo, le *Da Fiore* est probablement le meilleur restaurant de la ville. On y privilégie les produits de saison. Les gourmets apprécieront le loup de mer au vinaigre balsamique, le thon au romarin et les *molecche* (crabes décortiqués). Délicieux sorbet aux fruits. *Fermé dim., lun., Noël-mi-janv., 3 sem. août.*

SANTA CROCE : Al Nono Risorto
€€

Sottoportego di Sior Bettina 2338, 30115 **Tél** *041 524 11 69* **Plan** *2 F5*

Cette pizzeria-restaurant fréquentée jusque tard dans la nuit possède une coquette cour ombragée pour les dîners d'été. Située à proximité du marché du Rialto, elle attire les gens du quartier et il est recommandé de réserver votre table le week-end. *Fermé mer., jeu. midi, 3 sem. janv., 1 sem. mi-août.*

SANTA CROCE : Il Réfolo
€€

Campo del Piovan 1459, 30135 **Tél** *041 524 00 16* **Fax** *041 72 13 43* **Plan** *2 E5*

Situé sur une place pittoresque, près de San Giacomo dell'Orio, cet établissement moderne sert des pizzas gastronomiques et inventives, ainsi que de simples plats de pâtes. Il appartient à la famille qui dirigeait l'*Osteria di Fiore* toute proche. *Fermé lun., mar. midi, déc.-janv.*

SANTA CROCE POLO : La Zucca
€€

Calle del Megio 1762, 30135 **Tél** *041 524 15 70* **Plan** *2 E5*

Ce joli restaurant situé au bord d'un canal est apprécié des touristes comme des Vénitiens. La viande et les plats végétariens sont à l'honneur sur une carte qui revisite la cuisine vénitienne à la mode internationale. Le flan de potiron est une merveille, les desserts succulents. Réservation conseillée. *Fermé dim.*

Légende des prix *voir p. 606* **Légende des symboles** *voir le rabat arrière de couverture*

TORCELLO : Locanda Cipriani 🗏 ♿ 🔳 €€€€

Piazza Santa Fosca 29, 30012 **Tél** *041 73 01 50* **Fax** *041 73 54 33*

Auberge de pêcheurs dans les années 1930, ce restaurant insulaire chic jouit d'une cour ombragée où les hôtes peuvent déguster des plats à base de produits frais tout droit issus du potager. Le risotto et le *fritto misto* de fruits de mer (plat de poissons frits) sont excellents. *Fermé mar., janv.*

VÉNÉTIE ET FRIOUL

ASOLO : Hostaria Ca Derton ♿ 🔳 🗏 €€€

Piazza D'Annunzio 11, 31011 **Tél** *042 352 96 48* **Fax** *042 352 03 08*

Ce restaurant attrayant, installé dans un palais médiéval en plein centre d'Asolo, propose un menu saisonnier. On y trouve des plats traditionnels revus avec créativité, tels que le fromage de tête maison au vinaigre balsamique, les pâtes aux asperges et la chèvre rôtie aux herbes. Les desserts sont très appétissants. *Fermé lun. midi, dim.*

ASOLO : Villa Ciprianl 🗏 🔳 🍽 €€€€€

Via Canova 298, 31011 **Tél** *042 352 34 11* **Fax** *042 395 20 95*

Aménagé dans l'un des grands hôtels de la Vénétie, ce restaurant donne sur des jardins et offre des vues magnifiques sur les collines verdoyantes. Des ingrédients locaux et saisonniers sont employés pour concocter une cuisine inventive, avec, par exemple, les gnocchis à la ricotta et leur sauce au romarin.

BASSANO DEL GRAPPA : Alla Riviera 🔳 ♿ €

Via San Giorgio 17, 36061 **Tél** *0424 50 37 00*

Cette *osteria* sert des plats typiques de la Vénétie, comme les *pasta e fagioli*, soupe de haricots et de pâtes servie tiède. On déguste la *baccalà* (morue salée) en *antipasto*, sous forme de pâté et avec du pain. Desserts maison et grand choix de vins, dont le vin local vendu au verre (*vino sfuso*). *Fermé dim. soir, lun., 2 sem. mi-août.*

BELLUNO : Terracotta 🔳 €€

Via Garibaldi 61, 32100 **Tél** *0437 94 26 44* **Fax** *0437 94 26 44*

Parmi les spécialités régionales de cet agréable restaurant, citons le porc au jambon de Parme servi avec une sauce à la graine de moutarde, mais la carte change tous les mois. Le restaurant n'offre pas de vue, mais il possède une agréable pergola couverte de glycine. Carte de vins bien remplie pour satisfaire toutes les bourses. *Fermé mar.*

BREGANZE : Al Toresan ♿ 🔳 €€

Via Zabarella 1, 36042 **Tél** *0445 87 32 60* **Fax** *0445 30 76 51*

En automne, les gens des alentours affluent pour déguster les délicieux plats de champignons sauvages. Ils vous sont servis ici sous toutes les formes : tarcis, en farce dans les raviolis et grillés. Les plats sont copieux et accompagnés de vins locaux, avec une mention particulière pour les rouges. *Fermé jeu., 3 sem. août.*

CAORLE : Duilio 🗏 🔳 €€

Via Strada Nuova 19, 30021 **Tél** *0421 810 87* **Fax** *0421 21 00 89*

Restaurant spacieux à la décoration d'inspiration nautique, où la cuisine régionale à base de poisson est de mise : ne manquez pas le *broeto alla Duilio*, soupe de poissons variés mouillée de vin. Si vous préférez manger léger, optez pour la sole grillée. Le vin et le poisson sont vraiment à l'honneur ici. *Fermé lun. en hiver, début janv.-début fév.*

CASTELFRANCO : Barbesin 🔳 🗏 €€

Via Circonvallazione Est 41, 31033 **Tél** *0423 49 04 46* **Fax** *0423 49 02 61*

Barbesin propose des spécialités régionales, dont un risotto aux asperges et des *porcini* (cèpes). Toutefois, le *radicchio* local (chicorée rouge et amère) prédomine. Parmi les autres mets, citons le copieux assortiment de grillades et la *baccalà alla vicentina* (morue salée préparée selon une recette locale). *Fermé mer. soir, jeu., 1er-15 janv., 3 sem. août.*

CHIOGGIA : Osteria Penzo 🔳 €€

Calle Larga Bersaglio 526, 30015 **Tél/Fax** *041 40 09 92*

Située dans le centre de Chioggia, cette trattoria traditionnelle sert une grande variété de plats de poisson, dont des calmars aux pois, des pâtes à l'encre de seiche accompagnées de crevettes et tomates, et des Saint-Jacques aux *porcini* (cèpes). Bon choix de vins locaux. Service agréable. *Fermé 25 déc.-6 janv., lun. soir, mar. ; en été : mar. seul.*

CHIOGGIA : El Gato 🗏 ♿ 🔳 €€€

Campo Sant'Andrea 653, 30015 **Tél/Fax** *041 40 18 06*

Une cuisine classique à base de fruits de mer vous est proposée ici. Ce restaurant élégant, l'un des plus anciens de la ville, se trouve à côté d'un clocher du XIVe siècle et les tables extérieures donnent sur la place principale de Chioggia. À l'intérieur, trois salles à manger différentes accueillent les hôtes. *Fermé mer., dim. soir en hiver, fév.*

CIVIDALE DEL FRIULI : Zorutti 🗏 ♿ €

Borgo di Ponte 9, 33043 **Tél** *0432 73 11 00*

Ce restaurant dirigé par une famille mérite bien sa réputation pour sa bonne cuisine régionale et ses portions généreuses. La spécialité de la maison est la *buzara*, spaghettis aux fruits de mer, avec gambas ou homard. Bon menu à prix fixe changeant selon les saisons. *Fermé lun., 2 sem. janv.*

CIVIDALE DEL FRIULI : Alla Speranza 🖬 €€
Via Foro Giulio Cesare 15, 33043 **Tél** *0432 73 11 31*

Alla Speranza jouit d'un intérieur lambrissé douillet pour les dîners d'hiver, tandis que sa cour ombragée est l'endroit idéal pour déguster un déjeuner léger en été. Le petit menu est à base d'ingrédients locaux et change tous les mois. Choix limité de bons vins, également vendus au verre. Apprécié des locaux. *Fermé mar., fin janv., fin sept.*

CONEGLIANO : Al Salisa 🖩🖬 €€
Via XX Settembre 4, 31015 **Tél** *0438 242 88*

Élégant restaurant installé dans une maison médiévale dotée d'une belle véranda. Le menu traditionnel comprend des escargots et des pâtes maison agrémentées de sauces végétariennes. Les *guanciole di vitello* (veau), les escargots et les vins délicieux vous garantissent un festin. *Fermé mar. soir, mer.*

CORTINA D'AMPEZZO : Baita Fraina 🖫🖬 €€
Località Fraina 1, 32043 **Tél** *0436 36 34* **Fax** *0436 86 37 61*

Ce joli restaurant alpin tout en bois profite d'une terrasse panoramique et d'une grande aire de jeux pour les enfants. Les plats de pâtes sont bons, tout comme ceux de gibier, qui incluent des *tagliata di cervo* (gibier). Excellente carte des vins et choix entre plus de 100 types de grappa. *Fermé lun. basse saison, mai-juin, oct.-nov.*

DOLO : Alla Posta 🖫🖩🖬 €€€€
Via Ca' Tron 33, 30031 **Tél** *041 41 07 40* **Fax** *041 41 07 40*

Ce restaurant de poisson est installé dans un ancien relais de poste vénitien et domine le principal canal de la ville. On y prépare de savoureuses spécialités à base de produits frais. Vous pourrez, entre autres, déguster du homard avec des légumes à la vapeur. *Fermé lun., dim. soir.*

GRADO : Trattoria de Toni 🖫🖬 €€€
Piazza Duca d'Aosta 37, 34073 **Tél** *0431 801 04* **Fax** *0431 87 78 58*

Ravissante trattoria du centre historique. La spécialité de la maison est le *boreto alla gradese*, ragoût de poisson cuit dans l'huile et le vinaigre. On y vient, certes, pour les poissons et le vin, mais aussi pour l'endroit lui-même, avec son sol en partie transparent qui permet d'admirer les ruines romaines situées en dessous. *Fermé mer., déc.-fév.*

GRANCONA : Isetta 🖩🖫🖬 €€€
Via Pederiva 96, 36040 **Tél** *0444 88 99 92* **Fax** *0444 88 99 92*

Ce petit restaurant, à quinze minutes à peine de Vicence, sert de la cuisine régionale, avec une prédilection pour les viandes grillées et les bons entremets, réalisés d'après les recettes d'Isetta, grand-mère du propriétaire. Situé sur les collines Berici, le restaurant propose aussi 10 chambres. *Fermé mar. soir, mer.*

LAGO DI GARDA : Antica Locanda Mincio 🖩🖬 €€
Via Michelangelo Buonarroti 12, Valeggio sul Mincio, 37067 **Tél** *045 795 00 59* **Fax** *045 637 04 55*

Cet ancien relais de ravitaillement transformé en restaurant aux murs ornés de fresques et aux cheminées ouvertes prépare une bonne cuisine régionale. À l'extérieur, on profite de l'ombre et de la vue sur la rivière bouillonnante. Les truites et les anguilles sont pêchées dans le lac de Garde tout proche. *Fermé mer., jeu., 2 sem. fév., 2 sem. nov.*

LAGO DI GARDA : Locanda San Vigilio 🎵🎵 €€€€€
Località San Vigilio, Garda, 37016 **Tél** *045 725 66 88* **Fax** *045 725 65 51*

Cet excellent restaurant surplombant le lac de Garde propose des vins et des repas depuis cinq siècles. De nos jours, il offre un choix étonnant de poissons d'eau douce et de plats de fruits de mer. Des oliviers ombragent le spacieux jardin. *Fermé déc.-mi-mars.*

MIANE : Da Gigetto 🖩 €€€
Via De Gaspari 5, 31050 **Tél** *043 896 00 20* **Fax** *043 896 01 11*

Ce restaurant sert une cuisine vénitienne typique. La carte varie selon les saisons ; en automne les plats de potiron et de champignons sont particulièrement savoureux. Des plats de gibier, comme le lièvre et la biche, sont également proposés en hiver. La cave regorge de vins et le service est excellent. *Fermé lun. soir, mar., 2 sem. janv, 3 sem. août.*

MONTECCHIO DI CROSARA : Alpone 🖩🖫🖬 €€€
Via Pergola 17, 37030 **Tél** *045 617 53 87*

Un délicieux menu change avec les saisons. Au printemps, les plats sont à base de champignons ou de cerises. Vous pouvez aussi opter pour un plat à la carte, comme les *gnocchi*, les *crespelle* (crêpes), ou les légumes grillés. Finissez votre dîner par une assiette de fromages agrémentés de condiments et confitures. *Fermé dim. soir, mar., 2 sem. janv.*

MONTECCHIO DI CROSARA : Baba Jaga 🖫🖩🖬 €€€
Via Cabalao 12, 37030 **Tél** *045 745 02 22*

Le risotto à la truffe noire est un bon choix dans ce restaurant situé au cœur de la région productrice de vin du Soave. Parmi les autres plats, on peut citer la cuisse de canard farcie accompagnée d'une sauce au vin Amarone ou les tagliatelles à la sauce à la caille. *Fermé dim. soir, lun., 3 sem. janv., 3 sem. août.*

NOVENTA PADOVANA : Boccadoro 🖫🖩 €€€
Via della Resistenza 49, 35027 **Tél** *049 62 50 29* **Fax** *049 62 57 82*

De la bonne cuisine de Padoue est servie dans ce restaurant tenu par une famille. Le cadre est élégant et décontracté, le service exemplaire. Les pâtes *bigoli* et leur sauce à l'oie constituent un bon choix, tout comme la pintade et son *radicchio* (chicorée rouge) au gratin. *Fermé mar. soir, mer., 3 sem. août, 27 déc.-6 janv.*

Légende des prix *voir p. 606* **Légende des symboles** *voir le rabat arrière de couverture*

ODERZO : Dussin

Via Maggiore 60, Località Piavon, 31046 **Tél** *0422 75 21 30* **Fax** *0422 75 21 30*

Ce restaurant vous propose une cuisine traditionnelle à un bon rapport qualité/prix. Le poisson est une spécialité, avec des plats comme le risotto aux fruits de mer et le thon grillé. Il ne faut pas non plus manquer les desserts maison. L'endroit est paisible, puisque le restaurant est situé à l'écart du centre-ville. *Fermé lun. soir, mar., 2 sem. août.*

PADOVA (PADOUE) : La Braseria

Via Tommaseo 48, 35121 **Tél** *049 876 09 07* **Fax** *049 876 09 07*

Ce restaurant agréable sert parmi les plats typiquement vénitiens, des penne aux cèpes et à la poitrine fumée, mais le chef, originaire de Basilicate, propose aussi des spécialités du Sud. La *battuta siciliana* est une variante non frite de l'escalope de bœuf. La crème brûlée est incontournable. *Fermé sam. midi, dim., 1 sem. août.*

PADOVA (PADOUE) : Osteria L'Anfora

Via dei Soncin 13, 35122 **Tél** *049 65 66 29*

Une cuisine traditionnelle vénitienne, qui comprend des éléments importés de loin par les marchands de la Renaissance, est proposée dans ce restaurant animé au centre de Padoue. Les spécialités locales sont le ragoût de poisson, ainsi que les plats de pâtes et de haricots. *Fermé dim., 1er-7 janv., 1 sem. août.*

PADOVA (PADOUE) : Antico Brolo

Corso Milano 22, 35100 **Tél** *049 66 45 55* **Fax** *049 65 60 88*

Ce restaurant chic et calme prépare une cuisine tout aussi raffinée que son cadre avec, par exemple, les ravioli aux fleurs de courgette. La tête de veau cuite au vinaigre et à l'oignon est la spécialité de la maison. Bon choix de vins. Intéressant pour les familles et les groupes. *Fermé lun. midi.*

PADOVA (PADOUE) : San Pietro

Via San Pietro 95, 35100 **Tél** *049 876 03 30*

C'est l'endroit parfait pour goûter aux spécialités régionales préparées avec des ingrédients frais et locaux. Ce restaurant traditionnel de Padoue offre un service attentif, bien que pas toujours aimable, dans une atmosphère décontractée. De nombreux plats sont originaires de la Lombardie. *Fermé dim. ; été : sam.-dim., juil.*

PORDENONE : Vecia Osteria del Moro

Via Castello 2, 33170 **Tél** *0434 286 58* **Fax** *0434 206 71*

Restaurant raffiné installé dans un couvent magnifiquement restauré du XIIIe siècle, qui permet de profiter de la cuisine régionale dans un cadre paisible. La carte des vins est très complète, avec de nombreux crus du Frioul. Parmi les suggestions du jour, du lapin à la polenta. *Fermé dim.*

PREPOTTO : La Sorgente

Via Strada di Cialla 36, 33040 **Tél** *0432 70 11 75* **Fax** *0432 70 11 75*

Aménagé au beau milieu des collines vertes qui entourent Cividale, ce restaurant sert de la cuisine du Frioul. Les plats sont préparés avec des ingrédients issus de la ferme, y compris la viande. L'une des spécialités est la *grigliata* (viande grillée au barbecue). Le vin provient des propres vignes du restaurant. Réservation conseillée. *Fermé lun.-mer., fév.*

REFRONTOLO : Antica Osteria al Forno

Via Degli Alpini 15, 31020 **Tél** *0438 89 44 96*

Cette trattoria est dirigée par la famille Piol depuis 150 ans. La décoration est rustique, avec une large cheminée au centre de la salle. Les plats de pâtes sont remarquables et la plupart des légumes biologiques. Parmi les nombreux vins, il y a un bon cru local. Cour ombragée où l'on peut dîner en été. *Fermé lun., mar., 2 sem. janv., août.*

ROVIGO : Ristorante Al Postiglione

Via Marchioni 34, 45100 **Tél** *0425 21 777*

Les clients de ce charmant restaurant ont le choix entre le jardin et le cadre douillet de la salle agrémentée d'un feu de bois. La maison qui met la viande à l'honneur a fait du veau sa spécialité et privilégie les produits locaux et de saison préparés avec imagination. *Fermé mar., 1 sem. août.*

SAVOGNA : Agriturismo Cedron

Località Cedron, 33049 **Tél** *0432 71 49 21* **Fax** *0432 71 79 14*

Petit restaurant situé sur les rives du fleuve Natisone, dans un lieu idyllique. Vous pouvez même y pêcher votre propre poisson. La truite est la spécialité de l'établissement, mais les plats de pâtes maison méritent aussi d'être essayés. Endroit agréable et amusant pour les enfants, très bon rapport qualité/prix. *Fermé lun., mar., mars-mai : lun.-jeu.*

TREVISO (TRÉVISE) : Toni del Spin

Via Inferiore 7, 31100 **Tél** *0422 54 38 29* **Fax** *0422 58 31 10*

Restaurant sans prétention servant une cuisine régionale. Cette trattoria est très animée le midi, puisque les employés de bureau viennent y déjeuner, mais plus calme et plus intime en soirée. Parmi les spécialités, les *pasta e fagioli* (pâtes aux haricots), le *risotto al radicchio*, les tripes et le tiramisù. *Fermé dim.-lun., 20 juin-20 juil.*

TREVISO (TRÉVISE) : Osteria all'Antica Torre

Via Inferiore 55, 31100 **Tél** *0422 58 36 94*

De très bons vins accompagnent une excellente cuisine locale. En saison, le *radicchio* est beaucoup utilisé, notamment pour fabriquer la grappa. Le poisson est l'aliment le plus présent de la carte, avec des plats inventifs, comme le risotto à la seiche. Des expositions d'art ont lieu aussi dans cet endroit. *Fermé lun. soir, dim., 3 sem. août.*

TREVISO (TRÉVISE) : Ristorante Beccherie   €€€

Piazza Ancillotto 9, 31100 **Tél** *0422 54 08 71* **Fax** *0422 54 08 71*

Le restaurant occupe un bel édifice évoquant la splendeur vénitienne. Son nom est issu d'un dialecte local et signifie « du boucher », la viande étant effectivement la spécialité de la maison. La pintade à la sauce au poivre et l'oie rôtie au céleri blanc sont tout à fait délicieuses. *Fermé dim. soir, lun., 2e quinzaine juillet.*

TRIESTE : All'Antica Ghiacceretta   €€

Via dei Fornelli 2, 34100 **Tél** *040 322 03 07*

Située dans le centre de Trieste, cette trattoria familiale sert des plats locaux typiques, tels que la *Jota* (soupe au chou et aux haricots) et de nombreux plats de poisson. Essayez par exemple la *baccalà con polenta* (morue salée). Une cuisine nourrissante à un prix raisonnable, accompagnée par de bons crus. *Fermé dim., 1 sem.fév., 1 sem. nov.*

TRIESTE : Al Bragozzo   €€€€

Riva Nazario Sauro 22, 34124 **Tél/Fax** *040 314 111*

Le menu saisonnier change chaque semaine en fonction des produits locaux disponibles. Le poisson demeure toutefois un ingrédient de base, à la fois employé dans des plats traditionnels et dans des mets plus contemporains. Restaurant animé apprécié des locaux. *Fermé lun.*

TRIESTE : Harry's Grill   €€€€

Piazza Unità d'Italia 2, 34121 **Tél** *040 66 06 06* **Fax** *040 36 60 92*

Ce restaurant se distingue par sa situation centrale et sa cuisine de grande qualité. Goûtez les raviolis farcis aux aubergines et leur sauce aux écrevisses. Des plats plus traditionnels à base de truffe figurent aussi à la carte. La cave à vins offre un choix étonnant de 11 000 bouteilles, parmi lesquels chacun trouvera son compte. *Fermé dim.*

UDINE : Da Raffaele   €

Via Cividale 11, 33100 **Tél** *0432 29 58 31*

Cette pizzeria propose un vaste éventail de plats. Les pizzas et les *calzone* cuites au feu de bois sont les spécialités de la maison, mais les plats de pâtes et de poisson sont également bons. L'atmosphère décontractée et le service aimable attirent les gens du cru. Bon rapport qualité/prix. *Fermé jeu. soir, 3 sem. juil.-août.*

UDINE : Agli Amici   €€€€

Via Liguria 250, Località Godia, 33100 **Tél** *0432 56 54 11* **Fax** *0432 56 55 55*

Des plats du Frioul, comme les *capesante all'aglio orsino* (Saint-Jacques à l'ail sauvage) ou la selle d'agneau au gingembre, sont préparés avec savoir-faire dans ce restaurant. Les vins proposés sont nombreux et excellents. Jolie pergola. *Fermé lun., mar. midi hiver.*

VERONA (VÉRONE) : Al Bersagliere   €€

Via Dietro Pallone 1, 37121 **Tél** *045 800 48 24*

Ce restaurant au centre de Vérone offre une cuisine traditionnelle dans une atmosphère conviviale. La superbe cave à vins s'ouvre à la dégustation tous les soirs, le jardin et le parc sont accessibles pour dîner. Parmi les spécialités, notons la *pastisada* (ragoût de viande) et les *bigoli con l'anatra* (pâtes au canard). *Fermé dim., 2 sem. janv., 10 j. mi-août.*

VERONA (VÉRONE) : Ristorante Greppia   €€

Vicolo Samaritana 3, 37121 **Tél** *045 800 45 77*

Tenu par la famille Guizzardi depuis 1975, ce restaurant propose une cuisine de grande qualité. Délicieuses pâtes faites maison et mémorable *bollito misto* (assiette de viandes bouillies). Les clients sont invités à se servir sur des charriots. Réservation recommandée. *Fermé lun.*

VERONA (VÉRONE) : Arche   €€€€€

Via Arche Scaligere 6, 37121 **Tél/Fax** *045 800 74 15*

Cet ancien restaurant de poisson a ouvert ses portes en 1879. Il est idéalement placé, près de la maison de Roméo, ce qui ajoute encore à son charme. Vous dégusterez, entre autres, des huîtres fumées au raifort et au caviar et du homard mariné à la roquette. *Fermé dim., lun. midi, 3 sem. janv.*

VERONA (VÉRONE) : Il Desco   €€€€€

Via Dietro San Sebastiano 5-7, 37121 **Tél** *045 59 53 58* **Fax** *045 59 02 36*

L'un des meilleurs restaurants d'Italie, installé dans un palais du XVIe siècle, mérite ses 2 étoiles Michelin. Il est d'une élégance discrète. Parmi ses créations : le risotto au potiron et à l'Amarone, et les fameux raviolis aux aubergines. Il existe un menu gastronomique de sept plats. *Fermé dim., lun. (sauf soir juil., août, déc.) ; 2 sem. Noël, 2 sem. juin.*

VICENZA (VICENCE) : Taverna Aeolia   €€

Piazza Conte da Schio 1, Costozza di Longare, 36023 **Tél** *0444 55 50 36* **Fax** *0444 180 33 01*

Ce restaurant occupe une élégante villa au plafond orné de fresques. Le chef concocte des plats de viande créatifs, à base de kangourou, bison et grenouille. Les végétariens peuvent opter pour le risotto au citron, et un menu enfant est également disponible. *Fermé mar., 1er-15 nov.*

VICENZA (VICENCE) : Antica Trattoria Tre Visi   €€€

Corso Palladio 25, 36100 **Tél** *0444 32 48 68* **Fax** *0444 32 03 15*

L'édifice qui héberge ce restaurant, situé dans le centre historique de la ville, date de 1483. Sa cour extérieure est agréable pour dîner durant les chauds mois d'été. Vous pouvez également observer la cuisine, où sont préparés d'excellents plats locaux. *Fermé dim. soir, lun., 2 sem. juil.*

Légende des prix *voir p. 606* **Légende des symboles** *voir le rabat arrière de couverture*

VICENZA (VICENCE) : Rosso Aragosta 　　　　　　　　🅿️▦　€€€

Piazzetta Porta Padova 65-67, 36100 **Tél** *0444 50 61 23* **Fax** *0444 31 30 31*

Ce restaurant élégant est situé à l'intérieur des remparts de la ville. La carte propose plusieurs plats appétissants comme un assortiment de langoustines et calamars, ou bien du turbot rôti sur lit de pomme de terre et d'olives. Parmi les autres spécialités maison figurent des plats catalans avec du homard ou du poisson cru. *Fermé lun.*

TRENTIN-HAUT-ADIGE

ARCO : Alla Lega 　　　　　　　　🅿️▦▦　€

Via Vergolano 8, 38062 **Tél** *0464 51 62 05* **Fax** *0464 51 08 96*

Ce restaurant occupe un bâtiment élégant et rustique du XVIIIe siècle. Certaines des salles à manger possèdent un plafond orné de fresques. La cuisine est traditionnelle, comprenant des plats, tels qu'un risotto aux champignons sauvages, des viandes séchées, une truite à la polenta et un lapin rôti aux foies. *Fermé mer., fin janv.-mi-mars.*

BOLZANO (BOZEN) : L'Aquila Rossa / Vogele 　　　　▦　€

Via Goethe 3, 39100 **Tél** *0471 97 39 38.*

Ce restaurant est installé dans l'un des plus anciens édifices du centre de Bolzano. Essayez les *gnocchi tirolesi* (gnocchis tyroliens) et la venaison rôtie et terminez votre repas par l'un des desserts préparés sur place. Excellente carte des vins comptant plus de 200 vins locaux et internationaux. *Fermé dim.*

BOLZANO (BOZEN) : Rastbichler 　　　　　▦🅿️▦　€

Via Cadorna 1, 39100 **Tél** *0471 26 11 31*

Ce restaurant est réputé pour ses poissons et ses viandes grillées. À la fin du repas, essayez la *liquore al mirtillo* (liqueur de myrtille). La décoration est typique du Tyrol du Sud, avec deux salles au rez-de-chaussée et une au-dessus avec un plafond en bois. Possibilité de dîner dehors en été. *Fermé sam. midi, dim., 2 sem. janv., 2 sem. mi-août.*

BOLZANO (BOZEN) : Castel Flavon 　　　　🅿️▦　€€

Via Castel Flavon 48, 39100 **Tél** *0471 40 21 30* **Fax** *0471 27 98 30*

Installé dans un château datant du XIIe siècle, ce charmant restaurant offre des vues spectaculaires sur le quartier historique. Des plats du sud du Tyrol y sont servis, mais aussi une cuisine plus aventureuse, comme du ragoût de thon à l'avocat et citron. Gamme étendue de vin de pays. *Fermé lun., 3 sem. janv.*

BRESSANONE (BRIXEN) : Fink 　　　　　▦🅿️▦　€€€

Via Portici Minori 4, 39042 **Tél** *0472 83 48 83* **Fax** *0472 83 52 68*

La belle-fille du propriétaire d'origine est maintenant le chef du *Fink*. L'endroit est apprécié des locaux qui viennent y déguster de la polenta noire, des *knödel* (sortes de boulettes), ou des pâtes farcies à la queue de bœuf. Parmi les vins, vous trouverez de nombreux crus de la région. *Fermé mar. soir, mer.*

BRESSANONE (BRIXEN) : Oste Scuro-Finsterwirt 　　▦　€€€

Vicolo Duomo 3, 39042 **Tél** *0472 83 53 43* **Fax** *0472 83 56 24*

Aménagé dans l'un des bâtiments les plus anciens de la ville, le *Finsterwirt* concocte des plats régionaux inventifs. Mentionnons le *carpaccio di salmone* (fines tranches de saumon cru) ou le *speck* (poitrine fumée), accompagnés de pains de la région et de crème d'asperges. Personnel attentif. *Fermé dim. soir, lun., 2 sem. janv., 2 sem. juin-juil.*

BRUNICO (BRUNECK) : Agnello Bianco 　　　　▦　€

Via Stuck 5, 39031 **Tél** *0474 41 13 50*

La cuisine est ici typique du Tyrol du Sud et les portions sont généreuses. La carte change toutes les semaines mais les *canederli* (boulettes) sont toujours au menu. En automne, essayez la polenta aux champignons. L'omelette servie en dessert avec une confiture de fruits rouges est aussi une spécialité régionale. *Fermé dim., 21 avr.-6 mai, 3 sem. juin.*

BRUNICO (BRUNECK) : Oberraut 　　　　　▦　€

Via Ameto 1, Località Amaten, 39031 **Tél** *0474 55 99 77* **Fax** *0474 55 99 97*

Situé au milieu des bois, ce restaurant de style tyrolien est spécialisé dans le gibier et les plats saisonniers, tels les raviolis au potiron et le délicieux *speck* (poitrine fumée) fumé maison. Les desserts sont tentants, comme le *strudel* à la pomme. Grand choix de vins. Service très agréable et atmosphère décontractée. *Fermé jeu., 2 sem. janv.*

CALDARO : Castel Ringberg 　　　　　▦　€€€

San Giuseppe al Lago, 39045 **Tél** *0471 96 00 10* **Fax** *0471 96 08 03*

Ce surprenant restaurant se trouve dans un beau château du XVIIe siècle entouré de vignes, à partir desquelles l'établissement produit son propre cru. La terrasse offre des vues superbes sur les environs et le lac. La carte, excellente, change tous les mois, et les desserts sont à se damner. *Fermé mar., janv.-mi-fév.*

CARZANO : Le Rose 　　　　　▦🅿️▦　€€

Via XVIII Settembre 35, 38050 **Tél** *0461 76 61 77* **Fax** *0461 76 79 42*

Ce restaurant apprécié de la Valsugana sert surtout du poisson et des produits de saison. Goûtez à l'assiette de poissons frais variés ou les *tortelli* de poisson aux cèpes. Le restaurant jouit d'un jardin qui offre un beau panorama pour vos dîners d'été. *Fermé lun.*

CASTELBELLO CIARDES : Schlosswirt Juval

Località Juval-Stava Venosta, 39021 **Tél** *0473 66 80 56*

Ce restaurant est installé dans une ferme. Tous les produits sont biologiques, comme les vins et la grappa. Essayez l'excellent goulache, les viandes grillées ou bien la truite. De bons fromages de montagne sont également proposés. Les desserts comprennent un *strudel* à la pomme et un gâteau au blé noir. *Fermé dim.-mar. soir, mer., nov.-mars.*

CAURIA : Fichtenhof

Cauria 23, Salorno 39040 **Tél** *0471 88 90 28*

Un hôtel-restaurant familial qui domine la vallée de l'Adige. Au menu : légumes du jardin, ainsi que des confitures, du pain et des gâteaux faits maison. Plats délicieux, dont les *pasta con teroldego e ragù* (avec du vin et une sauce à la viande). *Fermé lun., 7 nov.-25 déc.*

CAVALESE : Costa Salici

Via Costa dei Salici 10, 38033 **Tél** *0462 34 01 40*

Restaurant prisé offrant un panorama des Dolomites. Tables dehors en été. À la carte : pâtes plates noires aux calamars et tomate fraîche, venaison marinée ; en dessert, terrine d'agrumes, accompagnée de glace et d'une sauce au *limoncello* (liqueur de citron). Réservation recommandée. *Fermé lun., mar. midi (sauf Noël et août).*

CIVEZZANO : Maso Cantanghel

Via della Madonnina 33, 38045 **Tél/Fax** *0461 85 87 14*

La décoration de cet excellent restaurant, situé à la sortie de Trente, est pittoresque, avec les photos de ses clients accrochées au mur. La cuisine varie selon les saisons. Essayez les fleurs de courgette farcies à la sauce tomate, les viandes rôties, les flans de légumes et les pâtes maison. *Fermé sam.-dim., 1 sem. Noël, 1 sem. août.*

CORTACCIA : Gasthaus Zur Rose

Indergrasse 2, 39040 **Tél** *0471 88 01 16*

Cette *osteria* offre des plats tyroliens, une carte des vins raffinée et une véranda attrayante. Parmi les *antipasti* : le *speck* (poitrine fumée) à la sauce au raifort et le *grostl* (gâteau de viande et pomme de terre à la ciboulette). Les beignets aux pommes avec une sauce vanillée sont excellents. *Fermé dim., lun. (sauf sept.-oct.), 1 sem. Carnaval, juil.*

LEVICO TERME : Boivin

Via Garibaldi 9, 38056 **Tél** *0461 70 16 70*

Cette trattoria, à la salle à manger confortable, est l'un des meilleurs endroits pour découvrir la vraie cuisine locale avec la polenta de pomme de terre, les *strangolapreti* (sorte de boulettes) et un *strudel* à la pomme et à la poire. Les produits saisonniers sont à l'honneur. *Réservation recommandée. Fermé midi sauf dim., juil.-août , lun.*

MADONNA DI CAMPIGLIO : Hermitage

Via Castelletto Inferiore 63, 38084 **Tél** *0465 44 15 58* **Fax** *0465 44 16 18*

L'*Hermitage* occupe un parc privé, au pied des Dolomites, offrant des vues incroyables sur les montagnes. Le restaurant sert une cuisine inventive du Trentin – des plats aux saveurs fraîches avec un penchant pour les produits naturels et biologiques. Carte des vins très recherchée et variée. *Fermé midi, lun., oct.-nov., avr.-juin.*

MALLES VENOSTA (MALS IM VINSCHGAU) : Greif

Via Generale Verdross 40a, 39024 **Tél** *0473 83 14 29* **Fax** *0473 83 19 06*

Le chef concocte des plats tyroliens à base de produits biologiques. Un menu est spécifiquement conçu pour les végétariens, tandis que les amateurs de vin jouissent d'un vaste choix de crus. En été, les hôtes peuvent dîner dehors. *Fermé dim. (basse saison), 2 sem. juin, 2 sem. nov.*

MALLES VENOSTA (MALS IM VINSCHGAU) : Weisses Kreuz

Località Burgusio 82, 39024 **Tél** *0473 83 13 07* **Fax** *0473 83 16 53*

Ce restaurant au bon rapport qualité/prix est installé dans un hôtel 4 étoiles et sert des plats traditionnels, comme les *knödel* (quenelles de pâte), les viandes grillées et du *strudel*. L'accent est mis sur la simplicité et la qualité des produits utilisés. Le sommelier garantit la qualité de la cave à vins. *Fermé jeu., 1 mois Noël, 1 mois Pâques.*

MERANO (MERAN) : Rainer

Via Portici 266, 39012 **Tél** *0473 236 149*

Ce restaurant attrayant est situé dans un vieux quartier de la ville, en dessous du portique médiéval. Trois salles lambrissées et intimes accueillent les hôtes pour dîner. À la carte : *bollito misto* (viandes variées bouillies), agrémenté de sauces variées, gibier et desserts maison. Le service est de qualité. *Fermé dim., 3 sem. fév., 1 sem. juin.*

MERANO (MERAN) : Artemis

Via Giuseppe Verdi 72, 39012 **Tél** *0473 44 62 82* **Fax** *047 44 68 49*

L'*Artemis* domine un parc pourvu d'un coquet jardin d'hiver. La cuisine est italienne et internationale, raffinée, à base de produits locaux ou maison. La cave possède un vaste choix de vins sélectionnés par le propriétaire et le sommelier Carl de Franceschi. Concerts de musique classique. *Fermé mi-nov.-mi-mars.*

MOENA : Malga Panna

Strada de Sort 64, 38035 **Tél** *0462 57 34 89*

Décoré dans le style typique de la région, ce restaurant romantique est un endroit rustique à l'atmosphère accueillante, situé à environ 1 km du centre-ville. Des plats de champignons et de gibier y sont servis. La cave possède quelque 700 vins locaux, nationaux et internationaux. *Fermé lun. (oct.-mars), mai, nov.*

Légende des prix *voir p. 606* **Légende des symboles** *voir le rabat arrière de couverture*

MOLVENO : Antica Bosnia €€
Via Paganella 7b, 38018 **Tél** *0461 58 61 23*

Ce restaurant alpin propose de bons *antipasti* : *speck* (poitrine fumée), poitrine de canard fumée et salami maison. En plat principal, essayez les pâtes, telles que celles fourrées aux champignons, ou le *stinco di maiale* (jarret de porc). En dessert, optez pour une tarte aux fruits ou un tiramisù. Bon choix de vins régionaux. *Fermé mer., nov.*

ROVERETO : Gourmet San Ilario €€
Viale Trento 68, 38068 **Tél** *0464 49 02 94*

Cet établissement attrayant propose de la cuisine du Trentin, telle que les *strangolapreti* (boulettes de pommes de terre et épinards) et une sélection de fruits de mer méditerranéens. Le menu change tous les mois. Il existe aussi un *menú degustazione* (menu dégustation). Les desserts sont faits maison. Tables en extérieur. *Fermé dim. soir.*

ROVERETO : Novecento €€
Corso Rosmini 82d, 38068 **Tél** *0464 43 54 54*

Les salles à manger de ce restaurant raffiné, qui appartient à un hôtel du centre de Roverto, sont élégantes et le service attentif. Parmi les plats soigneusement préparés, mentionnons le saumon mariné à l'aneth, les *strangolapreti alle ortiche* (boulettes avec des orties) et un excellent choix de desserts maison. *Fermé dim., 3 sem. janv., 3 sem. juil.*

SAN CASSIANO : St Hubertus €€€€€
Str Micura de Ru 20, 39030 **Tél** *0471 84 95 00* **Fax** *0471 84 93 77*

Le chef Norbert Niederkofler crée des plats inventifs avec les ingrédients locaux. La carte très variée offre des plats de poisson, de viande et de gibier. Le service est attentionné et le cadre élégant. Vaste choix de vins, comprenant des crus nationaux et internationaux. L'un des meilleurs restaurants d'Italie. *Fermé mar., avr.-mi-juin, oct.-nov.*

TRENTO (TRENTE) : Birreria Pedavena Pizzeria €
Via S. Croce 15, 38100 **Tél** *0461 98 62 55*

Dans ce vaste restaurant-brasserie, on peut manger à l'intérieur et à l'extérieur. La cuisine traditionnelle se compose de goulache, saucisses et choucroute, pizzas et desserts maison tels que le tiramisù. Cette *birreria* (brasserie) offre également une large sélection de bières. *Fermé mar., mi-juil.-mi-août.*

TRENTO (TRENTE) : Osteria Alle Due Spade €€€
Via Don Rizzi 11, 38100 **Tél** *0461 23 43 43*

Ce restaurant accueillant installé dans une cave sert une cuisine classique, avec gibier et poissons d'eau douce. Essayez les *lasagnette* aux pommes de terre et crevettes d'eau douce, ou le fromage de brebis aux herbes. En dessert, goûtez les pâtisseries à la confiture de pomme et d'abricot. *Fermé dim., lun. midi, 1 sem. fév., 2 sem. juin.*

VAL DI VIZZE (PFITSCH) : Pretzhof €€
Località Tulve 259, 39040 **Tél** *0472 76 44 55*

Karl et Ulli Mair dirigent cette auberge de campagne qui figure dans de nombreux guides gastronomiques. Ils emploient les produits de leur propre ferme pour créer des spécialités tyroliennes. Plats de gibier, de viande froide, large choix de fromages et pains. La carte des vins valorise les producteurs locaux. *Fermé lun., mar. (variable).*

VIPITENO : Kleine Flamme €€€
Città Nuova 31, 39049 **Tél** *0472 76 60 65*

Ce restaurant chic, installé dans un bâtiment du XVIᵉ siècle, se distingue par une cuisine créative de grand standing et un service sourcieux. Le chef propose un mélange curieux et réussi de cuisine italienne et thaï, par exemple les crevettes rôties à la tomate et leur sauce à l'ananas. La carte change tous les jours. *Fermé dim., lun. soir.*

LOMBARDIE

BELLAGIO : Albergo Ristorante Silvio €€
Via Carcano 12, 22021 **Tél** *031 95 03 22*

Silvio et Cristian Ponzini, le propriétaire et son fils, sont des pêcheurs qui fournissent à leur restaurant-hôtel de nombreux poissons d'eau douce. Les visiteurs peuvent les accompagner à la pêche. La vue sur le lac de Côme est splendide, surtout depuis la terrasse couverte de vignes. *Fermé mi-nov.-fév. (sauf 20 déc.-10 janv.)*

BELLAGIO : La Busciona €€€
Via Valassina 161, 22021 **Tél** *031 96 48 31*

Le poisson est la suggestion du jour à *La Busciona*. Ce restaurant de poisson simple et décontracté offre des vues spectaculaires sur le lac de Côme au-dessus de Bellagio. Essayez le *lavarello* (petit poisson de lac, grillé ou sauté dans le beurre et la sauge). Bonne cave et parking disponible. *Fermé jeu., 2 sem. en oct.*

BERGAMO (BERGAME) : Antica Hosteria del Vino Buono €
Piazza Mercato delle Scarpe 25, 24100 **Tél** *035 24 79 93*

Ce restaurant confortable s'étend sur les 2 étages d'un palais, à l'angle de la place du marché, près du téléphérique. Les plats sont essentiellement montagnards, avec, entre autres, du gibier accompagné d'une épaisse polenta, et tous arrosés de bons vins rouges. La polenta aux épinards et à la pancetta est une des spécialités. *Fermé lun., mar. midi.*

BERGAMO (BERGAME) : Vineria Cozzi

Via Colleoni 22, 24100 **Tél** *035 23 88 36*

La *Vineria Cozzi* est un vieux bar à vins dont les origines remontent à 1848. Une partie du bâtiment qui l'abrite a été conservée intacte et il possède une belle cour à l'arrière. Des plats classiques accompagnent parfaitement les vins. Attendez-vous à y trouver des mets à base de truffes et de polenta. *Fermé mer., 2 sem. janv., 2 sem. juil.*

BERGAMO (BERGAME) : Colleoni dell'Angelo

Piazza Vecchia 7, 24100 **Tél** *035 23 25 96*

Dominant une jolie place au cœur de Bergamo Alta, ce superbe restaurant est apprécié par les hommes d'affaires, les intellectuels et les touristes. La cuisine revisite les plats du nord de l'Italie, avec, par exemple, le tartare de thon rouge servi sur de jeunes légumes croustillants et agrémenté d'une sauce verte au curry. *Fermé lun., 2 sem. août.*

BORMIO : Al Filo

Via Dante 6, 23032 **Tél** *0342 90 17 32*

Ce restaurant propose des plats à base de gibier, champignons et viandes séchées. Les spécialités incluent de la venaison farcie accompagnée de polenta, de la *bresaola* (viande fumée) avec une salade de champignons, et des pâtes de blé noir cuites au four avec du beurre et des légumes. *Fermé lun.-mar. midi, 1re quinz. juin, 2e quinz. nov.*

BRESCIA : Trattoria Mezzeria

Via Trieste 66, 25121 **Tél** *030 403 06*

Des plats régionaux typiques, tels que de copieux civets de lapin, des viandes séchées et les délicieux *gnocchi di zucca* (gnocchis au potiron) maison, vous sont servis dans ce restaurant. Cette petite trattoria animée à l'atmosphère décontractée est proche du centre de Brescia. *Fermé dim., août.*

CASTELVECCANA : Sant'Antonio

Località Sant'Antonio, 21010 **Tél** *335 541 44 80*

Ce restaurant traditionnel et confortable a des allures de ferme. Les chèvres et les vaches errent sur le versant de colline qui domine le lac Majeur. En été, belle vue depuis la terrasse, et en hiver, feu de cheminée. Au menu, la polenta, ainsi que des recettes à base de fromage régional et de viandes séchées. *Fermé lun. soir ; mi-déc.-mi-janv.*

COMO (CÔME) : La Forchetta d'Oro

Via Borsieri 24, 22100 **Tél** *031 27 15 37*

Dans le cloître du couvent de Sainte-Marguerite, ce restaurant occupe l'ancien réfectoire. Son ambiance est romantique. Les spécialités comptent du gibier, des champignons sauvages et des côtelettes de venaison au gingembre accompagnées de *pizzocheri* (pâtes de blé noir). *Fermé dim. soir, lun., 2 sem. juil.*

COMO (CÔME) : Sant'Anna 1907

Via Turati 3, 22100 **Tél** *031 50 52 66*

Une cuisine créative est servie dans ce restaurant classique, situé près de la piazza Camerlata. Goûtez donc le veau en croûte aux olives, le filet de thon rouge aux pousses de chicorée et olives ou le risotto de poisson et safran. Les artichauts et la polenta sont aussi souvent proposés. Excellente carte des vins. *Fermé sam. midi, dim.*

COMO (CÔME) : Navedano

Via Pannilani, 22100 **Tél** *031 30 80 80*

Ce restaurant appartient à la même famille depuis 4 générations. Le menu gastronomique est d'inspiration florale. Les salles, aménagées dans une villa du XIXe siècle, regorgent de plantes et de fleurs. On déguste des plats comme le civet de lapin accompagné de pâtes ou des fleurs de potiron. La cave possède plus de 400 vins. *Fermé mar., dim.*

CREMONA (CRÉMONE) : Il Violino

Via Sicardo 3, 26100 **Tél** *0372 46 10 10*

Ce restaurant chic installé dans le vieux Crémone a une entrée en forme d'arche pourvue de colonnes. Vous y dégusterez de la cuisine régionale et internationale. Le riz au potiron, les pâtes noires farcies au loup de mer, les steaks et les plats de poisson sont recommandés. Les desserts et les vins sont excellents. *Fermé lun. soir, mar.*

GARGNANO DEL GARDA : La Tortuga

Via XXIV Maggio 5, Porticciolo di Gargnano, 25084 **Tél** *0365 712 51*

Une cuisine inventive est proposée dans ce restaurant raffiné situé en bordure de lac. Il y a 2 menus dégustation, une grande carte avec des poissons du lac, spécialités de la maison, et un choix de vins excellents. On vient de loin pour manger à *La Tortuga* qui ne compte que 20 couverts, alors n'oubliez pas de réserver. *Fermé midi, mar., mi-nov.-fév.*

LAGO DI COMO : Locanda dell'Isola Comacina

Isola Comacina, 22010 **Tél** *0344 567 55*

Une expérience unique sur cette merveilleuse île déserte où ne se trouve que ce restaurant. Le même menu à base de poisson est proposé depuis 1947. On atteint l'île en bateau depuis Sala Comacina (paiement à bord). Réservez à l'avance par téléphone ou par email (locanda@comacina.it). *Fermé mar. (sauf été), nov.-fév.*

LECCO : Antica Osteria Casa di Lucia

Via Lucia 27, località Acquate, 23900 **Tél** *0341 49 45 94*

Ce restaurant gastronomique à la clientèle fidèle occupe une maison du XVIIe siècle qui accueille également des expositions de photos. Les *linguine* aux herbes, les côtes d'agneau, le lapin rôti et une délicieuse tarte maison au chocolat sont quelques-unes des spécialités. Bonne carte des vins. *Fermé sam. midi, dim.*

Légende des prix *voir p. 606* **Légende des symboles** *voir le rabat arrière de couverture*

MANERBA DEL GARDA : Capriccio 目 📷 €€€€
Piazza S. Bernardo 6, Località Montinelle 25080 **Tél** *0365 55 11 24*

Cet établissement raffiné avec vue sur le lac de Garde offre une cuisine de grande qualité, avec son loup de mer, ses Saint-Jacques ou encore ses médaillons de *ricciola* (sériole, poisson) et ses crevettes à la sauce au fenouil. Il y a aussi trois menus dégustation, dont l'un sans poisson avec des raviolis au fromage de la région. *Fermé mar. janv.-fév.*

MANTOVA (MANTOUE) : Antica Osteria Ai Ranari 🔥 目 €€
Via Trieste 11, 46100 **Tél** *0376 32 84 31*

La carte de ce restaurant suit les saisons et comprend des plats traditionnels de Mantoue. On peut, entre autres, citer les fameux *tortelli di zucca* (pâtes farcies au potiron avec muscade, beurre et sauce à la moutarde) locaux, les *macaroni* maison et les riches sauces mijotées doucement. *Fermé lun., 15 juil.-15 août.*

MANTOVA (MANTOUE) : L'Ochina Bianca 目 €€
Via Finzi 2, 46100 **Tél** *0376 32 70 77*

Les *tortelli* (pâtes farcies) au potiron et le risotto *alla pilota* (avec des saucisses) sont des exemples de spécialités locales légèrement revisitées. Essayez aussi la *sbrisolona*, dessert classique de Mantoue qui se casse en morceaux lorsque vous le coupez, avec une sauce aux baies sauvages. *Fermé dim. midi., 1re sem. janv., 3 dernières sem. août.*

MANTOVA (MANTOUE) : Il Cigno Trattoria dei Martini 目 €€€€
Piazza Carlo d'Arco 1, 46100 **Tél** *0376 32 71 01*

Cette trattoria est un précurseur de la nouvelle cuisine de Mantoue qui vise à simplifier les lourds plats traditionnels et à en diminuer le prix. Sa spécialité est l'insalta di petto di capprone *in agrodolce* (salade avec du chapon aigre-doux). Ces plats sont accompagnés d'un bon choix de vins. *Fermé lun., mar., 1re sem. janv., août.*

MILANO (MILAN) : Geppo 📷 €
Via GB Morgagni 37, 20100 **Tél** *02 29 5148 62*

Cette pizzeria classique, plutôt petite, offre plus de 50 variétés de pizzas. Citons la pizza *milanese*, agrémentée de roquette, safran et cèpes. L'atmosphère est conviviale et l'endroit agréable et bon marché. Parallèle au corso Buenos Aires, rue commerçante animée. *Fermé dim., 2 sem. août.*

MILANO (MILAN) : Premiata Pizzeria 目 📷 €
Via Alzaia Naviglio Grande 2, 20144 **Tél** *02 89 40 06 48*

Cette pizzeria tout à fait abordable jouit d'une situation centrale, près des canaux. En été, des tables sont dressées dans l'arrière-cour. Service parfois un peu rapide et grandes tables communes. Bons plats de pâtes et pizzas, à moins que vous ne préfériez essayer la *focaccia* au jambon de Parme ou la salade de roquette.

MILANO (MILAN) : La Fermata 目 🔥 €€€
Via Saronno 3, 20154 **Tél** *02 345 15 96*

Petit restaurant convivial qui attire la foule avec son cadre simple, ses excellentes pizzas et sa cuisine napolitaine. Le poisson mérite une mention particulière. La salade de calmars est une spécialité, comme le gâteau à la ricotta. *Fermé dim., midi, 3 sem. août, 15 déc.-1er janv.*

MILANO (MILAN) : Trattoria Aurora 📷 €€€
Via Savona 23, 20144 **Tél** *0280 580 52 28*

Cette brasserie haut de gamme située dans le quartier de Navigli offre une cuisine piémontaise maison. Essayez les *antipasti*, les délicieux *agnolotti del plin* (raviolis sautés au beurre et à la sauge) ou la soupe à l'oignon caramélisée. De nombreux vins piémontais figurent à la carte. Atmosphère chaleureuse et jolie véranda en été. *Fermé lun.*

MILANO (MILAN) : La Trattoria Milanese 目 €€€
Via Santa Marta 11, 20123 **Tél** *02 86 45 19 91*

Cette trattoria située près de la Bourse est une institution à Milan. Depuis des générations, on y sert une cuisine milanaise authentique dont l'*osso buco* (jarret de veau), l'excellent risotto au safran et les *carpione* (mini-côtelettes froides assaisonnées d'oignon et de vinaigrette). *Fermé sam.-dim., 15 juil.-1er sept., 25 déc.-10 janv.*

MILANO (MILAN) : Osteria di via Pre 目 📷 €€€€
Via Casale 4, 20144 **Tél** *02 837 38 69*

Cette *osteria* est le meilleur restaurant de fruits de mer de Milan. Goûtez aux *antipasti* (légumes farcis), au carpaccio d'espadon (cru et émincé), au *pesto* biologique d'Albenga, aux *pansotti* à la sauce aux noix (pâtes fourrées à la ricotta, au citron et aux herbes), ou aux *raviolis al pesto*. *Fermé lun.*

MILANO (MILAN) : Trattoria delle Langhe 目 €€€€
Corso Como 6, 20154 **Tél** *02 655 42 79*

À côté d'une superbe boutique de design au 10 corso Como, ce restaurant possède deux salles : celle du bas est idéale pour un dîner stylé, celle du haut est réservée aux repas moins formels. Plats classiques et vins du Piémont, très bon risotto *Barolo* et *tomini alle erbe* (fromage de chèvre parfumé aux herbes). *Fermé dim., 3 dern. sem. août.*

MILANO (MILAN) : Da Giacomo 目 €€€€€
Via B. Cellini, corner Via Sottocorno 6, 20129 **Tél** *02 76 02 33 13*

Établissement calme et élégant tenu par une famille et une adresse d'initiés pour les Milanais nantis et branchés. La salle à manger est décorée de lampes Art déco. Les spécialités de la maison comprennent entre autres le tartare de thon *alla Giacomo*. La carte des vins offre un vaste choix de grands crus. *Fermé 2 sem. août, 2 sem. Noël.*

MILANO (MILAN) : Il Ristorante, Bulgari Hotel 🍽️♿🚇🅿️ €€€€€
Via Privata Fratelli Gabba 7b, 20122 **Tél** *02 805 880 53 28*

Rejoignez les « branchés » pour un luxueux dîner dont le coût se justifie. Le restaurant est aménagé sur deux étages avec une cour extérieure, à la lisière des jardins botaniques. Le risotto aux citron et fleurs de vanille, accompagné par un excellent choix de vins, est devenu un classique.

MILANO (MILAN) : Rigolo 🍽️♿ €€€€€
Largo Treves, à l'angle de Via Solferino 11, 20121 **Tél** *02 86 46 32 20*

Le *Rigolo* se trouve près du beau quartier bohémien de Brera. Il sert une cuisine toscane à l'élégante société milanaise. Choisissez entre les *pappardelle* (pâtes en forme de larges rubans) au sanglier sauvage, les copieuses saucisses et les *bolliti* (viandes bouillies), servies le jeudi. Le service est excellent. *Fermé lun., 3 sem. août.*

MONTE ISOLA : La Foresta 🍽️🚇 €€€€
Località Pescheria Maraglio 174, 25050 **Tél** *030 988 62 10*

L'excellente carte fait la renommée de cet endroit, dont le poisson sort tout droit du lac Iseo. Les vins sont bons, et notamment le champagne Franciatorta. Le poisson salé et séché au soleil, puis mariné dans l'huile d'olive, est une spécialité et vous pourrez peut-être assister à sa préparation devant le restaurant. *Fermé mer., 20 déc.-1er mars.*

PAVIA (PAVIE) : Locanda Vecchia Pavia al Mulino 🍽️♿🚇 €€€€
Via al Monumento 5c, Località Certosa, 27012 **Tél** *0382 92 58 94*

Installé dans la superbe chartreuse de Pavie, c'est l'un des restaurants les plus raffinés d'Italie. Les *fiori di zucca* (fleurs de courgette) frites avec du fromage *taleggio* et des truffes ou le *maialino da latte* (porc cuit au four dans le lait avec pommes, foie gras et truffes) sont à la carte. *Fermé lun., mer. midi, 3 premières sem. janv., 3 dernières sem. août.*

SALÒ : Alla Campagnola 🚇 €€€
Via Brunati 11, 25087 **Tél** *0365 221 53*

L'un des plus anciens établissements autour du lac de Garde, devenu l'un des plus célèbres restaurants de la région grâce à Angelo del Bon, connu pour sa *Slow Food*. Il utilise des produits frais pour concocter des plats raffinés. Quelque 600 vins sont également proposés à la carte. Réservez longtemps à l'avance. *Fermé lun., mar. midi, janv.*

SALÒ : Cantina San Giustina €€€
Salita Santa Giustina 8, 25087 **Tél** *0365 52 03 20*

Cette *osteria* installée dans une ancienne cave à vins n'est ouverte que le soir et assez tard dans la nuit (2 h en sem. et 3 h sam.-dim.). Vous y trouverez des plats froids copieux et excellents, comme la truite au sel, les légumes grillés, le fromage de chèvre du Piémont et les salamis. Grande variété de vins régionaux et nationaux. *Fermé lun., mar. midi.*

SALÒ : Antica Trattoria alle Rose 🚇 €€€€
Via Gasparo da Salo 33, 25087 **Tél** *036 54 32 20*

Cette ancienne trattoria offre des produits saisonniers locaux frais en provenance du marché, des poissons d'eau douce et des plats, comme le *carpaccio* (très fines tranches de bœuf) aux cèpes. Toutes les pâtes sont faites maison : ne manquez pas les *tortelli al Bagoss* (farcies de fromage local). *Fermé mer.*

VAL D'AOSTE ET PIÉMONT

ACQUI TERME : La Schiavia €€€€
Vicolo della Schiavia, 15011 **Tél** *0144 559 39*

Restaurant accueillant installé dans un ancien palais récemment rénové, près de la cathédrale. On y déguste un mélange de cuisine ligurienne et piémontaise, avec de nombreux plats de légumes et de poisson inventifs. *La Schiavia* offre un bon choix de vins (350 crus italiens et français). Réservation recommandée. *Fermé dim. soir, mar., 2 sem. août.*

ALBA : Ristorante Madonna di Como 🍽️♿🚇 €€€€
Frazione Madonna di Como 31, 12051 **Tél** *335 534 91 53*

Cet accueillant restaurant situé dans les colline d'Alba concocte des plats régionaux typiques. Les spécialités de la maison sont l'assiette de viande grillée et les plats à base de truffe en saison. Depuis la terrasse panoramique, on a de merveilleuses vues sur la campagne environnante. Vaste choix de vins et service parfait. *Fermé mar.*

ALBA : Piazza Duomo 🍽️♿🚇 €€€€€
Piazza Risorgimento 4, 12051 **Tél** *0173 36 61 67*

En dehors d'une carte variée, ce restaurant propose 3 menus : le piémontais (90 €), le végétarien (100 €) et le menu dégustation (110 €). Les plats révèlent le meilleur des influences du chef Enrico Crippa (de la cuisine japonaise à celle de la star catalane Ferran Adrià). *Fermé lun., dim. soir (sauf mi-oct.-mi-nov.), dim. juil., 2 sem. janv., 2 sem. août.*

ALESSANDRIA (ALEXANDRIE) : Il Grappolo ♿🚇 €€€€
Via Casale 28, 15100 **Tél** *0131 25 32 17*

Installé dans un ancien palais du XVIIIe siècle rose pêche, qui abritait autrefois l'hôtel de ville d'Alexandrie, *Il Grappolo* est rustique et élégant. Il possède deux salles à manger, un établissement vinicole et un patio d'été. La cuisine est typiquement piémontaise avec un parfum moderne et une carte des vins très complète. *Fermé lun. soir, mar.*

Légende des prix *voir p. 606* **Légende des symboles** *voir le rabat arrière de couverture*

AOSTA (AOSTE) : Grotta Azzurra €€
Via Croix de Villa 97, 11100 **Tél** *0165 26 24 74*

Installée dans le centre-ville, cette pizzeria qui pratique des prix raisonnables dans un cadre informel ouvre sa terrasse en été. La carte affiche un bon choix de classiques : pizzas, poisson, risotto et pâtes. N'oubliez pas de réserver si vous ne voulez pas rater sa merveilleuse soupe de poissons. *Fermé mer., 3 sem. juil.*

AOSTA (AOSTE) : Trattoria degli Artisti €€
Via Maillet 5-7, 11100 **Tél** *0165 409 60*

Située dans une rue pavée du centre-ville, la *Trattoria degli Artisti* propose une sélection de plats régionaux, dont des gnocchis aux noix ou aux herbes. Vous pouvez également déguster des viandes séchées et, pour ceux qui ont plutôt le palais sucré, de délicieux gâteaux et desserts maison. *Fermé dim., lun., 2 sem. juin, 2 sem. nov.*

AOSTA (AOSTE) : Vecchia Aosta €€€€
Piazza Porte Pretoriane 4c, 11100 **Tél** *0165 36 11 86*

Si vous souhaitez profiter d'un cadre exceptionnel, ne manquez pas ce superbe restaurant situé dans l'enceinte des remparts romains. Ici, les spécialités de la région sont à l'honneur, à commencer par les raviolis, la polenta et le risotto aux foies de poulet. Ambiance conviviale et décontractée. *Fermé mer., 3 sem. nov.*

ARONA : La Vecchia Arona €€€
Lungolago Marconi 17, 28041 **Tél** *0322 24 24 69*

Franco Ferrera a su revisiter avec imagination la carte traditionnelle de ce restaurant installé au bord du lac. Les pâtes fraîches maison rivalisent avec le poisson et de délicieuses viandes, tels l'agneau et le bœuf du Piémont. La terrine d'aubergine comblera les végétariens. La maison ne compte que 30 couverts : réservation indispensable. *Fermé ven.*

ASTI : Osteria del Castello (ex Dirce) €€€€
Piazza Castello 1, Castel' AlFerro, 14100 **Tél** *0141 20 41 15*

Logé dans un château du XVIIIᵉ siècle considéré comme « l'un des 5 joyaux du Piémont », ce restaurant propose de succulentes spécialités dont les *maltagliati* (pâtes), la *bagna calda* (sauce à l'huile d'olive, à l'ail et aux anchois et ses légumes) et une mousse au chocolat sans pareil. Terrasse sur les collines de Monferrato. *Fermé lun., mar., janv.*

ASTI : Gener Neuv €€€€€
Lungo Tanaro dei Pescatroi 4, 14100 **Tél** *0141 55 72 70*

Situé dans un endroit calme, près du fleuve, ce restaurant offre une cuisine locale raffinée et un excellent choix de vins. Citons, entre autres, le pigeon aigre-doux, les *agnolotti* au veau rôti (pâtes farcies) et les marrons glacés au chocolat. Cheminée ouverte, poutres et décoration héraldique. *Fermé dim. soir, lun., août.*

BRA : Battaglino €€
Piazza Roma 18, 12042 **Tél** *0172 41 25 09*

Cet établissement convivial propose de bonnes pâtes fraîches maison tels les gnocchis à la sauce au *castelmagno*, un fromage de la région, ainsi que de copieux plats régionaux . le *bollitto misto*, assortiment de 7 viandes bouillies, de légumes et de condiments cuits à la vapeur est une merveille. *Fermé dim. soir, lun., 1 sem. janv., 3 sem. août.*

BRA : Osteria Boccondivino €€€€
Via della Mendicità Istruita 14, 12042 **Tél** *0172 425674*

Ce restaurant *Slow Food* propose 12 sortes de fromages piémontais, du gibier et des plats de viande, tels qu'un lapin rôti et du bœuf braisé au barolo. Installé dans une ancienne maison de la ville au charme rustique, avec son entrée voûtée et ses balustrades en fer, il offre un service compétent et de bons vins. *Fermé dim.-lun.*

BREUIL-CERVINIA : Al Solito Posto €€
Via Meynet 11, 11021 **Tél** *0166 94 91 26*

Voici un restaurant aussi simple que charmant où l'on déguste une cuisine de la vallée d'Aoste dans un cadre rustique et élégant. Le menu à prix fixe offre un bon choix de pâtes fraîches maison, de polenta, de lasagnes et d'autres spécialités montagnardes roboratives. *Fermé jeu. basse saison, mai, oct.*

BREUIL-CERVINIA : Les Neiges d'Antan €€
Frazione Cret de Perrères 10, 11021 **Tél** *0166 94 87 75*

Ce restaurant, une élégante cabane en rondins, sert des mets rustiques et raffinés, ainsi que de copieux plats montagnards, d'inspiration italienne et française, accompagnés d'excellent vins. Leur *seuppa alla Valpellinentze* est légendaire (soupe gratinée avec pain, chou, fromage local de Fontina et bouillon de viande). *Fermé 1ᵉʳ mai-1ᵉʳ juil.*

CANNOBIO : Cà Bianca €€
Via Casali Cà Bianca 1, 28822 **Tél** *0323 78 80 38*

Situé sur les rives du lac Majeur, avec vue sur les ruines du château de Malpaga, le *Cà Bianca* se trouve entre Cannobio et Cannero. Ce coquet restaurant avec jardin sert des raviolis maison au beurre et à la sauge, ainsi que de l'excellente perche du lac et de délicieux desserts. *Fermé mer., déc.-mi-fév.*

CANNOBIO : Del Lago €€€€€
Via Nazionale 2, Località Carmine Inferiore, 28822 **Tél** *0323 705 95*

La cuisine italienne et internationale raffinée et le beau panorama sur le lac Majeur attirent une clientèle fidèle dans ce restaurant. Des ingrédients frais sont utilisés pour concocter des plats simples et inventifs comme le homard au beurre et à l'orange. Jolie terrasse entourée de jardins verdoyants pour l'été. *Fermé mar., mer. midi ; nov.-fév.*

CASALE MONFERRATO : La Torre   目 👩 🖼   €€€€€
Via Candiali d'Olivola 36, 15033 **Tél** *0142 702 95*

Autrefois perché sur la colline, *La Torre* est désormais installé dans le centre-ville. Les produits de saison sont à l'honneur de sa cuisine régionale inventive. Le plateau de fromage est servi avec une compote d'orange et d'oignon. La terrasse est ouverte aux convives en été. Bonne carte des vins. *Fermé mar. soir, mer., 1 sem. janv., 3 sem. août, 1 sem. déc.*

COGNE : Lou Ressignon   €€
Rue des Mines 22, 11012 **Tél** *0165 740 34*

Cette taverne de montagne offre un grand choix de vins. Les recettes locales mettent l'accent sur les plats roboratifs. La spécialité de la maison est la *seupetta a la Cogneintze* (risotto au pain, fromage de Fontina, polenta et agneau au four avec sauce au vin rouge). *Fermé lun. soir basse saison, mar., 2 dernières sem. mai, nov.*

COSSANO BELBO : Trattoria della Posta   €€€€
Corso Fratelli Negro 3 **Tél** *0141 881 26*

Après avoir connu quatre générations d'une même famille, cette trattoria sympathique a finalement changé de main. Goûtez le *fritto misto* à la piémontaise (assortiment de poissons et fruits de mer frits), les spécialités de saison et les pâtes servies avec un ragoût de viande. *Fermé dim. soir, lun. mi-déc.-mi-janv., mi-juil.-mi-août.*

COSTIGLIOLE D'ASTI : Cascina Collavini   👩 🖼   €€€
Strada Traniera 24, 14037 **Tél** *0141 96 64 40*

Ce restaurant élégant à l'atmosphère chaleureuse et décontractée, installé dans une ancienne ferme, propose aussi des chambres. Spécialités piémontaises traditionnelles à base de veau, d'agneau, de champignons et de légumes de saison. Bon choix de vins régionaux, surtout le Barbera d'Asti. *Fermé mar. soir, mer., 3 sem. janv., 2 sem. août.*

COSTIGLIOLE D'ASTI : Sinoira   🖼   €€
Piazza Umberto I 27, 14055 **Tél** *0141 96 60 12*

Ce restaurant-bar à vins de deux étages sert des spécialités du Piémont, dont du veau, du lapin, des champignons et des pâtes maison, toutes accompagnées de délicieux vins issus de la vaste cave. Les pâtes *agnolotti* dans une sauce au barbera est un des must. *Fermé lun., mar.*

COURMAYEUR : Du Tunnel   🖼   €
Via Circonvallazione 80, 11013 **Tél** *0165 84 17 05*

Dans une partie animée de la ville, ce bar-pizzeria simple offre une grande variété d'immenses pizzas cuites au feu de bois à des prix abordables et dans une ambiance conviviale. Outre les maxi-pizzas, les pâtes, le *bresaola* (bœuf séché), les steaks, les desserts et les fromages sont également à la carte. *Fermé mer. hors saison, juin.*

COURMAYEUR : Pierre Alexis 1877   €€€
Via Marconi 50, 11013 **Tél** *0165 84 35 17*

Ici, la nourriture est simple mais bonne. Basés sur les traditions locales, les plats comptent du gibier et du fromage. Essayez les raviolis au gibier, les ragoûts de viande ou la fondue. Les nappes en lin ajoutent une élégance décontractée à l'atmosphère rustique du lieu. Excellents vins et fromage local. *Fermé lun. basse saison, mai (sauf sam.-dim.).*

CUNEO : Osteria della Chiocciola   €€€
Via Fossano 1, 12100 **Tél** *0171 662 77*

Cette *osteria* réputée pour sa qualité possède un cellier aux crus millésimés au rez-de-chaussée et plusieurs salles à manger au cadre informel à l'étage, qui laissent la vedette à la cuisine. On y sert de délicieuses spécialités locales et saisonnières, tels les raviolis maison, arrosés d'un bon cru de la région. *Fermé dim., 2 premières sem. janv.*

DOMODOSSOLA : Piemonte da Sciolla   👩 🖼   €€€
Piazza della Convenzione 4, 28845 **Tél** *0324 24 26 33*

La cuisine régionale inclut ici des spécialités telles que les gnocchis au seigle et aux noisettes ou des plats alpins de la vallée d'Ossola, célèbre pour ses viandes séchées. La carte affiche un penchant pour les copieux plats de viande avec champignons, oignons et noisettes. Tables dehors pour les dîners d'été. *Fermé mer., 10-21 janv., mi-août-mi-sept.*

IVREA : Trattoria BoccondiVino   目   €€
Via Aosta 47, 10015 **Tél** *0125 489 98*

Non loin de la Porta Aosta, dans le centre historique de la ville, *BoccondiVino* est une petite trattoria à l'atmosphère chaleureuse qui sert une cuisine régionale traditionnelle variant selon les produits de saison. Le poisson fumé est excellent. On y propose aussi un bon choix de vins locaux. *Fermé jeu., 1 sem. août.*

NOVARA : I Due Ladroni   🍽目   €€
Corso Cavaletti 15, 28100 **Tél** *0321 62 45 81*

Installé dans un palais du XVIe siècle en plein centre-ville, ce restaurant s'est fait une spécialité de la cuisine régionale. Le menu change régulièrement et comprend du risotto au *taleggio* (fromage), de la *zuppa vigezzina* (soupe au jambon), et du *tapulon d'asino* (de l'âne dans une sauce au vin). Bonne carte des vins. *Fermé sam. midi, dim., août.*

NOVARA : Osteria del Laghetto   目 👩 🖼   €€€€
Via Case Sparse 11, Località Veveri, 28100 **Tél** *0321 47 29 62*

Ce restaurant est installé dans un parc et ses salles à manger regorgent de fleurs odorantes. Vous y dégusterez une cuisine régionale à base de truffes et de champignons, mais ce sont les poissons le point fort du menu. En été choisissez une table dehors. Réservez à l'avance. *Fermé sam. midi, dim., 2 sem. août, mi-déc.-mi-janv.*

Légende des prix *voir p. 606* **Légende des symboles** *voir le rabat arrière de couverture*

ORTA SAN GIULIO : Villa Crespi

€€€€€

Via Fava 18, 28016 Tél 0322 91 19 02

Cette folie du XIXe siècle abrite un hôtel de huit chambres au décor des Mille et Une Nuits. L'excellence de sa cuisine italienne inventive lui a valu une étoile au Michelin. Haut lieu de la gastronomie, la *Villa Crespi* propose en outre une carte de plus de 1 000 vins français et italiens. *Fermé mar. midi, lun. mi-déc.-mi-fév.*

RIVOLI : Combal. Zero

€€€€€

Il Castello, Piazza Mafalda di Savoia, 10098 Tél 011 956 52 25

Situé à l'intérieur du charmant château de Rivoli, ce restaurant affiche une carte italienne inventive et alléchante dont les raviole farcis à la *burata* (mozzarella remplie de crème), avec une sauce au basilic et à la tomate mâtinée de citron vert, et le cochon de lait à la noix de coco et aux asperges. Réservation indispensable. *Fermé lun., mar., août , Noël.*

SAINT-VINCENT : Nuovo Batezar

€€€

Via Marconi 1, 11027 Tél 0166 51 31 64

L'un des meilleurs restaurants de la région. Peu de tables, une atmosphère intime et un mobilier ancien typique. La *sinfonia di pesce* (assiette de poisson), le *tajarin* (tagliatelles locales faites maison) au safran, la sauce aux truffes et les plats de viande alpins sont excellents. Pensez à réserver. *Fermé mer., lun.-ven. midi, 3 sem. juin, 2 sem. nov.*

SAN SECONDO DI PINEROLO : La Ciau

€€€

Via Castello di Miradolo 2, 10060 Tél 0121 50 06 11

L'extérieur de ce restaurant, un peu austère, contraste avec son intérieur accueillant. Un bon endroit pour découvrir la *Slow Food* régionale, les pâtes maison farcies à la viande, les raviolis au potiron, d'excellents risottos et des plats créatifs à base de fromages de la vallée du Pellice. Possibilité de dîner à l'extérieur en été. *Fermé mer., janv.*

SESTRIERE (SESTRIÈRES) : Al Braciere del Possetto

€€€

Piazza Agnelli 2, 10058 Tél 0122 761 29

Al Braciere est un restaurant réputé au centre de Sestriere. Sa cuisine de la vallée est délicieuse. Citons, entre autres, la *raclette* (à base de fromage fondu), la *bourguignonne* (fondue à la viande), les riches spécialités piémontaises et les plats à base de fromage de la région et de toute l'Italie. *Fermé mer., 3 sem. mai, 3 sem. oct.*

SORISO : Al Soriso

€€€€€

Via Roma 18, 28016 Tél 0322 98 32 28

Célèbre dans toute l'Italie pour une cuisine inventive de haut rang qui met en valeur de délicieux produits de saison, cet hôtel-restaurant raffiné sert des plats tels le risotto aux pommes, brocolis, noix et crevettes, et des spécialités qui varient avec les saisons. Réservation indispensable. *Fermé lun.-mar., 2 sem. janv., 3 sem. août.*

STRESA : Il Piemontese

€€€€

Via Mazzini 25, 28838 Tél 0323 302 35

Voici un restaurant intime tenu par une famille, en centre-ville, où l'on propose des variantes inventives de la cuisine locale. L'été, on profitera de l'ombre de la vigne vierge sur la terrasse. Des menus fixes et un excellent choix de vins complètent le tableau. *Fermé lun., déc.-janv.*

TORTONA : Aurora Girarrosto

€€€

S.S. per Genova 13, Tortona, 15057 Tél 0131 86 30 33

Ce restaurant, situé à l'extérieur d'Alexandrie, est célèbre pour son brochet rôti (qui lui a donné son nom). Les viandes grillées au barbecue sont la spécialité de la maison. Elles proviennent toutes de fermiers biologiques locaux, y compris les steaks T-bone de bœuf de Carrù, importante race piémontaise. Excellente carte des vins. *Fermé lun., 2 sem. août.*

TORINO (TURIN) : Birilli

€€

Strada Val San Martino 6, 10131 Tél 011 819 05 67

Vous trouverez ici une grande variété de pâtes, du poisson grillé et des brochettes de viande, des risottos et des légumes de saison. Les frères Birilli ont ouvert des restaurants à Turin en 1929, puis d'autres à Hollywood, Paris et même New Delhi. Ce restaurant possède une cour sur jardin pour dîner dehors. *Fermé dim. hiver, vac. Noël.*

TORINO (TURIN) : Dai Saletta

€€

Via Belfiore 37, 10126 Tél 011 668 78 67

Trattoria typique à l'atmosphère conviviale, avec nappes à carreaux rouges et blancs et beaucoup de spécialités piémontaises classiques, dont les *agnolotti* et le *tajarin* (variétés locales de pâtes), le *bollito* (viandes bouillies), ainsi que de la viande cuite dans du barolo et un excellent *zabaglione*. Bon choix de vins également. *Fermé dim., août.*

TORINO (TURIN) : Porto di Savona

€€

Piazza Vittorio Veneto 2, 10100 Tél 011 817 35 00

Ce restaurant est installé dans un bâtiment du XVIIIe siècle, près du fleuve Pô. Il sert des plats régionaux, tels que des gnocchis au gorgonzola, des *tajarin* et *agnolotti* (variétés de pâtes locales), un risotto aux asperges, un *vitello tonnato* (fines tranches de veau au thon et à la sauce aux câpres) et d'autres spécialités arrosées de barolo. *Fermé janv.*

TORINO (TURIN) : Neuv Caval'd Brons

€€€€

Piazza San Carlo 155, 10123 Tél 011 54 53 54

Ce restaurant élégant et spacieux, situé sur l'une des plus belles places de Turin, propose trois menus dégustation et un bon choix à la carte. Inspirées de la cuisine piémontaise, les spécialités de la maison prennent ici des accents internationaux au gré de l'imagination du chef. *Fermé ven.-sam., août.*

VERBANIA PALLANZA : Osteria Dell'Angolo €€€

Piazza Garibaldi 35, 28048 **Tél** *0323 55 63 62*

Situé sur une petite place, le *Dell'Angolo* est une taverne régionale typique qui offre un grand choix de plats de poisson raffinés, un mélange de cuisine piémontaise et lombardienne et un bon rapport qualité/prix. Des tables sont également dressées dehors sur la piazza en été. Les places sont limitées, il est conseillé de réserver. *Fermé lun., nov., 1 sem. janv.*

VERBANIA PALLANZA : Milano €€€€€

Corso Zanitello 2, 28048 **Tél** *0323 55 68 16*

Le *Milano* est aménagé dans un édifice néogothique du centre de Pallanza. Il possède une jolie terrasse donnant sur l'autre rive du lac Majeur, et sert de l'excellent poisson du lac, dont du *persico* (perche) et du *salmerino* (omble-chevalier), accompagnés de légumes biologiques saisonniers du jardin. *Fermé lun. soir, mar., nov.-fév.*

VERCELLI : Il Paiolo €€

Viale Garibaldi 72, 13100 **Tél** *0161 25 05 77*

Trattoria décontractée installée dans une ancienne maison de la ville du centre historique de Vercelli. La cuisine locale est servie ici et, Vercelli étant la région du riz en Italie, ne manquez pas les risottos et les *panisse* (plat de riz de Vercelli). De bons vins accompagnent le menu saisonnier. *Fermé jeu., mi-juil.-mi-août.*

VERCELLI : Il Giardinetto €€

Via Sereno 3, 13100 **Tél** *0161 25 72 30*

Cet hôtel-restaurant chic occupe une partie d'une maison du XIXe siècle. Vue sur un coquet jardin bien entretenu et grande variété de plats typiquement piémontais raffinés. Notons le riz, les truffes, les champignons, les pâtes maison, le jambon de Parme, les fromages locaux et le foie gras. Excellents vins. *Fermé lun., 3 sem. août.*

VILLARFOCCHIARDO : La Giaconera €€€€

Via Antica di Francia 1, 10050 **Tél** *011 964 50 00*

La Giaconera occupe un ancien relais de poste orné de poutres et de lustres. On y sert des spécialités régionales aux truffes, du gibier et de délicieux légumes de la région. Goûtez les tagliatelles aux noisettes ou les médaillons de veaux aux truffes (à commander à l'avance). Excellents vins locaux. *Fermé mar., 2 sem. août.*

LIGURIE

CAMOGLI : La Cucina di Nonna Nina €€€

Via Molfino 126, San Rocco di Camogli, 16032 **Tél** *0185 77 38 35*

À 6 km de Camogli, de l'autre côté du promontoire de Portofino, ce restaurant occupe deux pièces d'une villa rustique ménageant un panorama somptueux. On y sert de délicieux plats ligures préparés avec les herbes et les fruits de mer locaux, telle la seiche farcie ou les pâtes de la maison à l'ortie et au pesto. *Fermé mer., 2 sem. fév., nov.*

CAMOGLI : Rosa €€€€

Via Ruffini 13, 16032 **Tél** *0185 77 34 11*

Ce restaurant occupe une villa de style Art nouveau et jouit d'une véranda l'hiver et d'une terrasse l'été, avec vue sur la baie et le port de pêche de Camogli. Parmi les spécialités de fruits de mer et de pâtes, citons le thon à la sauce aigre-douce, les pâtes à la sauce au rouget et le ragoût de seiche. *Fermé mar., mer. midi, janv., 2 dernières sem. nov.*

CERVO : San Giorgio €€€€€

Via Volta 19, 18010 **Tél** *0183 40 01 75*

Le propriétaire du *San Giorgio*, niché sur une place du centre historique, favorise les saveurs locales et les produits saisonniers. Il en résulte des plats simples et créatifs, tels que les crevettes aux petits artichauts et le poisson du jour aux minuscules olives et à la marjolaine fraîche. Menu dégustation à 55 €. Réservation recommandée. *Fermé mar.*

GENOVA (GÊNES) : Da Genio €€

Salita San Leonardo 61r, 16128 **Tél** *010 58 84 63*

L'une des trattorias les plus appréciées de Gênes à la clientèle fidèle, située dans la vieille ville. Le menu compte des plats de poisson bien préparés, tels que l'espadon frais farci aux anchois et aux câpres, mais l'entrée la plus célèbre est le plat ligure des *trenette al pesto* (pâtes à la sauce pesto). *Fermé dim., 3 sem. août.*

GENOVA (GÊNES) : Da O'Colla €€

Via alla Chiesa di Murta 10, Località Bolzaneto, 16162 **Tél** *010 740 85 79*

On sert ici une cuisine de Ligurie aussi simple que délicieuse telles les lasagnes au pesto (pour changer de la béchamel à la viande) et un *minestrone genovese* (soupe de légumes aux pâtes ou au riz et au pesto). Située à 13 km de la ville, cette trattoria vaut définitivement le détour. *Fermé dim.-lun., 3 sem. janv., août.*

GENOVA (GÊNES) : Pintori €€

Via San Bernardo 68 r, 16123 **Tél** *010 275 75 07*

Adoré des Italiens pour ses prix raisonnables et son cadre élégant, *Pintori* est dirigé par un couple sarde. On y sert des viandes et des poissons. Goûtez le *fritto misto* léger comme une plume, ou l'agneau grillé. Réservez deux jours à l'avance pour le *maiolino sardo* (cochon de lait sarde). Excellents desserts. *Fermé dim.-lun.*

Légende des prix *voir p. 606* **Légende des symboles** *voir le rabat arrière de couverture*

GENOVA (GÊNES) : Cantine Squarciafico 🗐 €€€
Piazza Invrea 3, 16123 **Tél** *010 247 08 23*

Juste derrière la cathédrale, dans une ancienne villa patricienne ornée de fresques et, à l'intérieur, de colonnes, ce bar à vins classique sert des spécialités locales, dont les *stracci*, sorte de lasagne, et une délicieuse tarte au chocolat. Des bouteilles de vin sont alignées sur les murs de l'ancienne salle à manger voûtée. Réserver. *Fermé fin juil.-début août.*

LEVANTO : Cavour 🗐 €€€
Piazza Cavour 1, 19015 **Tél** *0187 80 84 97*

Située entre la gare et le front de mer, cette trattoria typique propose une cuisine locale dominée par le poisson. Le restaurant d'origine date de 1800. Au menu, on trouve des *gattafin* (large raviolis frits farcis aux herbes, œufs, oignon et fromage), des anchois au citron et des *trofiette* (pâtes locales) à la sauce pesto. *Fermé lun., déc.-mi-janv.*

LEVANTO : Tumelin 🗟 €€€€
Via Grillo 32, 19015 **Tél** *0187 80 83 79*

Les *antipasti* regorgent de fruits de mer. Optez, par exemple, pour une salade de poulpe, des crevettes aux haricots blancs, des sardines farcies, du *carpaccio* (fines tranches crues) d'espadon fumé ou des anchois frais au citron. En plat principal, choisissez un poisson et terminez votre festin par une pannacotta au caramel. *Fermé jeu. hiver, janv.*

MANAROLA : Marina Piccola 🗐🗟 €€€
Via Lo Scalo 16, 19010 **Tél** *0187 92 09 23*

Ce petit restaurant offre des vues splendides sur la mosaïque colorée des maisons du village de Cinque Terre et sur les rochers et la mer. Au menu, la pêche du jour en soupe de poissons, d'excellents plats de fruits de mer régionaux, des *antipasti* variés également à base de fruits de mer et de nombreux poissons grillés. *Fermé mar., mi-nov.-24 déc.*

NERVI : Astor 🗐♿🗟 €€
Via delle Palme 16-18, 16167 **Tél** *010 32 90 11*

Cet hôtel-restaurant lumineux et sans prétention qui compte 41 chambres est situé à 50 m du bord de mer. On y sert une cuisine ligure et de bons vins dans un cadre simple et élégant. Parmi les spécialités, ne manquez pas le *pansotti al sugo di noci*, sa spécialité (pâtes fraîches farcies à la ricotta nappées d'une sauce aux noix).

PORTOFINO : Chuflay, Splendido Mare 🗐♿🎵🗟🎩 €€€€€
Via Roma 2, 16034 **Tél** *0185 26 78 02*

Le restaurant *Chuflay* de l'hôtel *Splendido Mare* occupe un endroit superbe en haut de la place du port. Il offre de savoureux plats locaux, comme des pâtes maison au pesto génois et une soupe aux palourdes fraîches agrémentée de pignons, d'olives noires et de marjolaine. Bons vins et excellent service. *Fermé mi-déc.-mi-fév.*

PORTOFINO : Da Puny 🖥🗟 €€€€€
Piazza Martiri dell'Olivetta 5, 16034 **Tél** *0185 26 90 37*

Da Puny est l'un des meilleurs restaurants bordant la petite place du port de Portofino. On y sert des spécialités tels le poisson du jour, les pâtes au *pesto corto* (une sauce onctueuse au basilic et aux pignons de pin rehaussée d'une pointe de tomate) et les *antipasti*, tous aussi délicieux les uns que les autres. *Fermé jeu., mi-déc.-mi-fév.*

PORTOVENERE : Da Iseo 🗟 €€€
Calata Doria 9, 19025 **Tél** *0187 79 06 10*

Cette coquette trattoria panoramique est dirigée par l'hôtel Locanda Lorena sur l'île de Palmaria, et située sur le front de mer. Elle a vue sur le port et le golfe des Poètes. Parmi les plats ligures typiques : les moules farcies à la viande, les anchois à la sauce au citron et les *antipasti* de fruits de mer. *Fermé mer., nov.*

PORTOVENERE : Le Bocche 🗟 €€€€€
Calata Doria 102, 19025 **Tél** *0187 79 06 22*

Perché sur le promontoire qui domine Portovenere, ce restaurant se trouve en dessous de l'église Saint-Pierre et offre un beau panorama. La décoration minimaliste et les tables ombragées à l'extérieur constituent le cadre idéal pour déguster les savoureux plats de poisson ligures. Excellente carte des vins aussi. *Fermé lun., mi-déc.-mi-fév.*

RAPALLO : U Giancu 🗐🗟 €€€
Via San Massimo 28, Località San Massimo, 16035 **Tél** *0185 26 05 05*

Perché dans les collines, parmi les oliviers, au nord-ouest de Rapallo, ce restaurant est l'adresse idéale pour tous ceux qui aiment la bonne cuisine et les dessins animés. Le propriétaire est un fan du festival international de dessins animés de Rapallo. Les légumes du jardin s'ajoutent aux classiques liguriens. *Fermé midi, mer., mi-déc.-mi-janv.*

SAN REMO : Da Vittorio 🗐 €€€€€
Piazza Bresca 47, 18038 **Tél** *0184 53 16 53*

Non loin du bord de mer, *Da Vittorio* est un établissement traditionnel spécialisé dans le poisson. Goûtez les *tagliolini* accompagnées de *gallinella*, un poisson local, ou la *buridda*, une soupe de poissons à la seiche, servie avec des artichauts en saison, ou des petits pois. *Fermé 1 sem. début mars, 2 sem. nov.*

SAN REMO : Da Paola e Barbara 🗐 €€€€€
Via Roma 47, 18038 **Tél** *0184 53 16 53*

Restaurant exceptionnel à la réputation internationale. À la carte on choisit entre les légumes - courgettes, herbes et haricots - et le poisson frais local - tartare de maquereau, crevettes San Remo. Le *Barbara* est également un expert en matière de pâtisserie avec, entre autres, sa *cassata* à la ricotta. *Fermé mer.-jeu., 1 sem. janv., 2 sem. juil., 2 sem. déc.*

VERNAZZA : Gambero Rosso

Piazza Marconi 7, 19018 **Tél** *0187 81 22 65*

Ce restaurant sur le port apporte aux plats de fruits de mer ligures une touche de modernité qui fait sa spécialité. Les raviolis au poisson et risotto au citron sont particulièrement savoureux, tout comme les desserts, très originaux. Les convives choisiront entre la carte ou le menu dégustation. *Fermé lun., déc.-fév.*

ÉMILIE-ROMAGNE

BOLOGNA (BOLOGNE) : Trattoria Fantoni

Via del Pratello 11/A, 40122 **Tél** *051 23 63 58*

Cette trattoria simple et réputée se trouve dans une rue bordée de restaurants. Le menu est très traditionnel, avec beaucoup de *cavallo* (viande de cheval), servi en steak, de saucisses grillées et de délicieux plats de légumes, comme les *melanzane al forno* (aubergine cuite au four).

BOLOGNA (BOLOGNE) : Antica Trattoria del Cacciatore

Via Caduti di Casteldebole 25, 40132 **Tél** *051 56 42 03* **Fax** *051 56 71 28*

La « trattoria du vieux chasseur » sert des plats traditionnels depuis plus de 200 ans dans une ancienne auberge de campagne proche d'un parc et de l'aéroport. Outre des pâtes et pains maison, on y déguste des tortellinis au bouillon ; du *capriolo alla boscaiola* (ragoût de chèvre aux cèpes) et des raviolis dans une fondue de fromage aux truffes.

BOLOGNA (BOLOGNE) : Antica Trattoria Spiga

Via Broccaindosso 21a, 40125 **Tél** *051 23 00 63* **Fax** *051 23 00 63*

Cette trattoria d'autrefois dirigée par une famille est appréciée des habitants pour sa cuisine traditionnelle authentique et très bien préparée. Parmi les spécialités, citons les lasagnes, les *tagliatelle al ragù*, les *pasta e fagioli* (soupe de pâtes et haricots) et les pâtes farcies aux noix et gorgonzola.

BOLOGNA (BOLOGNE) : Olindo Faccioli

Via Altabella 15/B, 40126 **Tél** *051 22 31 71* **Fax** *051 44 09 68*

Cette minuscule trattoria peut être fière de sa carte des vins (plus de 400 bouteilles s'alignent sur les murs des 2 salles) ; le menu du jour est inscrit sur un tableau noir. La cuisine est bolognaise, mais légère avec également des plats végétariens, comme les *crespellini* (crêpes aux pâtes farcies de fromage) et les tagliatelles au pesto maison.

BOLOGNA (BOLOGNE) : Pappagallo

Piazza Mercanzia 3c, 40125 **Tél** *051 23 28 07* **Fax** *051 23 28 07*

Depuis 1919, les princes, artistes et acteurs ont dédicacé leur photo pour décorer les murs de cet élégant restaurant installé dans un palais du XIVe siècle, pratiquement en dessous des deux tours de Bologne. La cuisine est classique avec, notamment, des tortellinis (en bouillon ou ragoût de viande), des lasagnes et du veau.

CASTELL'ARQUATO : Da Faccini

Località Sant'Antonio, 29014 **Tél** *0523 89 63 40* **Fax** *0523 89 64 70*

Cette trattoria appartient à la même famille depuis 1932. Il n'y a pas de menu à prix fixe ; le chef suit simplement les saisons. Vous y dégusterez des gnocchis aux carottes, des raviolis de canard et truffes, des *agnellotti al culatello* (pâtes farcies d'un salami local) ou la *faraona alla creta* (pintade cuisinée dans un récipient en terre cuite).

CASTELL'ARQUATO : Maps

Piazza Europa 3, 29014 **Tél** *0523 80 44 11*

Ce moulin médiéval restauré du centre historique de la ville privilégie une cuisine créative relevée d'un savoir-faire international et utilisant des ingrédients locaux. Le menu change tous les jours, selon les arrivages du marché, et met l'accent sur les spécialités de poisson (bien que le chef prépare également de succulents plats de viande).

FAENZA : La Pavona

Via Santa Lucia 45, 48018 **Tél** *0546 310 75* **Fax** *0546 636 419*

Situé à l'entrée de Faenza, dans un lieu très paisible, ce restaurant rustique mais élégant a une atmosphère accueillante et une multitude de plats régionaux à sa carte. Essayez le délicieux *coniglio arrosto* (lapin rôti cuit dans un four à bois). *Fermé mar., sam. midi, oct.*

FERRARA (FERRARE) : La Sgarbata

Via Sgarbata 84, 44046 **Tél** *0532 71 21 10* **Fax** *0532 71 21 10*

Cette trattoria de campagne, qui se trouve dans les faubourgs de Ferrare, sert de savoureux plats, comme les *cappellacci di zucca alla ferrarese* (pâtes farcies au potiron de Ferrare), ainsi que des spécialités de poisson selon la pêche du jour. Les gens des environs se retrouvent souvent ici pour déguster une délicieuse pizza. Concerts en été.

FERRARA (FERRARE) : Antica Trattoria Il Cucco

Via Voltacassotto 3, 44100 **Tél** *0532 76 00 26* **Fax** *0532 76 00 26*

Installé dans le centre historique, près de la cathédrale, ce restaurant animé a ouvert ses portes aux débuts du XIXe siècle. Goûtez les *Al burrodi di salvia* (petits chapeaux de pâte farcis au potiron, revenus dans un beurre de sauge), arrosés d'un cru de la région. L'été, les tables sont dressées au jardin, sous la pergola.

Légende des prix *voir p. 606* **Légende des symboles** *voir le rabat arrière de couverture*

FERRARA (FERRARE) : Antica Trattoria Volano 🖬🖬🖬 €€

Viale Volano 20, 44100 **Tél** *0532 76 14 21* **Fax** *0532 79 84 36*

Cette auberge située en bordure de route, juste au sud des remparts de la ville, est appréciée depuis le XVIIIᵉ siècle. Le chef profite du marché pour créer des plats typiques. Les indécis apprécieront le *tris di primi*, associant 3 variétés de pâtes (par exemple des raviolis farcis à la courge, des *tagliolini* au *prosciutto* et des tortellonis à la ricotta). *Fermé jeu.*

FERRARA (FERRARE) : Quel Fantastico Giovedì 🖬🖬 €€

Via Castelnuovo 9, 44100 **Tél** *0532 76 05 70* **Fax** *0532 76 05 70*

Ce restaurant clair spécialisé dans les plats de fruits de mer propose un menu varié et original où sont à la fois proposés des plats traditionnels – comme le risotto con *vongole veraci* (riz aux minuscules palourdes) et l'*anguilla* braisée (anguille) – et des mets créatifs, dont des sushis de saumon à la japonaise. Réservez à l'avance.

FIDENZA : Il Duomo 🖬🖬🖬 €

Via Micheli 27, 43036 **Tél** *0524 52 42 68*

Ce restaurant sert un menu qui inclut des spécialités régionales, telles que les *tortelli alla ricotta* (pâtes farcies au fromage), les *tagliatelle all'uovo con ragù* (pâtes aux œufs dans une sauce à la viande), les *cappelletti in brodo* (soupe de pâtes), et les *trippa alla parmigiana* (tripes à la sauce tomate et au fromage râpé).

GORO : Ferrari 🖬🖬🖬 €

Via Antonio Brugnoli 244, 44020 **Tél** *0533 99 64 48* **Fax** *0533 99 65 46*

À quelques pas du port et du marché au poisson, ce restaurant est dirigé par la même famille depuis 60 ans. Le marché détermine le menu du jour de cet établissement spécialisé dans les plats du delta du Pô. Une valeur sûre : le *risotto di pesce* (risotto de poisson). Vous pouvez aussi y déguster des pizzas les vendredi, samedi et dimanche soir.

MODENA (MODÈNE) : Al Boschetto da Loris 🖬🖬 €

Via Due Canali Nord 202, 41100 **Tél** *059 25 17 59*

Le *Da Loris* occupe l'ancien pavillon de chasse du duc d'Este, dans un vaste parc d'arbres centenaires. Le menu est bref mais compte les meilleurs plats maison de Modène, comme les tortellinis au bouillon de chapon, les *tagliatelle al ragù* (dans une sauce à la viande), ainsi que des viandes cuites à la broche et grillées. L'été, on peut profiter du jardin.

MODENA (MODÈNE) : Fini 🖬🖬 €€€€€

Rua Frati Minori 54, 41100 **Tél** *059 22 33 14* **Fax** *059 22 02 47*

Un pilier de la cuisine locale depuis 1912. Parmi les spécialités, on trouve des mets traditionnels comme les *tortellini di cappone in brodo* (soupe de pâtes farcies au chapon), le *pasticcio di maccheroni* (tourte aux macaronis) et le *carrello* de viandes bouillies à l'anglaise.

MODENA (MODÈNE) : Giusti 🖬🖬 €€€€€

Vicolo Squallore 46/Via Farini 75, 41100 **Tél** *059 22 25 33* **Fax** *059 22 25 33*

Réservez longtemps à l'avance l'une des cinq tables de ce bastion de la cuisine modénaise lié à une épicerie fine. Les Galli (propriétaires mari et femme) aiment utiliser le chapon partout, dans la soupe aux tortellinis, tout comme dans les salades croquantes. Excellent *stinco* (rôti) de veau ou de porc. *Ouvert midi seul.*

PARMA (PARME) : Aldo 🖬 €

Piazzale Inzani 15, 43100 **Tél** *0521 20 60 01* **Fax** *0521 20 60 01*

Cette trattoria de ville sert une cuisine italienne très classique, où se mêlent parmesan et jambon de Parme. Les « classiques » sont revus d'une manière intéressante avec, par exemple, le rosbif fumé, les *tortellini al prosciutto* (pâtes farcies au jambon) et la pintade et sa sauce à l'orange.

PARMA (PARME) : Le Viole 🖬🖬 €€

Strada Nuova 60a, Località Castelnuovo Golese, 43100 **Tél** *0521 60 10 00* **Fax** *0521 60 16 73*

Endroit ravissant, situé dans les faubourgs de Parme, et dirigé par deux sœurs de Gorizia, ville frontalière du Frioul et de la Slovénie. Les recettes locales sont modernisées et réinterprétées avec fantaisie pour donner de savoureux plats, comme les *fagottini* de dinde accompagnés de légumes. Excellents desserts maison.

PARMA (PARME) : La Greppia 🖬 €€€€

Strada Garibaldi 39A, 43100 **Tél** *0521 23 36 86* **Fax** *0521 22 13 15*

Le meilleur choix pour déguster un repas haut de gamme dans une ville renommée pour sa gastronomie. Parmi les classiques, le meilleur *stracotto* (bœuf braisé) de Parme, et parmi les plats innovants : les rognons de veau aux copeaux de truffes, les asperges au *prosciutto* avec des *tortelli* farcis au herbes et les *scaloppine* (escalopes) de veau.

PIACENZA (PLAISANCE) : Antica Osteria del Teatro 🖬 €€€€€

Via Verdi 16, 29100 **Tél** *0523 32 37 77* **Fax** *0523 30 49 34*

Aménagé dans les murs de brique et de plâtre d'un palais du XVᵉ siècle, cet élégant restaurant offre une excellente carte des vins et un menu saisonnier composé de plats très imaginatifs préparés avec les meilleurs produits locaux. Goûtez aux *tortelli* dei *Farnesi* (pâtes à la ricotta et aux épinards dans une sauce au beurre et à la sauge).

RAVENNA (RAVENNE) : Al Giaciglio 🖬 €

Via Rocca Brancaleone 42, 48100 **Tél** *0544 394 03* **Fax** *0544 394 03*

Osteria simple installée au rez-de-chaussée d'une *pensione* servant une cuisine ravennaise maison tout aussi simple mais délicieuse et des pâtes fraîches du jour : tortellinis, spaghettis au ragoût de viande et escalope de veau au gorgonzola. Fidèle à la tradition, le chef ajoute le poisson au menu le vendredi. Dîner uniquement. *Fermé sam.-dim.*

RAVENNA (RAVENNE) : Villa Antica
Via Faentina 136, 48100 **Tél** *0544 50 05 22*

Ce restaurant occupe une villa du XIXe siècle offrant un belvédère dans son jardin situé à l'arrière. Le menu change selon les saisons et inclut des pâtes, des viandes et du poisson grillés ou rôtis, ainsi que des plats originaux, comme les *garganelli all'indiana* (pâtes au curry). En saison, on peut aussi déguster du gibier et des pizzas.

RAVENNA (RAVENNE) : Ca de Ven
Via C. Ricci 24, 48100 **Tél/Fax** *0544 301 63*

Dante aurait vécu dans une pension située sur ce site, maintenant occupé par un palais du XVIe siècle, à côté de la tombe du poète. Ses caves voûtées sont bordées de bouteilles de vin et hébergent l'une des meilleures trattorias de Ravenne. Les *piadine* sont la spécialité : un pain plat local garni de viande, fromages ou légumes. *Fermé lun.*

RIMINI : Papille
Viale Tiberio 11, 47900 **Tél** *0541 535 77*

Un décor stylé et de délicieux fruits de mer caractérisent ce restaurant doublé d'une cave à vins, où les produits régionaux sont à l'honneur. Goûtez les lasagne *verdi al ragù* (feuilles de lasagnes aux épinards à la sauce bolognaise) ou les assiettes anglaises et assortiments de fromages des producteurs locaux. Longue carte des vins. *Fermé mar.*

RIMINI : Europa
Via Roma 51, 47900 **Tél/Fax** *0541 287 61*

La famille Albini sert l'une des cuisines les plus raffinées de Rimini depuis 70 ans. Le poisson constitue la base du menu : salade de poisson chaud à la chicorée, spaghettis aux fruits de mer et *strozzapreti ai crostaci* (boulettes de pâtes dans une sauce aux crustacés). *Fermé dim.*

FLORENCE

Angiolino
Via Santo Spirito 36r, 50125 **Tél** *055 239 89 76*   **Plan** *3 B1*

Quelque peu modernisée, cette trattoria de l'Oltrarno a perdu son atmosphère d'antan. Elle continue toutefois à attirer les gens du quartier, même si la qualité laisse parfois un peu à désirer. On y sert des penne aux cèpes et du rôti de porc aux épinards à l'ail.

Antico Fattore
Via Lambertesca 1/3r, 50123 **Tél** *055 28 89 75* **Fax** *055 28 33 41*   **Plan** *6 D4*

Cette trattoria, très appréciée des lettrés florentins, a ouvert ses portes en 1908. Bien qu'elle ait perdu de son charme d'antan, la cuisine et le service sont demeurés excellents. Essayez les pâtes au sanglier sauvage et les *involtini* (à base de viande) aux cœurs d'artichaut.

Baldovino
Via San Giuseppe 22r, 50122 **Tél** *055 24 17 73*   **Plan** *4 E1*

Grand, bruyant et animé, le *Baldovino* est l'un des endroits où vous pouvez manger une salade, une assiette de fromage ou un repas complet. Les pizzas et les pâtes sont excellentes. En plat principal, essayez un poisson, une viande ou l'un des nombreux plats végétariens. Les desserts sont vraiment bons et la carte des vins très complète.

Boccadama
Piazza Santa Croce 25-26r, 50122 **Tél** *055 24 36 40*   **Plan** *6 F4*

Ce bar à vins-restaurant douillet jouit d'une superbe situation sur la piazza Santa Croce et offre quelques tables à l'extérieur. On peut faire son choix parmi une grande variété de crus. Grignotez une sélection de fromages ou viandes froides, ou prenez un repas complet ; la cuisine est bonne et plutôt inventive.

Da Mario
Via Rosina 2r, 50123 **Tél** *055 21 85 50*   **Plan** *1 C4*

Cette trattoria est fréquentée par des propriétaires d'étals, des hommes d'affaires et des touristes qui viennent ici déguster une bonne cuisine traditionnelle à des prix très raisonnables. Le menu écrit à la main tous les jours est affiché au mur, près de la cuisine, et propose de copieuses soupes, des pâtes et des plats de viande et légumes. Fermé soir, dim.

Da Sergio
Piazza San Lorenzo 8r, 50129 **Tél** *055 28 19 41* **Fax** *055 28 19 41*   **Plan** *1 C4*

Restaurant tenu par une famille, la trattoria est dissimulée derrière les étals du marché. De grandes tables (que vous devrez sans doute partager) sont recouvertes de nappes blanches dans deux salles claires. La cuisine est toscane, familiale *(cucina casalinga)* et très bonne. Les lundis et jeudis, il y a des tripes au menu, le vendredi du poisson.

Il Pizzaiuolo
Via de' Macci 113r, 50122 **Tél** *055 24 11 71*   **Plan** *4 E1*

Pour manger ici, il vaut mieux réserver une table : cette pizzeria-restaurant animée est petite et toujours remplie. Les pizzas sont préparées à la napolitaine, avec une pâte bien gonflée et de la mozzarella de bufflonne. Vous dégusterez aussi des *antipasti* variés (légumes grillés et salade de fruits de mer) et des plats de pâtes du sud de l'Italie.

Légende des prix *voir p. 606* **Légende des symboles** *voir le rabat arrière de couverture*

Il Santo Bevitore 🍴♿🖼 €
Via Santo Spirito 64/66r, 50125 **Tél** *055 21 12 64* **Plan** 5 A4

Aménagé dans une ancienne écurie, ce restaurant-bar à vins décontracté propose des plats originaux aux saveurs délicates. Le menu varie avec les saisons mais vous trouverez toujours des soupes et des pâtes maison, du poisson et de la viande grillée. Ou bien choisissez fromages et viandes fumées. Excellente carte des vins.

Il Vegetariano 🍴♿🖼 €
Via delle Ruote 30r, 50129 **Tél** *055 47 50 30* **Plan** 2 D3

Cet établissement végétarien existe depuis longtemps et attire beaucoup de monde. Sa décoration est rustique et sa cuisine saine et bon marché ; faites votre choix parmi les plats du menu inscrit sur un tableau noir, payez à la caisse et présentez-vous au comptoir avec votre reçu pour récupérer vos plats. Excellent bar à salades.

La Casalinga 🍴 €
Via del Michelozzo 9r, 50125 **Tél** *055 21 86 24* **Plan** 5 B5

En dépit des nombreux touristes qui affluent dans cette trattoria, elle demeure un établissement de quartier où la nourriture est bonne et copieuse. Choisissez l'un des plats typiques : la *ribollita* (soupe de pain et légumes), l'*arista* (rôti de porc) ou le *bollisto misto* (mélange de viandes bouillies). En dessert, nous vous conseillons le tiramisù maison.

4 Leoni 🍴♿🖼 €€
Via dei Vellutini 1r, 50125 **Tél** *055 21 85 62* **Fax** *055 267 88 70* **Plan** 5 B4

Ce restaurant est à cinq minute du centre-ville, près du Ponte Vecchio. Lorsqu'il fait chaud, les tables sont dressées sur la coquette piazza della Passera, mais l'ambiance est également plaisante à l'intérieur. Même si ce restaurant n'est plus l'établissement simple et traditionnel qu'il fut, le service est agréable, et l'endroit, charmant.

Coquinaros 🍴 €€
Via delle Oche 15r, 50122 **Tél** *055 230 21 53* **Plan** 6 E2

Endroit douillet et bien situé juste derrière le Duomo, où vous pouvez manger à quasiment n'importe quelle heure. On y trouve de délicieuses pâtes tels les raviolis aux pecorino et poires. Vous pouvez aussi commander une salade, une assiette de fromages ou de viandes fumées, ou une tartine toastée. Bons vins vendus au verre et à la bouteille.

Frescobaldi Wine Bar 🍴 €€
Via dei Magazzini 2/4r, 50122 **Tél** *055 28 47 24* **Fax** *055 265 65 35* **Plan** 6 E3

Ce bar à vins et restaurant appartient à l'un des principaux producteurs de vin de Toscane. Le déjeuner est décontracté, le dîner un peu plus formel, avec des nappes blanches et du cristal étincelant. La cuisine créative et raffinée est arrosée de vins maison ; pour grignoter et boire un verre, visitez donc le tout proche *Frescobaldino*.

Fuori Porta 🍴♿🖼 €€
Via Monte alle Croci 10r, 50125 **Tél** *055 234 24 83* **Fax** *055 234 14 08* **Plan** 4 E3

Cet établissement est l'une des *enoteche* classiques de Florence, apprécié pour prendre un verre de vin ou un repas plus substantiel. Choisissez votre vin parmi quelque 600 crus. Les *crostini* (tartines toastées) accompagnent agréablement les vins, tout comme les pâtes et les salades.

Il Guscio ♿🖼 €€
Via dell'Orto 49, 50125 **Tél/Fax** *055 22 44 21* **Plan** 3 A1

Ce restaurant animé de San Frediano est souvent complet. La cuisine est basée sur des recettes toscanes classiques et plus raffinées que dans une trattoria moyenne. En entrée sont proposés des gnocchis aux asperges et des *crespelle* (fines crêpes). Le menu comprend une assiette de fruits de mer variés *al guazzetto* (à la sauce tomate).

Ristorante Ricchi 🍴♿🖼 €€
Piazza Santo Spirito 8r, 50125 **Tél** *055 21 58 64* **Fax** *055 28 08 30* **Plan** 3 B2

Avec sa décoration élégante et moderne et sa jolie terrasse, ce petit restaurant de poisson est situé sur l'une des plus belles places de Florence. On remarque l'influence orientale dans des plats tels que les crevettes à la menthe, l'espadon au poivre de Sichuan et la morue salée dans sa croûte d'épices. Quelques plats de viande également.

Beccofino 🍴♿🖼 €€€€
Piazza degli Scarlatti 1r, 50125 **Tél** *055 29 00 76* **Plan** 5 B4

Animé et branché, le *Beccofino* est un restaurant moderne et soigné qui n'a rien à envier à ceux de Londres ou de New York. La cuisine inventive est fortement marquée par les traditions italiennes. Le menu, qui comprend à la fois des viandes et des poissons, change régulièrement et la carte des vins est intéressante. *Fermé dim.*

Buca Mario 🍴 €€€
Piazza degli Ottaviani 16r, 50123 **Tél** *055 21 41 79* **Fax** *055 264 73 36* **Plan** 5 B2

L'un des restaurants traditionnels de Florence, installé dans une cave, le *Buca Mario* est fréquenté par les touristes, mais il a su conserver son atmosphère simple et sans prétention. Il offre des plats locaux classiques, comme la *ribollita* (soupe de légumes), l'*osso buco* (jarret de veau), des viandes grillées et l'*arista* (rôti de porc).

Cavolo Nero 🍴🖼 €€€
Via dell'Ardiglione 22, 50125 **Tél/Fax** *055 29 47 44* **Plan** 3 B1

Ce petit restaurant chic de l'Oltrarno à la décoration élégante attire une foule au genre bohème qui vient ici pour la cuisine toscane ensoleillée. Parmi les spécialités, citons les spaghettis aux palourdes, le loup de mer rôti aux aubergines et tomates cerises ou encore, pour les amateurs de viande, le pigeon farci au foie gras.

I Latini
Via dei Palchetti 6r, 50123 **Tél** *055 21 09 16*　　　　　　　　　　　　　　　　　**Plan** *5 B3*

Les étrangers et les Italiens sont nombreux à chercher une table à l'extérieur de cette vaste trattoria bruyante au plafond de laquelle pendent des jambons. La cuisine est traditionnelle et les portions copieuses. Ne manquez pas les succulentes viandes grillées et rôties ou la *bistecca alla fiorentina* (steak cuit sur le grill).

Omero
Via Pian dei Giuliari 11r, 50125 **Tél** *055 22 00 53* **Fax** *055 233 61 83*

Dans le hameau de Pian dei Giuliari, juste derrière la piazzale Michelangelo, cet établissement jouit d'une belle situation en pleine campagne. L'*Omero* occupe une vaste salle ensoleillée à l'arrière d'une épicerie. La nourriture est classique et toscane, sans beaucoup d'originalité, mais le panorama vous garantit un déjeuner unique. *Fermé mar.*

Osteria del Caffè Italiano
V. Isola delle Stinche 11/13r, 50122 **Tél** *055 28 93 68* **Fax** *055 28 89 50*　　　　　　　　**Plan** *6 F3*

Vous pouvez manger à n'importe quelle heure du jour dans ce restaurant bien tenu. Au déjeuner, vous dégusterez un menu complet de spécialités principalement toscanes, mais vous pouvez aussi grignoter des fromages ou viandes fumées arrosés d'un bon vin toscan. La pizzeria toute proche appartient également au propriétaire de cet endroit.

Targa
Lungarno C. Colombo 7, 50136 (est du centre-ville) **Tél** *055 67 73 77*

Musique d'ambiance jazz et intérieur chaleureux de bois et de verre agrémenté de plantes confèrent à ce bistrot situé sur l'Arno son côté décontracté. La nourriture est excellente et basée sur des plats toscans saisonniers : crêpes aux artichauts et *taleggio* (fromage), carré d'agneau aux asperges et fèves. Excellente carte des vins.

Cantinetta Antinori
Piazza Antinori 3, 50123 **Tél** *055 235 98 27* **Fax** *055 235 98 77*　　　　　　　　　　　**Plan** *5 C2*

Ni un simple bar à vins ni tout à fait un restaurant, cet établissement est aménagé au rez-de-chaussée de l'un des palais Renaissance les plus beaux de Florence. On y sert des plats florentins traditionnels, tels que les tripes et les pâtes à la sauce au canard, ainsi qu'une sélection raffinée de vins Antinori. *Fermé sam.-dim.*

Garga
Via del Moro 48r, 50123 **Tél** *055 239 88 98*　　　　　　　　　　　　　　　　　　　　**Plan** *5 B2*

Restaurant florentin classique dirigé par Giuliano, l'un des grands noms de la ville, le *Garga* est plaisant et souvent plein. Ses murs sont peints de fresques voyantes et ses salles confortables. Tous les plats ne se valent pas, mais les *taglierini del Magnifico* (pâtes à la sauce crémeuse à l'orange et à la menthe) sont un véritable régal.

Cibreo
V. Andrea del Verrocchio 8r, 50122 **Tél** *055 234 11 00* **Fax** *055 24 49 66*　　　　　　　　**Plan** *4 F1*

Ce restaurant offre des mets toscans très bien préparés dans un endroit élégant. Ici pas de pâtes, mais une grande variété de soupes et des plats florentins, comme les tripes, la crête-de-coq ou les rognons. pour une cuisine plus classique, optez pour l'agneau aux artichauts ou le pigeon farci. Ne manquez pas les desserts. *Fermé dim.-lun.*

Enoteca Pinchiorri
Via Ghibellina 87, 50122 **Tél** *055 24 27 57* **Fax** *055 24 49 83*　　　　　　　　　　　**Plan** *4 E1*

Le *Pinchiorri* passe pour être le restaurant le plus raffiné d'Italie et possède l'une des plus grandes caves d'Europe, avec plus de 80 000 bouteilles. Au rez-de-chaussée de ce palais du XVᵉ siècle, l'ambiance est assez spéciale mais la cuisine à la fois toscane et française et le service pointilleux ne sont pas du goût de tout le monde. *Fermé dim.-lun.*

Fuor d'Acqua
Via Pisana 37r, 50143 (ouest du centre-ville) **Tél** *055 22 22 99*

De nombreux habitants le considèrent comme le meilleur restaurant de poisson de Florence ; c'est également l'un des plus chers. Le poisson est en effet très frais, arrivant tout droit des bateaux de Versilia, et cuisiné en toute simplicité. Certains crustacés sont servis crus. Essayez les épais rubans de pâtes noires aux *calamari* et à la sauge. *Fermé dim.*

Oliviero
Via delle Terme 51r, 50123 **Tél** *055 21 24 21*　　　　　　　　　　　　　　　　　　　**Plan** *5 C3*

Une atmosphère vaguement rétro règne dans cet élégant restaurant du centre-ville, mais la cuisine est toscane, créative et délicieuse. Choisissez un plat de poisson ou de viande : galantine de lapin ou thon aux gingembre et haricots blancs. Le service est professionnel et la carte des vins excellente. *Fermé dim.*

Onice
Viale Michelangelo 78, 50125 **Tél** *055 68 16 31* **Fax** *055 658 25 44*　　　　　　　　　**Plan** *4 F3*

Ce restaurant, récemment récompensé d'une étoile au guide Michelin, occupe une partie de l'élégant hôtel *Villa La Vedetta* qui domine la ville à proximité de la piazzale Michelangelo. L'ambiance est raffinée et contemporaine, tandis que la cuisine est simple et délicieuse. Le menu varie selon les saisons. *Fermé lun.*

San Jacopo
Borgo San Jacopo 62r, 50125 **Tél** *055 28 16 61* **Fax** *055 29 11 14*　　　　　　　　　　**Plan** *5 C4*

Le *San Jacopo* a ouvert récemment, il est situé sur la rive sud de l'Arno. Réservez et demandez l'une des tables de la minuscule terrasse. L'atmosphère chic et fraîche est en parfaite harmonie avec la cuisine sans prétention mais très bien présentée. Goûtez le *brodetto* (soupe de poissons), spécialité de l'Adriatique. *Fermé mar. soir.*

Légende des prix *voir p. 606* **Légende des symboles** *voir le rabat arrière de couverture*

TOSCANE

AREZZO : Buca di San Francesco   🔲 ♿   €
Via San Francesco 1, 52100 **Tél** *0575 232 71*

Situé près de l'église Saint-François, dans le centre historique, le *Buca* est l'endroit idéal si vous souhaitez admirer les fresques de l'édifice. Le restaurant occupe le rez-de-chaussée d'un bâtiment du XIVe siècle. Vous pouvez goûter ici à la célèbre *ribollita* toscane (soupe aux chou et pain) ou au ragoût de bœuf au chianti.

ARTIMINO : Da Delfina   ♿ 🔲   €€€€
Via della Chiesa 1, 59015 **Tél** *055 871 80 74* **Fax** *055 871 81 75*

Entouré de vignes et de quelques anciennes villas intéressantes, ce restaurant se trouve dans un village médiéval fortifié, à 22 km de Florence. Le propriétaire, Carlo Cioni, renouvelle les traditions culinaires de sa mère, Delfina. La galantine de lapin et les macaronis à la sauce au canard sont tout simplement exquis. *Fermé dim. soir, lun., mar. midi.*

CAMALDOLI : Il Cedro   🔲 ♿   €€
Via di Camaldoli 20, Località Moggiona, 52010 **Tél/Fax** *0575 55 60 80*

Le *Cedro* est connu pour ses spécialités raffinées, comme la venaison et le sanglier, sans aucun doute chassé dans les montagnes du Casentino, couvertes de forêts, qui offrent également un époustouflant panorama. Au printemps et en été, on y déguste de bons légumes frits. Réservation recommandée. *Fermé lun., soir en hiver.*

CASTELNUOVO BERARDENGA : Bengodi   🔲 ♿   €€
Via della Società Operaia 11, 53019 **Tél** *0577 35 51 16*

Ce restaurant, situé sur la place principale du village des vertes collines du Chianti, non loin de Sienne, propose des plats toscans typiques : *pappardelle al sugo quattro carni* (pâtes en forme de ruban avec une sauce aux quatre viandes) et autres délices. Les desserts faits maison sont également excellents. *Fermé lun.*

CASTELNUOVO BERARDENGA : La Bottega del 30   🔲 🍴   €€€€
Via Santa Caterina 2, Località Villa a Sesta, 53019 **Tél/Fax** *0577 35 92 26*

Ce restaurant sérieux déjà récompensé est dirigé par Franco Camelia et son épouse française Hélène. Le menu inclut un célèbre *petto di anatra con il finocchio selvatico* (blanc de canard au fenouil sauvage). Les plats de pâtes sont délicieux : spaghettis maison aux orties, menthe sauvage et cèpes. Bon choix de vins.

COLLE VAL D'ELSA : Arnolfo   🔲 🔲 🍴   €€€€€
Via XX Settembre 50/52A, 53034 **Tél** *0577 92 05 49*

Les chefs formés « à la française » ont fait gagner à ce petit restaurant l'une des rares étoiles Michelin de Toscane. Les vins, la nourriture et le service sont impeccables, et son calme étrange pour l'Italie. On y mange une sublime *ribollita* (soupe de pain toscane au chou), et du pigeon cuit dans le vin, les prunes et les pignons. *Fermé mar.-mer.*

CORTONA (CORTONE) : Osteria del Teatro   🔲 ♿ 🔲   €€
Via Maffei 2, 52044 **Tél** *0575 63 05 56*

Cette trattoria classique sert des plats traditionnels bien préparés. Outre d'excellentes soupes, on y trouve un risotto aux cèpes et safran, des *caramelle al radicchio rosso* (pâtes farcies à la chicorée rouge et à la ricotta) et une pintade aux champignons, le tout arrosé de bons vins.

CORTONA (CORTONE) : Preludio   🔲 🔲   €€
Via Guelfa 11, 52044 **Tél** *0575 63 01 04* **Fax** *0575 63 16 82*

Avec son soufflé aux poires et truffes, ce restaurant satisfait les papilles gustatives de ses hôtes en associant les saveurs avec beaucoup d'originalité. Les plats de viande sont préparés avec du bœuf Chianina, célèbre race locale. Le menu comprend aussi des plats spéciaux pour les enfants. *Fermé lun. en hiver.*

ELBA (ÎLE D'ELBE) : Rendez-Vous da Marcello   🔲 🔲   €€
Piazza della Vittoria 1, Marciana Marina, 57033 **Tél** *0565 992 51* **Fax** *0565 992 98*

Les tables extérieures qui donnent sur le port font de ce restaurant de poisson réputé un endroit agréable pour échapper à la foule de Marciana Marina l'été. Les plats sont simples, basés sur la pêche du matin, mais le menu comprend aussi quelques spécialités à la mode.

ELBA (ÎLE D'ELBE) : Publius   ♿ 🔲   €€€
Piazza del Castagneto, Località Poggio Marciana, 57030 **Tél** *0565 992 08* **Fax** *0565 90 41 74*

Cette ancienne trattoria possède, non seulement, peut-être la meilleure cave de l'île, mais offre également une alternative aux fruits de mer à l'honneur partout ailleurs et une belle vue. Outre du poisson, vous y dégusterez de la volaille, du gibier, de l'agneau rôti aux herbes et un vaste choix de fromages. Fermé lun. basse saison.

GAIOLE IN CHIANTI : Il Carlino d'Oro   🔲   €
Via Brolio, località San Regolo, 53013 **Tél** *0577 74 71 36* **Fax** *0577 35 70 77*

Dans ce restaurant, c'est comme si vous étiez invité à déjeuner le dimanche chez vos voisins toscans. Les *crostini neri* (toasts à la pâte d'olives noire) seront suivis de *panzanella* (salade au pain) en été, ou d'une soupe aux haricots en hiver. Les pâtes à la sauce au lièvre sont délicieuses, comme le poulet, le lapin grillé, ou le foie de veau à la sauge.

GAIOLE IN CHIANTI : Castello di Spaltenna
Località Pieve di Spaltenna, 53013 **Tél** *0577 74 94 83* **Fax** *0577 74 92 69*

Ce restaurant aux murs de pierre couverts de fleurs occupe une partie d'un hôtel tranquille installé dans un château, à l'extérieur de Gaiole in Chianti. Apprécié des expatriés, il offre des versions raffinées de classiques toscans, comme un pigeon cuit dans le Chianti, des cèpes, une soupe aux pois chiches et même parfois des plats plus originaux.

LIVORNO (LIVOURNE) : Da Galileo
Via della Campana 20, 57122 **Tél** *0586 88 90 09*

La famille Piagneri propose une cuisine locale authentique dans ce restaurant très simple. Après 50 ans, la passion de *Da Galileo* pour la gastronomie n'a pas diminué. Le poisson domine, avec des soupes variées, des *fettucine* aux fruits de mer et de la morue salée aux oignons, préparés à la livournaise. *Fermé mer., dim. soir.*

LUCCA (LUCQUES) : Da Giulio in Pelleria
Via delle Conce 47, 55100 **Tél** *0583 559 48*

Vous devez absolument réserver et pénétrer l'âme de ce restaurant de quartier lumineux et extrêmement animé. Les copieux plats locaux dominent ici : *zuppa di farro* (soupe toscane aux haricots blancs et à l'épeautre) et polenta. Ne vous attendez pas à des surprises gastronomiques. Les prix sont tout à fait raisonnables.

LUCCA (LUCQUES) : Vecchia Trattoria Buralli
Piazza Sant'Agostino 10, 55100 **Tél** *0583 95 06 11*

Cette trattoria offre un menu végétarien le vendredi soir. Essayez la *zuppa alla frantoiana* à base de légumes. Pour finir, le *buccellato di Lucca*, dessert chaud composé de pain frit, d'anis et de raisins trempés dans le vino santo, constitue un bon choix. La carte des vins présente des recettes et des vins de Lucques. *Fermé mer.*

LUCCA (LUCQUES) : Buca di Sant'Antonio
Via della Cervia 3, 55100 **Tél** *0583 558 81* **Fax** *0583 31 21 99*

Cette taverne du XIXᵉ siècle, bien restaurée et idéalement placée, sert de la cuisine locale classique et quelques mets originaux. Le lapin farci en croûte aux champignons est excellent. En hiver, plusieurs plats mettent à l'honneur les noisettes. Essayez le *buccellato*, un savoureux dessert. Bons vins. *Fermé dim. soir, lun.*

LUCCA (LUCQUES) : Ristorante Puccini
Corte San Lorenzo 1-3, 55100 **Tél** *0583 31 61 16* **Fax** *0583 331 60 31*

Dissimulé dans une cour calme, avec une terrasse un peu à l'écart, ce restaurant attrayant trouve ses ingrédients du jour sur le marché de Viareggio. Le risotto de fruits de mer et le turbot au four aux tomates, câpres et olives figurent régulièrement au menu. C'est aussi un endroit idéal pour grignoter du *pecorino* avec un verre de vin. *Fermé mar.*

MASSA MARITTIMA : Taverna Vecchio Borgo
Via Norma Parenti 12, 58024 **Tél/Fax** *0566 90 39 50*

Anciennes salles aux voûtes en berceau pourvues d'une cave à vins vraiment très complète. Au menu on trouve généralement des pâtes farcies à la ricotta et arrosées d'une sauce aux noix et aux herbes, ainsi que de l'*acquacotta* (soupe au pain). Le sanglier sauvage cuit aux olives et le blanc de faisan au vino santo sont excellents. *Fermé lun.*

MONTALCINO : Il Boccon Divino
Località Colombaio Tozzi 201, 53024 **Tél** *0577 84 82 33*

Parfait pour dîner à la fraîche en été, ce restaurant offre des plats intéressants et une vue magnifique. La *carabaccia* (soupe à l'oignon) et la *scottiglia di cinghiale* (ragoût de sanglier sauvage) sont particulièrement bons. Les fromages méritent aussi d'être goûtés. Excellente carte des vins. *Fermé mar.*

MONTECATINI TERME : Ristorante Montaccolle
Via Montaccolle 14, 51016 **Tél** *0572 724 80*

Donnant sur Montecatini et sur la vallée, ce restaurant est un endroit merveilleux où se détendre et apprécier un repas. Les vues sont très belles de la terrasse si le temps le permet. Une hospitalité exceptionnelle règne et les plats toscans traditionnels sont la spécialité (*spathetti al chinati*). *Fermé dim.-lun., midi, 10 jours juil. et nov.*

MONTECATINI TERME : Enoteca Giovanni
Via Garibaldi 27, 51016 **Tél** *0572 716 95*

Le chef Giovanni Rotti concocte une cuisine créative qu'il accompagne d'un choix raffiné de vins de sa cave. Votre dîner sera sans aucun doute inoubliable et rehaussé d'un service impeccable. Essayez le pigeon aux raisins et pignons et demandez l'aide du chef pour choisir vos boissons. *Fermé lun.*

MONTEPULCIANO : La Grotta
Località San Biagio 15, 53045 **Tél/Fax** *0578 75 76 07*

Réservé aux dîners raffinés, *La Grotta* se trouve face à l'une des merveilles architecturales de la Renaissance toscane : l'église de San Biagio, œuvre de Sangallo l'Ancien. Parmi les spécialités, les excellents *pici* (pâtes) au canard et à la sauce au safran. Le filet de bœuf Chianina aux asperges et aux truffes mérite une mention particulière. *Fermé mer.*

MONTERIGGIONI : Il Pozzo
Piazza Roma 2, 53035 **Tél** *0577 30 41 27*

Il Pozzo occupe des écuries du XIIIᵉ siècle et constitue un endroit idéal pour déjeuner. La cuisine est toscane, simple, sans être toutefois banale. Essayez les *tortelli al cartoccio* parfumés aux truffes (cuits dans du papier aluminium), et qui vous arrivent enveloppés afin de conserver tous les arômes. Le pigeon farci est tout aussi délicieux.

Légende des prix *voir p. 606* **Légende des symboles** *voir le rabat arrière de couverture*

ORBETELLO : Osteria del Lupacante 目 🏠 €€€

Corso Italia 103, 58015 **Tél** *0564 86 76 18* **Fax** *0564 86 05 85*

Cette agréable *osteria*, aménagée dans un endroit envahi par de riches étrangers, est fidèle à la tradition. Basée sur les fruits de mer, la cuisine est légère et plutôt audacieuse. La *zuppa di pesce* (soupe de poissons) est excellente, comme le risotto aux crevettes et pignons, ainsi que la sole aux amandes et oignons. *Fermé mer.*

PESCIA : Cecco 目 🏠 €

Via Francesco Forti 96/98, 51017 **Tél** *0572 47 79 55*

Ce restaurant calme et décontracté est le meilleur endroit pour goûter aux fameuses asperges de Pescia. Parmi les autres mets traditionnels, citons le *pollo al mattone* (poulet cuit sous une brique) et les *fagioli al fiasco* (haricots cuits dans un four). Lorsqu'il fait plus froid, essayez la *cioncia*, savoureux dessert maison.

PISA (PISE) : Osteria dei Cavalieri 目 ♿ €€

Via San Frediano 16, 56126 **Tél** *050 58 08 58*

Cette agréable taverne occupe le rez-de-chaussée d'une maison-tour médiévale, à mi-chemin entre les 2 plus prestigieux centres de recherche de Pise. Le midi, on vous servira un déjeuner spécial tout en un. Le menu est plus complet le soir. Essayez le bœuf aux haricots et champignons. *Fermé sam. midi, dim.*

PISA (PISE) : Osteria I Miei Sapori 目 ♿ €€

Via Ugo della Faggiola 20, 56126 **Tél** *050 55 12 98*

Situé près de la piazza dei Miracoli, non loin de la tour, ce restaurant a une atmosphère chaleureuse et sert une cuisine toscane typique. Ne manquez pas les sanglier, lièvre et autre faisan rôti, ainsi que l'excellent *cacciucco*, une soupe de poisson originaire de Livourne. *Fermé mer. en hiver.*

PISA (PISE) : Ristorante V. Beni 目 ♿ €€€

Piazza Gambacorti Chiara 22, 56125 **Tél** *050 25 067*

Ce restaurant abrité dans un bâtiment du xive siècle est situé à quinze minutes à pied de la tour, et donc relativement peu fréquenté par les touristes. Par contre, sa réputation attire une foule de Pisans ; mieux vaut donc réserver à l'avance. Les plats à base de poisson sont la spécialité du lieu. *Fermé dim.*

PISTOIA : La Bottegaia 目 ♿ 🏠 €€

Via del Lastrone 17, 51100 **Tél** *0573 36 56 02* **Fax** *0573 35 84 50*

Donnant sur l'ancienne place du marché d'un côté et la cathédrale de l'autre, ce bar à vins sans prétention possède 300 des meilleurs vins d'Italie. Au menu on trouve de bons fromages, de la viande froide et d'autres succulents mets délicats qui accompagnent agréablement les vins. Superbes desserts. Service aimable. *Fermé dim. midi, lun.*

PORTO ERCOLE : Osteria dei Nobili Santi 目 ♿ €€€

Via dell'Ospizio 8, 58018 **Tél/Fax** *0564 83 30 15*

Ce petit restaurant de poisson offre un bon rapport qualité/prix pour Porto Ercole et la cuisine y est délicieuse. Les étonnants *antipasti della casa* (entrées maison) suffiront presque à vous rassasier. Efforcez-vous toutefois de garder une place pour les succulents plats principaux. *Fermé midi, lun.*

PRATO : Osteria Cibbè 目 🏠 €€

Piazza Mercatale 49, 59100 **Tél** *0574 60 75 09*

Installé dans un édifice médiéval du centre-ville, ce restaurant familial sert de la bonne viande et des *crostini* en *antipasti*, suivis par des mets toscans traditionnels, comme les *pappardelle* (pâtes) et leur sauce au gibier. Les desserts sont aussi faits maison comme la tarte aux pommes et à l'épeautre. Choix de vins intéressant. *Fermé dim.*

SAN GIMIGNANO : Osteria delle Catene 目 €€

Via Mainardi 18, 53037 **Tél/Fax** *0577 94 19 66*

Ce petit restaurant revisite la cuisine régionale. Commencez, par exemple, par du sanglier froid, puis poursuivez avec une soupe au safran concoctée selon une recette médiévale. Le lièvre cuit dans un vin local est également excellent et les desserts maison méritent qu'on leur garde une petite place.

SAN GIMIGNANO : Dorandò 目 🍴 €€€€

Vicolo dell'Oro 2, 53037 **Tél/Fax** *0577 94 18 62*

Ce restaurant est petit et très chic, il est donc préférable de réserver. Les pâtes à la sauce au pigeon sur un lit de champignons à la crème sont délicieuses. On trouve aussi des spécialités de poisson variées, dont une lotte de mer en croûte de noix accompagnée de poireaux. Prenez le temps de la dégustation. Vaste choix de vins. *Fermé lun. en hiver.*

SANSEPOLCRO : Ristorante da Ventura 目 ♿ €€

Via Aggiunti 30, 52037 **Tél/Fax** *0575 74 25 60*

Tenu par la même famille depuis plus de 50 ans, ce charmant restaurant sert de délicieux *agnolotti al tartufo* (pâtes farcies aux truffes). Parmi leurs « classiques », on trouve un veau mijoté dans le chianti. Les champignons sont souvent à l'honneur. Même les biscuits *cantucci* à tremper dans le *vino Santo* sont faits maison. *Fermé dim. soir, lun.*

SATURNIA : Bacco e Cerere 目 🎵 🏠 €€

Via Mazzini 4, 58050 **Tél/Fax** *0564 60 12 35*

La grande variété d'entrées proposée dans ce petit restaurant agréable est une excellente introduction à la cuisine traditionnelle de la Maremma. La *zuppa di ricotta* est différente de la traditionnelle *acquacotta* (soupe de légumes servie sur un toast). L'*enoteca* (bar à vins) du même nom possède des bouteilles intéressantes. *Fermé mer.*

SIENA (SIENNE) : La Sosta di Violante 📋♿🗺 €

Via di Pantaneto 115, 53100 **Tél/Fax** *0577 437 74*

Près de la piazza del Campo, *La Sosta di Violante* possède deux petites salles où vous pouvez déguster des produits saisonniers locaux cuisinés avec imagination : petits pains d'aubergine aux fromage *scamorza* et pignons ou *pici* (pâtes) à la sauce au canard. Le personnel prend soin de vous conseiller le vin adapté à votre plat. *Fermé dim.*

SIENA (SIENNE) : Enoteca I Terzi 📋🗺 €€

Via dei Termini 7, 53100 **Tél/Fax** *0577 443 29*

Le restaurant jouit d'un bel espace voûté et d'une atmosphère conviviale, où il est agréable de boire une bonne bouteille de vin accompagnée d'un *carpaccio*, de viandes fumées, ou de steak tartare et de fromages de toute l'Italie. Tous les jours, trois plats cuisinés, changeant selon les saisons, sont également proposés. *Fermé dim.*

SIENA (SIENNE) : La Compagnia dei Vinattieri 📋♿🗺 €€

Via delle Terme 79, 53100 **Tél** *0577 23 65 68* **Fax** *0577 20 55 39*

Cet impressionnant espace voûté souterrain est doté d'une cave à vins magnifique et offre une cuisine en rapport. Vous pouvez siroter un verre et grignoter une assiette de fromage et salami, ou bien prendre une bouteille et un repas chaud, par exemple, la soupe de morue salée. Bons desserts et vins sucrés originaux. Une seule table dehors.

SIENA (SIENNE) : La Taverna del Capitano 🗺📋 €€

Via del Capitano 6/8, 53100 **Tél/Fax** *0577 28 80 94*

Situé près du Duomo, ce restaurant aux plafonds voûtés et aux meubles en bois sombre est purement siennois. La *ribollita* (soupe de légumes), les *pici* (pâtes) au *pecorino* et poivre, le civet de lapin et la savoureuse assiette de bœuf illustrent tous le respect de la tradition. Le vin maison mérite aussi d'être goûté. *Fermé mar. en hiver.*

SIENA (SIENNE) : Osterie Le Logge 📋🗺 €€€

Via del Porrione 33, 53100 **Tél** *0577 480 13* **Fax** *0577 22 47 97*

Ce restaurant très prisé est le plus beau de Sienne avec son intérieur en bois sombre et marbre. Les tables sont recouvertes de nappes en lin et décorées de plantes. Des huiles maison et des vins de Montalcino accompagnent les plats qui réinterprètent la cuisine toscane traditionnelle. La pintade farcie est délicieuse. *Fermé dim.*

VIAREGGIO : Cabreo 📋♿ €€€

Via Firenze 14, 55049 **Tél** *0584 546 43*

Cet agréable restaurant situé dans une petite rue est spécialisé dans les plats simples à base de fruits de mer, préparés de manière à rehausser au mieux les arômes naturels. Parmi les spécialités, notons les spaghettis aux palourdes, les gnocchis à la sauce au homard et le poisson au four. Gardez une petite place pour les desserts maison. *Fermé lun.*

VOLTERRA : Etruria 📋♿🗺 €

Piazza dei Priory 6-8, 56048 **Tél/Fax** *0588 860 64*

Situé sur la principale place de Volterra, l'*Etruria* possède un intérieur décoré dans le style du XIXe siècle. En été, les tables sont nombreuses dehors pour dîner et profiter de l'atmosphère de cette ville ancienne. Essayez les *antipasti*, les truffes ou leur spécialité : le sanglier sauvage aigre-doux. *Fermé mer.*

VOLTERRA : Del Duca ♿🗺 €€

Via di Castello 2, 56048 **Tél** *0588 815 10* **Fax** *0588 929 57*

Un charmant palais du XIXe siècle abrite ce petit restaurant offrant une cave à vins ancienne et un jardin secret. Goûtez aux fleurs de potiron frites farcies à la ricotta et à la tomate. Le blanc de pigeon cuit avec du safran et des olives est une autre spécialité maison. Bon plateau de fromages. *Fermé mar.*

OMBRIE

AMELIA : Anita 📋🗺 €

Via Roma 31, 05022 **Tél** *0744 98 21 46* **Fax** *0744 98 30 79*

Cet hôtel-restaurant situé à l'extérieur du centre-ville est dirigé par la famille Pernazza depuis 1938. Vous y dégusterez des plats d'Ombrie simplifiés au maximum, tels que des *crostini* (pain grillé aux multiples garnitures), des viandes grillées, des pâtes aux cèpes et du sanglier sauvage. Les desserts sont faits maison. *Fermé lun.*

ASSISI (ASSISE) : La Fortezza 📋 €

Vicolo della Fortezza/Piazza del Comune, 06081 **Tél** *075 81 24 18* **Fax** *075 819 80 35*

Tenu par une famille depuis plus de 45 ans, ce restaurant est situé un peu à l'écart de la principale place d'Assise, à mi-hauteur d'une rue en escalier. Il offre une cuisine régionale créative à des prix tout à fait honnêtes. Essayez les *cannelloni all'assisiana* (pâtes fourrées d'un ragoût de veau et cuites au four avec des tomates et du parmesan).

ASSISI (ASSISE) : Trattoria Pallotta 📋♿ €

Vicolo della Volta Pinta, 06081 **Tél** *075 81 26 49* **Fax** *075 81 23 07*

Cet endroit simple où l'on se sent comme chez soi est l'une des trattorias les moins chères du centre-ville. L'assiette d'*antipasti* variés est très copieuse. Essayez les spécialités, comme la *torta al testo* (pain plat farci de légumes ou de viande) et les *strangozzi* (spaghettis roulés à la main dans un pesto aux olives et champignons). *Fermé mar.*

Légende des prix *voir p. 606* **Légende des symboles** *voir le rabat arrière de couverture*

ASSISI (ASSISE) : Medioevo

Via Arco dei Priori 4B, 06081 **Tél/Fax** *075 81 30 68*

Élégant restaurant installé sous les voûtes médiévales en pierre d'un ancien palais au centre d'Assise. Goûtez les pâtes maison (aux truffes noires en saison). Les plats de viande, comme l'*agnello al tartufo* (agneau aux truffes), sont préparés selon des recettes traditionnelles et le chef fait des merveilles avec les steaks. Excellents desserts maison.

ASSISI (ASSISE) : Il Frantoio

Vicolo Illuminati 12, 06081 **Tél** *075 81 29 77* **Fax** *075 81 29 41*

Un pressoir à olives du xviiie siècle abrite ce restaurant raffiné d'Ombrie, à la jolie terrasse qui donne sur jardin. Goûtez aux *stringozzi paesani* (spaghettis roulés à la main et agrémentés de tomates, artichauts et piment). Un lieu intime et agréable.

ASSISI (ASSISE) : San Francesco

Via San Francesco 52, 06081 **Tél** *075 81 23 29* **Fax** *075 81 52 01*

Ce restaurant raffiné donne sur la célèbre basilique et sa situation a une large incidence sur les prix pratiqués. Les plats proposés dans le menu saisonnier sont toutefois copieux : *carpaccio* de cèpes (crus, taillés en tranches fines), pâtés maison et steak aux truffes. *Fermé mer.*

BASCHI : Vissani

Strada Statale 448, 606 km, Todi-Baschi, 05020 **Tél** *0744 95 02 06* **Fax** *0744 95 01 86*

Gianfranco Vissani est célèbre dans toute l'Italie pour ses saveurs équilibrées et ses plats gastronomiques de gibier et de viande, servis dans un cadre raffiné. Les recettes sont inventives et originales, basées sur des ingrédients régionaux. Vous dégusterez votre dessert dans une salle séparée, comme autrefois.

CAMPIELLO SUL CLITUNNO : Trattoria Pettino

Frazione Pettino 31, 06042 **Tél/Fax** *0743 27 60 21*

Ce restaurant est installé une ancienne maison restaurée en plein cœur des montagnes. La *bruschetta* (pain grillé aux garnitures variées) est délicieuse, tout comme, en saison, les nombreux plats aux truffes. Essayez les *stringozzi al tartufo* (pâtes roulées à la main aux truffes noires) et l'*agnello al tartufo* (agneau aux truffes). *Fermé mar.*

CITTÀ DEL CASTELLO : Amici Miei

Via del Monte 2, 06012 **Tél/Fax** *075 85 59 904*

Aménagé dans les entrepôts voûtés en brique d'un palais du xvie siècle, dans le centre historique, ce restaurant offre un menu basé sur la cuisine régionale. Goûtez les *strangozzi con baccalà* (spaghettis roulés à la main agrémentés de morue salée) et les *cinghiale in umido con fagioli* (ragoût de sanglier sauvage servi avec des haricots).

CITTÀ DEL CASTELLO : Il Bersaglio

Via Vittorio Emanuele Orlando 14, 06012 **Tél** *075 85 55 534* **Fax** *075 85 82 07 66*

Ce restaurant traditionnel de l'Ombrie propose des spécialités variant selon la saison. Le chef apprécie les plats à base de champignons, truffes et gibier. Essayez les *gnocchetti* (petits gnocchis) aux truffes, ou optez pour une *degustazione* (menu dégustation) avec plusieurs préparations à base de cèpes

FOLIGNO : Villa Roncalli

Via Roma 25, 06034 **Tél** *0742 39 10 91* **Fax** *0742 39 10 01*

Cette charmante auberge de campagne du xviie siècle entourée d'un jardin est à 1 km de Foligno. Des spécialités régionales sont concoctées avec des ingrédients frais. Goûtez les *ravioli* ou *fettucine* aux truffes, l'agneau braisé, les asperges sauvages et le châteaubriand aux herbes. *Fermé lun.*

GUBBIO : Taverna del Lupo

Via Ansidei 21, 06024 **Tél** *075 92 74 368* **Fax** *075 92 71 269*

La famille Mencarelli dirige la moitié des hôtels et restaurants de Gubbio, dont cet ensemble romantique de salles à manger médiévales du centre. Essayez l'un des menus dégustation qui comprennent un grand choix de plats régionaux traditionnels. *Fermé lun. (sauf août-sept.).*

GUBBIO : Alcatraz

Località Santa Cristina 53, 06020 **Tél** *075 92 29 938* **Fax** *075 92 20 714*

Cet *agriturismo*, à 25 km au sud-ouest de Gubbio, est la version italienne de l'*eco-resort*. La cuisine est biologique à 99 %, fidèle à des recettes traditionnelles, tout en tenant compte de la fantaisie du chef, et servie sous la forme d'un buffet à prix fixe dans une salle commune. Réservation recommandée. *Ouvert avr.-sept., hiver sam.-dim.*

GUBBIO : Villa Montegranelli

Località Monteluiano, 06024 **Tél** *075 92 20 185* **Fax** *075 92 73 372*

Installé dans une villa du xviiie siècle à l'élégante atmosphère rurale, ce restaurant propose des spécialités régionales, nationales et internationales, parmi lesquelles des *crostini* (toasts), des *strangozzi* (pâtes à la saucisse, aux cèpes et au *pecorino*) et des crêpes à la farine de châtaignes, au fromage fondu et à la ricotta. *Fermé mer.*

MAGIONE : La Fattoria di Montemelino

Via dei Montemelini 22, Località Montemelino, 06063 **Tél/Fax** *075 84 36 06*

Un autre restaurant simple et honnête dans un *agriturismo*, où les salles à manger sont décorées d'anciens outils agricoles et qui propose des plats ombriens. Les steaks grillés viennent du troupeau de bœuf Chianina de la propriété. En saison, essayez les raviolis aux cèpes.

NARNI : Cavallino 📊📠 €

Via Flaminia Romana 220, Località Testaccio, 05035 **Tél/Fax** *0744 76 10 20*

Atmosphère familiale et cuisine maison ombrienne, incluant des pâtes intéressantes comme les *manfricoli* et *criole* (deux sortes de pâtes sans œuf) servis avec de la sauce tomate, du sanglier sauvage ou des cèpes. Ils préparent aussi de bonnes *scallopine al limone* (escalope de veau au citron), des viandes et du pigeon grillé. *Fermé mar.*

NORCIA : Dal Francese 📊📠 €

Via Riguardati 16, 06046 **Tel/Fax** *0743 81 62 90*

Cette trattoria de style campagnard, au centre de Norcia, offre un menu dégustation à base de truffes en saison, ainsi que des *pappardelle alla norcina* (pâtes larges arrosées d'une sauce à la crème et agrémentées de saucisse) et de l'*agnello scottadito* (un agneau si bon qu'on s'en « brûle les doigts » en se hâtant pour le manger). *Fermé ven.*

ORVIETO : La Volpe e l'Uva 📊📠 €

Via Ripa Corsica 1, 05018 **Tél/Fax** *0763 34 16 12*

Trattoria agréable et appréciée dans le centre d'Orvieto, offrant une grande variété de plats régionaux à des prix raisonnables. Les plats changent avec les saisons, et aux recettes de viande et de gibier s'ajoutent un bon choix de poisson du lac ainsi que de nombreux plats à base d'œuf (un effort étant fait pour les végétariens). *Fermé lun.-mar.*

ORVIETO : I Sette Consoli 📊📠 €€€

Piazza Sant'Angelo 1A, 05018 **Tél/Fax** *0763 34 39 11*

Restaurant agréable installé dans la sacristie d'une ancienne église offrant un jardin pour les dîners d'été. Essayez la *baccalà* (morue salée) marinée dans le vinaigre de cidre avec une salade de pommes de terre, le lapin farci, les *ravioli di anatra* (raviolis au canard) et la *zuppa di fave con finocchio* (soupe de haricots au fenouil). *Fermé mer., dim. soir.*

ORVIETO : Le Grotte del Funaro 📊📠 €€€

Via Ripa Serancia 41, 05018 **Tél** *0763 34 32 76* **Fax** *0763 34 28 98*

Cet ancien atelier d'un *funaro* (cordier) au XIIe siècle héberge aujourd'hui un restaurant dans ses salles-grottes taillées dans le tuf calcaire, au bord de la falaise. Les *ombrechelli del Funaro* sont des spaghettis maison aux tomates, saucisse, artichauts et champignons. L'assiette de viandes grillées variées est savoureuse. *Fermé lun.*

PASSIGNANO SUL TRASIMENO : Cacciatori da Luciano 📊📠 €€€

Lungolago Pompili 13, 06065 **Tél** *075 82 72 10*

Le menu est à la fois basé sur le poisson de lac et de mer - ce restaurant est situé sur le lac et le chef fait le voyage depuis l'Ombrie sans littoral jusqu'à un marché de fruits de mer en bord de mer 3 fois par semaine. Spécialités : *carpaccio* de poissons variés (crus ét émincés), risotto aux différentes variétés de crevettes, sole grillée. *Fermé mer.*

PERUGIA (PÉROUSE) : Il Falchetto 📊📠 €

Via Bartolo 20, 06100 **Tél** *075 573 17 75* **Fax** *075 572 90 57*

Une cuisine typique de Pérouse est superbement préparée dans ce palais du XIVe siècle, à quelques pas de la place principale, avec des tables dressées sur la *piazza* en été. Essayer en entrée les *falchetti verdi* (gnocchis aux épinards et à la ricotta cuits au four dans la sauce tomate et le fromage), et continuez avec du veau ou de l'agneau. *Fermé lun.*

PERUGIA (PÉROUSE) : Giò Arte e Vini 📊📠 €€

Via Ruggero d'Andreotto 19, 06124 **Tél/Fax** *075 573 11 00*

Cet hôtel-restaurant moderne situé à l'extérieur de la ville est célèbre pour son très grand choix de vins (pas moins de 1 200), ses œuvres d'art moderne au mur et ses plats régionaux bien choisis et enrichis d'une touche personnelle. Les raviolis au potiron et la *treccia di agnello* (agneau) méritent une mention particulière. *Fermé dim. soir.*

PERUGIA (PÉROUSE) : La Lanterna 📊📠 €€

Via U. Rocchi 6, 06122 **Tél** *075 572 63 97* **Fax** *075 572 63 97*

Les salles voûtées de ce palais médiéval constituent le décor de ce restaurant offrant une cuisine ombrienne créative : *ravioli all'arancia e petali di rosa* (raviolis au fromage dans une sauce à la crème, aux mandarines et pétales de rose) et *arrosto misto* (mélange d'agneau, de pintade, de lapin et d'autres viandes rôties). *Fermé mer.*

PERUGIA (PÉROUSE) : La Taverna 📊 €€

Via delle Streghe 8, 06123 **Tél** *075 572 41 28* **Fax** *075 573 25 36*

L'endroit idéal pour dîner aux chandelles sur fond de musique romantique. Les entrées sont des classiques d'Ombrie - tagliatelles au ragoût de canard, raviolis, soupe aux fèves -, tandis que le chef fait preuve de plus d'originalité dans ses plats principaux. Essayez la *baccalà* (morue salée) aux prunes, pignons et raisins. Excellents desserts.

PERUGIA (PÉROUSE) : Osteria del Gambero 📊📠 €€€€

Via Baldeschi 8a, 06123 **Tél** *075 573 54 61*

Il est conseillé de réserver longtemps à l'avance votre table dans ce restaurant très prisé qui revisite avec imagination des plats traditionnels d'Ombrie. Goûtez, par exemple, aux *pappardelle di crusca con lardo di colonnata* (larges pâtes aux lard salé et fumé, pois chiches, cantaloup et menthe). *Fermé lun.*

SPOLETO (SPOLÈTE) : Le Casaline 📠 €

Località Poreta di Spoleto, Frazione Casaline, 06042 **Tél** *0743 52 11 13* **Fax** *0743 27 50 99*

Vous trouverez ici une oasis de calme dans ce moulin restauré du XVIIIe siècle. Essayez les gnocchis farcis aux champignons, les *rigatoni alla norcina* (pâtes farcies aux champignons, pois, truffes et saucisse), ou les *cinghiale alla cacciatora* (sanglier sauvage et sauce au vin et à la tomate). Également des plats paysans à base d'oie. *Fermé lun.*

Légende des prix *voir p. 606* **Légende des symboles** *voir le rabat arrière de couverture*

SPOLETO (SPOLÈTE) : Il Panciolle

Via Duomo 3-5, 06049 **Tél/Fax** *0743 22 42 89*

Une vaste terrasse ombragée par un grand pin pour les dîners d'été et une salle aux murs de pierre où la viande est grillée sur un feu ouvert sont les points forts de ce restaurant. Essayez les *strangozzi alla montanara* (pâtes roulées à la main aux légumes et piments émincés). *Fermé mer. généralement.*

SPOLETO (SPOLÈTE) : Il Tartufo

Piazza Garibaldi 24, 06049 **Tél** *0743 402 36*

Le sol de la salle à manger du rez-de-chaussée de ce restaurant spécialisé dans les truffes est d'époque romaine. Les spécialités régionales bien préparées incluent des délices, tels que la *zuppa di farro* (soupe à l'épeautre), les fleurs de courgette farcies aux fromage, aubergine et truffes, ainsi que le canard à la sauce au vin sagrantino. *Fermé lun.*

TERNI : Da Carlino

Via Piemonte 1, 05100 **Tél** *0744 42 01 63*

Des plats roboratifs vous sont servis dans un bâtiment historique de la ville. Commencez par les *crostini* (toasts) garnis de salami local, puis continuez avec les tagliatelles aux truffes, un plat d'agneau ou de poisson. La spécialité de la maison est les *stracci* (pâtes maison arrosées d'une sauce au veau et à la mozzarella fraîche). *Fermé mer.*

TODI : La Mulinella

Località Pontenaia 29, 06059 **Tél** *075 894 47 79* **Fax** *075 894 82 35*

Situé dans la campagne, à environ 2 km de Todi, ce restaurant offre des plats simples et honnêtes. Les pains cuits au feu de bois et les pâtes et desserts maison sont excellents. Nous vous recommandons les *carni alle brece* (viandes grillées) accompagnés de légumes de saison et les *pasta in ragù di anatra* (canard) ou l'*oca* (oie). *Fermé mer.*

TODI : La Torre

Via Cortesi 57, 06059 **Tél/Fax** *075 894 26 94*

Installé dans les collines de la « ville carte postale » de Todi, ce restaurant sert des plats régionaux de poisson, viande et gibier (dont du lièvre, du canard et de l'agneau), souvent agrémentés de truffes en saison. Les desserts, comme la *crema* (crème) nappée de chocolat chaud, sont un véritable régal. *Fermé dim.*

TREVI : La Taverna del Pescatore

Via Flaminia Vecchia 50, 06039 **Tél/Fax** *0742 78 09 20*

Les produits locaux sont associés et préparés d'après d'excellentes recettes simples basées sur des traditions ombriennes et utilisant du poisson de rivière frais. Essayez les *gamberi di fiume alle brace* ou *all'arrabbiata* (écrevisses grillées ou servies très épicées). L'atmosphère est décontractée et le service attentif. *Fermé dim. soir, lun.*

MARCHES

LORETO (LORETTE) : Andreina

Via Buffolareccia 14, 60025 **Tél** *071 97 01 24* **Fax** *071 750 10 51*

L'équipe de ce restaurant, une grand-mère et son petit-fils, prépare des plats traditionnels. Parmi les pâtes maison, notons les *tagliatelle con ragù* (pâtes à la sauce à la viande) et, entre autres plats de gibier, les cailles, le sanglier sauvage et les grives, les *piccione allo spiedo* (pigeon rôti à la broche), suivis de desserts alléchants. *Fermé mar.*

MACERATA : Osteria dei Fiori

Via Lauro Rossi 61, 62100 **Tél** *0733 26 01 42* **Fax** *0733 24 09 37*

La cuisine de cet établissement apprécié est régionale et copieuse - avec, par exemple, le *coniglio in porchetta* (lapin farci au porc) – et d'inspiration paysanne, comme les *tagliuli pelusi al sugo finto* (pâtes dans une « fausse sauce » au goût de ragoût mais sans viande coûteuse). *Fermé dim.*

MACERATA : Da Secondo

Via Pescheria Vecchia 26-28, 62100 **Tél/Fax** *0733 26 09 12*

Une atmosphère élégante et des spécialités régionales bien préparées contribuent à la popularité de ce restaurant. Essayez, entre autres, les *vincigrassi alla Macerata* (lasagnes locales), la *frittura mista* (poisson ou viande frits et légumes) et le *maialino da latte allo spiedo* (cochon de lait rôti à la broche). *Fermé lun.*

NUMANA : La Costarella

Via IV Novembre 35, 60026 **Tél/Fax** *071 736 02 97*

Ce restaurant spécialisé dans le poisson porte le nom de la rue en escalier dans laquelle il se trouve (150 marches au total). Goûtez aux *tagliatelle fatte a mano alle seppie* (pâtes maison à l'encre de seiche, dans un ragoût de seiche et calmars) et le poisson frit aux fleurs de courgette. Réservation recommandée. *Fermé mar. en hiver.*

PESARO : Da Gennaro

Via Santa Marina Alta 30, Località Santa Marina Alta, 61100 **Tél** *0721 273 21*

Une cuisine authentique vous est proposée dans ce restaurant qui se démarque des autres établissements de Pesaro. Situé à 7 km du centre-ville, au bord d'une route panoramique grimpant entre les montagnes avec de belles vues sur la côte, le *Da Gennaro* sert depuis 40 ans des plats de poisson et de fruits de mer frais traditionnels. *Fermé lun.*

PESARO : Lo Scudiero   €€€€

Via Baldassini 2, 61100 **Tél** *0721 641 07* **Fax** *0721 649 43*

Petit restaurant élégant installé sous les voûtes en berceau d'un palais du XVIe siècle. En cuisine, on utilise du poisson frais, de la viande et des ingrédients locaux – des truffes blanches d'octobre à janvier – pour réinventer des recettes régionales, telles que les pâtes dans une sauce aux haricots blancs garnies de calmars grillés. *Fermé dim., juil.*

PESARO : Da Alceo   ▤♿🔲   €€€€€

Via Panoramica Ardizio 121, 61100 **Tél** *0721 39 03 18* **Fax** *0721 39 17 82*

Célèbre restaurant de poisson possédant une superbe terrasse panoramique. Goûtez les *gnocchis* ou *tagliolini* (pâtes) aux crustacés, le risotto de poisson et les *scampi del Conero al vapore* (crevettes pêchées sur place et cuites à la vapeur). Les desserts sont faits maison et savoureux. *Fermé lun.*

SENIGALLIA : Uliassi   ▤♿🔲   €€€€€

Via Banchina di Levante 6, 60019 **Tél** *071 654 63* **Fax** *071 65 93 27*

Ce restaurant agréable dirigé par l'équipe de Mauro et Catia Uliassi, frère et sœur, offre une cuisine de grande qualité. Spécialités : les pâtes aux crevettes et asperges, le loup de mer rôti aux artichauts braisés dans la sauce au soja et le *stoccafisso mantecato* (morue salée) servi avec une purée de poireaux. *Fermé lun.*

SIROLO : Rocco   ▤🔲   €€€€

Via Torrione 1, 60020 **Tél/Fax** *071 933 05 58*

Auberge datant du XIVe siècle, le *Rocco* sert de délicieux plats (surtout de poisson) dans un menu saisonnier : *maltagliati di seppia con ragù di pesce* (pâtes noires au ragoût de poisson), poissons variés frits, *brina* rôtie (sorte de loup de mer), avec asperges, artichauts, fèves et jambon de Parme. *Fermé mar. sauf mi-juin-mi-sept.*

URBANIA : Big Ben   ▤♿🔲   €€

Corso Vittorio Emanuele 61, 61049 **Tél/Fax** *0722 31 97 95*

Le *Big Ben* est un restaurant intime installé dans un palais du XVIIe siècle du centre-ville, offrant un charmant jardin pour dîner. Parmi les spécialités typiques des Marches, citons les *tagliolini* (fines pâtes) aux truffes, les *lumache* (escargots) aux fenouil sauvage et tomates, l'agneau grillé, de bons fromages et des desserts maison. *Fermé mer.*

URBINO : Taverna degli Artisti   ♿🔲▤   €

Via Bramante 52, 61029 **Tél/Fax** *0722 26 76*

La salle à manger de ce restaurant, au plafond orné de fresques Renaissance et au dallage de tommettes, est tout aussi remarquable que sa cuisine, simple et bonne. Le menu est basé sur les traditions régionales et comprend de copieux plats de pâtes maison, cèpes, viandes grillées et délicieuses pizzas. *Fermé mar.*

URBINO : La Balestra   🔲   €€

Via Valerio 16, 61029 **Tél/Fax** *0722 29 42*

Quelques salles en brique et pierre vous accueillent pour déguster du gibier et de nombreux plats à base de légumes et salade. Les pâtes dans une sauce au gibier sauvage agrémentée de champignons des bois et cèpes sont la spécialité de la maison. Pizza au feu de bois le soir et en été le midi aussi. Truffes en saison. *Fermé mar. hiver.*

URBINO : L'Angolo Divino   ▤🔲   €€

Via S. Andrea 14, 61029 **Tél/Fax** *0722 32 75 59*

Ce restaurant rustique est installé dans le centre historique. On y déguste des spécialités régionales - la moitié du menu est même écrite en dialecte local. Essayez les *pasta nel sacco* (pâtes au four agrémentées de fromage, œufs et pain) et les *costarelle alla gradella* (côtes de porc grillées). *Fermé dim. soir, lun.*

URBINO : Vecchia Urbino   ▤♿   €€€

Via dei Vasari 3-5, 61029 **Tél/Fax** *0722 44 47*

Ce restaurant occupe un édifice du XVIe siècle et sert des plats traditionnels simples, dont des *vincigrassi* (lasagnes locales de poulet, jambon et veau), des *raviolone al tartufo* (pâtes géantes farcies de ricotta présentées sur des truffes noires), du lapin et de la polenta aux champignons. *Fermé mar.*

ROME

AVENTIN : Felice   ▤   €€

Via Mastro Giorgio 29, 00153 **Tél** *06 574 68 00*   **Plan** *5 C3*

Les clients affluent pour la cuisine romaine traditionnelle servie ici, et l'on comprend pourquoi. Commencez par les spaghetti *alla carbonara* ou le *cacio e pepe* (au fromage et au poivre) suivi d'un *abbacchio arrosto* (agneau rôti) et d'une *torta di ricotta* (gâteau à la ricotta et aux écorces d'agrumes confites). Réservation conseillée. *Fermé dim. soir.*

AVENTIN : Checchino dal 1887   ♿🔲   €€€€€

Via di Monte Testaccio 30, 00153 **Tél** *06 574 38 16*   **Plan** *6 D4*

La maison est spécialisée dans la *cucina romana* utilisant le *quinto quarto*, à savoir les abats dont on se débarrassait à l'origine dans les abattoirs d'en face et qui devinrent un mets de choix des classes populaires. On y sert des plats tels les *rigatoni alla pajata* (fraise de veau) ou de la *coda alla vaccinara* (queue de bœuf) et des menus à prix fixe.

Légende des prix *voir p. 606* **Légende des symboles** *voir le rabat arrière de couverture*

CAMPO DE' FIORI : Al Pompiere

⊟ €€€

Via S. M. del Calderari 38, 00186 **Tél** *06 686 83 77* **Plan** 10 D5

Installé au premier étage du palazzo Centi, dans le ghetto, ce restaurant possède une salle à manger attrayante parée de fresques et de poutres en bois. La carte romano-juive propose des *carciofi alla giudia* (artichauts frits), des pâtes à la *coda* (queue de bœuf) et du ragoût de bœuf. En dessert, citons la *ricotta fritta* (ricotta frite).

CAMPO DE' FIORI : Ar Galletto

⊟ ♿ 🖬 €€

Via Giulia 14, 00186 **Tél** *06 686 1714* **Plan** 9 C4

Cette trattoria très prisée sert des plats italiens simples, comme ses *penne all'arrabbiata* (pâtes à la sauce tomate épicée) qui méritent une mention spéciale. Durant les mois les plus chauds, dînez en terrasse sur la piazza Farnese, avec ses fontaines et le palais Farnese, siège de l'ambassade de France. *Fermé dim., 1 sem. août.*

CAMPO DE' FIORI : Monserrato

⊟ 🖬 €€€

Via Monserrato 96, 00186 **Tél** *06 687 33 86* **Plan** 2 D4, 9 B4

Populaire et bien situé, avec des tables extérieures en été, le *Monserrato* est renommé pour la qualité de son poisson et de ses fruits de mer. Le service est impeccable et le poisson frais tous les jours. Les *bigoli* (pâtes) aux crevettes et asperges et le loup de mer salé sont excellents. D'appétissants steaks et plats de viande sont également proposés.

CAMPO DE' FIORI : Sora Lella

⊟ €€€€

Via Ponte Quattro Capi 16, 00186 **Tél** *06 686 16 01* **Plan** 6 D1

Idéalement placé, sur l'enchanteresse île du Tibre, l'impressionnant *Sora Lella* fut fondé par la célèbre actrice Lella Fabrizi en 1959. Savoureux plats romains classiques, comme les *fettucine* aux ris de veau et la queue de bœuf à la cannelle et au clou de girofle. De délicieux menus végétariens et de poisson aussi. Service aimable.

CAMPO DE' FIORI : Camponeschi

⊟ 🕇 🖬 €€€€€

Piazza Farnese 50, 00186 **Tél** *06 687 49 27* **Fax** *06 686 52 44* **Plan** 2 E5, 9 C4

Le *Camponeschi*, l'un des endroits les plus chic de Rome, offre des vues splendides sur la piazza Farnese. Sa cuisine, une fusion créative de saveurs italiennes, méditerranéennes et françaises, est très raffinée. Superbes plats de poisson et de viande. Sa cave contient plus de 400 vins, dont le cru prestigieux produit par la vigne familiale. *Ouvert soir seul.*

CAMPO DE' FIORI : Piperno

⊟ €€€€€

Via Monte de' Cenci 9, 00186 **Tél** *06 68 80 66 29* **Plan** 2 F5, 10 D5

Un restaurant occupe ce lieu depuis 1850, bien que le *Piperno* d'origine n'existe plus depuis longtemps. Il est connu pour proposer l'une des meilleures cuisines romano-juives. Les pâtes sont maison et le poisson frais du jour. Le vin de la maison est un délicieux frascati. Ne manquez pas les *carciofi alla giudia* (artichauts frits). Réservation conseillée.

CARACALLA : Tramonti & Muffati

⊟ €€

Via di Santa Maria Ausiliatrice 105, 00181 **Tél** *06 780 13 42*

Cette agréable *enoteca* est située près de la via Appia et de la station de métro de Furio Camillo. D'excellents vins accompagnent les spécialités du jour et les savoureux *salumi* et fromages. Le cuisinier associe de façon créative et surprenante les ingrédients locaux. Il vaut réserver à l'avance. *Ouvert soir seul.*

ESQUILIN : Scoglio di Frisio

⊟ 🎵 €€

Via Merulana 256, 00185 **Tél** *06 487 27 65* **Plan** 7 C1

Ce restaurant napolitain animé, apprécié des touristes, propose une cuisine authentique dans une atmosphère agréable. Excellents fruits de mer et pizzas. Essayez le *spigola all'acqua pazza* (loup de mer cuit dans l'eau bouillante et les herbes), servi avec du vin de Campanie, suivi par un délicieux baba en dessert. Chansons napolitaines le soir.

ESQUILIN : Monti

⊟ ♿ €€€

Via di San Vito 13A, 00185 **Tél** *06 446 65 73* **Plan** 4 D4

À juste titre renommée, cette trattoria dirigée par une famille offre une cuisine de saison, typique des Marches. Spécialités : les *lasagnette*, le lapin ou poulet aux herbes et la dinde au vinaigre balsamique. Le service est compétent, la carte des vins excellente et les desserts sont savoureux. Poisson le vendredi. Réservation conseillée.

ESQUILIN : Agata e Romeo

🕇 ⊟ ♿ €€€€€

Via Carlo Alberto 45, 00185 **Tél** *06 446 61 15* **Plan** 4 D4

Cette ancienne trattoria est aujourd'hui devenue un restaurant renommé. Le chef, Agata, emploie les ingrédients les plus raffinés pour composer un menu très original, essentiellement à base de plats romains ou de l'Italie du Sud. Son mari, Romeo, grand sommelier, accompagne chaque plat du vin qui convient. Le menu dégustation est excellent.

JANICULE : Lo Scarpone

🖬 €€€

Via San Pancrazio 15, 00152 **Tél** *06 581 40 94* **Fax** *06 58 33 27 02* **Plan** 5 A1

À mi-chemin entre la ville et la campagne, perché sur la colline du Janicule, ce restaurant noble et élégant met Rome à vos pieds. Le jardin est très agréable en été. À l'intérieur, décoration joliment rustique. Bonne cuisine traditionnelle mettant le poisson à l'honneur.

LATRAN : Arancia Blu

🖻 ⊟ ♿ €€

Via Prenestina 396/E, 00171 **Tél** *06 445 41 05*

Dans le quartier à l'est de Termini, l'*Arancia Blu* propose des plats essentiellement végétariens concoctés avec des produits biologiques. On remarque le risotto au gorgonzola et safran, les raviolis à la pomme de terre et à la menthe, les boulettes de légumes à la sauce tomate épicée et les cannellonis à l'aubergine. Bon choix de vins.

LATRAN : Clementini   📋♿🖼️   €€

Via San Giovanni in Laterano 106, 00184 **Tél** *06 454 263 95*   **Plan** *7 B1*

Apprécié par les jeunes prêtres irlandais de San Clemente, tout proche, et les habitants, le Clementini est une trattoria de quartier servant une cuisine romaine classique. Les *spaghetti alla carbonara, les bucatini all'amatriciana* (sauce épicée à la tomate et au lard) et les *carciofi alla romana* (artichauts à la menthe) sont des mets typiques.

LATRAN : Vinosteria   📋   €€€

Via dei Sabelli 51, 00185 **Tél** *06 494 07 26*   **Plan** *4 F4*

Le propriétaire de cette trattoria sicilienne est originaire de Palerme et sert des plats classiques revus avec créativité. Les spécialités du jour incluent une *caponata* (ratatouille), un couscous aux poisson et légumes, des *vermicelli con la mollica* (anchois, zeste d'orange et chapelure) ou des *paccheri alla norma* (pâtes à la ricotta). Excellents desserts.

PIAZZA DELLA ROTONDA : Da Gino   📋📋   €€

Vicolo Rosini 4, 00186 **Tél** *06 687 34 34*   **Plan** *2 F3, 10 D1*

Le *Da Gino* est apprécié des hommes politiques et des journalistes. L'intérieur ancien orné de fresques donne sur une pergola. Plats romains classiques : *spaghetti alla carbonara, abbacchio alla cacciatora* (plat d'agneau), *seppie con piselli* (seiche aux pois) et lapin.

PIAZZA DELLA ROTONDA : Grano   📋🖼️   €€

Piazza Rondanini 53, 00186 **Tél** *06 68 19 20 96*   **Plan** *10 D2*

Le *Grano* offre une cuisine méditerranéenne classique à une clientèle variée. De grandes assiettes de *spaghetti alla carbonara* et de *bucatini all'amatriciana* (sauce épicée au lard et à la tomate) sont servies en entrée, suivies par des *trippa alla romana* (tripes). Pendant les mois d'été, il est possible de dîner dehors.

PIAZZA DELLA ROTONDA : Clemente alla Maddalena   📋🖼️   €€€€

Piazza della Maddalena 4/5, 00186 **Tél** *06 683 36 33*   **Plan** *2 F3, 10 D2*

Ce palais du XVIᵉ siècle situé en face de l'église de la Maddalena possède des salles à manger lambrissées et une terrasse pour l'été. Sa cuisine créative utilise les anchois, l'origan et la tomate. Spécialités : *paccheri pasta* aux palourdes et navets, et spaghettis au pesto à la chicorée sauvage. Excellente carte des vins et service attentif.

PIAZZA DELLA ROTONDA : La Campana   📋   €€€€

Vicolo della Campana 18, 00186 **Tél** *06 686 78 20*   **Plan** *10 D1*

C'est la plus ancienne trattoria de Rome, fondée en 1518. Son extérieur, peu prometteur, dissimule un vrai bijou à l'intérieur. On y déguste de la *galantina* (poulet en gelée), des pâtes aux brocolis et bouillon de *pastenague* (raie), des tripes et du poulet au poivre. En dessert : cerises cuites agrémentées de glace. Excellent service et bon choix de vins.

PIAZZA DELLA ROTONDA : El Toulà   📋♿🍽️   €€€€€

Via della Lupa 29B, 00186 **Tél** *06 687 34 98* **Fax** *06 687 11 15*   **Plan** *2 F3, 10 D1*

Ce restaurant mérite bien sa réputation du plus luxueux restaurant de Rome. *El Toulà* sert une cuisine méditerranéenne inspirée par la région de la Vénétie. La salle à manger élégamment voûtée et le service impeccable sont parfaits pour un repas spécial. Le risotto, les pâtes, les plats de poisson et de viande varient selon les saisons.

PIAZZA DELLA ROTONDA : La Rosetta   📋🖼️   €€€€€

Via della Rosetta 8, 00186 **Tél** *06 68 30 88 41*   **Plan** *2 F4, 10 D2*

Internationalement reconnu, le plus raffiné des restaurants de poisson de Rome est horriblement cher, mais un menu meilleur marché est proposé au déjeuner. Des ingrédients, tels que les huîtres, le thon et la seiche, sont d'une grande fraîcheur. La nourriture est simple mais très bien préparée. Excellente carte des vins. Réservation recommandée.

PIAZZA DI SPAGNA : Tad Café   📋♿🖼️   €

Via del Babuino 155a, 00187 **Tél** *06 32 69 51 23*   **Plan** *3 A2*

Idéalement situé près de la piazza del Popolo, ce café moderne et élégant au jardin patio pittoresque propose des spécialités et des repas légers tous les jours. Il attire de nombreux Romains nantis après leur lèche-vitrines matinal. La cuisine combine des influences italiennes et orientales. Recommandé le midi.

PIAZZA DI SPAGNA : Margutta Vegetariana   📋♿🖼️   €€

Via Margutta 118, 00187 **Tél** *06 32 65 05 77*   **Plan** *2 F1*

Cet établissement est le premier et le plus chic des restaurants végétariens de Rome. Vous y mangerez au son du jazz. Ouvert il y a 20 ans, il propose un copieux déjeuner buffet et un brunch à l'excellent rapport qualité/prix le dimanche. Le restaurant adjacent sert des plats végétariens créatifs beaucoup plus coûteux.

PIAZZA DI SPAGNA : Le Sorelle   📋   €€€€

Via Belsiana 30, 00187 **Tél** *06 679 49 69*   **Plan** *2 F2*

Dirigé par deux sœurs, *Le Sorelle* s'est forgé une clientèle fidèle, et a ouvert un second établissement dans le Latran. L'atmosphère est douillette, et la cuisine méditerranéenne inventive. Parmi les spécialités, goûtez les œufs brouillés aux truffes, le feuilleté à la crème de cèpes, ou encore les raviolis aux noix et au gorgonzola.

PIAZZA DI SPAGNA : Casina Valadier   📋♿🖼️🍽️   €€€€€

Piazza Bucarest, 00187 **Tél** *06 69 92 20 90* **Fax** *06 679 12 80*   **Plan** *2 F1*

Récemment réouvert après un coûteux et interminable programme de restauration, cet ancien palais occupe la Villa Borghese, à 10 min à pied du haut de l'escalier de piazza di Spagna. La cuisine est italienne et créative, servie dans les salles à manger réparties sur deux étages. L'endroit jouit aussi d'une vaste terrasse aux vues spectaculaires.

Légende des prix *voir p. 606* **Légende des symboles** *voir le rabat arrière de couverture*

PIAZZA DI SPAGNA : Hassler-Roof Garden ▤ ♿ ♫ ☷ ☖ €€€€€
Piazza Trinità dei Monti 6, 00187 **Tél** *06 69 93 40* **Fax** *06 69 347 26*   **Plan** *3 A2*

Aménagé à l'étage supérieur de l'hôtel *Hassler Roma*, ce restaurant domine la piazza di Spagna, avec une vue générale sur les toits du vieux Rome. Avec son service impeccable et sa délicieuse cuisine, c'est l'endroit idéal pour un repas romantique ou un moment de pure folie. Le brunch du dimanche est très populaire.

PIAZZA DI SPAGNA : Le Jardin de Russie ▤ ♿ ☷ €€€€€
Via del Babuino 9, 00187 **Tél** *06 32 88 88 70*   **Plan** *2 F1*

Entouré de jardins, ce restaurant prépare une cuisine italienne qui ne vous décevra pas. Le menu changeant offre des mets alléchants, comme le foie gras aux feuilles de moutarde, les gnocchis de pomme de terre aux brocolis et à la saucisse sicilienne, la lotte de mer aux herbes et parmesan et le miel aux poires et vin rouge. Menu enfant.

PIAZZA DI SPAGNA : Porto Maltese ▤ ♿ €€€€€
Via San Sebastianello 6B, 00187 **Tél** *06 678 05 46*   **Plan** *3 A2*

Animé et agréable en journée et fascinant le soir, le *Porto Maltese* possède une entrée entourant un énorme aquarium rempli de homards, crevettes géantes et poissons. Le menu propose des *strozzapreti all'amatriciana di mare* (des pâtes au poisson fumé et à la tomate). Les prix sont calculés en fonction du poids des portions.

PIAZZA NAVONA : Insalata Ricca ▤ €€
Via dei Chiavari 85, 00186 **Tél** *06 68 80 36 56*   **Plan** *9 C2*

De toutes les succursales *Insalata Ricca* de la ville, celle-ci vient en tête de liste. On y mange des pâtes bien sûr, mais on apprécie surtout ses copieuses salades composées, aux prix modérés. Elles se déclinent en 30 variantes allant de la classique niçoise aux compositions maison plus originales telle la Baires (gorgonzola, pommes et noix).

PIAZZA NAVONA : Cul de Sac ▤ ☷ €€
Piazza Pasquino 73, 00186 **Tél** *06 6880 1094*   **Plan** *2 E4, 9 C3*

Le *Cul de Sac*, ouvert depuis 30 ans, est le plus ancien bar à vins de Rome. Vous y trouverez des milliers de vins d'Italie et d'ailleurs, accompagnant une carte très complète. Espadon fumé, lentilles rouges à la crème, tomates séchées au soleil, saucisses aux pois chiches, fromage, salami et pâtés vous assurent un copieux repas.

PIAZZA NAVONA : Da Luigi ▤ ♿ ☷ €€€
Piazza Sforza Cesarini 24, 00186 **Tél** *06 686 5946*   **Plan** *9 B3*

Le chef du *Da Luigi* offre une cuisine romaine traditionnelle. Le menu de ce restaurant est très fourni, comptant des salades variées et un carpaccio de poisson (émincé cru), des huîtres fraîches, des pâtes, des viandes et poissons grillés, en plus des « classiques » romains, comme la cervelle frite et l'agneau au four.

PIAZZA NAVONA : Il Cantuccio ▤ ☷ €€€€
Corso Rinascimento 71, 00186 **Tél** *06 68 80 29 82*   **Plan** *2 E3, 9 C2*

Éblouissant le soir avec ses bougies et ses miroirs, *Il Cantuccio* accueille des célébrités. Goûtez les pâtes, la soupe de pomme de terre au *pecorino* et aux œufs de cabillaud, ou le turbot au four en croûte de pomme de terre et de courgette, puis les profiteroles maison ou le vino santo aux *ciambelli*. Service irréprochable. *Ouvert jusqu'à minuit.*

PIAZZA NAVONA : Hostaria dell' Orso ▤ ♫ ☷ ☖ €€€€€
Via dei Soldati 25c, 00186 **Tél** *06 68 30 11 92*   **Plan** *9 C2*

Logé dans un palais du XIVe siècle, ce restaurant chic propose une cuisine succulente, dont un menu dégustation à 4 plats, un service impeccable et une carte des vins interminable, ainsi qu'un piano-bar et un night-club à l'étage. Essayez les tortellinis maison ou le bar cuit à la vapeur sur un lit de paille nappé d'une sauce au pesto. *Fermé le midi.*

QUIRINAL : Antica Birreria Peroni ▤ ♿ €
Via di San Marcello 19, 00187 **Tél** *06 679 53 10*   **Plan** *3 A4, 10 F3*

Bondée le midi et appréciée des groupes, cette brasserie Art Nouveau bien située propose une bonne cuisine et des portions généreuses. À la carte, des assiettes de fromage et *salumi*, des salades, des pâtes, des saucisses, des hamburgers et du goulache. La bière *Peroni* est excellente. Service efficace.

QUIRINAL : Ristorante del Giglio ▤ ♿ ☷ €€€
Via Torino 137, 00184 **Tél** *06 488 16 06*   **Plan** *3 C3*

Près de l'Opéra et de la via Nazionale, ce restaurant familial d'autrefois est un véritable bijou. Service efficace, bons vins et cuisine classique. Essayez les *fettucine alla Tosca* (à la ricotta et tomate fraîche) ou le délicieux turbot, cuit au four avec des pommes de terre et des tomates.

QUIRINAL : F.I.S.H. ▤ €€€€
Via dei Serpenti 16, 00184 **Tél** *06 47 82 49 62*   **Plan** *3 B4*

L'un des restaurants les plus branchés de Rome est dirigé par 2 frères qui ont passé plusieurs années en Australie. Rouge et noir, l'*Aqua Bar* propose des apéritifs accompagnés d'huîtres. Le *Sushi Bar* sert des bières japonaises, ainsi que des sushi et des sashimi et le *Grill Lounge* d'alléchants plats de poisson cuisinés à la perfection. *Ouvert soir seul.*

QUIRINAL : Al Presidente ▤ ☷ €€€€€
Via in Arcione 95, 00187 **Tél** *06 679 73 42*   **Plan** *3 A3*

L'un des meilleurs restaurants de la ville proposant une très bonne cuisine romaine moderne arrosée de vins raffinés dans un cadre élégant – idéal pour les dîners intimes. À côté de la fontaine de Trévi, il jouit aussi d'une terrasse. Les ingrédients sont choisis soigneusement et déterminent la carte. Quatre menus dégustation sont proposés au dîner.

TERMINI : Da Vincenzo
Via Castelfidardo 4/6, 00185 **Tél** *06 48 45 96*

€€€
Plan *4 D2*

Le poisson est la spécialité du *Da Vincenzo*, restaurant de quartier proche de Termini. Commencez par les excellents *antipasti* de fruits de mer ou l'espadon fumé. En premier plat, optez pour les *tonnarelli all'astice* (pâtes au homard) et le loup de mer au four ou le turbot aux pommes de terre. Délicieux desserts maison.

TERMINI : Vivendo
Via V. Emanuele Orlando 3, 00185 **Tél** *06 47 09 27 36*

€€€€€
Plan *3 C3*

Récemment restauré, moderne et bien aéré, le *Vivendo* est devenu l'un des meilleurs restaurants de Rome. Sa cuisine est italienne et internationale – délicieuse association de plats traditionnels et d'ingrédients inhabituels. Un menu dégustation et un menu enfant sont proposés. Service impeccable et vaste choix de vins.

TRASTEVERE : Da Lucia
Vicolo del Mattonato 2b, 00153 **Tél** *06 580 3601*

€€
Plan *5 B1*

Petite trattoria familiale située dans l'une des plus belles rues du Trastevere, le Da Lucia n'a que quelques tables. Possibilité de dîner dehors en été. La cuisine est excellente, bien que le choix des plats soit limité. Citons les *alici al limone* (anchois au citron), les pâtes aux brocolis et *pastenague* (raie), le lapin, les tripes, ou le bœuf à l'oignon.

TRASTEVERE : Ripa 12
Via di San Francesco a Ripa 1, 00153 **Tél** *06 580 9093*

€€€
Plan *5 C2*

Dans le sud du Trastevere, loin des touristes, le *Ripa 12* sert une très bonne cuisine méditerranéenne centrée sur le poisson. Le *carpaccio* (fines tranches crues) de loup de mer mariné est l'entrée maison, suivie par le poisson frais du jour ou une assiette de fruits de mer frits. Très apprécié des Romains.

TRASTEVERE : Antica Pesa
Via Garibaldi 18, 00153 **Tél** *06 580 92 36*

€€€€€
Plan *2 D5, 5 B1, 9 B5*

Installé à l'intérieur d'un ancien poste de douane de l'État pontifical, l'*Antica Pesa* jouit d'un coquet jardin patio, terrain pour jeu de boules populaire au xixe siècle. L'excellente cuisine est méditerranéenne avec un menu variant selon la fantaisie du chef et les saisons. Large choix de vins. Endroit charmant pour manger et se détendre.

TRASTEVERE : Enoteca Ferrara
Via del Moro 1A, 00153 **Tél** *06 58 33 39 20*

€€€€€
Plan *2 E5, 9 B5*

Aménagé dans un palais du xviie siècle, caché derrière la piazza Trilussa, l'*Enoteca Ferrara* est proche du Ponte Sisto. Ce bar à vins, magasin et restaurant offre un service accueillant et irréprochable dans ses cinq salles. La cuisine est vraiment bonne et créative, complétée par une carte de plus de 1 000 vins.

VATICAN : Osteria dell'Angelo
Via G. Bettolo 24-32, 00195 **Tél** *06 372 94 70*

€€
Plan *1 B1*

Établissement animé et décontracté. À la carte : *spaghetti cacio e pepe* (pecorino et poivre) ou *alla gricia* (pecorino et lard), tarte aux anchois, *baccalà* (morue salée) et autres plats romains classiques, suivis par des biscuits arrosés de vino santo. Excellent menu présentant un bon rapport qualité/prix. Réservation indispensable.

VATICAN : Taverna Angelica
Piazza A. Capponi 6, 00193 **Tél** *06 687 45 14*

€€€
Plan *1 C2*

Vous apprécierez la cuisine inventive servie dans ce restaurant moderne, à l'instar de ses délicieuses pâtes maison aux crevettes et au potiron, des gnocchis de fromage à la sauce aux fruits de mer, ou encore du filet d'oie ou de pintade. Côté desserts, le *cheesecake* aux agrumes ferait fondre les plus récalcitrants.

VATICAN : Dal Toscano
Via Germanico 58, 00192 **Tél** *06 39 72 57 17*

€€€€
Plan *1 B2*

Dal Toscano est une valeur sûre qui vous accueille dans sa salle à manger lambrissée ou dehors en été. Les viandes sont délicieusement préparées et accompagnées d'excellents vins rouges. Au menu, on trouve des *pappardelle sulla lepre* (pâtes dans une sauce au lièvre), de la polenta et des cèpes ou du *bistecca alla Fiorentina* (steak à l'os).

VATICAN : Da Benito e Gilberto
Via del Falco 19, 00193 **Tél** *06 686 77 69*

€€€€€
Plan *1 C2*

Petit restaurant chic aux murs ornés de peintures. Le menu est très bon, uniquement à base de poisson et fruits de mer frais conservés dans une chambre froide. Les plats sont simples mais très bien préparés, les vins sont bons et le service extrêmement cordial. Réservation recommandée. *Fermé dim.-lun.*

VATICAN : La Pergola
Via A. Cadlolo 101, 00136 **Tél** *06 35 09 21 52* **Fax** *06 35 09 21 34*

€€€€€

Dans les collines surplombant le Vatican, *La Pergola* est considéré par beaucoup comme le plus raffiné des restaurants de Rome, dirigé par le grand chef allemand Heinz Beck. La savoureuse cuisine, servie sur une splendide terrasse panoramique, fait l'unanimité. Excellent menu dégustation et vins en parfaite harmonie avec les mets.

VIA VENETO : Taverna Flavia
Via Flavia 9, 00187 **Tél** *06 474 52 14*

€€€
Plan *3 C2*

À l'écart de la via XX Settembre, l'ancienne *Taverna Flavia* a des allures nostalgiques avec ses photos dédicacées de vedettes de cinéma américain au mur. Elizabeth Taylor et Richard Burton y mangeaient régulièrement durant le tournage de *Cléopâtre*. La cuisine est excellente et très recherchée, avec des plats portant le nom de célèbres muses.

Légende des prix *voir p. 606* **Légende des symboles** *voir le rabat arrière de couverture*

VIA VENETO : George's　　　　　　　🍽🦽🎵🍸　€€€€€
Via Marche 7, 00187 **Tél** *06 42 08 45 75* **Fax** *06 42 01 00 32*　　　　**Plan** *3 B1*

Ce restaurant met à l'honneur une cuisine classique et un festival de plats régionaux souvent délaissés par les chefs du Latium. D'élégantes salles à manger, un service irréprochable et une belle carte des vins s'ajoutent au plaisir de plats telles les pâtes maison aux calamars et à la boutargue ou le rôti de veau. Les desserts sont un régal.

VIA VENETO : La Terrazza, Hotel Eden　　　　🍽🦽🎵🍸　€€€€€
Via Ludovisi 49, 00187 **Tél** *06 47 81 27 52* **Fax** *06 48 14 473*　　　　**Plan** *3 B2*

La Terrazza offre une vue époustouflante sur la ville. Il est sans conteste l'un des plus attrayants restaurants de Rome, ce qui justifie pour certains ses prix élevés. Le service est impeccable et le jeune chef marie cuisine internationale et saveurs méditerranéennes. Un menu dégustation incluant le vin est également proposé le soir.

VIA VENETO : Mirabelle　　　　　　　🍽🦽🎵🍸　€€€€€
Via di Porta Pinciana 14, 00187 **Tél** *06 42 16 88 38*　　　　**Plan** *3 B1*

Au 7e étage d'un bel hôtel, le *Mirabelle* a une superbe terrasse panoramique, une jolie salle à manger et un service parfait. Les vins bien choisis accompagnent des plats mémorables comme les *panzerotti di erbette con pesto* (pâtes farcies aux herbes et pesto), le canard à l'orange ou le *spigola al vapore* (bar à la vapeur). Réservation conseillée.

VIA VENETO : Papà Baccus　　　　　　　🍽　€€€€€
Via Toscana, 00184 **Tél** *06 42 74 28 08*　　　　**Plan** *3 C1*

Une des meilleures adresses de Rome pour la cuisine toscane. Depuis la classique *ribollita* (soupe de haricots, de légumes et de pain) jusqu'aux morceaux variés de bœuf Chianina, tout est bon. Les steaks grillés raviront les amateurs, tandis que le *rombo* (turbot) et la *baccalà* (morue salée) devraient contenter les amoureux du poisson.

VILLA BORGHESE : Caffè delle Arti　　　　🍽🦽🏬　€€€
Via A. Gramsci 73, 00197 **Tél** *06 32 65 12 36*

Endroit calme pour se reposer un peu, ce café restaurant se trouve au rez-de-chaussée du musée d'Art moderne, en haut de la Villa Borghese. Dans les salles à manger et les jardins, vous pouvez non seulement prendre un café ou un apéritif, mais aussi grignoter des mets légers et des spécialités à n'importe quelle heure de la journée.

VILLA BORGHESE : Duke's　　　　　　　🍽🦽🏬　€€€
Viale Parioli 200, 00197 **Tél** *06 8066 2455*

Le *Duke's* attire des gens chic de Rome tous les soirs. On peut prendre l'apéritif et grignoter dans ce bar qui est également un excellent restaurant et un lieu de rendez-vous nocturne. La cuisine est teintée d'influences orientales, mexicaines et méditerranéennes. Service très professionnel. Impressionnante terrasse.

VILLA BORGHESE : Baby　　　　　　　🍽🦽🏬🍸　€€€€€
Via Ulisse Aldrovandi 15, 00197 **Tél** *06 321 61 26*

Tout nouveau à Rome, le *Baby* est dirigé par le célèbre couple du *Don Alfonso* (l'un des restaurants les plus raffinés d'Italie) sur la côte amalfitaine. Une cuisine exceptionnelle d'inspiration napolitaine est servie dans une ravissante salle à manger et en terrasse de l'un des meilleurs hôtels de Rome, l'hôtel *Aldrovandi Palace*.

LATIUM

ALATRI : La Rosetta　　　　　　　🍽🦽🏬　€
Via del Duomo 39, 03011 **Tél** *0775 43 45 68*

Ce restaurant calme est situé près de l'acropole du vie siècle. Le menu change avec les saisons mais les pâtes sont préparées chaque jour sur place. Essayez les lasagnes maison ou la spécialité : les *maccheroni alla ciociara* (pâtes dans une sauce aux vin, herbes, lard et viande).

AMATRICE : Roma　　　　　　　🏬🍽🦽　€
Via dei Bastioni 29, 02012 **Tél** *0746 82 57 77*

Depuis 1896, cet hôtel-restaurant propose certainement la meilleure version de la spécialité de cette ville de montagne que sont les spaghettis *all'amatriciana* (spaghettis à la sauce tomate, au piment et à la pancetta). On y dîne en terrasse durant les mois d'été.

BRACCIANO : Vino e Camino　　　　　　🦽🏬　€€€
Piazza Mazzini 11, 00062 **Tél** *06 99 80 34 33*

Situé sur la place principale, *Vino e Camino* offre une vue imposante du Castello Odelscachi de ses tables en terrasse. Le chef met l'accent sur les spécialités régionales et des classiques italiens, en faisant bon usage du lac voisin comme en témoigne le risotto d'épeautre à la perche et au gorgonzola, sans délaisser les plats de viande et de légumes.

CERVETERI : Da Fiore　　　　　　　🏬　€€
Via San Paolo 4, Località Procoio du Ceri, 00052 **Tél** *06 99 20 72 75*

Simple trattoria de campagne dont les spécialités incluent des pâtes maison au ragoût, des *penne al padellaccio* (pâtes aux saucisse, jambon de Parme, tomates séchées, cèpes et fromage), du lapin et des viandes grillées. Les *bruschette* (pain grillé aux garnitures variées) méritent également d'être goûtées.

FRASCATI : Domus Park Hotel Taberna   €€€
Via Tuscolana 18 km, 00044 **Tél** *06 940 85 87*

Encadrées de verdure, les salles à manger claires et modernes de ce restaurant se situent sur la route entre Rome et Frascati. On y trouve un bon choix de plats et de vins, dont le frascati local. Ici, le poisson est à l'honneur. Débutez par les *antipasti* aux fruits de mer, suivis de *linguine riviera* (sauce à l'espadon, au bar et aux légumes de saison).

FRASCATI : Nuova Enoteca Frascati   €€€€
Via Diaz 42, 00044 **Tél** *06 941 74 49*

Plus de 400 vins accompagnent un excellent choix de plats à base de fruits de mer dans ce bar à vins-restaurant. La cuisine mêle tradition et innovation pour donner des plats tels qu'un *antipasto* de poissons crus variés et un *astice* (homard) bouilli aux tomates, pommes de terre et courgettes.

GAETA : La Cianciola   €€
Vico Buonomo 16, 04024 **Tél** *0771 46 61 90*

Charmante trattoria aux tables très convoitées nichée dans une ruelle. Goûtez aux *schiaffoni* (pâtes) aux aubergines et crevettes, ou à la *zuppa di pesce* (soupe de poisson), aux steaks d'espadon ou aux *spaghetti con frutti di mare* (spaghettis aux crustacés et fruits de mer).

NETTUNO : Cacciatori dal 1896   €€€€
Via Matteotti 27, 00048 **Tél** *06 988 03 30*

Ce vaste restaurant au mobilier rustique occupe les entrepôts du palais de la famille Colonna qui date du XVIIe siècle. Sa véranda donne sur le port et la mer. Le poisson est pêché du jour et les plats concoctés d'après des recettes régionales du début du XXe siècle. Leur spécialité est la *minestra di pesce* (soupe de poissons).

OSTIA ANTICA : Il Monumento   €€€
Piazza Umberto I 8, 00119 **Tél** *06 565 00 21*

Ce restaurant situé dans la principale station balnéaire de Rome, près de son ancien port, propose une carte à base de poisson. Spécialité de la maison : les *spaghetti al Monumento*, dans une sauce aux fruits de mer. En second choix, optez pour les *manzancolle al coccio*, variété locale de crevettes cuisinées au cognac.

SPERLONGA : Da Fausto   €€€
Via Romita 25, 04029 **Tél** *0771 54 85 76*

Situé près de la plage, dans la partie moderne de la ville, ce restaurant de fruits de mer qui propose la pêche du jour en soupe, grillée, au four ou frite, est surtout réputé pour ses *antipasti* de poisson cru. On y trouve aussi une belle sélection de fromages dont la mozzarella affinée dans la région.

TIVOLI : Villa Esedra   €€
Via di Villa Adriana 51, 00010 **Tél** *0774 53 47 16*

Le menu de ce restaurant spécialisé dans le poisson est typique de la région, avec des *antipasti* frais comme l'*insalata ai frutti di mare* (salade de fruits de mer), suivie des *linguine all'astice vivo* (pâtes au homard local) ou les gnocchis aux *radicchio* et noix et le poisson du jour grillé. Le soir et le dimanche, on y déguste aussi des pizzas.

TIVOLI : Adriano   €€€€
Largo Yourcenar 2, 00010 **Tél** *0774 38 22 35* **Fax** *0774 53 51 22*

Restaurant entouré d'un jardin, idéalement placé pour visiter la Villa Adriana et les autres sites de Tivoli. La cuisine est classique et les vins proviennent des vignes locales. Les *fettucine* aux herbes aromatiques, le *scrigno di Venere* (pâtes cuites au four aux champignons et au ragoût), ou la cassolette de lapin font partie des plats typiques. Réserver.

TIVOLI : La Sibilla   €€€€
Via della Sibilla 42, 00019 **Tél** *0774 33 52 81*

Restaurant raffiné ouvert en 1730 dans une partie de la forteresse médiévale de la ville. Le principal avantage du lieu est le jardin, avec ses tables alignées à droite, sous l'ancien temple des Sybilles, avec vue sur la Villa Gregoriana. La cuisine est rigoureusement régionale et traditionnelle, offrant de nombreuses viandes rôties.

TREVIGNANO : Ristorante il Palazzetto   €€€€
Piazza Vittorio Emanuele III 15, 00069 **Tél** *06 999 92 54*

Petit restaurant donnant sur le lac de Bracciano. L'excellent menu tire à la fois parti du poisson de mer et de lac, dans des plats comme les *ravioli al persico* (pâtes farcies à la perche de lac) et la *zuppa di scampi* (soupe de crevettes). Tous les desserts sont faits maison.

TUSCANIA : Al Gallo   €€€
Via del Gallo 22, 01017 **Tél** *0761 44 33 88*

Le chef revisite avec beaucoup d'inventivité les classiques régionaux, affichant une carte exceptionnelle (qui varie constamment) à base de fromages, de légumes et de viandes locaux. On apprécie aussi l'atmosphère chaleureuse et le service charmant. *Al Gallo* possède un bar à vins, juste en face.

VITERBO (VITERBE) : Il Richiastro   €€
Via della Marrocca 18, 01100 **Tél** *0761 22 80 09*

Logé dans un joli palais du XIIIe siècle, *Il Richiastro* sert une cuisine inspirée de recettes paysannes médiévales. Goûtez la soupe au *farro* (épeautre), haricots, champignons et endives en entrée puis un plat de viande aigre-douce. La carte se renouvelle chaque semaine. *Ouvert seul. ven.-dim. midi. Fermé été.*

Légende des prix *voir p. 606* **Légende des symboles** *voir le rabat arrière de couverture*

VITERBO (VITERBE) : Porta Romana
Via della Bontà 12, 01100 **Tél** *0761 30 71 18*

Trattoria simple offrant un large choix de plats classiques. Les *ombrichelli all'matriciana* (spaghettis roulés à la main dans une sauce au lard et à la tomate) sont excellents. En hiver, essayez la *pignataccia*, spécialité de Viterbe : veau, bœuf et porc mijotés à feu doux avec du céleri, des carottes et des pommes de terre.

NAPLES ET CAMPANIE

AGROPOLI : Il Ceppo
Via Madonna del Carmine 31, 84043 **Tél** *0974 84 30 36*

Ce restaurant méditerranéen classique sert de nombreuses variétés de poisson local et de pâtes et pizzas maison. Spécialité : les *tagliolini* (pâtes) aux crevettes, fleurs de courgette et palourdes. Vous pouvez aussi opter pour les spaghettis aux fruits de mer, les crevettes à la sauce au citron ou la *zuppa di pesce* (soupe de poissons).

AMALFI : La Marinella
Via Lungomare dei Cavalieri di San Giovanni di Gerusalemme 1, 84011 **Tél** *089 87 10 43*

Restaurant agréable et animé dominant la côte amalfitaine, à 2 m à peine de la mer. On y mange beaucoup de poissons, ainsi que des spécialités traditionnelles locales, comme les *scialatelli ai frutti di mare* (pâtes maison aux fruits de mer et crustacés). *Ouvert midi seul. sauf en haute saison.*

AMALFI : Il Tarì
Via Pietro Capuano 9-11, 84011 **Tél** *089 87 18 32*

Cette trattoria bondée située dans la principale rue d'Amalfi sert de fabuleuses pizzas, comme la *pizza à la Tarì* (mozzarella, jambon de Parme, parmesan et roquette), de bons plats de pâtes et des plats de viande et fruits de mer corrects, avec une préférence pour le *pesce al cartoccio* (poisson du jour cuit au four en papillote).

AMALFI : Eolo
Via Comite 3, 84011 **Tél** *089 87 12 41*

Situé sur la plage, au bout de la promenade du front de mer, ce restaurant propose un menu variant selon les saisons. Il ne compte que dix tables à l'intérieur et trois en terrasse, il est donc préférable de réserver. Essayez le *filetto di sarago* (crapet arlequin – poisson grillé avec une sauce aux herbes). *Fermé janv., fév.*

BENEVENTO (BÉNÉVENT) : Da Gino e Pina
Viale dell'Università 1, 82100 **Tél** *0824 249 47*

Au cœur du centre historique, ce restaurant propose un menu composé de plats de viande et de poisson. Goûtez au *cardone* (variété de chardon), aux *pampanelle alla Gino e Pina* (pâtes aux asperges et fruits de mer), au *filetto di maiale con patate* (filet de porc aux pommes de terre), à la *zuppa di pesce* (soupe de poissons). Excellents vins.

CAPRI : La Pergola
Traversa Lo Palazzo 2, 80073 **Tél** *081 837 74 14*

Une atmosphère familiale agréable, une vaste terrasse sur mer et une délicieuse cuisine incitent les clients à revenir. Le citron est à l'honneur, dans des plats tels que les *ravioli al limone* (pâtes farcies au fromage et citron, sauce à la crème et au citron) et la tarte au citron maison. Bon poisson frais également.

CAPRI : La Savardina da Eduardo
Via Lo Capo 8, 80073 **Tél** *081 837 63 00*

C'est l'un des restaurants les plus traditionnels de Capri offrant une pergola extérieure, des orangers, une vue sur mer et de savoureuses spécialités régionales, comme les *ravioli alla caprese* (raviolis au fromage dans une sauce à la tomate et à la mozzarella), les *linguini all'Eduardo* (pâtes aux anchois et câpres) et le civet de lapin.

CAPRI : Al Grottino
Via Longano 27, 80073 **Tél** *081 837 05 84*

Endroit chic de Capri, ce restaurant attire les célébrités et les chefs d'État depuis 1937. Spécialités : *vermicelli* maison (fins spaghettis) aux fleurs de courgette et crevettes, poisson frais *all'acqua pazza* (cuit au vin blanc, avec tomates et épices) et *involtino alla Napoletana* (paupiette de veau à l'étouffée).

CAPRI : Quisi del Grand Hotel Quisisana
Via Camerelle 2, 80073 **Tél** *081 83 70 788* **Fax** *081 837 60 80*

Atmosphère élégante dans ce restaurant installé dans le premier hôtel de Capri. Le menu variant selon les saisons est un régal. Essayez le canard rôti aux pêches, les pâtes maison, comme les spaghettis aux fruits de mer, le turbot aux dattes et à la citronnelle, les cailles aux pois et aux pistaches, et le *fritto misto* (assiette de friture).

CASERTA (CASERTE) : Le Colonne
Viale G. Douhet 7, 81100 **Tél** *0823 46 74 94*

Dans une élégante maison avec jardins, près du palais royal, ce restaurant sert une cuisine régionale typique quelque peu innovante. La viande utilisée pour les tendres steaks grillés ne provient pas des vaches, mais du buffle local – le lait de bufflonne est réservé à la fabrication de la *mozzarella*. Les meilleurs produits de Campanie sont utilisés.

FAICCHIO : La Campagnola

Via S. Nicola 36, Località Massa, 82030 **Tél** *0824 81 40 81*

Agréable trattoria où la cuisine d'inspiration régionale est simple et authentique. Les copieuses spécialités paysannes incluent des *fiocchetti al tartufo nero* (pâtes maison farcies aux fromage et truffes noires) et des *trippa alla massese* (cassolette de tripes aux tomates, carottes, oignon, céleri et épices).

ISCHIA : Da Peppina di Renato

Via Montecorvo 42, Località Forio, 80077 **Tél** *081 99 83 12*

Cette trattoria rustique, perchée sur une colline, jouit d'une vaste terrasse avec vue sur la baie de Citara. Les plats sont simples, comme le *coniglio alla cacciatora* (lapin chasseur), les *pasta e fagioli* (soupe de pâtes et haricots aux saucisses et citron), des viandes et du poisson grillé, ainsi que des pizzas cuites dans un four à bois.

ISCHIA : La Conchiglia

Via N. Sauro 6/Via Chiaia delle Rose 3 Località Sant'Angelo, 80070 **Tél** *081 99 92 70*

Un grand bâtiment rose au cœur d'un village de pêcheurs abrite ce restaurant qui vous sert des fruits de mer frais sous une voûte en berceau ou dehors dans un petit patio surplombant les vagues. Spécialités : *linguine ai frutti di mare* (pâtes aux fruits de mer) et *frittura* (friture) de calmars et crevettes géantes.

ISCHIA : La Tavernetta Pirata Sant'Angelo

Via Sant'Angelo 77, Località Serrara Fontana, 80070 **Tél** *081 99 92 51*

Le « pirate » homonyme de ce restaurant décontracté est Carlo Poerio. Il surveille la salle à manger décorée de céramiques peintes à la main et animée par le piano de son fils Luca. L'endroit regorge généralement d'habitants de l'île qui y dégustent des plats comme les *penne alla pirata* (pâtes aux tomates cerises, câpres, oignons et parmesan).

NAPOLI (NAPLES) : Amici Miei

Via Monte di Dio 78, 80132 **Tél** *081 764 60 63*

Le menu est classique et les plats de viande dominent (ce qui est rare à Naples, où le poisson est plutôt à l'honneur). On remarque les pâtes aux légumes et légumes secs et, en plats principaux, les viandes grillées et la *braciola di maiale al ragù* (côte de porc arrosée d'une sauce aux pignons). Atmosphère douillette et excellente carte des vins.

NAPOLI (NAPLES) : Da Ettore

Via Santa Lucia 56, 80132 **Tél** *081 76 404 98*

Cette trattoria de quartier sans prétention et populaire sert une cuisine napolitaine typique. On y mange de bonnes pizzas et d'excellentes pâtes aux fruits de mer, moules ou palourdes. Goûtez à la *parmigiana di melanzane* (cassolette d'aubergines aux tomates et mozzarella, cuite au four). Excellent *antipasto* de mozzarella bufflonne.

NAPOLI (NAPLES) : Hosteria Toledo

Vico Giardinetti a Toledo 78A, 80133 **Tél** *081 42 12 57*

Cette *osteria* traditionnelle et *Slow Food*, en plein cœur du quartier commerçant de Quartieri Spagnoli, offre des spécialités napolitaines classiques de viande et de poisson depuis 1951. Essayez les *maccheroni al ragù*, la *frittura di paranza* (fruits de mer frits) et les *zucchine alla scapece* (semblables au gaspacho mais à base de courgettes).

NAPOLI (NAPLES) : Pizzeria Brandi

Salita S. Anna di Palazzo 1-2/Via Chiaia, 80100 **Tél** *081 41 69 28*

Cette pizzeria historique (établie en 1780) revendique l'invention de la pizza classique Margherita en 1889, en l'honneur de la reine Marguerite en visite (les tomates rouges, la mozzarella blanche et le basilic vert représentent les couleurs du drapeau italien). Bons plats de pâtes également.

NAPOLI (NAPLES) : Vadinchenia

Via Pontano 21, 80132 **Tél** *081 66 02 65*

Les mets délicats souvent à base de poisson dominent le menu saisonnier innovant de ce restaurant situé dans le quartier de Chiaia. Essayez les *paccheri alici e pecorino* (pâtes aux anchois et fromage pecorino), ou le *filetto di branzino* (filet de loup de mer). Les desserts sont délicieux. Salles modernes et très sobres.

NAPOLI (NAPLES) : La Cantinella

Via Cuma 42/Lungomare di Santa Lucia, 80132 **Tél** *081 764 86 84* **Fax** *081 764 87 69*

La Cantinella est l'un des restaurants les plus célèbres de Naples. Sa décoration très originale est d'inspiration coloniale. Les hôtes sont attirés par la vue sur la mer, le service impeccable et la cuisine régionale et internationale soigneusement préparée, à base de fruits de mer et qui propose aussi des plats classiques.

NAPOLI (NAPLES) : La Sacrestia

Via Orazio 116, 80122 **Tél** *081 66 41 86*

Cet endroit attrayant jouit d'une terrasse panoramique avec vue sur le golfe de Naples. L'atmosphère est élégante mais simple et la nourriture excellente, régionale et légère. Essayez les *schiafoni con totanetti* (pâtes aux minuscules seiches, olives noires, câpres et pommes de terre).

NERANO : Taverna del Capitano

Piazza delle Sirene 10, Località Marina del Cantone, 80061 **Tél** *081 808 10 28*

Installé dans une ancienne maison de pêcheur sur la plage – avec une terrasse pour mieux profiter de la mer – ce restaurant sert une cuisine régionale revue avec originalité. Goûtez aux *cornetti di pasta con gamberi* (pâtes farcies aux crevettes et arrosées d'une sauce aux fruits de mer) et *millefeuille di San Pietro* (saint-pierre).

Légende des prix *voir p. 606* **Légende des symboles** *voir le rabat arrière de couverture*

PAESTUM : La Pergola ⬛⬛ €€
Via Magna Grecia 51, Capaccio Scalo, 84047 **Tél** *0828 72 33 77*

Ce restaurant, à 3 km des ruines de Paestum, propose une cuisine régionale originale employant des produits de saison. La spécialité maison est le *susciello*, soupe d'asperges et d'oignons sauvages avec un œuf brouillé et des herbes aromatiques. Essayez ensuite le poisson frit aux artichauts ou la délicieuse mozzarella. *Fermé lun. sauf en été.*

POMPEI : Il Principe ⬛⬛⬛ €€€€
Piazza B. Longo 1, 80045 **Tél** *081 850 55 66*

Ce restaurant clair et élégant, situé près du site archéologique, offre un menu variant selon les saisons. Le poisson est à l'honneur avec les raviolis farcis au poisson ou le turbot aux légumes. Les plats sont parfois inspirés de recettes napolitaines du XVIIIe siècle, d'anciennes épices romaines, ou de desserts dépeints sur des fresques de Pompéi.

POSITANO : Da Adolfo ⬛ €€
Località Laurito 40, près de San Pietro, 84017 **Tél** *089 87 50 22*

On accède en bateau à ce restaurant-grill de poisson installé sous une tente sur une plage isolée. Les départs ont lieu en ville entre 10 h et 13 h et les retours commencent à 16 h. La cuisine est simple mais bonne : spaghettis aux palourdes, poisson frais ou courgettes à la mozzarella grillée.

POSITANO : Lo Guarracino ⬛ €€€
Via Positanesi d'America 12, 84017 **Tél** *089 87 59 74*

Cinq minutes de marche sur un sentier suspendu à la falaise vous mènent à la terrasse panoramique de ce restaurant qui surplombe une baie paisible et des îles isolées. Les pizzas sont excellentes. Goûtez aussi aux *linguine ai ricci di mare* (pâtes aux oursins), au *pesce spada* (espadon) grillé et aux escalopes de veau au citron.

POSITANO : La Sponda ⬛⬛⬛ €€€€€
Via Colombo 30, 84017 **Tél** *089 87 50 66*

Somptueux restaurant aménagé dans l'un des hôtels les plus élégants d'Italie, où les hôtes sont accueillis comme de riches amis de la famille. Un choix alléchant de plats à base de poisson frais et d'ingrédients de saison vous est proposé telles les *gragnano paccheri* (pâtes en forme de tube farcies d'anchois, de poivrons grillés et de basilic).

RAVELLO : Villa Maria ⬛⬛ €€€
Via Santa Chiara 2, 84010 **Tél** *089 85 72 55*

Réservez une table sur la terrasse donnant sur la vallée du Dragon et commandez un *trittico*, trio dégustation des spécialités du jour du chef avec, par exemple, des *soffatini* (crêpes au fromage et épinard) ou des raviolis farcis aux fruits de mer dans une sauce à la palourde rouge. Poisson frais et gibier local.

SALERNO (SALERNE) : Pizzeria Vicolo della Neve €€
Vicolo della Neve 24, 84121 **Tél** *089 22 57 05*

Cette pizzeria du centre historique propose, outre d'excellentes pizzas et *calzoni* (pizzas soufflées), des plats tels que les *pasta e fagioli* (pâtes aux haricots), la *cassolette de baccalà* (morue salée) et les saucisses aux brocolis. Comme la plupart des pizzerias traditionnelles, elle n'est ouverte que le soir.

SANT'AGATA SUI DUE GOLFI : Don Alfonso 1890 ⬛⬛ €€€€€
Corso Sant'Agata 11, 80064 **Tél** *081 87 80 026* **Fax** *081 53 30 226*

L'un des meilleurs restaurants d'Italie qui détient trois étoiles Michelin, entouré d'élégants jardins. Parmi les plats méditerranéens modernes, des spécialités de fruits de mer et de poisson, et de délicieux desserts. Pour préparer la meilleure des cuisines, la famille du propriétaire a acheté une ferme afin d'y faire pousser ses propres produits.

SICIGNANO DEGLI ALBURNI : La Taverna €
Via Nazionale 139, Frazione Scorzo, 84029 **Tél** *0828 97 80 50*

Cette auberge de campagne du XVIIIe siècle est située près de Salerne. La cuisine régionale inclut des salamis, une *zuppa fagioli e ceci* (soupe de haricots et pois chiches) et des grillades. Essayez les *gnocchetti* (petits gnocchis) ou les raviolis aux cèpes. Le week-end, vous pouvez aussi goûter aux pizzas au feu de bois. Délicieux desserts faits maison.

SORRENTO (SORRENTE) : Da Gigino ⬛⬛ €€
Via degli Archi 15, 80067 **Tél** *081 878 19 27*

Une véritable trattoria de quartier, avec la télévision dans un coin et les habitués qui se frottent aux touristes de Sorrente. Dégustez donc une pizza cuite au feu de bois sur l'une des tables de la rue pavée, ou encore des *gnocchi verdi provola e gamberi* (boulettes d'épinard et pomme de terre aux crevettes et fromage) et des poissons grillés.

SORRENTO (SORRENTE) : Ristorante della Favorita O'Parrucchiano ⬛⬛ €€
Corso Italia 71-73, 80067 **Tél** *081 878 13 21* **Fax** *081 532 40 35*

Ce restaurant centenaire possède une terrasse nichée sous les vignes, les citronniers et les orangers. Il est apprécié des gens du coin, des touristes et des célébrités, surtout séduits par son excellente cuisine du Sorrentino : les *scialatielli ai frutti di mare* (pâtes aux fruits de mer) et le steak au poivre sont particulièrement bons.

SORRENTO (SORRENTE) : Antico Frantoio ⬛⬛ €€€
Via Casarlano 8, Località Casarlano, 80067 **Tél** *081 878 58 45 ou 80 72 959*

Ce restaurant jouit d'une salle à manger rustique aux poutres de bois et d'une terrasse. Ses plats sont très variés et préparés avec des ingrédients locaux. Essayez les pizzas cuites au four à bois, le pain au maïs, *les pasta con olive e noci* (pâtes maison aux olives et noix) et la bière, brassée juste à côté.

ABRUZZES, MOLISE ET POUILLES

ALBEROBELLO : La Cantina

Vico Lippolis 9/Corso Vittorio Emanuele, 70011 **Tél** *080 432 34 73*

Cette petite trattoria de 32 couverts, installée sous des voûtes de pierre, occupe un rez-de-chaussée à l'écart de la rue principale depuis 1958. Les plats sont typiques de la cuisine des Pouilles, comme les *orecchiette* (pâtes en forme de « petites oreilles ») servis dans une sauce tomate à la ricotta salée et aux fanes de navet.

ALBEROBELLO : Trullo d'Oro

Via Felice Cavallotti 27, 70011 **Tél** *080 432 18 20*

Dégustez une excellente cuisine régionale à l'intérieur d'un *trullo* (habitation caractéristique de la région). Optez pour 3 plats : les *assaggini dello chef* (petites portions de spaghettis à la roquette et aux tomates fraîches), les *orecchiette in ragù* (pâtes dans une sauce à la viande, garnies de boulettes de pain aux herbes) et la purée de fèves aux endives.

ALBEROBELLO : Il Poeta Contadino

Via Indipendenza 21, 70011 **Tél** *080 432 19 17*

Restaurant élégant aux murs de pierre avec un piano dans un angle. L'excellent service se marie parfaitement avec la grande qualité de la nourriture et des vins. Le chef utilise avec beaucoup d'imagination les ingrédients frais locaux pour concocter de bons plats de poisson et de viande.

BARI : Terranima

Via Putignani 213-215, 70123 **Tél** *080 521 97 25*

Cette trattoria populaire sert un menu typique des Pouilles qui change toutes les deux semaines et inclut à la fois des plats de fruits de mer et de viande. Essayez les *orecchiette* (pâtes en forme de « petites oreilles ») à la lotte ou *l'arista di maiale in salsa di agrumi* (rôti de porc parfumé au citron). Personnel aimable et endroit agréable.

BARI : Il Kilimangiaro

Lungomare Starita 64, 70123 **Tél** *080 534 76 10*

Trattoria et pizzeria du front de mer qui compte parmi ses spécialités : les *orecchiette* (pâtes en forme de « petites oreilles ») à la roquette ou *alle rape* (aux navets), les tagliatelles ou le *risotto alla pescatora* (pâtes ou riz aux fruits de mer), le poisson frit et grillé, ainsi que les brochettes de viande.

BARI : Manfredi

Via Re Manfredi 19, 70122 **Tél** *080 523 64 99*

La salle à manger de ce restaurant, surmontée d'une voûte en berceau, donne sur les rues du vieux Bari. Vous y dégusterez une solide cuisine maison des Pouilles. Essayez le *risotto tartufato con asparagi* (riz aux truffes et asperges) et les *tagliolini* (fines pâtes) à la sauce aux crevettes et citron.

GALLIPOLI : Il Capriccio

Viale Bovio 14-16, 73014 **Tél** *0833 26 66 10*

Ce restaurant aux élégantes salles et aux plafonds voûtés sert une cuisine régionale et italienne classique, où le poisson frais domine largement. La spécialité de la maison est les *linguine ai ricci di mare* (pâtes aux oursins) ; essayez aussi la *zuppa di pesce* (soupe de poissons). Pizzas également à la carte.

ISOLE TREMITI : Al Gabbiano

Piazza Belvedere San Domino, 71040 **Tél** *0882 46 34 10*

La cuisine de ce restaurant insulaire doté d'une terrasse est basée sur le meilleur poisson de mer, pêché à quelques mètres à peine de là. Goûtez à la traditionnelle soupe de poisson et aux *troccoli gabbiano al mare* (pâtes maison aux moules, crevettes, palourdes et calmars) ou encore au poisson rôti au sel.

L'AQUILA : Ernesto

Piazza Palazzo 22, 67100 **Tél** *0862 210 94*

Établissement paisible et sophistiqué offrant une cour pour les dîners d'été. Le menu est un savoureux mélange créatif de plats montagnards typiques des Abruzzes. Essayez les *sagnarelle alla pastora* (gnocchis de ricotta aux champignons, jambon, ricotta, truffes et pecorino).

LECCE : Guido e Figli

Via XXV Luglio 14, 73100 **Tél** *0832 30 58 68*

Vous avez le choix entre 2 endroits pour dîner dans ce restaurant situé à l'écart de la principale place de Lecce : à l'intérieur, sous des voûtes, ou - en payant moitié prix les mêmes plats des Pouilles - à la *tavola calda* (self-service), à l'arrière. Vous pouvez déguster votre plat sur une table dehors et observer la *passeggiata* (promenade) du soir.

LECCE : Alle Due Corti

Corte dei Giugni 1/Via Leonardo Prato 42, 73100 **Tél** *0832 24 22 23* **Fax** *0832 39 78 65*

Des salles élégantes et un service impeccable avec pourtant de bas prix et d'excellents plats traditionnels du Salentino : *turcinieddhi* (cœur, foie et poumons de petite chèvre grillés), *ciceri e tria* (pâtes plates, mi-frites mi-bouillies, aux pois chiches) et *pezzetti te cavallu* (viande de cheval dans une sauce tomate épicée) excellent pour les palais aventureux.

Légende des prix *voir p. 606* **Légende des symboles** *voir le rabat arrière de couverture*

LOCOROTONDO : Trattoria Centro Storico ⊞ €
Via Eroi di Dogali 6, 70010 **Tél** *080 431 54 73*

Le restaurant est situé au centre de ce village aux maisons blanchies à la chaux. Le vin maison se marie parfaitement avec les plats traditionnels des Pouilles, comme les *pennette della casa* (pâtes à la sauce tomate aux piments, oignon et jambon) et la *portafoglio* (côte d'agneau aux fromage, persil et herbes). *Fermé mer.*

MANFREDONIA : Coppolarossa ▤ €
Via dei Celestini 13, 71043 **Tél** *0884 58 25 22 ou 58 20 58*

Une atmosphère jeune et une décoration d'autrefois (assiettes en céramique peintes sur des murs de stuc) se mêlent dans ce restaurant qui sert des plats de fruits de mer. Essayez la spécialité maison, les *troccoli ai frutti di mare* (macaronis aux fruits de mer), ou les *grigliata di pesce* (grillades de crevettes géantes, poisson et calamars).

OSTUNI : Osteria del Tempo Perso ▤ €€
Via Gateano Tanzarella Vitale 47, 72017 **Tél** *0831 30 48 19*

Au cœur d'une ville blanche à la chaux, perchée sur une colline, cette *osteria* expose du matériel agricole aux murs d'une de ses salles, tandis que l'autre, qui ressemble à une grotte, est grossièrement taillée dans le roc. La cuisine est régionale, avec des ingrédients et une excellente sélection de vins locaux. Le service est impeccable.

OTRANTO (OTRANTE) : Vecchia Otranto ▤⊞ €€
Corso Garibaldi 96, 73028 **Tél** *0836 80 15 75*

Cette trattoria sert des spécialités de la mer et d'autres plats régionaux dans le cœur de cette ville de pierre. Goûtez les pâtes aux oursins, la *zuppa di pesce all'otrantina* (copieuse soupe de poisson), ou bien le riz aux pommes de terre, aux *cozze gratinate* (moules au gratin) et à l'*anguilla allo spiedo* (anguille rôtie à la broche).

OVINDOLI : Il Pozzo €
Via Monumento dell'Alpino 5, 67046 **Tél** *0863 71 01 91*

Ce restaurant situé dans le centre historique de la ville est joliment encadré par les montagnes à l'arrière-plan. La cuisine est robuste avec toutefois quelques plats plus légers et modernes et d'autres préparés avec des produits locaux, dont le *zafferano* (safran) et les champignons sauvages. *Fermé mer.*

POLIGNANO AL MARE : Grotta Palazzese ▤⊞ €€€€€
Via Narciso 59, 70044 **Tél** *080 424 06 77* **Fax** *080 424 07 67*

Une caverne massive à-pic surplombant les eaux de l'Adriatique a été transformée en salle à manger pour accueillir les touristes du Grand Tour au XVIIIe siècle. Bien que le poisson soit sans aucun doute à l'honneur, de nombreux plats de viande sont également proposés. L'endroit est spectaculaire. *Fermé nov.-avr.*

PORTO CESAREO : L'Angolo di Beppe ▤⊞ €€
Via Zanella 24, Località Torre Lapillo, 73050 **Tél** *0833 56 53 05 ou 56 53 33* **Fax** *0833 56 53 31*

Atmosphère douillette et décor élégant, avec une grande cheminée pour l'hiver et un jardin pour les dîners d'été. La cuisine à base de poisson allie traditions locales et internationales. Spécialité : les *ravioli Apulia'97* (pâtes farcies au poisson agrémentées de vin blanc, tomates cerises, minuscules crevettes, xérès et huile d'olive).

ROCCA DI MEZZO : La Fiorita €
Piazza Principe di Piemonte 3, 67048 **Tél** *0862 91 74 67*

Cette trattoria tenue par une famille est installée dans un petit village de montagne de haute altitude dans les Abruzzes. Le service est aimable et efficace. La cuisine utilise des produits de la région et est copieuse, nourrissante et toujours très bien préparée.

SULMONA : Rigoletto ▤♿⊞ €
Via Stazione Introdacqua 46/Strada dei Confetti Pellino, 67039 **Tél** *0864 555 29*

Le *Rigoletto* se trouve à quelques pas du centre-ville. Des pâtes maison sont servies avec des haricots, du *scamorza* (fromage fumé à pâte molle), du lapin et des truffes. Vous pourrez également essayer les *ravioli ripieni di scamorza e zafferano* (pâtes farcies au fromage et safran) et l'*agnello al forno* (agneau rôti au four).

TARANTO (TARENTE) : Da Mimmo ▤♿⊞ €
Via C. Giovinazzi 18, 74100 **Tél** *099 459 37 33*

Au *Da Mimmo*, les gens attendent patiemment une table à l'extérieur. Le chef chante Elvis et des chansons populaires napolitaines en préparant ses pizzas, suffisamment petites pour laisser de la place pour un autre plat de fruits de mer ou des boulettes de viande frites, ou encore une paupiette de veau à la sauce tomate.

TARANTO (TARENTE) : Al Faro Masseria Saracena ▤♿⊞ €€€
Via Della Pineta 3/5, Strada Vicinale Fonte delle Citrezze 4000, 74100 **Tél** *099 471 44 44*

Ce restaurant est installé dans une ferme du XVIIIe siècle blanchie à la chaux, située dans les faubourgs de la ville. Son jardin rempli de tables donne sur la ville, de l'autre côté de la baie. Le menu est exclusivement composé de spécialités de la mer, variant selon le poisson et les fruits de mer pêchés, préparés en *antipasti*, soupes, risotto et grillades.

TERMOLI : Z' Bass ▤♿⊞ €€
Via Oberdan 8, 86039 **Tél** *0875 70 67 03*

Cette trattoria agréable et accueillante offre une cuisine de grande qualité à base de produits frais de saison. Le pain et les desserts sont fabriqués sur place. Parmi les spécialités, notons la *zuppa di pesce* (soupe de poissons). Carte des vins très complète.

TRANI : Torrent Antico

Via Fusco 3, 70059 **Tél** *0883 48 79 11*

Ses plats exquis et légers s'inspirent de la cuisine régionale avec quelques touches d'innovation. Essayez les *ravioli di pesce* (de grands morceaux de pâte farcies au loup de mer sur un lit de fruits de mer et crustacés). La carte des vins est également impressionnante.

VIESTE : Il Trabucco dell'Hotel Pizzomunno

Lungomare Enrico Mattei, 1 Km, 71019 **Tél** *0884 70 87 41*

Entouré de jardins et très proche de la mer, cet hôtel balnéaire offre des possibilités de dîner à l'extérieur sous les bougainvillées, près de la piscine. Sa cuisine, régionale et italienne, est raffinée et quelque peu inventive. Les plats sont savoureux et légers. Goûtez aux *troccoli alla gargancia* (pâtes aux crevettes, ricotta et courgettes).

VILLETTA BARREA : Trattoria del Pescatore

Via B. Virgilio 175, 67030 **Tél** *0864 89 152* **Fax** *0864 892 55*

Cette trattoria est située au bord d'une rivière, dans le parc des Abruzzes. Les plats régionaux incluent une *trota al vino bianco* (truite au vin blanc), des *chitarrini ai gamberi di fiume* maison (pâtes agrémentées d'écrevisses) et une *zuppa di orati e fagioli* (soupe de haricots aux légumes verts de montagne, semblables aux épinards).

BASILICATE ET CALABRE

ACQUAFREDDA (MARATEA) : Villa Cheta Elite

Via Timpone 46, Località Acquafredda, 85046 **Tél** *0973 87 81 34* **Fax** *0973 87 81 35*

Hôtel-restaurant romantique installé dans une villa Art nouveau, sur une falaise face à la mer, où l'on peut dîner en terrasse l'été. Les plats de poisson dominent, arrosés d'excellents vins de producteurs prometteurs. Les *involtini di sogliola* (paupiettes de sole au citron) et les spaghettis aux sardines font partie des spécialités. Délicieux desserts.

BIVONGI : La Vecchia Miniera

Contrada Perrocalli, 89040 **Tél** *0964 73 18 69* **Fax** *0964 73 18 69*

Juste à la sortie de Bivongi, près des magnifiques Cascate di Marmorica, cette trattoria propose une excellente cuisine locale dans un endroit intemporel. Spécialités : *salumi* (viandes séchées), pâtes maison à la sauce au chevreau ou sardines, truite de montagne ou porc, poulet et lapin grillé. Bons vins et tiramisù maison.

CASTROVILLARI (PARCO POLLINO) : La Locanda di Alia

Contrada Jetticelle 55, 87012 **Tél/Fax** *0981 463 70*

L'un des restaurants les plus raffinés de Calabre, mêlant recettes traditionnelles, touches créatives et ingrédients de saison. Parmi les meilleurs plats : les *panzerotti* (sortes de galettes) aux herbes, ricotta et anis, les *carne n'cartate* (viande au miel et piments), l'espadon aux oignons rouges. Excellente carte des vins et des bières locales.

COSENZA : L'Arco Vecchio

Piazza Archi di Ciaccio 21, 87100 **Tél/Fax** *0984 725 64*

Une cuisine régionale vous est servie dans un ancien palais élégant avec terrasse pergola. Goûtez aux *fiori di zucca* (fleurs de courgette frites), à la *parmigiana di melanzane* (flan d'aubergine) ou aux *lagane* (pâtes aux pois chiches) locales. Poursuivez avec une côte de porc à la pomme ou un chevreau rôti aux pommes sautées. Bon choix de vins.

GERACE : La Tavernetta

Strada Provinciale Locri-Antonimina 112, 89040 **Tél** *0964 35 60 20*

Situé près des thermes d'Antonin, à 4 km du centre historique de Gerace, ce restaurant douillet respire le charme d'antan. Parmi les spécialités, citons les *strozzapreti* (pâtes) à la saucisse et au fenouil, l'agneau grillé et la viande de sanglier. C'est un endroit réputé où il est conseillé de réserver.

MARATEA : Taverna Rovita

Via Rovita 13, 85046 **Tél/Fax** *0973 876 588*

En bas d'une coquette ruelle, cet établissement ancien aux murs blancs et sols carrelés sert des pâtes maison, du poisson frais, des fruits de mer et des plats de viande, agrémentés de légumes de saison et d'herbes. Essayez les pâtes aux pois chiches et moules ou le *bocconotto Rovita* (pâte brisée garnie de saucisse).

MARINA DI GIOIOSA JONICA : Gambero Rosso

Via Montezemolo 65, 89046 **Tél** *0964 41 58 06* **Fax** *0964 41 55 81*

Ce restaurant élégant offre de copieuses portions de poisson et fruits de mer frais et un bon choix de vins. Au menu : *antipasti* de poisson mariné, chaussons à la ricotta et aux légumes ou à l'espadon, pâtes aux fruits de mer ou risotto, *orecchiette* cuites au four et poissons variés, morue et langoustines frites. Il y a aussi des menus à prix fixe.

MATERA : Il Terrazzino sui Sassi

Vicolo San Giuseppe 7, 75100 **Tél/Fax** *0835 33 25 03*

Situé au cœur des Sassi, ce restaurant possède une terrasse panoramique et sert une cuisine locale : soupe aux pois chiches, agneau grillé, viande rôtie, ragoût d'agneau ou *orecchiette al tegamino* (pâtes aux saucisses, mozzarella et tomate cuites au four dans un plat en terre cuite). Essayez les *strazzate* en dessert. Bons vins de la région.

Légende des prix *voir p. 606* **Légende des symboles** *voir le rabat arrière de couverture*

MATERA : Il Casino del Diavolo   🖉🍽♿🖨   €€
Via La Martella, 75100 **Tél** *0835 26 19 86*

Une cuisine traditionnelle de Matera est préparée dans ce restaurant élégant installé au milieu d'une oliveraie. On y déguste de bonnes entrées, des pâtes, du poisson frais, des plats de viande et des pizzas. Essayez la *pignata* (mouton cuit dans une croûte de pain avec saucisse et légumes) ou les pâtes aux amandes. *Fermé lun., 6-24 août.*

MELFI : Novecento   🍽🖨   €€
Via Pertini, 85025 **Tél/Fax** *0972 23 74 70*

Ce restaurant d'autrefois offre une cuisine régionale bien préparée à base d'ingrédients locaux raffinés notamment : l'*agnello a cutturidde* (plat d'agneau local), les viandes grillées ou le *tegami* (plat en terre cuite) de légumes et champignons cuits au four. Pour finir, goûtez la délicieuse mousse aux chocolat et noisettes. Excellente carte de vins.

REGGIO DI CALABRIA : Baylik   🍽   €€€
Vico Leone 1, 89100 **Tél** *0965 486 24* **Fax** *0965 455 25*

Le *Baylik*, dont le nom signifie « maison du poisson » en turc, a ouvert ses portes en 1950. Il allie une décoration minimaliste à une cuisine traditionnelle. Entrées de saison et plats de poisson frais sont au menu. En saison, essayez les spaghettis à l'encre de seiche ou à l'espadon et au melon. Vues panoramiques sur le détroit de Messine.

ROSSANO : Paridò   🍽   €€
Via dei Normanni, 87067 **Tél** *0983 29 07 31*

Des plats traditionnels de la région sont réinterprétés ici pour former un menu original et créatif. Parmi les spécialités, des plats de poissons tel que le ragoût de seiche, l'espadon aux oignons rouges, la soupe de poisson et le poisson grillé aux agrumes. Excellente sélection de vins du Sud.

SCILLA : La Grotta Azzurra U'Bais   🍽♿🖨   €€€€
Via Cristofero Colombo, 89058 **Tél** *0965 75 48 89* **Fax** *0965 70 42 98*

Ce restaurant est situé sur la place où, selon la légende, Ulysse débarqua. On y mange du poisson et des fruits de mer frais, parfaitement cuisinés, mais également des pâtes aux crustacés ou aux oursins, de l'espadon grillé, du filet d'*aguglia imperiale* (poisson local) et des rissoles de poisson à la sauce tomate.

TROPEA : Pimm's   🖨   €€€€
Corso Vittorio Emanuele 60, 88038 **Tél** *0963 66 61 05*

L'élégant *Pimm's* se trouve au cœur du centre historique. Commencez par des *crostini* de fruits de mer (pain grillé) ou de l'espadon fumé, puis optez pour les pâtes aux oursins ou sardines, ou la spécialité de la maison : des crevettes, des œufs de thon et les fameux oignons rouges de Tropea. Citons aussi les calmars ou l'espadon aux câpres de Lipari.

VENOSA : Il Grifo   🍽♿🖨   €€
Via Fornaci 21, 85029 **Tél/Fax** *0972 351 88*

Située à côté du château, cette trattoria a été ouverte par un chef né dans la ville et revenu de Rome. La décoration est décontractée avec d'anciens murs en pierre et une terrasse pour l'été. Cuisine traditionnelle lucanienne qui inclut des plats de poisson et de viande, aussi bien que des pizzas, arrosés d'un excellent vin Aglianico del Vulture.

SICILE

AGRIGENTO (AGRIGENTE) : Kalòs   🍽🖨   €€
Salita Filino 1, Piazzetta San Calogero 1, 92100 **Tél** *0922 263 89*

Restaurant clair offrant une terrasse et une cuisine bien préparée. Goûtez aux *maccheroncelli al pistacchio* (pâtes fraîches aux pistaches et gorgonzola), au poisson grillé ou au *spigola in crosta di sale* (loup de mer cuit dans une croûte de sel de mer) et, en dessert, à la *cassata alla ricotta*.

AGRIGENTO (AGRIGENTE) : Kókalos   ♿🖨   €€
Via Cavalieri Magazzeni 3, 92100 **Tél** *0922 60 64 27*

Trattoria rustique et accueillante à la vaste terrasse donnant sur le temple de Junon. Essayez les *fettucine* à la sauce à l'orange, le poisson frais grillé, les *involitini valle dei templi* (fines tranches de veau garnies d'un mélange d'aubergine, de fromage et de tomates séchées) et le parfait aux amandes (la Sicile étant célèbre pour ses amandes).

AGRIGENTO (AGRIGENTE) : Trattoria Il Pescatore   🍽🖨   €€€
Lungomare Falcone e Borsellino 20, Località Lido di San Leone, 92100 **Tél** *0922 41 43 42*

Le chef choisit ses poissons chaque jour et les sert parfois crus, dans des plats simples mais délicieux ou rôtis, grillés et arrosés d'un filet d'huile d'olive et de jus de citron. Les spaghettis à la sauce au homard ou à l'espadon et aux aubergines, parsemés de basilic frais sont excellents.

BAGHERIA : Don Ciccio   🍽♿   €
Via del Cavaliere 87c, 90011 **Tél** *091 93 24 42*

Cette trattoria du centre-ville est tournée vers les spécialités régionales et la cuisine traditionnelle de Bagheria. Goûtez aux pâtes aux sardines ou au *ragù di pesce spada* (sauce à l'espadon), au poisson grillé, aux *gamberi ripieni* (crevettes rôties et farcies) et aux *involtini di pesce spada* (paupiettes d'espadon).

CATANIA (CATANE) : I Viceré
Via Grotte Bianche 97, 95129 **Tél** *095 32 01 88*

Les habitants disent déguster ici la meilleure pizza de la ville. Dans les plats principaux, citons le succulent filet de porc à la sauce mandarine, et les desserts maison. Il est possible de dîner à l'extérieur sur une terrasse offrant une vue spectaculaire. En été, vous pouvez aussi profiter d'un deuxième établissement sur via Grande.

CATANIA (CATANE) : Osteria Antica Marina
Via Pardo 29, 95121 **Tél** *095 34 81 97*

Trattoria très populaire située dans un angle du marché aux poissons quotidien. Le service est rapide et la cuisine – évidemment à base de fruits de mer –, exquise. Essayez les classiques *spaghetti coi ricci* (aux oursins) ou *al nero di seppia* (noircis à l'encre de seiche). Réservation recommandée.

CEFALÙ : L'Antica Corte
Ct Pepe 7, 90015 **Tél** *0921 42 32 28*

Trattoria-pizzeria installée dans une cour du centre historique de la ville. La cuisine est inspirée d'antiques recettes siciliennes presque oubliées. Goûtez au *couscous di pesce* (couscous au poisson), aux *involtini di pesce spada* (paupiettes d'espadon) et aux *pasta con le sarde* (pâtes aux sardines) maison. Pizzas aussi le soir. Fermé jeu. soir.

CEFALÙ : La Brace
Via 25 Novembre 10, 90015 **Tél** *0921 42 35 70*

L'actuel propriétaire du plus ancien restaurant de Cefalù est hollandais, ce qui explique peut-être les touches créatives apportées à une cuisine sicilienne, incluant les *involtini di melanzane* (aubergine farcie aux tagliatelles et ricotta cuite au four dans une sauce tomate). La longue attente se justifie pour profiter des délicieux desserts. *Fermé lun. soir.*

ENNA : Ariston
Via Roma 353, 94100 **Tél** *0935 260 38*

Au cœur d'Enna, ce restaurant offre une sélection de plats de fruits de mer et autres spécialités, comme les *cavatti* (pâtes fraîches maison) aux tomates et piments, l'agneau farci, une soupe de fèves et pois, des olives farcies frites ausi bien que des pizzas. *Fermé dim. soir.*

ERICE : Monte San Giuliano
Vicolo San Rocco 7, 91016 **Tél** *0923 86 95 95*

Ce restaurant est situé dans une cour calme, de l'autre côté d'une porte médiévale du centre-ville. La carte se réfère aux traditions siciliennes et inclut des *busati di San Giuliano* (spécialité locale de pâtes fraîches aux tomates, ail, basilic, amandes et huile d'olive), des pâtes aux sardines et un couscous au poisson.

ERICE : Osteria di Venere
Via Roma 6, 91016 **Tél** *0923 86 93 62*

Le restaurant raffiné est installé dans un bâtiment attrayant du XVIIIᵉ siècle. La cuisine est essentiellement sicilienne et méditerranéenne. On y sert des *casarecce alla Venere* (pâtes fraîches maison à l'espadon, agrémentées de tomates, aubergine et menthe) et du poisson grillé, pêché du jour.

ÎLES ÉOLIENNES : Filippino
Piazza del Municipio, Lipari, 98055 **Tél** *090 981 10 02*

On y déguste l'un des meilleurs dîners de Lipari depuis 1910. La carte est principalement sicilienne et basée sur des produits de la mer : espadon, macaronis maison et excellente *cassata* sicilienne. Spécialités : *trecette delle Eolie* (pâtes aux câpres, tomates, basilic, amandes, ail, menthe, anchois et pecorino).

ÎLES ÉOLIENNES : La Ginestra
Via Stradale 10, Pianoconte, Lipari, 98055 **Tél** *090 982 22 85*

Situé à flanc de colline, à l'extérieur de la ville, sur la route de Lipari, ce restaurant offre une terrasse sur jardin. Plutôt vide au déjeuner, lorsque la majorité des gens sont en ville ou à la plage, il se remplit au dîner. Essayez les *tagliolini* aux œufs d'espadon, les raviolis farcis au homard, le lapin sauvage aigre-doux ou l'agneau grillé.

MARSALA : Mothia
Contrada Ettore Inversa 13, 91025 **Tél** *0923 74 52 55* **Fax** *348 722 05 39*

Proche des salines, au nord de Marsala. La cuisine simple et délicieuse associe poisson et viande dans des menus à prix fixe offrant du pain, des pâtes, des pizzas et des desserts maison. Les tagliatelles à la sauce au homard sont particulièrement bonnes, tout comme la *busiata alla trapanese* (pâtes aux tomates crues et basilic).

MARSALA : Delfino
Via Lungomare Mediterraneo 672, 91025 **Tél** *0923 75 10 76*

Cet hôtel-restaurant familial possède trois salles somptueusement meublées et donnant toutes sur mer ou jardin. Goûtez aux spaghettis au tournesol, au *cuscus di pesce* (couscous au poisson), aux *bucatini al ragù di tonno* (épais spaghettis aux thon, menthe et épices) ou à l'espadon à la messinoise.

PALERMO (PALERME) : Hosteria Al Duar
Via Mariano Stabile 28, 90139 **Tél** *0916 11 95 69*

Certaines parties de la Sicile se sentent plus nord-africaines qu'italiennes et les Tunisiens de Palerme qui ont le mal du pays viennent à l'*Al Duar* pour retrouver la cuisine qu'ils apprécient. Tous les plats sont excellents et très bon marché, comme le *completo tunisino*, mélange de ragoûts et couscous nord-africains.

Légende des prix *voir p. 606* **Légende des symboles** *voir le rabat arrière de couverture*

PALERMO (PALERME) : Trattoria Temptation

Via Torretta 94, Località Sferracavallo, 90148 **Tél** *091 691 11 04*

Cette trattoria avec vue sur mer, proche d'une des principales stations balnéaires de Palerme (près du promontoire, au nord de la ville), offre un menu tout compris à base de fruits de mer, comprenant un succulent choix de hors-d'œuvre. Les pâtes aux aubergines et le poisson frit sont vivement recommandés.

PALERMO (PALERME) : Santandrea

Piazza Sant'Andrea 4, 90133 **Tél** *091 33 49 99*

Ce restaurant élégant offre des tables éclairées aux bougies sur une place tranquille, au cœur de la ville. On vous proposera des plats siciliens innovants concoctés par le chef avec les produits achetés sur le marché du jour, comme les spaghettis aux homard et œufs de poisson ou le thon aigre-doux à la menthe et aux oignons. *Fermé midi, dim.*

PALERMO (PALERME) : Trattoria Sympaty

Via Piano Gallo 18, Località Mondello, 90151 **Tél** *091 45 44 70*

La salle à manger jouit d'un beau panorama sur la baie de Mondello - la plage la plus populaire de Palerme - et le menu n'est quasiment composé que de poisson. Essayez les *fettuccini all'arogasta* (pâtes au homard), les *spaghetti alle sarde* (aux sardines), les *ricci* (oursins), le poulpe ou les calamars.

PALERMO (PALERME) : Antica Focacceria San Francesco

Via Alessandro Paternostro 58/Piazza San Francesco d'Assisi, 90133 **Tél** *091 32 02 64*

L'établissement est le plus ancien et le moins cher du centre-ville pour avaler un déjeuner rapide. Il existe depuis 1834 et offre un intérieur clair meublé dans le style Art nouveau. On y déguste des pâtes, des pizzas et de la *focaccia* (pain plat) garnie de fromage, viande et légumes.

PALERMO (PALERME) : La Scuderia

Viale del Fante 9, 90146 **Tél** *091 52 03 23* **Fax** *091 52 04 67*

Cet élégant restaurant installé dans le Parco della Favorita, à la lisière nord de Palerme, est fidèle à la cuisine sicilienne traditionnelle, soigneusement préparée. Ne manquez pas les *merluzzetti alla ghiotta* (ragoût de merlan aux câpres, pommes de terre, safran et tomates cerises).

RAGUSA (RAGUSE) : La Ciotola

Via Archimede 23, 97100 **Tél** *0932 22 89 44*

Ce restaurant élégant et moderne du centre-ville sert des spécialités siciliennes, comme les *maccheroni alla ciotola* (pâtes maison arrosées d'une sauce aux aubergine, champignons et tomates). Le chef est souvent invité à préparer des plats régionaux lors de manifestations gastronomiques nationales.

SCIACCA : Hostaria del Vicolo

Vicolo Sammartino 10, 92019 **Tél** *0925 230 71*

Le menu de ce restaurant du centre-ville est sicilien, avec des plats tels que les *spaghetti alla bottarga* (aux œufs de poisson, menthe et pignons), les *casareccie con cacio, les gamberi e ciliegino* (pâtes maison aux fromage de brebis, crevettes et tomates cerises) et la *coda di rospo con patate* (queue de lotte aux pommes de terre)

SELINUNTE (SÉLINONTE) : Baffo's au Lido Azzurro

Via Marco Polo 51, Località Marinella, 91022 **Tél** *0924 462 11* **Fax** *0924 466 80*

Le *Baffo's* est animé et clair, situé sur la promenade du front de plage de cette station balnéaire proche des anciennes ruines. On a de belles vues sur l'acropole depuis sa terrasse. Excellents buffet d'*antipasti, buvette* (pâtes) aux œufs de thon, homard, steaks d'espadon à la menthe et grillades variées de poisson.

SIRACUSA (SYRACUSE) : Minerva

Piazza Duomo 20, 96100 **Tél** *0931 694 04*

Cet établissement du centre historique propose de nombreux plats de poisson et un large éventail de pizzas originales. L'endroit mérite le détour à lui seul : en été, des tables sont dressées sur la place de la cathédrale, avec vue sur la façade illuminée du Duomo.

SIRACUSA (SYRACUSE) : Don Camillo

Via della Maestranza 96, 96100 **Tél** *0931 618 69*

Installé dans un palais datant du XIXe siècle dans le pittoresque Ortigia (centre historique de Syracuse), ce restaurant de fruits de mer met l'espadon à l'honneur et propose également de simples steaks de thon. En entrée, essayez les *spaghetti alla sirena* (spaghettis aux crevettes et oursins frais).

SIRACUSA (SYRACUSE) : Jonico 'a Rutta 'e Ciauli

Riviera Dionisio il Grande 194, 96100 **Tél** *0931 655 40*

Ce restaurant raffiné possède une salle à manger aux murs parés de carreaux de faïence et d'outils agricoles siciliens, ainsi qu'une terrasse surplombant les vagues. Cuisine régionale proposée dans un menu rédigé surtout en dialecte sicilien ; essayez la *cernia alla mattalotta* (mérou aux vin blanc, oignons, olives, câpres et tomates).

TAORMINA (TAORMINE) : Al Duomo

Via degli Ebrei 11, 98039 **Tél** *0942 62 56 56*

Ce restaurant sicilien typique jouit d'une terrasse. Les plats mettent en valeur les deux principaux poissons siciliens : le thon et l'espadon. Mais la spécialité du chef est la *pasta ca'noccal* (macaronis maison aux anchois frais, chapelure et fenouil sauvage) et l'agneau grillé.

TAORMINA (TAORMINE) : La Giara 🖼️🎵📶   €€€€
Via La Floresta Livia 1, 98039 **Tél** *0942 62 50 83*

Ce coquet restaurant doté de colonnes et d'arches offre de belles vues sur la baie depuis ses tables en terrasse. Essayez le cocktail de homard, le *petto d'oca affumicato* (blanc d'oie fumé), les raviolis aux aubergines et le *pesce alla eoliana* (mérou grillé aux pommes de terre, tomates et câpres). Club et piano-bar également. *Fermé le midi.*

TRAPANI : Da Peppe 🖼️♿   €
Via Spalti 50, 91100 **Tél** *0923 282 46*

Les spécialités de Trapani sont servies ici, ainsi que les mêmes plats maison préparés depuis des années. L'ingrédient de base est le poisson, avec le thon pêché dans la région en mai et juin. Essayez les *focaccine con bottarga di tonno* (minuscules pizzas à la boutargue de thon), les *polpolette di tonno* (boulettes de thon) ou steak d'espadon.

TRAPANI : P&G 🖼️♿   €€
Via Spalti 1, 91100 **Tél** *0923 54 77 01*

Ce petit restaurant classique et accueillant est devenu une institution à Trapani. Au cours de la *mattanza* (massacre du thon) annuelle du printemps aux îles Egadi, on y prépare le thon frais de mille et une façons - peut-être meilleur encore en simple steak grillé, ou servi sur des pâtes dans un ragoût parfumé à la menthe.

SARDAIGNE

ALGHERO : Al Tuguri   €
Via Majorca 113, 07041 **Tél** *079 97 67 72*

Ce restaurant est un vrai petit bijou au décor sans prétention et à l'atmosphère confortable. Excellente nouvelle cuisine combinant recettes catalanes et sardes, comme la crème catalane. Les spaghettis au safran et au pecorino sont savoureux. Réserver à l'avance : la salle est assez petite. *Fermé 20 déc.-fin fév.*

ALGHERO : Il Pavone 🖼️♿📶   €€
Piazza Sulis 3-4, 07041 **Tél** *079 97 95 84*

Ce restaurant élégant est situé à la lisière de la vieille ville et donne sur la piazza Sulis plutôt animée. La cuisine de saison est méditerranéenne et sarde : figues fraîches aux anchois et piments, pâtes à l'encre de seiche et à la ricotta fumée, sorbet citron au chocolat croustillant. Spécialités de poisson. On remarque le service.

ALGHERO/FERTILIA : Sa Mandra 🖼️♿🎵📶🍽️   €€
Strada Aeroporto Civile 21, 07041 **Tél** *079 99 91 50* **Fax** *079 999 91 35*

Cet *agriturismo* est rustique mais la nourriture digne d'un roi. Le menu à prix fixe propose une cuisine pastorale traditionnelle, avec une sélection de fromages pecorino, jambons et salamis, une grande variété de pâtes maison, un cochon de lait rôti et un agneau aux légumes frais, suivis de desserts sardes maison. Très bon rapport qualité/prix.

BOSA : Mannu da Giancarlo e Rita 🖼️♿📶   €€
Viale Alghero 28, 08013 **Tél** *0785 37 507* **Fax** *0785 37 53 08*

Ce restaurant moderne et élégant installé dans un hôtel offre d'excellentes spécialités de poisson. Bosa est célèbre pour son homard frais, accompagné d'une grande variété de sauces et préparé de multiples façons. On trouve aussi des plats de viande, comme du cochon de lait rôti et des gnocchis à l'agneau.

CAGLIARI : Antica Hostaria 🖼️   €€
Via Cavour 60, 09124 **Tél** *070 66 58 70* **Fax** *070 65 58 78*

Restaurant confortable installé dans un ancien bâtiment dans les arrière-rues du quartier de la Marina. La cuisine est bonne, basée sur des produits traditionnels et locaux. Les spécialités de saison incluent un risotto au *radicchio*, des spaghettis aux palourdes et des œufs de mulet séchés, du gibier et du poisson. Bon choix de vins.

CAGLIARI : Ristorante Jannas 🖼️♿   €€
Via Sardegna 85, 09124 **Tél** *070 65 79 02*

Ce petit restaurant à la décoration simple mêle plats sardes traditionnels et innovants, comme le *pesce a scabecciu* (poisson frit dans la chapelure et servi froid avec une sauce aigre-douce) et les tagliatelles aux calmars cuits dans le *cannonau* (vin rouge sarde). Savoureux desserts maison et service impeccable.

CAGLIARI : Dal Corsaro 🖼️   €€€€
Viale Regina Margherita 28, 09124 **Tél** *070 66 43 18* **Fax** *070 653 439*

Restaurant élégant à l'ambiance agréable et au service raffiné, où vous pouvez déguster des plats régionaux, comme les raviolis au poisson, des créations originales (*denti* - poisson - aux aubergines et basilic, ou steak dans le filet *all'Angelu Ruju*) et des classiques de Cagliari. Plats végétariens également proposés. Bon choix de vins.

CALASETTE : Da Pasqualino 🖼️♿📶   €€
Via Regina Margherita 85, 09011 **Tél/Fax** *0781 884 73*

Ici, le poisson est délicieux. Le thon sous toutes ses formes vous est servi dans cette trattoria familiale simple et décontractée, aménagée dans l'ancien quartier de la ville. Le menu comprend aussi des soupes de poissons, une version locale du couscous et du homard. Les vins sont également locaux.

Légende des prix *voir p. 606* **Légende des symboles** *voir le rabat arrière de couverture*

CARLOFORTE : Al Tonno di Corsa

Via G. Marconi 47, 09014 **Tél** *0781 85 51 06*

Surplombant le front de mer, au cœur de la vieille ville, ce restaurant offre une excellente cuisine locale teintée d'influences tunisiennes, des *antipasti* de fruits de mer, du couscous, des pâtes fraîches au basilic et à la marjolaine ou à la sauce aux fruits de mer, ainsi qu'une grande variété de plats à base de thon. Décor plein de caractère.

NUORO : Canne al Vento

Via G. Biasi 123, 08100 **Tél** *0784 20 17 62*

Ce restaurant propose des plats classiques de la Barbagia, d'excellents fromages, viandes rôties – cochon de lait, sanglier, agneau – salade de poulpe et *seadas* (pâtisseries frites au pecorino fondu et enrobées de miel). Le restaurant porte le nom d'un roman de Grazia Deledda, née à Nuoro, qui reçut le prix Nobel.

OLBIA : Officina del Gusto

Piazza Matteotto 1, 07026 **Tél** *0789 287 01*

Logé dans une demeure historique du centre, cet établissement dirigé par deux frères est réputé pour la fraîcheur de ses produits de saison. Goûtez le tartare de thon ou l'une des nombreuses entrées de fruits de mer ou laissez-vous guider par le serveur. Terrasse en été et orchestre le samedi. Réservation conseillée en été.

OLIENA : CK

Corso M. L. King 2-4, 08025 **Tél** *0784 28 80 24*

Ce restaurant (le « tchi kappa ») est situé dans le centre historique. La cuisine locale est préparée dans un four à bois. On y trouve des pâtes maison (dont les *busa*, pâtes fabriquées traditionnellement avec du fil de fer) à la sauce aux noisettes, des viandes rôties, une sélection délicate de fromages et un bon choix de vins.

OLIENA : Su Gologone

Località Su Gologone, 08025 **Tél** *0784 28 75 12* **Fax** *0784 28 76 68*

Entouré de verdure, le *Su Gologone* n'est qu'à 12 km de Nuoro. Il est célèbre pour ses plats de viande (cochon de lait rôti, agneau et chèvre), son *pane frattau* (pain plat sarde cuit au four avec du fromage, des tomates et de l'œuf), ses raviolis, ses *malloredus* (pâtes sardes servies dans une sauce tomate à la saucisse) et ses *seadas* (pâtisseries frites).

ORGOSOLO : Ai Monti del Gennargentu

Settiles, 08027 **Tél** *0784 40 23 74*

Ce restaurant traditionnel installé en pleine campagne, à 6 km d'Orgosolo, possède ses propres verger et potager biologiques. Il produit également son propre salami. Parmi les spécialités, mentionnons la soupe de légumes et jambon et la soupe aux pâtes maison.

ORISTANO : Craf da Banana

Via de Castro 34, 09170 **Tél** *0783 706 69*

Cet établissement très fréquenté dans le centre d'Oristano a la réputation de servir les meilleures viandes de l'île, du bœuf au sanglier, en passant par un large choix de grillades si vous hésitez encore. Ne ratez pas les célèbres *sebadas* – feuilletés au fromage frits nappés de miel de fleurs sauvages. Réservation conseillée le week-end. Fermé dim.

PORTO CERVO : Gianni Pedrinelli

Località Piccolo Pevero, 07020 **Tél** *0789 924 36*

Le menu régional de ce restaurant plein de caractère (murs blanchis à la chaux, voûte d'entrée, plafonds ornés de poutres en bois, carrelages) comprend de nombreux plats de poisson, comme les pâtes au homard et le poisson salé, mais la spécialité de la maison est le *porcettu allo spiedo* (cochon de lait rôti à la broche). *Fermé nov.-fév.*

PORTO ROTONDO : Da Giovannino

Piazza Quadrata 1, 07026 **Tél** *0789 352 80*

Ce luxueux restaurant décoré dans ses moindres détails a un joli jardin. Il est apprécié des hommes politiques et personnalités d'Italie qui viennent y déguster de coûteuses mais savoureuses spécialités méditerranéennes, comme les sushi de scampi au jus de citron, l'espadon aux tomates et câpres et les calmars grillés. Excellente carte des vins.

PORTOSCUSO : La Ghinghetta

Via Cavour 26, Località Sa Caletta, 09010 **Tél** *0781 50 81 43*

Petit restaurant élégant installé dans un village de pêcheurs face à l'île de San Pietro. La carte, composée de plats de poisson, revoit les spécialités locales avec originalité. On trouve un tartare de poisson et crevettes aux œufs de caille et caviar, du poisson fumé, de la terrine de homard et de la glace aux fruits caramélisés. Réservation conseillée.

SASSARI : Il Cenacolo

Via Ozieri 2, 07100 **Tél** *079 23 62 51*

Cet élégant restaurant à l'atmosphère agréable se trouve en plein centre-ville. Sa carte traditionnelle offre les meilleures spécialités régionales de la mer et de la campagne variant selon les saisons : champignons en automne, fruits de mer en été et légumes tout au long de l'année.

SASSARI : Liberty

Piazza N. Sauro 3 (corso Vittorio Emanuele), 07100 **Tél/Fax** *079 23 63 61*

Élégant et raffiné, ce restaurant excelle à tout point de vue. La cuisine est centrée sur le poisson. Commencez par l'*antipasto Liberty*, délicieux plateau de poisson et fruits de mer, puis optez pour les *gnocchetti camustia* (boulettes de ricotta fumée et calamars) ou les spaghettis au homard. Excellente carte des vins.

BOUTIQUES ET MARCHÉS

Héritière d'une longue tradition artisanale représentée par des entreprises familiales, l'Italie est renommée pour l'élégance de son design qui touche la mode, l'automobile ou les articles ménagers. Les créateurs sont légion, qui mêlent habilement savoir-faire et créativité.

Le lèche-vitrines apporte donc un véritable plaisir esthétique. Les marchés, seuls lieux où l'on puisse encore marchander, regorgent de spécialités régionales. Leur atmosphère, la qualité de leurs produits, leurs prix attractifs contribuent au charme des rues italiennes. À découvrir...

Légumes frais sur l'étal d'un marché vénitien

HORAIRES D'OUVERTURE

Les magasins ouvrent en général de 9 h 30 à 13 h et de 15 h 30 à 20 h, du mardi au samedi et le lundi après-midi. Toutefois, les horaires sont de plus en plus flexibles. Il existe peu de grands magasins, mais les grandes villes possèdent souvent une *Standa*, un *Upim*, un *Coin* ou une *Rinascente*, ouvert de 9 h à 20 h du lundi au samedi. Les disquaires et les libraires restent parfois ouverts le soir après 20 h et le dimanche.

MAGASINS D'ALIMENTATION

On trouve partout des supermarchés, mais rien ne vaut les magasins spécialisés. C'est un *forno* qui fournit le meilleur pain et un *macellaio* la viande la plus savoureuse ; pour la charcuterie, il faut aller dans une *salumeria*. Les légumes sont plus frais chez le *fruttivendolo* ou au marché. On peut acheter des gâteaux à la *pasticceria*, du lait à la *latteria* et des pâtes, du jambon et d'autres produits d'épicerie chez un *alimentari*. On y vend du vin, mais le

vinaio offre plus de choix, de même que l'*enoteca*, où l'on peut parfois goûter le vin avant de l'acheter.

MARCHÉS

Dans toutes les villes on trouve au moins un marché hebdomadaire. Les grandes villes ont plusieurs petits marchés quotidiens et un marché aux puces qui se tient en général le dimanche. Les commerçants s'installent à 5 h et commencent à remballer vers 13 h 30. On vend les produits alimentaire à l'*etto* (100 g), au kilo, ou à la pièce.

En général, les produits de saison y sont plus frais et moins chers que dans les magasins. On ne marchande pas les produits alimentaires, mais pour les vêtements, vous pouvez essayer de demander une remise (*sconto*).

PRODUITS DE SAISON

Pour découvrir la diversité de la table italienne, l'idéal est de consommer des produits de saison : au printemps, des asperges et des fraises ; en été, des courgettes, des tomates, des melons, des prunes, des poires et des cerises ; en automne, des champignons et du raisin ; en hiver, des petits artichauts, du chou-fleur et des brocolis, des citrons de la région d'Amalfi et des oranges sanguines de Sicile.

STYLISTES ET MAGASINS DE VÊTEMENTS

La mode italienne est réputée dans le monde entier. Milan en est la capitale et les boutiques des stylistes les plus célèbres se trouvent via Montenapoleone, au cœur de la métropole lombarde. Dans les grandes villes, les boutiques de mode sont

Boutique de souvenirs à Ostuni, près de Brindisi, dans les Pouilles

situées dans le même quartier. Les marchés et les petits magasins offrent des modèles plus abordables. Les soldes (*saldi*) ont lieu en été et en hiver. Les friperies, assez chères, proposent des habits d'excellente qualité et en très bon état. Sur les marchés, on déballe d'énormes piles de vêtements.

BIJOUX ET ANTIQUITÉS

Les Italiens raffolent des bijoux en or clinquants dont les *gioiellerie* (bijouteries) sont remplies. On trouve des articles plus originaux chez les artisans orfèvres

Élégante boutique de mode à Trévise

Vitrine très colorée de sacs à main en cuir à Florence

(*oreficerie*) ou dans les *bigiotterie*. Les magasins d'antiquités (*antiquariato*) vendent des meubles et des bibelots. On trouve rarement de véritables affaires en Italie, sauf peut-être dans les *Fiere dell'Antiquariato* (foires aux antiquités).

DÉCORATION D'INTÉRIEUR ET ARTICLES MÉNAGERS

La décoration d'intérieur est un secteur où les produits portant la signature de grands créateurs peuvent atteindre des prix faramineux. De nombreuses boutiques se spécialisent dans les styles post-moderne et high-tech. Les casseroles, les cafetières, les ustensiles de cuisine en acier inoxydable frappent par leur élégance. Ceux d'Alessi sont de véritables œuvres d'art ; ils ont d'ailleurs leur

place dans les collections du musée d'Art moderne de New York. Pour profiter des prix les plus bas, évitez les boutiques pour touristes et achetez chez les fabricants. Parmi les articles bon marché, citons les tasses à espresso et à cappuccino des bars, vendues sur tous les marchés.

SPÉCIALITÉS RÉGIONALES

Certaines spécialités italiennes comme le jambon de Parme, le chianti, l'huile d'olive et la grappa sont connues dans le monde entier, tout comme le *panforte* de Sienne, la pâte d'amande de Sicile, ou encore le parmesan d'Émilie-Romagne et le gorgonzola de Lombardie.
    L'artisanat traditionnel italien demeure très vivant : dentelles et verreries de

Venise ; papier marbré, orfèvrerie, maroquinerie en Toscane ; peintures sur verre, faïences, céramiques, fer forgé en Ombrie ; céramiques et marqueterie en Campanie ; dentelles de Molise ; objets de cuivre de L'Aquila, dans les Abruzzes ; amphores et tapis en Calabre ; et les célèbres marionnettes de Sicile.

Poteries vernies décoratives de Toscane

TAILLE : TABLEAU DE CORRESPONDANCES

Robes, jupes et manteaux femmes

Italie	38	40	42	44	46	48	50
France	34	36	38	40	42	44	46
Belgique	6	8	10	12	14	16	18
Canada	6	8	10	12	14	16	18

Chaussures femmes

Italie	36	37	38	39	40	41
France	36	37	38	39	40	41
Belgique	36	37	38	39	40	41
Canada	5	6	7	8	9	10

Costumes

Italie	44	46	48	50	52	54	56	58
France	40	42	44	46	48	50	52	54
Belgique	40	42	44	46	48	50	52	54
Canada	30	32	34	36	38	40	42	44

Chemises hommes (encolure)

Italie	36	38	39	41	42	43	44	45
France	36	38	39	41	42	43	44	45
Belgique	36	38	39	41	42	43	44	45
Canada	14	15	15 1/2	16	16 1/2	17	17 1/2	18

Chaussures hommes

Italie	39	40	41	42	43	44	45	46
France	39	40	41	42	43	44	45	46
Belgique	39	40	41	42	43	44	45	46
Canada	7	7 1/2	8	8 1/2	9 1/2	10 1/2	11	11 1/2

SE DISTRAIRE EN ITALIE

Depuis l'époque romaine, l'Italie s'affirme comme l'un des centres culturels de l'Europe. Berceau de la Renaissance, elle est aujourd'hui la patrie de l'opéra et de divers styles régionaux de musique folk. Le pays accueille l'un des plus célèbres festivals internationaux du film à Venise, et chaque ville italienne possède son *teatro*, lieu classique raffiné dont les programmes variés couvrent tous les aspects de la culture classique et traditionnelle. À cela il faut encore ajouter les nombreux festivals et les foires de rue qui, tout au long de l'année, sont des célébrations souvent en l'honneur de la nourriture, du vin et de la *dolce vita*.

INFORMATIONS PRATIQUES

La plupart des lieux offrent des services de réservation par Internet ou téléphone. Cependant, les événements majeurs et les représentations d'opéra ayant tendance à afficher complet bien avant la date de leur déroulement, il vaut mieux réserver son billet par l'intermédiaire de sociétés spécialisées, comme **Liaisons Abroad,** qui auront peut-être encore des places disponibles.

Pour connaître les manifestations du moment, procurez-vous *Dove*, un mensuel sur la culture, les voyages et la gastronomie ou consultez le site web italien du tourisme (www.enit.it).

Il Corriere della Serra, le plus ancien quotidien italien, contient des pages spéciales consacrées aux spectacles et à la culture ; son site Internet www.corriere.it/vivimilano est une mine d'informations sur les manifestations qui se tiennent dans la capitale de la mode. Un autre site Internet (www.romaturismo.it) rassemble le même type de renseignements sur Rome.

Les offices de tourisme (*p. 665*), comme l'**office** national italien de tourisme, informent sur les spectacles, expositions et événements. Peu sont accessibles aux handicapés sauf en été lors des manifestations extérieures.

OPÉRA ET MUSIQUE CLASSIQUE

L'Italie possède quelques-uns des plus beaux et plus anciens opéras du monde. **La Fenice** de Venise, ravagée par le feu en 1996, a été restaurée pour retrouver sa splendeur d'antan, et le **teatro alla Scala** (*p. 193*) de Milan a subi une importante rénovation. Un théâtre supplémentaire a ainsi été ajouté au bâtiment d'origine, le **teatro degli Arcimboldi**.

En mai et juin, le **maggio Musicale** (*p. 66*) de Florence est dédié aux concerts classiques et aux ballets.

L'été est la saison des opéras et des concerts classiques en plein air dans les fameuses arènes de Vérone (*p. 147*). À Rome, les spectacles ont lieu dans les **terme di Caracalla** (*p. 437*), l'auditorium de Renzo Piano, le **parco della Musica** et le **teatro dell'Opera**.

Affiche publicitaire pour le festival du film de Venise

MUSIQUE ROCK, JAZZ ET CONTEMPORAINE

De grands concerts sont organisés dans les théâtres classiques ou sur les terrains de sport. L'**Arena di Verona** reçoit des vedettes l'été, tout comme le **Stadio Olimpico** de Rome. À Milan, le stade du **Forum di Assago** accueille de nombreux concerts ; vous pourrez acheter vos billets chez certains disquaires. De grands interprètes de jazz sont invités en juillet à Pérouse à l'occasion du festival **Umbria Jazz**.

THÉÂTRE ET BALLET

L'Italie est le pays d'Europe qui compte le plus grand nombre de théâtres traditionnels. Ils proposent théâtre, danse et musique classique sous un seul et même toit.

La compagnie de ballet de la **Scala** de Milan a acquis une renommée internationale. Quant au festival international de ballet du **Teatro Carlo Felice** de Gênes, en juillet, il offre des spectacles à la fois traditionnels et innovants.

Le festival d'opéra de Vérone attire un vaste public dans l'arène romaine

CINÉMA

L'événement cinématographique majeur en Italie est le **Festival du film de Venise** (*p. 67*), fin août-début septembre. Le Festival International du Cinéma de Rome (*p. 68*) draine aussi son lot de stars. Un festival plus petit se tient l'été à Taormine en Sicile, et Florence reçoit la Festa dei Popoli (*p. 68*) en hiver.

DANSE, MUSIQUE ET FESTIVALS RÉGIONAUX

Les festivals saisonniers sont soit religieux, soit orientés vers la nourriture. Le plus connu est le *Carnevale* (littéralement « adieu à la viande ») (*p. 69*) qui célèbre la fin de l'hiver et annonce le Carême. Venise accueille le plus riche et le plus ancien carnaval, et Viareggio, en Toscane, est réputé pour son défilé de chars.

Parmi les grands festivals, on peut aussi évoquer le *Sienese Palio* (*p. 67*), course de chevaux sur la place de Sienne. Pour plus de détails sur ces festivals, consultez les pages 66 à 69. Chaque région possède ses propres traditions musicales et artistiques.

Un spectacle palpitant : le *Sianese Palio*, une course de chevaux montés à cru

La plus connue est la *tarantella*, originaire des Pouilles (*p. 511*).

CULTURE

Qui dit divertissement, dit événements sportifs, festivals de rue ou même grands spectacles. Et prenant part à tout cela, l'un des passe-temps favoris des Italiens est de voir et bien sûr d'être vu. Vous en serez le témoin au quotidien, ne serait-ce que dans les cafés. Arpentez donc l'une des places populaires des grandes villes italiennes, telles que la piazza di Spagna ou la piazza Navona de Rome, la piazza del Duomo de Milan ou la piazza San Marco de

Un masque de Carnaval raffiné

Venise, et vous rencontrerez des gens de tout âge élégamment vêtus.

On appelle la *passeggiata* la petite balade rituelle du week-end ou du soir, tout comme les promenades sur les fronts de mer et de lac l'été et les tours en ville.

L'aperitivo caractérise également un autre aspect de la vie quotidienne en Italie. Ce rassemblement rituel d'amis autour d'un verre, le soir après le travail ou avant d'aller dîner ou de sortir en discothèque est de nouveau à la mode. Les bars proposent des grignotages variés pour accompagner les boissons, généralement plus coûteuses qu'aux autres heures de la journée. Cette tendance a favorisé la multiplication des bars dans les grandes villes.

ADRESSES

INFORMATIONS PRATIQUES

Liaisons Abroad
www.liaisonsabroad.com
Tél 0870 421 4020.

Office national italien de tourisme
23, rue de la Paix
75002 Paris
Tél 01 42 66 66 66.
Fax 01 47 42 19 74

OPÉRA ET MUSIQUE CLASSIQUE

Arena di Verona
Piazza Brà, Verona.
Tél 045 800 51 51.
www.arena.it

La Fenice
Campo San Fantin, Venice.
Plan 7 A2. *Tél* 041 24 24.
www.teatrolafenice.it

Maggio Musicale
Florence.
Tél 0424 600458.
www.maggiofiorentino.com

Parco della Musica
Viale de Coubertin, Rome.
Tél 06 8024 12 81.
www.auditorium.com

Teatro alla Scala
Piazza della Scala, Milan.
Tél 02 7200 3744.
www.teatroallascala.org

Teatro degli Arcimboldi
Viale dell' Innovazione 1,

Milan. *Tél* 02 641 142 212.
www.teatroarcimboldi.org

Teatro dell'Opera
Piazza B. Gigli 7, Rome.
Plan 3 C3. *Tél* 06 481
601. www.opera.roma.it

Terme di Caracalla
Via delle Terme di
Caracalla 52, Rome.
Plan 7 A3.

MUSIQUE ROCK, JAZZ ET CONTEMPORAINE

Forum di Assago
Via G. Di Vittorio 6,
Assago, Milan.
Tél 199 128 800.
www.forumnet.it

Stadio Olimpico
Viale dei Gladiatori, Roma.

Umbria Jazz
Tél 075 572 1400.
www.umbriajazz.com

THÉÂTRE ET BALLET

Teatro Carlo Felice
Passo E. Montale 4,
Genova. *Tél* 010 53 811.
www.carlofelice.it

CINÉMA

Festival du Film de Venise
Tél 041 521 87 11.
www.labiennale.org

Séjours à thème et activités de plein air

Découverte de la campagne à cheval

L'Italie offre une gamme étendue d'activités culturelles, sportives et de loisirs. Toutefois, il faut parfois être inscrit à l'année dans certaines écoles ou associations et il n'est pas toujours simple de trouver des activités pour une courte durée. Dans chaque région, les offices de tourisme – indiqués dans ce guide pour chaque ville – peuvent vous faire connaître les loisirs et les événements sportifs locaux. En ce qui concerne les festivals annuels, voyez la partie intitulée *Italie au jour le jour,* pages 66-69.

Apennins et en Sicile. Le plus avantageux est de réserver de l'étranger. La **Federazione Arrampicata Sportiva Italiana** fournit une liste d'écoles d'escalade adaptées à tous les niveaux.

Remonte-pente proche du col de Falzarego, au cœur des Dolomites

FOUILLES ARCHÉOLOGIQUES

Le **Gruppo Archeologico Romano** propose de participer à des fouilles archéologiques de deux semaines dans diverses régions. Ces fouilles s'adressent à la fois aux adultes et aux enfants. En France, la revue *Archeologia* publie chaque année dans son numéro de mai ou de juin une liste de fouilles ouvertes aux amateurs, notamment en Italie.

COURS DE LANGUE ET DE CIVILISATION ITALIENNES

Pour obtenir des informations sur les cours et les écoles en Italie, contactez le consulat italien le plus proche de votre domicile. La **Società Dante Alighieri** propose des cours de langue, d'histoire de l'art, de littérature et de civilisation – à temps plein ou à temps partiel – pour tous les niveaux. Les cours de langue abondent dans les grandes villes italiennes ; on trouve leurs adresses dans les Pages Jaunes (*Pagine Gialle*), dans les librairies étrangères ou dans les journaux. Pour les jeunes étudiants, **Intercultura** organise des échanges d'une semaine, d'un mois ou d'un an, comprenant des cours de

À vélo sur une route bordée d'arbres du delta du Pô

À PIED, À BICYCLETTE ET À CHEVAL

Certaines branches italiennes du **WWF (World Wide Fund for Nature)** organisent des circuits pédestres. Le **Club Alpino Italiano (CAI)** organise des randonnées et des ascensions et la **Ligue italienne de protection des** oiseaux **(LIPU)** prépare des expéditions pour observer les oiseaux. Les cartes militaires IGM sont les plus détaillées ; on peut se les procurer dans les librairies spécialisées.

En dépit du relief accidenté de l'Italie, le cyclisme est un sport populaire. Le vaste delta du Pô est une région plate très adaptée au vélo. Des librairies spécialisées vendent des cartes pour cyclistes.

Beaucoup de centres équestres organisent des balades annoncées dans la presse locale. Pour plus d'informations, contactez la **Federazione Italiana Sport Equestri**.

SPORTS DE MONTAGNE

Les stations de ski les plus réputées se trouvent dans les Dolomites. Il y en a d'autres, plus petites et plus économiques, dans les

Groupe de randonneurs dans les Dolomites du Trentin-Haut-Adige (*p. 78*)

Un cours de cuisine italienne en Sicile

langue, l'inscription dans une école et l'hébergement dans une famille italienne. Enfin, l'**Università per Stranieri** de Pérouse propose des cours de civilisation, d'histoire et de cuisine.

Si vous parlez anglais, des organismes comme **Tasting Italy** dispensent des cours de cuisine italienne et de découverte du vin, en Vénétie, Sicile, Toscane et au Piémont. Les offices de tourisme locaux proposent aussi des circuits de dégustation de vin.

SPORTS NAUTIQUES

On peut louer des voiliers, des canoës et des planches à voile dans la plupart des stations balnéaires. D'ordinaire, les clubs ne donnent des cours qu'à leurs adhérents. On peut obtenir une liste d'associations agréées auprès de la **Federazione Italiana Canoa Kayak** et la **Federazione Italiana Vela**. La plupart des agences de voyages et le magazine *Avventure nel Mondo* proposent des cours de voile et des croisières d'une semaine sur un voilier.

Les piscines sont assez chères, et rares sont celles qui vous acceptent pour la journée. Il faut souvent prendre une carte d'adhésion et payer un forfait mensuel. Certains hôtels de luxe ouvrent leurs piscines au public en été, mais elles sont chères. Les parcs nautiques avec toboggans et jeux sont très prisés. Assurez-vous toujours que l'eau – surtout de la mer à proximité d'une grande ville – n'est pas polluée. La **Federazione**

Italiana di Attività Subacquee organise des cours de plongée sous-marine.

SPORTS AÉRIENS

Dans toute l'Italie, des écoles offrent des cours de deltaplane et de vol, mais la durée minimale de chaque cours est d'un mois. Pour obtenir des informations, contactez l'**Aeroclub Italia**. Il faut avoir la licence avant de pouvoir voler et chaque appareil doit être enregistré auprès de l'aéroclub.

AUTRES SPORTS

Le golf est un sport très prisé en Italie et on a l'embarras du choix parmi la myriade de terrains. Il faut souvent être membre d'un club pour pouvoir y accéder chaque jour. Les clubs de tennis sont en général réservés aux membres, mais on peut se faire inviter. La **Federazione Italiana di Tennis** détient une liste de tous les clubs.

Le football est une véritable passion chez les Italiens et dans chaque parc, sur chaque plage, vous assisterez à des matchs amicaux et bruyants. On peut louer des terrains de football à 5, mais il est plus agréable de jouer entre amis ou de se joindre à un groupe.

Loisir ou sport de compétition, la voile est très prisée en Italie

ADRESSES

Aeroclub Italia
Via Cesare Beccaria 35a, 00196 Rome. *Tél* 06 36 08 46 00.
www.aeci.it

Club Alpino Italiano
Via E. Petrella 19, Milan.
Tél 02 205 72 31.
www.cai.it

Federazione Arrampicata Sportiva Italiana
Via del Terrapieno 27, 40127 Bologne. *Tél* 051 601 48 90.
www.federclimb.it

Federazione Italiana di Attività Subacquee
Via Flaminia Nuova 830, 00191 Rome. *Tél* 06 36 85 63 02.
www.fipsasroma.it

Federazione Italiana Canoa Kayak
Viale Tiziano 70, 00196 Rome. *Tél* 06 36 85 85 25.
www.federcanoa.it

Federazione Italiana Sport Equestri
Viale Tiziano 74, 00196 Rome. *Tél* 06 36 85 83 26. www.fise.it

Federazione Italiana di Tennis
Stadio Olimpico, Rome.
Tél 06 36 85 84 11.
www.federtennis.it

Federazione Italiana Vela
Piazza Borgo Pila 40, Genova.
Tél 010 544 541.
www.federvela.it

Gruppo Archeologico Romano
Via Baldi degli Ubaldi 168, 00167 Rome. *Tél* 06 638 52 56.
www.gruppoarcheologico.it

Intercultura
Via Venezia 25, 00184 Rome.
Tél 06 4888 2401.
www.intercultura.it

Ligue italienne de protection des oiseaux (LIPU)
Via Trento 49, 43100 Parma.
Tél 0521 27 30 43. www.lipu.it

Società Dante Alighieri
Via Gino Capponi 4, 50121 Florence. *Tél* 055 247 8981.
www.dantealighieri.it

World Wide Fund for Nature (WWF)
Via Po 25c, 00198 Rome.
Tél 06 84 49 71.
www.wwf.it

RENSEIGNEMENTS
PRATIQUES

ITALIE MODE D'EMPLOI

Les Italiens vous diront tous que l'Italie est le plus beau pays du monde. Ils n'ont pas tout à fait tort, et le charme de leur pays fait parfois oublier les nombreux problèmes pratiques auxquels on se trouve confronté : il est assez difficile d'obtenir des informations, les services publics,

ITALIA

ENTE NAZIONALE
ITALIANO PER IL TURISMO

Logo de l'ENIT

notamment les banques, sont souvent congestionnés par des files d'attente et de fastidieuses pratiques bureaucratiques et enfin la lenteur du service postal est proverbiale. Lisez ces pages. Avec un peu de patience, elles devraient faciliter votre séjour en Italie.

Touristes sur le ponte della Paglia à Venise *(p. 109)*

QUAND VISITER L'ITALIE

Le nord de l'Italie est en général plus tempéré que le Sud qui bénéficie d'un climat méditerranéen. De juin à septembre, il fait chaud dans tout le pays et souvent humide au cœur de l'été. Les stations balnéaires ne désemplissent pas. Plus tempérés, le printemps et l'automne sont des saisons idéales, bien plus agréables pour le tourisme, malgré quelques averses.

Les sites et les villes chargées d'histoire de l'Italie en font une destination très prisée, une donnée à ne pas négliger quand on prépare son voyage. La plupart des musées et monuments sont ouverts toute l'année, hormis les jours fériés *(p. 69)* et un jour par semaine. Des villes comme Rome, Florence et Venise sont bondées du printemps à octobre, il est donc recommandé de réserver son hôtel à l'avance. En août, certaines villes désertées par leurs habitants sont plus calmes.

Pendant le carnaval *(p. 69),* en février, Venise triple sa

population et à Pâques, Rome est envahie par les pèlerins et les touristes. L'hiver est parfois très froid, notamment dans le Nord : la période de décembre à mars est parfaite pour le ski dans les stations des Alpes italiennes. Les pages 72-73, *Climats en Italie* vous donneront plus de détails par région.

VISAS ET PERMIS DE SÉJOUR

Les ressortissants de l'Union européenne, des USA, du Canada, de l'Australie et de Nouvelle-Zélande n'ont pas besoin de visas pour un séjour inférieur à 3 mois. Pour la plupart des membres de la communauté européenne, une pièce d'identité valide avec une photographie suffit. Les citoyens britanniques, irlandais, danois et suédois doivent avoir un passeport.

Tous les visiteurs doivent s'informer au préalable des formalités d'entrée auprès de l'ambassade d'Italie de leur pays, et se déclarer officiellement à la police italienne dans les 8 jours suivant leur arrivée. Si vous

séjournez à l'hôtel ou dans un camping, c'est automatique. Sinon, rendez-vous au commissariat *(Questura)* le plus proche. Toute personne qui souhaite rester plus de 3 mois, (ou de 8 jours pour les ressortissants non-européens) doit obtenir un permis de séjour, qu'il s'agisse d'un permis de travail *(lavoro)* ou d'un permis d'étude *(studio)* : la demande se fait auprès des commissariats principaux, ou *Questura di Provincia.* On trouve aussi les formulaires nécessaires dans les principaux bureaux de poste. La liste des documents à fournir est présentée sur le site de la *Questura (p. 665).*

Pour un permis d'étude, procurez-vous une lettre de l'école ou de l'université que vous souhaitez rejoindre, indiquant les détails du cursus, puis transmettez-la au consulat italien de votre pays de naissance pour obtenir une lettre d'introduction officielle. Vous devrez aussi prouver que votre assurance médicale a été réglée en cas de maladie ou d'accident nécessitant un traitement. Une police d'assurance tous risques valable pour la durée de votre séjour *(p. 667)* devrait suffire.

Le célèbre café *Tazza d'Oro,* à Rome, constitue une halte agréable

◁ **La magnifique piazza del Campo, à Sienne, lieu de réunion des Siennois et des touristes**

PRODUITS IMPORTÉS

Depuis le 30 juin 1999, le service des Duty Free qui proposait des produits de luxe, de l'alcool, du parfum ou du tabac a été supprimé. Bien sûr, cela ne vous empêche pas d'introduire en Italie les produits en petite quantité et pour un usage personnel.

Les consulats pourront vous renseigner sur les conditions particulières de régulations. Pour savoir ce que vous pourrez rapporter d'Italie vers votre pays, contactez les douanes de votre pays.

Logo des bureaux d'information

EXONÉRATION DE LA TVA

En Italie, la TVA (IVA en Italie) est d'environ 20 % , un taux ramené de 4 à 10 % sur certains articles. Si vous n'êtes pas citoyen de l'Union européenne, vous pouvez obtenir le remboursement de l'IVA pour tout achat d'une valeur supérieure à 155 euros, mais les démarches pour l'obtenir sont fastidieuses. Le plus simple est de faire vos achats dans les magasins arborant le sigle « Euro Free Tax ». Après avoir montré votre passeport à la caisse et rempli un formulaire, l'IVA sera déduite de votre facture. Vous pouvez aussi présenter le reçu à la douane lors de votre départ. Le douanier le tamponnera et vous devrez le renvoyer au vendeur. Vous recevrez ensuite le remboursement par la poste.

INFORMATION TOURISTIQUE

L'Office National Italien de Tourisme (**ENIT**) possède des bureaux dans les capitales du monde entier et fournit des renseignements généraux sur l'Italie. Pour des informations plus spécifiques, adressez vous aux offices de tourisme locaux. Nous avons indiqué leur adresse et leur numéro de téléphone pour chaque ville ou localité, et ils sont reportés sur les cartes des villes. L'**EPT** (*Ente Provinciale di Turismo*) renseigne sur la ville et la province, alors que l'**APT** (*Azienda di Promozione Turistica*) s'occupe uniquement d'un lieu précis. Les deux organismes distribuent ou vendent des cartes, des plans et des guides en plusieurs langues, réservent des hôtels et organisent des visites guidées. Ils peuvent aussi vous indiquer des guides locaux proposant des visites et vous signaler les excursions. Les petites localités possèdent un office de tourisme local (*Pro Loco*) qui n'est parfois ouvert que durant la saison touristique. Il se trouve d'ordinaire à la mairie (*comune*).

VISITES GUIDÉES

De nombreuses agences de voyages proposent des excursions en autocar, avec des guides parlant plusieurs langues. La CIT organise des circuits en autocar dans toute l'Italie. Si vous souhaitez sortir des sentiers battus, cherchez sur place les adresses des agences et des organisations de voyages dans les pages locales des journaux ou en vous informant auprès des offices de tourisme. Employez toujours des guides officiels et négociez le prix à l'avance pour éviter les surprises. Pour les divers types de vacances à thème, reportez-vous aux pages 658-659.

Une visite guidée dans les rues de Florence

Promenade sur un paisible canal de Venise

HORAIRES D'OUVERTURE

Peu à peu les musées italiens adoptent de nouveaux horaires, notamment dans le Nord et le Centre. Ils ouvrent chaque jour de 9 h à 19 h, en dehors du lundi. L'hiver, beaucoup ferment plus tôt, en particulier le dimanche. Les petits musées privés ont leurs propres horaires et il est donc plus prudent de téléphoner avant de s'y rendre. Les sites archéologiques restent accessibles de 9 h jusqu'à une heure avant le coucher du soleil, du mardi au dimanche. Les églises sont ouvertes de 7 h à 12 h 30 et de 16 h à 19 h. Mais souvent on ne peut pas les visiter durant les offices ; mieux vaut donc éviter les dimanches.

DROITS D'ADMISSION

Le billet d'entrée dans les divers lieux culturels se situent habituellement entre 2 et 9 euros ; il faudra parfois acquitter un droit d'entrée dans certaines églises. Il n'existe pas toujours de tarif étudiant, mais les ressortissants de l'Union européenne de moins de 18 ans et de plus de 60 ans peuvent entrer gratuitement dans de nombreux musées nationaux et sites archéologiques. Les groupes bénéficient souvent d'une réduction. Pour profiter d'un tarif spécial, il faut présenter une carte d'étudiant ou un passeport.

SAVOIR-VIVRE ET POURBOIRES

Dans l'ensemble, les Italiens sont aimables à l'égard des étrangers. Quand on entre dans une boutique ou dans un bar, l'usage veut que l'on dise *buon giorno* (bonjour) ou *buona sera* (bonsoir). On fait de même quand on sort. Les gens vous indiquent volontiers le chemin dans la rue. Il suffit souvent de dire *scusi* suivi du nom de l'endroit où vous désirez vous rendre. À *grazie* (merci), on répond *prego* (je vous en prie).

Au restaurant, on laisse un pourboire quand le service n'est pas compris. Un pourboire de 10 % est considéré comme généreux. Quand un chauffeur de taxi ou un portier d'hôtel s'est montré obligeant, il suffit d'arrondir le total aux euros supérieurs.

Soucieux de leur apparence, les Italiens remarquent vite une tenue décalée. Dans les lieux de culte, couvrez-vous les épaules et le buste, et porter des shorts et des jupes au-dessous du genou.

Il est interdit de fumer dans tous les bâtiments publics (y compris les bureaux, les magasins, les bars et les restaurants), mais la cigarette est tolérée dans les lieux publics en plein air, en revanche, l'ivresse est très mal vue.

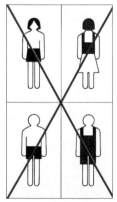

Tenues non admises dans les églises : torse et épaules doivent être couverts

Une étudiante se détend au soleil à Gaiole in Chianti

SERVICES RELIGIEUX

Près de 85 % de la population italienne est catholique. La messe du dimanche est célébrée dans tout le pays, et dans les grandes églises du pays, des offices ont lieu en semaine. Dans certaines villes, on peut entendre la messe en français dans quelques églises comme à Saint-Louis-des-Français, à Rome. Pour être reçu en audience publique par le pape, reportez-vous page 419.

De plus en plus d'étrangers résidant en Italie, toutes les grandes religions y sont représentées. Pour plus de détails, contactez les différents centres confessionnels à Rome.

ÉTUDIANTS

L'organisation italienne de voyage pour étudiants, le **CTS** (Centro Turistico Studentesco) délivre la carte internationale d'étudiant (ISIC) et la carte d'échanges éducatifs internationaux (YIEE). Toutes deux donnent des réductions dans les musées et les monuments. Avec la carte de l'ISIC, on bénéficie aussi 24 heures sur 24 d'un service d'assistance téléphonique fournissant renseignements et conseils pratiques sur la vie étudiante en Italie. Le CTS propose des séjours et des cours de langue sur place et également des locations de voiture à prix réduit. Si vous êtes membre de la Fédération des Auberges de Jeunesse, adressez-vous à l'**Associazione Italiana Alberghi per la Gioventù**.

Carte ISIC

VOYAGER AVEC DES ENFANTS

Dans l'ensemble, les Italiens adorent les enfants, et sont souvent assez permissifs. La plupart des trattorias et des pizzerias les accueillent bien volontiers (même s'ils ont rarement des chaises hautes), et aucun règlement ne les exclut des bars. Les hôtels les acceptent de bon gré, tout en n'étant pas toujours vraiment équipés pour cela. Les hôtels haut de gamme proposent parfois un service de baby-sitting. Très peu de musées offrent des activités adaptées aux enfants. Mais la plupart des villes possèdent des aires de jeux et accueillent les fêtes foraines en été, une saison où les enfants jouent sur les places publiques, assez tard le soir. Une pause *gelato* sera sûrement bien accueillie et pour les jeunes nageurs, les eaux calmes de la Méditerranée sont idéales, même s'il ne faut pas oublier de les surveiller.

PERSONNES HANDICAPÉES

Certaines villes disposent d'autobus adaptés aux handicapés et des ascenseurs sont introduits peu à peu dans les musées et certaines églises. À Milan, **AIAS** (Associazone Italiana Assistenza Spastici) et à Rome **CO.IN.Sociale** renseignent sur les aménagements et donnent des conseils pratiques. Les handicapés voyageant avec **Trenitalia** bénéficient de places réservées et d'une assistance en gare.

TOILETTES PUBLIQUES

Les *Gabinetto* ou WC. sont bien signalés dans les villes touristiques. Il vous en coûtera 1 euro, plus un petit pourboire si le personnel de ménage est sur place. Les toilettes des cafés sont plutôt réservées aux clients, mais n'hésitez pas à demander. Les W.C. à la turque sont encore couramment en usage.

ADAPTATEURS ÉLECTRIQUES

Les Italiens utilisent le 220 volts et des prises à deux fiches rondes. Alors si nécessaire pensez à emporter un adaptateur universel. La plupart des hôtels 2 ou 3 étoiles ont une prise pour les sèche-cheveux et les rasoirs dans les chambres, mais vérifiez le voltage.

HEURE ITALIENNE

Comme la Belgique, la France et la Suisse, l'Italie vit à l'heure de l'Europe centrale. En mars, on avance les montres d'1 heure et en octobre on revient à l'horaire d'hiver. Le décalage horaire avec Montréal est de 6 heures.

L'horloge de San Giacomo di Rialto à Venise (p. 97)

TOURISME RESPONSABLE

Les réflexes écologiques des Italiens évoluent vraiment assez lentement en Italie, et ce, malgré les efforts que tentent le parti des Verts et les autres mouvements et associations concernés. Vous trouverez dans certaines villes des poubelles différentes pour faire le tri des déchets, mais cela est loin d'être généralisé dans le pays.

Il existe cependant des alternatives pour essayer de limiter l'impact du tourisme sur l'environnement. Par exemple, au lieu de séjourner dans un hôtel international, vous pouvez trouver un hébergement dans une pension de famille et ainsi vous participerez au soutien de l'économie locale.

Les parcs nationaux et régionaux décernent des écolabels aux hôtels et aux pensions qui adhèrent à la réglementation européenne sur le tourisme durable. Cette charte porte sur les économies d'eau et d'énergie, le recyclage des déchets et la promotion des produits locaux.

L'**Association nationale pour l'agritourisme** (*p. 556*) propose de nombreux séjours à la ferme qui sont une merveilleuse façon de découvrir la campagne et les traditions régionales. Les dépenses des estivants viennent alors compléter les revenus des petits fermiers généralement heureux de vous faire apprécier les richesses de leur exploitation. Les installations varient et dans certains cas, on peut même donner un coup de main.

De plus en plus de cultivateurs et de fermiers pratiquent la vente directe au public, garantissant des produits frais et de saison. Les produits de culture biologique portent l'étiquette *biologico*.

ADRESSES

COMMISSARIAT ET VISAS

www.poliziadistato.it
www.portaleimmigrazione.it
www.esteri.it/visti

DOUANES ET TVA

www.agenziadogane.it

INFORMATION TOURISTIQUE ET VISITES GUIDÉES

APT Firenze
Via Cavour 1r. **Plan** 2 D4.
Tél. 055 29 08 32.
www.firenzeturismo.it

APT Siena
Piazza del Campo 56.
Tél. 0577 28 05 51.
www.terresiena.it

APT Venezia
Piazza San Marco 71f.

Plan 7 B2. **Tél.** 041 529 87 11. www.turismovenezia.it

CIT
Piazza Stazione 51/R,
Florence. **Plan** 5 B1.
Tél. 055 284 936.
www.citviaggi.it

ENIT
www.enit.it.

IAT Milano
Piazza Duomo 19a.
Tél. 02 72 52 43 01.
www.visitamilano.it

Office de Tourisme Roma
Gare Termini, quai 24.
Plan 4 D3. **Tél.** 06 06 08.
www.060608.it

ORGANISATIONS RELIGIEUSES

Catholique
Ufficio Informazioni

Vaticano, Piazza San
Pietro, Vaticano, Rome.
Plan 1 B3.
Tél. 06 69 88 16 62.

Juive
Unione delle Comunità
Ebraiche Italiane,
Lungotevere Sanzio 9,
Rome. **Plan** 6 D1. **Tél.** 06
580 36 70. www.ucei.it

Musulmane
Centro Islamico Culturale
d'Italia, Viale della
Moschea 85, Rome.
Tél. 06 808 22 58.

INFORMATION POUR ÉTUDIANTS

Associazione Itallana Alberghl per la Gioventù
Via Cavour 44 (3e étage),
Rome. **Plan** 3 C5. **Tél.** 06
487 11 52. www.ostellionline.org

CTS
Via Solferino 6A, Rome.
Plan 4 D3. **Tél.** 06 462 04
31. www.cts.it

ORGANISMES SPÉCIALISÉS

AIAS
Via P. Mantegazza 10,
Milan. **Tél.** 02 330 20 21.
www.aiasmilano.it

CO.IN.Sociale
Via E. Giglioli 54A, Rome.
www.coinsociale.it

Roma per Tutti
Tél. 06 57 17 70 94.
www.rmapertutti.it

TOURISME RESPONSABLE

Association Nationale pour l'Agritourisme
www.agriturist.it

Santé et sécurité

En général, l'Italie est un pays sûr, mais il vaut mieux faire attention à ses affaires personnelles, surtout dans les grandes villes. La police est très présente dans tout le pays et en cas d'urgence ou d'agression, elle sera en mesure de vous porter assistance et de vous dire où vous adresser pour signaler un accident. Si vous tombez malade, la première chose à faire est de vous rendre dans une pharmacie : on pourra vous conseiller, ou vous envoyer au bon endroit pour vous faire soigner. En cas d'urgence, le service des urgences (*Pronto Soccorso*) de n'importe quel hôpital vous prendra en charge. Le personnel parle souvent anglais, surtout dans les grandes villes.

Commissariat de police
(*Commissariato di Polizia*)

Voiture de police

Bateau-ambulance à Venise

Voiture de pompier romaine

SÉCURITÉ DES BIENS

Les délits mineurs comme le vol à la tire, le vol de sac, le vol de voiture sont répandus. Si vous en êtes victime, il faut le déclarer dans les 24 heures au commissariat (*questura* ou *commissariato*) le plus proche.

Évitez de laisser des objets bien en vue dans un véhicule sans surveillance, notamment un autoradio. Si vous devez laisser des bagages dans votre voiture, cherchez un hôtel disposant d'un parking privé. Ne laissez jamais votre portefeuille dans la poche arrière de votre pantalon dans les autobus ou les endroits bondés. Les « bananes » sont parmi les proies favorites des pickpockets ; tâchez de les dissimuler. Dans la rue, tenez vos sacs et appareils-photo vers l'intérieur du trottoir, pour ne pas tenter des voleurs motorisés et, hors des zones touristiques, n'exhibez pas de caméras de valeur. En cas d'agressions, ne vous accrochez pas à vos biens, vous pourriez être gravement blessé ou traîné au sol. Évitez de transporter de gros montants – ne prenez que l'argent nécessaire pour la journée. Il est conseillé de souscrire une assurance tous risques qui couvre aussi bien le vol que le retard ou l'annulation des vols, la perte ou dégradation des bagages, de l'argent et autres objets de valeur, ainsi que la responsabilité civile. Votre assurance devra également inclure le conseil et l'assistance juridiques. Si vous devez signaler à votre assurance le vol ou la perte d'un bien, il faut fournir la copie de la plainte (*denuncia*) déposée au commissariat de police. En cas de perte de passeport, rendez-vous à votre consulat ou à votre ambassade ; pour la perte de cartes de paiement ou de chèques de voyage, contactez la succursale la plus proche de l'organisme les ayant délivrés.

Si vous n'êtes pas couvert par une assurance, contactez votre ambassade dès qu'un accident se produit. Celle-ci peut vous conseiller et vous fournir une liste d'avocats parlant italien et français et connaissant à la fois le système juridique italien et celui de votre pays.

SÉCURITÉ DES PERSONNES

La petite délinquance est fréquente dans les villes, mais les actes de violence sont rares en Italie. Bien que les gens élèvent la voix et se montrent agressifs durant les disputes, si vous restez calme et poli, cela aide à enrayer les conflits. Méfiez-vous des guides non autorisés, des chauffeurs de taxi sans licence, ou des inconnus qui voudraient vous conduire dans un hôtel, un restaurant ou une boutique en espérant une rétribution.

Une compagnie de *carabinieri* en uniforme de ville

FEMMES SEULES

Une femme qui voyage seule en Italie a toutes les chances de se faire aborder, ce qui est plus agaçant que dangereux. Cependant il vaut mieux éviter les rues désertes et mal éclairées ainsi que les abords des gares la nuit. On peut aussi avoir sur soi un sifflet ou une alarme, et enregistrer le numéro de l'hôtel et d'une compagnie de taxis dans votre téléphone portable. D'ordinaire, le personnel des hôtels et des restaurants traite les femmes seules avec un surcroît de gentillesse et d'attention.

POLICE

La police nationale (*poltzta*) porte un uniforme bleu et est équipée de voitures bleues. Elle s'occupe de la plupart des délits.

Les *carabinieri* sont des militaires à l'uniforme bleu foncé et noir, au pantalon orné d'un liseré rouge. Chargés de lutter contre les diverses infractions allant du crime organisé aux excès de vitesse, ils opèrent également des contrôles de sécurité.

La *guardia di finanza* est chargée de la répression des fraudes et porte un uniforme gris, au pantalon orné d'un liseré jaune.

Les *vigili urbani* (police municipale) ont un uniforme bleu et blanc en hiver, blanc en été. Ils règlent la circulation et patrouillent dans les rues. Bien qu'ils ne soient pas de véritables officiers de police, ils peuvent délivrer de lourdes amendes pour les infractions liées à la circulation et au stationnement.

Toutes ces forces de police peuvent vous assister en cas d'urgence.

Façade d'une pharmacie florentine

SOINS MÉDICAUX

En Italie, les soins médicaux d'urgence sont gratuits pour les citoyens de l'Union européenne. Avant de partir, procurez vous auprès de la Sécurité Sociale la carte européenne d'assurance maladie. On vous indiquera comment procéder pour être pris en charge dans les pays membres de l'Union européenne. Dans certains cas, vous devrez avancer les sommes, dont vous serez remboursé à votre retour, en fournissant les pièces justificatives.

Si vous n'êtes pas ressortissant de l'Union européenne, vous pouvez souscrire une police d'assurance privée qui couvrira les soins médicaux. En cas d'urgence, rendez-vous au centre de *Pronto Soccorso* (service des urgences) de l'hôpital le plus proche qui vous dirigera vers un spécialiste ou vers le service approprié. Vous pouvez aussi faire appeler de l'hôtel un médecin de nuit de la *guardia medica* à qui expliquer votre problème au téléphone.

Aucun vaccin n'est requis pour se rendre en Italie, mais en été, il convient de se munir d'un anti-moustiques. Les crèmes et vaporisateurs anti-moustiques ainsi que les diffuseurs électriques contre les insectes sont disponibles en pharmacie.

Policier municipal

PHARMACIES

Les pharmacies (*farmacie*) vendent des médicaments et des produits homéopathiques, mais il faut souvent posséder une ordonnance. Vous y trouverez aussi des articles de toilette et des produits de beauté. Un personnel qualifié vous conseillera les remèdes nécessaires pour les maladies mineures les plus courantes. Grâce à un service de nuit par roulement (*servizio notturno*), il y a toujours une pharmacie ouverte dans les villes. Celle de garde est indiquée dans la presse locale et sur la porte des pharmacies.

Enfin, sachez que les médicaments de base délivrés sans ordonnance comme l'aspirine sont moins chers dans la plupart des supermarchés.

ADRESSES

AMBASSADES

France
Piazza Farnese 67, Rome.
Tél 06 68 60 11.
www.ambafrance-it.org

Belgique
Via Monti Parioli 49, Rome.
Tél 06 36 09 511.

Canada
Via G.B. de Rossi 27, Rome.
Tél 06 8544 42 911.
www.canada.it

Luxembourg
Via Santa Croce
in Gerusalemme 90, Rome.
Tél 06 7720 11 77.

Suisse
Via Oriani 61, Rome.
Tél 06 680 95 71.

TÉLÉPHONES D'URGENCE

Premiers secours
Tél 113.

Police (*Carabinieri*)
Tél 112.

Pompiers
Tél 115.

Urgences médicales
Tél 118.

Banques et monnaie

Pratiquement tous les hôtels, de nombreux magasins, les grands restaurants et les stations-service acceptent les principales cartes bancaires. Le manque d'espèces peut toutefois poser un problème dans les endroits les plus reculés. Certains établissements accordent une réduction pour le paiement en liquide, surtout en basse saison. Vous pouvez changer des devises dans les banques, qui proposent souvent de meilleurs taux de change, mais cela prend tellement de temps qu'il vaut mieux passer par les bureaux de change et les changeurs automatiques. Toutes les banques honorent les chèques de voyage et les distributeurs automatiques de billets (*bancomat*) acceptent les cartes Eurochèque. Beaucoup prennent également la MasterCard (Access), la Visa et l'American Express.

Distributeur de billets acceptant les cartes Visa et MasterCard

CHANGE

Compte tenu des horaires d'ouverture des banques, assez limités et parfois fluctuants, il est plus prudent d'acquérir des euros avant d'arriver en Italie. Les cours du change varient d'une banque à l'autre. Les chèques de voyage sont toujours un moyen sûr de transporter de l'argent, malgré des commissions parfois élevées. Préférez un organisme réputé tel Thomas Cook ou American Express.

Sur place, le moyen le plus pratique est d'utiliser les changeurs automatiques implantés dans les aéroports, les gares ou à l'extérieur des banques les plus importantes. On peut lire en français le taux de change sur l'écran. Il suffit d'y introduire des billets étrangers pour recevoir des euros en échange.

On trouve des bureaux de change dans toutes les grandes villes. Ils offrent en général un change moins avantageux et prélèvent une commission plus élevée que celle des banques.

VARIATIONS RÉGIONALES DU COÛT DE LA VIE

Le Nord est souvent plus cher que le Sud. Les restaurants et les hôtels situés hors des lieux touristiques sont moins onéreux et il est plus avantageux d'acheter des produits locaux, en évitant les pièges à touristes.

HEURES D'OUVERTURE

Les banques ouvrent généralement de 8 h 30 à 13 h 30, du lundi au vendredi. La plupart ouvrent l'après-midi entre 14 h 15 et 15 h ou entre 14 h 30 et 15 h 30. Elles ferment le week-end, les jours fériés et un peu plus tôt les veilles de fêtes. Les bureaux

Sas électronique de sécurité à l'entrée d'une banque

de change restent souvent ouverts toute la journée et même, dans certains endroits, tard le soir.

BANQUE

Par mesure de sécurité, la plupart des banques sont équipées de sas électroniques. Déposez d'abord objets de métal et sacs dans un casier situé dans le vestibule. Pressez ensuite un bouton pour ouvrir la première porte et attendez qu'elle se verrouille derrière vous. La seconde porte s'ouvre alors automatiquement. Des vigiles armés surveillent la plupart des banques.

Changer de l'argent dans une banque peut s'avérer exaspérant, car il faut remplir d'interminables formulaires et faire la queue. D'abord adressez vous au guichet *cambio*, puis allez à la *cassa*. En cas de doute, renseignez-vous pour éviter d'attendre dans la mauvaise file.

Si vous devez vous faire envoyer de l'argent en Italie, votre banque peut le transmettre par télex à une banque italienne, mais cela prend au moins 1 semaine. American Express, Thomas Cook et Western Union effectuent des transferts d'argent plus rapides, à la charge de l'expéditeur.

DISTRIBUTEURS AUTOMATIQUES DE BILLETS

Retirer de l'argent au distributeur avec sa carte de crédit est facile grâce aux instructions indiquées. Vous devrez utiliser votre numéro de code, car la machine va le demander. Si pour une raison ou une autre (un code erroné, par exemple) le distributeur avale votre carte, elle risque d'être renvoyée à l'émetteur. Renseignez-vous aussitôt, si l'agence est ouverte. Le coût des retraits étant variable, demandez conseil a votre chargé de compte avant de partir. Il vaut mieux parfois retirer une grosse somme en une seule fois. Pensez aussi que les distributeurs se vident au fil du week-end.

EURO

Mise en circulation le 1er janvier 2002, l'euro, la monnaie unique européenne, est aujourd'hui en circulation dans 16 pays sur les 27 États membres de l'Union européenne : Allemagne, Autriche, Belgique, Chypre, Espagne, Finlande, France, Grèce, Luxembourg, Italie, Irlande, Malte, Pays-Bas, Portugal, Slovaquie et Slovénie. Le Royaume-Uni, le Danemark et la Suède ont préféré conserver leur monnaie, avec la possibilité de revenir sur leur décision. Les billets sont identiques dans les 16 pays. Pour les pièces, une face est commune, l'autre est personnalisée par chaque État. Quelque soit le pays d'origine, ces pièces et billets s'utilisent dans tous les pays de la zone Euro.

Billets de banque
Différents billets existent.
Le billet de 5 euros (gris) est le plus petit, suivi de 10 euros (rose), 20 euros (bleu), 50 euros (orange), 100 euros (vert), 200 euros (jaune) et 500 euros (violet).
Tous les billets sont à l'effigie de l'Union européenne.

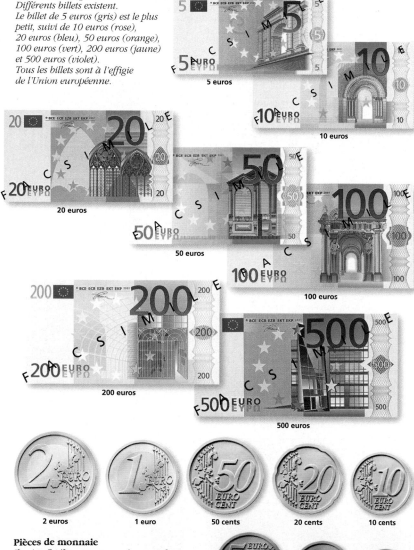

5 euros

10 euros

20 euros

50 euros

100 euros

200 euros

500 euros

2 euros

1 euro

50 cents

20 cents

10 cents

Pièces de monnaie
Il existe 8 pièces en euros : 1 euro et 2 euros; 50 cents, 20 cents, 10 cents, 5 cents, 2 cents et 1 cent. Les pièces de 1 et 2 euros sont de couleur argent et or. Celles de 50, 20 et 10 cents sont dorées. Celles de 5, 2 et 1 cents sont de couleur bronze.

5 cents

2 cents

1 cent

Communications et médias

La poste italienne est connue pour sa lenteur, mais les autres moyens de communication, au moins dans les grandes villes, sont efficaces. Les plus employés sont les télécopieurs et le téléphone. Internet est partout disponible.

Logo de la compagnie du téléphone

On trouve les journaux étrangers dans toutes les villes de quelque importance. L'Italie possède des chaînes de télévision publiques et privées, mais seules les chaînes transmises par satellite et les stations de radio diffusent des programmes en langue étrangère.

TÉLÉPHONES PUBLICS

La compagnie italienne des téléphones est Telecom Italia. Les appareils à pièces ont été remplacés par des appareils à carte qui fonctionnent avec une carte de Telecom Italia (*carta* ou *scheda telefonica*). Vous pouvez l'acheter dans les bars, les kiosques à journaux, les *tabacchi* et bien sûr les postes. La plupart des appareils affichent leurs instructions en 5 langues (italien, espagnol, français, anglais et allemand). Pour sélectionner une langue, on appuie sur le bouton placé en haut à droite. Les cartes téléphoniques internationales, qui sont en vente elles aussi dans les tabacs et les kiosques à journaux, restent le moyen le plus économique. Certaines cartes offrent jusqu'à 3 heures de communication, en fonction du pays appelé, pour environ 10 euros. Composez le numéro gratuit inscrit sur la carte, puis entrez votre code secret trouvé sous la zone argentée, à l'arrière de la carte. Un opérateur vous donne le montant de votre crédit et vous demande de composer le numéro que vous désirez.

La communication coûte un peu plus cher quand on appelle d'un téléphone portable ou d'une cabine publique. Demandez à votre hôtel s'il facture un supplément quand vous appelez avec une carte de votre chambre.

Téléphone

E-MAIL ET INTERNET

L'Italie ne manque pas de points Internet, notamment dans les zones urbaines, il est donc facile de se connecter sur la toile ou de consulter vos e-mails. **Telecom Italia**, la compagnie italienne des téléphones, a installé un service Internet dans les principales gares du pays et les centres de téléphones publics. Le temps passé sur le web peut être décompté sur votre carte de téléphone. Les principales chaînes de services Internet vendent des cartes magnétiques avec un crédit temps valables dans tous leurs points de vente nationaux. Présente dans plus de 90 villes, **Internet Train** est la plus visible. Vous trouverez la liste de leurs succursales sur leur site. D'autres points, plus petits, concentrés vers les gares, les hôtels bon marché et les universités, se trouvent dans les arrières-salles d'épicerie, dans un coin de café ou de bar, et proposent aux internautes des connexions de 15 min. Des réductions sont offertes aux étudiants ainsi qu'un tarif dégressif pour les connexions plus longues. Beaucoup d'hôtels ont le Wi-Fi, on peut donc se connecter avec son ordinateur portable. Si ce dernier est équipé de **Skype** ou **Voip Stunt**, vous pourrez téléphoner gratuitement via Internet grâce à un petit micro.

TÉLÉPHONES MOBILES

Il existe 4 grandes fréquences GSM (Global System for Mobile Communications) dans le monde, garantissant le bon fonctionnement de votre téléphone, pourvu qu'il soit quadri-bandes. En principe, les téléphones tri-bandes sont compatibles, à l'exception des modèles américains qui n'utilisent que deux bandes de fréquence, offrant une couverture limitée dans le monde. Contactez votre fournisseur pour plus de détails. L'emploi de votre téléphone à l'étranger impose parfois une autorisation de *roaming* de votre opérateur de réseau. Vous paierez alors un supplément significatif pour la communication en couverture étrangère, aussi bien pour les appels émis que pour les appels reçus. La solution la plus fréquente est d'affilier votre téléphone à un réseau mobile local par l'achat d'une carte SIM que vous pourrez recharger. Il faudra bien sûr que votre portable ne soit pas verrouillé par votre opérateur.

Un téléphone public de Telecom Italia

Veillez à ce que votre assurance couvre le vol de portable et ne partez pas sans le numéro de la hotline de votre opérateur, en cas d'urgence.

TÉLÉVISION ET RADIO

Les chaînes de télévision italiennes comprennent entre autres celles de la RAI (Uno, Due et Tre) et de Mediaset (Retequattro, Canale Cinque et Italia Uno), qui appartiennent à Silvio Berlusconi, et de nombreuses autres chaînes privées locales. Les films étrangers sont doublés en italien, mais grâce au satellite, il est possible de regarder des chaînes internationales. Il existe trois stations de radio nationales et des centaines de stations locales. Radio France Internationale est diffusée sur 6175 KHz (49 m, ondes courtes).

Un choix de grands quotidiens dans un kiosque à journaux

PRESSE

La Stampa, *Il Corriere della Sera* et *La Repubblica* sont les principaux quotidiens italiens. Des journaux comme *Il Mattino* à Naples, *Il Messaggero* à Rome et *Il Giornale* à Milan offrent des informations détaillées sur les grandes villes. Tous comportent une rubrique locale et un éphéméride des événements culturels.

À Rome et à Milan, *TrovaRoma* et *ViviMilano*, suppléments de *La Repubblica*, présentent les spectacles et les expositions. Chaque semaine, *Firenze*

Spettacolo et *RomaC'è* recensent les distractions et les spectacles. Dans les grandes villes, on trouve les journaux étrangers comme l'*International Herald Tribune*, *Le Monde*, *Le Soir* ou *La Tribune de Lausanne*.

On peut se les procurer dans les kiosques et même dans certaines librairies internationales. Cependant, la presse datée du matin n'arrive en général que le lendemain.

POSTE

Les postes principales sont ouvertes de 8 h 25 à 19 h ; les bureaux de poste locaux de 8 h 25 à 13 h 50 en semaine et de 8 h 25 à 12 h le samedi. Les timbres sont aussi en vente dans les tabacs.

La Cité du Vatican et la République de Saint-Marin ont leurs propres postes et leurs timbres, mais les lettres affranchies avec ces timbres ne peuvent être postées en dehors de ceux-ci.

Les boîtes aux lettres rouges (bleues au Vatican) ont d'ordinaire deux fentes : *per la città* (pour la ville seulement) et *tutte le altre destinazioni* (autres destinations).

La poste italienne est connue pour sa lenteur : les lettres peuvent mettre entre 4 jours et 2 semaines pour arriver. Pour jouir d'un service plus rapide, envoyez vos lettres en express (*prioritaria*). Les envois en recommandé (*raccomandata*) sont plus fiables. Pour les objets de valeur, choisissez systématiquement l'envoi assuré (*assicurata*). Pour les plis urgents, utilisez les services de *Postacelere* ou *Paccocelere*, situés dans les principaux bureaux de poste et qui garantissent la distribution des lettres dans les 24 à 72 heures et sont bien plus économiques que les coursiers privés.

Pour la ville   **Autres destinations**

Boîte aux lettres italienne

ADRESSES

Souvenez-vous de faire le code de la région précédé du zéro, même lorsque l'appel est inter-urbain.

NUMÉROS UTILES

Renseignements
Tél 1254 (Option 1).

Renseignements internationaux
Tél 1254 (Option 2).

Italcable
Tél 170 (pour communications en PCV ou par carte bancaire).

Opérateur pour l'Europe
Tél 15.

Opérateur pour appels intercontinentaux
Tél 172.

INDICATIFS NATIONAUX

Pour appeler l'Italie des pays suivants :
Tél France 00 39.
Tél Belgique 00 39.
Tél Canada 011 39.
Tél Suisse 00 39.

Pour appeler les pays suivants depuis l'Italie :
Tél France 00 33.
Tél Belgique 00 32.
Tél Canada 00 1.
Tél Suisse 00 41.

E-MAIL ET INTERNET

Internet Train
www.internettrain.it

Skype
www.skype.com

Voip Stunt
www.voipstunt.com

POSTE ET COURSIERS PUBLICS

Poste italienne
www.poste.it

COURSIERS PRIVÉS

DHL
Tél 199 199 345.
www.dhl.com

Fedex
Tél 800 123800.
www.fedex.com

UPS
Tél 800 877877.
www.ups.com

ALLER ET CIRCULER EN ITALIE

L'Italie possède des transports à deux vitesses : un réseau moderne de routes, d'autocars et de voies ferrées au Nord et un système plus lent au Sud. De nombreuses compagnies aériennes proposent des vols vers les principaux aéroports du pays et, à l'intérieur, la compagnie nationale Alitalia et plusieurs petites sociétés gèrent un réseau très dense de

Un avion d'Alitalia

vols internes. Les liaisons routières avec l'Europe sont bonnes, bien que les voies alpines soient affectées par les variations climatiques. Les autoroutes et les autres routes sont excellentes, mais très fréquentées durant les week-ends et les périodes de pointe. De nombreux ferries – bondés en été – permettent d'aller en Sicile, en Sardaigne et dans les petites îles.

CIRCULER « ÉCOLO »

Voyager en Italie sans prendre l'avion ou sa voiture est aisé grâce à un excellent réseau de transports publics. Les compagnies ferroviaires et d'autocars offrent à prix modéré des liaisons régulières aux horaires fiables. Les correspondances avec les grandes villes d'Europe sont bien assurées : les voyageurs ont le choix entre les trains de jour Eurocity, ou de nuit Euronight. L'Italie possède aussi des trains à grande vitesse ou *Alta Velocita* (*p. 676-677*). Pour les lignes moins usitées (comme les hameaux isolés des Alpes et des Apennins), un service à la demande (*servizio a chiamata*) permet de réserver une voiture en appelant un numéro vert. Ce système réduit les coûts pour la municipalité et aussi les émissions de carbones. Les passagers profitent d'un taxi pour le prix d'un ticket de bus. Les villes utilisent des véhicules moins polluants tels les *vaporetti*, les bus alimentés au méthane ou électriques.

Des pistes cyclables et des stations avec vélos à disposition sont en nombre croissant. Des villes, comme Milan ou Rome disposent d'un bon réseau de stations de vélos et de pistes sûres. Dans le Trentin-Haut-Adige, il existe des itinéraires cyclables longue distance. Pour une somme modique, vous pourrez aussi charger votre vélo dans plusieurs trains régionaux et internationaux.

Arriver en avion

Leonardo da Vinci (Fiumicino) à Rome, Linate et Malpensa à Milan sont les 3 principaux aéroports d'Italie. La plupart des compagnies européennes proposent aussi des vols réguliers vers Venise, Turin, Bologne, Naples et Florence. Désormais, beaucoup de compagnies desservent également chaque jour Gênes, Palerme, Pise, Catane et Cagliari, alors que des vols charters peuvent même avoir pour destination des villes comme Vérone, Bari, Olbia ou Rimini en période de pointe.

La nouvelle aile de l'aéroport Fiumicino à Rome

VOLS LONG-COURRIERS

La compagnie **Air Canada** propose des vols réguliers depuis Montréal et Toronto avec l'Italie. **Alitalia**, la compagnie italienne, dessert aussi ces deux villes. Depuis le Canada, il peut être plus intéressant de prendre un vol à tarif réduit pour Amsterdam, Londres, Paris ou Francfort et, de là, se rendre en Italie.

VOLS EUROPÉENS ET VOLS À BAS PRIX

Compte tenu de la concurrence acharnée que se livrent les compagnies aériennes, il est utile d'étudier les différents tarifs proposés.

Air France et ses partenaires Sky Team, ainsi que **Swiss** proposent des vols réguliers à

destination des principales villes italiennes au départ des capitales et grandes villes de Belgique, France et Suisse.

Les compagnies à bas prix, telles que **EasyJet**, **Brussels Airlines**, **Ryanair**, **Meridiana**, **Air One** effectuent des vols entre les grandes villes européennes et les principaux sites touristiques italiens à des tarifs très intéressants. Néanmoins ces billets sont rarement échangeables une fois achetés ou alors en payant un surcoût. Certaines compagnies proposent également des vols intérieurs parfois moins chers que le train. Pour bénéficier de ces prix avantageux, il faut se renseigner sur les sites Internet de ces compagnies et auprès des agences de voyages.

Le hall d'entrée de l'aéroport de Pise

Voyages-sncf.com propose ses meilleurs prix sur les billets d'avion, hôtels, location de voitures, séjours clé en main ou Alacarte®. Vous avez également accès à des services exclusifs : l'envoi gratuit des billets à domicile, Alerte Résa qui signale l'ouverture des réservations, le calendrier des meilleurs prix, les offres de dernière minute et promotion.

VOYAGES ORGANISÉS

Il est parfois plus économique de faire un voyage organisé que de voyager par ses propres moyens, à moins de prévoir un budget serré et de loger dans les auberges de jeunesse ou en camping. Rome, Florence et Venise sont les destinations les plus souvent proposées. Toutefois les nombreux tour-opérateurs proposent également des circuits organisés en Toscane et en Ombrie, dans la région des Lacs, sur la riviera ligure, en Sicile, à Naples et sur la côte amalfitaine. En hiver, ils offrent des séjours dans des stations de ski italiennes. Les séjours à thème, tournés vers la cuisine, l'art ou la randonnée, sont de plus en plus fréquents.

FORMULE AVION + VOITURE

Beaucoup d'agences de voyages et de sociétés de location de voiture proposent une formule spéciale avion + voiture. Cette formule est d'ordinaire plus avantageuse et demande moins de formalités que si vous louez une voiture vous-même à l'arrivée. La plupart des sociétés de location de voiture – Hertz, Avis, Budget –, et beaucoup de plus petites, possèdent des bureaux dans les principaux aéroports italiens.

ADRESSES

ROULER « VERT »

Vélo dans le Trentino
www.trentino.to

LIGNES AÉRIENNES

Alitalia
Tél 06 2222. www.alitalia.com
À Paris *Tél* 0 820 315 315.
À Bruxelles *Tél* 272 097 28.
À Genève *Tél* 848 87 44 44.
À Montréal *Tél* 842 82 41.

Air France
À Rome *Tél* 08 00 53 18 11.
www.airfrance.fr

Air Canada
www.aircanada.com

Swiss
À Rome www.swiss.com

EasyJet
www.easyjet.com

Brussels Airlines
www.brusselsairlines.com

Ryanair
www.ryanair.com

Meridiana
www.meridiana.it

Air One
www.flyairone.it

AÉROPORT	RENSEIGNEMENTS	DISTANCE DU CENTRE-VILLE	PRIX DU TAXI VERS LE CENTRE	TRANSPORT PUBLIC VERS LE CENTRE-VILLE
Rome (Fiumicino)	06 659 51 www.adr.it	35 km	40 €	FS 30 min
Rome (Ciampino)	06 659 51 www.adr.it	15 km	30 €	M 45 min
Milan (Linate)	02 74 85 22 00 www.sea-aeroportimilano.it	8 km	15-20 €	15 min
Milan (Malpensa)	02 74 85 22 00 www.sea-aeroportimilano.it	50 km	60-70 €	FS M 1 h
Pise (Galileo Galilei)	050 84 91 11 www.pisa-airport.it	2 km	10 €	FS jusqu'à Pise : 5 min FS jusqu'à Florence : 80 min
Venise (Marco Polo)	041 260 92 60 www.veniceairport.it	13 km	35 € (80 par bateau taxi)	60 min 20 min
Venise (Treviso)	0422 31 51 11 www.trevisoairport.it	25 km	50 € jusqu'à Venise	jusqu'à Trevise : 20 min jusqu'à Venise : 45 min
Vérone	045 809 56 66 www.aeroportoverona.it	12 km	22 €	20 min
Bergame	035 32 63 23 www.orioaeroporto.it	5 km	18 €	15 min
Turin	011 567 63 61 www.turin-airport.com	15 km	30 €	20 min
Naples	081 789 61 11 www.naples-airport.com	7 km	19 €	30 min
Palerme	091 702 02 73 www.gesap.it	35 km	40 €	1 h 1 h

Arriver en bateau, train ou autocar

Logo de l'Orient-Express

Possédant un excellent réseau d'autoroutes, l'Italie est directement reliée à ses voisins, la France, la Suisse, l'Autriche, la Slovénie et la Grèce, par un réseau dense de routes, de voies ferrées et de ferries. Certaines lignes ferroviaires la mettent même en relation avec Barcelone, Londres ou Budapest. Il faut parfois prévoir des attentes au passage des cols et des tunnels alpins, par mauvais temps ou durant les périodes de pointe en été.

Bornes interactives de renseignements ferroviaires

Guichets à la gare Santa Maria Novella de Florence

VOITURE

La plupart des routes unissant l'Italie au reste de l'Europe traversent les Alpes en empruntant des tunnels ou des cols. Les deux seules exceptions sont les autoroutes A 4, en provenance de la Slovénie, au nord-est, et A 10, qui passe par Vintimille après avoir longé la Côte d'Azur.

En provenance de Genève et du sud-est de la France, la voie la plus empruntée est le tunnel du Mont-Blanc et l'autoroute A 5, qui fait pénétrer en Italie par le Val d'Aoste. En partant de la Suisse, le tunnel et le col du Grand-Saint-Bernard, qui débouchent sur le Val d'Aoste, sont très empruntés aussi.

Plus à l'est, la principale voie d'accès depuis l'Autriche est le col du Brenner, d'où l'autoroute A 22 descend vers Vérone en passant par Trente et la vallée de l'Adige. Les cols sont rarement fermés à cause du mauvais temps, mais la neige et le brouillard peuvent ralentir le trafic en montagne. La plupart des autoroutes sont à péage.

TRAIN

Après l'avion, le moyen le plus confortable pour se rendre en Italie est le train. Il existe de nombreuses liaisons directes (dont des trains de nuit) entre Paris, Bruxelles, Lausanne, Toulouse, Marseille et les principales villes italiennes. L'été, quelques trains au départ de Paris transportent aussi les voitures jusqu'à Milan, Bologne ou Rimini.

La ligne Paris-Venise passe par Milan, celle de Rome et Naples traverse Gênes et

BINARIO 17
Panneau indiquant la voie

← uscita
Panneau indiquant la sortie

longe la côte méditerranéenne. Le voyage dure à peu près 12 heures de Bruxelles à Milan, 13 de Paris à Venise, 17 de Paris à Rome, 7 de Lausanne à Venise, 13 de Toulouse à Gênes.

Face à l'essor des compagnies aériennes *low-cost*, les sociétés ferroviaires ont dû revoir à la baisse le tarif des réservations en ligne. On peut bénéficier de réductions, notamment pour les voyageurs de plus de 60 ans et de moins de 26 ans.

Les trains peuvent être bondés pendant les périodes de pointe – du vendredi au dimanche soir, à Noël et à Pâques, en juillet-août – notamment sur les lignes en provenance d'Allemagne et des ports de débarquement des ferries grecs dans le Sud. Il est donc vivement conseillé de réserver votre billet à l'avance.

BATEAU

La plupart des gens qui viennent en Italie en bateau débarquent à Brindisi ou dans d'autres ports du sud-est de l'Italie, en provenance des ports grecs de Corfou et de Patras. Ces lignes sont très fréquentées en été, ainsi que les liaisons ferroviaires entre Brindisi et le reste de l'Italie.

D'autres lignes relient Malte, et l'Afrique du Nord à Gênes, Naples, Palerme et divers ports du sud de l'Italie. On peut aussi se rendre à Gênes, à Livourne et dans d'autres ports de la Riviera depuis la France, et à Venise depuis la côte croate.

Voiture-lits d'un train international Eurocity

AUTOCAR

Se rendre en autocar en Italie est assez bon marché mais la durée du voyage peut être longue : 18 h de Paris à Venise, 22 h de Paris à Rome.

Eurolines propose des liaisons régulières au départ de grandes villes françaises, vers les principales villes d'Italie. Ses autocars offrent le maximum de confort : sièges inclinables, radio, vidéo, toilettes.

De Bruxelles, **Europabus** dessert l'Italie. Pour voyager dans la péninsule, la société italienne **SITA** effectue les longs trajets en autocar. D'autres compagnies ont aussi des formules conjugant avion + autocar.

Bus SITA arrivant à la gare de Florence

Circuler en ferry

Possédant un grand nombre d'îles, l'Italie dispose d'un réseau de ferries très développé, aussi bien interne qu'à destination du reste de l'Europe et du Maghreb.

Ferry des Moby Lines naviguant en Méditerranée

FERRIES

Les ferries offrent une liaison pratique avec les îles au large de l'Italie. Pour la Sardaigne, on embarque à Gênes, à Livourne et à Civitavecchia (au nord de Rome) ; pour la Sicile, on part de Naples et de Reggio di Calabria. Des ferries relient les principaux ports siciliens aux archipels des Égates et des Éoliennes et aux innombrables autres petites îles au large de la Sicile (mais ils ne transportent pas toujours les voitures).

D'autres ferries effectuent des liaisons entre Piombino et l'île d'Elbe ou les autres petites îles de l'archipel toscan comme Capraia. Les ports proches de Rome sont reliés à Ponza et aux îles voisines. De Naples on peut gagner les îles de Capri et d'Ischia, sur la côte est, les îles Tremiti sont reliées à la péninsule du Gargano.

Des hydrofoils s'ajoutent de plus en plus aux ferries classiques, sur les lignes très fréquentées comme celles de Capri et d'Ischia.

En été, il faut souvent faire la queue pour prendre le ferry et il est donc préférable de réserver bien à l'avance si vous désirez vous rendre en Sardaigne en juillet ou en août, surtout si vous souhaitez prendre votre voiture. Sachez aussi que les liaisons sont moins fréquentes en hiver qu'en été. On peut effectuer la réservation de billets par Internet, dans une agence de voyage ou auprès de la compagnie de ferry. Les prix varient selon la période de l'année, mais restent modérés. Vous trouverez plus de détails sur les sites web.

ADRESSES

COMPAGNIES D'AUTOCAR

Eurolines
www.eurolines.fr

SITA
www.sitabus.it

CHEMIN DE FER

Ferrovie dello Stato
www.trenitalia.com

BATEAUX ET FERRIES

Corsica Sardinia Ferries
Tél. 199 400 500.
www.corsicaferries.com
Civitavecchia/Livourne –
Golfo Aranci

Grandi Navi Veloci
Tél. 010 209 45 91.
www.gnv.it
Gênes/Civitavecchia –
Palerme, Gênes –

Porto Torres/Olbia

Moby Lines
*Tél.*199 303 040 ;
06 4201 1455.
www.mobylines.com
Piombino – Elbe, Gênes/
Livourne – Olbia

SNAV
Tél. 081 428 55 55.
www.snav.it
Pescara – Hvat/Split
Naples – Capri/Ischia
Naples – Îles éoliennes/
Palerme

Tirrenia
Tél. 892 123; 081 017
1998.
www.tirrenia.it
Bar – Durazzo, Gênes –
Olbia, Fiumicino – Golfo
Aranci, Naples – Palerme/
Cagliari, Cagliari – Palerme

Venezia Lines
Tél. 041 272 2647.
www.venezialines.com
Venise – Pirée, Venise –
Porec/Rovini/Pula,
Bari – Dures

Circuler en train

Logo de Trenitalia

Peu coûteux, le train est un des moyens de transport commodes pour visiter l'Italie, offrant des liaisons plus pratiques entre les villes que l'avion. Certaines lignes traversent des paysages agréables. Les trains sont fréquents, le matériel roulant est l'un des plus modernes d'Europe et, même s'ils sont pleins, la situation n'est plus tragique comme autrefois. Dans le Sud ou dans les régions rurales, ils sont plus lents et moins fréquents.

L'Eurostar – le TGV italien

Le hall de la gare Termini à Rome

RÉSEAU FERROVIAIRE

Les chemins de fer italiens sont presque totalement gérés par une société nationale, Trenitalia du groupe **Ferrovie dello Stato (FS)**. Les rares vides laissés sont comblés par des lignes privées. Pour faire un trajet utilisant deux réseaux différents, on peut en général acheter un seul billet. Les FS et les lignes privées utilisent les mêmes gares et ont des tarifs identiques.

TRAINS

Trenitalia révise actuellement ses catégories et développe un réseau à grande vitesse ou *Alta Velocita* (AV) reliant les grandes villes du nord et du sud, jusqu'à Naples. Pour les AV, l'Eurostar (ES), et certains trains à grande vitesse, la réservation est obligatoire. Pour prendre un Intercity (IC) ou un Eurocity (EC), qui ne dessert que les principales gares, il faut payer un supplément (*supplemento*) de première ou de seconde classe (on peut le prendre dans le train, mais il est plus cher). Dans les trains *regionali* et *interregionali* qui marquent plus d'arrêts, il n'y a pas de supplément.

Tous les AV, ES, EC et IC sont climatisés. Les voitures des lignes locales sont parfois vétustes.

Les trains rapides et les trains internationaux sont équipés pour les handicapés, et offrent une assistance en gare. Contactez les agents de la *Sala Blu* (Salle Bleue) dans les grandes gares.

BILLETS ET TARIFS

Les billets (*biglietti*) aller simple (*andata*) et aller-retour (*andata e ritorno*) en première (*prima*) ou en seconde classe (*seconda classe*) s'achètent dans une agence de voyages ou au guichet (*biglietteria*) d'une gare. Vous trouverez des billetteries automatiques dans toutes les grandes gares. Pour les trajets inférieurs à 250 km, on peut aussi acheter son billet dans les kiosques à journaux ou les bureaux de tabac des gares (demandez un *biglietto a fascia chilometrica*). Il doit être composté à l'aller et au retour pour ne pas risquer de payer une amende. La validité du billet part du jour de l'achat et il faut donc spécifier la date du voyage si l'on achète le billet à l'avance. Internet est un moyen pratique d'acheter et de réserver, et induit souvent une réduction. Calculés sur une base kilométrique, les tarifs des trains italiens sont parmi les moins chers d'Europe occidentale. Les familles nombreuses bénéficient de réductions. Le remboursement des billets est une procédure longue et compliquée à faire au guichet *Assistenza* de la gare. Mieux vaut ne pas se tromper de billet.

FORFAITS

L'**Interrail Pass** permet de voyager de façon illimitée un nombre de jours consécutifs ou non-consécutifs sur des périodes variables. Les moins de 26 ans bénéficient de tarifs spéciaux. Cette carte s'achète sur Internet, dans les grandes gares et dans des agences de voyage hors d'Italie.

HORAIRES

Si vous prévoyez d'utiliser beaucoup le train, procurez-vous un horaire officiel de Trenitalia (*un orario*) en gare ou dans un kiosque à journaux. Il est mis à jour tous les ans. Visitez aussi le site www.trenitalia.com.

VALIDITÉ ET RESERVATION

Les billets sont valables deux mois à partir de la date d'achat. Mais si vous réservez une place en même temps, la date du voyage est imprimée automatiquement sur le billet. On peut se procurer des billets non datés pour les trajets de moins de 250 km dans les kiosques à journaux ; il faut les valider le jour du voyage. La réservation se fait automatiquement pour les AV et les Eurostar ; pour les autres, il est prudent de réserver en période de vacances. Les réservations se font dans les gares principales ou sur Internet.

RÉDUCTIONS

Les Smart Price proposent des prix discount pour les trains internationaux entre l'Italie et certains pays européens. Les prix se situent en 15 € et 49 € par aller, avec des suppléments pour les couchettes et les wagon-lits. Les billets s'achètent dans les grandes gares ou sur le site de Trenitalia (nombre limité de tickets disponibles).

CONSIGNE

D'ordinaire, les grandes gares possèdent une consigne manuelle ; les gares moins importantes ont des consignes automatiques. Il faut parfois présenter une pièce d'identité pour déposer ou retirer ses bagages. Le prix est fonction du nombre de bagages.

Panneau de la consigne

LIGNES PANORAMIQUES

L'Italie présente des paysages variés qui fait de certains trajets en train un souvenir mémorable. Creusée par les glaciers, au cœur des Alpes, la vallée de l'Adige s'étend au nord entre Bolzano et Vérone. Tapissée de pommeraies, elle accueille la jolie ligne qui relit Trente et Malé. Au sud de Florence, on admirera de son wagon les villages à flanc de colline et les champs de blé de la campagne toscane. Dans le Latium, la ligne Rome -Viterbe-Nord traverse un superbe paysage rural. Au sud, les trains passent le détroit de Messine sur un ferry et rejoignent la Sicile. Une ligne à voie étroite tourne autour du mont Etna.

Des trains à vapeur circulent sur les lignes des **Ferrovie Turistiche Italiane (FTI)** sur les contreforts des Alpes au nord, au bord des lacs, et sillonnent la campagne aux environs de Sienne.

DISTRIBUTEUR DE BILLETS DE TRAIN

Ces appareils automatiques sont faciles à utiliser et donnent pour la plupart des instructions en six langues. Ils acceptent la monnaie, les billets et les cartes de crédit.

1 Choisissez votre destination.

2 Le prix est indiqué à l'écran.

3 Insérez votre monnaie, vos billets ou votre carte de crédit.

4 Prenez votre billet et votre monnaie.

5 Vous devez insérer votre billet pour le valider si vous partez tout de suite.

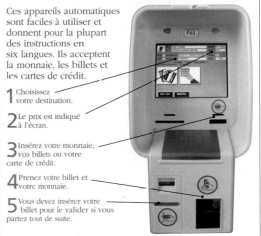

PRINCIPALES VOIES FERRÉES ITALIENNES

Les chemins de fer italiens proposent différents types de trains. Renseignez-vous bien avant d'acheter votre billet.

LÉGENDE

- ● Gare principale
- ○ Autre gare
- — Ligne principale
- -- Transbordeur

ADRESSES

INFORMATIONS FERROVIAIRES

Ferrovie dello Stato (F.S)
Informations pour les voyages dans toute l'Italie.
Tél 89 20 21 (numéro vert).
www.ferroviedellostato.it

Interrail Pass
www.interrailnet.com

European Rail Ltd
Tél 020 7619 1083.
www.europeanrail.com

FTI (Ferrovie Turistiche Italiane)
www.ferrovieturistiche.it

Circuler en voiture

La Fiat 500, un classique

La voiture est un bon moyen de visiter le pays, mais il faut tenir compte du coût de l'essence, des difficultés pour se garer, des restrictions de circulation en ville, et de la conduite parfois imprévisible des Italiens. C'est un atout pour découvrir la campagne et faire du tourisme intensif, mais pas dans les villes, du fait des embouteillages et de l'accès interdit aux véhicules des non-résidents en centre-ville.

Péages automatiques sur l'autoroute, près de Florence

ARRIVER EN VOITURE

Les étrangers venant en Italie avec un véhicule immatriculé à l'étranger doivent être porteurs d'une carte verte (assurance), de tous les documents du véhicule et d'un permis de conduire (*patente*) valide. Les ressortissants de l'Union européenne n'ayant pas le permis de conduire rose réglementaire doivent faire traduire le leur en italien ; ils peuvent s'adresser aux organisations de tourisme automobile ou à l'ENIT dans leur pays d'origine. Il faut également posséder un triangle rouge de détresse et une veste fluorescente.

ESSENCE

L'essence (*benzina*) et le diesel (*gasolio*) sont à peu près aussi chers qu'en France. Beaucoup de stations-service fonctionnent en libre-service, mais il est courant de se faire servir par un employé. Il suffit d'indiquer une somme ou de demander le plein (*il pieno*). Les cartes bancaires sont acceptées. Les pompes ont en général les mêmes horaires que les magasins et il est prudent de faire le plein avant le déjeuner ou avant les jours fériés. Sur les autoroutes, les stations sont souvent ouvertes 24 h/24.

ROUTES

L'Italie possède un excellent réseau d'autoroutes, bien que beaucoup n'aient que deux voies dans chaque sens. Parmi les autoroutes les plus fréquentées, citons la A1 entre Bologne et Florence et entre Bologne, Parme et

Réglementation routière
Les véhicules venant de droite ont la priorité. Le port de la ceinture de sécurité est obligatoire. L'usage du téléphone portable au volant est passible d'une lourde amende. Les phares doivent être allumés en journée en dehors des agglomérations. La vitesse est limitée à 50 km/h en ville, à 90 km/h sur route, à 110 km/h sur les voies express à deux chaussées. Sur autoroute, la vitesse est limitée à 110 km/h pour les véhicules de moins de 1 100 cm³ et à 130 km/h pour ceux d'une cylindrée supérieure. Permis de conduire et papiers du véhicule sont obligatoires.

Panneau bleu sur une nationale et panneau vert sur l'autoroute

Milan. À part quelques-unes, les autoroutes sont à péage. On paie en fin de voyage, en liquide, avec une carte bancaire ou une carte d'abonnement magnétique (VIA), que l'on se procure auprès de l'ACI et dans les tabacs. Milan a mis en place une taxe environnementale pour la circulation (du lun. au ven. de 7 h 30 à 19 h 30) : contactez le 800 437 437 ou consultez le site www.comunemilano.it/ecopass avant d'aller en ville.

Les autres routes, les *Nazionali* (N) ou les *Strade Statali* (S), sont de qualité très variable. Les routes de montagne sont bonnes ; en hiver, les chaînes sont souvent obligatoires. Les routes de campagne figurent sur les cartes.

Interdiction de s'arrêter

Fin de limitation de vitesse

Zone piétonne

Cédez le passage

Stationnement interdit

Danger (souvent précisé)

Logo d'une société de location de voiture

LOCATION DE VOITURES

En Italie, la location de voiture (*autonoleggio*) revient cher. Il convient d'opter pour la formule avion + voiture (*p. 673*) ou de réserver un véhicule avant de partir, chez un loueur ayant des succursales en Italie. Sinon, des bureaux de location se trouvent dans la plupart des aéroports ; on peut aussi chercher dans les Pages Jaunes (*Pagine Gialle*), à la rubrique *autonoleggio*.

Pour louer une voiture, il faut avoir plus de 21 ans (parfois plus) et un permis de conduire – international si l'on n'est pas citoyen de l'Union européenne – depuis au moins un an. Lisez bien le contrat pour savoir dans quelle mesure vous êtes couvert par l'assurance.

ACCIDENTS ET PANNES

Si vous tombez en panne, allumez vos feux de détresse et placez le triangle à 50 m derrière votre voiture. Puis appelez le numéro d'urgence de l'**ACI** (803 11 76) ou les autres services d'urgence (112 ou 113). L'ACI remorque tout véhicule étranger jusqu'au plus proche garage affilié. Elle effectue des réparations pour les membres d'associations homologues comme l'Automobile-Club de France.

En cas d'accident, restez calme et évitez toute déclaration qui pourrait vous compromettre par la suite. Échangez vos noms et adresses et notez les numéros des véhicules et des assurances.

STATIONNEMENT

Le stationnement pose un réel problème dans les villes italiennes. L'accès aux centres historiques est limité dans la journée. Certaines villes ont construit des parkings payants. On paye par heure avec de la monnaie, des cartes ou des coupons achetés dans les *tabacchi*. Des places, marquées *riservato* ou *residenti*, sont réservées aux résidents. Et l'avertissement *rimozione forzata* signifie que l'on peut enlever votre voiture. Pour la récupérer, il faut alors appeler la police municipale (*Vigili Urbani*).

Un parc de stationnement autorisé et son gardien

SÉCURITÉ

Le vol de voiture est monnaie courante en Italie. Ne laissez jamais rien à l'intérieur et ôtez toujours votre autoradio. Garez votre véhicule dans un parking gardé aussi souvent que possible. Enfin, soyez très vigilant la nuit, car la façon de conduire des Italiens est alors plus désinvolte que de coutume, et de nombreux feux tricolores restent en position clignotante. L'auto-stop n'est ni courant ni recommandé.

ADRESSES

LOCATION DE VOITURES

Avis
Tél. 06 452108391.
www.avisautonoleggio.it

Europcar
Tél. 199 307030.
www.europcar.it

Hertz
Tél. 06 65 011553
(aéroport de Rome).
www.hertz.com

Maggiore
Tél. 199 151120.
www.maggiore.it

Sixt
Tél. 06 659951 (Rome).
www.e-sixt.it

URGENCES

ACI urgence
Tél. 803 116.
www.aci.it

Police
Tél. 112 ou 113.

Ambulance
Tél. 118.

DISTANCES KILOMÉTRIQUES DE VILLE À VILLE

ROME											
286	ANCÔNE										
748	617	AOSTE									
383	219	401	BOLOGNE								
645	494	449	280	BOLZANO							
278	262	470	106	367	FLORENCE						
510	506	245	291	422	225	GÊNES					
601	614	1220	822	1097	871	1103	LECCE				
575	426	181	210	295	299	145	1029	MILAN			
219	409	959	594	856	489	714	393	786	NAPLES		
673	547	110	332	410	395	170	1150	138	884	TURIN	
530	364	442	154	214	255	397	967	273	741	402	VENISE

Circuler dans les villes

Zone piétonne

Le moyen le plus commode pour se déplacer dans les villes italiennes diffère de lieu en lieu. C'est l'autobus à Rome, le métro à Milan et le bateau à Venise. La voiture est presque partout un handicap. En revanche, la marche à pied demeure souvent la façon la plus simple de visiter les centres historiques aux rues étroites des cités italiennes. Florence bénéficie d'une vaste zone à circulation limitée et dans le centre de la plupart des villes, on trouve désormais une aire piétonnière.

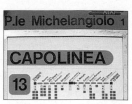

Arrêt d'autobus avec plan de la ligne

Bus romain portant la livrée rouge et grise de l'ATAC

Autobus urbain, Vérone

AUTOBUS ET TRAMWAYS

Pratiquement toutes les villes italiennes disposent d'un réseau d'autobus. Ils sont en général bon marché, nombreux et aussi efficaces que la circulation et l'étroitesse des rues le leur permettent. Les arrêts d'autobus (*fermate*) fournissent de plus en plus d'informations sur l'itinéraire. D'ordinaire, ils circulent de 6 h à minuit, et il existe des autobus de nuit (*servizio notturno*) dans les plus grandes villes. Notez que si vous arrivez par le train, les gares sont toujours reliées au centre-ville par des navettes qui stationnent devant la gare (on se procure d'ordinaire les tickets aux guichets des FS ou dans les bureaux de tabac).

TICKETS

Il faut généralement acheter les tickets (*biglietti*) avant de monter dans le bus, dans les guichets des sociétés d'autobus (ATAC à Rome, ATAF à Florence) ou dans les bars ou les bureaux de tabac affichant leur sigle. Dans certains endroits, on trouve même des distributeurs automatiques dans la rue. Il vaut mieux acheter plusieurs tickets car les points de vente ferment dans l'après-midi. On trouve également des carnets (*blocchetto*), moins chers, des abonnements (*tessera*), des billets touristiques valables un jour ou une semaine. Dans certaines villes, les tickets sont valables un temps donné pour un nombre illimité de voyages. Le site internet ATAC offre plus de détails sur les bus de Rome.

ATAC
www.atac.roma.it

PRENDRE L'AUTOBUS OU LE TRAMWAY

On monte dans l'autobus par les portes avant et arrière et on en sort par celle du milieu. En général, il n'y a pas de receveur (sauf parfois dans les autobus de nuit). Il faut composter les tickets dans les machines disposées à l'avant et à l'arrière de l'autobus. Si vous êtes surpris sans ticket, vous payerez sur-le-champ une amende. Certains sièges sont pour les enfants, les personnes âgées et les handicapés. Dans beaucoup de villes, un bureau d'information, situé dans la gare principale, fournit plans gratuits, horaires et vend des tickets. La plupart des autobus urbains sont orange et le terminus (*capolinea*) de la ligne est indiqué à l'avant.

MÉTRO

À Rome et à Milan, il y a un métro (*metropolitana*). Le réseau romain ne comporte que deux lignes, A et B, qui convergent à la gare centrale de Termini. Bien que le système soit conçu pour le transport des banlieusards, certaines stations desservent des sites touristiques, et aux heures de pointe ces lignes

Enseigne du métro

constituent la meilleure façon de traverser la ville. Les stations sont assez laides – mais rarement dangereuses – et en été on étouffe de chaleur dans les wagons. À Milan le réseau est plus développé, avec trois lignes – MM1 (ligne rouge), MM2 (verte) et MM3 (jaune) – qui se croisent à des points clé : Stazione Centrale, Duomo, Cadorna et Lima. Avec ces trois lignes, on accède aux principaux sites de la ville.

Station de métro Termini à Rome

Taxi attendant à l'une des stations de Florence

On achète les tickets de métro aux mêmes endroits que les tickets d'autobus et de tramways et aux guichets des stations de métro ou dans les distributeurs automatiques.

Alt : les piétons doivent attendre

Avanti : les piétons peuvent traverser

À Rome, un ticket normal permet d'effectuer un seul voyage, alors que le ticket *BIG* permet de voyager une journée en métro, bus et tramway. À Milan, un ticket de métro est valable 75 minutes pour un nombre illimité de trajets et peut être utilisé dans les bus et les tramways. N'achetez pas de tickets à des inconnus car souvent ils ne sont pas valables.

MARCHE À PIED

La marche à pied est une merveilleuse façon d'explorer les anciennes cités italiennes dont le centre historique est parfois exigu. La circulation est souvent un fléau, surtout dans les rues étroites (Rome est ce qu'il y a de pire à cet égard). Mais de nombreuses villes aménagent des espaces piétonniers. Certains dimanches, les voitures sont interdites à la circulation (*Domenica a piedi*). Les villes italiennes renferment un nombre incroyable de places ombragées et de cafés.

Les églises et les cathédrales offrent aussi une retraite agréable. Les églises, musées et autres monuments sont en général bien signalés, à l'aide de panneaux jaunes. Portez toujours de préférence vos objets de valeur à l'abri des

regards. Pour vous promener, profitez de la fraîcheur du matin et du début de soirée, c'est aussi le moment où les gens s'adonnent à leur promenade rituelle (la *passeggiata*) précédant le dîner.

TAXIS

N'utilisez que des taxis officiels. La plupart des chauffeurs de taxi sont honnêtes, mais ils peuvent légitimement vous faire payer de nombreux suppléments : pour chaque bagage placé dans le coffre, pour les courses de nuit (entre 22 h et 7 h), pour celles effectuées le dimanche et les jours fériés ou pour les trajets hors de la ville (comme depuis ou vers l'aéroport).

Il est difficile de héler un taxi dans la rue, mais on en trouve à la gare et dans tous les lieux touristiques. Si vous demandez un taxi par téléphone, son compteur tourne à partir du moment où vous l'avez appelé.

LOCATION DE BICYCLETTES

Dans la plupart des villes, notamment là où les touristes sont particulièrement nombreux, on peut louer des bicyclettes et des scooters, le plus souvent à l'heure ou à la journée. On doit parfois laisser son passeport en gage. Il faut toutefois être prudent, car faire du vélo au milieu du trafic des grandes villes n'est pas une mince affaire. **Roma'n Bike** (www.roma-n-bike.it, Tél. 800 910 658) des vélos à disposition des cyclistes dans le centre-ville, moyennant 30 € d'inscription. Il suffit ensuite de créditer une carte à puces pour emprunter une bicyclette. Attention, les prix grimpent vite au-delà de quelques heures.

TRANSPORTS INTERURBAINS : LES AUTOCARS

Les cars (*pullman* ou *corriere*) reliant les différentes villes fonctionnent comme les autobus, mais on achète en général son ticket à bord. Les lignes sont gérées par diverses compagnies utilisant des cars de plusieurs couleurs (le bleu est souvent la couleur des cars, l'orange

Autocar Rome-Gubbio

celle des bus). Ces lignes ont pour terminus la gare ferroviaire ou bien une place de la ville. Les cars (notamment à Florence) ne partent pas forcément des mêmes gares routières. Renseignez-vous auprès de l'office de tourisme local. Enfin, le week-end, le service est parfois réduit.

Rome
COTRAL
www.cotralspa.it
Lazzi **Tél.** 06 884
08 40.
Appian **Tél.** 06 48 78
66 04.
www.appianline.it

Toscane
Lazzi **Tél.** 055 512 82
86. **www**.lazzi.it
Sita **Tél.** 800 37 37 60.
www.sitabus.it
Tra-In
Tél. 0577 204 111.
www.trainspa.it

National et International
Eurolines
Tél. 899 325 264.
www.eurolines.it

Circuler dans Venise

Pour visiter Venise, bien que l'on effectue presque tous les trajets à travers la ville plus rapidement à pied, le moyen de transport le plus plaisant est le *vaporetto* ou bateau-bus (*p. 136-137*). Le principal itinéraire des *vaporetti* à travers Venise est naturellement le Grand Canal. Ces bateaux remplissent une fonction utilitaire car ils relient des points situés à la périphérie de Venise et unissent la cité aux îles de sa lagune. Du point de vue touristique, la ligne la plus intéressante est la n° 1. Elle suit le Grand Canal d'une extrémité à l'autre, assez lentement pour permettre d'admirer la splendide succession de palais qui le bordent (*p. 88-91*).

L'arrêt du *vaporetto* aux Giardini Pubblici, Venise

Un *vaporetto* arrivant place Saint-Marc

Un *motoscafo* plus petit et plus élancé

BATEAUX

À l'origine, les *vaporetti* étaient des bateaux à vapeur (*vaporetto* signifie « petit bateau à vapeur ») ; ils possèdent maintenant un moteur diesel. Bien que l'on ait tendance à qualifier tous les bateaux de *vaporetti*, ce terme ne s'applique qu'aux grands bateaux larges naviguant à faible vitesse, comme ceux de la ligne n° 1. Les *motoscafi* sont plus fins et plus petits. Les *motonavi* sont les bateaux à deux ponts desservant les îles. Si vous prévoyez de visiter les îles de Murano, Burano ou Torcello, empruntez la ligne LN, au départ de San Zaccaria et des Fondamente Nuove.

DIFFÉRENTS BILLETS

Si les guichets des embarcadères sont fermés, il est possible d'acheter à bord un billet à l'unité, valable 1 heure, moyennant un léger supplément. Les cartes de 12, 24, 36, 48, ou 72 heures sont cependant plus économiques. Leur détenteur bénéficie d'un nombre de trajets illimités sur la plupart des lignes. La Venice Card Transport & Culture couvre l'entrée des principaux musées et monuments, ainsi que le transport en vaporetto. On peut l'acheter à l'avance sur le site www.venicecard.it.

Pour un séjour prolongé, il est plus économique d'acheter un coupon mensuel (*abbonamento*) dans les bureaux de vente. Il coûte 40 € pour les non-résidents. Les détenteurs de la carte Rolling Venice (qui accorde des réductions aux 14-29 ans) peuvent acheter un coupon jeune valable trois jours. Attention, ce coupon n'autorise qu'un bagage, vous devrez payer un supplément pour tout autre bagage.

HORAIRES

Les principales lignes sont desservies toutes les 10 à 20 minutes jusqu'en début de soirée. Le service est réduit après minuit mais fonctionne toute la nuit. De juin à septembre, les dessertes sont multipliées et certaines lignes sont prolongées. Des horaires sont disponibles dans les principales stations. De mai à septembre, ces bateaux sont très fréquentés.

RENSEIGNEMENTS SUR LES VAPORETTI

ACTV (Bureau d'information)
Piazzale Roma, Venise. **Plan** 5 B1.
Tél *041 2424.*
www.actv.it

TRAGHETTI

Les *traghetti* sont de grandes gondoles assurant la traversée du Grand Canal. Peu de touristes utilisent ce moyen économique (50 cents par traversée) et régulier. Les divers points d'embarquement sont indiqués dans l'atlas des rues (*p. 126-135*). Dans la ville, suivez les panneaux jaunes représentant une petite gondole.

Un *motonave* à deux ponts

GONDOLES

Ce moyen de transport luxueux est utilisé par les touristes et par les Vénitiens quand ils se marient. Avant de monter à bord, consultez les tarifs officiels et convenez d'un prix avec le gondolier. Les prix officiels, d'environ 80 € pour 40 minutes, atteignent 100 € après 19 h. En basse saison, il est possible de négocier un prix inférieur à la normale.

BATEAUX-TAXIS

Pour les touristes pressés et en ayant les moyens, la solution la plus rapide pour se rendre d'un point à un autre est le bateau-taxi. Ce canot à moteur équipé d'une cabine est rapide comme l'éclair : il ne lui faut que 20 minutes pour aller à l'aéroport ou en venir. Il existe 16 stations, dont une à l'aéroport, une à San Marco et une au Lido. Prévoyez les

Un bateau-taxi

mêmes suppléments que pour un taxi normal pour le transport des bagages, l'attente, le service de nuit, etc. Quand les *vaporetti* sont en grève, ces taxis sont rares.

BORNES DE BATEAUX-TAXIS

Radio Taxi
(tout Venise)
Tél 041 522 23 03.

Piazzale Roma
Plan 5 B1.
Tél 041 71 69 22.

La traversée du Grand Canal à bord d'un *traghetto*

PRINCIPALES LIGNES

① L'*accelerato* est le bateau le plus lent de tous. Il part de piazzale Roma, descend lentement le Grand Canal en s'arrêtant à chaque ponton, puis de San Marco, il met le cap à l'est vers le Lido.

② Cette ligne est celle qui remonte le plus vite le Grand Canal. Avec une extension jusqu'au Lido pendant les mois d'été, elle part de Zaccaria et se dirige vers l'est en continuant vers la rive gauche le long de Giudecca Canale jusqu'au Tronchetto et piazzale Roma, puis descend vers le Grand Canal en retournant vers Zaccaria.

④①⑤①②⑥① Toutes ces lignes se prolongent jusqu'au Lido. Les circulaires, *Giracittà*, nº41 et nº42 font un tour de Venise et Murano.

⑭ Partant du quai des Fondamente Nuove, la ligne dessert les principales îles du nord de la lagune : Murano, Mazzorbo, Burano et Torcello puis passe à Punta Sabbioni et le Lido pour arriver à San Zaccaria.

PRENDRE LE VAPORETTO

1 Les billets s'achètent aux différents arrêts, à bord, et dans certains bars, boutiques et bureaux de tabac arborant le sigle ACTV. Le prix du billet est identique pour une seule section ou le trajet entier. Toutefois certaines lignes sont plus chères.

2 Des panneaux indiquent à chaque arrêt où se situe l'accès au bateau.

3 La carte Imob, que l'on peut recharge de tickets électroniques, doit être validée avant le départ devant les appareils électroniques prévus à cet effet à chaque arrêt. Les contrôleurs sont rares et il est donc assez facile de ne pas valider son ticket. Cependant, les passagers pris sans billet validé reçoivent des amendes très élevées.

4 À l'avant du bateau, un tableau indique le numéro de la ligne et les arrêts. (Ne tenez pas compte des numéros noirs sur la coque.)

5 La destination de chaque bateau est clairement indiquée sur des panneaux. Beaucoup d'arrêts comportent un double embarcadère et il est très facile, surtout lorsqu'il y a foule et que vous ne pouvez voir où se dirige le bateau, de monter sur le bateau allant dans la mauvaise direction. Il faut donc bien regarder d'où il vient.

Index

Remerciements

L'éditeur remercie les organismes, les institutions et les particuliers suivants dont la contribution a permis la préparation de cet ouvrage.

Auteurs

Paul Duncan est historien de l'art et de l'architecture. Il est l'auteur d'un guide sur la Sicile et sur les villes perchées d'Italie.

Tim Jepson, ancien correspondant à Rome du *Sunday Telegraph*, est l'auteur de guides sur la Toscane, l'Ombrie, Rome et Venise et sur l'Italie, *Italy by Train* et *Wild Italy*, un ouvrage sur les réserves naturelles.

Andrew Gumbel, ancien correspondant à Rome de Reuters, est l'auteur de nombreux guides. Il est aujourd'hui correspondant à Rome pour *The Independent*.

Christopher Catling, auteur de guides sur Florence et la Toscane, la Vénétie et les lacs italiens, s'intéresse particulièrement à l'archéologie.

Sam Cole, correspondant à Rome de Reuters, a vécu plusieurs années dans cette ville. Il a également apporté sa contribution à la rédaction de guides sur Rome et le Latium.

Autres collaborateurs

Dominic Robertson, Mick Hamer, Gillian Price, Richard Langham Smith.

Photographies d'appoint

Francesco Allegretto, Giuseppe Carfagna & Associati, Peter Chadwick, Andy Crawford, Philip Dowell, Mike Dunning, Philip Enticknap, Steve Gorton, Dave King, Neil Mersh, Roger Moss, Poppy, Kim Sayer, James Stevenson, Clive Streeter, Jo-Ann Titmarsh, David Ward, Matthew Ward.

Illustrations d'appoint

Andrea Corbella, Richard Draper, Kevin Jones Associates, Chris Orr and Associates, Robbie Polley, Simon Roulstone, Martin Woodward.

Recherche cartographique

Jane Hugill, Samantha James, Jennifer Skelley.

Collaboration artistique et éditoriale

Beverley Ager, Gillian Allan, Gaye Allen, Douglas Amrine, Emily Anderson, Peter Bently, Sonal Bhatt, Uma Bhattacharya, Tessa Bindloss, Hilary Bird, Sally-Ann Bloomfield, Samantha Borland, Isabel Boucher, Hugo Bowles, Caroline Brooke, Paola Cacucciola, Stefano Cavedoni, Margaret Chang, Susi Cheshire, Elspeth Collier, Sherry Collins, Lucinda Cooke, Cooling Brown, Michelle Crane, Gary Cross, Felicity Crowe, Peter Douglas, Mandy Dredge, Stephanie Driver, Julia Dunn, Michael Ellis, Adele Evans, Mariana Evmolpidou, Danny Farnham, Karen Fitzpatrick, Anna Freiberger, Jackie Gordon, Angela-Marie Graham, Caroline Greene, Vanessa Hamilton, Sally-Ann Hibbard, Elinor Hodgson, Tim Hollis, Paul Jackson, Gail Jones, Roberta Kedzierski, Steve Knowlden, Suresh Kumar, Leonie Loudon, Siri Lowe, Carly Madden, Nicola Malone, Sarah Martin, Georgina Matthews, Ferdie McDonald, Sam Merrell, Ian Midson, Rebecca Milner, Adam Moore, Cristina Murroni, Jennifer Mussett, Helen Partington, Alok Pathak, Alice Peebles, Tamsin Pender, Marianne Petrou, David Pugh, Rada Radojicic, Jake Reimann, David Roberts, Evelyn Robertson, Carolyn Ryden, Simon Ryder, Giuseppina Russo, Collette Sadler, Sands Publishing Solutions, Baishakhee Sengupta, Kunal Singh, Ellie Smith, Alison Stace, Hugh Thompson, Jo-Ann Titmarsh, Elaine Verweymeren, Ingrid Vienings, Karen Villabona, Stewart J Wild, Veronica Wood.

L'éditeur remercie également pour leur assistance : Azienda Autonoma di Soggiorno Cura e Turismo, Napoli ; Azienda Promozione Turistica del Trentino, Trento ; Osservatorio Geofisico dell'Università di Modena ; Bell'Italia; Enotria Winecellars.

Crédits photographiques

L'éditeur remercie les responsables qui ont autorisé la prise de vues dans leur établissement : Assessorato Beni Culturali Comune di Padova. Le Soprintendenze Archeologiche di Agrigento, di Enna, di Etruria Meridionale, per il Lazio, di Napoli, di Pompei, di Reggio Calabria e di Roma. Le Soprintendenze per i Beni Ambientali e Architettonici di Bolzano, di Napoli, di Potenza, della Provincia di Firenze e Pistoia, di Ravenna, di Roma, di Siena e di Urbino. Le Soprintendenze per i Beni Ambientali, Architettonici, Artistici e Storici di Caserta, di Cosenza, di Palermo, di Pisa, di Salerno e di Venezia. Le Soprintendenze per i Beni Artistici e Storici della Provincia di Firenze e Pistoia, di Milano e di Roma. L'éditeur exprime également sa reconnaissance à tous ceux qui ont autorisé la prise de vues dans les églises, musées, hôtels, restaurants, magasins, galeries et sites, trop nombreux pour être tous cités.

Abréviations utilisées

h = en haut ; hc = en haut au centre ; hcd = en haut au centre à droite ; hd = en haut à droite ; hg = en haut à gauche ; c = au centre ; ch = au centre en haut ; chg = au centre en haut à gauche ; cd = au centre à droite ; cg = au centre à gauche ; cb = au centre en bas ; cdb = au centre à droite en bas ; cbg = au centre en bas à gauche ; b = en bas ; bc = en bas au centre ; bd = en bas à droite ; bg = en bas à gauche.

Nous prions par avance les propriétaires des droits photographiques de bien vouloir excuser toute erreur ou omission subsistant dans cette liste en dépit de nos soins. La correction appropriée serait effectuée à la prochaine édition de cet ouvrage.

Les œuvres d'art ont été reproduites avec l'autorisation des détenteurs de droits suivants :
© ADAGP, Paris et DACS, Londres 2006 *Oiseau dans l'espace* par Constantin Brancusi 105cg ;
© DACS, 1996 *Mère et fils* par Carlo Carrà 199h.

L'éditeur remercie pour leur aide les personnes et organismes suivants : Eric Crighton: 83chd, FIAT : 220c, Gucci Ltd : 39cd, Prada, Milan : 39c, Musée national archéologique, Naples : 495b, Musée national maritime 40c, Royal Botanic Gardens, Kew : 83ch, Musée des sciences : 40chg, Telecom Italia : 670ch.

L'éditeur exprime également sa reconnaissance aux particuliers, sociétés et bibliothèques qui ont autorisé la reproduction de leurs photographies :

ACCADEMIA ITALIANA : Sue Bond 495c; ACTV S.P.A: 682bd, 682chg; AFE, Rome : 38cbg, 39hg; Giuseppe Carfagna 194b, 202b, 218hg, 218b, 221bg, 224b, 225h, 235h; Claudio Cerquetti 68h, 69bg, 69h; Enrico Martino 58cbg, 66hd; Roberto Merlo 236b, 239h, 239b; Piero Servo 267h, 296b; Gustavo Tomsich 227b; ARCHIVIO APT MONREGALESE 229h; ACTION PLUS : Mike Hewitt 70ch; Glyn Kirk 71hd; ALAMY IMAGES : Krys Bailey 666cg, CullbolImages srl 11bg; Adriano Bacchella 181hd; Enrico Caracciolo 249c; gkphotography 79cg; Goodshoot 12hd; Theodore Liasi 666chg, vario images GmbH & Co.KG/Ulrich Baumgarten 668cg, 670bg; ALITALIA : 672h; ALLSPORT Mark Thompson : 71hg; ANCIENT ART AND ARCHITECTURE : 43h, 481bd; ARCHIV FÜR KUNST UND GESCHICHTE, Londres : 28bg, 34b, *Rossini* (1820), Camuccini, Museo Teatrale alla Scala, Milan 36bd, 37bg, 41bd, *Le pape Sixte IV inaugurant la bibliothèque vaticane*, Melozzo da Forlì (1477), Pinacoteca Vaticana, Rome 42, 44hg, *Statue d'Auguste de la Prima Posta* (Ier siècle apr. J.-C.) 49hg, *La Donation de Constantin* (1246), Oratorio di San Silvestro, Rome 50cg, *Frédéric Barberousse vêtu en croisé* (1188), Biblioteca Apostolica Vaticana, Rome 53bg, 56hg, *Le Christ remettant les clés à saint Pierre*, le Pérugin (1482), Chapelle Sixtine, Vatican, Rome 56chg, 56bg, *Machiavel*, Santi di Tito, Palazzo Vecchio, Florence 57bd, *Andrea Palladio*, Meyer 58cb, *Goethe dans la campagne romaine*, Tischbein (1787), Stadelsches Kunstinstitut, Francfort 60 cg, *Carnaval vénitien au XVIIIe siècle*, Anon (XIXe siècle) 60cbg, *Napoléon franchissant les Alpes*, David, Schloss Charlottenburg, Berlin 61cd, 61bg, 106h, 106b, 199b, 356-357, 466b, *Archimède*, Museo Capitolino, Rome 481bg, 505h, 509cg; Stefan Diller *Songe d'Innocent III* (1295-1300), San Francesco, Assise 53 hg; Erich Lessing *Le Margrave Gualtieri de Saluzzo choisit pour femme Griseldis, la fille du pauvre fermier*, di Stefano, Galleria dell'Accademia Carrara, Bergame 34cdb, *Saint Augustin dans sa cellule recevant la vision de saint Jérôme* (1502), Carpaccio, Chiesa di San Giorgio degli Schiavoni, Venise 57cd, 222b, 268b, 491b; ARCHIVIO IGDA, Milan : 204cg, 204bg, 205b, 521bd; EMPORIO ARMANI : 24cg, 39hc ; ARTEMIDE, GB Ltd : 39cbg.

MARIO BETTELLA 535cgb, 542c; LA BIENNALE DI VENEZIA : 656cdh; FRANK BLACKBURN : 267c; OSVALDO BÖHM, VENISE : 89h, 94c, 111h; BRIDGEMAN

ART LIBRARY, Londres/New York : Ambrosiana, Milan 195hg; Bargello, Florence 279b, 283c; Bibliothèque Nationale, Paris : *Marco Polo et ses éléphants et chameaux arrivant à Ormuz dans le golfe Persique*, Livre des Merveilles Fr 2810 f.14v 41h; British Museum, Londres *Vase représentant des pugilistes* 45hg, *Fiole en verre portant un symbole chrétien* 50hg, *Vase attique représentant Ulysse et les sirènes*, Stamnos 481cb; Galleria dell'Accademia Carrara, Bergame 201hd; Galleria Borghese, Rome 439cg; Galleria degli Uffizi, Florence 26hc, 29hg, 29bd, *Autoportrait*, Raphaël Sanzio d'Urbino 57bg, 287b, 289b; K & B News Photo, Florence 276hg; Santa Maria Novella, Florence 297b; Museo Civico, Prato 328bg; Louvre, Paris *Statuette d'Hercule* 480h; Mausoleo di Galla Placidia, Ravenne 268hd; Museo di San Marco, Florence 297bg; Musée d'Orsay, Paris – Giraudon *Les Romains de la Décadence*, Thomas Couture 395hd; Museo delle Sinopie, Camposanto, Pise 27cbg; Palazzo dei Normanni, Palerme *Scènes avec centaures* 523b; Pinacoteca di Brera, Milan 198c, 198b, 199h, Collection privée *Théodoric le Grand* (455-526 apr. J.-C.) *roi ostrogoth d'Italie* 50b; San Francesco, Arezzo 27hd; San Francesco, Assise 355cb; San Sebastiano, Venise 29cdb; San Zaccaria, Venise 33c, 33hd, 99c; Santa Croce, Florence 284bg, 285cb; Santa Maria Gloriosa dei Frari, Venise 28hd; Santa Maria Novella, Florence 27chg; Cappella degli Scrovegni, Padoue 27hd; Scuola di San Giorgio degli Schiavoni, Venise 120b; Staatliche Museen, Berlin *Empereur Septime Sévère* 49b; Musées et galeries du Vatican, Rome 421bg ; Walker Art Gallery, Liverpool *Eschyle et Hygie* 480b; BRITISH MUSEUM, Londres : 46cg.

MUSÉE DU CAPITOLE, ROME : 387cd; DEMETRIO CARRASCO : 102bd, 682hd; CEPHAS PICTURE LIBRARY Mick Rock : 2-3, 23h, 24h, 182hd, 183b, 183hd, 242-243, 251hg, 251hd, 472-473, 660-661; J.-L. CHARMET, Paris : 353bd; CIGA HOTELS : 91cb; FOTO ELIO E STEFANO CIOL : 77chd, 164bg, 164bd, 165bg, 165bc, 165bd; COMUNE DI ASTI : 68cg; STEPHANI COLASANTI : 76bg; CORBIS : Assignments Photographers/Bryn Colton 180chg; Dave Bartruff 476chg; Gerard Degeorge 11chd; Owen Franken 248chg, 249h, 477c; Michelle Garrett 477h; John Heseltime 378chg; Robert Holmes 79h; Reuters/ Tony Gentile 379h; M.-L. Sinibaldi 13bd; JOE CORNISH : 22h, 82hd, 138, 160h, 244-245, 314, 364, 461b, 537b; GIANCARLO COSTA : 9c, 34h, 35cd, 35hd, 35cgh, 75c, 177c, 182hg, 473c, 553c, 661c.

IL DAGHERROTIPO : 676cg; Archivio Arte 207h; Archivio Storico 35b, 206b, 261b; Salvatore Barba 506hg; Alberto Berni 225bg; Riccardo Catani 501b; Marco Cerruti 178cgh, 213b, 215b, 216b; Antonio Cittadini 189hd, 192b, 202h; Gianni Dolfini 550b; Riccardo d'Errico 70hd, 247h, 268c; Maurizio Fraschetti 496bd; Diane Haines 173bd,

659bc; Maurizio Leoni 67c; Marco Melodia, 506cgb, 506bd, 507b, 547hg, 658hg, 658cg; Stefano Occhibelli 69c, 254, 401 bg; Giorgio Oddi 247cd, 252h, 513hd; Donato Fierro Perez 533cb; Marco Ravasini 170h, 549c; Giovanni Rinaldi 25h, 66 bg, 67hg, 179bg, 231b, 367h, 373h, 398c, 466c, 482, 499h, 507c, 533cd, 551h, 551c; Lorenzo Scaramella 468c; Stefania Servili 172h; JAMES DARELL : 348; CM DIXON : 421cb; CHRIS DONAGHUE THE OXFORD PHOTO LIBRARY : 117h.

ELECTA : 15 c, 157c, 157h; EMPICS : 70hc, 70cbg ; ET ARCHIVE : 36bc, 45c, 46hg, 49cd, 52-53c, 57hg, 59hg, 63b, 412hd, 481cdh, 531b; MARY EVANS PICTURE LIBRARY : 34cbg, 35cg, 41ch, 62b, 62cdb, 63cd, 64cb, 80hd, 245c, 320cgh, 326h, 391ch, 393bg, 409b, 442cgb, 511cd, 550h.

ARCHIVIO STORICO FIAT, TURIN : 64 hd; FERRARI : 38b; FIAT PRESS OFFICE: 220ch; APT FOLIGNATE E NOCERA UMBRA : 361h; avec l'aimable aurisation de la FONDAZIONE ARENA DI VERONA : Gianfranco Fainello 656b; WERNER FORMAN ARCHIVE : 45bd, 51hd, 435bd; CONSORZIO FRASASSI : 372b.

STUDIO GAVIRATI, Gubbio : 352c; APT GENOVA : Roberto Merlo 238bg; GETTY IMAGES : Julian Finney 70cb; The Image Bank/Andrea Pistolesi 78chg; Maremagnum 671cg; Clive Mason 71bg, 71cb; Robert Harding World Imagery/John Miller 396, Stone/Simone Huber 657h; GIRAUDON, Paris : *Aphrodite persuadant Hélène de suivre Pâris à Troie*, Museo Nazionale di Villa Giulia, Rome 45cbg, *Pharmacie*, Museo della Civiltà Romana 48cb, *Grandes chroniques de France; Couronnement de Charlemagne à Saint-Pierre par Léon III,* Musée Goya, Castres 51hg, *Prise de Constantinople*, Basilica San Giovanni Evangelista, Ravenne 53cd, *L'Enfer de Dante commenté par Guiniforte delli Bargisi* (Ms2017 fol 245), Bibliothèque Nationale, Paris 54cb, *Portrait de saint Ignace de Loyola*, Rubens, Musée Brukenthal, Sibiu 59ch, *La Flotte de Charles III à Naples le 6 octobre 1759*, Joli di Dipi, Museo del Prado, Madrid 60hd, *Inauguration de la ligne de chemin de fer Naples-Portici*, Fergola (1839), Museo Nazionale di San Martino, Naples 62cbg, *Piémontais et Français à la bataille de San-Martino en 1859* Anon, Museo Centrale del Risorgimento, Rome 63hg, 106cgb, 107h, 199cd, 268hg; ALINARI-GIRAUDON : *Miracle de la découverte du corps de saint Marc,* le Tintoret (1568), Pinacothèque Brera, Milan 29hd, *Autel,* Maison des Vettii, Pompéi 49cb, *Messe de saint Grégoire le Grand* (Inv 285), Pinacoteca Nazionale, Bologne 51bg, *Portrait de Victor-Emmanuel II*, Dugoni (1866), Galleria d'Arte Moderna, Palazzo Pitti, Florence 62hg, 107b, 199hg, *Louis Gonzague et sa cour*, Andrea Mantegna (1466-1474), Museo di Palazzo Ducale, Mantova 208-209, 287hg-hd, *Histoire du pape Alexandre III : Construction d'Alexandrie*, Aretino Spinello (1407), Palazzo

Pubblico, Sienne 55cr; ALINARI-SEAT-GIRAUDON : 227; FLAMMARION-GIRAUDON : *Poème de Donizo en l'honneur de la reine Matilda,* Biblioteca Apostolica, Vatican 52ch; LAUROS-GIRAUDON : *Portrait de Pétrarque* 54b, *Liber notabilium Philippi Septimi, francorum regis a libris Galieni extractus* (Ms 334 569 fig17), Guy de Pavie (1345), Musée Condé, Chantilly 55b, *Galerie de vues de la Rome antique*, Pannini (1758), Musée du Louvre, Paris 60-61c, *Portrait de l'artiste*, Bernini, collection privée 58 hg, *Quatre anges et les symboles des évangélistes*, 32hd, 33hd; ORSI-BATTAGLINI-GIRAUDON : *Vierge*, Musée de San Marco, Florence 32c, *Supplice de Savonarole*, Anon 56cgb; THE RONALD GRANT ARCHIVE: 65b; Paramount *Le Parrain III* (1990) 535bg; Riama *La Dolce Vita* (1960) 64cdh; TCF *Boccace 70* (1962) 23cg, *Le Nom de la rose* (1986) 34chg; PALAZZO VENIER DEI LEONI, FONDATION PEGGY GUGGENHEIM, VENISE : 91chg.

PHOTO HALUPKA : 120h; ROBERT HARDING PICTURE LIBRARY : 1c, 70hg, 191b, 270, 390cg, 414, 419bd, 658b; Dumrath 269c; Gavin Hellier 12cbd ; HP . Merton 166, 658hd; Roy Rainford 499cd; JOHN HESELTINE : 467h; MICHAEL HOLFORD : 47ch; HOTEL PORTA ROSSA : 556h; HOTEL VILLA PAGODA : 555h; HSL: 679hg; THE HULTON DEUTSCH COLLECTION : 64bd, 89chg, 90chg, 90bd, 157bd, 375c; Keystone 64ch.
THE IMAGE BANK, Londres : 334b; Marcella Pedone 187b; Andrea Pistolesi 255b; Guido Rossi 14b, 47cb; THE IMAGE BANK, Milan : 195b; IMPACT : 315b; INDEX, Florence : 282c, 327h, 327cd; ISTITUTO E MUSEO DI STORIA DELLA SCIENZA DI FIRENZE : Franca Principe 40b, 285c.

TIM JEPSON : 351h.

FRANK LANE PICTURE AGENCY : 216h, 217h, 217c, 217b; M Melodia/Panda 506cgh.

MAGNUM, Londres : Abbas 65cbg; THE MANSELL COLLECTION : 52cg, 393hg; MARCONI LTD 40h; MARKA : L Barbazza 97hd; E Cerretelli 121b; M M Motta 667h; MASTERSTUDIO, Pescara : 504c; Su concessione del MINISTERO PER I BENI CULTURALI E AMBIENTI, *La Cène* de Léonard de Vinci 200b; MIRROR SYNDICATION INTERNATIONAL : 40cbg; MOBY LINES : 675b; FOTO MODENA : 266h, 371c; TONY MOTT : 465b, 470h; MUSEO DIOCESANO DI ROSSANO 520h.

NHPA : Laurie Campbell 83cdb; Gerard Lacz 83bd; Silvestris Fotoservice 83cd; BY COURTESY OF THE NATIONAL PORTRAIT GALLERY, Londres : *Percy Bysshe Shelley* (détail), Amelia Curran (1819) 60hg; GRAZIA NERI : 52hg; Roberta Krasnig 670bg; Marco Bruzzo 68bd; Cameraphoto 108bg; Marcello Mencarini 88bd; NEWIMAGE S.R.L: Rolando Fabriani 654cgh; NIPPON TELEVISION NETWORK : 424c-425c, 424h, 424b-425bg, 425h, 425bd, 426b; PETER NOBLE : 318h, 336-337, 341b, 666b.

L'OCCHIO DI CRISTALLO/STUDIO FOTOGRAFICO DI

Giorgio Olivero : 229b; APT Orvieto : Massimo Roncella 358h; Oxford Scientific Films : Stan Osolinski 347cd.

L'Occhio di Cristallo/Studio Fotografico di Giorgio Olivero : 229b; APT Orvieto : Massimo Roncella 358h; Oxford Scientific Films : Stan Osolinski 347cd.

Padoue – Musei Civici – Cappella Scrovegni : 77cd, 156h, 156chg, 156cbg, 157chd, 157cdb, 157bg ; Padoue – Musei Civici Agli Eremitani : 158h, 158c; Luciano Pedicini - Archivio dell'Arte : 362b, 404h, 475h, 486hg, 490h, 490ch, 490cb, 490b, 491h, 491ch, 491cd, 493h, 530b; APT Pesaro – Marches : 368cd; Pictures Colour Library : 546b, 548g; Andrea Pistolesi : 20; PNALM Archive : en association avec www.abruzzonatura.com 506bc ; Polis Photo Library, Milan : Eugenio Bersani 11h; Popperfoto : 64hg, 65ch, 65cb.

Sarah Quill, Venise : 90h, 94b, 100hg.

Retrograph Archive : 37c; Rex Features : 37h; Steve Wood 39hd; Reuters: Toru Hanai 70cbd; Ferran Paredes 71hg.

Scala Group Spa : 26b, 27b, 28bd, 29ch, 29bg, 36hg, 49c; 252bg; 398cgh, Portrait de Claudio Monteverdi, Domenico Feti, Accademia, Venise 36bg, Portulan de l'Italie (xvie siècle), Loggia dei Fenzi, Firenze 291bg; Museo Correr, Venise 43b, Foie de bronze étrusque, Museo Civico, Piacenza 44cg, Boucles d'oreilles, Museo Etrusco Guarnacci, Volterra 44bd, 44 d-45c, Cratère de Pescia Romana, Museo Archeologico, Grosseto 45 bc, Vase en terre cuite en forme d'éléphant, Museo Nazionale, Naples 46cd, Cicéron dénonce Catilina, Palazzo Madama, Rome 47hg, 47bg, Combat de gladiateurs, Galleria Borghese, Rome 48h, 48bd, Théodelinde fond de l'or pour la nouvelle église (xve siècle), Famiglia Zavattari, Duomo, Monza 50cbg, 50-51, 51b, Représentation d'une école sur le relief d'une tombe, Matteo Gandoni, Museo Civico, Bologne 52b, Détail d'un ambon de Frédéric II (xiiie siècle), Cattedrale, Bitonto 53 cb, Guidoriccio da Fogliano pendant le siège de Note Massi, Simone Martini, Palazzo Pubblico, Sienne 54cgb, 55hg, Retour du pape Grégoire XI d'Avignon Giorgio Vasari, Sala Regia, Vatican 55cb, 56bd, 56d-57c, 57cdb, Entretien entre Clément VII et Charles Quint, Giorgio Vasari, Palazzo Vecchio, Florence 58chg, Portrait de Pierluigi da Palestrina, Istituto dei Padri dell'Oratorio, Rome 58bd, Révolte de Masaniello, Domenico Gargiulo, Museo di San Martino, Naples 59cdb, 60bd, 61hg, 61cdb, 62chg, 62-63c, 63cdb, 95c, 100c, 118bd, 146c, 222hd, 226 b, 260h, 263h, 265h, 269h, 274c, 274b, 275h, 276c, 276b, 277h, 277b, 280cg, 282h, 283hd, 283b, 286h, 286c, 286b, 287ch, 287cb, 288h, 288b, 289h, 289cg, 290c, 291bg, 292h, 292b, 293h, 293b, 294h, 294c, 295h, 296bg, 298-299tout, 301bg, 302hd, 302hg,

302c, 303h, 303cg, 303b, 325c, 325b, 330-331tout, 332h, 332b, 338b, 340h, 341cg, 344chg, 345b, 354 h, 354c, 355b, 358b, 359c, 370h, 370b, 371h, 371 bg, 377bd, 384c, 400bg, 402h, 404c, 411c, 416hg, 416c, 416b, 417h, 418b, 419h, 420h, 420cb, 421c, 423h, 423c, 423b, 427h, 427b, 490cb, 511c, 513hg, 529b, 530hd, 536h, 537h, 538b, 549b; Science Photo Library : 15h; Argonne National Laboratory 41cd; John Ferro Sims : 24b, 25b, 84, 176-177, 365b, 374-375, 460, 542b; Agenzia Sintesi, Rome : Antonella Girolamo 666hg; Mario Soster di Alagna : 557c; Frank Spooner Pictures : Diffidenti 548b; Gamma 65cd, 65hd; Sporting Pictures : 70cdb, 71cb, 71chd; Tony Stone Images : 83chg; Stephen Studd 31hd, 185cd; Agenzia Fotografica Stradella, Milan : Bersanetti 191cg; Lamberto Caenazzo 546h; Francesco Gavazzini 216c; F. Giaccone 526c; Mozzati 370cbg; Massimo Pacifico 507h; Ettore Re 499cdb; Ghigo Roli 499b; Giulio Vegi 533h; Amedeo Vergani 210, 214b, 234h, 257h; SuperStock : age fotostock 379c; Sygma : 67hd.

Tasting Italy : Martin Brigdale 659h; Tate Gallery Publications : 64hg; APT dell'Alta Valle del Tevere : Museo del Duomo 54hg; Touring Club of Italy : 204bd, Cresci 534h; Archivio Città di Torino Settore Turismo : 221h; Davide Bogliacino 213h; Fototeca APT del Trentino : Foto di Banal 174h; Foto di Faganello 173h, 175c.

Vela Spa : 683cd, 683cdb; Venise-Simplon Orient Express : 674hg; Villa Crespi : 604b.

Charlie Waite : 21b; Edizione White Star : Marcello Bertinetti 85b; Giulio Veggi 8-9, 74-75, 139b; Fiona Wild : 540-541; Peter Wilson : 5h, 92-93; World Pictures : 552-553.

Page de garde (première page) : Joe Cornish : G. cdb, D. c, D. hdc; Il Dagherrotipo : Marco Melodia G. bg; Stefano Occhibelli D. hg; Giovanni Rinaldi D. bg; James Darell : D. cg; Robert Harding Picture Library : G. c, H.P. Merton D. chg; John Ferro Sims : G. hd, D. bc; Agenzia Fotografica Stradella, Milan : Amadeo Vergani G. hg.

Page de garde (dernière page) : Getty Images : Robert Harding World Imagery/John Miller Ic; Robert Harding Picture Library : Rolf Richardson G.h.

Couverture : 1re de couverture – Accademia Italiana : Sue Bond bg; Getty Images : Taxi/ Roger Antrobus image principale.

4e de couverture : Alamy Images: Art Kowalsky cgh ; DK Images : John Heseltine hg; Getty Images : Robert Harding World Imagery/Neil Emmerson cgh ; Stone/Ian Logan bg; Stone/ Trevor Wood cgb.

Toutes les autres photos © Dorling Kindersley. Pour plus d'informations : www.dkimages.com.

Lexique

En cas d'urgence

Au secours !	Aiuto !	a-iou-to
Arrêtez !	Fermate !	fèr-ma-té
Appelez un médecin !	Chiama un medico !	qui-a-ma oun mé-di-co
Appelez une ambulance !	Chiama un' ambulanza !	qui-a-ma oun am-bou-lan-tsa
Appelez la police !	Chiama la polizia !	qui-a-ma la po-li-tsi-a
Appelez les pompiers !	Chiama i pompieri !	qui-a-ma i pom-pi-é-ri
Où est le téléphone ?	Dov'è il telefono ?	dov-é il té-lé-fo-no ?
L'hôpital le plus proche ?	L'ospedale più vicino ?	los-pé-da-lé pi-ou vi-tchi-no ?

L'essentiel

Oui/Non	Si/No	si/no
S'il vous plaît	Per favore	pèr fa vo-ré
Merci	Grazie	gra-tsi-è
Excusez-moi	Mi scusi	mi scou-zi
Bonjour	Buon giorno	bouone jor-no
Au revoir	Arrivederci	a-ri-vé-dèr-tchi
Bonsoir	Buona sera	bouona sé-ra
le matin	la mattina	la ma-ti-na
l'après-midi	il pomeriggio	il po-mé-ri-djio
le soir	la sera	la sé-ra
hier	ieri	i-èr-i
aujourd'hui	oggi	o-dji
demain	domani	do-ma-ni
ici	qui	coui
là	la	la
Quoi ?	Quale ?	coua-lé ?
Quand ?	Quando ?	couan-do ?
Pourquoi ?	Perchè ?	pèr-qué ?
Où ?	Dove ?	do-vé ?

Quelques phrases utiles

Comment allez-vous ?	Come sta ?	co-mé-sta ?
Très bien, merci.	Molto bene, grazie.	mol-to bè-né gra-tsi-é
Ravi de faire votre connaissance.	Piacere di conoscerla.	pi-a-tchèr-é di co-no-chèr-la
À bientôt.	A più tardi.	a pi-ou tar-di
C'est parfait.	Va bene.	va bé-né
Où est/sont... ?	Dov'è/Dove sono... ?	dov-é/dové so-no ?
Combien de temps pour aller à... ?	Quanto tempo ci vuole per andare a... ?	couan-to tèm-po tchi vou-o-lé pèr an-dar-é a... ?
Comment aller à... ?	Come faccio per arrivare a... ?	co-mé fa-tcho pèr arri-var-é a... ?
Parlez-vous français ?	Parla francese ?	par-la frane-tché-sé ?
Je ne comprends pas.	Non capisco.	none ca pi sco
Pourriez-vous parler plus lentement, SVP ?	Può parlare più lentamente, per favore ?	pouo par-la-ré pi-ou lèn-ta-mèn-té pèr fa-vo-ré ?
Excusez-moi.	Mi dispiace.	mi dis-pi-a-tché

Quelques mots utiles

grand	grande	grane-dé
petit	piccolo	pi-co-lo
chaud	caldo	cal-do
froid	freddo	fréd-do
bon	buono	bouo-no
mauvais	cattivo	cat-ti-vo
assez	basta	bas-ta
bien	bene	bé-né
ouvert	aperto	a-pèr-to
fermé	chiuso	qui-ou-so
à gauche	a sinistra	a si-ni-stra
à droite	a destra	a dèss-tra
tout droit	sempre diritto	sèm-pré diri-to
près	vicino	vi-tchi-no
loin	lontano	lone-ta-no
en haut	su	sou
en bas	giù	djou
tôt	presto	prèss-to
tard	tardi	tar-di
entrée	entrata	ène-tra-ta
sortie	uscita	ou-chi-ta
les toilettes	il gabinetto	il ga-bi-nèt-to
libre	libero	li-bè-ro
gratuit	gratuito	gra-tou-i-to

Au téléphone

Je voudrais l'interurbain.	Vorrei fare una interurbana.	vor-reil far-é ouna ine-tèr-our-ba-na
Je voudrais téléphoner en P.C.V.	Vorrei fare una telefonata a carico del destinatario.	vor-reil far-é ouna té-lé-fo-na-ta a ca-ri-co dèl dès-ti-na-ta-rio
Je rappellerai plus tard.	Ritelefono più tardi.	ri-té-lé-fo-no pi-ou tar-dé
Puis-je laisser un message ?	Posso lasciare un messaggio ?	poss-o lach-a-ré oun mess-sa-djio ?
Ne quittez pas.	Un attimo, per favore.	oun a-ti-mo pèr fa-vo-rè
Pourriez-vous parler plus fort ?	Può parlare più forte, per favore ?	pouo par-la-ré pi-ou for-té, pèr fa-vo-ré
Appel local	la telefonata locale	la té-lé-fo-na-ta lo-ca-lé

Le shopping

Combien cela coûte-t-il ?	Quant'è, per favore ?	couane-té pèr fa-vo-ré ?
Je voudrais...	Vorrei...	vor-reil
Avez-vous... ?	Avete... ?	a-vé-té... ?
Je ne fais que regarder.	Sto soltanto guardando.	sto sol-tan-to gouar-dan-do
Acceptez-vous les cartes de crédit ?	Accettate carte di credito ?	a-tché-ta-té car-té di cré-di-to ?
À quelle heure ouvrez-vous/ fermez-vous ?	A che ora apre/ chiude ?	a qué or-a a-pré/ qui-ou-dé ?
ceci	questo	coué-sto
cela	quello	couèl-o
cher	caro	car-o
bon marché	a buon prezzo	a bouon prêt-so
la taille (vêtements)	la taglia	la ta-li-a
la pointure	il numero	il nou-mé-ro
blanc	bianco	bi-ane-co
noir	nero	né-ro
rouge	rosso	ross-o
jaune	giallo	djial-o
vert	verde	vèr-dé
bleu	blu	blou
brun	marrone	mar-ro-né

Les magasins

l'antiquaire	l'antiquario	lane-ti-coua-ri-o
le boulanger	la panetteria	la pa-nèt-tèr-ri-a
la banque	la banca	la bang-ca
la librairie	la libreria	la li-brè-ri-a
le boucher	la macelleria	la ma-tchèl-é-ri-a
la pâtisserie	la pasticceria	la pas-ti-kèr-i-a
la pharmacie	la farmacia	la far-ma-tchi-a
le grand magasin	il grande magazzino	il grane-dé ma-ga-dzi-no
l'épicerie fine	la salumeria	la sa-lou-mé-ri-a
la poissonnerie	la pescheria	la pès-ké-ri-a
le fleuriste	il fioraio	il fi-o- rail-o
le marchand de légumes	il fruttivendolo	il frou-ti-vène-do-lo
l'épicier	alimentari	a-li-mène-ta-ri
le coiffeur	il parrucchiere	il par-ou-ki-èr-é
le glacier	la gelateria	la dgé-la-tèr-ri-a
le marché	il mercato	il mèr-ca-to
le marchand de journaux	l'edicola	lé-di-co-la
la poste	l'ufficio postale	lou-fi-tcho pos-ta-lé
le marchand de chaussures	il negozio di scarpe	il né-go-tsio- di scar-pé
le supermarché	il supermercato	il sou-pèr-mèr-ca-to
le débit de tabac	il tabaccaio	il ta-bak-ail-o
l'agence de voyages	l'agenzia di viaggi	la-djen-tsi-a di vi-ad-ji

Le tourisme

le musée	la pinacoteca	la pina-co-té-ca
l'arrêt de bus	la fermata dell'autobus	la fèr-ma-ta dèl aou-to-bouss
l'église	la chiesa	la qui-é-za
	la basilica	la ba-sil-i-ca
le jardin	il giardino	il djiar-di-no
la bibliothèque	la biblioteca	la bi-bli-o-té-ca
le musée	il museo	il mou-sé-o
la gare	la stazione	la sta-tsi-o-né
l'office de tourisme	l'ufficio turistico	lou-fi-tcho tou-ri-sti-co
fermé les jours fériés	chiuso per la festa	qui-ou-so pèr la fès-ta

À l'hôtel

Avez-vous une chambre libre ?	Avete camere libere ?	a-vé-té ca-mé-ré li-bé-ré ?
une chambre pour deux personnes	una camera doppia	ouna ca-mé-ra do-pi-a
avec un grand lit	con letto matrimoniale	cone lét-to ma-tri-mo-ni-a-lé
une chambre à deux lits	una camera con due letti	ouna ca-mé-ra cone dou-é lét-ti
une chambre pour une personne	una camera singola	ouna ca-mé-ra sing-go-la
une chambre avec bain, douche	una camera con bagno, con doccia	ouna ca-mé-ra cone ban-io, cone dot-tcha
le portier	il facchino	il fa-qui-no
la clef	la chiave	la qui-a-vé
J'ai réservé une chambre.	Ho fatto una prenotazione.	bo fat-to ouna pré-no-ta-tsi-o-né

Au restaurant

Avez-vous une table pour…?	Avete una tavola per... ?	a-vé-té ouna ta-vo-la pèr...?
Je voudrais réserver une table.	Vorrei riservare una tavola.	vor-rei ri-sèr-va-ré ouna ta-vo-la
le petit déjeuner	colazione	co-la-tsi-o-né
le déjeuner	pranzo	prane-tso
le dîner	cena	ché-na
L'addition, s'il vous plaît.	Il conto, per favore.	il cone-to pèr fa-vor-é
Je suis végétarien/ne.	Sono vegetariano/a.	so-no vé-gé-tar-i-a-no/na
la serveuse	cameriera	ca-mé-ri-èr-a
le garçon	cameriere	ca-mé-ri-èr-é
menu à prix fixe	il menù a prezzo fisso	il mé-nou a prèt-so fi-so
le plat du jour	piatto del giorno	pi-a-to dèl jor-no
l'apéritif	antipasto	ane-ti-pas-to
l'entrée	il primo	il pri-mo
le plat principal	il secondo	il sé-cone-do
la garniture	il contorno	il cone-tor-no
le dessert	il dolce	il dol-ché
le supplément couvert	il coperto	il co-pèr-to
la carte des vins	la lista dei vini	la lis-ta dèi vi-ni
saignant	al sangue	al sangue-goué
à point	al puntino	al poune-ti-no
bien cuit	ben cotto	bèn cote-to
le verre	il bicchiere	il bi-qui-èr-é
la bouteille	la bottiglia	la bot-til-ia
le couteau	il coltello	il col-tèl-o
la fourchette	la forchetta	la for-quèt-ta
la cuillère	il cucchiaio	il cou-qui-aille-o

Lire le menu

l'abbacchio	la-baqu-qui-o	l'agneau
l'aglio	lal-io	l'ail
il carciofo	il car-tchoff-o	l'artichaut
la melanzana	la mé-lane-tsa-na	l'aubergine
il burro	il bour-o	le beurre
la birra	la bir-ra	la bière
la bistecca	la bi-stèque-ca	le bifteck
il manzo	il mane-tso	le bœuf
lesso	léss-o	bouilli
il brodo	il bro-do	le bouillon
il caffè	il ca-fè	le café
l'anatra	la-na-tra	le canard
i funghi	i foun-gi	les champignons
gli zucchini	li dzou-qui-ni	les courgettes
il gelato	il gé-la-to	la crème glacée
i gamberi	i gam-bèr-i	les crevettes
l'acqua	la-coua	l'eau
l'acqua minerale gasata/ naturale	la-coua mi-nèr-a-lé ga-za-ta/ na-tou-ra-lé	l'eau minérale pétillante/ plate
al forno	al for-no	au four
le fragole	lé fra-go-lé	les fraises
patatine fritte	pa-ta-ti-né fri-té	les frites
il formaggio	il for-mad-djio	le fromage
frutta fresca	frou-ta frès-ca	le fruit frais
frutti	frou-ti	les fruits
di mare	di ma-ré	de mer
la torta	il tor-ta	le gâteau
alla griglia	a-la gril-ia	grillé
i fagioli	i fa-djio-li	les haricots
l'aragosta	la-ra-goss-ta	le homard
l'olio	lol-io	l'huile
il prosciutto	il pro-chou-to	le jambon
cotto/crudo	cot-to/crou-do	cuit/cru

succo d'arancia/ di limone	sou-co da-ran-tcha/ di li-mo-né	jus d'orange/ de citron
il latte	il la-té	le lait
i legumi	i lé-gou-mi	les légumes
l'uovo	lou-o-vo	l'œuf
la cipolla	la tchi-pol-a	l'oignon
l'oliva	lo-li-va	l'olive
l'arancia	la-ran-tcha	l'orange
il pane	il pa-né	le pain
le vongole	lé vone-go-lé	les palourdes
la pesca	la pès-ca	la pêche
il panino	il pa-ni-no	le petit pain
il pesce	il pèch-é	le poisson
il pepe	il pé-pé	le poivre
la mela	la mé-la	la pomme
le patate	le pa-ta-té	les pommes de terre
carne di maiale	car-né di maï-ya-lé	le porc
il pollo	il poll-o	le poulet
l'uva	lou-va	le raisin
il riso	il ri-zo	le riz
arrosto	ar-ross-to	rôti
la salsiccia	la sal-si-tcha	la saucisse
secco	séc-co	sec
il sale	il sa-lé	le sel
l'insalata	line-sa-la-ta	la salade
la zuppa,	la tsou-pa	la soupe
la minestra	la mi-nès-tra	
lo zucchero	lo tsou-quèr-o	le sucre
il tè	il té	le thé
il tonno	il ton-no	le thon
la tisana	la ti-sa-na	la tisane
il pomodoro	il po-mo-dor-o	la tomate
il vitello	il vi-tèl-o	le veau
la carne	la car-né	la viande
vino bianco	vi-no bi-ang-co	le vin blanc
vino rosso	vi-no-ross-o	le vin rouge
l'aceto	la-tchè-to	le vinaigre

Les nombres

1	uno	ou-no
2	due	dou-é
3	tre	tré
4	quattro	couat-ro
5	cinque	tching-coué
6	sei	seille
7	sette	sét-é
8	otto	ot-to
9	nove	no-vé
10	dieci	di-é-tchi
11	undici	oune-di-tchi
12	dodici	do-di-tchi
13	tredici	tré-di-tchi
14	quattordici	coua-tor-di-tchi
15	quindici	couin-di-tchi
16	sedici	sèi-di-tchi
17	diciassette	di-tcha-sét-té
18	diciotto	di-tchot-to
19	diciannove	di-tcha-no-vé
20	venti	vèn-ti
30	trenta	trèn-ta
40	quaranta	coua-ran-ta
50	cinquanta	tching-couan-ta
60	sessanta	séss-an-ta
70	settanta	sét-tan-ta
80	ottanta	ot-tan-ta
90	novanta	no-van-ta
100	cento	tchèn-to
1 000	mille	mi-lé
2 000	duemila	dou-é-mi-la
5 000	cinquemila	tching-coué mi-la
1 000 000	un milioneo	un mil-io-né

Le jour et l'heure

une minute	un minuto	oun mi-nou-to
une heure	un'ora	oun or-a
une demi-heure	mezz'ora	médz-or-a
un jour	un giorno	oun djor-no
une semaine	una settimana	ouna sét-ti-ma-na
lundi	lunedì	lou-né-di
mardi	martedì	mar-té-di
mercredi	mercoledì	mèr-co-lé-di
jeudi	giovedì	djio-vé-di
vendredi	venerdì	vén-èr-di
samedi	sabato	sa-ba-to
dimanche	domenica	do-mé-ni-ca

GUIDES 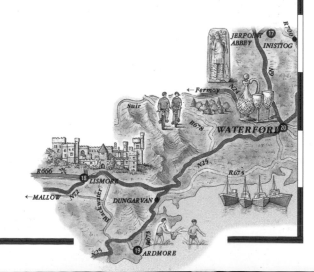 VOIR

PAYS

AFRIQUE DU SUD • ALLEMAGNE • AUSTRALIE • CANADA • CHINE
COSTA RICA • CROATIE • CUBA • ÉGYPTE • ESPAGNE • FRANCE
GRANDE-BRETAGNE • INDE • IRLANDE • ITALIE • JAPON • MAROC
MEXIQUE • NORVÈGE • NOUVELLE-ZÉLANDE
PORTUGAL, MADÈRE ET AÇORES • SINGAPOUR
SUISSE • THAÏLANDE • TURQUIE
VIETNAM ET ANGKOR

RÉGIONS

AQUITAINE • BALÉARES • BALI ET LOMBOK
BARCELONE ET LA CATALOGNE • BRETAGNE • CALIFORNIE
CHÂTEAUX DE LA LOIRE ET VALLÉE DE LA LOIRE
ÉCOSSE • FLORENCE ET LA TOSCANE • FLORIDE
GRÈCE CONTINENTALE • GUADELOUPE • HAWAII
ÎLES GRECQUES • JÉRUSALEM ET LA TERRE SAINTE
MARTINIQUE • NAPLES, POMPÉI ET LA CÔTE AMALFITAINE
NOUVELLE-ANGLETERRE • PROVENCE ET CÔTE D'AZUR
SARDAIGNE • SÉVILLE ET L'ANDALOUSIE • SICILE
VENISE ET LA VÉNÉTIE

VILLES

AMSTERDAM • BERLIN • BRUXELLES, BRUGES, GAND ET ANVERS
BUDAPEST • DELHI, AGRA ET JAIPUR • ISTANBUL
LONDRES • MADRID • MOSCOU • NEW YORK
NOUVELLE-ORLÉANS • PARIS • PRAGUE • ROME
SAINT-PÉTERSBOURG • STOCKHOLM • VIENNE • WASHINGTON

Centre de Rome

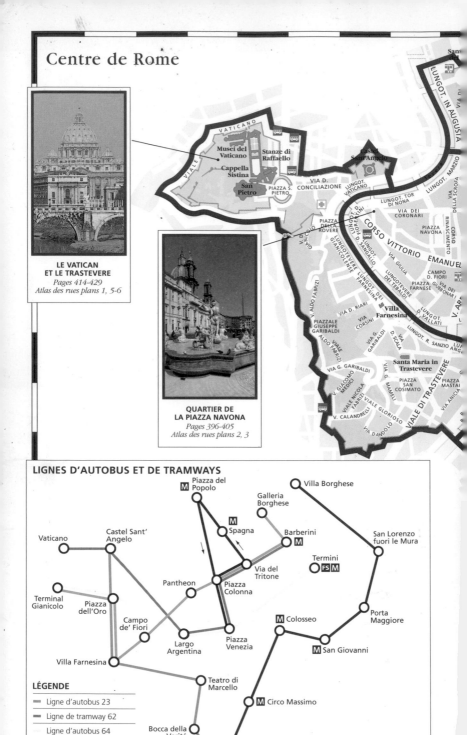

**LE VATICAN
ET LE TRASTEVERE**
Pages 414-429
Atlas des rues plans 1, 5-6

**QUARTIER DE
LA PIAZZA NAVONA**
Pages 396-405
Atlas des rues plans 2, 3

VATICANO

Musei del
Vaticano
Stanze di
Raffaello
Cappella
Sistina
San
Pietro
PIAZZA S.
PIETRO
VIA D.
CONCILIAZIONE
Castel
Sant'Angelo

VIALE

SANT
Di

LUNGOT. IN AUGUSTA
LUNGOT. MARZIO
VIA DELLA SCROFA
LUNGOT. TOR
DI NONA
VIA DEI
CORONARI
CORSO
RINASCIMENTO
PIAZZA
NAVONA
CORSO VITTORIO EMANUEL
VIA GIULIA
LUNGOTEVERE
DEI TEBALDI
CAMPO
D. FIORI
PIAZZA
FARNESE
PIAZZA GIUBBONAR
LUNGOT.
DI VALLATI
V. AR
V. A

PIAZZA
DELLA
ROVERE
LUNGOTEVERE
FARNESINA
VIA D. RIARI
Villa
Farnesina
VIALE
GIANICOLENSE
PIAZZALE
GIUSEPPE
GARIBALDI
VIA
CORSINI
VIA G.
GARIBALDI
VIA
D. SCALA
LUNGOT. R. SANZIO ANGE
Santa Maria in
Trastevere
PIAZZA
SAN
COSIMATO
PIAZZA
MASTAI
VIALE DI TRASTEVERE
VIA ANICA
V. ALDO FABRIZI
VIA G. GARIBALDI
V. GIACOMO
MEDICI
VIALE NICOLA
FABRIZI VIALE GLORIOSO
V. CALANDRELLI
VIA DANDO
VIA G.
MAMELI
VALE
ALDO FABRIZI

LIGNES D'AUTOBUS ET DE TRAMWAYS

Piazza del
Popolo Ⓜ

Ⓜ Spagna

Galleria
Borghese

Villa Borghese

Vaticano ◯

Castel Sant'
Angelo ◯

Barberini
Ⓜ

San Lorenzo
fuori le Mura ◯

Via del
Tritone

Termini
FS Ⓜ

Terminal
Gianicolo ◯

Pantheon ◯

Piazza
Colonna

Piazza
dell'Oro ◯

Campo
de' Fiori ◯

Largo
Argentina ◯

Piazza
Venezia

Ⓜ Colosseo

Porta
Maggiore ◯

Villa Farnesina ◯

Teatro di
Marcello ◯

Ⓜ San Giovanni

Bocca della
Verità ◯

Ⓜ Circo Massimo

Ostiense FS Ⓜ Piramide

LÉGENDE

— Ligne d'autobus 23
— Ligne de tramway 62
— Ligne d'autobus 64
— Ligne d'autobus 116/116T
— Ligne d'autobus 119
— Ligne de tramway 3

BIBLIO RPL Ltée
G – AVR. 2010